唐五代人物傳記資料綜合索引

傅璇琮　張忱石　許逸民　編撰

文史哲出版社印行

國立中央圖書館出版品預行編目資料

唐五代人物傳記資料綜合索引 / 傅璇琮,張忱石
,許逸民編撰. -- 臺一版. -- 臺北市：文史
哲, 民82
　　面；　公分.
　　ISBN 957-547-830-4(精裝)

　　1. 中國 - 歷史 - 唐(618-907) - 傳記 - 索
引 2. 中國 - 歷史 - 五代十國(907-960) - 傳
記 - 索引

782.14021　　　　　　　　　　　　82009457

唐五代人物傳記資料綜合索引

編 撰 者：傅璇琮・張忱石・許逸民
出 版 者：文 史 哲 出 版 社
登記證字號：行政院新聞局局版臺業字第五三三七號
發 行 所：文 史 哲 出 版 社
發 行 所：文 史 哲 出 版 社
印 刷 者：文 史 哲 出 版 社
臺北市羅斯福路一段七十二巷四號
郵 撥：〇五一二八八一二彭正雄帳戶
電 話：三 五 一 一 〇 二 八

定價新臺幣一〇〇〇元

定價新台幣
元

本書經行政院新聞局同意出版字號為
新聞局局版臺陸字第一〇〇〇六〇號

中華民國八十二年十二月台一版

出 版 說 明

　　民國三十八年政府遷臺，與大陸幾近於隔絕有四十多年，其間雙方交流得最早、持續不斷，且逐漸累積的，可說是出版品。

　　本社為了提供臺灣學界研究唐代者，更有效運用資料，曾於民國七十三年引進本工具書，著手影印。不料，印刷後送廠裝訂時浸水，加上諸事叢脞，發行作業遂擱置下來。其後學界許多讀者聞訊，雖敦促本工具書儘快出版，然而時值兩岸開放交流，本社在未徵求編撰者授權，不願貿然侵權，於是延遲至今才發行上市。

　　近兩三年兩岸交流更趨頻繁，出版業者已明訂辦法，使出版品印行合法化以保障相關人士權益。民國八十一年九月，本社參加北京國際書展，與編撰者取得聯繫，徵得同意出版，並當面請益，收穫良多。現在我們根據北京中華書局一九九二年七月修訂版影印，並修補部份印刷不清的版面，以便讀者利用。在此我們要向編撰者的貢獻和讀者的支持，一併致上謝意。

　　「他山之石，可以攻錯」，為促進兩岸學術交流，本社一本出版學術專著的宗旨，今後對於優秀的學術著作、重要的研究資料及參考工具書，仍會慎選出版，以服務學界，希望讀者繼續給予支持和指正。

唐五代人物傳記資料綜合索引

目　錄

前　言

一

　　若干年來，我在工作之餘，一直以唐代文學爲主要研究課題。我想先從材料積累着手，對唐代有關的文獻資料，作一些初步的系統的整理，編寫出一部較爲信實可靠的唐代作家的傳記，再進而作綜合的深入一步的研究。近年來除發表一些單篇論文外，一九八〇年四月出版了《唐代詩人叢考》一書，對唐初至肅、代時期的一些詩人事迹，作了考索，糾正了歷史記載中的某些錯誤，補充了前人未曾涉及到的若干史實。德宗以後，也就是中唐和晚唐時期，我也已經作了一些材料準備。中晚唐的文學，是在較前期更爲複雜的社會鬥爭中發展的，研究這一時期的文學，或許會比研究初唐和盛唐更能引人入勝。但另一方面，它也要求有更爲廣博的歷史知識，更爲充實的資料基礎。作家是社會的人，文學作品是社會生活的反映，脱離具體的社會歷史的研究，不了解作家與當時社會生活的聯繫，不清楚作家當時的各種人事關係，要確切理解作品的內容，它的思想傾向，它在整個文學發展中的地位與影響，是不可能的。在這點上説來，中晚唐文學的研究，又要比初盛唐困難得多。

　　我在研究初盛唐詩人時，已經感到自己歷史知識的貧乏。這一缺陷對文學史工作者來説，可能一時會感覺不到，但如果我們作稍爲深入的發掘，定會覺得，它必將越來越影響研究工作的開展，——如果他並不是淺嘗輒止的話。現在要進行中晚唐文學的研究，必須着重彌補這一缺陷。我在閲讀唐代文獻資料時，對陳寅恪、岑仲勉這兩位唐史研究專家治學的精博，實感駭異。這一點，我在《唐代詩人叢考》的前言中曾有過表示。要達到他們對唐代史事熟悉的程度，是非常不容易的，對於他們來説，他們的這幾部著作是多年潛心研究的結果。以我這樣的一個業餘研究者來説，無論時間、精力等條件，都是不允許完全按照他們的研究程序走的。這就使我想到，必須盡最大的可能來掌握有關的工具書，首先應該是有關歷史人物傳記資料的工具書。

　　前哈佛燕京學社引得編纂處曾編印了幾本人物傳記的綜合引得，這就是《四十七種宋代傳記綜合引得》、《遼金元三十種傳記綜合引得》、《八十九種明代傳記綜合引得》、《三十三種清代傳記綜合引得》。那是幾十年以前的事了，不知道是什麽原因，當時並未編唐五代的傳記引得。中華書局於前些年出版的《全唐詩》、《唐詩紀事》以及《唐才子傳》等，書後附有人名索引，頗便於檢尋。岑仲勉先生的《唐人行第錄》重印時，書前有姓氏筆劃目錄，也可起到索引的作用。其他似乎就沒有什麽可查的索引工具書了。有些很有用的資料書，如勞格的《唐郎官石柱題名考》、《御史臺精舍題名考》，徐松的《登科記考》，以及《元和姓纂》（包括岑仲勉《元和姓纂四校記》），由於沒有索引，就很難在短時間內查獲到所需要的資料。如果我們再想利用《新唐書·宰相世系表》，夸大地說，就更無異於大海撈針，——我自己就有這樣體會，爲了覆核《新表》的材料，只有逐頁用手指一行一行地尋檢，這種純粹手工業方式的操作，在電子計算器充分發展和應用的今天，是如何的不相適應啊！

爲了工作的方便，我曾自己動手，編了一些人名索引，如對《唐郎官石柱題名考》、《御史臺精舍題名考》、《登科記考》等，都分別編過索引。由於這些純粹是爲自己使用而編的，也就缺乏統一的體例，查檢不便，而且這樣零散的索引，對於想要研究一代的文學和歷史，顯然也是極其不夠的。於是，就想填補前引得編纂處的空白，編製一部整個唐五代的人物傳記資料的綜合索引。這樣，我便邀約張忱石、許逸民二同志合作，共同進行這部書的編製工作。

有些人可能一聽到編工具書，便會習慣地流露出不屑一顧的神情，他們覺得，搞學問，應該就是寫文章，寫專著；不要說自己編工具書，卽使去查一查工具書，也會褻瀆研究學問這一門行當似的。這實在是一種傳統的偏見。時至今日，各門學科的發展已非過去單純的記誦之學所能適應。現在，人類知識的門類日益繁多，學科的分工越來越細，這就要求在較短的時間內掌握和利用較多的和有用的知識資料，——工具書就是這樣應運而生的。不管有些人如何對此加以輕視，它是客觀發展要求的產物，而且我們相信，它必定會成爲一門獨立的學科而存在和發展。

當然，查檢工具書並不能代替研究，有些人僅僅依靠幾本工具書，拼湊一些零碎的材料，就寫成文章，這是不足爲訓的。但無論如何，工具書給研究者提供查獲資料的方便，提高研究工作的效率，這是明白無疑的。如果一個人明明放着《十三經索引》不去查，爲了查檢《禮記》的一句話，非得從頭去讀一遍《禮記》，對這種"不憚煩"的精神，能說什麼好呢？再進一步說，編製工具書，也不單純是技術的工作，而是需要一定的研究基礎，在工作進行過程中也必需與學術研究緊密相結合。我們的一些前輩學者，常常是自己動手編製工具書的，如陳垣先生，是人們熟知的有深厚基礎和精湛修養的史學家，他撰寫過多種著作，也編過好幾部工具書，早年如《中西回史日曆》和《二十史朔閏表》，以後又編《釋氏疑年錄》。他編《釋氏疑年錄》一書，引書幾百種，費了多年時間，對自晉至清初二千八百名僧人的生卒年作了記載，提供了所據的材料線索，這本身不就是一部高水平的學術著作嗎？

張忱石和許逸民同志都有較豐富的編纂索引的經驗。張忱石同志編有《晉書人名索引》，與吳樹平同志合編有《二十四史紀傳人名索引》，均已由中華書局出版，他的《南朝五史人名索引》接近完工。許逸民同志編《初學記索引》，已經出版。他們二人，一是治魏晉南北朝史的，一是治魏晉南北朝文學的，張忱石同志寫的《阿大中郎考》等文章，有助於《世說新語》詞語的詮解，許逸民同志校點的《庾子山集》卽將出版，他近年來寫過幾篇關於庾信詩文集的文章，說明他在這方面工夫的扎實。他們都有興趣把研究的時限延續至唐五代，與我一起編這部唐五代人物的傳記索引。我們共同商訂體例，確定書單，分工合作，取長補短，終於完成了這部百萬字的索引稿。我們在工作進行了一定階段以後，還就索引工作中碰到的問題，分別寫了一些論文，計有：《談全唐文的修訂》（傅璇琮、張忱石、許逸民，《文學遺産》第一期），《讀全唐詩小札》（張忱石、許逸民，《文史》第十一輯），《宋元方志舉正》（署名忱民，《文史》第十一輯）。《兩唐書校勘拾遺》（傅璇琮、張忱石、許逸民，《文史》第十二輯），這説明，索引工作與學術研究是完全可以結合的，也可以説是能够互相促進的。我們的工作也説明，在研究工作中，適當採用集體合作的方式，確實能提高效率，提高質量；這部唐五代人物傳記資料索引，如果由我們三人中任何一人來獨立進行，就難免要曠日持久，説不定還會半途而廢。

二

　　編唐五代人物傳記資料索引，比起編宋以後各朝的索引，有兩個較大的困難。第一，它除了新舊《唐書》、新舊《五代史》等幾部正史外，不象宋、元、明、清那樣有其他較詳實記載的史籍材料。要編唐五代的傳記索引，勢必打破舊的一些框框，把範圍擴大到某些帶有傳記性質的文獻資料。前哈佛燕京學社引得編纂處所以只編宋、遼金元、明、清部分，而未編唐五代，很可能考慮到資料搜集不易這一因素。第二，正因爲資料搜集不易，因此區分同姓名人物就特別困難。編一代歷史人物的索引，一定會碰到不少同姓名的人物，較具一定水平的索引，遇見這種情況，決不能不加區分，照書即録。由於唐五代文獻資料較爲零散，這種區分工作的難度就比較大，但却必須做得十分細心，既要吸收前人已有的研究成果，還要由編者自己去進行獨立的考證研究。

　　考慮到以上這兩種情況，我們決定把資料的面擴大，不受前哈佛燕京學社幾部引得的局限。除正史外，我們大量採用了與傳記資料有關的各種體裁的文獻，結果，這部《唐五代人物傳記資料綜合索引》共收書八十三種，收書數量之多，僅亞於《八十九種明代傳記綜合引得》；且燕京的幾部引得，于正史中只收紀與傳，我們則兼收志（《舊唐書・經籍志》、《新唐書・藝文志》）與表（《新唐書・宰相世系表》）。另外，我們在編纂過程中，化了不少工夫對異人同名加以區分，必要時並於頁末加注説明；我們自己覺得，有一些注文，就類似於讀史筆記，其中引用的材料，都注明出處。這樣做，是希望對唐五代的歷史人物作進一步的研究，對今後有關史籍的整理考訂，也可提供某些參考。

　　以下分別就所收資料作些説明。

　　正史部分，我們收了《舊唐書》、《新唐書》、《舊五代史》、《新五代史》。這是一組。這四部史書的資料價值是衆所周知，無庸多説的。這裏要説明的是，我們除了本紀和列傳外，增收了《舊唐書・經籍志》（簡稱《舊志》）、《新唐書・藝文志》（簡稱《新志》），以及《新唐書・宰相世系表》（簡稱《新表》）。《新唐書》共有四個表，即《宰相表》、《方鎮表》、《宗室世系表》、《宰相世系表》。《宰相表》按年排列宰相的拜罷名單，材料已見於本紀和列傳，人物事迹没有新的補充；《方鎮表》表地而不表人，即記載唐時各方鎮的建置沿革，不載任職人名；《宗室世系表》除了少數與政治、文化等有關外，絶大部分的宗室只是具名而已，資料價值不大。因此這三個表都未收入。《宰相世系表》，表唐宰相三百六十九人九十八族的世系。宋以前修史，並無志氏族、表世系的，《新表》實爲創舉。在此之後，元朝修《宋史》，有《宗室世系表》，修《遼史》，有《世表》，《金史》有《宗室表》，明修《元史》有《宗室世系表》，都限於皇家世系，至于表一般氏族，可以說《新唐書》是獨一無二的。據記載，《新唐書》的表是呂夏卿修纂的，他本長於譜學。南宋人洪邁《容齋隨筆》卷六《唐書世系表》條曾說："《新唐書·宰相世系表》皆承用逐家譜牒"；史學家岑仲勉先生則謚爲《新表》之藍本爲《元和姓纂》(見其所著《元和姓纂四校記》自序及《唐史餘瀋》)。但《元和姓纂》記載止於元和前期，元和以後當還是如洪邁所說，承用故家譜牒。唐代的一些故家大族，多有譜牒，但經過唐末五代兵亂，散亡甚多，明人葉盛《水東日記》卷八載《范氏家譜世系》一文，就說及唐時宰相范履冰的後世，其中一枝於唐懿宗咸通十一年渡江寓居蘇州，後來"子孫流散，遺失前譜"。在譜牒散失的情況下，《新表》能將唐代的一些名門望族曾任宰相者的世系列之於表，注明字號、官爵，許多是列傳所不曾記述的。清人沈炳震《新唐書宰相世系訂訛》曾摘舉出《新表》的不少錯誤，其自序中說："就其所列官爵謚號，或書或否，或丞尉而不遺，或卿貳而反闕，或誤書其兄弟之官，或備載其襃贈之職，更或其生平所偶歷及曾未嘗居是官者，龐雜淆亂，不可究詰，合之史傳，不勝糾摘。"《新表》錯亂之處確實是很多的，但不能因此而否定它的參考價值。它不但可以補紀傳之不足，有時還可用來校正紀傳及《元和姓纂》等書。

　　經過隋末的戰亂，書籍散失極多。唐統一全國後，就注意搜集亡逸，唐太宗貞觀中，魏徵、虞世南、顏師古相繼任秘書監，採購天下遺書，組織專人抄寫、整理、校閱，"羣書大備"。這樣到了唐玄宗開元九年命殷踐猷等修《羣書四部録》時，唐朝廷宮中藏書已達五萬一千八百五十二卷。後來毋煛又將《羣書四部録》二百卷精簡爲《古今書録》四十卷，《舊唐書·經籍志》就是以《古今書録》爲藍本而編纂的，因此它所著録的唐人著作，僅限於唐初至開元以前。宋仁宗時修《新唐書》，經過幾十年的休養生息，加以經濟發展，社會安定，亡逸的書籍又逐漸集中，這就爲編纂《新唐書·藝文志》準備了較充分的條件。《新志》在數量上補充了開元以後至唐末的各類書籍，另外《新志》可貴的地方還在於增加了許多小注，這些小注大多記載作者的事迹，以集部而論，不少詩文作家的事迹，就是只見於《新志》而未見於他書的。這就爲查閱唐代人物提供較早和較爲可信的傳記資料(當然其中也難免有疏漏和錯誤之處)。我們這次把《新唐書·宰相世系表》以及《舊唐書·經籍志》、《新唐書·藝文志》所載唐人姓名編入索引，無疑可以彌補兩《唐書》紀傳的不足。

　　與《新表》性質相近的是唐林寶於憲宗元和七年修成的《元和姓纂》。宋鄧名世《古今姓氏書辨證》曾將《姓纂》與《新表》并舉，稱："姓書校正最號詳備者，如《元和姓纂》、《唐宰相世系表》。"(卷八"二十五寒·韓")《新表》關於中唐以前的姓氏即以《姓纂》爲藍本。《新表》所收人物，以曾在唐任宰相者爲限，《姓纂》則不受此限制，因此它所收人物的面要比《新表》爲廣，《四庫總目提要》曾稱其"于唐人世系則詳且核"。可惜其書至宋代已有散佚，後人雖有校補，缺漏尚多，我們這次用的是孫星衍校訂的十卷本，同時還較詳細地參考了岑仲勉先生的《元和姓纂四校記》一書，充分吸收了他的研究成果。至於宋代以後的姓氏書，如南宋鄧名世的《古今姓氏書辨證》、章定的《名賢氏族言行類稿》，以及明凌迪知的《萬姓統譜》，它們的内容大多詳宋而略唐，而於唐人世系也不出《新表》與《姓纂》的範圍，因此本書就未加收錄。

以上《舊唐書》、《新唐書》（包括《新表》、《舊志》、《新志》）、《舊五代史》、《新五代史》、《元和姓纂》，這是一組。其次，如《全唐文》、《唐文拾遺》、《唐文續拾》、《全唐詩》、《全唐詩逸》、《河嶽英靈集》、《國秀集》、《中興間氣集》、《極玄集》、《唐詩紀事》、《唐才子傳》等，是另一組，這大體上是屬於文學家的傳記資料。這一組又可分爲三小類，第一小類是以《全唐詩》、《全唐文》爲主的詩文總集。《全唐詩》和《全唐文》都是清朝官修書，《全唐詩》的修纂，始於康熙四十四年三月，成於四十五年十月，共收詩四萬八千九百多首，作者二千二百餘人，總九百卷。《全唐文》修成於嘉慶十九年，收文一萬八千四百多篇，共一千卷。這兩部總集，卷帙浩繁，洋洋大觀，前人曾以爲“有唐一代文苑之美，畢萃於兹”（俞樾《春在堂雜文》四編卷七《全唐文拾遺序》）。這兩部總集的特點，除了數量多以外，還在於有作者小傳，雖然現在看來，這些小傳還有不少錯誤，但無論如何它們還是提供了許多有用的研究線索。當然這兩部書所收詩文也有遺漏，日人河世寧就曾輯有《全唐詩逸》三卷，近人王重民先生根據敦煌遺書，又輯校過唐人的一些遺詩；我們還曾聽説南京師範學院中文系孫望先生也正在做輯佚的工作，希望能早日完成，以有助於唐詩的研究。這次我們編製本索引，就只收《全唐詩》和《全唐詩逸》，王、孫二先生的輯佚暫未列入。至於《全唐文》，也有遺漏，如陸心源就曾利用他的丽宋樓所藏，補輯了不少遺文，編爲《唐文拾遺》七十二卷，《唐文續拾》十六卷。陸氏所編的兩種，因其爲輯補《全唐文》而作，因此我們也一併編爲索引。

第二小類是唐人選唐詩的幾種。按過去中華書局上海編輯所（現改爲上海古籍出版社）曾編印過《唐人選唐詩十種》，其中唐寫本唐人選唐詩，係敦煌石室發現的唐人寫本殘卷，它們有校勘價值，但對於唐詩人事迹的研究，意義不大；另外如元結的《篋中集》，令狐楚的《御覽詩》，韋莊的《又玄集》，韋縠的《才調集》，佚名的《搜玉小集》，它們都未載作家小傳，其詩又皆已編入《全唐詩》，因此都未編入索引。而殷璠的《河嶽英靈集》、芮挺章的《國秀集》、高仲武的《中興間氣集》、姚合的《極玄集》四種，除了對所選詩人的評論外，還載有作家的字號、籍貫及其仕歷，雖然簡略，但不乏重要的研究線索。如高仲武《中興間氣集》説劉長卿“剛而犯上，兩遭遷謫”，我曾受此啓發，結合獨孤及的《送長洲劉少府貶南巴使牒留洪州序》（《毗陵集》卷十四）及其他材料，考證了劉長卿兩次貶謫的時間和地點，糾正了自從《新唐書·藝文志》以來有關劉長卿事迹記載的錯誤（參拙著《劉長卿事迹考辨》一文，《中華文史論叢》總第八輯）。又如姚合的《極玄集》，它對大曆時期詩人的記載就極可參考，其書卷上李端名下記大曆十才子姓名，是現今所知最早也最可靠的材料；又如卷下盧綸名下説盧綸“天寶末舉進士，不第”，後來《舊唐書》卷一六三《盧簡辭傳》所謂“天寶末舉進士，遇亂不第”，即本於《極玄集》的記載，而這一記載正可用來糾正一些文學史著作和唐詩選本記盧綸生年爲七四八年（天寶七載）的錯誤。因此，我們將這四種唐人選唐詩所選的作家姓名，编入索引。

　　第三小類是南宋計有功的《唐詩紀事》和元人辛文房的《唐才子傳》。《唐詩紀事》共八十一卷，收詩人一千一百五十家，除採錄詩句外，凡其人可考的，則撮述其世系爵里和生平經歷，輯集了大量有關唐代詩人的資料。清朝編《全唐詩》，《唐詩紀事》是極重要的參考資料，其詩人小傳很多即採自此書，而且南宋時題爲尤袤撰、實爲廖瑩中編的《全唐詩話》，就是剽竊《唐詩紀事》而成的（參見《四庫總目提要》卷一九七集部詩文類存目），而現在有些研究者在論著中竟還在引用《全唐詩話》而不去檢核《唐詩紀事》，實在是使人奇怪的。《唐才子傳》也是一部研究唐代詩人的重要參考書。我曾作過一些比較，《唐才子傳》所載詩人事迹，不少是采自《新唐書》和《唐詩紀事》的，但它有一個特點，就是盡可能記錄詩人的登科年份，書中人物的先後編排，不少就是依登第時間排列的。有些登第年歲提供了研究詩人生平的極寶貴材料，如載宋之問爲上元二年登第，即可大致考出宋之問的出生年，這是他書所未見的（請參拙著《唐代詩人考略》，載《文史》第八輯；又見《關於宋之問及其與駱賓王的關係》，載《杭州大學學報》一九八〇年第二期）。唐人重科第，中晚唐時就刻有登科記一類的書，這些書大約宋元時還有流傳；如南宋人吳曾《能改齋漫錄》卷四“林藻歐陽詹相繼登第”條，曾說“予家有唐趙儋撰《唐登科記》”。另外，詩人李益之子李奕，也曾編過唐初至德宗貞元時的登科記（見《全唐文》卷五三六李奕《登科記序》）。辛文房在著《唐才子傳》時，當是利用了那時存世的唐人登科記一類的書，因此這方面的記載是較爲可靠的。

　　本書採用書目的第三組是《唐郎官石柱題名考》、《唐御史臺精舍題名考》、《翰林承旨學士院記》、《翰林院故事》、《重修承旨學士壁記》、《唐登科記考》、《唐方鎮年表》等七種。按唐尚書省所屬除六部尚書、侍郎外，設有郎中、員外郎之職，統稱郎官。唐代是頗重視郎官人選的，據說員外郎比起郎中來更顯得有聲價。劉肅《大唐新語》卷十三有這樣的記載：“晉宋以還，尚書始置員外郎，分判曹事。國朝彌重其遷。舊例，郎中不歷員外郎拜者，謂之‘土山頭果毅’，言其不歷清資，便拜高品，有似長征兵士，便得邊遠果毅也。”清人勞格、趙鉞將尚書左右司及六部郎官，見於題名碑者，蒐輯材料，排其行事，共得三千二百餘人，另補遺六百三十四人，編爲二十六卷。又將御史臺題名，仿《郎官考》的體例，編成《御史臺精舍題名考》三卷。《舊唐書》卷一八五上《良吏·李素立傳》載：“素立尋丁憂，高祖令所司奪情，授以七品清要官，所司擬雍州司戶參軍，高祖曰：‘此官要而不清。’又擬祕書郎，高祖曰：‘此官清而不要。’遂擢授侍御史，高祖曰：‘此官清而復要。’”可見唐之侍御史是被視爲清要官的，它與翰林被視爲內相一樣，都是唐代的重要官職。至於唐代進士諸科之盛，中唐以後方鎮權勢之强，更所周知。這幾部書中所列，幾乎網羅了唐代各類官場中的人物，而勞格、徐松、吳廷燮等又於唐史事極爲精熟，他們所引用的材料，所作的考訂，雖不免仍有疏漏和錯誤，但總的說來對研究者是頗有參考價值的。

　　晁公武的《郡齋讀書志》和陳振孫《直齋書錄解題》，作爲目錄提要書，是本索引所收書的第四組。按宋人官私書目，留存于今者僅四家，除晁、陳二志外，尚有宋初王堯臣等奉敕編修的《崇文總目》和南宋尤袤的《遂初堂書目》。《崇文總目》經鄭樵刪削序釋，刊落極多，已非原本之舊，另外，它與《遂初堂書目》同樣，僅著錄書名、卷數，未載作者事迹，我們這次略而未收。《郡齋》、《直齋》著錄的，都是晁、陳二人所實藏的書，而且于作者名下大多注明字號、籍貫、仕歷及版本流傳情況。正如《四庫全書提要》所説："古書之不傳於今者，得藉是以求其崖略；其傳於今者，得藉是以辨其真偽，核其異同。"以本書所採爲例，晁、陳二志有些地方可以補新舊《唐書》中《藝文（經籍）志》的不足。如《新唐書》卷六〇《藝文志》四，集部別集類，載李康撰《玉臺後集》十卷。但據《郡齋》卷四下下，《直齋》卷十五，撰《玉臺後集》者名李康成，非單名李康。另外，宋元之際馬端臨《文獻通考》中的《經籍》考，係據晁、陳二志編成，雖也是重要的目錄書，但爲避免重複，我們也就未加收錄。

　　第五組是唐至元的書畫書，卽《書斷》、《歷代名畫記》、《唐朝名畫錄》、《益州名畫錄》、《五代名畫補遺》、《宣和書譜》、《宣和畫譜》、《圖畫見聞誌》、《畫小史》、《圖繪寶鑑》、《書史會要》等十一種。唐宋人的書畫著錄，記載了唐代書畫家的姓名、簡歷及作品流傳情況，不但可以補正史之不足，而且他們之中不少人是正史所未載的，這當然是極可寶貴的材料，就是元人的兩種（《圖繪寶鑑》、《書史會要》），雖爲晚出，但因有彙輯的性質，也有足資參考之處。這裏可以舉幾個例子：（1）盛唐、中唐之際的大詩人韋應物，對於他的世系，一般根據《新表》與《姓纂》，可以考查而得，但我們從《唐朝名畫錄》、《歷代名畫記》、《益州名畫錄》等的記載中，可以考知他的父親韋鑾和伯父韋鑒都是當時有名的畫家，他的堂弟韋鷗（偃），也以畫馬著稱，《宣和畫譜》記有韋鑒、韋偃的畫流傳於宋的尚有多幅。從這些記載可以看出韋應物生長在一個富有藝術修養的家庭，這一點是過去文學史研究者所未曾注意的。（2）自從晚唐人張固《幽閒鼓吹》和五代人王定保《唐摭言》記白居易初以舉人至長安謁顧況，顧況説"長安居大不易"，白居易賦"咸陽原上草，一歲一枯榮，野火燒不盡，春風吹又生"的詩句，顧況大爲嗟賞，白居易也因而得名。此事後來被寫入新舊《唐書》的《白居易傳》，就更廣泛地流傳於後世。按《歷代名畫記》卷十記顧況"貞元五年貶饒州司户"，離開長安，不久卽卒於饒州，而據白居易《送侯權秀才序》，他直至貞元十五年才由宣州入貢至長安應舉，顧、白二人實無在長安見面的機會（詳參拙著《唐代詩人叢考》一書中的《顧況考》）。在這裏，《歷代名畫記》的記載是一個重要的例證。（3）劉長卿有《集梁耿開元寺所居院》詩："到君幽臥處，爲我掃莓苔。花雨晴天落，松風終日來。路經深竹過，門向遠山開。豈得長高枕，中朝正用才。"（《全唐詩》卷一四七）曾有友人問梁耿其人。按劉詩中梁耿之名僅一見，唐人詩文中亦未見有記載，本書採用的元陶宗儀《書史會要》卷五却載其名，書中雖然未載其具體事迹，但還是提供了有關梁耿的某些線索，可見元人的書畫書仍有可爲參考者。

　　第六組是有關五代時十國的書，計有《十國春秋》、《九國志》、《五代史補》、馬令和陸游的《南唐書》、《江南野史》六種。它們可以補新舊《五代史》的不足，其史料價值不待多説。這裏要説明的是，五代和宋人關於這方面的著述極多，僅吳任臣在《十國春秋》的凡例中開列的書目就有二三十種之多，我們則選取其中屬於紀傳體的史書。

　　第七組是宋元方志，計三十三種。根據記載，唐時已有方志，當時叫做圖經。唐朝廷曾規定全國各州府每三、五年定期給中央尚書兵部職方造送圖經一次。但那時的圖經大都還只記載天象、地理，並未擴充到人文歷史方面，且大部分已經亡佚，現在僅存《沙州圖經》、《西州圖經》兩種殘本。到了宋元時期，這時所修的方志，内容已十分齊備，除了山川、疆界等記載外，人物志和藝文志已占有重要地位，其中記載的唐代人物，往往爲後人用作考訂的材料。在本書中，我們也根據宋元方志的記載，訂正了其他史籍的一些錯誤。這裏可舉一個例子來説明這種情況。中晚唐之際的詩人李敬方，他現存的詩雖然不多（《全唐詩》卷五〇八載其詩九首），但却有其特色，如《汴河直進船》："汴水通淮利最多，生人爲害亦相和。東南四十三州地，取盡脂膏是此河。"這首詩以汴河取譬，揭露了腐朽的唐朝廷對東南一帶的殘酷剝削；此外如"天台十二旬，一片雨中春，林果垂楊盡，山苗半夏新"《天台晴望》)，描寫江南暮春山景，頗有新意。但李敬方的事迹，過去的記載大多錯誤。《新唐書·藝文志》著録李敬方詩一卷，小注云："字中虔，大和歙州刺史。"這一記載一直爲後世所沿用，《唐詩紀事》也説："字中虔，登長慶進士第，大和中爲歙州刺史。"（卷五十八）《唐詩紀事》補充了李敬方登進士第的時間，但仍然沿襲了大和（公元八二七——八三五）中爲歙州刺史的説法。《全唐詩》與《唐才子傳》小傳均與此同。今查宋《寶慶四明志》卷一、元《延祐四明志》卷二都載有李敬方，説是大中初明州刺史。宋陳耆卿的《嘉定赤城志》卷十謂李敬方於會昌六年爲台州司馬，而宋羅願《新安志》卷九則又明確記載李敬方於大中四年至六年（公元八五〇——八五二）爲歙州刺史。按《全唐文》卷七三九載李敬方所作的《湯泉銘》，其中説："唐大中五年，敬方患風疾，至湯池浸浴，六年十一月又入浴，因感白龍見，風疾遂瘳。"又銘曰："刺郡二年，病不能興。"可見那時李敬方任郡刺史。又《全唐詩》卷五〇八載其《題黄山湯院》詩，自序有云："敬方以頭風痒悶，大中五年十二月因小恤假内再往黄山浴湯，題四百字。"黄山即在宣歙治區之内。這就從李敬方本人的詩文證實《新安志》記載的正確。由此我們可以推知，李敬方於文宗朝爲諫議大夫（參《舊五代史》卷五十八《李琪傳》），後以事貶台州司馬（據《赤城志》云台州司馬，而《文苑英華》與《全唐詩》云左遷台州刺史，勞格《唐郎官石柱題名考》謂當以《赤城志》所載《桐柏山題名碑》爲正，應作司馬），時當會昌中（八四一——八四六）。大中初稍遷爲明州刺史，大中四年又爲歙州刺史。由此可證《新志》、《唐詩紀事》、《全唐詩》、《唐才子傳》等皆誤。

這裏應説明的是：（1）《會稽掇英總集》雖然並非方志，但因爲它載有唐太守題名記，是查閱唐代任浙東觀察使的有用材料，故附於方志而一併收録。（2）明清兩代的方志，雖也有參考之處，但所記唐人事迹，大多與前史陳陳相因，新發現的材料不多，且明清的方志數量繁富，有數千種之多，收不勝收，本書就一概不收。

第八組是有關釋氏的書，有《續高僧傳》、《宋高僧傳》、《景德傳燈録》、《大唐内典録》、《開元釋教録》、《大唐貞元續開元釋教録》、《貞元新定釋教目録》、《續貞元釋教録》等八種。前三種是僧人傳記，後五種爲釋氏書目録。《舊唐書·經籍志》序言曾説："（毋）煚等《四部目》及《釋道目》，並有小序及注撰人姓氏，卷軸繁多，今並略之"；又説："其《釋道録目》附本書，今亦不取。"照此看來，毋煚等在編《羣書四部録》時，在編釋、道著作時，有小序，還注有撰人姓氏，而這些却爲《舊唐書》編修者所删去，這是非常可惜的。我們爲了提供唐人所作釋氏書目錄，選取其中較可作爲傳記資料參考者，從《大藏經》中錄取《大唐内典錄》等五種編入本書。

三

上面一節概述了這部索引所收八十餘種書的大致情況與史料價值。在這一節中，想談一談利用本索引以訂正某些史籍記載的訛誤。

一般認爲，搞索引不算是學術研究。這從學術研究的嚴格意義上來說是對的，但應當說，索引與研究的關係是十分密切的，在科學研究飛速發展的今天，尤其如此。世界上一些著名學校的圖書館，往往定期聘請在某一學科有專長的學者編製圖書目錄；有些專門學術研究機構，也經常由專家學者主持，定期編製國內外學術論著的索引。這已越來越爲我國學術界所注意。這説明，没有一定的專門知識，没有相當的研究基礎，是編不好較高水平的索引目錄書的，更何況有些索引本身就具有一定的學術性。在編纂這部傳記資料索引時，我們感到，如果對唐代歷史没有一定的基礎，對唐代史料未有一定的了解，對古籍整理校勘等基本知識未有切實的掌握，就會感到相當困難，而且會發生相當多的紕漏。因爲如果不具備上述的這些條件，對各書匯集以後大量出現的同人異名和同名異人問題，就會得不到解決。我們就深感基礎和才力的不足，這可能會影響這部索引的質量。但我們也確切感到，經過對一些史籍的比較研究，即使從人物傳記資料這一角度，本索引也能訂正古籍中的不少記載錯誤。以下擬分別就本書所收的資料談談這方面的情況。

古代史書中往往會碰到同一人而其姓名各書所記不一的情況；有些史書雖然經過校勘整理，但由於種種原因，漏校者甚多，在中華書局出版的“二十四史”中，新舊《唐書》在這方面就存在着較多的問題，有時同是一個人，《舊唐書》作杜甲，《新唐書》作杜乙，點校本却未加比勘，如果稍不留心，就會誤認爲兩人。我們在編製這部索引時，遇到這種問題，盡可能加以區分，有些地方還引證一些必要的材料，或前人的研究成果，寫成小注，藉以訂正史籍中的某些訛誤。這裏舉一些例子加以説明。

（一）《舊唐書》卷一五二有《段佐傳》，《新唐書》卷一七〇有《段佑傳》，兩書所記皆爲郭子儀牙將，因功遷爲涇原節度使，終右神策大將軍，事迹相同，當爲一人，而其名一作佐，一作佑，另《元和姓纂》又作段祐。今查《白居易集》卷三十七有《除段祐檢校兵部尚書右神策軍大將軍制》，稱：“四鎮北庭行軍兼涇原等州節度支度營田觀察處置等使、光禄大夫、檢校工部尚書……段祐……可檢校兵部尚書、右神策軍步軍大將軍、知軍事。”由此可證新舊《唐書》及《姓纂》之誤。

（二）《新唐書》卷七二上《宰相世系表》二上載杜崇殻，宫尹丞，右司員外郎、麗正殿學士，爲行敏子，希望父，杜佑祖。而《舊唐書》卷一四七《杜佑傳》載其祖爲杜崇懿。今查權德輿《杜公淮南遺愛碑銘》（《權載之文集》卷十一）、《岐國公杜公墓誌銘》（同上卷二十二）皆作杜崇懿，與《舊傳》同，可證《新表》作殻者誤。

(三)《新唐書》卷一一六有《杜景佺傳》,《舊唐書》卷九○有《杜景儉傳》,看來似乎是兩人,實爲一人。中華書局點校本於此與上述的段佐、段佑一樣,都没有校記。其實關於這點,清人岑建功《舊唐書校勘記》早已指出,並已解決,其書卷九○"杜景儉"條云:"《通典》二十五、《文苑英華》三百九十八、《册府》三百十七、《御覽》六百四十俱作佺,《新書》同。案《御覽》二百五作景儉,《通鑑》二百四同,注引《考異》云:《實録》及《新》紀表傳俱作景佺,非,蓋《實録》以草書致誤,《新書》固承之耳,當從《舊書》、《統紀》爲是。"如果我們僅看傳目,不察傳文,也未掌握前人的校勘成果,就可能在索引中將杜景佺、杜景儉分爲二人。與此類似的還有:《舊唐書》卷一六三有《盧弘正傳》,《新唐書》卷一七七有《盧弘止傳》,正、止互異。而據《通鑑》卷二四○武宗會昌六年八月條《考異》所載,及岑仲勉《唐方鎮年表補正》所考,應作盧弘止爲是。

(四)《舊唐書》卷一七二《牛僧孺傳》謂其父名幼簡,而《新唐書》卷七五上《宰相世系表》五上作幼聞。今查唐李珏《故丞相太子少師贈太尉牛公(僧孺)神道碑》(《文苑英華》卷八八八)載:"父幼聞,華州鄭縣尉。"與《新表》同,則《舊傳》作幼簡誤。

(五)《舊唐書》卷一五七《李鄘傳》:"子柱,官至浙東觀察使。"又載柱子磎。而《新唐書》卷一四六《李鄘傳》則謂:"子拭,仕歷宗正卿、京兆尹、河東鳳翔節度使,以秘書監卒。拭子磎。"《新表》也載鄘子拭,拭子磎。另《舊唐書》卷一八下《宣宗紀》下,大中四年九月,"以朝請大夫、檢校禮部尚書、孟州刺史、河陽三城節度使李拭爲太原尹、北都留守、河東節度等使。"《通鑑》卷二四八武宗會昌五年四月,"壬寅,以陝虢觀察使李拭爲册黠戛斯可汗使"。宣宗大中二年爲浙東觀察使,見《會稽掇英總集》卷一八。《唐郎官石柱題名考》卷一五也載有李拭。由以上諸例,可證《舊唐書》作李柱者誤。

(六)《新唐書》卷五八《藝文志》二,乙部史録儀注類,著録"裴瑾《崇豐二陵集禮》",小注云:"瑾字封叔,光庭曾孫,元和吉州刺史。"按同書卷七一上《宰相世系表》一上載有裴墐,儆子,吉州刺史。時代相同。《新志》作瑾,《新表》作墐。柳宗元有《唐故萬年令裴府君墓碣》,云:"公諱墐,字封叔,河東聞喜人。……大理卿府君諱儆,實父。"文中還具體敍述了裴墐撰著《二陵集禮》一事,云:"司空杜公聯奉崇陵、豐陵禮儀,再以爲佐。離紛尨,導滯塞,闢百執事,條直遂顯,司空拱手以成。自開元制禮,諱去國恤章,累聖陵寢,皆因事擘掇,取一切乃已,有司卒無所徵。公乃撰《二陵集禮》,藏之南閣。"(中華書局一九七九年十月點校本《柳宗元集》,世綵堂本《柳河東集》同)按裴墐之後夫人柳氏爲柳宗元之姊,墐於元和十二年卒於吉州刺史時,柳宗元在柳州刺史任,他對於裴墐的事迹當然是知之詳確的。據此,可知《新表》作裴墐是,《新志》作裴瑾誤。

(七)《舊五代史》卷一二七有《馬裔孫傳》,馬裔孫爲五代後唐時中書侍郎平章事;《全唐文》卷八五六也載其文。但《新五代史》卷五五、《通鑑》卷二八○及南宋人陳思所作《書小史》皆作馬胤孫。《舊五代史》、《全唐文》刊作裔,當是清人避諱改;徐松《登科記考》卷二五、卷二六則又作馬允孫,"允"字也是避清諱所改。如果不注意,則很可能因避諱改字而將一人誤分爲二人。

　　(八)《全唐文》、《全唐詩》的錯誤極多，其中的一項即是將一人誤分爲二人。如《全唐文》卷七六三載沈珣文，卷七六七又有沈詢文。沈珣小傳謂："珣，宣宗朝官中書舍人，以禮部侍郎出爲浙東觀察使。"沈詢小傳謂："詢字誠之，贈禮部尚書傳師子。會昌初進士，累遷中書舍人，出爲浙東觀察使，除户部侍郎。咸通四年爲昭義節度使，奴結牙將爲亂，滅其族，贈兵部尚書。"這兩處所載事迹，都可見於《舊唐書》卷一四九、《新唐書》卷一三二《沈傳師傳》，並皆作沈詢，而《全唐文》却分作二人。《北夢瑣言》卷五有沈詢，官至丞郎，同書卷十二又載沈詢曾鎮潞州（潞州即昭義軍所駐地），所載與新舊《唐書》本傳合，可見作沈詢爲是。類似的情況，又如《全唐詩》卷七三七載熊皦詩二首，同卷又另載熊皎詩四首。熊皦小傳謂："熊皦，後唐清泰二年登進士第，延州劉景巖辟爲從事，入晉拜補闕，貶商州上津令。《屠龍集》五卷。"熊皎小傳謂："熊皎，自稱爲九華山人。《南金集》二卷。"初看似爲二人，今按《直齋書録解題》卷十九載《屠龍集》一卷，稱"五代晉九華熊皎撰，後唐清泰二年進士。"《唐才子傳》卷十有熊皎，即以《屠龍集》、《南金集》皆爲熊皎所作，並云陶穀爲之序。可見熊皦、熊皎實爲一人。熊皦（皎）事又可參見《詩話總龜》卷十三所引《雅言雜載》及《新五代史》卷四七《劉景巖傳》。由此可見，利用索引所排比的材料，即可用來訂正《全唐文》、《全唐詩》的這些謬誤。

　　以上是唐五代傳記資料中同人異名的情況，通過本索引得以改正的一些例子。至於史書上所載人物字號的錯誤，就更爲常見，這裏也可舉兩個例子，以見一般。一是《新唐書》卷一九四《卓行·元德秀傳》，載元德秀有弟子數人，云："是時程休、邢宇、宇弟宙、張茂之、李粤、粤族子丹叔惟岳、喬潭、楊拯、房垂、柳識皆號門弟子。"後文又云："粤字伯高，丹叔字南誠，惟岳字謨道，趙人。"據這二處所述，則李粤（萼）之族子，一爲丹叔，字南誠，另一爲惟岳，字謨道。按《新唐書》這裏的記述，實本於李華《三賢論》，而《三賢論》關於這三人的記述，則是："趙郡李萼伯高，含大雅之素；萼族子丹叔南，誠莊而文，族子惟岳謨道，沉邃廉静。"（見《文苑英華》卷七四四）由此可見，《三賢論》是説李丹字叔南，此下"誠莊而文"係自成一句，説明李丹之爲人，正如後面的"沉邃廉静"來形容李惟岳一樣。《新唐書》作者誤讀《三賢論》原文，以"南誠"爲字，"丹叔"爲名，以致大謬。另一個例子是，《新唐書》卷七四上《宰相世系表》四上載韋温字弘有，而《舊唐書》卷一六八、《新唐書》卷一六九《韋温傳》作字弘育。按杜牧有《唐故宣州觀察使御史大夫韋公墓誌銘》（見《樊川文集》卷八），云："公諱温，字弘育。"由此可見作弘育爲是，《新表》作弘有非。

　　關於新舊《唐書》、《全唐文》、《全唐詩》的問題，我們曾分別發表過《〈兩唐書〉校勘拾遺》、《談〈全唐文〉的修訂》、《讀〈全唐詩〉小札》等幾篇文章，讀者可以參看，這裏只是舉一些例子，説明僅僅從索引工作中接觸到的一些問題，也可以對過去大部頭的史籍作重要的訂正。同樣，從人名的排比整理中，還可改正南宋兩部著名的目録書中的一些錯誤。如《郡齋讀書志》卷二上《後漢書》條云："唐高宗令章懷太子賢與劉内言、革希言作註。"而據《新唐書》卷五八《藝文志》二，爲章懷太子李賢註《後漢書》者爲格希元，非革希言；又據《新唐書》卷七四上《宰相世系表》四上，載格希元爲處仁子，洛州司法參軍，時當高宗時，《姓纂》卷十同。岑仲勉先生《元和姓纂四校記》還據唐人墓誌，證明格希元爲唐高宗、武后時人。又如《直齋書錄解題》卷十四載韋韜《九鏡射經》、《射訣》，並云韜仕爲檢校太子詹事。考韋韜爲唐末詩人韋莊之父（見《新唐書》卷七四上《宰相世系表》四上），查韋莊事迹材料，未見其父有任檢校太子詹事之職者。而據《新表》，載韋友剛子韋蘊，檢校太子詹事，時代正合，當爲一人。由此可知《直齋書錄解題》之韋韜爲韋蘊之誤。《直齋》卷十五著錄《漢上題襟集》三卷，云："唐段成式、溫庭筠、逄皓、余知古、韋蟾、徐商等倡和詩什，往來簡牘，蓋在襄陽時也。"這裏的逄皓，應是庭皓之誤，庭皓爲溫庭筠之弟。夏承燾先生《溫飛卿繫年》（見《唐宋詞人年譜》）已經指出："《文獻通考》無逄皓，有崔皎。案逄皓、崔皎皆庭皓之誤。《全唐詩》二十二：'溫庭皓初爲襄陽徐商從事。'"《唐摭言》卷十也載："溫庭皓，庭筠之弟，辭藻亞於兄，不第而卒。"如果不加比較，未參考有關的研究著作，整理《直齋》這部書時，就很可能將溫庭筠與逄皓作爲毫無關係的二人，這就會造成不應有的錯誤。

　　關於宋元方志，張忱石與許逸民同志曾寫有《宋元方志舉正》（載《文史》第十一輯），就唐代人物的姓名對宋元方志中的某些訛誤作了校正。我們在上一節中着重講了宋元方志的史料價值，但無庸諱言，現存三十幾種的宋元方志，存在不少錯誤（包括原書修撰時的錯誤與刊刻傳鈔時的錯誤），這裏不妨舉幾個明顯的例子。如《嘉定鎮江志》卷十六載有盧準，唐時曾爲潤州司士參軍。按大曆時詩人盧綸有《送從叔士準赴任潤州司士》詩（《全唐詩》卷二七六）。《嘉定鎮江志》所本，當卽盧綸此詩，但盧綸詩題明明記載其從叔任潤州司士參軍者名士準，非單名準。又如《嘉定赤城志》卷八載武后垂拱四年台州刺史沈福。今查《姓纂》卷七，沈道之子成福，歷簡、台、盧等州刺史；《姓纂》又載道之兄名訓之，訓之子名成景，其兄弟輩的名字中都有一"成"字。《全唐文》卷二〇〇也載有沈成福文，小傳説他是高宗永徽時人，時代與《姓纂》及《嘉定鎮江志》所載相合，當同是一人。岑仲勉《元和姓纂四校記》所引的拓本《沈知敏誌》，也稱"父成福，通議大夫、台州刺史。"這些，都可證《赤城志》作"沈福"之誤。另外，如《毗陵志》卷七載李偁，謂唐玄宗孫，徐王瑝第三子。按據《舊唐書》卷一〇七《玄宗諸子傳》，載唐玄宗第二十三子信王瑝，"天寶末有子封爲王者二人：佟爲信安郡王，太常卿同正員；偁爲晉陵郡王，光禄卿同正員。"（《新唐書》卷八十二同）李偁封爲晉陵郡王，因此《毗陵志》載入（毗陵卽今江蘇無錫，屬晉陵郡）。但李偁實爲信王瑝的第二子，《毗陵志》所載，顯然是以"信"訛爲"徐"，"瑝"訛爲"瑝"，"二"訛爲"三"。如不查核新舊《唐書》，則所謂徐王瑝者竟不知爲何人了。

　　以上三個例子，當皆爲修撰時的錯誤，至於板刻之誤，在現存宋元方志中就更多。如《嘉定鎮江志》卷十四載浙西觀察使鄭明，此鄭明爲鄭朗之誤，鄭朗曾於唐宣宗大中年間由御史中丞、户部侍郎出爲浙江觀察使（見《唐書》本傳，並參《唐方鎮年表》）又同書同卷載盧明，據《新表》應作盧朗；李元義，據《新表》應作李玄义（《新表》共有四個李玄义，此任潤州刺史者爲行師子，詳見本索引）。又如《三山志》卷二〇載吳湊於唐德宗貞元初以太子賓客爲福建觀察使，吳湊爲吳湊之誤（見《舊唐書》卷七《德宗紀》及新舊《唐書》本傳）。又如《咸淳臨安志》卷四五載宋憬於唐中宗時爲杭州刺史，宋憬爲宋璟之誤；《吳興志》卷十四載崔芻官於咸通三年爲湖州刺史，崔芻官爲崔芻言之誤。

前面已説過，我們無意夸大索引工作的重要性，認爲單憑索引，將有關資料加以簡單的排比，就可代替學術研究，但從本節所舉的爲數不算太少的例子，讀者可以看出，索引工作應有它一定的地位，索引不但可以幫助人們迅速地掌握所需要的材料，而且通過歸納和比較，還可訂正若干原始材料本身的錯誤和疏漏。我們在這部索引中，凡對過去史籍有所訂正或可校其異同者，均於當頁加注説明，這些小注，字數雖然不多，但確實費了我們不少勞力。我們自信，它們對研究者是會有幫助的，細心的讀者將會從中得到有用的材料。

四

關於本書的編輯體例問題，張忱石同志和許逸民同志起草的編輯凡例中已有具體説明，這裏擬補充説明幾點。

人名索引中往往會碰到同姓名的問題，處理得是否準確和妥善，是衡量一部索引質量高低的重要標志之一。清代汪輝祖有《九史同姓名録》，他在那時的條件下已經盡了他的努力，但不免尚有錯漏，何況他所接觸的只是唐以後的幾部正史，問題還算簡單。我們這部索引，收録的書達八十餘種，其中有幾種書都在百卷以上，時間又集中在唐和五代約三百幾十年之中，所收唐、五代的人物有近三萬人之多，因此所碰到的同姓名問題就遠較汪輝祖的複雜。有時有四、五個人爲同一姓名，就須查核其籍貫、郡望、字號、世系、事迹，加以細心的甄别，稍一疏忽，就會張冠李戴。有時時代相近，事迹又較簡略，就更不易分辨。如《新唐書》卷七二下《宰相世系表》有張復魯，幼挺子，度支郎中。《唐郎官石柱題名考》卷十三也有張復魯，《郎考》卷十三所載即度支郎中，則與《新表》當即一人。而徐松《登科記考》卷二十七於進士第而未有確切年代可繫者有張復魯，時代相近，初看似與《新表》、《郎考》所載爲同一人。但查杜牧《唐故宣州觀察使御史大夫韋公（温）墓誌銘》（《樊川文集》卷八），稱韋温有女四人，"長嫁南陽張復魯，復魯登進士第，有名于時。"《登科記考》所本即杜牧此文。考《新表》之張復魯出始興張氏，世居韶州曲江，與張九齡爲同族，而韋温婿之張復魯爲南陽張氏，籍望不同，本書就區分爲二人。這種情況在本書中是很多的。還有不少是姓名相同，時代相近，但别無確切材料證明其爲同一人的，我們就本着闕疑的精神，姑且作二人處理。如嚴杲，既見於《郎考》、《御考》，又見於《歷代名畫記》，均爲開元時人；又如鄭宥，既見於《新唐書》卷七五上《宰相世系表》五上（華子，博州參軍），又見於《新表》同卷（進子，燕弟，未注官職），又見於《全唐文》卷四〇八，小傳僅云"天寶時書判拔萃登第"，時代均相近，未能確定《全唐文》之鄭宥屬於《新表》中哪一個鄭宥，因材料缺乏，就只好分爲三人。凡屬於這種情況，我們都於注中説明，注明待考。

《新表》與《姓纂》，有一大部分是相重的。據岑仲勉先生考定，認爲《新表》於元和初以前的部分，即據《姓纂》編定。因此我們凡是遇到二者所載同人異名時，一般即從《姓纂》；但也有《新表》是而《姓纂》非的，就以《新表》爲主，以《姓纂》所載作爲參見。

《全唐文》與《全唐詩》所載，包括唐和五代，但也有混雜前後朝代人的。如《全唐文》卷九五六載馬子才《送陳自然西上序》一文，據勞格《讀全唐文札記》(《讀書雜識》卷八)，謂：
"見《新編古今事文類聚》前集二十一。子才係宋人。《直齋書錄解題》十七，《馬子才集》八
卷，鄱陽馬存子才撰，元祐三年進士第四人。誤入當刪。"元祐爲北宋哲宗年號，距宋開國
已一百二十餘年，馬子才爲宋人無疑。今後若修訂《全唐文》，就必須把馬子才其人其文剔
除。但本索引所輯以書編錄，因此像《全唐文》、《全唐詩》等，雖有誤載前後朝人物的，也一
併錄入，且也不作注説明。至於像《宋高僧傳》、《景德傳燈錄》等兼載唐宋人的，則將顯係
宋人的刪除(本書時代斷限適當放寬，凡生於五代而入宋的，也酌予收錄)。

　　當然，我們也看到，如果要全面查閱唐代人物的傳記事蹟，現在的這部索引的範圍就
要大大擴大。譬如説，《全唐文》就不能只收作者姓名，應當將書中的碑傳墓誌，以及與事
蹟有關的序跋也一併輯入。除了《全唐文》及陸心源的兩種補遺外，清末至近年出土的唐
碑唐誌，應該有計劃地編錄。唐、五代直至北宋前期的一些雜史、筆記，有較豐富的人物傳
記資料。《新唐書》的《宗室世系表》，《全唐詩》中詩篇提到的人名，也都應考慮輯入。如果
把這些材料都加匯聚，並予以合理的編排，那末，我們就將有一個網羅全局的唐代人物的
材料庫。但這是一個更大的工程，遠非二、三個人於短期內所能完成。我們希望這方面的
有志者來承擔這項大工程，這必將受到唐史和唐代文學研究者的歡迎和感激。爲此，我們
願意以本書爲引玉之磚。

　　本書在編撰過程中，曾得到武漢大學歷史系唐長孺先生、山東大學歷史系王仲犖先
生、北京師範大學中文系啓功先生的鼓勵和幫助，啓功先生還特地爲本書封面題字，在此
一併致謝。

傅璇琮
一九八〇年六月二十三日

字號索引凡例

一、本索引收録八十三種傳記著作中唐五代人物的字、號、別號、綽號、謚號等，並於其後
　　括注姓名。例如：

太白（李白）	樂天（白居易）	牧之（杜牧）
天隨子（陸龜蒙）	長樂老（馮道）	西華法師（成玄英）
趙倚樓（趙嘏）	楊剥皮（楊思恭）	獨眼龍（王延稟）

二、由於各書依據的史料不同，字號記載亦時見歧異，或有難以判斷是非者，今則一律兼
　　收。例如：蕭頎，《舊五代史》作字惟恭，而《新唐書·宰相世系表》作字文恭；田布，《新
　　唐書》本傳作字敦禮，《宰相世系表》又作字執禮。兩者均未能確知孰是，今並存
　　備考。

三、由於後人傳鈔刊刻的筆誤以及避諱改字等原因，至使各書所記字號訛誤甚多。凡屬
　　史實及文字錯誤者，概不收入；諱字則逕改正。例如：蘇瓌，據兩《唐書》本傳字昌容，
　　而《新唐書·宰相世系表》誤記爲廷碩，廷碩乃其子蘇頲字，今蘇瓌名下不收廷碩。又
　　如崔龜從字玄告，而《全唐文》作元告，當是清人避康熙名諱所改，今崔龜從名下只收
　　玄告。

四、凡因賜姓、出家或其他原因而更改姓名者，可查《姓名索引》，本索引則不予收録。

姓名索引凡例

一、本索引收錄唐五代各類人物近三萬人,用書八十三種,所用各書及其版本,詳見後《唐五代人物傳記資料綜合索引用書表》。

二、本索引以姓名或常用稱謂立目,其他稱謂如別名、字、號、小字、別號、綽號、謚號等,附列於後。例如:

李德裕(文饒、忠)

賈島(浪仙、閬仙、無本、碣石山人)

三、凡同一人前後姓名有變更者,以通用姓名立目,另一姓名出爲參見條目。

四、唐五代帝王均在謚號前冠以朝代名(如唐太宗、周世宗),但十國君王及各朝宗室王公,爲查閱方便起見,仍以本姓名立目。

五、凡有姓無名或有名缺姓或逕以職官、身份、里居爲稱者,仍以原書稱謂立目。例如:

李孝廉　　郝郎中　　幾元　　宏仁

御廚　　淮南畫工　　太原妓　　林慮山人

六、只有姓氏的婦女,以姓氏爲主目,從屬關係列爲參見條目。例如:

張氏(于敏直妻)

于敏直妻　見張氏

七、各朝公主卽以其封號立目。例如:

宜城公主　　涼國公主　　永泰公主

八、僧道之屬以其法名立目。凡法名爲單字者,前面加"僧"字或"釋"字,法名爲雙字者則不加。

九、凡同姓名人物,皆注明其字號、籍貫、職官、時代及從屬關係等,分別立目,以資區別。例如:

李璋(垂禮)絳子

李璋虎子,封畢王

李璋聽子,太常寺太祝

李璋唐末神策兵馬使

王璘(希琢)武后時宰相

王璘唐德宗時易州司士參軍

王璘唐玄宗時御史

十、確實難以區分的同姓名人物，亦不强爲合併，仍分別立目，其考辨意見則於脚注中説明之。

十一、同爲一人，而各書所載姓名有歧異者，今歸併在同一名下，各書異文則於脚注中説明之。

十二、凡一人名稱某書或寫爲異體字者，今以其字正體立目，而以另一異體爲參見條目。

十三、索引内的書名採用簡稱，其全稱可根據書名前的編號對照《唐五代人物傳記資料綜合索引用書表》查索。

十四、索引中所列各書後西數碼，有三層者，第一層是册數，第二層是卷數，第三層是頁數；有二層者，前者爲卷數，後者爲頁數。凡綫裝書每一書葉的上下兩面，分別用Ａ、Ｂ表示。例如：

范堯佐

11 全詩 12/852/9639

17 紀事上/39/590

表示范堯佐見《全唐詩》第 12 册，852 卷，9639 頁。又見《唐詩紀事》上册，39 卷，590 頁。

韋傑

19 姓纂 2/14Ａ

表示韋傑見《元和姓纂》第 2 卷 14 頁上頁。

十五、全書按四角號碼順序排列，書末附筆畫與四角號碼對照表，不熟悉四角號碼讀者，可據此查檢。

唐五代人物傳記資料綜合索引用書表

編號	書　　　　名	簡　稱	纂　輯　者	版　　　　本
1	舊唐書〔紀傳之部〕	舊　唐	(後晉)劉昫等	中華書局點校本
2	新唐書〔紀傳之部〕	新　唐	(宋)歐陽修　宋　祁	中華書局點校本
3	舊五代史〔紀傳之部〕	舊　五	(宋)薛居正	中華書局點校本
4	新五代史〔紀傳之部〕	新　五	(宋)歐陽修	中華書局點校本
5	新唐書〔宰相世系表〕	新　表		中華書局點校本
6	舊唐書〔經籍志〕	舊　志		中華書局點校本
7	新唐書〔藝文志〕	新　志		中華書局點校本
8	全唐文	全　文		清嘉慶十九年(1890)內府刊本
9	唐文拾遺	拾　遺	(清)陸心源	潛園總集本
10	唐文續拾	續　拾	仝　上	仝　上
11	全唐詩	全　詩		中華書局排印本(1960)
12	全唐詩逸	詩　逸	(日)河世寧	中華書局《全唐詩》排印本第十二冊
13	河嶽英靈集	河　嶽	(唐)殷　璠	中華書局上海編輯所《唐人選唐詩》點校本(1958)
14	國秀集	國　秀	(唐)芮挺章	仝　上
15	中興閒氣集	中　興	(唐)高仲武	仝　上
16	極玄集	極　玄	(唐)姚　合	仝　上
17	唐詩紀事	紀　事	(宋)計有功	中華書局上海編輯所排印本(1965)
18	唐才子傳	才　子	(元)辛文房	上海古典文學出版社排印本(1957)
19	元和姓纂	姓　纂	(唐)林　寶	金陵書局校刊古歙洪氏刊本(光緒六年,1880)

編號	書　　　名	簡　稱	纂　輯　者	版　　　　　本
20	唐郎官石柱題名考	郎　考	(清)趙　鉞 　　　勞　格	月河精舍叢書本(光緒十二年，1886)
21	唐御史臺精舍題名考	御　考	仝　上	仝　上
22	翰林承旨學士院記	院　記	(唐)元　稹	知不足齋叢書本《翰苑羣書》
23	翰林院故事	故　事	(唐)韋執誼	仝　上
24	重修承旨學士壁記	壁　記	(唐)丁居誨	仝　上
25	唐登科記考	登　科	(清)徐　松	南菁書院叢書本
26	唐方鎮年表	方　鎮	吳廷燮	景杜堂刊本
27	郡齋讀書志	郡　齋	(宋)晁公武	商務印書館影印宋淳祐袁州本(1933)
28	直齋書錄解題	直　齋	(宋)陳振孫	武英殿叢書本(乾隆三十八年，1773)
29	書斷	書　斷	(唐)張懷瓘	百川學海本
30	歷代名畫記	歷　畫	(唐)張彥遠	人民美術出版社排印本(1963)
31	唐朝名畫錄	唐　畫	(宋)朱景玄	王氏畫苑本
32	益州名畫錄	益　畫	(宋)黃休復	湖北先正遺書本
33	五代名畫補遺	五代畫遺	(宋)劉道醇	王氏畫苑本
34	宣和書譜	書　譜	(宋)闕　名	津逮祕書本
35	宣和畫譜	畫　譜	仝　上	仝　上
36	圖畫見聞誌	圖　誌	(宋)郭若虛	人民美術出版社點校本(1963)
37	書小史	書小史	(宋)陳　思	八千樓重雕宋本
38	圖繪寶鑑	圖　繪	(元)夏文彥	津逮秘書本
39	書史會要	書　史	(元)陶宗儀	武進陶氏逸園景刊本(1929)
40	十國春秋	十　國	(清)吳任臣	海虞周氏此宜閣刊本(乾隆五十八年，1719)
41	九國志	九　國	(宋)路　振	守山閣叢書本

編號	書　名	簡　稱	纂輯者	版　本
42	五代史補	五　補	(宋)陶　岳	豫章叢書本
43	南唐書	馬　書	(宋)馬　令	四部叢刊續編本
44	南唐書	陸　書	(宋)陸　游	仝　上
45	江南野史	江　南	(宋)龍　袞	豫章叢書本
46	玉峯志	玉峯志	(宋)凌萬頃	清光緒三十四年(1908)刊本
47	乾道四明圖經	乾道四明	(宋)張　津等	甬上徐氏煙嶼樓宋元四明六志本
48	寶慶四明志	寶慶四明	(宋)胡　榘等 羅　濬	仝上
49	延祐四明志	延祐四明	(元)袁　桷	仝上
50	至正四明續志	至正四明	(元)王元恭	仝上
51	大德昌國州圖志	昌國志	(元)郭　薦 馮福京	仝上
52	仙溪志	仙溪志	(宋)趙與泌 黃巖孫	清乾隆間張德榮抄本
53	嘉定赤城志	赤城志	(宋)黃　𤤽等 齊　碩	清臨海宋氏刊本(嘉慶二十三年,1818)
54	吳郡圖經續紀	吳郡圖經	(宋)朱長文	學津討原本
55	吳郡志	吳郡志	(宋)范成大	擇是居叢書本
56	長安志	長安志	(宋)宋敏求	思賢講舍本(清光緒十七年,1891)
57	景定建康志	建康志	(宋)馬光祖等 周應合	金陵孫忠愍祠刻本（嘉慶七年,1802)
58	至正金陵新志	金　陵	(元)張　鉉	南京國子監重修本(正德十五年,1520)
59	咸淳毗陵志	毗陵志	(宋)史能之	明刊本配清抄本
60	剡錄	剡　錄	(宋)史安之 高似孫	清道光八年(1828)嵊署刊本
61	寶祐琴川志	琴川志	(宋)孫應時等 鮑　廉	明末汲古閣刊本
62	雲間志	雲間志	(宋)楊　潛	華亭沈氏古倪園刊本(嘉慶十九年,1814)
63	新安志	新安志	(宋)趙不悔 羅　願	黟縣李氏刻本(光緒十四年,1888)

編號	書　　名	簡稱	纂輯者	版　　　本
64	會稽掇英總集	掇英	(宋)孔延之	山陰杜氏浣花宗塾刊本(道光元年,1821)
65	嘉泰會稽志	會稽志	(宋)施宿	民國十五年(1926)影清刊本
66	寶慶會稽續志	會稽續志	(宋)張淏 孫因	仝　上
67	乾道臨安志	乾道臨安	(宋)周淙	清光緒二十年(1894)刊本
68	咸淳臨安志	咸淳臨安	(宋)潛說友	錢塘振綺堂汪氏刊本(道光十年,1830)
69	嘉定鎮江志	嘉定鎮江	(宋)盧憲	清金陵刊本(宣統二年,1910)
70	至順鎮江志	至順鎮江	(元)脫因 俞希魯	如皋冒氏刊本(1923)
71	嚴州圖經	嚴州	(宋)陳公亮 劉文富	桐廬袁氏漸西村舍刊本(光緒二十二年,1896)
72	淳熙三山志	三山志	(宋)梁克家	清乾隆間張德榮抄本
73	嘉泰吳興志	吳興志	(宋)談鑰	吳興叢書本
74	臨汀志	臨汀志	(宋)胡太初等	中華書局影印本《永樂大典》卷7889—7895
75	崑山郡志	崑山郡志	(元)楊譓	觀自得齋叢書本
76	齊乘	齊乘	(元)于欽	明嘉靖四十三年(1564)杜思刊本
77	嘉禾舊志	嘉禾	(元)單慶 徐碩	沈氏海日樓刊本
78	茅山志	茅山志	(元)劉大彬	明刻本
79	續高僧傳	續僧	(唐)釋道宣	清光緒十年(1884)序刊本
80	宋高僧傳	宋僧	(宋)贊寧	仝　上
81	景德傳燈錄	景德	(宋)釋道原	四部叢刊本
82	大唐內典錄	內典	(唐)道宣	日本大正新修大藏經本
83	開元釋教錄	開元錄	(唐)智昇	仝　上
84	大唐貞元續開元釋教錄	續開元錄	(唐)圓照	仝　上
85	貞元新定釋教目錄	貞元新錄	仝　上	仝　上
86	續貞元釋教錄	續貞元錄	(南唐)恒安	仝　上

字 號 索 引

0010₈ 立
00立言(衛佝)
　立言(杜信)
21立仁(唐有道)
24立德(閻讓)
30立之(楊元孫)
　立之(楊思方)
40立(蕭正)

0021₁ 鹿
77鹿門先生(唐彥謙)

龐
77龐居士(龐蘊)

0021₆ 竟
74竟陵子(陸羽)

0021₇ 兀
30兀宗(陽城)

0022₂ 彥
01彥龍(樊驤)
25彥純(劉好古)
26彥伯(徐洪)
30彥之(杜荀鶴)
　彥宗(韋湊)
37彥深(劉好學)
43彥博(劉好問)
50彥表(陳該)
53彥輔(曹國珍)
　彥威(武士稜)
71彥臣(張儔)

0022₃ 齊
27齊物(王溥)
　齊物(楊拯)
77齊巽(高保寅)
80齊美(歐陽彬)

0022₇ 方
00方慶(王綝)

方慶(張雲)
10方三拜(方干)
23方外(鴻楚)
27方紹(王續)
47方毅(李載義)
50方忠(裴守真)
56方操(王緄)
67方明(柳識)
77方舉(王緘)
　方舉(孔戡)
88方節(王續)

高
20高秀(崔構)
57高賴子(高從誨)
67高明(唐昇)
　高明(李承乾)
77高卿(郗純)
80高無賴(高從誨)

商
44商老(裴德藩)
77商叟(薛庭老)

廟
99廟榮(徐有慶)

膚
88膚餘(裴廷裕)

席
80席公(席豫)

0023₁ 應
00應方(顏真卿)
27應物(杜濟)
30應之(蕭庸)
　應之(蕭巘)
　應之(杜德祥)
38應祥(周泳)
43應求(崔彥融)
44應黃(徐宮)

0023₂ 康
康(張後胤)
　康(孫景商)
　康(徐知詢)
　康(潘孟陽)
　康(褚亮)
　康(李元裕)
　康(李百藥)
　康(姚思廉)
　康(陸敦信)
　康(閻讓)
　康(常夢錫)
22康樂(邊鎬)
23康獻(錢宏億)

豪
40豪士(蕭傑)

0023₇ 庶
50庶中(董侹)

廉
77廉卿(錢文奉)

0024₁ 庭
11庭碩(武儒衡)
20庭秀(崔琪)

0024₇ 慶
24慶先(馬胤孫)
28慶復(陳京)
30慶之(李祐)
34慶遠(鄭損)
71慶臣(鮑君福)
　慶臣(宋申錫)
77慶門(楊嗣復)
88慶餘(朱可久)
　慶餘(白傅規)

0025₂ 摩
04摩詰(王維)

0026₇ 唐
10唐五經(王延嗣)
22唐後(韋縠)
71唐臣(何希堯)
72唐隱居(唐求)
77唐叟(劉圻)

0028₆ 廣
00廣辨周智禪師
　　(契盈)
22廣利(鞏光)
24廣德(李懷遠)
30廣濟(徐蓋)
　廣濟禪師(志忠)
　廣濟大師(存獎)
34廣法大師(行欽)
35廣津(王涯)
38廣裕(徐仁矩)
　廣裕(陳納)
44廣孝徵君(賈會)
53廣成(元浩)
　廣成(孔昌寅)
　廣成(武就)
　廣成先生(杜光庭)
55廣慧(增忍)
67廣明(唐景)
　廣略(崔郿)
77廣聲(陳納)
80廣義(徐文遠)
86廣智(道丕)

0033₁ 忘
42忘機(杜希道)

0040₀ 文
文(席豫)
　文(王丘)
　文(元懷景)
　文(賈至)
　文(孫逖)
　文(盧從愿)

文(崔融)	文獻(高士廉)	44文莊(崔莊)	文明(鄭絪)
文(白居易)	文獻(張九齡)	文莊(崔整)	文昭(房玄齡)
文(徐堅)	文獻(裴耀卿)	文蔚(竇威)	文昭(鄭畋)
文(徐鍇)	文獻(沈崧)	文恭(蕭願)	71文愿(孔莊)
文(褚亓量)	文獻(李栖筠)	文英(崔彥撝)	77文舉(許子儒)
文(李礒)	文獻(韋玄貞)	47文懿(王起)	文舉(盧擇)
文(李翱)	文獻(姚懿)	文懿(虞世南)	文舉(蕭鼒)
文(韋叔夏)	文獻(劉仁軌)	文懿(馮道)	文舉(常達)
文(韋湊)	文獻(劉幽求)	文懿(李回)	文醫(陳去疾)
文(蘇珦)	文獻(鄭珣瑜)	文郁(劉蘭)	文卿(王緯)
文(韓思復)	文獻太子(李弘冀)	文都(陳蜀)	80文命(祝玄珪)
文(韓愈)	文台(楊注)	文毅(李載義)	84文饒(李德裕)
文(權德輿)	文編(唐次)	48文幹(李羣)	86文智大師(可止)
文(獨孤及)	24文化(許棠)	文幹(薛貞童)	88文簡(崔邠)
文(馬懷素)	文德(錢俶)	文幹(成彥雄)	文簡(牛僧孺)
文(劉子玄)	文僖(錢惟演)	文敬太子(李謜)	文簡(楊綰)
文(劉知柔)	文緯(李郁)	50文中(劉煥章)	文簡(鄭肅)
文(陸希聲)	25文仲(周太祖)	文中子(王通)	文簡先生(吳蠶)
文(令狐楚)	文傑(顏仁郁)	文蕭(李紳)	文節(孫佁)
00文彦(歸藹)	26文伯(王朴)	文蕭(趙季良)	97文輝(杜潾)
文豪(楊鏻)	文伯(徐向)	文忠(顏真卿)	
文府(孫儲)	文泉子(劉蛻)	文忠(孫晟)	**0040_6 章**
文度(蕭涗)	27文豹(崔蔚)	文忠(盧質)	05章靖(馮元)
文玄(裴通)	文紀(李綱)	文忠(李元絋)	30章之(歸融)
05文靖(韋莊)	文紀(韋維)	文忠(韓休)	44章孝子(章全益)
文靖(韓熙載)	文絢(殷楷)	文忠(鄭從讜)	53章甫(裴冕)
文靖(鄭愔)	文叔(湯賁)	文惠(狄仁傑)	90章懷太子(李賢)
10文元(王元)	30文房(劉長卿)	文素(范質)	
文元先生(蕭穎士)	文憲(裴堅)	文素(慧旻)	**0040_7 享**
11文碩(楊鉅)	文憲(李敬玄)	53文彧(蕭彧)	10享天(李漢韶)
12文飛(王振)	文憲(蘇頲)	文成(張鷟)	
20文垂(杜蒴)	文憲(杜鴻漸)	文成(盧懷慎)	**0040_8 交**
21文行(蕭德言)	31文江(黃滔)	文成(崔融)	00交玄(柳珪)
文貞(張說)	34文遠(徐曠)	文成(李思元)	
文貞(張東之)	文遠(楊洞)	文成(李景遂)	**0042_7 离**
文貞(崔祐甫)	文為(孔晦)	文威(孫榮)	38离祥(陸鸞)
文貞(牛僧孺)	37文初(司空曙)	文甫(沈崧)	
文貞(魏徵)	文逸(楊樕)	56文規(鄭撰)	**0044_1 辨**
文貞(韋安石)	文通(張璪)	60文思(祝欽明)	30辨之(劉談經)
文貞(蘇瓌)	文通(皮光業)	文昌(張籍)	
文貞(苗晉卿)	文通(楊滔)	文昌侯(崔致遠)	**辯**
文貞(陸象先)	文通(楊鑒)	67文明(高重)	30辯空(僧瑗)
文貞(閻立本)	文通(錢元㺤)	文明(裴格)	42辯機(于知微)
22文川(楊涉)	文通先生(宋犖)	文明(司空曙)	
文山(孫峴)	文通先生(陸質)	文明(韋絢)	**0044_3 弈**
文山(李羣玉)	38文祥(陸宬)	文明(韋昶)	弈(姚弈)
23文允(法海)	40文堯(翁承贊)	文明(韋丹)	
文獻(高從誨)	41文姬(鮑君徽)	文明(義淨)	**0060_1 言**
			言(伊廣)

31言源(李款)
56言揚(苑論)

0063$_2$ 讓
26讓皇帝(李憲)

0073$_2$ 玄
05玄靖先生(楊播)
16玄理(韋琨)
18玄珍(唐抱一)
22玄胤(戴胄)
玄樂(崔昇)
23玄獻(蘇滌)
24玄告(崔龜從)
28玄儆(房凝)
玄齡(房喬)
30玄之(楊寂)
玄憲(王方則)
玄宰(崔造)
玄宗(王弘道)
玄寂禪師(隱微)
31玄福(韋福)
33玄邃(李密)
34玄祐(錢宏佐)
35玄禮(王蘋)
37玄逸(王方士)
38玄裕(柳祺)
40玄真(裴寂)
玄真子(張志和)
44玄茂(蕭灌)
玄英先生(方干)
玄黃子(戴偓)
48玄敬(戴恭)
50玄素(惠旻)
53玄成(魏徵)
玄成(陳曇)
57玄靜先生(李含光)
67玄明大師(從志)
72玄隱(王栖霞)
77玄風(崔道紀)
玄卿(李勉)
86玄錫(李龜圖)
玄錫(蘇禹珪)
玄錫(趙鷺)
88玄敏(王方泰)
91玄悟大師(懷祐)
玄悟大師(光慧)
97玄惲(道世)

玄輝(趙瑩)

襄
襄(唐儉)
襄(張公謹)
襄(柴紹)
襄(任迪簡)
襄(崔日知)
襄(李叔明)
襄(李思行)
襄(韓遊瓌)
襄(杜淹)
襄(長孫順德)
襄(丘行恭)
襄(丘和)
襄(劉弘基)
襄(劉政會)
襄(劉德威)
襄(周道務)
襄(姜蓍)

衷
21衷鯁(唐敬)
26衷和(唐慎)
30衷騫(唐虔)
衷良(唐穆)
37衷潔(唐誋)
47衷朝(唐竦)

衰
44衰華(崔元藻)

0080$_0$ 六
37六郎(張昌宗)

0090$_6$ 京
60京杲(辛京杲)

0121$_1$ 龍
00龍府(鄭韜光)
77龍門法眼禪師(釋遠)
90龍光(孫偓)

0173$_2$ 襲
80襲美(皮日休)
92襲燈大師(智閑)

0212$_7$ 端
17端己(韋莊)
端己(薛仲躬)
端己(羅紹威)
40端士(韋愻)
47端期(劉符)
50端夫(朱友裕)
77端卿(李揆)

0242$_2$ 彰
彰(敬暉)
16彰聖(孔述)
50彰史(楊贊辭)
71彰臣(侯潛)

0261$_8$ 證
30證空(居道)
40證真大師(通禪師)
77證覺禪師(景和尚)

0344$_0$ 斌
77斌卿(杜勝)

0363$_2$ 詠
27詠歸(房魯)

0364$_0$ 試
99試鶯(晁采)

0365$_0$ 誠
誠(李濬)
23誠允(錢儼)
30誠之(沈詢)
誠之(杜詢)
62誠懸(柳公權)
誠縣(柳公權)

識
30識之(令狐絨)

0391$_4$ 就
30就之(韋旭)
就之(錢昱)

0463$_4$ 謨
38謨道(李惟岳)

0469$_4$ 謀
30謀安(皇甫翼)

0512$_7$ 靖
靖(王彥威)
靖(崔損)
靖(竇希球)
靖(顧琮)
靖(李建勳)
靖(李神通)
靖(楊璉)
靖(契苾明)
靖(路應)
30靖之(張仲方)
靖之(裴填)
44靖恭太子(李琬)
50靖夫(楊玢)
90靖懷太子(李漢)

0710$_4$ 望
30望之(王藹)
望之(竇儼)
32望淵(盧宗回)
77望卿(盧晏)

0712$_0$ 翊
00翊商(李專美)
16翊聖(王定保)
71翊臣(鄭彥特)

0724$_7$ 毅
17毅勇(崔無詖)
71毅臣(苗玭)

0742$_7$ 郊
00郊文(劉崇魯)
郊玄(柳珪)

郭
27郭將軍(郭乾暉)

0762$_0$ 詢
30詢之(崔郊言)

調
71調臣(盧鼎)

26元白（徐練）
元伯（鄭珣瑜）
30元之（姚崇）
元宰（崔造）
元宏（王叔雅）
元容（蘇弁）
元賓（刁衎）
元賓（李觀）
31元福（于汝錫）
32元逞（薛陟）
38元道（褚雅）
40元士（徐懷）
元才子（元積）
元嘉（李元嘉）
元友（崔益）
元吉（崔龜從）
元吉（黃載）
元吉（楊及善）
元真大師（令超）
43元博（王棲霞）
44元英（王武俊）
元英先生（方干）
47元超（薛振）
48元翰（崔元翰）
50元夫（薛戎）
元素（廖融）
51元振（郭震）
53元輔（苗晉卿）
元輔（趙匡贊）
元輔（史匡翰）
元成（魏徵）
元成（李誠）
元成（陳曇）
元威（黃子稜）
57元静大師（張契真）
元静先生（劉得常）
60元固（徐堅）
67元明（崔述）
元明（殷元覺）
元明（嚴礪）
77元用（張衍）
87元欽（劉世讓）
88元節（長孫操）
90元光（白元光）

1022_7 雨
10雨下（梁震）
21雨師（李景達）

霧
77霧居子（黃璞）

1023_0 下
17下己（李巨川）
77下賢（沈亞之）

1024_1 霹
10霹靂手（崔琰之）

1024_7 夏
27夏龜（宇文籍）
31夏江城（夏寶松）
77夏卿（王縉）

1040_4 要
27要叔（黃筌）

1040_9 平
平（郎穎）
平（李素立）
10平一（武甄）
14平珪（毛文錫）
17平子（丁公著）
71平厲（楊炎）

1041_0 无
43无尤（楊溥）
50无本（賈島）
56无擇（來擇）
98无悔（苗恪）

1043_0 天
21天師（杜光庭）
23天台上人（鍾隱）
天台耕人（劉處靜）
26天自在山人（耿先生）
天皇大帝（唐高宗）
31天福（高錫）
60天國山人（張令問）
74天隨子（陸龜蒙）
80天義（王金堯）
86天錫（韋承裕）
天錫（陳保極）
87天饒居士（毛勝）

1044_7 再
60再思（楊綝）

1052_7 霸
31霸源（劉文濟）
60霸圖（馬殷）

1060_0 西
22西嶺和尚（道標）
31西河山人（李方叔）
44西華法師（成玄英）
西老（范傳正）

石
17石司馬（石濛）

1060_1 晉
71晉臣（安崇阮）
77晉卿（盧絳）
晉卿（李叔明）

1062_0 可
12可孤（尚可孤）
27可久（鞠恒）
可久（折從阮）
可象（竇儀）
30可之（孫樵）
34可達寒賊（朱粲）
38可道（馮道）
40可大（崔戎）
可大（劉微）
可大（鍾紹京）
44可封（歐陽彬）
可權（崔周衡）
62可則（褚仁規）
84可鑄（沈顏）
86可知（孫樵）

1064_8 醉
68醉吟先生（白居易）
醉吟先生（皮日休）
72醉髡（可朋）

1073_1 雲
00雲章（裴翶）
17雲翼（馮惟良）
30雲房先生（鍾離權）
雲客（韋夏卿）
37雲郎（王都）
44雲夢子（毛欽一）
71雲長（田緒）
77雲居散人（馬支）
雲叟（鄭遨）
雲舉（李昇）
雲卿（沈佺期）
雲卿（趙驊）
雲卿（趙煜）
87雲翔（唐扶）

1080_6 貢
44貢華（鄭寶）

1090_0 不
10不可（黃可）
11不琢（魏朴）
13不殆（楊思止）
30不空（智藏）
不空金剛（智藏）
43不忒（楊安貞）
不惑（韓大智）
47不欺（趙蒙）
不欺（鄭準）
66不器（蔣鈞）
77不用（無作）
97不耀（王祝）

1096_3 霜
22霜岑將軍（福信）

1111_0 北
34北漢睿宗（劉鈞）
北漢英武帝（劉繼元）
北漢世祖（劉旻）
北漢少主（劉繼恩）
北渚（韓湘）

1121_1 麗
40麗真（蘭陵公主）

1123_2 張
10張三頭（張又新）
12張水部（張籍）
22張山人（張彪）
27張將軍（張圖）

1712₀ 羽

90羽光（韓儀）

1712₇ 鄧

73鄧馱（鄧洵美）

弱

50弱夫（蘇源明）
80弱金（高鍇）
　弱翁（孔巢父）
　弱翁（馬炫）

1714₇ 瓊

40瓊真（饒娥）
80瓊美（閻寶）

1720₇ 了

30了空大師（可隆）
　了空大智常照禪師（紹巖）
　了宗大師（智岳）
77了覺大師（智嚴）
91了悟大師（順支）
　了悟禪師（清聳）

1722₇ 務

10務元（關播）
90務光（李傑）

1723₂ 承

00承廣（陳蕃）
10承天（楊溫）
12承烈（王紹宗）
24承休（唐礜）
　承休（于德孫）
30承之（張格）
　承之（韋延範）
　承宗（王弘度）
32承業（李構）
34承祐（趙㠱）
40承古（李遠）
　承吉（張祐）
48承敬（李恪）
50承胄（李嗣真）
67承明（唐鑒）
　承嗣（田承嗣）
88承範（李道宗）

1740₇ 子

00子亮（狄光昭）
　子齊（程昔範）
　子高（柳崇）
　子文（唐思言）
　子文（崔琢）
　子文（崔梲）
　子文（潘貴）
　子文（沈彬）
　子章（盧弘宣）
　子章（盧渥）
　子章（韋綬）
　子章（苗廷乂）
　子言（安元信）
　子言（沈傳師）
　子讓（盧罕）
　子玄（盧邁）
01子龍（郭昭文）
　子龔（盧從愿）
04子謨（盧順之）
　子誥（盧汝弼）
07子望（張周封）
　子望（盧元輔）
　子詢（權審）
10子正（樂史）
　子正（薛植）
　子正（敬蒙）
　子正（舒雅）
　子玉（李綱）
　子至（李適）
　子元（盧億）
　子元（李邰）
　子夏（劉商）
　子平（薛居正）
　子平（翁洮）
　子晉（曹汾）
11子彊（盧弘止）
　子斐（韋澳）
12子登（張頃）
　子發（盧肇）
　子發（林絢）
　子延（羅藝）
　子飛（李章武）
14子功（王助）
16子聰（陳叔達）
　子環（范延光）
　子强（盧弘止）

17子羽（王翰）
　子羽（李翰）
　子及（李潘）
　子邵（柳爽）
20子重（霍彥威）
　子重（盧耽）
　子重（侯固）
　子重（李權實）
　子重（韓僙）
　子重（獨孤申叔）
　子重（嚴僙）
　子垂（盧光濟）
　子垂（李訓）
　子喬（陳喬）
　子信（崔昭符）
　子信（劉懷亮）
21子盧（暨齊物）
　子儒（鄭魯）
　子師（李從善）
　子貞（鄭福）
　子穎（舒元迥）
22子制（羅袞）
　子嵩（宋齊丘）
　子鷺（沈栖遠）
23子臧（盧簡求）
　子臧（呂文仲）
　子峻（羅劭京）
24子佐（鄭亞）
　子升（盧攜）
26子泉（冀重）
　子泉（倪若水）
　子泉（竇蒙）
　子和（張志和）
　子和（盧鈞）
27子佩（裴紳）
　子愔（盧奕愔）
　子候（溫琯）
　子將（高勔）
　子舟（沈若濟）
28子微（司馬承禎）
　子微（蔣防）
　子徵（蔣防）
　子徵（盧質）
　子復（盧嗣立）
　子儀（郭子儀）
　子儀（邊光範）
30子濟（靳恒）
　子寧（劉懷安）

　子寬（盧元裕）
　子憲（劉崇彝）
　子安（王勃）
　子良（盧杞）
　子良（李存賢）
　子良（李從璋）
　子實（成玄英）
31子汪（劉沔）
　子潛（盧藏用）
　子潛（盧潘）
　子遷（項斯）
　子遷（崔仁冀）
　子遷（杜陟）
32子澄（張泌）
　子澄（盧文度）
　子澄（蕭頃）
33子溥（鄭薰）
34子漪（于濆）
35子冲（劉知滿）
36子溫（李彥琦）
　子溫（胡璩）
　子溫（劉懷璧）
　子澤（孫瑝）
37子初（張衆甫）
　子初（尚全恭）
　子逸（王延翰）
　子通（盧嗣業）
　子通（李景達）
　子軍（費冠卿）
38子裕（盧玄禧）
40子乂（崔從）
　子直（令狐綯）
　子才（崔能）
　子有（盧告）
　子韋（孫絿）
　子奇（高頔）
　子奇（皇甫松）
　子壽（張九齡）
　子真（盧玄卿）
　子真（潘師正）
　子真（劉乙）
44子莊（盧肅）
　子蘭（李皋）
　子蒙（盧貞）
　子鷟（權隼）
　子燕（柳爽）
　子薰（文炬）
　子華（盧絳）

子華(吳融)	子全(韋堅)	34君邁(唐遄)	40致堯(李建勳)
子英(趙延義)	子全(劉琭)	36君澤(詹敦仁)	致堯(韓偓)
子譽(盧知猷)	子益(盧朋龜)	40君太(周宗)	致堯(楊拯)
子林(盧文渙)	子美(王彦威)	43君載(吕渭)	77致用(張宣)
46子相(孫毅)	子美(賈餗)	44君夢(鄭良士)	致用(李景儉)
48子翰(盧峻)	子美(張道古)	50君胄(郎士元)	80致美(崔璆)
子敬(裴寅)	子美(盧珪)	53君威(李大師)	90致光(韓偓)
子敬(崔簡)	子美(盧紹)	60君易(崔泳)	
子松(李弘茂)	子美(杜甫)	66君嚴(孔戡)	**1822₇ 殤**
50子蕭(龐嚴)	子美(劉翔)	君貺(元錫)	殤(李重茂)
子蕭(盧虔灌)	子善(盧延讓)	76君陽遁叟(陸希聲)	殤(李囂)
子忠(盧光啓)	88子範(盧躅)	77君卿(杜佑)	
子專(石恪)	子餘(盧玄暉)	79君勝(孔戢)	**2010₄ 重**
子專(盧專)	子餘(盧承慶)	86君錫(陳棿)	35重禮(李瑋)
51子振(敬翔)	子策(盧簡辭)	87君舒(鄭伸)	45重構(侯莫陳廈)
52子拙(盧簡能)	90子懷(李德柔)	97君恪(袁子溫)	53重威(崔鎮)
53子成(盧耕)	子光(于珪)		56重規(李百藥)
子威(丁稜)	子光(裴茂章)	**1762₀ 司**	60重易(崔戚)
子威(盧震)	子光(蕭潁)	00司文(夏侯藻)	67重照(董尊)
54子持(張扶)	子炎(狄煥)	24司化(張鑄)	71重臣(薛大鼎)
子持(盧文紀)	94子慎(鮑防)	30司空山禪師(本淨)	77重周(李崇鼎)
55子耕(劉巖夫)	97子恪(楊復恭)	司之(徐曹)	90重光(李襲志)
58子敖(宗楚客)	99子榮(王超)	40司南(劉駕)	重光(李煜)
60子量(李寬中)		50司東(裴鷗)	重光(趙暉)
子思(武誼)	**1742₇ 勇**	51司振(張鐸)	
子黯(盧潯)	勇(許洛仁)	87司鈞(崔鑄源)	**垂**
子回(吕向)	勇(羅士信)	90司光(劉景)	10垂天(魏羽)
子昌(杜承昭)	勇(錢九隴)		22垂後(李宣古)
子固(劉溍)		**1762₇ 邵**	24垂休(崔胤)
子昂(宋務光)	**1750₁ 羣**	32邵業(崔隋)	27垂象(顧雲)
63子踐(封望卿)	10羣玉(韋珩)		30垂之(鄭言)
子默(楊損)	羣玉峯叟(孟賓于)	**1771₇ 已**	垂憲(韋貽範)
66子嚴(盧耽)	40羣吉(王渙)	40已有(唐技)	31垂禎(盧麟)
67子明(謝瞳)	47羣懿(杜讓能)		35垂禮(盧麻)
子明(王彦章)		**1780₁ 翼**	38垂裕(崔璆)
子明(哥舒曈)	**1760₂ 習**	67翼明(房垂)	垂裕(楊貽德)
子明(韋表微)	30習之(李翱)		垂裕(趙光胤)
子昭(盧曉)		**1790₄ 柔**	40垂吉(鄭祐)
子昭(薛正表)	**1760₇ 君**	30柔之(裴淑)	44垂芳(鄭紹餘)
68子晦(李愚)	君(崔鉶)		62垂則(楊安古)
71子愿(歐陽昶)	00君齊(裴均)	**1814₀ 致**	77垂卿(李詢古)
子厚(柳宗元)	君章(江文蔚)	00致雍(韋贊)	88垂範(薛標)
子長(劉崇龜)	10君平(韓翃)	10致平(王凝)	90垂光(王偁)
73子駿(崔日知)	20君維(崔綜)	17致君(徐弘胤)	
77子隆(裴炎)	21君虞(李益)	致君(范希朝)	**2022₇ 秀**
子同(張志和)	24君佐(王虔休)	致君(劉翬)	00秀文(楊瑄)
子巽(杜鴻漸)	君佐(朱朏)	30致之(崔厚)	22秀川(孔知濬)
80子全(竇蒙)	30君濟(崔琮)	致之(李毅)	秀川(彭曉)

秀峯（王峻）
秀山（王權）
秀山（王檀）
30秀實（陶穀）

喬
48喬松（房喬）

2024_1 辭
10辭玉（黃居寶）
80辭金（唐訓）

2024_7 愛
30愛之（封煦卿）
愛賓（張彥遠）

2025_2 舜
77舜舉（張濟美）
舜舉（崔廷憲）
87舜鈞（徐宰）

2026_1 信
信（武士彠）
信（崔萬善）
30信之（馮涓）
信之（楊符）
37信通（王審知）
50信本（歐陽詢）
71信臣（康義誠）
信臣（郭廷謂）
信臣（王潮）
信臣（李濤）
77信卿（韋琛）
80信美（侯纘）

2031_6 鑪
38鑪祥（王鐋）

2040_0 千
21千歲和尚（寶掌）
30千之（杜敏求）
60千里（高駢）
千里（韋千里）

2040_7 受
00受文（孔紓）
受章（竇紃）
80受益（王饒）

季
季（韋希叔）
季（長孫晟）
00季疵（陸羽）
季鷹（嚴武）
10季正（宋光葆）
季平（蕭晏）
17季弱（尹思貞）
22季豐（張茂之）
24季先（强循）
26季和（孔季詡）
季和（韋鈞）
30季甯（顏允臧）
季良（孫翊）
季良（盧祖尚）
33季心（張軫）
37季通（綦毋潛）
38季海（徐浩）
40季直（張南史）
季真（賀知章）
44季蘭（李冶）
季權（張鎰）
53季輔（高馮）
季成（李鳳）
67季明（馬存亮）
季昭（楊亮）
71季長（沈興宗）
季長（翁郜）
77季卿（唐敏）
80季姜（成安公主）

2041_7 航
22航川（景延廣）

2042_7 禹
04禹謨（劉昌言）
14禹珪（第五琦）
22禹川（張濬）
禹川（錢惟濬）
44禹封（楊甸）
88禹籌（韋昌範）

2060_9 香
22香山居士（白居易）

2064_8 皎
23皎然（清晝）

2090_7 秉
00秉庸（段平仲）
秉文（趙宗儒）
10秉一（崔鈞）
15秉融（李昫）
21秉仁（雷滿）
28秉徹（錢元懿）
35秉禮（楊整）
50秉中（盧荷）
秉中（劉埴）
80秉公（崔郃）

2091_4 稚
40稚圭（張文瓘）

維
22維嶽（徐嶠之）
77維降（徐申）

2108_6 順
順（李金全）
順（陸孝斌）
24順德大師（道愻）
30順之（庾敬休）
順之（王令溫）
順之（希覺）
順之（薛從）
50順中（崔雍）
90順光（李暉）

2110_0 上
00上交（趙遠）
05上諫（危全諷）
35上清玄都大洞三景師（玉真公主）

2121_0 仁
21仁貞（吐突承璀）
25仁純（顏頎）
26仁嶠（蔡儼）
28仁儆（皇甫無逸）
30仁之（楊假）
36仁澤（黃誐）
仁澤（劉濛）
40仁壽（李景邊）
50仁貴（薛仁貴）
53仁輔（朱忠亮）
55仁慧大師（行瑫）
60仁固（王鎬）
80仁人（宇文士及）
仁曾（韋堡）

2121_1 能
30能之（李福）
77能覺（辨才）

2121_2 虛
17虛己（崔涓）
20虛受（武充）
虛受（楊憑）
27虛舟（李逢吉）
50虛中（王毅）
虛中（夏侯潭）
虛中（柳瑗）

2121_7 虎
17虎子（杜建徽）

2122_0 何
21何處士（何元上）

2122_1 行
04行謹（崔慎）
行謀（程則）
30行之（杜晦辭）
行實（趙德鈞）
34行滿（王世充）
行滿（鄭知人）
35行沖（元行沖）
50行本（崔行本）
52行哲（韋知人）
53行甫（徐儀）
77行周（歐陽詹）
行興（劉仁師）
90行光（安審信）

2122_7 儒
18儒珍（唐抱素）

衛
77衛卿（楊林甫）

2123_4 虞
71虞臣（馬戴）
77虞風（鄭藹）

2124_0 虍
50虍中(林慎思)
80虍會(侯莫陳肅)

2124_1 處
10處平(姚燈)
12處弘(杜兼)
21處仁(崔邠)
　處仁(徐岱)
　處仁(趙弘智)
　處仁(吳公約)
30處之(崔仁穎)
　處實(裴希惇)
50處中(孟守)
　處中(李荊)
62處則(李軌)
68處晦(張著)

2126_2 偕
21偕仁(張洎)

2128_6 須
25須仲(孟遲)

傾
傾(房式)

穎
00穎文(鄭澂)

2143_0 衡
22衡嶽幽人(李端)
　衡嶽沙門(齊己)

2160_8 睿
睿(顏相時)

2171_0 比
24比德(劉彥琮)
40比大先生(耿先生)

2172_7 師
師(李衆)
17師柔(王用)
26師皋(楊虞卿)
27師約(張儉)
38師道(林披)
40師古(顏師古)
60師黯(張洎)
75師陳(崔蕃)
77師舉(程异)
　師闓(張洎)

2180_6 貞
貞(高郢)
貞(王縚)
貞(王及善)
貞(王徽)
貞(王凝)
貞(裴佶)
貞(孔戣)
貞(喬匡舜)
貞(盧坦)
貞(崔禹錫)
貞(崔從)
貞(崔義玄)
貞(崔慎由)
貞(魏元忠)
貞(程行諶)
貞(宋申錫)
貞(李元曉)
貞(李絳)
貞(李綱)
貞(李遜)
貞(李朝隱)
貞(李尚隱)
貞(韋琨)
貞(韋澳)
貞(韋肇)
貞(韋抗)
貞(姚南仲)
貞(韓皋)
貞(楊瑒)
貞(柳渾)
貞(路隨)
貞(阿史那忠)
貞(劉滋)
00貞度(劉宏操)
　貞文孝父(崔良佐)
10貞一(李栖筠)
　貞一先生(司馬承禎)
　貞正(元德昭)
　貞元先生(韋景昭)
　貞元大覺禪師(法欽)
12貞烈(盧奕)
　貞烈(袁恕己)
13貞武(張孝忠)
23貞獻(林鼎)
24貞壯(羅紹威)
26貞穆(張廷珪)
　貞穆(李珏)
30貞憲(張承業)
33貞褊(蕭瑀)
44貞莊(上饒公主)
　貞孝(崔安潛)
　貞孝(杜孝友)
　貞孝(杜暹)
　貞孝(權皋)
　貞孝(楊於陵)
47貞懿(高保融)
48貞敬(皮光業)
50貞惠(朱漢賓)
　貞惠(劉迺)
　貞素先生(王棲霞)
60貞固(趙元)
61貞顯(薛居正)
67貞曜先生(孟郊)
71貞臣(李思安)
88貞簡(牛仙客)
　貞簡(李勉)
　貞簡(李藩)
　貞簡(李翰)
　貞節(吳筠)

2190_3 紫
10紫霞山人(何溥)
60紫團山叟(韓運)

2198_6 穎
27穎叔(韋元曾)

2201_0 胤
27胤脩(孔續)
　胤叔(裴冑)
30胤宗(安叔千)

2210_8 豐
38豐祥(王鍇)

2220_0 制
30制之(崔杞)

2222_1 鼎
00鼎文(孔勗)
22鼎川(薛汾)
23鼎俊(裴鉞)
71鼎臣(徐鉉)
　鼎臣(易重)
77鼎卿(劉餗)

2222_7 嵩
嵩(薛嵩)
00嵩高潛夫(武密)
26嵩伯(陳陶)
71嵩臣(曹希甫)

2224_7 後
00後慶(周承矩)
17後己(唐讓德)
　後己(李景讓)
　後己(薛損)
　後己(獨孤遟)
　後己(馬儔)
27後象(林滋)
60後蜀高祖(孟知祥)
　後蜀後主(孟昶)
72後隱(楊磻)
77後覺(知玄)

2224_8 嚴
40嚴士(崔嶠)
　嚴士(李隱)
44嚴夢(李昌符)
50嚴夫(錢惟濟)
53嚴甫(李説)
71嚴臣(杜用礪)

2241_0 乳
42乳妖(文了)

2245_3 幾
00幾玄(孫拙)
01幾顏(趙璡)
16幾聖(孔昌庶)
　幾聖(白順求)
24幾化(崔澣)
30幾之(張彥回)
　幾之(楊知至)
　幾之(劉瞻)

38幾道（孟簡）
50幾中（薛鋼）
　幾本（周匡物）

2271₁ 崑

80崑美（余璀）

2272₁ 斷

72斷際禪師（希運）

2277₀ 山

53山甫（獨孤丕）

幽

10幽憂子（盧照鄰）

2290₀ 利

21利貞（元亨）
77利用（郭鏦）

2290₁ 崇

00崇文（高崇文）
　崇文（歐陽璟）
10崇元大師（朱元）
32崇業（周基）
34崇遠（李克脩）
48崇教大師（能和尚）
55崇慧大師（行修）
60崇因大師（清護）

2290₄ 樂

10樂天（白居易）
16樂聖（張侶）
26樂和李公（李景讓）
80樂全（楊安期）

2291₃ 繼

10繼元（張承業）
　繼平（劉日新）
22繼山（韋究）
26繼伯（韓紹）
28繼徽（姚彥章）
30繼之（楊嗣復）
80繼美（史懿）

2291₄ 種

24種德（王收）

2296₃ 緇

37緇郎（崔胤）

2320₀ 外

37外朗（劉濟明）

2320₂ 參

30參寥子（高彥休）

2321₀ 允

00允言（盧綸）
10允元（于頔）
　允元（周繇）
30允濟（劉允濟）
50允中（張憲）
67允明（王處直）
80允義（徐孟嘗）

2323₄ 伏

21伏虎禪師（志逢）

獻

獻（郭虛己）
獻（元行沖）
獻（裴行儉）
獻（衛密）
獻（韋夏卿）
獻（敬括）
00獻文（唐宣宗）
13獻武（張茂昭）
30獻之（蔣琛）
　獻之（韓袞）
71獻臣（裴思獻）

2324₀ 代

44代封（韓琮）

2324₇ 俊

71俊臣（寇彥卿）

2360₀ 台

00台文（鄭畋）
11台碩（崔鉉）
20台秀（李琪）
71台臣（王鐸）
　台臣（蔣庸）
　台臣（韓鑄）

2374₇ 峻

67峻昭（周岳）

2375₀ 峨

77峨眉山人（何元上）

2397₂ 耘

80耘美（劉松）

2414₇ 歧

歧（陸威）

2421₀ 壯

壯（尹元貞）
壯（李道玄）
壯（李孝基）
壯（劉彥貞）
壯（公孫武達）
27壯繆（伊慎）

化

00化文（孔緯）
　化文（李昭象）
01化龍（裴沼）
10化元（崔仁魯）
　化元（史弘肇）
16化聖（裴樞）
31化源（王衍）
　化源（楊行密）
34化遠（李繼忠）
40化南（孫爽）
42化機（李知損）
44化基（翟光鄴）
　化基（歐陽持）
　化權（韋匡）
90化光（呂溫）
　化光（金厚載）
　化光（鄭鈞）

2421₁ 先

30先之（楊知退）

佐

24佐化（孔崇弼）
64佐時（韓建）
77佐卿（王契）

2423₁ 德

德（武元爽）
德（崔鄲）
德（李麟）
德（杜審權）
00德立（張行成）
德高（李緘）
德裔（楊德裔）
德府（孫儆）
德廣（王遠知）
德廣（苗洶）
德文（徐延休）
德章（崔郾）
02德彰（李繪）
德彰（趙季良）
德新（李頻）
08德謙（劉處讓）
德詳（韋塾）
德詳（符存審）
10德玉（徐瑾）
德丕（馬希廣）
德璋（趙弘）
14德珪（樂彥瑋）
德璜（李存璋）
15德融（趙侔）
17德己（李景溫）
20德秀（曹英）
德信（崔溆）
德孚（羅弘信）
21德順（楊棻）
德師（李縠）
22德川（湯悅）
德豐（鄭稼）
德循（李彥頤）
德山（趙犫）
24德備（裴行方）
德偉（田武）
德升（周墀）
25德純（錢仁昉）
26德和（石贇）
27德龜（韋光遠）
德修（劉崇俊）
德彝（封倫）
德峰（張希崇）
德峰（周密）
28德儀（梁文矩）
德儉（李承約）

30德寬(馬仁裕)
德之(楊知溫)
德守(唐持)
德容(朱仁軌)
德實(裴耕)
德宗(趙道先)
31德源(于兢)
德源(朱巨川)
德源(鮑溶)
德源(蔣乂)
34德遠(盧沆)
德遠(李諤)
36德溫(齊煦)
德溫(白文珂)
德溫(黃璞)
德澤(崔濟)
37德潤(王溥)
德潤(裴珣)
德潤(崔沂)
德潤(烏承玼)
德潤(李珣)
德潤(華溫琪)
德潤(劉濤)
德深(袁滋)
38德祥(丁袗)
德祥(蘇鶚)
40德圭(李瑗)
41德樞(張廷蘊)
43德載(韋處厚)
德載(柳渾)
44德基(李從溫)
德藩(趙昌翰)
德芳(鄭元璹)
德茂(岑植)
德恭(張從訓)
德華(張延翰)
德華(李承福)
德華(韋廱)
德華(韓昭)
德林(鍾蕡)
45德坤(張歸厚)
50德中(王檢)
德素(王紹)
53德成(崔就)
55德輦(王仁裕)
58德敷(曇休)
60德昇(白奉進)
德昇(李公進)

德昌(高濟)
67德明(刁彥能)
德明(朱友文)
德明(楊光遠)
德明(陸元朗)
德昭(石暉)
71德原(裴光鼎)
德長(高保融)
德長(崔俊)
德臣(田頵)
72德隱(李潛)
德隱(貫休)
77德用(歐陽劼)
德膠(左牟)
德卿(張居翰)
德卿(盧士瓊)
德卿(皇甫珪)
德門(于邵)
德興(郭延魯)
德興(李國昌)
德興(李軒)
德興(劉載)
德賢(清河公主)
78德鑒(崔潭)
80德美(徐恓)
德美(李仁罕)
德義(梁文矩)
德普(司徒詡)
88德符(薛洿)
90德光(孫彥韶)
德光(朱友謙)
德光(徐昭)
德光(劉謙)
97德耀(王鐐)
德鄰(陸據)
德輝(韋藝)
德輝(柳璟)
德輝(劉承訓)
德輝(錢元璙)
99德榮(徐康)

24241 待
21待價(皇甫蘊)
待價(邊翔)
待價(李珏)
28待倫(邵楚萇)
77待問(王敏)
待問(盧藹)

待舉(崔義進)

24256 偉
98偉俤(獨孤義順)

24265 僖
僖(武士讓)
僖(劉審禮)

24290 休
00休府(張茂樞)
01休顏(戴休顏)
16休璟(唐璿)
18休瑜(崔瑾)
30休之(韋序)
休之(杜孺休)
38休祥(劉徵)
62休則(元海)
67休明(于頎)
休明(長孫敞)
休明(劉昭禹)
88休範(鄭仁表)

24400 升
30升之(孟遲)
44升蒙(裴暉)

24541 特
77特卿(孔紓)
特卿(李竦)

24727 幼
10幼正(包佶)
21幼儒(郭幼儒)
22幼幾(賈至)
28幼微(魚玄機)
37幼深(韓洄)
40幼來(韓洄)
50幼忠(唐遺孝)
67幼明(權微)
幼嗣(包何)
80幼公(戴叔倫)
97幼鄰(賈至)

24741 峙
10峙元(封彥卿)

24747 岐
岐(陸威)

24806 贊
贊(李祐)
16贊聖(封舜卿)
20贊禹(廖匡圖)
贊禹(高段)
21贊貞(牛存節)
24贊休(唐嵩)
32贊業(楊戴)
40贊堯(崔仁遇)
贊堯(趙匡明)
贊堯(錢宏偓)

24956 緯
48緯乾(林藻)
77緯卿(盧象)

24960 緒
緒(田緒)

24986 續
77續卿(楊纂)

25100 生
44生菩薩(薛調)
83生鐵(張敬達)

25206 仲
00仲高(鄭敞)
仲廉(歐陽幼明)
仲文(錢起)
仲言(李訓)
03仲謐(于志寧)
04仲諶(王仲諶)
仲謀(張圖)
10仲玉(周勵言)
11仲孺(薛季童)
12仲烈(王無競)
17仲習(劉傳經)
20仲采(陸璪)
21仲儒(劉宗經)
仲虔(李敬方)
仲師(楊衡)
22仲豐(劉瞻經)
仲幾(程諫)
仲山(王丘)
仲山(張孝嵩)
仲山(蔣凝)

23仲絨(林罕)
24仲休(海慧)
25仲伸(唐嶠)
仲純(劉專經)
26仲和(薛舒)
27仲修(劉志經)
30仲適(劉太真)
仲安(劉知仁)
仲良(祝嘉)
仲實(楊昭儉)
仲實(劉鼎)
仲寶(施璘)
仲寶(賈毗)
仲寶(李琛)
仲寶(楊昭儉)
32仲淵(劉深經)
34仲淹(王通)
仲滿(朝衡)
仲遠(高越)
仲達(孔穎達)
仲達(劉通經)
仲達(陳文顯)
36仲溫(李陽冰)
37仲初(王建)
仲通(鮮于向)
仲朗(周昉)
40仲雄(薛毅)
41仲樞(李固言)
43仲博(劉全經)
44仲莊(侯仲莊)
仲莊(劉繕經)
仲華(梁藻)
仲華(敬暉)
50仲申(唐嶠)
53仲甫(薛嵩老)
仲甫(趙宣輔)
58仲敷(柳芳)
60仲困(趙宗萬)
仲思(李儼)
仲昌(劉知晦)
62仲則(田令孜)
64仲曄(敬暉)
65仲味(薛邕)
68仲晦(許渾)
72仲隱(孫緯)
77仲熙(庾載)
仲聞(韓皋)
80仲益(鍾謨)

83仲猷(楊徽之)
87仲翔(王方翼)
仲翔(董羽)
仲舒(李紓)
88仲節(莫宣卿)
90仲常(劉遵經)

伸
44伸蒙子(林慎思)

2522_7 佛
30佛窟禪師(遺則)

2524_3 傳
33傳心大師(師浩)
34傳法大師(行明)
67傳明大師(如會)
傳明大師(善會)

2529_3 傝
21傝仁(裴向)

2529_4 傑
傑(毛欽一)

2590_0 朱
37朱深眼(朱令贇)
44朱萬卷(朱遵度)

2591_7 純
10純一禪師(全付)
24純化(孫綰)

2598_6 積
50積中(王知蘊)
積中(裴含章)
積中(盧藴)
80積善大師(志澄)

續
71續臣(朱澹寶)
續巨(趙熙)

2600_0 白
00白麻答(白再榮)
白衣卿相(盧玄暉)
10白雲孺子(令狐楚)
白雲先生(王迥)

白雲先生(石延翰)
61白跖(蘇渙)
67白眼相公(張公素)
71白馬三郎(王審知)
77白學士(白居易)

自
23自然(馬湘)
自然先生(尹玉羽)
27自脩(顧謙)
28自牧(裴思謙)

2620_0 伯
00伯高(張旭)
伯高(李崿)
伯襃(薛收)
03伯誠(蕭存)
04伯謀(劉懷策)
08伯施(虞世南)
伯謙(敬揖)
10伯玉(王璠)
伯玉(王珣)
伯玉(徐瑤)
伯玉(房知溫)
伯玉(褚璆)
伯玉(李璟)
伯玉(韓瑗)
伯玉(陳子昂)
20伯垂(崔貽孫)
22伯循(趙匡)
伯鸞(黃居寀)
27伯魚(孫昉)
30伯寬(楊弘)
伯容(崔萱)
伯良(祝臧)
伯寅(劉恭)
35伯冲(陸賈)
37伯祖(聶紹元)
伯深(劉濟)
伯通(第五泰)
40伯存(柳并)
伯真(姚顗)
44伯恭(張可復)
伯英(姚子彥)
伯華(岑羲)
伯蒼(武元衡)
47伯均(閭士和)
伯起(殷踐猷)

伯起(韋岫)
伯起(鄭隱)
50伯夷(王尚逸)
53伯甫(裴延翰)
60伯圖(劉譜)
76伯陽(令狐彰)
77伯周(喬維岳)
84伯鎮(詹雄)

2624_1 得
10得一(劉遂清)
16得聖(蕭遘)
21得仁(史孝章)
26得得來和尚(貫休)
27得衆(康志睦)
30得之(索自通)
50得車(崔鸞)
60得昇(邊蔚)
88得符(楊授)

2629_4 保
00保裔(孟知祥)
10保元(孟昶)
17保君(烏重胤)
20保信(王守恩)
21保衡(盧坦)
22保胤(孟知祥)

2633_0 息
10息元(周隱遙)

2671_4 皂
31皂江漁翁(張立)

2690_0 和
10和玉(徐毅)
22和鼎(李甘)
27和叔(呂溫)
37和初(魏玄同)
50和夫(郗士美)
90和尚(錢宏億)

2690_4 臬
53臬捩雞(石紹雍)

2691_4 程
17程君山(程賀)

2692_2 穆
穆(高越)

穆（裴向）
穆（郗昂）

2693₀ 總
30總之（石貫）

2694₁ 釋
30釋之（渾釋之）

2712₇ 歸
10歸元子（爾朱先生）
30歸寂禪師（智真）
　歸寂大師（令達）
71歸厚（裴耆）

2722₀ 勿
40勿喜（韋訢）

2722₂ 修
10修一大師（圓智）
23修然（王師乾）

2722₇ 惰
00惰文（徐昕）
32惰業（呂述）

脩
脩（李脩）

2723₂ 象
00象文（張螘）
　象文（蕭曙）
24象先（袁象）
　象先（陸景初）

衆
80衆美（王檀）

2724₂ 將
38將道（徐齊聃）

2724₇ 殷
04殷誥（崔礒）
14殷功（崔護）
21殷衡（杜審權）
36殷澤（李況）
46殷駕（楊輅）
48殷敬（裴質）

77殷卿（奚陟）
　殷卿（韋陟）

2725₇ 伊
22伊川田父（郗純）

2730₃ 冬
37冬郎（韓偓）
60冬日（劉延景）
67冬暉（鄭凜）

2731₂ 鮑
77鮑闓（鮑君福）

2733₆ 魚
87魚鄭（鄭注）

2743₀ 夬
23夬然（趙彥昭）

2746₁ 船
17船子和尚（德誠）

2760₀ 名
34名遠（元德昭）

2760₃ 魯
07魯望（陸龜蒙）
10魯玉（王璠）
18魯珍（李峴）
40魯志（薛褒）
60魯昌（高汶）
67魯瞻（路巖）

2762₇ 鵠
77鵠舉（房千里）

2780₉ 炙
47炙轂子（王叡）

2791₇ 紀
16紀聖（裴樞）
22紀川（楊源嶓）
24紀化（薛昭緯）

2792₀ 綱
綱（韋綱）

2792₂ 繆
繆（許敬宗）
繆（裴延齡）
繆（李程）
繆（封倫）
繆（陳叔達）

2794₀ 叔
00叔文（馮延魯）
　叔章（李仲寓）
　叔言（韓熙載）
17叔弓（敬括）
18叔玠（王珪）
24叔佐（啖助）
　叔休（崔球）
26叔和（韋雍）
28叔儀（楊鷗）
30叔之（孟遲）
　叔良（高武光）
　叔良（祝綝）
　叔寶（宋琪）
　叔寶（蔡南玉）
34叔達（李從敏）
35叔清（崔翰）
37叔迟（侯喜）
　叔遐（于復）
40叔南（李丹）
48叔翰（李藩）
51叔振（汪萬於）
58叔敖（宗楚客）
　叔敖（嚴郢）
　叔敖（鄭楚相）
67叔明（楊朝晟）
76叔陽（韋光裔）
77叔堅（顏惟真）

2796₂ 紹
22紹山（黃璞）
　紹出（韓思復）
30紹之（楊紹復）
　紹宗（邢宇）
33紹述（樊宗師）
40紹真大師（法端）
44紹基（王庭胤）
62紹則（神素）
77紹隆大師（洪荐）

2820₀ 似
30似之（崔敬本）

2824₀ 攸
34攸遠（高遠）

微
30微之（元稹）

徵
30徵之（張林）
50徵夫（孔緯）

徽
30徽之（杜裔休）
50徽本（于大猷）

2824₇ 復
00復言（李諒）
17復己（李景讓）
30復之（李諒）
35復禮（韋公素）
44復夢（林蘊）
50復貴（渾侃）
60復愚（劉蛻）
77復卿（郭承嘏）

2825₃ 儀
儀（張義方）
22儀山（趙峻）

2826₆ 僧
17僧弼（蕭說）

2828₁ 從
10從一（竇懷貞）
　從一（李嘉祐）
18從政（蕭森）
21從偃（韓公武）
25從律（崔琯）
27從衆（路應）
30從之（王逸）
38從道（鍾法遵）
60從冕（張歸弁）
77從周（張鎬）
　從周（衛次公）
　從周（崔弘禮）

80從善(韋翼)

2854_0 牧
30牧之(杜牧)

2864_7 馥
馥(薛昷)

2896_6 繪
30繪之(張仲素)

2898_1 縱
縱(宇文士及)
縱(馬暢)

2925_0 伴
80伴食宰相(盧懷慎)

2998_0 秋
77秋卿(徐商)

3010_6 宣
宣(唐肅宗)
宣(王延昌)
宣(武三思)
宣(武承嗣)
宣(歸崇敬)
宣(鮑防)
宣(查文徽)
宣(薛苹)
宣(趙弘智)
宣(劉祥道)
宣(陸贄)
宣(鄭絪)
宣(鄭澣)
05宣靖(游簡言)
13宣武(李宏冀)
宣武(范希朝)
23宣獻(杜黃裳)
34宣法大師(智依)
宣遠(李景邈)
50宣惠(錢惟濟)

3010_7 宜
30宜之(王福娘)
宜之(崔諲)
宜之(韋璋)
宜之(苗愔)
32宜業(裴譔)
34宜遠(徐粲)

3011_3 流
08流謙(楊去盈)

3011_4 注
80注善(李滂)

3011_7 瀛
47瀛都(徐澄)

3012_3 濟
濟(劉濟)
22濟川(崔殷夢)
濟川(劉渙)
濟川(陳洪進)
30濟之(崔嶬)
濟之(楊仁瞻)
80濟翁(李匡文)
濟美(孔戣)

3014_6 漳
71漳臣(盧鄴)

3019_1 凜
30凜之(楊嚴)

3020_1 寧
71寧臣(杜彥林)

3020_7 穹
24穹佐(李昊)

3021_3 寬
寬(柳公綽)
50寬中(崔裕)
寬中(梁肅)
寬中(李景儉)

3022_7 肩
17肩孟(李綽)

寡
98寡悔(伊慎)

3023_2 永
30永定(翟光鄴)
32永業(錢九隴)
38永裕(杜悰)
40永吉(韓保貞)
50永夷(劉迺)
60永固(吳保安)
67永明宗照大師(延壽)
永明大師(令參)
76永陽子(杜希道)
80永年(王宗壽)
永年(陳彭年)

3030_1 進
30進之(崔安潛)
37進通(李嗣昭)
67進明(于德辰)

3030_2 適
30適之(裴安時)
適之(符蒙)
50適中(應夷節)

3030_7 之
00之玄(韋雲表)
13之武(鍾子威)
28之儀(袁郊)
44之材(盛均)
48之乾(袁郊)
50之推(竇瓘)
77之巽(杜鴻漸)
80之美(袁都)

3033_6 憲
憲(高馮)
憲(許孟容)
憲(張薦)
憲(孔穎達)
憲(武元慶)
憲(岑文本)
憲(獨孤及)
憲(令狐德棻)
30憲之(韋昭範)
憲之(楊範)
67憲明(鍾泰章)
71憲臣(楊廷式)

3034_2 守
02守訓(薛仁謙)
04守訥(唐貞敏)
20守信(唐貞行)
守孚(石重信)
27守約(裴行儉)
30守之(魏箸)
35守禮(唐貞觀)
37守潔(唐貞廉)
40守直(唐貞操)
50守惠(劉仁瞻)
守素先生(王駕)
60守愚(鄭谷)
88守節(郭謹)
守節(王德儉)

3040_4 安
安(竇璡)
安(李元祥)
安(李安遠)
安(長孫操)
10安正(邊歸讜)
安平(韓泰)
21安上(崔敦禮)
安仁(朱友寧)
24安僖(錢惟濟)
26安卑(裴紹光)
35安禮(魏恬)
38安道(崔定言)
安道(田弘正)
安道(陳康士)
47安期(路泌)
53安成(崔融)
安成(曹仲達)
60安國(劉昌魯)
64安時(郭崇韜)
安時(沈贇)
安時(樊澤)
88安簡(杜佑)
安簡(錢仁俊)

3043_2 宏
16宏理(石重義)
30宏之(鄭曄)
34宏法大師(空海)
宏法大師(清忠)
44宏基(趙崇祚)
74宏肱(王翃)
88宏簡(魏之邈)

3060_6 富
27富侯(蕭廉)

3060_8 容
77容卿(裴倩)

3060_9 審
審(宇文審)
17審己(李詳)
審己(陳大雅)
42審機(高允韜)

3073_2 良
良(高遠)
良(皇甫無逸)
良(長孫敞)
11良孺(徐殼)
30良宰(郭揆)
37良逸(田虛應)
40良士(韓休)
43良哉(舒元肱)
66良器(李晟)

3077_2 密
密(平貞眘)
密(張儉)
密(竇抗)
密(李安遠)

3080_1 定
定(高智周)
定(王質)
定(豆盧寬)
定(于志寧)
定(張行成)
定(張知泰)
定(武士彠)
定(盧承慶)
定(何進滔)
定(何全皞)
定(徐浩)
定(李緯)
定(李景遷)
00定方(蘇定方)
12定水大師(文了)
55定慧禪師(玄應)
定慧禪師(宗密)

71定臣(李戡)

3080_6 寶
10寶玉(柳璧)
22寶川(吳巒)
50寶中先生(劉璵)
56寶規(馬希範)
71寶臣(王宗瑤)
寶臣(劉珪)
77寶聞大師(惟勁)
寶卿(劉貴)
86寶智大師(休靜)
90寶光(屠瓌智)

寅
88寅節(張玄晏)

竇
40竇十(郭允明)

實
00實方(崔積)
46實相得一大師(彥球)
實相大師(道晤)
95實性大師(祥和尚)

賓
10賓玉(柳璧)
賓王(馬周)
賓至(杜光庭)
16賓聖(杜光庭)
21賓虞(韋庠)
30賓之(韋曈)
90賓光(鄭嵎)

3090_1 宗
00宗玄(竇易直)
宗玄先生(吳筠)
10宗一(淩準)
宗一禪師(僧備)
宗一禪師(法瑤)
16宗聖(薛蟾)
17宗尹(楊魯士)
21宗仁(婁師德)
28宗微(聶師道)
30宗之(崔宗之)
宗之(馮絨)

34宗達(道遵)
50宗素(王季文)
55宗慧大師(行修)
宗慧大師(守初)
64宗曉禪師(清諤)
67宗照(延壽)

3090_4 宋
32宋業(李固)

3094_7 寂
67寂照禪師(慧球)

3111_0 江
37江湖散人(陸龜蒙)
50江東生(羅隱)

3112_7 馮
00馮六(石重呆)
50馮青面(馮行襲)

3116_0 酒
24酒徒漫叟(元結)

3116_1 潛
50潛夫(張昭遠)
77潛邱道士(胡伯成)

3116_8 濬
22濬川(石洪)
30濬之(高湘)
濬之(李勰)

3117_2 涵
27涵象(葉藏質)
90涵光(徐汶)

3119_6 源
源(喬潭)
32源澄(靈徹)

3128_6 顧
26顧和尚(顧全武)

3210_0 淵
30淵寧(徐漢)

3211_3 兆
21兆師(周渭)

40兆吉(樂朋龜)

3211_8 澄
30澄之(高湜)
31澄源(靈徹)
澄源禪師(無殷)
37澄瀾(崔湜)
67澄照(道宣)

3213_0 冰
32冰業(錢九隴)

3214_7 浮
24浮休(程遜)
浮休子(張鷟)

3216_9 潘
22潘仙人(潘扆)
88潘鏇腳(潘環)

3222_1 祈
22祈山(裴硎)

3230_2 近
35近禮(孟思恭)

3230_3 巡
巡(張巡)

3230_7 遙
31遙源(崔瀆)
40遙喜(朱友珪)

3230_9 遜
30遜之(薛保遜)
40遜志(孔溫業)

3290_4 業
業(曹鄴)

3300_0 心
77心印水月大師(子儀)
88心鑑禪師(藏㚟)

必
88必簡(杜審言)

3313_2 泳
泳（陸長源）
30泳之（陸長源）

浪
22浪仙（賈島）
40浪士（元結）

3314_7 浚
30浚之（杜承澤）
31浚源（徐濤）
　浚源（苗詹）

3318_6 演
24演化大師（知遠）

3320_0 祕
50祕書外監（賀知章）

3322_7 補
71補闕先生（方干）
　補臣（裴袞）

3330_2 遍
67遍照金剛（空海）

逋
80逋翁（顧況）
　逋公（顧況）

3330_3 邃
30邃之（薛庭望）

3330_9 述
16述聖（陳商）

3390_4 梁
44梁萬（徐密）
72梁丘子（白履忠）

3402_7 為
10為霖（鄭祁）
22為山（趙崇）
30為憲（周縣）
43為式（崔巨）
50為中（崔潼）
53為輔（李寶臣）

3411_1 洗
33洗心（齊澣）

3411_2 沈
38沈道者（沈廷瑞）
60沈四山人（沈千運）

3411_4 灌
11灌頂國師（智藏）

3411_8 湛
23湛然（崔湛）

3413_1 法
00法主（李密）
08法施禪師（策真）
10法雨大師（誠惠）
　法雲（灌頂）
　法雲大師（道遵和尚）
30法濟大師（洪諲）
　法寶（玄暢）
　法寶禪師（道閑）
　法寶大師（契隱）
40法喜禪師（令遵）
46法相（師會）
53法成（王守慎）
67法明普照禪師（法瓚）
92法燈禪師（泰欽）
95法性禪師（無殷）

3413_4 漢
25漢傑（崔旷）
35漢津（徐湘）
44漢藩（劉鄴）
71漢臣（崔廷表）
　漢臣（江景防）

3414_0 汝
01汝諧（姚康）
　汝諧（狄兼謨）
30汝良（周允元）
66汝器（崔璀）

3416_1 浩
　浩（李鐔）

71為臣（盧商）
23浩然（孟浩然）
　浩然（盧鴻）
　浩然（荊浩）

3418_1 洪
00洪度（薛濤）
17洪忍禪師（從琛）
22洪崖子（張氳）
30洪濟（行思）
31洪源（耿湋）
38洪祚（趙昌）
　洪道（窺基）
80洪谷子（荊浩）
88洪範（王軌）
　洪範（崔禹錫）

3426_0 祐
30祐之（蕭祐）
　祐之（楊承休）

3430_3 遠
86遠知（徐審）

達
　達（權達）
03達識（巨岷）
33達心（李讓夷）
46達觀子（李筌）
　達觀禪師（智筠）
50達夫（高適）
　達夫（徐放）
　達夫（楊於陵）
　達夫（陸暢）
67達明（歐陽託）

3440_4 婆
77婆留（錢鏐）

3510_6 沖
00沖立（延壽）
05沖靖先生（史虛白）
21沖虛先生（成延昭）
26沖和子（張鼎）
　沖和先生（姜撫）
30沖之（歸登）

34沖遠（高越）
　沖遠（孔穎達）
　沖遠（程羽）
46沖輻（鄧處訥）
77沖用（薛僅）

3512_7 清
21清仁（韋澄）
28清谿子（李涉）
30清塞（周賀）
　清涼禪師（澄觀）
32清溪子（李涉）
38清冷山沙門（省躬）
　清豁（元應）
50清夫（韓湘子）
　清晝（皎然）
66清嚴大師（全豁）
71清臣（顏真卿）
72清隱（詹敦仁）

3520_6 神
26神和子（屈突無為）
71神匡（張玄弼）
88神符（李神符）

3521_8 禮
10禮玉（韋琮）
17禮羽（王葆）
21禮仁（崔知溫）
22禮山（崔塗）
24禮先（劉灌）
37禮潤（楊筠）
67禮昭禪師（何溥）
77禮用（于琮）
　禮用（孫備）
　禮用（宇文瓚）
　禮卿（裴夷直）
　禮卿（韋璉）

3530_0 連
43連城（裴光庭）

3530_8 遺
40遺直（竇叔向）

3610_0 汨
44汨藏（劉懷器）

3611_1 混
53混成(盧濤)
混成(董晉)

涅
27涅槃(文炬)

3611_7 溫
溫(孔禎)
溫(韋承慶)
溫(楊元琰)
10溫玉(楊潤)
14溫琪(朱瑤)
35溫禮(唐璲)
46溫如(任玠)
溫如(薛珏)
50溫忠(唐璿)

3612_7 渭
77渭叟(張保望)
80渭翁(裴德符)

湯
35湯神(文了)

3613_2 瀑
31瀑源(王滌)

3614_1 澤
00澤章(趙璘)
80澤美(鄭哲)

3614_7 漫
37漫郎(元結)
77漫叟(元結)

3621_0 祖
73祖膊和尚(智亮)

3625_6 禪
46禪想大師(章和尚)
77禪月大師(貫休)

3630_2 邊
25邊佛子(邊鎬)
26邊和尚(邊鎬)
44邊菩薩(邊鎬)

3630_3 還
42還樸(袁不約)

3711_4 濯
26濯纓(張洗)
濯纓(李瀺)

3712_0 洵
80洵美(馬燧)

3712_0 洞
10洞元先生(閭邱方遠)
28洞微(馬重績)
30洞賓(呂巖)
40洞真先生(黃洞元)
洞真先生(陳守光)

潤
30潤之(劉濛)
43潤博(胡珣)
潤娘(楚兒)
50潤中(崔璬)
53潤甫(崔液)
潤甫(韋湑)
77潤卿(張賁)

3712_7 鴻
31鴻源(楊隆演)
32鴻漸(毛仙翁)
鴻漸(陸羽)

3713_4 渙
00渙文(林鼎)
30渙之(裴耀卿)
44渙者(元結)
60渙思(邢罩)

3715_6 渾
30渾之(欒清)
38渾淪子(張九垓)

3715_7 净
27净修大師(省僜)
60净果大師(守澄)
67净照禪師(慧同)
90净光大師(義寂)

91净悟禪師(善静)
净悟禪師(懷烈)

3718_1 凝
25凝積(石熙載)
30凝密禪師(匡逸)
凝寂大師(寶積)
44凝夢(潘炕)

3718_2 次
10次元(蕭膺)
22次山(元結)
25次律(房琯)
30次之(裴儔)
次宗(邢宙)
47次都(王審邦)
80次公(杜亞)

3719_4 深
30深之(崔滔)
深之(牛微)
深之(李絳)
深之(劉玄意)
31深源(裴澈)
深源(薛海童)
深源(陸澧)
71深原(裴虬)

3721_0 祖
24祖德(顏衎)
60祖思(裴邦基)
67祖照禪師(道和)

3721_4 冠
00冠章(張禪)
21冠仁(張知實)
28冠儀(裴侁)

3722_0 初
76初陽(李復)

3730_1 逸
逸(郭思訓)
90逸少(皮日休)

3730_2 通
00通辯禪師(道鴻)
通辯明德禪師(紹安)
通玄先生(張薦明)
通玄先生(張果)
通玄禪師(師巍和尚)
16通理(康玄辯)
通理(玉美暢)
通理(裴識)
通理(李周)
21通師(歐陽通)
28通微(爾朱先生)
通微(楊知章)
34通法大師(道誠)
55通慧(贊寧)
通慧禪師(敬遵)
80通美(葛從周)
95通性(神悟)

過
00過庭(孫虔禮)
過庭(宋思禮)

3730_3 退
22退山(袁皓)
27退身(李景遂)
30退之(白行簡)
退之(韓愈)
60退思(孫成)
退思(馮審)
80退翁(趙憬)

3730_4 遲
30遲之(孟遲)

退
00退慶(周承規)
10退至(楊途)
27退叔(裴冑)
退叔(李華)
30退寶(楊球)
36退澤(崔濛)
40退吉(楊敬福)
77退聞(嚴震)
退奉(齊抗)
退奉(王邁)
退奉(杜鵑)
80退美(韋遜)

逢
60逢昌(張允伸)
64逢時(郭知運)
　逢時(王炎)

3772₀ 朗
40朗士(崔璵)
86朗智大師(遇安)

3780₆ 資
24資化禪師(清運)
67資明(薛存誠)

3792₇ 鄴
30鄴之(曹鄴)

3814₇ 游
07游韶(上官儀)
30游之(韋潘)

3815₇ 海
00海康(徐澤)
17海子(崔液)
50海夫(崔致遠)

3816₇ 滄
32滄洲子(朱灣)

3821₁ 祚
77祚卿(劉秩)

3825₁ 祥
00祥文(陸宸)
71祥牙(趙璜)

3826₈ 裕
16裕聖(鄭凝績)
30裕之(魏宏簡)
　裕之(錢昆)
40裕志(裴弘)

3830₃ 遂
30遂之(薛庭望)

3830₄ 遵
16遵聖(高從誨)
　遵聖(高退之)

遵聖(孟元喆)
32遵業(唐紹)
50遵素(杜黃裳)
80遵益(劉耕)
　遵美(皇甫枚)
88遵範(劉訓)

3830₆ 道
00道玄(龐蘊)
02道彰(徐義立)
08道謙(曹汾)
　道海(徐仁勗)
10道一(鄭涓)
　道正(章孝標)
　道元(葉法善)
12道弘(孫洽)
　道弘(鄭拙)
17道子(吳道玄)
21道貞(崔幹)
22道崇(魏隆)
25道生(竇抗)
30道濟(張說)
　道濟禪師(緣德)
　道寧(杜元志)
　道安(裴積)
　道安(崔晏)
　道宗(馮元)
31道源(崔涓)
35道沖(許法稜)
　道清(玄素)
44道茂(趙植)
　道恭(神邕)
　道模(王軏)
50道泰(魏隆)
64道叶(楊據)
72道隱(司馬承禎)
77道用(李齊物)
80道益(崔弘裕)
90道光(杜延雍)

3850₇ 肇
21肇仁(劉文靜)

3860₄ 啓
10啓元子(王冰)
30啓之(韋同翊)
　啓之(蕭鄴)
　啓之(杜光乂)

50啓中(胡証)

3930₂ 逍
32逍遙子(無可)
　逍遙先生(張直)
　逍遙先生(鄭遨)
　逍遙大法師(眉娘)

3930₈ 逊
逊(武士逸)

4000₀ 乂
48乂敬(鄭肅)

4001₇ 九
00九座禪師(智廣)
44九華山人(熊皦)
　九華先生(宋齊丘)
　九華山人(杜荀鶴)
55九曲禪師(慶祥)
60九思(裴儆)
64九疇(余萬頃)

4003₀ 大
00大亮(陳鴻)
　大方(閭丘方遠)
　大章(牛蔚)
　大章(徐晦)
　大辦正廣智三藏和尚(不空)
02大端(殷聞禮)
　大證禪師(慧宗)
10大玉(權珏)
16大聖貞皇帝(唐睿宗)
20大信(趙孚)
　大受(高宏)
　大受(衛中行)
21大順(薛公達)
24大德(崔壽)
　大德(李玄霸)
　大休(澄觀)
27大綱(李元紘)
28大徹禪師(惟寬)
30大宣教禪師(智藏)
　大宣教禪師(懷暉)
　犬扇和尚(志逢)
　大寶禪師(太毓)

大寂禪師(道一)
32大業(韋博)
34大滿禪師(弘忍)
　大法眼禪師(文益)
　大遠禪師(志賢)
　大達國師(無業)
35大津禪師(玄素)
　大禮(宇文節)
37大祁(李元素)
　大通禪師(神秀)
　大朗禪師(慧朗)
40大圭(崔璐)
　大圭(權璩)
　大直(蔣伸)
　大有(溫彥將)
　大李將軍(李思訓)
43大朴(李元素)
44大封人(法)
　大盧禪師(鑒真)
46大觀禪師(契真)
50大秦君(秦景通)
　大東(趙昶)
52大拙(薛能)
55大慧禪師(一行)
　大慧禪師(普寂)
　大慧禪師(懷讓)
60大圓(道澄)
　大圓禪師(靈祐)
　大圓禪師(楚金)
　大圓禪師(阿足師)
64大曉禪師(本淨)
　大曉禪師(令韜)
67大明(徐弘光)
　大明禪師(明瓚)
　大照禪師(普寂)
70大雅(徐熙)
　大雅(溫彥弘)
　大雅(馬全節)
72大隱(刪希逸)
　大隱(趙隱)
77大覺(法欽)
　大覺禪師(道虔)
　大覺禪師(道欽)
　大覺禪師(智藏)
　大覺禪師(懷暉)
　大用(王駕)
　大用(盧文進)
　大舉(殷鵬)

大舉(翁宏)
大醫禪師(道信)
78大鑒禪師(慧能)
大臨(溫彥博)
80大慈雲匡真宏明禪師(文偃)
大年(王龜)
大善(李嘉)
86大智禪師(義福)
大智禪師(懷海)
大智藏大導師(文益)
87大鈞(查陶)
88大鑑禪師(慧能)

太
00太應(李光進)
太玄(李抱真)
10太元(張沆)
16太碧(張碧)
24太先生(元延祖)
25太仲(韓滉)
26太白(李白)
太白山人(清虛子)
太和先生(王玄宗)
30太賓(趙蕤)
35太沖(韓滉)
太沖(吳仲舉)
37太初(方昊)
太初(劉闢)
太初(陳寡言)
40太真(唐玄宗楊貴妃)
43太朴(周朴)
50太素(李浩)
太素(葉法善)
52太拙(薛能)
72太丘(李道廣)

4003_4 爽
爽(韓湘)
30爽之(薛俊)
37爽朗道人(莫公)

4010_9 士
00士廉(高儉)
士讓(武沖)
01士龍(顧雲)
士龍(劉蟠)
士龍(陳讜言)
10士元(李彥從)
21士能(劉技)
士經(韋建)
22士緐(蕭皋)
30士寬(王恕)
士安(劉晏)
31士源(孟彥深)
34士達(李深)
62士則(崔邠)
士則(竇軌)
士則(桓彥範)
67士明(裴諝)
士明(劉昱)
士昭(劉遙)
77士皋(裴騰)
80士美(程休)
士會(裴霸)

4010_4 圭
77圭卿(崔望孫)

4010_7 直
00直方(柳澈)
43直哉(劉讜)
71直臣(包諤)
77直卿(崔黯)
直卿(李龜謀)
直卿(權長孺)

4020_0 才
31才江(李洞)

4021_1 堯
30堯之(楊郁)
堯賓(曹唐)
71堯臣(鄭堯)
77堯卿(柳陟)
堯卿(鄭羲)

4021_4 在
44在華(張文蔚)

4021_6 克
克(裴光庭)
00克讓(柴守禮)
克讓(竇巡)
17克己(徐恕)
44克恭(常思)
55克構(裴垣)
67克明(張訓)
克明(杜如晦)
克明(劉章)
克明(劉繹)

4022_7 内
00内文(李韞)
15内融(崔沔)
27内魯(王參)
44内莊(韋肅)
内華(鄭蕃)
67内明(崔朗)

南
00南唐元宗(李璟)
南唐烈祖(李昇)
南唐後主(李煜)
27南紀(李漢)
34南漢高祖(劉龑)
南漢烈宗(劉隱)
南漢殤帝(劉玢)
南漢後主(劉鋹)
南漢中宗(劉晟)
37南湖(鄭露)
43南式(路隨)
44南薛(薛嵩老)
76南陽忠國師(慧忠)
77南卿(清塞)
80南金(康希銑)
南美(徐筠)

有
14有功(徐有功)
15有融(鄭朗)
30有之(李技)
有之(韓昶)
38有裕(崔彥綽)
有裕(崔圓)
有道(王貞白)
50有中(李中)
88有節(趙珝)

希
00希立(李琨)
希度(崔汪)
希言(竇師綸)
希玄(武忱)
01希龍(王虬)
希龍(路招隱)
07希望(白延遇)
11希琢(王璿)
希孺(陳黯)
12希瓘(竇希瓌)
16希聖(施肩吾)
希聖(路延規)
希聖(錢惟演)
21希仁(李湯)
希仁(劉軻)
24希徒(劉崇望)
25希仲(陸元方)
希仲(錢守讓)
26希白(錢易)
27希粲(許仲宣)
28希微先生(吳法通)
40希古(任敬臣)
希真(豆盧琢)
44希韓(孫郃)
47希聲(陳鏞)
50希夷先生(陳摶)
53希甫(歐陽袞)
63希默子(徐靈府)
67希明(褚亮)
77希叟(封渭)
希卿(崔顏)
希賢(劉知俊)
80希美(劉禪之)
99希瑩(王瑜)

4024_7 存
00存諒(柳寬)
03存誠(李弨)
30存之(畢誠)
存之(馬植)
43存博(李約)

4430_4 蓬
22蓬仙(楊萊兒)

4033_1 志
00志文(唐傑)
10志元(孫定)
21志順(唐遜)
志行大師(譚和尚)
24志德大師(幼璋)
37志通(張敬達)
67志明(唐爽)
88志範(唐師)

4033₄ 褎

40 褎志（薛休）

4040₇ 李

00 李摩雲（李罕之）
11 李北海（李邕）
12 李水墨（李壽儀）
38 李道（李榮）
44 李猫兒（李德柔）
　李孝女（李妙法）
　李老虎（李瓊）
50 李書樓（李磎）

友

25 友倩（閻朝隱）
38 友道（李遜）
40 友直（杜行方）
44 友封（竇羣）
98 友悌（陸堅）

4046₅ 嘉

00 嘉言（唐款）
21 嘉穎（賈稹）
27 嘉魚（鄭魴）
80 嘉會（李亨）

4060₀ 古

40 古直（曹愚）
77 古風（獨孤郁）

右

07 右郊（裴埛）
10 右玉（崔瑄）
44 右華（張文蔚）

4060₁ 吉

53 吉甫（沈崧）

4064₁ 壽

　壽（姜協）
20 壽雋（劉晟）
22 壽仙（公乘億）
　壽山（公乘億）
77 壽卿（崔膠）
　壽卿（徐次彭）

4071₀ 七

48 七松處士（鄭薰）

4071₄ 雄

12 雄飛（方干）
　雄飛（林嵩）

4073₁ 去

17 去瑕（王清）
44 去華（張貽憲）
　去華（劉賁）
　去甚（盧甚）
53 去惑（顏允南）

4080₁ 真

00 真應禪師（桂琛）
　真玄（裴寂）
10 真一子（彭曉）
14 真瑛（子瑀）
30 真宗（神會）
　真寂禪師（善道）
　真寂禪師（智作）
　真寂禪師（惟曠）
　真寂大師（存壽）
　真寂大師（無了）
40 真存（吳丹）
50 真素先生（王棲霞）
71 真長（王俊）
72 真際大師（從諗）
77 真覺大師（玄覺）
　真覺大師（靈照）
　真覺大師（洞明）
　真覺大師（義存）

4091₆ 檀

22 檀欒子（皇甫松）
25 檀生（檀智敏）

4191₄ 極

53 極甫（汪極）

4191₆ 樞

50 樞中（孫簡）

4192₀ 柯

40 柯古（段成式）

4196₀ 栖

50 栖夷子（何籌）

4199₁ 標

27 標魯（崔巖）

4212₂ 彭

47 彭奴（李昇）

4240₀ 荊

32 荊溪禪師（湛然）
40 荊臺隱士（梁震）
　荊南文獻王（高從誨）
　荊南武信王（高季興）
　荊南貞懿王（高保融）

4241₃ 姚

13 姚武功（姚合）

4257₇ 韜

00 韜文（宋絢）
　韜文（阮結）
10 韜玉（柳璞）
24 韜德（崔庚）

4282₁ 斯

00 斯立（崔立之）
44 斯勤（姚勗）

4295₃ 機

53 機輔（長孫無忌）

4303₀ 犬

80 犬羊仙（黃載）

4304₂ 博

　博（蕭德言）

4310₀ 式

67 式瞻（薛貽矩）

4313₂ 求

40 求古（李遠）
50 求中（劉玄章）
80 求益（劉審交）

4315₀ 城

13 城武（韋皋）

4343₂ 娘

17 娘子（唐玄宗楊貴妃）

4355₀ 載

27 載物（陳詡）
30 載之（權德輿）
37 載初（盧羣）

4380₅ 越

30 越之（蔣泳）
77 越卿（崔蠡）

4385₀ 戴

　戴（顏師古）

4402₇ 協

64 協時（辛替否）

4410₀ 封

27 封叔（裴壎）

4410₄ 董

10 董二（高定）
61 董啞子（董羽）

4412₇ 勤

　勤（謝叔方）
30 勤之（盧拯）

4416₄ 落

77 落鵰御史（高駢）

4416₉ 藩

30 藩之（崔于）
　藩之（崔羣）

4420₇ 夢

26 夢得（劉禹錫）
28 夢徵（曹松）
30 夢之（崔珏）
31 夢禎（王松）
71 夢臣（張碻）
77 夢周（王魯復）
86 夢錫（張道符）

考

10 考元（杜式方）

27考叔（齊孝若）

4421₄ 花

44花蕊夫人（前蜀翊
　聖皇太妃徐氏）
　花蕊夫人（後蜀慧
　妃徐氏）

莊

莊（張仲武）
莊（崔元式）
莊（李鳳）
莊（蘇定方）
莊（明崇儼）
13莊武（馬燧）
　莊武（劉濟）
17莊己（裴懿）
　莊己（房裡）
　莊己（楊珣）
　莊己（楊恂）
50莊肅（羅弘信）
53莊威（李元諒）
97莊恪太子（李永）

4422₁ 荷

71荷臣（曹希幹）

猗

11猗玗子（元結）

4422₇ 薦

30薦之（于誠）

幕

00幕府書厨（朱遵度）

蕭

00蕭齋（李約）
44蕭協律（蕭悅）
50蕭夫子（蕭穎士）

獢

44獢獠兒（王承肇）

4423₂ 蒙

40蒙志（薛庠）

4424₀ 蔚

00蔚章（錢徽）

77蔚卿（劉郁）

4425₃ 茂

00茂彥（林披）
12茂弘（韋瓘）
14茂功（徐世勣）
16茂聖（尚顏）
18茂政（皇甫冉）
21茂貞（韓琬）
24茂休（李蔚）
27茂彝（唐憲）
　茂約（唐儉）
　茂紹（裴復）
30茂之（李迥秀）
　茂實（魏華）
　茂實（李襲譽）
　茂實（韓豐）
　茂實（冉實）
　茂實（劉藻）
32茂業（唐彥謙）
37茂初（李芃）
44茂孝（崔栢）
　茂孝（楊敬之）
　茂華（鄭薦）
　茂林（李蔚）
52茂挺（蕭穎士）
62茂則（林披）
77茂用（崔充）

藏

04藏諸（宋儋）
30藏之（徐收）
　藏之（李中敏）
　藏之（楊收）
40藏真（張頵）
　藏真（懷素）
66藏器（裴斆）
77藏用（譚用之）
　藏用（崔瞻）
　藏用（楊拙）
　藏用（柳韜）
97藏輝（孔璲之）

4429₄ 葆

90葆光子（孫光憲）

4433₁ 蕉

39蕉迷（趙純節）

4433₃ 慕

慕（房重）
22慕巢（楊汝士）
40慕真（何溥）
42慕彭（張籛）

蕙

44蕙蘭（魚玄機）

4433₈ 恭

恭（許敬宗）
恭（張伯儀）
恭（程异）
恭（竇德玄）
恭（溫彥博）
恭（李神符）
恭（李博义）
恭（李泰）
恭（李揆）
恭（韋武）
恭（戴至德）
恭（韓公武）
恭（權弘壽）
恭（楊再思）
恭（楊弘武）
恭（楊纂）
恭（劉怦）
05恭靖（崔協）
27恭叔（呂恭）
47恭懿太子（李佋）
50恭肅（李建）
　恭惠（孟昶）
　恭惠（竇易直）
　恭惠（李從敏）
　恭惠（董晉）
77恭履（楊凌）
80恭義（錢宏佖）

4433₉ 懋

14懋功（李勣）
　懋功（楊凝）

4440₇ 孝

孝（王弘直）
孝（王珣）
孝（裴子餘）
孝（崔沔）

孝（溫大雅）
孝（李元慶）
孝（李景讓）
孝（韋溫）
孝（韋嗣立）
孝（楊恭仁）
孝（田布）
00孝文（唐德宗）
　孝襄（薛胤）
08孝敦（法沖）
10孝瑋（楊瑒）
11孝甄（陸孝甄）
21孝仁（李師稚）
23孝獻（錢宏傳）
26孝伯（盧曾）
　孝和（唐中宗）
　孝穆（楊嗣復）
31孝源（張沖）
37孝通（綦毋潛）
40孝友先生（朱仁軌）
44孝權（張季友）
48孝敬皇帝（李弘）
50孝本（薛寧）
　孝忠（張孝忠）
67孝昭（李景達）
　孝昭（李景昭）
77孝舉（張薦）
80孝公（崔沔）
90孝常（皇甫曾）

蔓

蔓（楊仲昌）

4441₇ 執

17執勇（韋尚敬）
21執經（允文）
28執儀（蘇虔）
35執禮（杜淹）
50執中（王給）

4442₇ 萬

10萬石（盧萬石）

4443₀ 莫

46莫賀達干（烏質勒）

4445₆ 韓

50韓夫子（韓熙載）

4446_0 姑
24姑射處士(睦崟)

4450_4 華
14華琳(陳寡言)
16華聖(鄭璘)
43華婉(代國公主)
44華莊(涼國公主)
77華卿(王質)
78華陰子(舒道紀)

4453_0 英
34英遠(韓思彥)
77英服(焦彥賓)

4460_1 菩
44菩薩奴(後唐閔帝)

4460_4 若
04若訥(馬希聲)
　若訥(周慎辭)
12若水(龐履溫)
　若水(契苾明)
21若虛(崔証)
35若沖(崔沔)
48若驚(鄭寵)

著
67著明(錢昭序)

4471_1 老
25老朱(杜弘義)
44老萊(張誠)

甚
27甚魯(苗恽)

4471_7 世
00世文(李德饒)
26世和(錢惟治)
34世為(張格)
62世則(龔慎儀)
77世民(陶英)
80世美(王延)
88世範(王昭度)

4474_1 薛
40薛校書(薛濤)

4477_0 甘
40甘大將(甘佃)

4480_1 楚
00楚廢王(馬希廣)
　楚文昭王(馬希範)
07楚望(李郢)
13楚武穆王(馬殷)
18楚珍(唐抱璞)
21楚衡陽王(馬希聲)
30楚之(郎穎)
　楚良(盧詹)
40楚奇(潘環)
44楚恭孝王(馬希萼)
71楚臣(陸翔)
80楚金(徐鍇)

4480_6 黃
11黃頭都督(李多祚)
37黃冠子(李播)
44黃芩(高固)
　黃若(唐觀)
67黃野人(黃勵)

4490_0 材
77材卿(陳楚)

4490_4 茶
22茶仙(陸羽)

藥
10藥王(李端)
21藥師(李靖)

4491_4 桂
37桂郎(殷文圭)

權
24權化(李縡)
25權仲(高銖)
50權中(高銖)

4491_7 蘊
00蘊文(鄭寔)
10蘊靈(劉滄)
13蘊武(鄭絪)
14蘊珪(徐玠)
28蘊微(裴曦)
30蘊之(朱行先)
40蘊士(鄭澣)
　蘊圭(徐玠)
44蘊華(王揔)
　蘊華(魏潛)
50蘊中(崔瑤)
　蘊中(劉允中)
67蘊曜(崔昭緯)
77蘊用(韋保衡)

4493_4 模
24模稜手(蘇味道)

4496_0 枯
40枯古(段成式)
44枯樹太保(王宗裕)

4499_0 林
21林虎子(林仁肇)
30林宗(王弘義)

4510_0 坤
77坤輿(武翊黃)

4594_4 樓
40樓真子(施肩吾)
77樓閑子(吳從政)

4611_0 坦
23坦然(句中正)
　坦然(劉諩)
30坦之(聶夷中)
　坦之(楊壇)
38坦途(薛平)

4622_7 獨
12獨孤常州(獨孤及)
67獨眼龍(後唐太祖)
　獨眼龍(王延稟)

4625_0 狎
77狎鷗翁(翁承贊)

4632_7 駕
00駕言(康軿)

4633_0 恕
　恕(竇思仁)
24恕先(郭忠恕)

4640_0 如
10如玉(李元珪)

4651_7 韞
50韞中(崔瑤)
　韞中(劉允章)

4690_0 相
30相之(魏扶)
　相之(韓佽)
67相明(穆贊)
77相門(于邵)

4692_7 楊
22楊剝皮(楊思恭)
72楊氏女(楊容華)
77楊風子(楊凝式)

4712_0 均
　均(張均)
54均持(鄭憲)

4713_8 懿
　懿(辛祕)
　懿(王珪)
　懿(張文瓘)
　懿(張居詠)
　懿(裴潾)
　懿(盧從遠)
　懿(崔衍)
　懿(馮宿)
　懿(源洧)
　懿(李從遠)
　懿(李大亮)
　懿(姚合)
　懿(蕭昕)
　懿(蔣乂)
　懿(楊師道)
　懿(嚴續)
　懿(馬摠)
　懿(陸堅)
　懿(鄭叔則)
12懿孫(張繼)
22懿川(李蟾)
23懿獻(苗晉卿)
24懿德太子(李重潤)

50懿忠(崔朝)
88懿範(路嗣恭)

4720₇ 弩

61弩趾(蘇渙)

4721₂ 翹

30翹之(高鉄)

4724₇ 殼

40殼士(令狐楚)

4740₁ 聲

05聲諫(崔珮)
21聲仁(王鐵)
34聲遠(賈公鐸)

4742₀ 朝

44朝英(陳彥博)

4742₇ 媧

50媧中(賈黃中)

4744₇ 好

08好謙(劉詞)
77好學(夏侯孜)
　好問(周知裕)

4762₀ 胡

81胡釘鉸(胡令能)

4780₁ 起

30起之(柳公綽)

4780₆ 超

02超證大師(從弇)
55超慧大師(誨機)
77超覺大師(慧稜)

4782₀ 期

34期遠(沈邈)

4792₀ 桐

46桐柏先生(王軌)

杓

40杓直(李建)

柳

47柳柳州(柳宗元)

4841₇ 乾

86乾錫(崔碣)

4842₇ 翰

30翰之(丁飛)

4844₀ 教

24教先(劉洙)

4844₁ 幹

71幹臣(趙在禮)

4864₀ 敬

敬(高承簡)
敬(王紹)
敬(王播)
敬(班宏)
敬(張延師)
敬(裴潾)
敬(裴矩)
敬(鄧景山)
敬(衛次公)
敬(崔植)
敬(程鎮之)
敬(竇琮)
敬(宋慶禮)
敬(顧少連)
敬(李貞)
敬(李沖)
敬(李模)
敬(李奉慈)
敬(權萬紀)
敬(柳亨)
敬(劉贊)
敬(劉從一)
敬(劉公濟)
敬(陽嶠)
00敬交(薛耽)
10敬一(李忱)
20敬辭(康承訓)
21敬止(崔慎由)
　敬止(韋荷)
24敬德(尉遲敬德)
27敬叔(房凜)

敬叔(柳冕)
30敬之(郭敬之)
　敬之(崔慇)
　敬之(梁肅)
　敬之(韋文恪)
　敬之(劉多遜)
　敬宗(王弘讓)
40敬真(王棲霞)
50敬中(盧莊)
　敬夫(裴乾貞)
67敬明(徐延瓊)
71敬臣(裴贄)
　敬臣(任希古)
77敬興(陸贄)

4893₀ 松

77松卿(牛嶠)
80松年(楊牢)

4895₇ 梅

71梅臣(蕭定)

4942₀ 妙

00妙應法威慈濟禪師
　(藻光)
21妙行禪師(清護)
30妙空禪師(守訥)
　妙空大師(智嵩)
60妙果大師(弘辯)

4980₂ 趙

16趙聖人(趙溫珪)
24趙倚樓(趙碬)

5000₆ 中

中(歐陽玭)
00中立(裴度)
　中庸(柳淡)
　中玄(李邰)
04中護(李正封)
10中正(劉巽)
　中玉(李石)
21中行(竇常)
　中虔(李敬方)
　中師(楊衡)
24中化(令狐渙)
　中德(王渢)
27中御(王鐬)

35中禮(王損)
41中極(崔澤)
44中黃子(嚴從)
　中蘊(蕭黯)
67中明(裴庥)
　中明(蕭昕)
　中明(薛蒙)
　中明(秦韜玉)
72中隱(孫緯)
79中勝(薛用弱)
80中美(趙蘊)
99中鎣(韋徹)

申

21申虞(鄭誠)
30申之(玄暢)
　申之(魏謩)
60申圖(伊審徵)

史

24史先鋒(史建瑭)

5000₇ 聿

27聿修(顏元孫)
　聿修(江夢孫)

5003₂ 夷

夷(羅珦)
10夷玉(裴瑀)
25夷仲(顧少連)
60夷曠(柳渾)

5010₆ 畫

80畫公(皎然)

5013₂ 泰

26泰和(李邕)
30泰之(徐悅)
37泰初(慕容宗本)

5022₇ 青

43青城先生(杜光庭)
44青蘿山布衣(王希
　明)
60青蘿子(周希彭)
76青陽孝子(何澄粹)
83青錢學士(張鷟)

蕭

蕭(龐卿惲)
蕭(王翃)
蕭(孟溫禮)
蕭(崔韶)
蕭(崔倰)
蕭(竇静)
蕭(李廊)
蕭(李叔良)
蕭(李巽)
蕭(韋倫)
蕭(韓充)
蕭(杜亞)
蕭(呂諲)
蕭(劉師立)
24蕭壯(段志玄)
30蕭之(劉多讓)
50蕭夫(裴恭)
78蕭愍(敬暉)

冑

77冑卿(竇庠)

50230 本

00本立(張建封)
06本親(唐嚴)
10本元(唐簡)
21本貞(唐亨)
24本德(唐臨)
37本凈大師(僧一)
67本明(唐皎)
79本勝(楊籌)

50333 惠

惠(孔若思)
惠(邠國公主)
惠(李元懿)
00惠文太子(李範)
惠褒(李泰)
27惠舟(德韶)
30惠宣太子(李業)
34惠達(錢宏佺)
44惠莊太子(李撝)
53惠成(惠詵)
67惠昭太子(李寧)
77惠卿(劉貺)

50336 忠

忠(齊映)
忠(高適)
忠(高審思)
忠(唐休璟)
忠(章仇兼瓊)
忠(許欽寂)
忠(王高)
忠(王元達)
忠(賈循)
忠(裴仁基)
忠(裴炎)
忠(孔巢父)
忠(武崇訓)
忠(崔縱)
忠(崔隱甫)
忠(崔善為)
忠(崔知溫)
忠(魏知古)
忠(安藏金)
忠(李琇)
忠(李德裕)
忠(李德明)
忠(李光顏)
忠(韋渠牟)
忠(戴冑)
忠(蔣清)
忠(楊元琰)
忠(楊溫玉)
忠(趙慈景)
忠(吳湊)
忠(馬三寶)
忠(陳叔達)
忠(屈突通)
07忠毅(王檀)
10忠正(徐有功)
忠正(鄭仁誨)
12忠烈(王武俊)
忠烈(張允伸)
忠烈(李楷洛)
忠烈(李橙)
忠烈(桓彥範)
忠烈(吳程)
忠烈(陳海)
忠烈(段秀實)
13忠武(郭子儀)
忠武(霍彥威)

忠武(渾瑊)
忠武(韋皋)
忠武(趙廷隱)
忠武(尉遲敬德)
17忠勇(李嗣業)
21忠順(陳洪進)
忠貞(韋貝素)
23忠獻(裴光庭)
24忠壯(唐道襲)
忠壯(王同皎)
忠壯(鮑君福)
忠壯(劉感)
忠壯(段志玄)
26忠穆(王景崇)
忠穆(嚴震)
30忠憲(裴光庭)
47忠懿(王審知)
忠懿(安元信)
忠懿(李德誠)
忠懿(李吉甫)
忠懿(李橙)
忠懿(錢俶)
48忠敬(馮行襲)
忠敬(李茂貞)
50忠肅(王處存)
忠肅(張全義)
忠肅(馮延己)
忠肅(韓滉)
忠肅(楊復光)
忠肅(劉仁瞻)
忠惠(王翊)
忠惠(王正雅)
忠惠(劉詞)
78忠愍(武元衡)
80忠美(孟仁贄)
88忠簡(武攸暨)
忠簡(錢鏵)
忠節(庾黔婁)
忠節(顏杲卿)

50503 奉

10奉天(楊渥)
奉天皇帝(李琮)
16奉聖(歐陽紇)
20奉信(石敬威)
21奉仁(唐義謙)
24奉先(孔祖舜)
27奉眾(徐士安)

80奉金(相里金)

50600 由

50由東隣(田遊巖)

50601 書

88書籯(李善)

50603 春

春(韋伯陽)

50732 表

00表文(宋言)
表文(楊玢)
04表謀(崔昭矩)
16表聖(司空圖)
表聖(崔泳)
21表仁(王慎微)
表仁(司馬鄴)
表儒(殷文圭)
28表微(楊澄)
表微(吳承範)
表齡(牛蕘)
30表淳(母守素)
37表逸(李德休)
50表中(夏侯澤)
71表臣(李程)

50903 素

44素芝(劉伯芻)

50906 東

10東玉(崔序)
22東山子(李適)
26東皋子(王績)
30東瀛子(杜光庭)
東濟(李沇)
35東禮(裴延魯)
38東海釣客(秦系)
41東標(崔碣)
57東蟾(彭蟾)
67東野(孟郊)
東野(徐仲雅)
71東甌散人(崔道融)
77東卿(韋震)

51032 振

00振文(羊昭業)

24振德(裴鍠)

5204_1 挺
20挺秀(裴璩)
挺秀(崔曄)
30挺之(嚴挺之)
32挺業(崔鉅)

5207_2 拙
30拙之(邵拙)

5290_0 剌
剌(高璩)

5302_7 輔
22輔幾(長孫无忌)
30輔之(王榮)
40輔堯(杜庭堅)
輔真(豆盧署)
42輔機(長孫无忌)
51輔軒(錢鏵)
60輔國(溫佶)
輔國(薛庭範)
71輔臣(鄭毗)

5310_7 盛
30盛之(劉寬夫)

5320_0 成
成(王栖曜)
成(張仲方)
成(裴儆)
成(裴次元)
成(裴冑)
成(崔希逸)
成(崔翹)
成(李皋)
成(李潛)
成(李逢吉)
成(李道廣)
成(李懷遠)
成(姚璹)
成(樊澤)
成(韓洄)
成(杜如晦)
成(柳公綽)
成(趙昌)
成(吳湊)
成(馬懷素)

00成庶(王凝)
成章(楊彥詢)
20成禹(劉崇龜)
24成德(潘慎修)
25成績(和凝)
26成伯(柳登)
成和(高繼沖)
成穆(安審信)
27成象(王著)
28成縱(元載)
30成安(崔融)
44成封(韓琮)
50成肅(張延賞)
61成顯(錢宏仰)
79成隋(張隋)
80成美(楊珂)
成美(鄭就)
成公(段秀實)

咸
10咸一(紇干泉)
62咸則(朱遵式)

威
威(郭知運)
威(田仁會)
威(劉崇俊)
威(劉昌裔)
威(姜協)
威(錢文奉)
12威烈(何敬洙)
威烈(柴克宏)
威烈(杜建徽)
威武(高崇文)
67威明(王君㚟)

5322_7 甫
60甫里先生(陸龜蒙)

5404_1 持
10持正(皇甫湜)
17持盈(玉真公主)
30持之(韋憲)
持之(韓縉)
77持卿(孔紓)

5408_1 拱
30拱之(馮宿)
71拱臣(于梲)

5508_1 捷
77捷卿(劉迅)

5533_7 慧
00慧廣大師(歸曉)
30慧空大師(存德)
慧濟禪師(法安)
38慧海禪師(大珠)
40慧真廣悟禪師(竟欽和尚)
46慧觀禪師(行修)
60慧日禪師(文炬)
67慧明(玄朗)
慧明(希辨)
慧照大師(義玄)
77慧覺禪師(大義)
慧覺大師(伏和尚)
慧覺大師(光雲)
慧月禪師(法端)
86慧智禪師(希辨)
91慧悟禪師(沖煦)

5560_3 替
10替否(薛獻童)

5560_6 曹
22曹山(虬章)
60曹晏嬰(曹圭)

5600_0 扣
32扣冰和尚(藻光)

5602_7 揚
00揚庭(崔擢)

5604_1 揖
揖(王仁忠)
揖(徐惲)

擇
40擇木(杜翔)
77擇賢(徐誗)

5608_6 損
30損之(李宗閔)

5701_2 抱
10抱一子(延壽)
抱玉(慧琳)
抱元(馬炫)
43抱朴居士(伍洪)
50抱素(薛賁)

5702_7 邦
25邦傑(夏魯奇)

5706_2 招
77招賢禪師(會通)

5708_2 軟
88軟餅中丞(韋勔)

5725_7 静
静(安審暉)
静(竇威)
静(楊鏧)
22静樂先生(方昊)
30静宣(錢儼)

5824_0 敷
敷(盧揆)

5840_1 聲
77聲叟(元結)

6010_0 日
00日章(竇儞)
02日彰(杜蔚)
日彰(敬晦)
日新(李澣)
日新(敬暉)
日新(鄭仁誨)
11日彊(敬煦)
24日休(敬旿)
30日宣(劉宏杲)
日進(渾瑊)
46日觀(敬昕)
60日旦(盧眈)
77日用(扈蒙)

6010_4 墨
77墨卿(段文昌)

6012₇ 蜀

30蜀客（房次卿）

6015₃ 國

00國文（孔振）
10國一（道欽）
12國瑞（安審琦）
18國珍（竇希球）
20國維（張全義）
22國僑（桑維翰）
23國俊（安彥威）
28國儀（孟賓于）
30國寶（郭忠恕）
　國寶（王易簡）
　國寶（梁漢璋）
　國寶（史建瑭）
41國楨（韋弼）
44國華（崔仁寶）
　國華（申文炳）
　國華（陶雅）
77國用（盧文進）
80國翁（葉翹）
87國鈞（雍陶）

6021₀ 四

67四明山人（徐浩）
　四明狂客（賀知章）

見

30見之（李虞仲）
50見素（周朴）
　見素子（胡愔）
95見性大師（宣鑒）

6022₇ 易

30易之（李夷簡）
88易簡（薛仲淹）
　易簡（薛仲約）

6033₀ 思

　思（于季友）
　思（于頔）
　思（李元則）
00思廉（姚思廉）
　思文（崔彥昭）
08思謙（韋思謙）
　思謙（蕭俛）

12思弘（裴勛）
14思瑾（魏叔瑜）
17思柔（崔勛）
24思化（崔協）
30思濟（趙滂）
　思永（韋退）
37思退（孫成）
38思道（蕭做）
　思道（劉洎）
40思直（唐不佞）
48思翰（李誥）
60思黯（牛僧孺）
77思叟（鄭露）
80思義（唐不占）
94思慎（竇兢）

6040₄ 晏

23晏然（程晏）
30晏之（崔勃）

6040₇ 曼

77曼卿（楊仲昌）

6043₀ 吳

00吳高祖（楊隆演）
12吳烈祖（楊渥）
21吳睿帝（楊溥）
40吳太祖（楊行密）
43吳越文穆王（錢元瓘）
　吳越武肅王（錢鏐）
　吳越忠獻王（錢宏佐）
　吳越忠遜王（錢宏倧）
　吳越忠懿王（錢俶）
47吳猛（吳涵虛）

6044₀ 昇

00昇玄先生（王遠知）
30昇之（裴迪）
　昇之（盧照鄰）
　昇之（姜騭）
40昇真先生（王遠知）
44昇華（薛耀）

6050₆ 量

　量（高暉）

6060₀ 昌

　昌（張敬則）
00昌言（張諤）
　昌言（裴購）
　昌言（孔綸）
　昌言（宇文獻）
　昌言（陳讜）
04昌詩（李拯）
16昌聖（蕭邁）
20昌舜（盧賡）
21昌衡（崔賞）
28昌儀（鄭弘範）
30昌之（崔遠）
　昌之（馮圖）
　昌之（李譜）
　昌之（薛保雍）
　昌容（蘇瓌）
34昌遠（王宗播）
　昌遠（崔福）
　昌遠（蔣承初）
　昌遠（路德延）
37昌退（崔胤）
47昌期（陸休符）
60昌圖（唐行旻）
64昌時（李拯）
71昌臣（薛謂）
80昌美（王元膺）
88昌符（鄭紹素）

6060₄ 固

00固言（唐貞亮）
21固行（唐貞質）
　固行（徐恂）
50固本（唐貞松）
88固節（唐貞筠）

圖

40圖南（崔翔）
　圖南（李蕘）
　圖南（陳摶）

6071₁ 昆

10昆吾（王鍔）
74昆陵子（胡伯崇）

6073₂ 畏

27畏名（史虛白）

6077₂ 崑

71崑臣（王擢）

6080₆ 圓

00圓廣禪師（從志）
30圓寂大師（玄策）
37圓淨大師（志元）
　圓通妙覺禪師（清昱）
　圓通尊者（湛然）
　圓朗（智周）
67圓明大師（贊寧）
　圓明大師（緣密）
　圓明大師（志朗）
　圓照大師（守欽）
86圓智禪師（弘辯）
　圓智禪師（紹宗）
　圓智禪師（大安）
　圓智大師（大安）

6090₆ 景

　景（執失思力）
　景（郗士美）
　景（畢構）
00景立（程脩己）
　景方（徐羌）
　景度（楊凝式）
　景玄（周昉）
　景襄（王士真）
06景韻（徐昕）
07景望（李磎）
13景武（李靖）
15景融（徐皎）
20景信（李寔）
21景仁（岑文本）
22景山（許遜）
　景山（魏岑）
　景山（楊輝）
　景山（楊巨源）
　景山（陸亙）
　景山（陳嶠）
28景儀（劉珂）
30景宣（羅讓）
　景之（張雲）
32景業（李方玄）
36景溫（劉瑪）
37景潤（劉璠）

景初(段文昌)	**6385₀ 賊**	明(封翹)	00昭度(李回)
40景圭(高元裕)	10賊王八(王建)	00明文(蕭澣)	昭文(王徹)
景真(劉琢)		明辯大師(可儔)	昭文(張瑩)
44景華(牛希逸)	**6386₀ 貽**	明玄先生(孫智清)	昭文(楊延史)
50景夫(呂元膺)	00貽慶(鄭叔清)	03明識大師(慧慈)	昭文(楊技)
景蕭(徐嚴)	12貽孫(高季興)	17明璨(智璨)	昭文(陳翺)
60景昇(譚峭)	貽孫(崔祐甫)	23明允(李賢)	昭襄(崔圓)
67景照(韋弇)	24貽休(崔昌遐)	28明微大師(義初)	04昭諆(楊贊禹)
77景熙(崔晟)	30貽之(韋承貽)	30明之(楊知遠)	05昭靖太子(李邈)
83景猷(楊師道)	77貽周(竇牟)	明寶(錢元瓘)	昭諫(羅隱)
90景光(劉璨)		31明源(盧沼)	10昭玉(楊祓)
	6400₀ 叶	34明法大師(沖奧)	昭元(楊洞潛)
6101₀ 毗	44叶夢(陳巖)	明遠(元德昭)	13昭武(李抱玉)
39毗沙門(李建成)	50叶中(高錫望)	明遠(衛融)	21昭順(李景遏)
		明遠(安審暉)	昭衡(羅劭權)
6104₁ 嚅	**6401₁ 曉**	明遠(李昉)	23昭獻(唐文宗)
61嚅嚅翁(竇羣)	67曉明(唐旦)	明遠(杜曉)	24昭化(楊雍)
	91曉悟大師(竇資)	明達(晉陽公主)	昭化禪師(道簡)
6106₁ 晤		明達(馮盎)	28昭儀(孔昌明)
晤(郭晤)	**6404₁ 時**	38明道(玄覺)	昭偁(盧準)
	00時文(蕭瑀)	40明真大師(弘瑫)	30昭宣(王仁皎)
6138₆ 顯	時雍(高燭)	明真大師(重機)	昭之(柳璨)
48顯教大師(志圓)	30時之(楊堪)	48明教大師(師寬)	32昭業(楊諲)
	44時英(高漢筠)	50明中(清觀)	37昭逸(王搏)
6198₆ 顥	50時中(竇參)	55明慧禪師(瀛和尚)	44昭夢(徐寅)
23顥然(盧鴻)	時中(劉和)	明慧大師(宗顯)	50昭夷子(趙貞固)
	67時明(臧懷亮)	67明照禪師(安和尚)	昭夷先生(趙元)
6201₄ 睡		68明敭(王播)	53昭輔(劉岳)
22睡仙(夏侯隱者)	**睦**	明敭(岑羲)	60昭回(宋齊丘)
	30睦之(顧師邕)	77明舉(黃彝簡)	昭回(李回)
6202₁ 昕		91明悟大師(子興)	66昭覠(劉垂)
昕(顏杲卿)	**6482₇ 勛**		67昭嗣(南卓)
	80勛美(崔昭愿)	**6702₇ 鳴**	71昭愿(劉頊)
6204₇ 曖	勛美(牛徽)	08鳴謙(孟仁裕)	77昭舉(孔昌序)
曖(郭曖)		22鳴嵐(崔軒)	80昭美(崔澀)
	6503₀ 映	鳴山(崔軒)	88昭範(毛鐸)
6217₇ 蹈	30映之(李沆)	47鳴鶴(王仁皎)	
50蹈中(于敖)			**6712₂ 野**
	6666₃ 器	**6706₂ 昭**	10野王(陳旺)
6315₃ 踐	器(韋器)	昭(裴識)	30野客(潘宸)
00踐方(張正甫)		昭(崔敦禮)	50野夫(王羲)
30踐之(韋辭)	**6701₄ 曜**	昭(崔儆)	
	曜(郭曜)	昭(崔日用)	**6722₀ 嗣**
6333₄ 默		昭(李復)	21嗣仁(楊憑)
40默希子(徐靈府)	**6702₀ 明**	昭(李湛)	24嗣先(王紹鼎)
55默棘連(毗伽可汗)	明(唐玄宗)	昭(李景達)	嗣德(薛存慶)
	明(李桀)	昭(韋元甫)	30嗣宗(許紹)
		昭(韋巨源)	嗣宗(王弘仁)

嗣宗(張後胤)
31嗣源(後唐明宗)
32嗣業(李嗣業)
37嗣通(薛稷)
40嗣古(楊邁)
60嗣昌(柴紹)

6802$_1$ 喻
24喻先輩(喻鳧)

6805$_7$ 晦
26晦伯(王武陵)
27晦叔(崔玄亮)
晦叔(鍾隱)
30晦之(裴處權)
晦之(牛循)

4121$_1$ 歷
38歷道(孫處約)

7122$_0$ 阿
10阿三(後唐末帝)
40阿灰(張曙)
阿檀(楊光遠)
60阿目佉跋抑羅（不空)
83阿鐵(陳誨)
99阿憐(白行簡)

7124$_7$ 厚
27厚象(林滋)
30厚之(褚載)
厚之(符載)

7129$_6$ 原
21原師(熊望)

7117$_1$ 匡
匡(馬仁裕)
00匡言(柳讜)
05匡諫(王智興)
17匡忍(王洒)
22匡山處士(景煥)
24匡德(于瓌)
64匡時(于立政)
71匡臣(薛諤)
80匡美(仇士良)

匪
27匪躬(張知謇)

7171$_4$ 既
30既濟(徐液)

7171$_7$ 巨
10巨元(王海)
22巨川(武漳)
巨川(朱灣)
巨川(李嶠)
巨川(李混)
巨山(徐嶠)
28巨徵(樓隱)
77巨卿(杜儒)
巨卿(朝衡)

7173$_2$ 長
00長言(崔廣)
10長耳相禪師(行修)
11長孺(劉執經)
22長樂老(馮道)
30長宗(王弘直)
31長源(李泌)
37長通(朱放)
40長吉(李賀)
50長夫(李幼卿)
68長晦(盧景亮)

7210$_0$ 劉
00劉夜坐(劉洞)
10劉一箭(劉産貞)
22劉山人(劉叟)
50劉棗強(劉言史)

7220$_0$ 剛
50剛中(盧藯)
剛中(曹確)

7223$_7$ 隱
隱(李建成)
隱(韓弘)
14隱珪(韋蟾)
30隱之(孫樵)
90隱光(李瓊)

7277$_2$ 岳
77岳卿(崔確)

7280$_6$ 質
質(楊弘禮)

7423$_2$ 隨
46隨駕隱士(盧藏用)

7521$_8$ 體
00體玄先生(潘師正)
21體仁(竇貞固)
體仁(路恕)
67體明(卓巖明)

7529$_6$ 陳
21陳師(苗蕃)

7622$_7$ 陽
10陽五(周德威)
77陽卿(劉迥)

7710$_4$ 堅
堅(徐倫)
32堅冰(李澥)
堅冰(姚沛)
38堅道(守直)

7713$_6$ 閩
00閩康宗(王繼鵬)
10閩天德帝(王延政)
40閩太祖(王審知)
50閩惠宗(王鏻)
60閩景宗(王羲)
67閩嗣王(王延翰)

7721$_0$ 風
17風子(楊凝式)

鳳
22鳳山山人(詹琲)

7721$_4$ 隆
38隆道(錢宏倧)
56隆擇(畢構)

7721$_6$ 覺
95覺性(定蘭)

7721$_7$ 兒
17兒子(晉陽公主)

7722$_0$ 月
28月僧(宗亮)

同
40同壽(劉祥道)
88同節(唐重弼)

周
20周重(宇文鼎)
周重(宇文邈)
21周仁(韋顗)
38周道(陳夷行)
48周翰(盧岳)
周翰(路嶽)
66周器(徐鋌)
71周臣(柳翰)
77周卿(顏昭甫)
80周美(李仍叔)
86周智大師(契盈)
97周耀(裴德融)

用
10用玉(周灌)
用霖(王滁)
24用化(裴羽)
30用濟(陳汀)
用之(姜薦)
40用乂(楊漢公)
52用拙(陳拙)
68用晦(許渾)
用晦(白敏中)
用晦(獨孤及)
80用益(柳告)

朋
00朋言(李德鄰)
80朋善(崔有鄰)

7722$_0$ 陶
71陶臣(薛逢)

7722$_7$ 閒
28閒從(平貞眘)

閒
27閒侯(侯元亮)

鵬
10鵬雲(胡翼)
77鵬舉(韋遼)

鵬舉（蕭鶱）
鵬舉（薛仲翔）
鵬舉（鄭鶱）

7724₇ 服
24服休（陸禹臣）

履
21履行（高文敏）
　履貞（林元泰）
37履初（蕭復）
44履莊（楊弘禮）
90履常（令狐定）

7725₄ 降
30降之（歐陽秬）
35降神（林嵩）
71降臣（林嵩）

7726₄ 居
00居方（徐豐）
10居雲（姚鵠）
21居仁（張廡）
32居業（鄭餘慶）
48居敬（元宗簡）
60居易（令狐承簡）

7732₇ 舄
30舄之（楊凭）

7733₁ 熙
24熙化（孫溥）
　熙化（盧導）
　熙化（韋布震）
25熙績（廖凝）
　熙績（盧協）
30熙之（楊開物）
77熙用（薛貽矩）

7740₀ 又
00又玄（裴通）
　又玄（成玄）
21又仁（鄭顥）
56又損（獨孤損）
77又聞（楊思愿）

7740₇ 學
31學源（王洙）

82學鍾（胡的）

7744₀ 丹
12丹列（竇羣）
71丹臣（徐鉉）

開
10開元一切編知三藏（菩提流志）
22開山（殷嶠）
24開化禪師（行明）

7750₈ 舉
30舉之（王起）

7760₂ 留
26留得（李繼韜）

7760₇ 問
18問政先生（聶師道）
28問從（平貞晉）

間
80間氣布衣（皮日休）

7773₂ 閬
22閬仙（賈島）

7777₂ 關
50關中曾子（賈會）

7777₇ 閤
22閤崑崙（慕容彥超）

7780₁ 具
30具濟（源順）
44具茨山人（盧損）
80具美（錢鏐）

興
16興聖國師（神晏）
22興樂（楊協）
24興緒（李振）
30興宗（李湛）
　興宗（嚴績）
34興法大師（紹卿）
　興遠（劉信）

與
40與直（穆員）

7780₆ 貫
30貫之（韋貫之）

賢
00賢府（獨孤庠）
67賢明（王彥章）
80賢首（法藏）

7790₄ 桑
44桑苧翁（陸羽）

閑
77閑閑（許寂）

7810₉ 鑒
30鑒之（崔澄）
31鑒源（劉滉）
40鑒真禪師（師豹）

7833₄ 愍
愍（高妹妹）
愍（李承乾）
10愍哥（朱瑾）

7876₆ 臨
32臨沂子（王毅）

7922₇ 騰
10騰雲（杜稜）

勝
30勝流（薛儒童）
　勝之（宋璲）
　勝之（杜頵）
43勝始（孔戣）
44勝華（滕昌祐）

8000₀ 八
45八塼學士（李程）

入
37入冥和尚（寧師）

8010₄ 全
30全之（高育）

8010₇ 益
30益之（黃損）
31益源（王添）
90益光（李嗣昭）

8010₉ 金
22金山白衣天子（張承奉）
34金波處士（李靄之）
44金華子（劉崇遠）

8012₇ 翁
40翁喜（裴卷）

8018₂ 羨
77羨門子（顏真卿）

8022₀ 介
介（薛庭章）
10介石（許堅）
50介夫（馮定）

8022₁ 俞
30俞之（徐彥若）

前
60前蜀高祖（王建）
　前蜀後主（王衍）

8024₇ 爕
爕（田季安）

8030₇ 令
10令一（楊令一）
　令璋（姚璹）
24令德（唐如玉）
　令升（何超）
27令叔（李巽）
34令遠（邵大震）
37令通（何溥）
77令問（唐如珪）

8033₁ 無
00無言（劉焘）
10無不（郭無為）
14無功（王績）
20無住大師（曇晟）

21無上可汗(李盡忠)
　無上大師(鑒宗)
22無私(裴衡)
25無生和尚(圓寂)
　無生居士(胡幽貞)
27無名子(聶紹元)
34無為(孫榮)
　無為(杜中立)
37無逸(韋虛心)
41無頗(黃頗)
44無著禪師(文喜)
46無相大師(玄覺)
　無相大師(曇晟)
60無畏禪師(寰普)
77無際大師(希遷)
　無悶(鄭潛)
90無黨(王甚夷)
98無悔(苗恪)

8033$_3$ 慈
24慈化定慧禪師(道潛)
30慈濟大師(大同)
88慈敏三藏(慧日)
91慈悟禪師(支曇)

8043$_0$ 美
10美玉(竇希瑊)

8055$_3$ 義
10義璋(潛真)
21義師(張格)
22義山(李商隱)
27義修(包詠)
30義淳(劉熙古)
36義禪師(道欽)
37義祖(徐溫)
47義聲(徐商)
60義圖(楊篆)
67義昭(照和尚)
88義節(阿史那忠)

8060$_1$ 普
00普廣大師(慧深)
77普覺大師(志逢)
80普會大師(慶諸)

8060$_5$ 善
00善意(姚懿)
18善政(張仁愿)
21善行(雷德驤)
22善繼(張希復)
23善伏師(蔣等照)
30善之(徐有鄰)
35善沖(崔沔)
60善思(嚴善思)
71善長(何福進)
86善智禪師(遇安)

8060$_6$ 會
10會元(馬揔)
22會川(連總)
23會稽山人(孫遇)
28會微(韋見素)
77會兒(朱守殷)

8060$_7$ 含
00含章(過訥)
10含靈(吳涵虛)

8060$_8$ 谷
35谷神子(鄭還古)

8073$_2$ 公
00公亮(柏良器)
　公庭(鄭拱)
　公度(張鎰)
　公度(李珽)
　公度(劉鼎)
04公謹(伍愿)
　公謹(閔頊)
08公敵(毛勝)
11公碩(袁高)
16公理(韋正貫)
20公垂(李紳)
　公受(李舟)
21公綽(刁舒)
22公綬(崔縉)
24公佐(劉贊)
　公升(崔峴)
　公緒(秦系)
26公和(李少安)
　公和(薛邕)
27公脩(崔植)
　公禦(王鍼)
34公遠(獨孤雲)
35公禮(盧膺)
36公祝(侯嶽)
40公南(楊炎)
44公茂(薛益)
　公茂(劉滋)
　公懋(林勛)
　公楚(高郢)
　公權(楊綰)
48公翰(薛鳳童)
　公幹(李質)
50公表(張楊)
　公素(陽旻)
53公輔(元載)
　公輔(李佐)
66公器(裴璩)
67公明(劉昌)
71公頤(袁高)
72公隱(楊燸)
80公美(裴休)
88公範(許孟容)
98公悅(李孟犫)

8073$_2$ 養
10養正(鄭顥)

8141$_8$ 短
40短李(李紳)

8194$_7$ 敍
　敍(崔倫)

8211$_4$ 鍾
22鍾山老嫗(徐主)
　鍾山公(徐主)
　鍾山公(李建勳)

8229$_4$ 穌
77穌卿(皇甫鏞)

8315$_0$ 鐵
22鐵山(薛志勤)
34鐵漢(李遵懿)
47鐵胡(安重榮)

8315$_3$ 錢
21錢處士(錢亮)

8418$_1$ 鎮
00鎮方(柳珪)
　鎮章(薛保厚)
22鎮川(楊峴)
30鎮之(潘存實)
34鎮遠(周德威)
77鎮卿(王定)

8471$_1$ 饒
50饒中(薛承裕)

8612$_7$ 錫
24錫勳(崔瓊)

錦
47錦奴(李昇)

8640$_0$ 知
00知方(徐寵)
　知言(唐之武)
11知非子(司空圖)
17知子(唐之奇)
21知止(裴憻)
　知止(崔澹)
22知幾(楊揆)
26知白(柳懷素)
27知約(王思泰)
28知微(薛臨)
30知之(崔澹)
　知進(裴坦)
37知通(徐思順)
　知退(白行簡)
80知人(韋發)

8660$_0$ 智
21智仁(錢宏儢)
37智通禪師(天然)
　智通大師(慧寂)
77智覺禪師(延壽)
　智周(孫善普)
　智周(林傑)

8718$_2$ 欽
30欽之(梁肅)

8742$_7$ 鄭
07鄭鷓鴣(鄭谷)
47鄭都官(鄭谷)

8768₂ 欲

04欲訥(龍敏)
　欲訥(韋慎樞)
　欲訥(林簡言)

8811₆ 銳

02銳端(劉建鋒)

8811₇ 鑑

12鑑水(元表)

8822₇ 簡

　簡(許圉師)
　簡(于貴寧)
　簡(張式)
　簡(裴宣明)
　簡(尹思貞)
　簡(江文蔚)
　簡(薛放)
　簡(杜濟)
　簡(柳渙)
　簡(趙植)
　簡(嚴礬)
　簡(鄭元璹)
21簡易(張易)
30簡之(姚思廉)
77簡輿(溫造)

8824₀ 符

　符(薛誠)

8834₁ 等

10等至(齊澣)

8851₂ 範

44範華(杜弘徽)

8854₀ 敏

27敏紹(盧嗣立)
50敏中(游簡言)

8856₂ 籀

　籀(顏師古)

8872₇ 節

　節(高叡)
　節(張道源)

　節(裴玢)
　節(裴倩)
　節(殷開山)
22節嚴(苗台符)
50節惠(錢宏儇)
78節愍太子(李重俊)

8879₄ 餘

00餘慶(員半千)

9000₀ 小

08小許公(蘇頲)
28小徐妃(前蜀翊聖
　皇太妃徐氏)
33小心(劉子翼)
34小褚(褚庭誨)
37小朗禪師(振朗)
40小李將軍(李昇)
　小李將軍(李昭道)
44小杜(杜牧)
47小殺(毗伽可汗)
50小由基(朱行先)
　小秦君(秦暉)
74小尉遲(尉遲乙僧)

9001₄ 惟

10惟一(馮吉)
18惟珍(李穀)
21惟貞(論惟貞)
22惟變(劉知運)
　惟幾(劉知至)
26惟白(馬懷素)
28惟微(孔至)
30惟良(武守官)
37惟深(董溪)
　惟深(柳渾)
　惟深(劉知遠)
40惟直(鄭史)
44惟恭(蕭愿)
60惟日(馬懷素)
　惟固(元仁基)
62惟則(史浩)
72惟岳(徐嶠之)
　惟岳(陳甫)
90惟肖(郭審容)

9003₂ 懷

　懷(徐知諤)

　懷(李玄霸)
10懷玉(成延昭)
44懷英(狄仁傑)
47懷懿太子(李湊)

9020₀ 少

20少信(歐陽詢)
26少伯(王昌齡)
28少微(王隱客)
　少微(虞鼎)
30少室山達觀子(李
　筌)
　少室山人(孺登)
　少良(裴遵慶)
35少連(朱敬則)
36少溫(李陽冰)
37少逸(張策)
38少游(魏少遊)
80少公(杜亞)

9021₁ 光

　光(盧正言)
00光庭(王晙)
　光文(夏侯映)
　光文大師(彙征)
08光謙(王正雅)
12光烈(王晞)
　光烈(徐昕)
22光後(劉昌裔)
24光緒(王暐)
28光儀(趙匡凝)
30光賓(王旺)
31光福(王崇文)
32光業(王昕)
　光業(鄭昌圖)
34光祐(楊贊圖)
　光遠(王晦)
　光遠(李光顏)
　光遠(鄭延昌)
38光祚(白崇嗣)
　光祥(蕭昌)
44光孝(李懷忠)
53光輔(王晙)
　光輔(韋光輔)
60光圖(王建)
　光國(李朝隱)
64光睦和尚(行修)
67光嗣(王暉)

88光範(王晊)
94光慎(查文徽)

9021₄ 雀

27雀兒王(王道吉)

9022₇ 尚

21尚貞(李自正)
30尚之(楊希古)
37尚逸(崔羲)
40尚直(唐推賢)
　尚真(李乂)
50尚書裏行(崔日知)
　尚素(羅周敬)
72尚質(高行周)
77尚賢(劇可久)
80尚父(郭子儀)

常

30常容(李虛中)
40常真禪師(義澄)
50常夫(趙達)

9060₂ 省

27省躬(高保勖)

9101₇ 恆

00恆度(神皓)

9104₆ 悼

　悼(李一)
　悼(李孝)
　悼(李愔)
90悼懷太子(李普)

9106₁ 悟

30悟空禪師(齊安)
　悟空禪師(休復)
34悟達國師(知玄)
37悟通大師（禪寂和
　尚)
40悟真大師(師郁)
50悟本大師(良价)

9181₄ 煙

34煙波子(張志和)
　煙波釣徒(張志和)

9181₆ 烜

烜(韋元旦)

9404₇ 悖

38悖逆庶人(武延秀)

9408₁ 慎

00慎言(薛訥)
21慎行(蘇勗)
42慎機(李昌諜)
46慎獨(封挺卿)

9501₀ 性

30性空禪師(元應)
性空大師(正原)
性空大師(寰中)
性實(子祥)

9721₄ 耀

22耀山(李磵)
30耀之(蔣曙)
34耀遠(劉昫)
77耀卿(李延嗣)

9725₆ 輝

22輝山(吕琦)
30輝之(李軫)
50輝夫(何光遠)
71輝長(柳珮)

9783₄ 焕

30焕之(裴耀卿)
32焕業(趙光裔)

9786₂ 炤

30炤之(柳璨)

9910₃ 瑩

30瑩之(高璩)
瑩之(王晏球)

9990₄ 榮

47榮期(員半千)

姓　名　索　引

0010₄ 童

11童頵
　　40十國85/7A
48童翰卿
　　11全詩9/607/7010
　　17紀事下/56/853
72童氏
　　35畫譜6/8B
　　38圖繪2/29B

塵

23塵外
　　80宋僧4/12B

0021₁ 鹿

00鹿慶期
　　8 全文398/22B
21鹿虔扈　見鹿虔扆
　鹿虔扆
　　11全詩12/894/10105
　　40十國56/4B①
23鹿弁　見王宗弁
30鹿注
　　19姓纂10/5B
38鹿裕
　　19姓纂10/5B
44鹿苑和尚
　　81景德13/4A
60鹿晏弘
　　26方鎮2/40B
　　　4/158A
71鹿願　見鹿愿
　鹿愿
　　19姓纂10/5B②

　　10/7A③

龐

00龐廊
　　19姓纂1/15B
08龐説
　　19姓纂1/15B
10龐玉
　　19姓纂1/15B
　　64掇英18/10B
　　65會稽志2/24B
14龐琳
　　19姓纂1/15B
17龐承訓
　　19姓纂1/15B
　龐承宗
　　1 舊唐7/57/2301
　　2 新唐12/88/3745
　　19姓纂1/15B
20龐季子
　　11全詩11/795/8959
21龐行基
　　9 拾遺17/12B
　龐師古（從）
　　3 舊五1/21/281
　　4 新五1/21/213
　　26方鎮3/32A
　　　3/32B
　龐貞素
　　19姓纂1/16A
　　64掇英18/11B
　　65會稽志2/26B
25龐仲憚　見龐卿憚
27龐瞢
　　19姓纂1/15B

20郎考17/12B
　　73吳興志14/27A
28龐復
　　26方鎮7/54A
　龐從　見龐師古
31龐濟
　　63新安志9/19A
　龐福誠
　　40十國51/9A
　　41九國7/11B
43龐式
　　25登科27/24A
44龐蘊　見龐蘊
　龐蘊（道玄、龐居士）
　　7 新志5/59/1531
　　11全詩12/810/9136
　　17紀事下/49/741
　　27郡齋3下/37A
　　81景德8/18A④
46龐相壽
　　19姓纂1/16A⑤
48龐敬嗣
　　19姓纂1/15B
60龐景高
　　19姓纂1/15B
　龐景喬
　　19姓纂1/15B
　龐景良
　　19姓纂1/15B
　龐景昭
　　1 舊唐13/166/4339
　　19姓纂1/15B
　龐景劉
　　19姓纂1/15B
66龐嚴（子肅）

---

　① 《十國》原注：“虔扆，一作虔扈。”
　② 《姓纂》“愿”作“願”，今據岑仲勉《元和姓纂四校記》考定改正。又《姓纂》謂愿爲唐司農少卿，岑校則謂愿卒於隋末。
　③ 《姓纂》此處作“祿願”，岑仲勉《元和姓纂四校記》謂即龐愿，今從之。
　④ 《景德》“蘊”作“薀’，顯誤，今據《新志》、《紀事》等改正。
　⑤ 岑仲勉《元和姓纂四校記》引羅振玉校記謂“晃（按指龐晃，隋原州總管）倍子長壽，不作相壽”，岑校云：“（長壽）是後來改名，抑爲昆弟，尚待考定。”

1 舊唐13/116/4339
2 新唐13/104/4009
8 全文728/18B
19姓纂1/15B
24壁記　翰苑羣書
　上/45B
25登科18/10B
　19/8B
71龐巨昭
26方鎮7/38A
40十國73/3B
龐巨曦
41九國11/13B
77龐堅
1 舊唐15/187下/4899
2 新唐18/193/5546
龐同福
19姓纂1/15B
龐同本
19姓纂1/15B
龐同善
1 舊唐7/57/2301
2 新唐12/88/3745
19姓纂1/15B
龐履溫(若水)
25登科4/23A
龐卿惲(蕭)
1 舊唐7/57/2301
2 新唐12/88/3745
19姓纂1/15B①
88龐範
19姓纂1/15B

0021₆ 竟

78竟脱和尚
81景德22/18B
87竟欽和尚(慧真廣悟禪師)
81景德22/15A

0021₇ 亢

37亢潮
25登科27/22B

亮

88亮坐主
81景德8/10A

盧

74盧陵公主
2 新唐12/83/3644

0022₂ 彦

13彦球(實相得一大師)
81景德21/12A
彦琮　見彦悰
22彦偶
80宋僧16/13A
30彦賓
81景德20/22A
36彦禪師
81景德17/18A
43彦求
80宋僧28/4A
67彦暉
80宋僧7/4B
93彦悰撰《大唐京寺錄傳》等
7 新志5/59/1527②
8 全文905/6A③
9 拾遺49/8B④
80宋僧4/13A
82内典5/283⑤
83開元錄8/563
85貞元新錄12/863
彦悰撰《後畫錄》
27郡齊3下/26A

廖

15廖融(元素)
11全詩11/762/8654
40十國75/4A
21廖仁勇　見廖偓
廖偓(仁勇)
40十國74/7A
44陸書8/8B
32廖澄
25登科25/2A
40十國27/14B
37廖凝(熙績)
11全詩11/740/8441
40十國29/7B
42五補4/9B
38廖游卿　見廖有方
40廖有方(游卿)
8 全文713/8A

11全詩8/490/5550
17紀事下/49/747
25登科18/13B
50廖爽
44陸書8/8B
60廖圖　見廖匡圖
71廖匡齊
40十國73/8A
41九國11/10B
廖匡圖(贊禹)
7 新志5/60/1624⑥
11全詩11/740/8440
18才子10/184⑦
28直齊19/27B
40十國73/7B
42五補4/9B⑧
44陸書8/8B
77廖居素
40十國27/3B
44陸書6/10B
90廖光圖　見廖匡圖

0022₃ 齊

08齊說
5 新表11/75下/3384
19姓纂3/8B
齊論
8 全文443/11A
10齊貢　見齊珝
11齊璘
19姓纂3/8B
20郎考16/3A
17齊玘
5 新表11/75下/3385
齊珣
19姓纂3/8B
齊珝
5 新表11/75下/3385⑨
20郎考3/51A⑩
　3/87B⑪
齊珝　見齊珝
齊己(胡得生、衡嶽沙門)
8 全文921/4A
11全詩12/838/9441
　12/888/10035
17紀事下/75/1092
18才子9/161
28直齊19/29A

22/8 B	1 舊唐11/136/3756	9 拾遺12/13 A
34 書譜11/2 B	30 齊汶　見齊皎	齊克讓
39 書史5/37 B	齊安(悟空禪師)杭人	26 方鎮3/19 B
40 十國103/6 B	68 咸淳臨安70/5 A	3/20 A
42 五補3/13 A	80 宋僧11/18 A	齊克儉
80 宋僧30/11 A	81 景德7/7 A	26 方鎮8/11 A
20 齊攺　見齊皎	齊安和尚 黃州	44 齊猗
21 齊處仲　見齊處中	81 景德10/15 A	5 新表11/75下/3384
齊處沖　見處中	36 齊禪師	齊藏珍
齊處中	81 景德25/28 A	3 舊五5/129/1705
19 姓纂3/8 B	37 齊翺	齊孝若(考叔)
20 郎考7/6 A⑫	5 新表11/75下/3384	5 新表11/75下/3385
21 御考1/11 A⑬	38 齊澣(洗心)	19 姓纂3/9 A
2/4 B⑭	1 舊唐15/190中/5036	25 登科13/3 A
2/30 A⑮	2 新唐14/128/4468	齊若行　見齊善行
齊虔	5 新表11/75下/3384	47 齊圮
5 新表11/75下/3384	8 全文353/7 A	1 舊唐11/136/3750
19 姓纂3/8 B	11 全詩2/94/1016	48 齊翰(等至)
22 齊嵩	17 紀事上/24/368	80 宋僧15/2 B
7 新志5/57/1436	19 姓纂3/8 B	50 齊推
8 全文459/18 A	20 郎考8/3 A	8 全文716/24 B
齊峯和尚	16/5 A	39 書史5/28 B
81 景德8/10 B	21 御考2/26 A	齊抗(退尊)
24 齊倚	25 登科4/21 B	1 舊唐11/136/3756
19 姓纂3/8 B	47 乾道四明1/9 B	2 新唐14/128/4471
27 齊翻	59 毗陵志7/13 B	5 新表11/75下/3384
5 新表11/75下/3385	69 嘉定鎮江14/7 B	7 新志5/60/1605
齊翔	40 齊士員	8 全文456/26 A

① 《姓纂》"卿"作"仲",岑仲勉《元和姓纂四校記》謂應作卿惲,《舊唐書》卷五七、《新唐書》卷八八有傳；又謂《金石萃編》卷八一《龐履溫德政碑》亦載其曾祖名卿惲,左武候大將軍,諡曰齋。岑說可信,今據改。

② 《新志》"惊"作"琮",著有《大唐京寺錄傳》十卷、《沙門不敬錄》六卷,並注云："龍朔人,并隋有二彦琮。"按《新志》同卷又載："僧彦琮《崇正論》六卷,又集《沙門不拜俗議》六卷、《福田論》一卷。"此彦琮爲隋朝人,故《新志》於《大唐京寺錄傳》撰者之彦琮處注云"并隋有二彦琮"。但《大唐京寺錄傳》之唐人彦琮,實應作彦惊。近人陳垣《中國佛教史籍概論》對此曾有所考證,其三《廣弘明集》一節論《沙門同名易混例》,謂隋之彦琮,見《續高僧傳》卷二,大業六年卒；唐之彦惊,見《宋高僧傳》卷四,玄奘法師弟子。又云："隋彦琮從玉,唐彦惊實從心。"此爲《新志》修書時之誤,而前人多未有糾正者。今據陳垣所考改正。

③ 按《全文》所載彦惊之文《合部金光明經序》、《通極論》、《福田論》,實爲隋彦琮撰,非唐彦惊作。說詳上注。

④⑤ 《拾遺》、《內典》"惊"作"琮",今改正,詳注②。

⑥ 《新志》"匡"作"光"。按《十國春秋》卷七三《廖匡圖傳》注云:"歐史作光圖,避宋諱改。"按陸游《南唐書》等作"匡圖",今據改。又按,《十國春秋》注所謂歐史,非指《新志》,乃指《新五代史》,廖光圖之名見《新五代史》卷六六《楚世家》。

⑦ 才子"原缺"匡"字,今補正,說詳下注。

⑧ 《五補》原缺"匡"字。按《五代史補》作者陶岳爲宋初人,此當係陶岳避宋太祖諱削去"匡"字,其後《唐才子傳》等書又據以作廖圖。宋阮閱《詩話總龜》卷四稱賞門引《雅言雜錄》亦作廖圖,此皆因避宋諱而改。

⑨ 《新表》"翊"作"珝",曾任吏部郎中,與《郎考》卷三之齊翊(亦爲吏部郎中)官職相合,當即一人。今據改。

⑩ 《郎考》作"齊貢",勞格謂當作"齊翊"。

⑪ 《郎考》此處作"齊翊",勞格云:"翊當作翊,《集韻》一東工羽,或書作翊。翊與貢音同。石刻有齊貢,時代正合,疑即是。"今從勞說。

⑫⑬⑭⑮ 《郎考》、《御考》"中"作"仲",今從《姓纂》。

席

10席元明
　11全詩2/72/785
席晉
　2 新唐14/128/4468
　8 全文270/1A
　19姓纂10/38B
15席建侯　見席豫
17席豫(建侯、文、席公)
　1 舊唐15/190中/5035
　2 新唐14/128/4467
　8 全文235/2A
　11全詩2/111/1142
　14國秀上/127
　　　　上/142
　17紀事上/14/203
　19姓纂10/38B⑯
　20郎考4/15A⑰
　　　　10/19A⑱
　21御考2/45B
　25登科4/21A
　　　　4/22A
　　　　5/6A
　　　　5/17B
　　　　5/34B
　　　　27/4B

席君懿
　19姓纂10/38B
23席咎
　19姓纂10/38B
　20郎考18/70A
37席涣
　19姓纂10/38B
44席蕆
　19姓纂10/38B⑲
　20郎考4/40A
　　　　8/34A
60席異
　19姓纂10/38B
80席豫
　8 全文633/9A
　11全詩6/368/4146
　25登科13/23A
　　　　14/5A
席義恭
　53赤城志8/10A
90席懷默
　7 新志5/59/1528

商

28商价
　7 新志5/58/1492
62商則
　11全詩12/871/9880

高

00高亨
　11全詩12/870/9856⑳
高亨和尚
　81景德10/14B
高彦
　40十國85/1A
　41九國2/17B
　73吳興志14/32B
高彦儔
　40十國54/7B
　41九國7/15A
高彦休(參寥子)
　7 新志5/59/1542
　8 全文817/4A
　28直齋11/6B
高育(全之)
　5 新表8/71下/2395
高庭芝
　20郎考2/7A
　21御考1/18B
高文敏　見高履行
高玄景
　5 新表8/71下/2390
01高詣

① 《新表》"皎"作"汶"，今據《姓纂》及岑仲勉《元和姓纂四校記》改。
② 《歷畫》"皎"作"皎"。岑仲勉《元和姓纂四校記》謂皎之兄弟名皆從日，作自者誤，當改作"皎"。今據改。又《歷畫》於"齊皎"名下注云："一本云名敬。"
③④⑤ 《書小史》、《圖繪》、《書史》"皎"並作"皎"，今改，說詳上注。
⑥ 《姓纂》作"齊景曹"，岑仲勉《元和姓纂四校記》據《册府元龜》卷一六二、一七二及《全唐文》卷三一八李華《李景暟碑》，謂"曹"皆應作"皓"。今據改。
⑦⑧⑨ 《新表》、《姓纂》、《郎考》卷一七"暊"並作"照"，據岑仲勉《元和姓纂四校記》，唐人著作中，齊照有寫作齊暊者，《郎考》卷一八倉外之齊暊即其人。今據《郎考》卷一八統一作"暊"，另出齊照爲參見條目。
⑩ 《歷畫》作"齊暎"，今從新、舊《唐書》本傳等改。
⑪ 《全詩》原注："一作唐鑛。"
⑫ 《姓纂》"耆"作"若"，今據岑仲勉《元和姓纂四校記》考定改正。
⑬ 《全文》"乂"作"義"，誤。可參看勞格《讀書雜識》卷八《全唐文札記纖補》、岑仲勉《讀全唐文札記》。
⑭ 《全文》此處有小傳云："乾符初官集賢院學士。"按乾符爲唐僖宗年號，《全文》卷三五四已有齊光乂（原誤"義"，今已改正），爲唐玄宗開元中人。又據《新志》，玄宗時修撰《御刊禮記月令》，預修者有集賢院直學士齊光乂。據此，則可證《全唐文》小傳云"乾符初"誤，且亦可證《全唐文》將齊光乂一人誤分爲兩處。
⑮ 《姓纂》"乂"作"又"，今據岑仲勉《元和姓纂四校記》考定改正。
⑯ 《姓纂》"豫"作"建"，今據岑仲勉《元和姓纂四校記》考定改正。
⑰⑱ 《郎考》作"席建侯"，按建侯乃豫之字，今統一作席豫。
⑲ 按岑仲勉《元和姓纂四校記》引《全唐文》卷六三三稱席蕆貞元十二年宏詞及第，又《全唐文》卷六三一呂溫《祭座主顔公文》（作於貞元二十年）稱"渭南縣尉席蕆"，疑"蕆"字似爲"蕆"字。今錄岑說以備考。
⑳ 《全詩》原注："亭一作雲。"

3 舊五4/94/1253
07高諷
　　10續拾7/7B
　　40十國55/6A
10高正平
　　26方鎮7/54B
高正仁
　　39書史5/30A
高正業
　　1 舊唐8/78/2703
　　2 新唐13/104/4012
　　5 新表8/71下/2389
　　20郎考13/2B
高正表
　　20郎考23/1A
高正臣
　　5 新表8/71下/2389
　　11全詩2/72/784
　　17紀事上/7/86
　　29書斷3/6B
　　37書小史9/8A
高玉
　　39書史5/29A
高丕
　　5 新表8/71下/2391
高元經
　　5 新表8/71下/2394
高元裕（允中、景圭）
　　1 舊唐14/171/4452
　　2 新唐17/177/5285
　　5 新表8/71下/2393
　　8 全文694/1A
　　9 拾遺28/4A
　　11全詩11/795/8946
　　20郎考1/19B
　　　　4/44B
　　　　8/37A
　　24壁記　翰苑羣書
　　　　　　上/48B
　　25登科14/14A
　　26方鎮4/140A
　　　　5/69B
　　39書史5/32A
高元道
　　5 新表8/71下/2389
高元譽
　　8 全文790/18A

高元思
　　5 新表8/71下/2390
　　20郎考3/10B
高元矩
　　11全詩11/795/8952
高舞
　　17紀事上/20/299
高霞寓
　　1 舊唐13/162/4249
　　2 新唐15/141/4661
　　26方鎮1/20A
　　　　1/58B
　　　　1/86A
　　　　4/136A
高雲唐畫家
　　31唐畫6/16A
高雲寓陽羨
　　59毗陵志19/4A①
高雲　見高亭
高不危　見高尚
11高璩（瑩之、剌）
　　1 舊唐14/171/4453
　　2 新表17/177/5286
　　5 新表8/71下/2393
　　11全詩9/597/6907
　　17紀事下/53/808
　　24壁記　翰苑羣書
　　　　　　上/54A
　　25登科22/21A
　　26方鎮6/83B
12高瑀
　　1 舊唐13/162/4250
　　2 新表17/171/5193
　　8 全文716/19A
　　26方鎮2/34B
　　　　2/35A
　　　　3/26B
高璠
　　8 全文406/9A
　　72三山志20/34A
高弘簡
　　20郎考13/10A
　　　　15/23A
　　21御考3/49B②
高延壽
　　1 舊唐16/199上/5324
　　2 新唐20/220/6191

高延貴
　　9 拾遺18/5A
13高球
　　11全詩2/72/787
　　17紀事上/7/88
高武光（叔良）
　　5 新表8/71下/2390
　　26方鎮4/146A
14高瑾
　　5 新表8/71下/2391
　　11全詩2/72/788
　　17紀事上/7/88
　　25登科2/17A
高劭（子將）
　　3 舊五1/20/273
15高建武
　　1 舊唐16/199上/5320
　　2 新唐20/220/6186
16高玥
　　40十國89/7A
17高承宗
　　26方鎮3/23A
高承恭
　　26方鎮1/22A
　　　　1/90A
　　　　3/17B
　　　　7/22A
高承明
　　1 舊唐14/182/4703
高承簡（敬）
　　1 舊唐12/151/4053
　　2 新唐16/170/5163
　　26方鎮1/20B
　　　　2/21B
　　　　3/15B
高豫
　　5 新表8/71下/2389
　　20郎考6/6B
高子平
　　5 新表8/71下/2392
高子貢
　　1 舊唐15/189下/4960
　　2 新唐13/106/4058
　　25登科27/26A
高子羽
　　5 新表8/71下/2391
高子繼
　　5 新表8/71下/2388

18高璇
　　5 新表8/71下/2391
20高重（文明）
　　2 新唐12/95/3843
　　5 新表8/71下/2394
　　7 新志5/57/1440
　　　　5/57/1446
　　20郎考14/10 B
　　24壁記　翰苑羣書
　　　　上/45 B
　　　　上/47 B
　　25登科27/33 A
　　26方鎮6/21 B
　　　　6/35 A
高孚
　　8 全文747/9 A
高季通
　　5 新表8/71下/2389
　　20郎考11/1 B
　　　　17/1 A
　　　　18/1 A
高季昌　見高季興
高季興（貽孫、季昌、荆南
　　武信王）
　　3 舊五6/133/1751
　　4 新五3/69/855
　　26方鎮5/15 B③
　　40十國100/1 A
　　42五補2/4 A
高季興五女
　　40十國102/4 A
高季輔（馮、憲）
　　1 舊唐8/78/2700
　　2 新唐13/104/4010
　　5 新表8/71下/2389④
　　6 舊志6/47/2073
　　7 新志5/57/1428
　　　　5/58/1495
　　　　5/60/1598

　　8 全文135/23 B⑤
高集
　　1 舊唐14/171/4452
　　5 新表8/71下/2392⑥
21高仁厚
　　2 新唐17/189/5471
　　26方鎮6/86 A
高衢
　　11全詩11/726/8322
　　17紀事下/67/1008
高行珪
　　3 舊五3/65/866
　　4 新五2/48/548
高行周（尚質、武懿）
　　3 舊五5/123/1611
　　4 新五2/48/547
　　8 全文856/8 A
高熊
　　5 新表8/71下/2394
高貞文
　　3 舊五4/94/1254
高術
　　5 新表8/71下/2391
高綽
　　20郎考22/19 B
22高彪　見高鮹
高仙
　　1 舊唐13/162/4249
高仙芝
　　1 舊唐10/104/3203
　　2 新唐15/135/4576
　　26方鎮8/61 B
高嶠
　　5 新表8/71下/2392
　　11全詩2/72/793
　　17紀事上/7/92
　　20郎考18/2 A
高嵊
　　5 新表8/71下/2396

20郎考21/3 B
高崇文（崇文、威武）
　　1 舊唐12/151/4051
　　2 新唐16/170/5161
　　11全詩5/313/3523
　　17紀事下/54/816
　　26方鎮1/18 B
　　　　6/64 A
　　　　6/76 B
高崇業
　　5 新表8/71下/2387
高繼充
　　40十國102/4 A
高繼之
　　53赤城志8/15 A
高繼沖（成和）
　　4 新五3/69/860
　　40十國101/10 B
23高參
　　8 全文480/4 A
　　9 拾遺24/16 B
　　20郎考16/15 A
高允
　　20郎考3/72 B⑦
高允誠
　　5 新表8/71下/2394
高允韜（審機）
　　3 舊五6/132/1745
　　4 新五2/40/440
高允恭
　　5 新表8/71下/2392
　　20郎考11/37 A
高允權
　　3 舊五5/125/1646
　　4 新五2/40/440
高允中　見高元裕
高儳
　　11全詩4/252/2844
高弁

---

① 《唐畫》之高雲係畫家，師周昉。昉爲德宗時人，則高雲亦當爲德宗、憲宗時人。《毗陵志》之高雲，已知其寓居陽
羨，與大曆時詩人皇甫冉爲友，冉有《寄高雲》詩（《全唐詩》卷二四九）云：“南徐風日好，恨望毗陵道。毗陵有故
人，一見恨無因。獨戀青山久，唯今白髮新。”則大曆時已屆老年，時代較早，與前之高雲當爲二人。

② 《御考》“弘”作“宏”，今據《郎考》改正。

③ 《方鎮》“興”作“昌”。按高季興初名季昌，今據新、舊《五代史》作季興。

④⑤ 《新表》、《全文》作“高馮”（字季輔）。按新、舊《唐書》本傳，高馮以字行，今統一作高季輔，另出高馮條。

⑥ 《舊唐》載高集爲高鮹子，《新表》載高集爲高彪子，實則高鮹、高彪同爲一人。詳見高鮹條注。

⑦ 《郎考》“允”字後原缺一字。

11全詩6/368/4145①
25登科14/5A②
高峻
　5　新表8/71下/2392
　7　新志5/58/1458
　28直齋4/16A
24高德武
　1　舊唐16/199上/5328
　2　新唐20/220/6198
高德明
　5　新表8/71下/2395
高觛
　1　舊唐14/171/4452
　5　新表8/71下/2392③
25高仲武
　7　新志5/60/1623
　8　全文458/16B
　27郡齋4下下/3A
　28直齋15/9A
高仲仁
　5　新表8/71下/2389
高仲曦
　40十國107/8A
高仲舒
　1　舊唐15/187上/4877
　2　新唐18/191/5506
高純行
　20郎考25/3A
26高伯祥
　5　新表8/71下/2397
高侃
　2　新唐16/170/5180
高保膺
　40十國102/4A
高保正
　40十國102/2B
高保融（德長、荊南貞懿
　王）
　3　舊五6/133/1753
　4　新五3/69/859
　40十國101/6B
高保衡
　40十國102/4A
高保勳
　40十國102/2B
高保緒
　40十國102/3B
高保紳

40十國102/2B
高保寅（齊巽）
　40十國102/2B
高保遜
　40十國102/4A
高保勗（省躬）
　3　舊五6/133/1754
　4　新五3/69/860
　40十國101/9B
高保節
　40十國102/3B
高嶧
　5　新表8/71下/2396
27高躬义
　44陸書15/6A
高象
　5　新表8/71下/2394
高股（贊禹）
　5　新表8/71下/2394
　20郎考17/19A
高叡（節）
　1　舊唐15/187上/4877
　2　新唐18/191/5505
　25登科27/26A
高叡妻　見蔡氏
高叔讓
　5　新表8/71下/2388
高紹
　5　新表8/71下/2391
　8　全文294/19A
　11全詩2/72/791
　17紀事上/7/90
　20郎考5/37B
　　　9/5A
　69嘉定鎮江16/2A
高紹基
　9　拾遺47/18A
28高從文
　1　舊唐10/111/3328
高從讓
　40十國102/2A
高從詵
　40十國102/1B
高從翊
　40十國102/1B
高從謙
　40十國102/2A
高從誨（遵聖、高賴子、高

無賴、荊南文獻王）
　3　舊五6/133/1752
　4　新五3/69/858
　40十國101/1A
　42五補4/5B
高從遇
　36圖誌2/48
　38圖繪2/37A
　40十國56/10A
高從嗣
　40十國102/2A
高從義
　40十國102/2A
高儉　見高士廉
高崘
　5　新表8/71下/2396
　20郎考17/20B
29高嶸
　5　新表8/71下/2396
30高濟（德昌）
　5　新表8/71下/2394
高汶（魯昌）
　5　新表8/71下/2394
高寧
　5　新表8/71下/2388
高寬
　5　新表8/71下/2388
高適（達夫、忠）
　1　舊唐10/111/3328
　2　新唐15/143/4679
　7　新志5/60/1603
　8　全文357/2B
　11全詩3/211/2189
　13河嶽上/77
　14國秀下/129
　　　　下/186
　17紀事上/23/342
　18才子2/34④
　25登科9/18A
　26方鎮5/21A
　　　　6/60A
　27郡齋4上/18B
　28直齋16/15A
　76齊乘6/37A
高憲
　5　新表8/71下/2388
高守瓊
　8　全文855/8A

① 《新表》作"高宗儉字士廉"。按宗儉以字行，今據新、舊《唐書》本傳作高士廉。
②③ 《全文》、《毗陵志》作"高儉"，今據新、舊《唐書》本傳作高士廉。參宋王觀國《學林》卷三。
④ 《新唐》"貞"作"真"。按高惠貞爲高麗人，作"真"當係同名異譯，今從《舊唐》。
⑤ 《新表》作"高文敏字履行"。按文敏以字行，今從《舊唐》作履行。

5/60/1599
25登科27/1A
59毗陵志11/5B
　　16/2A
87高鄭賓
　1 舊唐13/168/4386
88高策
　25登科25/31A
90高懷德
　3 舊五5/123/1614
高懷寶
　36圖誌4/94
高懷遷
　3 舊五5/125/1646
高少逸
　1 舊唐14/171/4453
　2 新唐17/177/5286
　5 新表8/71下/2393
　7 新志5/58/1508
　20郎考1/21A
　　7/20B
　　25/10B
　24壁記　翰苑羣書
　　上/49A
　26方鎮4/20B
　28直齋5/15A
90高光庭
　5 新表8/71下/2395
高光復
　5 新表8/71下/2388
　20郎考3/9A
　　4/7A
高尚（不危）
　1 舊唐16/200上/5374
　2 新唐20/225上/6424
96高燭（時雍）
　5 新表8/71下/2391
97高恂
　21御考2/2B

庸

21庸仁傑
　11全詩11/795/8953

0023₀ 卞

10卞震
　11全詩11/795/8959
　40十國53/7B

27卞俛
　25登科11/12A

0023₁ 應

10應天和尚
　81景德11/9A
22應彪
　47乾道四明1/10A
　48寶慶四明1/16A
　49延祐四明2/2A
27應物
　11全詩12/823/9279
　17紀事下/74/1085
30應之
　34書譜11/6A
　39書史5/43B
　40十國33/3A
　43馬書26/3B
50應夷節（適中）
　53赤城志35/10B
53應咸
　25登科27/17A
77應用
　40十國31/8A

0023₂ 康

00康庭芝
　8 全文260/1B①
　11全詩2/113/1150
　20郎考22/4A
　25登科3/2B
康言
　25登科27/32B
康玄辯（通理）
　7 新志5/60/1603
04康諲　見康實
07康翊仁
　11全詩11/780/8824
08康謙
　1 舊唐15/186下/4861
　2 新唐20/225上/6425
10康元璟
　25登科4/29B
康元懷
　8 全文953/15B②
康雲開
　21御考3/16A
11康張

40十國103/3A
12康瓛
　8 全文260/16A
康珽
　21御考2/19A
　　2/50B
康延澤
　3 舊五4/91/1201
康延沼
　3 舊五4/91/1201
康延壽
　3 舊五4/91/1201
康延孝（李紹琛）
　3 舊五3/74/967
　4 新五2/44/485
　8 全文844/7B
康廷芝　見康庭芝
14康璙
　8 全文757/17A③
　20郎考17/18B
17康羽
　21御考3/28A
康承訓（敬辭）
　2 新唐15/148/4773
　26方鎮2/27A
　　4/41A
　　4/82A
　　7/24B
康子玉
　8 全文953/14B
　9 拾遺51/10A
康子元
　2 新唐18/200/5701
　8 全文351/1A
　25登科5/31B
　65會稽志14/33B
康子季
　8 全文399/11B
康君立
　3 舊五3/55/737
　26方鎮4/73A
20康季子
　8 全文953/16A
康季榮
　9 拾遺31/10B
　26方鎮1/35A
　　1/36A
　　3/28B

① 《全文》"庭"作"廷"，今從《郎考》等作"庭"。
② 《登科》之康元璙，係唐中宗景龍三年材堪經邦科及第。據顏真卿《康使君神道碑銘》（《顏魯公文集》卷七），元璙爲康希銑子，希銑卒於開元初，時代亦合。《全文》之康元懷，不詳其事蹟，僅載其《對爲吏私田不善判》（見《文苑英華》卷五二七），亦未能詳其時代。疑元璙、元懷爲一人，但無確據，現仍分列，俟考。
③ 《全文》"璙"作"僚"，與《郎考》之康璙實爲同一人，今從《郎考》作"璙"。
④ 《歷畫》原注："薩陀，或云善陀。"
⑤ 《圖繪》"陀"作"阤"，今從《歷畫》改。
⑥ 《拾遺》"軿"作"駢"，誤，今改正。
⑦ 《全詩》"軿"作"駢"，並云字駕輕，皆誤。

19 姓纂 6/20 B
庾何
1 舊唐
　　15/187下/4913①
2 新唐 16/161/4986
19 姓纂 6/20 B
20 郎考 1/28 A
　　　2/16 B
　　　22/10 B
庾倬
19 姓纂 6/20 B
22 庾促
19 姓纂 6/20 B
庾崇
20 郎考 11/59 B
　　　26/25 B
24 庾先　見庾光先
25 庾傳素
11 全詩 12/899/10161
40 十國 41/8 B
庾傳昌
40 十國 44/2 B
26 庾侶
19 姓纂 6/20 B
30 庾準
1 舊唐 10/118/3427
2 新唐 15/145/4727
19 姓纂 6/20 B
20 郎考 2/15 A
　　　3/44 B
　　　7/11 A
　　　25/8 A
26 方鎮 5/3 B
庾安禮
19 姓纂 6/20 A
31 庾河　見庾何
庾憑
19 姓纂 6/20 B
37 庾凝績
40 十國 41/11 A
38 庾道蔚
19 姓纂 6/20 B
20 郎考 6/37 A
　　　8/44 B
24 壁記　翰苑羣書
　　　上/52 B
48 庾敬休（順之）
1 舊唐 15/187下/4913

2 新唐 16/161/4986
7 新志 5/59/1537
8 全文 732/18 B
9 拾遺 29/13 A
11 全詩 8/516/5896
19 姓纂 6/20 B
20 郎考 1/42 B
　　　19/8 B
　　　20/13 B
24 壁記　翰苑羣書
　　　上/44 B
25 登科 27/13 A
53 庾威
19 姓纂 6/20 B
25 登科 17/13 A
73 吳興志 14/29 B
庾威士
19 姓纂 6/20 B
57 庾抱
1 舊唐 15/190上/4987
2 新唐 18/201/5729
6 舊志 6/47/2073
7 新志 5/60/1598
11 全詩 1/39/499
17 紀事上/3/35
19 姓纂 6/20 A
69 嘉定鎮江 18/41 B
68 庾黔婁（忠節）
9 拾遺 69/3 B
88 庾簡休
2 新唐 16/161/4987
19 姓纂 6/20 B
20 郎考 8/41 A
　　　22/17 B
90 庾光烈
1 舊唐 15/187下/4913
2 新唐 16/161/4986
19 姓纂 6/20 B
20 郎考 21/9 B
庾光先
1 舊唐 10/118/3427
　　　15/187下/4913
8 全文 373/5 B
11 全詩 3/158/1614
19 姓纂 6/20 B②
20 郎考 4/19 A
21 御考 3/23 B

廉

00 廉方俊
8 全文 954/16 B
廉方實
19 姓纂 5/44 A
14 廉璡
19 姓纂 5/44 A
15 廉璉
53 赤城志 8/12 B
27 廉粲
8 全文 401/7 A
44 廉若
40 十國 97/2 B
72 廉氏
11 全詩 11/801/9015
17 紀事下/79/1135
18 才子 2/28

0024₁ 庭

30 庭實
11 全詩 12/851/9633

0024₇ 慶

04 慶諸（普會大師）
80 宋僧 12/10 B
81 景德 15/10 A
32 慶澄
73 吳興志 15/9 B
　　　15/12 A
36 慶禪師
81 景德 23/19 B
38 慶祥（九曲禪師）杭州
68 咸淳臨安 70/7 A
81 景德 26/18 B
慶祥 明州崇福院
81 景德 26/25 A
44 慶蕭
81 景德 26/18 A

0025₁ 庠

庠
8 全文 959/27 B③

0025₂ 摩

01 摩訶末
1 舊唐 16/198/5316
2 新唐 20/221下/6263

27摩俱溢斯
　　2　新唐20/221下/6264
60摩羅枝摩
　　1　舊唐16/198/5308
80摩會
　　1　舊唐16/199下/5350
　　2　新唐20/219/6168

0025₆ 庫

44庫薩和
　　1　舊唐16/198/5312
　　2　新唐20/221下/6258
49庫狄履溫
　　21御考2/20 A
　　　　2/40 A

0026₁ 磨

12磨延啜(葛勒可汗)
　　2　新唐19/217上/6115

0026₇ 唐

00唐亨(本貞)
　　5　新表10/74上/3244
唐充
　　25登科27/32 A
唐彥謙(茂業、鹿門先生)
　　1　舊唐15/190下/5063
　　2　新唐12/89/3762
　　5　新表10/74下/3235
　　7　新志5/60/1614
　　11全詩10/671/7664
　　　　12/885/10002
　　17紀事下/68/1018
　　18才子9/151
　　25登科23/20 A
　　27郡齋4中/14 A
　　28直齋19/24 B
唐高宗(李治、天皇大帝)
　　1　舊唐1/4/65
　　2　新唐1/3/51
　　6　舊志6/46/1994
　　　　6/47/2026
　　　　6/47/2035
　　　　6/47/2052

　　7　新志5/58/1456
　　　　5/59/1512
　　　　5/60/1597
　　8　全文11/1 A
　　9　拾遺1/12 A
　　11全詩1/2/21
　　17紀事上/1/6
　　37書小史1/10 A
　　39書史5/1 B
唐高宗廢后王氏
　　1　舊唐7/51/2169
　　2　新唐11/76/3473
唐高宗婕妤徐氏
　　73吳興志16/13 B
唐高宗蕭良娣
　　1　舊唐7/51/2170
　　2　新唐11/76/3473
唐高宗則天皇后(武曌、武則天)
　　1　舊唐1/6/115
　　2　新唐1/4/81
　　　　11/76/3474
　　6　舊志6/46/1975
　　　　6/46/1984
　　　　6/46/1998
　　　　6/46/2006
　　　　6/47/2026
　　　　6/47/2035
　　　　6/47/2046
　　　　6/47/2052
　　7　新志5/57/1436
　　　　5/57/1450
　　　　5/58/1471
　　　　5/58/1475
　　　　5/58/1487
　　　　5/58/1491
　　　　5/59/1512
　　　　5/59/1513
　　　　5/59/1538
　　　　5/59/1563
　　　　5/60/1597
　　8　全文95/4 A
　　9　拾遺8/19 A
　　10續拾1/3 B

　　11全詩1/5/51
　　17紀事上/3/24
　　34書譜1/8 B
　　37書小史2/2 B
　　39書史5/3 B
唐高祖(李淵)
　　1　舊唐1/1/1
　　2　新唐1/1/1
　　8　全文1/1 A
　　9　拾遺1/1 A
　　10續拾1/1 A
　　11全詩12/869/9841
　　37書小史1/9 A
　　39書史5/1 A
唐高祖太穆皇后竇氏
　　1　舊唐7/51/2163
　　2　新唐11/76/3468
唐高祖萬貴妃
　　2　新唐11/79/3548
唐慶(唐武)
　　20郎考18/13 B
　　21御考3/47 B
　　　　3/49 B
唐廢帝　見唐末帝
唐廩　見唐稟
唐文徵
　　5　新表10/74下/3237
唐文宸
　　40十國46/6 A
唐文宗(李昂、李涵、昭獻)
　　1　舊唐2/17上/522
　　2　新唐1/8/229
　　7　新志5/57/1440
　　8　全文69/1 A
　　9　拾遺7/2 A
　　11全詩1/4/47
　　17紀事上/2/18
唐文教
　　5　新表10/74下/3217
唐言思
　　5　新表10/74下/3245
唐讓德(後己)
　　5　新表10/74下/3238
唐玄度

　　① 《舊唐》“何”作“河”，爲庾敬休父。按《姓纂》、《郎考》、《新唐書·庾敬休傳》皆作庾何。岑仲勉《元和姓纂四校記》謂古時“何”、“河”通用，但唐人記載多作庾何。今改作“何”。
　　② 《姓纂》作“庾先”，無“光”字，今據岑仲勉《元和姓纂四校記》考定補正。
　　③ 《全文》“庫”字前原缺姓。

唐瑾
　5 新表10/74下/3233
唐璘
　5 新表10/74下/3232
15唐建亭
　5 新表10/74下/3221
唐建初
　5 新表10/74下/3221
17唐玘
　5 新表10/74下/3222
唐承裕
　40十國65/7 B
唐承構
　5 新表10/74下/3227
唐君侯
　5 新表10/74下/3234
18唐珔
　5 新表10/74下/3216
唐瑜
　5 新表10/74下/3223
唐璲(溫禮)
　5 新表10/74下/3227
19唐琰
　5 新表10/74下/3222
20唐重弼(同節)
　5 新表10/74下/3247
唐重潤
　5 新表10/74下/3245
唐重華
　5 新表10/74下/3246
唐重昌
　5 新表10/74下/3245
唐重曜
　5 新表10/74下/3245
唐喬卿
　5 新表10/74下/3230
唐季鷹
　5 新表10/74下/3225
唐季友
　5 新表10/74下/3244
唐季札
　5 新表10/74下/3244

唐皎(本明)
　1 舊唐9/85/2813
　2 新唐13/113/4184⑧
　5 新表10/74下/3239
唐系
　5 新表10/74下/3241
21唐順宗(李誦)
　1 舊唐2/14/405
　2 新唐1/7/205
　8 全文55/1 A
　37書小史1/11 B
　39書史5/2 B
唐順宗莊憲皇后王氏
　1 舊唐7/52/2194
　2 新唐11/77/3503
　8 全文98/14 B
唐仁儆
　5 新表10/74下/3204
唐仁恭
　40十國86/7 A
　68咸淳臨安60/15 B
唐衢
　1 舊唐13/160/4205
唐行立
　5 新表10/74下/3203
唐行端
　5 新表10/74下/3203
唐行實
　5 新表10/74下/3213
唐行滿
　5 新表10/74下/3207
唐行直
　5 新表10/74下/3203
唐行基
　5 新表10/74下/3203
唐行表
　5 新表10/74下/3203
唐行旻(昌圖)
　2 新唐17/186/5423
唐行敏
　5 新表10/74下/3202
唐虔(袁寋)

　5 新表10/74下/3247
唐處一
　5 新表10/74下/3204
唐潁
　5 新表10/74下/3226
　7 新志5/58/1467
　　　5/58/1471
唐熊
　68咸淳臨安60/13 B
唐睿宗(李旦、李旭輪、李
輪、大聖貞皇帝)
　1 舊唐1/7/151
　2 新唐1/5/115
　6 舊志6/47/2052
　7 新志5/60/1597
　8 全文18/1 A
　9 拾遺2/6 A
　10續拾1/1 B
　11全詩1/2/25
　　　12/869/9841
　37書小史1/10 B
　39書史5/1 B
唐睿宗肅明皇后劉氏
　1 舊唐7/51/2176
　2 新唐11/76/3489
唐睿宗昭成皇后竇氏
　1 舊唐7/51/2176
　2 新唐11/76/3489
唐師(志範)
　5 新表10/74下/3233
唐貞亮(固言)
　5 新表10/74下/3228
唐貞廉(守潔)
　5 新表10/74下/3233
唐貞行(守信)
　5 新表10/74下/3233
唐貞休
　5 新表10/74下/3234
唐貞儀
　5 新表10/74下/3234
唐貞觀(守禮)
　5 新表10/74下/3232

①②③④《全文》、《直齋》、《書譜》、《書史》“玄”並作“元”,係清人避諱改,今改正。
⑤ 據《新志》,唐稟撰有《貞觀新書》三十卷,並云:“稟,袁州萍鄉人。”按下《全詩》作唐廩,據小傳,亦爲萍鄉人,乾寧
　元年進士;《登科》亦作唐廩,據《永樂大典》引《宜春志》,乾寧元年進士及第,亦爲袁州人。《新志》之唐稟爲晚唐
　時人。此當皆爲同一人,惟稟、廩未知孰是,今姑據《新志》作唐稟。
⑥⑦《全詩》、《登科》“稟”作“廩”,今從《新志》。詳見前注。
⑧《新唐》作“唐皎”,今從《舊唐》。

20郎考1/5 B
　　　　14/2 B
唐紹宗
　5 新表10/74下/3202
唐紹圖
　5 新表10/74下/3203
唐叔慈
　5 新表10/74下/3244
28唐復
　5 新表10/74下/3229
唐從心
　1 舊唐7/58/2307
　2 新唐12/89/3760
　5 新表10/74下/3219
　20郎考11/3 A
唐儉（茂約、襄）鑒子
　1 舊唐7/58/2305
　2 新唐12/89/3759
　5 新表10/74下/3219
唐儉世宗子
　5 新表10/74下/3225
30唐宣宗（李忱、李怡、獻文）
　1 舊唐2/18下/613
　2 新唐1/8/245
　8 全文79/1 A
　9 拾遺8/5 A
　11全詩1/4/49
　17紀事上/2/20
　34書譜1/7 B
　39書史5/2 B
唐宣宗元昭皇后晁氏
　1 舊唐7/52/2203
　2 新唐11/77/3510
唐宣慈
　5 新表10/74下/3243
唐濟
　5 新表10/74下/3230
唐寡悔
　5 新表10/74下/3238
唐進思
　5 新表10/74下/3245
唐之武（知言）
　5 新表10/74下/3241

唐之奇（知子）
　1 舊唐9/85/2813
　5 新表10/74下/3241
　20郎考25/3 A
唐憲（茂彝）
　2 新唐12/89/3760
　5 新表10/74下/3218
唐憲宗（李純）
　1 舊唐2/14/411
　2 新唐1/7/207
　7 新志5/59/1513
　8 全文56/1 A
　9 拾遺6/1 A
　10續拾1/3 A
唐憲宗孝明皇后鄭氏
　1 舊唐7/52/2198
　2 新唐11/77/3505
唐憲宗懿安皇后郭氏
　1 舊唐7/52/2196
　2 新唐11/77/3504
　8 全文98/15 A
唐守一
　5 新表10/74下/3208
唐守臣
　5 新表10/74下/3222
唐寔
　5 新表10/74下/3215
唐寶藏
　5 新表10/74下/3238
唐宗美
　7 新志5/59/1530
32唐漸
　5 新表10/74下/3229
唐淄川
　5 新表10/74下/3217
唐遜（志順）
　5 新表10/74下/3236
34唐漢賓
　2 新唐19/214/6020
唐波若
　5 新表10/74下/3221
唐褌
　5 新表10/74下/3212
唐遠悊

11全詩2/69/774
唐婆伽
　5 新表10/74下/3205
35唐沖
　25登科19/31 A
唐遺孝（幼忠）
　5 新志10/74下/3242
36唐溫如
　11全詩11/772/8758
唐遙（君邁）
　5 新表10/74下/3233
37唐湜
　5 新表10/74下/3230
唐渙彥謙子，位至郡守
　1 舊唐15/190下/5063
　5 新表10/74下/3236
唐渙表顏子，鳳州司馬
　5 新表10/74下/3225
唐渙昭容子
　5 新表10/74下/3230
唐渾金
　5 新表10/74下/3241
唐次（文編）
　1 舊唐15/190下/5060
　2 新唐12/89/3761
　5 新表10/74下/3234
　7 新志5/59/1513
　8 全文480/1 A
　20郎考3/87 B
　　　　19/16 B
　　　　20/9 A
38唐遊方
　5 新表10/74下/3225
唐道襲（忠壯）
　40十國46/1 A
唐道周
　8 全文353/1 A
唐啓心
　5 新表10/74下/3220
40唐大智
　5 新表10/74下/3237
唐太宗（李世民、文）
　1 舊唐1/2/21
　2 新唐1/2/23

---

① 《新表》作唐先晉，爲休璟子，陳州刺史，其弟先擇。按《舊唐》卷九三《唐休璟傳》云：“子先慎襲爵，官至陳州刺史。次子先擇，開元中爲右金吾衛將軍。”《新唐》卷一一一《唐休璟傳》同。晉與慎通，則唐先晉卽唐先慎。

1 舊唐7/52/2203
2 新唐11/77/3510
唐歡
　1 舊唐15/190下/5064
　5 新表10/74下/3236
唐朝徹
　5 新表10/74下/3243
唐朝臣
　26方鎮1/43 B
　　　　 1/83 B
　　　　 4/47 B
唐款（嘉言）
　1 舊唐15/190下/5064
　5 新表10/74下/3236
　25登科12/27A
48唐敬文會子
　5 新表10/74下/3208
唐敬（衷鯁）進思子
　5 新表10/74下/3246
唐敬宗（李湛）
　1 舊唐2/17上/507
　2 新唐1/8/227
　8 全文68/1A
　9 拾遺7/1A
唐敬宗郭貴妃
　1 舊唐7/52/2200
　2 新唐11/77/3509
唐敬奧
　5 新表10/74下/3237
唐松齡
　5 新表10/74下/3219
50唐中宗（李顯、李哲、孝和）
　1 舊唐1/7/135
　2 新唐1/4/106
　6 舊志6/47/2052
　7 新志5/60/1597
　8 全文16/1A
　9 拾遺2/1A
　11全詩1/2/23
　17紀事上/1/7
　37書小史1/10 B

唐中宗上官昭容（上官婉兒）
　1 舊唐7/51/2175
　2 新唐11/76/3488
　11全詩1/5/60
　17紀事上/3/25
唐中宗和思皇后趙氏
　1 舊唐7/51/2171
　2 新唐11/76/3485
唐中宗韋庶人
　1 舊唐7/51/2171
　2 新唐11/76/3486
　9 拾遺8/25 B
唐推
　39書史5/26 A
唐推賢（尚直）
　5 新表10/74下/3237
唐肅宗（李亨、李嗣昇、李浚、李璵、李紹、宣）
　1 舊唐1/10/239
　2 新唐1/6/155
　8 全文42/1A
　9 拾遺4/17A
　10續拾1/2 B
　11全詩1/4/43
　34書譜1/5 B
　39書史5/2A
唐肅宗章敬皇后吳氏
　1 舊唐7/52/2187
　2 新唐11/77/3499
唐肅宗張皇后
　1 舊唐7/52/2185
　2 新唐11/77/3497
唐肅宗韋妃
　1 舊唐7/52/2186
唐奉一
　20郎考2/1A
　　　　 11/7A
　25登科27/2 B
唐奉先
　5 新表10/74下/3224
唐奉禮

　5 新表10/74下/3213
唐奉義
　5 新表10/74下/3212
　20郎考25/1 A
唐表顯
　5 新表10/74下/3225
唐末僧
　11全詩12/851/9631
唐末朝士
　11全詩11/784/8849
51唐振
　5 新表10/74下/3215
52唐授衣
　5 新表10/74下/3221
53唐成宗
　5 新表10/74下/3239
唐成構
　5 新表10/74下/3227
唐咸
　5 新表10/74下/3229
唐感行
　5 新表10/74下/3238
54唐持（德守）
　1 舊唐15/190下/5063
　2 新唐12/89/3761
　5 新表10/74下/3235
　25登科18/28A
　26方鎮1/77 B
　　　　 4/70 A
　　　　 7/35 A
唐技（己有）
　1 舊唐
　　　 15/190下/5064③
　5 新表10/74下/3236
　20郎考1/29 B
　21御考3/30 A
55唐扶（雲翔）
　1 舊唐15/190下/5062
　2 新唐12/89/3761
　5 新表10/74下/3234
　11全詩8/488/5542
　20郎考7/20 A

---

① 《全詩》原注："求，一作球。"
② 《紀事》"求"作"球"，今從《直齋》改。按阮閱《詩話總龜》卷四四隱逸門引《古今詩話》謂"唐末蜀川有唐求"云云，阮閱爲宋宣和、建炎時人，時代較早。故本書皆作唐求，另出唐球作參見條。
③ 《舊唐》"技"作"枝"，卷一九〇下《唐次傳》載次弟名款，"（款）子枝已有，會昌末累遷刑部員外，轉郎中"。而據《新表》，款子名技，字己有，刑部郎中。則唐枝、唐技實爲一人。按技之兄弟輩行，名爲扶、持等，皆從手旁，則當以《新表》爲正，《舊唐》作枝者誤。

25登科18/2A
26方鎮6/7B
72三山志20/40A
57唐抱一文會子
　5新表10/74下/3208
唐抱一（玄珍）簡子
　5新表10/74下/3238
唐抱璞（楚珍）
　5新表10/74下/3239
唐抱素（儒珍）
　5新表10/74下/3239
60唐皎　見唐皎
唐日輪
　5新表10/74下/3215
唐旦（曉明）
　5新表10/74下/3242
唐昱
　5新表10/74下/3233
唐國昌
　5新表10/74下/3216
唐國華
　5新表10/74下/3241
唐見日
　5新表10/74下/3221
唐晃貞行子,桂州參軍
　5新表10/74下/3234
唐晃（正明）臨子,晉州刺史
　5新表10/74下/3243
唐暠先擇子
　5新表10/74下/3225
唐暠貞行子,臨海令
　5新表10/74下/3233
唐思亶
　5新表10/74下/3224
唐思齊
　5新表10/74下/3223
唐思廉
　5新表10/74下/3218
唐思言（子文）
　11全詩9/552/6397
　17紀事下/55/838
　25登科22/7B
唐思一
　5新表10/74下/3224
唐思元
　5新表10/74下/3238
唐思貞
　5新表10/74下/3223

唐思督
　5新表10/74下/3218
唐思莊
　5新表10/74下/3224
唐思孝
　5新表10/74下/3205
唐思哲
　5新表10/74下/3224
唐思忠文感子,左翊衛
　5新表10/74下/3206
唐思忠讓德子
　5新表10/74下/3238
唐思雅
　5新表10/74下/3238
唐思鑒
　5新表10/74下/3224
唐思悦
　5新表10/74下/3223
唐旻
　5新表10/74下/3226
唐晏
　5新表10/74下/3233
唐昪（高明）
　5新表10/74下/3244
唐昪
　5新表10/74下/3226
唐昌公主
　2新唐12/83/3657
唐固儉
　5新表10/74下/3204
唐固本
　5新表10/74下/3208
唐累
　5新表10/74下/3242
唐景（廣明）
　5新表10/74下/3243
唐景思
　3舊五5/124/1635
　4新五2/49/557
61唐暄妻　見張氏
唐晤
　5新表10/74下/3220
唐點
　5新表10/74下/3243
62唐昕從心子,鴻臚卿
　5新表10/74下/3219
唐昕貞敏子
　5新表10/74下/3232

唐暖
　5新表10/74下/3222
63唐暄啓心子
　5新表10/74下/3221
唐暄貞敏子
　5新表10/74下/3232
唐暄
　11全詩11/770/8737①
唐晈
　1舊唐7/58/2307
　2新唐12/89/3760
　5新表10/74下/3220
唐踐正
　5新表10/74下/3231
唐踐貞
　5新表10/74下/3219
唐默
　5新表10/74下/3243
64唐曉
　5新表10/74下/3232
　20郎考7/6A
　　　　15/1B
唐睦
　5新表10/74下/3219
唐晞
　5新表10/74下/3220
66唐嚴（本親）
　5新表10/74下/3242
67唐曜
　5新表10/74下/3220
唐暉
　5新表10/74下/3220
唐昭簡心子,河南尹
　5新表10/74下/3220
唐昭貞敏子
　5新表10/74下/3232
唐昭彦
　5新表10/74下/3231
唐昭訓
　5新表10/74下/3229
唐昭望
　5新表10/74下/3231
唐昭獻
　5新表10/74下/3231
唐昭德
　5新表10/74下/3229
唐昭容
　5新表10/74下/3230

唐昭宗（李曄、李傑、李敏）
　　1 舊唐3/20上/735
　　2 新唐1/10/283
　　8 全文90/1A
　　9 拾遺8/16B
　　11 全詩1/4/50
　　　　　12/889/10040
　　17 紀事上/2/22
　　34 書譜1/8A
　　39 書史5/2B
唐昭宗積善皇后何氏
　　1 舊唐7/52/2203
　　2 新唐11/77/3512
　　8 全文98/16A
唐昭華
　　5 新表10/74下/3229
唐昭忠
　　5 新表10/74下/3230
唐昭明
　　5 新表10/74下/3230
　　8 全文902/8A
唐嗣之
　　5 新表10/74下/3229
唐嗣宗茂言子
　　5 新表10/74下/3217
唐嗣宗貞亮子
　　5 新表10/74下/3228
唐嗣華
　　5 新表10/74下/3228
唐嗣本
　　5 新表10/74下/3228
68 唐畛
　　5 新表10/74下/3226
唐晦 從心子
　　5 新表10/74下/3220
唐晦 貞敏子，吏部常選
　　5 新表10/74下/3232
唐黔
　　5 新表10/74下/3243
70 唐雕題
　　5 新表10/74下/3244
71 唐愿
　　5 新表10/74下/3222

唐長仁
　　5 新表10/74下/3244
76 唐陽公主
　　2 新唐12/83/3673
77 唐同仁
　　64 掇英18/10B
　　65 會稽志2/25B
唐同芳
　　5 新表10/74下/3228
唐同泰
　　5 新表10/74下/3204
唐同人
　　5 新表10/74下/3219
唐履冰
　　5 新表10/74下/3231
唐履深
　　5 新表10/74下/3225
唐履直
　　5 新表10/74下/3226
唐履構
　　5 新表10/74下/3228
唐欣
　　1 舊唐15/190下/5064
　　5 新表10/74下/3236
唐譽（承休）
　　5 新表10/74下/3227
唐興公主 唐昭宗女
　　2 新唐12/83/3675
唐興公主 唐懿宗女
　　2 新唐12/83/3675
78 唐鑒（承明）
　　5 新表10/74下/3228
唐臨（本德）
　　1 舊唐9/85/2811
　　2 新唐13/113/4183
　　5 新表10/74下/3242
　　6 舊志6/46/2006
　　7 新志5/58/1484
　　　　　5/58/1495
　　　　　5/59/1540
　　8 全文162/7B
　　28 直齋11/3B
80 唐人亻
　　20 郎考14/3A②

唐人進
　　5 新表10/74下/3246
唐翁
　　5 新表10/74下/3227
唐鎬　見齊鎬
唐羲和
　　5 新表10/74下/3215
唐令言
　　5 新表10/74下/3232
唐無竭
　　5 新表10/74下/3217
唐義謙（奉仁）
　　5 新表10/74下/3245
唐義寔
　　5 新表10/74下/3206
唐義友
　　5 新表10/74下/3245
唐善言
　　5 新表10/74下/3209
唐善識
　　5 新表10/74下/3221
唐善行
　　5 新表10/74下/3209
唐善見
　　5 新表10/74下/3209
唐會
　　5 新表10/74下/3227
唐公羽
　　5 新表10/74下/3227
唐公重
　　5 新表10/74下/3227
82 唐劍客
　　5 新表10/74下/3204
86 唐知正
　　5 新表10/74下/3237
唐智亮
　　5 新表10/74下/3215
唐智寂
　　5 新表10/74下/3214
唐智深
　　5 新表10/74下/3214
唐智堯
　　5 新表10/74下/3214
唐智英

---

① 《新表》之二唐晦，約皆爲唐玄宗時人，一爲啓心子，義王府戶曹參軍，一爲貞敏子，仕履不詳。《全詩》之唐晦，事迹未可考，有詩三首：《遊灃南感舊二首》、《贈亡妻張氏》，皆爲悼亡之作，未能考定其時代。今姑與《新表》分列，備考。

② 《郎考》"亻"右旁殘缺。

文喜（無著禪師）吳越僧
　40十國89/1B
　77嘉禾志14/4A
　80宋僧12/21B
　81景德12/10A
44文茂妻　見晁采
　文楚
　34書譜19/8A
　39書史5/37B
47文超
　40十國99/7A
52文括
　7新志5/58/1507
66文器
　9拾遺49/22B
67文照
　80宋僧25/7B
72文質
　80宋僧27/12A
77文展
　40十國99/7A
　文舉
　80宋僧16/9B
78文鑒
　11全詩12/850/9627
80文益（大法眼禪師、大智藏
　大導師）
　11全詩12/825/9300
　17紀事下/76/1105
　18才子3/45
　40十國33/3B
　80宋僧13/14A
　81景德24/3B
　文義
　81景德21/22B
　文谷
　40十國56/5B
87文欽
　81景德22/9A
91文炬（子薰、湟槃、慧日禪
　師）
　40十國99/2A

0040₁ 辛

00辛亮
　19姓纂3/16B
　辛齊物
　8全文948/2A
　辛廣嗣
　5新表9/73上/2882
　19姓纂3/17A
　20郎考3/13B
　辛文粲
　5新表9/73上/2881
　辛文陵
　19姓纂3/17B
　辛言
　19姓纂3/17B
　辛玄道
　19姓纂3/17A①
　辛玄馭
　19姓纂3/17A②
　辛京升
　19姓纂3/17B
　辛京杲（京杲）
　2新唐15/147/4754
　19姓纂3/17B③
　26方鎮6/29A
07辛諝
　5新表9/73上/2881
　19姓纂3/16B
　20郎考7/1A
09辛讜
　1舊唐15/187下/4914
　2新唐18/193/5559
　26方鎮7/25A
10辛元慶
　19姓纂3/17A
　辛元道　見辛玄道
　辛元同
　19姓纂3/17A
　20郎考12/10B
　辛元馭　見辛玄馭
　辛平

　19姓纂3/17A
　25登科27/7B
　辛晉
　5新表9/73上/2883
　19姓纂3/17A
　辛雲京
　1舊唐10/110/3314
　2新唐15/147/4753
　19姓纂3/17B
　26方鎮4/31A
　辛雲晁
　19姓纂3/17B
　辛雲果　見辛京杲
11辛璿
　25登科27/36B
12辛弘亮
　8全文204/11B④
　19姓纂3/17B
　辛弘智
　11全詩11/773/8769
　17紀事上/35/551
　辛烈
　19姓纂3/17A
13辛殆庶
　25登科15/1A
15辛融
　19姓纂3/16B
　20郎考12/57B
17辛承業
　19姓纂3/17B
　辛子言
　72三山志20/32A
　辛君昌
　19姓纂3/17A
18辛瑜
　19姓纂3/17A⑤
21辛偃武
　19姓纂3/17B
　辛處元
　19姓纂3/16B
　辛處仁
　19姓纂3/16B

①②《姓纂》"玄"作"元"，據岑仲勉《元和姓纂四校記》考定改正。
③《姓纂》作"辛雲果"，據岑仲勉《元和姓纂四校記》考定改正。
④《全文》"弘"作"宏"，係清人避諱改，今從《姓纂》。
⑤岑仲勉《元和姓纂四校記》謂當是辛道瑜，錄以備考。

辛處儉
　19姓纂3/16 B
22辛利涉
　5 新表9/73上/2883
　19姓纂3/17 A
　20郎考14/14 A
辛崇
　7 新志5/59/1529
辛崇禮
　19姓纂3/17 A
辛崇階
　·19姓纂3/17 A
辛崇敏
　8 全文200/11 A
　19姓纂3/17 A
　20郎考12/4 A
辛巢父
　19姓纂3/17 B
24辛德謙
　26方鎮8/12 A
辛德璉
　19姓纂3/17 A
辛德源
　7 新志5/59/1512
辛德本
　5 新表9/73上/2880
　19姓纂3/16 B
30辛液
　19姓纂3/17 B
辛之諤
　7 新志5/59/1536
　25登科7/29 A
辛宏
　11全詩11/780/8824
辛宏亮　見辛弘亮
辛良　見辛世良
31辛源
　19姓纂3/16 B
32辛澄
　19姓纂3/16 B
　32益畫上/7 A
　35畫譜2/9 B
　36圖誌2/35
　38圖繪2/8 B
辛漸
　18才子2/22
33辛溥
　8 全文948/1 A

辛祕(懿)如璿子
　1 舊唐13/157/4150
　2 新唐15/143/4696
　19姓纂3/17 A
　20郎考1/41 B
　　　　22/13 A
　25登科27/31 B
　26方鎮4/66 B
　73吳興志14/28 A
辛祕雲京子
　19姓纂3/17 B
34辛浩
　19姓纂3/17 B
38辛道瓛
　19姓纂3/17 A
　20郎考13/29 A
辛道瑜　見辛瑜
辛道源
　5 新表9/73上/2880
辛肇
　5 新表9/73上/2881
40辛有道
　19姓纂3/17 B
辛希業
　5 新表9/73上/2881
　19姓纂3/16 B
　20郎考4/6 B
辛七師
　80宋僧19/18 B
44辛茂將
　5 新表9/73上/2881
　7 新志5/59/1570
　19姓纂3/16 B
　20郎考4/2 B
辛萬福
　19姓纂3/17 B
辛世良
　19姓纂3/16 B①
　20郎考26/1 A
46辛如璿
　19姓纂3/17 A
47辛郁
　19姓纂3/16 B
53辛戚
　5 新表9/73上/2883
　19姓纂3/17 A
55辛替否(協時)
　1 舊唐10/101/3155

　2 新唐14/118/4277
　8 全文272/5 B
　11全詩2/105/1099
　17紀事上/12/175
　20郎考7/6 B
58辛嶅
　9 拾遺21/14 B
60辛昱
　19姓纂3/17 B
辛思禮
　5 新表9/73上/2880
　19姓纂3/16 B
辛旻
　2 新唐15/147/4754
辛昇之
　19姓纂3/17 A
　20郎考8/26 B
　　　　22/8 B
62辛則然
　8 全文948/2 B
辛懸
　19姓纂3/17 A
67辛曜卿
　19姓纂3/16 B
辛嗣本
　19姓纂3/17 B
71辛長儒
　5 新表9/73上/2883
　19姓纂3/17 A
　21御考2/3 A
　　　　2/23 B
72辛丘馭
　7 新志5/58/1456
77辛學士
　11全詩11/783/8841
80辛義元
　19姓纂3/17 A
辛義感
　19姓纂3/16 B
　20郎考12/3 A
辛義同
　19姓纂3/17 B
86辛知微
　19姓纂3/17 B
90辛懷節
　19姓纂3/17 B
辛光
　19姓纂3/17 B

辛常伯
　11全詩2/63/746
91辛恒
　5 新表9/73上/2882
　19姓纂3/17A
93辛怡諫
　5 全文260/10B
　8 全文260/10B
　19姓纂3/16A
　21御考2/14A
　25登科27/4B
⁹⁷辛惲
　19姓纂3/17A
　25登科11/21B

0040₆ 章

00章玄同
　11全詩2/99/1069
10章震
　8 全文871/11A
11章頂二女
　63新安志8/18A
16章碣
　7 新志5/60/1612
　11全詩10/669/7650
　17紀事下/61/928
　18才子9/151
　25登科27/20B
　28直齋19/21A
21章仁政
　40十國95/9A
　章仁嵩
　40十國95/9A
　章仁祐
　40十國95/9A
　章仁澈
　40十國95/9A
　章仁激
　40十國95/9A
　章仁肇
　40十國95/9A
　章仁坦
　40十國95/9A
　章仁郁
　40十國95/9A

章仁昉
　40十國95/9A
章仁聞
　40十國95/9A
章仁愈
　40十國95/9A
章仁鑑
　40十國95/9A
章仁耀
　40十國95/9A
章仁燧
　40十國95/9A
24章仇元素
　25登科27/29A
章仇嘉勉
　25登科4/21A
章仇兼瓊（忠）
　8 全文405/19B
　20郎考26/8A
　21御考3/6A
　26方鎮6/56B
章德安
　40十國86/6A
章僚
　28直齋8/41B
　40十國28/14B
26章和尚（禪想大師）
　81景德22/17A
27章仔釗
　40十國95/9A
章仔鈞
　40十國95/8A
章仔鈞妻　見練雋
章彝
　26方鎮6/73B
章魯封
　40十國85/5B②
章魯風　見章魯封
章嶠
　12詩逸中/10207
30章寧公主
　2 新唐12/83/3664
31章江書生
　11全詩12/862/9744
36章禪師

　81景德20/8A
40章九齡
　40十國54/3A
　章希業
　20郎考4/7A
44章孝標（道正）
　7 新志5/60/1611
　8 全文683/4A
　11全詩8/506/5748
　　　　12/870/9860
　12詩逸上/10184
　17紀事下/41/628
　18才子6/103
　25登科18/23A
　28直齋19/15B
　章孝規
　34書譜18/9A
　39書史5/18A
53章成緬
　68咸淳臨安60/13A
80章八元
　7 新志5/60/1611
　11全詩5/281/3192
　15中興上/273
　17紀事上/26/398
　18才子4/64
　25登科10/29A
　章全益（章孝子）
　2 新唐18/195/5591

0044₁ 辨

40辨才（能覺）姓李
　8 全文916/19B
　80宋僧16/1A
　辨才 姓袁
　11全詩12/808/9116
　39書史5/38A

辯

20辯秀
　80宋僧15/7A
30辯實
　81景德26/28B
42辯機
　7 新志5/59/1528

---

8 全文907/9 A
46辯相
　7 新志5/59/1528
　79續僧14/18 A
77辯隆
　81景德26/26 A
80辯公
　80宋僧8/18 B

0061₄ 誰

72誰氏女
　11全詩11/801/9020

0071₄ 雍

20雍維良
　8 全文524/1 A
　19姓纂1/12 B①
　20郎考25/7 A
　　　26/7 A
　21御考1/22 A
　　　1/25 B
　　　2/18 B
　　　2/52 A
　25登科5/4 B②
30雍寧
　19姓纂1/12 B
38雍裕之
　7 新志5/60/1611
　11全詩7/471/5348
　17紀事下/52/786
　18才子5/91
　28直齋19/16 A
40雍希顏
　26方鎮4/1 B
　雍希顒
　19姓纂1/13 A③
60雍思泰
　25登科2/27 A
77雍陶（國鈞）
　7 新志5/60/1612
　8 全文757/4 A
　11全詩8/518/5910
　17紀事下/56/854
　18才子7/114
　25登科21/9 B
　27郡齋4中/8 A
80雍羌
　2 新唐20/222下/6308

90雍惟良　見雍維良

0073₂ 玄

00玄亮
　81景德24/13 B
　玄應京師大慈恩寺
　7 新志5/59/1527
　82內典5/283
　83開元錄8/562
　85貞元新錄12/862
　玄應（定慧禪師）漳州報劬院
　81景德24/13 B
04玄訥
　81景德19/9 A
13玄琬
　7 新志5/59/1526
　79續僧28/8 A
　82內典5/281
20玄秀
　79續僧38/17 A
21玄旨
　81景德24/12 B
22玄嶷
　7 新志5/59/1530
　80宋僧17/4 A
　83開元錄9/566
　85貞元新錄13/867
　玄幽
　11全詩12/851/9634
24玄奘京師大慈恩寺，陳留人
　1 舊唐16/191/5108
　7 新志5/59/1528
　8 全文906/1 A
　27郡齋3下/36 A
　28直齋8/41 B
　79續僧4/1 A
　82內典5/283
　83開元錄8/557
　85貞元新錄11/857
　玄奘荊州白馬寺，江陵人
　80宋僧24/6 B
　玄續
　79續僧15/32 B
26玄泉第二世和尚
　81景德23/11 B
　玄儼
　65會稽志15/39 B
　80宋僧14/18 B

27玄約
　80宋僧7/4 A
30玄究
　79續僧15/16 B
　玄密
　81景德23/11 B
　玄寶
　11全詩12/850/9622
　18才子3/45
　玄宗
　80宋僧20/8 A
　玄寂
　43馬書26/3 A
37玄逸
　80宋僧5/8 B
　玄通唐玄宗時
　80宋僧14/22 A
　玄通晚唐五代時人
　81景德18/12 A
　玄朗（慧明）
　8 全文915/2 B④
　80宋僧26/10 B
40玄真禪師
　81景德10/12 A
　玄爽
　79續僧25/9 B
50玄泰
　80宋僧17/21 A
　玄素（道清、大津禪師）
　69嘉定鎮江20/1 A⑤
　70至順鎮江19/31 A⑥
　80宋僧9/6 A
　81景德4/10 B
52玄挺
　81景德4/10 A
56玄暢（申之、法寶）
　80宋僧17/21 B
60玄晏
　80宋僧29/16 B
62玄則
　81景德25/16 B
77玄覺高昌國人
　80宋僧2/9 B
　玄覺泉州晉江人
　81景德25/17 B
　玄覺（明道、真覺大師、無相大師）永嘉人
　7 新志5/59/1529

①② 《姓纂》、《登科》"維"作"惟",今從《郎考》、《全文》諸書改。
③ 岑仲勉《元和姓纂四校記》據《舊唐書》卷一二載貞元元年五月以河陽都知兵馬使雍希顏爲河陽懷都團練使,因謂雍希顥卽雍希顏之訛。錄以備考。
④ 《全文》"玄"作"元",係清人避諱改,今據《宋僧》改正。
⑤⑥ 《嘉定鎮江》、《至順鎮江》"玄"作"元",係清人避諱改,今據《宋僧》、《景德》改正。
⑦ 《全文》"玄"作"元",係清人避諱改,今據《景德》改正。
⑧ 《新唐》作"勸龍晟",蓋同名異譯,今從《舊唐》。

26方鎮7/42 B
04顏謨有
　19姓纂4/21 B
07顏詡
　40十國29/10 B
　43馬書15/5 B
顏韶
　25登科27/6 A
08顏説順
　25登科27/36 B
10顏至誠
　25登科27/29 A
顏璩
　8 全文949/13 B
顏元孫(聿修)
　1 舊唐15/187下/4896
　2 新唐18/192/5529
　7 新志5/57/1451
　　　5/60/1602
　8 全文203/1 A
　19姓纂4/21 A
　25登科3/7 B
　37書小史9/9 A
　69嘉定鎮江16/2 A
顏元勝　見顏勝
11顏頤
　25登科27/29 A
顏頖
　20郎考16/18 A
顏碩
　1 舊唐11/128/3597
顏頛
　1 舊唐11/128/3597
　19姓纂4/21 B
12顏弘式
　1 舊唐11/128/3597
　2 新唐16/153/4861
16顏强學
　25登科27/36 B
21顏顗
　6 舊志6/47/2074
　7 新志5/60/1599
顏仁楚
　7 新志5/59/1570
顏仁郁(文傑)
　11全詩11/763/8665
　40十國96/6 B
顏衎(祖德)

8 全文861/8 B
25登科25/8 A
顏頠
　19姓纂4/21 B
顏師古(籀、戴、清臣)
　1 舊唐8/73/2594
　2 新唐18/198/5641
　6 舊志6/46/1983
　　　6/46/1985
　　　6/46/1988
　　　6/47/2073
　7 新志5/57/1426
　　　5/57/1446
　　　5/57/1450
　　　5/58/1456
　　　5/58/1457
　　　5/58/1484
　　　5/58/1486
　　　5/58/1491
　　　5/58/1494
　　　5/60/1598
　8 全文147/6 B
　11全詩1/30/434
　17紀事上/5/60
　19姓纂4/21 A
　27郡齋1上/3 B
　　　2上/18 B
　28直齋4/2 A
　　　4/9 A
　　　10/14 A
　　　16/13 B
　37書小史9/3 B
　76齊乘6/36 B
顏頴
　19姓纂4/21 B
23顏允臧(季甯)
　19姓纂4/21 B
　21御考3/15 B
　　　3/49 B
　25登科9/20 B
　　　27/36 B
顏允南(去惑)
　11全詩11/795/8944
　19姓纂4/21 A
　20郎考5/15 A
　　　22/2 B
　37書小史10/5 B
25顏傳經

25登科27/29 A
26顏泉明
　1 舊唐15/187下/4897
　2 新唐18/192/5532
27顏粲
　11全詩5/319/3590
　17紀事上/32/501
　25登科27/9 B
28顏從賢　見顏從覽
顏從覽
　19姓纂4/21 A①
　20郎考26/22 B
　53赤城志8/21 B③
顏縱覽　見顏從覽
33顏泳
　25登科27/29 A
35顏清修
　25登科27/6 A
36顏溫
　25登科27/29 A
顏溫之
　25登科27/36 B
37顏迢
　19姓纂4/21 A
顏澹之
　25登科27/29 A
38顏澂之
　25登科27/29 A
顏游秦　見顏遊秦
顏遊秦
　1 舊唐8/73/2596
　2 新唐18/198/5643③
　19姓纂4/21 A④
　　　4/21 B⑤
40顏大智
　25登科27/29 A
顏有意
　19姓纂4/21 B
顏希莊
　25登科27/6 A
顏真長
　25登科27/29 A
顏真卿(清臣、應方、羨門子、文忠)
　1 舊唐11/128/3589
　2 新唐16/153/4854
　7 新志5/57/1451
　　　5/58/1491

5/60/1604	**2** 新唐18/198/5643	**2** 新唐18/198/5641
8 全文336/1A	**7** 新志5/59/1562	顏杲卿(昕、忠節)
9 拾遺19/22B	**19**姓纂4/21A	**1** 舊唐15/187下/4896
11全詩3/152/1582	47顏朝隱	**2** 新唐18/192/5529
17紀事上/24/366	**8** 全文400/18A	**9** 拾遺19/18A
19姓纂4/21A	**25**登科27/6A	**19**姓纂4/21A
4/21B	顏趨庭	**76**齊乘6/36A
21御考2/53A	**19**姓纂4/21A	61顏顯甫
3/48B	48顏敬仲	**19**姓纂4/21A
25登科8/4A	**20**郎考3/8A	顏顗
8/14B	**25**登科27/29A	**53**赤城志8/20B
9/3A	50顏中和	67顏昭甫(周卿)
26方鎮4/45A	**25**登科27/29A	**37**書小史9/3B
5/2B	顏胄	顏昭粹
5/34B	**11**全詩11/776/8795	**19**姓纂4/21B
27郡齋4上/15B	顏春卿	70顏防
34書譜3/6B	**2** 新唐18/192/5532	**19**姓纂4/21B
37書小史10/5A	**25**登科27/29A	74顏陵
39書史5/6B	51顏據	**25**登科27/29A
57景定建康31/14B	**25**登科27/29A	77顏同寅
73吳興志14/26A	顏揩	**25**登科27/29A
76齊乘6/36A	**25**登科27/29A	79顏勝
41顏標	顏頔(仁純)	**8** 全文401/22B
25登科22/28A	**61**琴川志3/24B	**19**姓纂4/21B⑦
43顏式宣	52顏揆	**25**登科27/6A
25登科27/36B	**25**登科27/29A	顏隣幾
44顏萱(弘至)	顏挺	**25**登科27/36B
11全詩10/631/7240	**25**登科27/29A	80顏益期
17紀事下/64/958	顏援	**19**姓纂4/21A
顏勤禮(敬)	**25**登科27/29A	顏令賓
1 舊唐15/187下/4896	53顏甫	**11**全詩11/802/9028
19姓纂4/21A	**1** 舊唐15/187下/4896	86顏知微
37書小史9/3B	56顏揚庭　見顏揚廷	**25**登科27/36B
顏羲	顏揚廷	87顏舒
8 全文829/1A	**2** 新唐18/198/5642	**8** 全文408/22A
9 拾遺33/6A	**8** 全文165/1A⑥	**11**全詩11/769/8732
11全詩11/727/8329	57顏撰	**17**紀事上/20/293
20郎考19/14A	**25**登科27/29A	**25**登科27/36B
顏孝悌	60顏日損	88顏籀　見顏師古
25登科27/6A	**25**登科27/36B	90顏惟貞(叔堅)
46顏相時(睿)	顏思魯	**8** 全文259/12B
1 舊唐8/73/2595	**1** 舊唐8/73/2594	**19**姓纂4/21A

---

① 《姓纂》"從"作"縱"，今據岑仲勉《元和姓纂四校記》考定改正。

② 《赤城志》"覽"作"賢"，今據岑仲勉《元和姓纂四校記》考定改正。

③④⑤ 《新唐》、《姓纂》"遊"作"游"，今從《舊唐》。

⑥ 《全文》"廷"作"庭"，今從《新唐》。

⑦ 《姓纂》"勝"作"元勝"，岑仲勉《元和姓纂四校記》謂"元"字衍，是，今刪。

25 登科3/23A
　　　27/36B
37 書小史9/9A

0161₄ 誣

36 誣禪師
　　81 景德22/17B

0162₀ 訶

08 訶論
　　1 舊唐16/198/5316
　　2 新唐20/221下/6263
27 訶黎布失畢
　　1 舊唐16/198/5303
　　2 新唐20/221上/6230
74 訶陵迦
　　2 新唐20/221下/6244

0164₆ 譚

00 譚意哥
　　18 才子2/28
10 譚正夫
　　7 新志5/60/1609
　　譚璟
　　21 御考2/26A
20 譚皎
　　31 唐畫6/16A
21 譚紫霄
　　40 十國99/11B
　　43 馬書24/2B
　　44 陸書14/3A
26 譚和尚(志行大師)
　　81 景德23/20A
29 譚峭(景昇)
　　11 全詩12/861/9732
　　40 十國34/2B
30 譚空
　　81 景德12/11B
35 譚洙
　　53 赤城志8/23B
44 譚藏用　見譚用之
72 譚氏二女
　　40 十國65/8A
77 譚用之(藏用)
　　7 新志5/60/1615
　　11 全詩11/764/8667
80 譚全播
　　4 新五2/41/443

40 十國8/9A
41 九國2/5B
85 譚銖
　　8 全文760/2B
　　11 全詩9/557/6465
　　17 紀事下/56/845

0180₁ 龔

32 龔澄樞
　　9 拾遺48/11A
　　40 十國66/1B
38 龔道
　　78 茅山志9/8B
44 龔黃科
　　25 登科18/20B①
60 龔景才(敦禮)
　　61 琴川志8/8A
72 龔氏二女
　　40 十國29/13A
94 龔慎儀(世則)
　　40 十國30/10A
　　44 陸書10/10A
　　63 新安志9/27B

0212₇ 端

17 端己
　　81 景德23/24B
53 端甫
　　80 宋僧6/11A

0261₈ 證

36 證禪師
　　81 景德20/18A
77 證覺
　　81 景德23/18B
86 證智
　　80 宋僧20/21A

0292₁ 新

10 新平公主
　　2 新唐12/83/3660
15 新建
　　81 景德11/12B
30 新安公主
　　2 新唐12/83/3675
43 新城公主
　　2 新唐12/83/3649
47 新都公主唐中宗女

2 新唐12/83/3652
新都公主唐代宗女
　　2 新唐12/83/3664
60 新昌公主
　　2 新唐12/83/3658
77 新興公主唐太宗女
　　2 新唐12/83/3647
新興公主唐昭宗女
　　2 新唐12/83/3676

0365₀ 誠

36 誠禪師
　　81 景德21/7B
50 誠惠(降龍大師、法雨大師)
　　3 舊五3/71/945
　　80 宋僧27/18B②
55 誠慧　見誠惠

0460₀ 謝

00 謝彥章
　　3 舊五1/16/221
　　4 新五1/23/243
　　謝文經
　　1 舊唐16/197/5275
01 謝龍羽
　　1 舊唐16/197/4276
10 謝元齊
　　1 舊唐16/197/5276
　　謝元深
　　1 舊唐16/197/5274
　　36 圖誌5/113
12 謝登
　　7 新志5/58/1497
　　25 登科12/18A
16 謝強
　　1 舊唐16/197/5274
21 謝偃
　　1 舊唐15/190上/4989
　　2 新唐18/201/5730
　　6 舊志6/47/2073
　　7 新志5/58/1475
　　　　5/58/1506
　　　　5/60/1598
　　8 全文156/1A
　　11 全詩1/38/491
　　25 登科1/9A
22 謝崇禮

68咸淳臨安60/15B
24謝勯
　11全詩5/312/3520
25謝仲宣
　11全詩11/757/8618
　謝傑
　40十國64/6B
26謝自然
　53赤城志35/9B
27謝叔方(勤)
　1　舊唐15/187上/4873
　2　新唐18/191/5499
28謝從本　見王宗本
30謝良
　18才子3/41
　謝良輔
　8　全文372/1B
　11全詩5/307/3483
　17紀事下/47/712
　20郎考6/16B
　　　　11/28B
　25登科9/20A
　謝良嗣
　7　新志5/59/1523
　謝察微
　7　新志5/59/1548
32謝汕
　1　舊唐16/197/5275
34謝祐
　8　全文187/3A
　20郎考7/2B
　　　　18/1A
　謝禧
　71嚴州1/27B
35謝清畫　見皎然
36謝遘
　11全詩11/775/8782
37謝沒
　2　新唐20/221下/6264
38謝肇
　26方鎮7/36B
　　　　7/61A
40謝太虛
　11全詩11/772/8760

17紀事下/71/1058
謝嘉藝
　1　舊唐16/197/5276
謝壽
　8　全文205/1A
44謝葚
　25登科27/18B
　謝楚
　8　全文721/14B
　25登科18/3B
46謝觀
　7　新志5/60/1615
　8　全文758/1A
50謝畫　見皎然
52謝蟠隱
　7　新志5/60/1615
　18才子10/171
60謝瞳(子明)
　3　舊五1/20/269
　謝晏
　68咸淳臨安45/11A
67謝鶚
　8　全文898/1A
　40十國85/6A
70謝防
　25登科22/2B
　謝辟
　25登科27/18B
72謝氏(林日五妻)
　40十國97/8B
77謝陶
　11全詩11/769/8734
　謝貫
　40十國64/2B
88謝銓
　40十國29/9A
90謝小娥(段居貞妻)
　2　新唐18/205/5827
　謝光庭
　72三山志20/32A

0461_4　謹

36謹禪師
　81景德26/4A

0464_7　護

40護真檀
　2　新唐20/221下/6255
60護國
　11全詩12/811/9138
　17紀事下/73/1078
　18才子3/45

0466_0　諸

34諸祐
　43馬書26/6A
44諸葛貞
　39書史5/32B
　諸葛爽
　1　舊唐14/182/4702
　2　新唐17/187/5441
　26方鎮4/9B
　諸葛地
　2　新唐20/222下/6298
　諸葛茂道
　19姓纂2/24A
　諸葛若鷲
　8　全文946/11B
　諸葛泰
　26方鎮1/61A
　諸葛罕
　9　拾遺29/2A
　諸葛覺
　17紀事上/30/461

0466_4　諾

60諾曷鉢
　1　舊唐16/198/5300
　2　新唐20/221上/6226

0469_4　謀

60謀思健摩訶延
　2　新唐20/221下/6264

0512_7　靖

02靖彰
　8　全文915/3A
12靖延

---

① 《登科》作"竇黄科",徐松謂字有誤,疑作"蕢黄科"。今從徐説。
② 《宋僧》"惠"作"慧",今從《舊五》。

7 新志5/58/1494①
靖延康
　19姓纂7/19A
34靖邁
　7 新志5/59/1530
　8 全文905/3B
　80宋僧4/9B
　83開元録8/562
　85貞元新録12/862
44靖姑
　40十國99/11A

0710₄ 望

20望千
　2 新唐20/222中/6295
23望偏
　2 新唐20/222中/6294

0742₇ 郭

00郭立
　8 全文399/18A
郭彦
　19姓纂10/30A
郭彦崇
　5 新表10/74上/3118
郭彦英　見郭英彦
郭齊宗
　19姓纂10/28B
　64掇英18/11A
　65會稽志2/26A
郭應宇
　20郎考5/8A
郭應圖
　8 全文821/13B
郭庭倩
　21御考2/48B
郭慶裕
　5 新表10/74上/3118
郭庠
　5 新表10/74上/3129
郭唐夫
　5 新表10/74上/3117
郭廣慶　見郭廣敬
郭廣敬
　5 新表10/74上/3115
　19姓纂10/28B②
　　　　　10/29A③
郭意哥　見郭信

郭文簡
　79姓纂10/30A
　20郎考18/2A
郭言
　3 舊五1/21/286
郭言揚
　5 新表10/74上/3128
　25登科20/15A
郭京
　8 全文902/18A
　25登科22/3B
　27郡齋1上/6A
　28直齋1/8A
01郭襲慶
　19姓纂10/28A
郭襲徵
　19姓纂10/28A
郭襲業
　19姓纂10/28A
02郭端夫
　5 新表10/74上/3118
03郭誼
　2 新唐19/214/6018
郭就
　5 新表10/74上/3129
04郭諶
　3 舊五5/110/1447
郭謹(守節)
　3 舊五5/110/1447
郭謨
　5 新表10/74上/3114
　19姓纂10/28B
08郭詮兵部員外
　19姓纂10/30A
郭詮會昌五年刺史
　53赤城志8/21B
郭謙
　5 新表10/74上/3129
郭謙光
　8 全文282/18B
　37書小史9/12A
09郭讜
　5 新表10/74上/3129
10郭正一
　1 舊唐15/190中/5009
　2 新唐13/106/4042
　8 全文168/9B
　11全詩1/44/542

17紀事上/6/73
　19姓纂10/29B
　25登科27/1B
郭正封
　8 全文839/8B
郭元超
　8 全文959/7B
郭元振(震)
　1 舊唐9/97/3042
　2 新唐14/122/4360
　5 新表10/74上/3135
　6 舊志6/47/2076
　7 新志5/59/1551
　　　　5/60/1601
　　　　5/60/1616
　　　　5/60/1618
　8 全文205/17A
　11全詩2/66/756
　17紀事上/8/109
　19姓纂10/29B
　20郎考25/4A
　25登科2/18A
郭元振妾　見薛瑶
郭元鐵
　5 新表10/74上/3120
郭舜
　7 新志5/59/1524
郭震崇禮子
　19姓纂10/30A
　20郎考2/36B
　21御考1/16A
　　　　2/10B
　　　　2/26A
　　　　2/34B
郭震　見郭元振
郭霸納子
　5 新表10/74上/3115
　19姓纂10/28B
郭霸　見郭弘霸
12郭弘正
　3 舊五3/57/763
郭弘霸(霸)
　1 舊唐15/186上/4848④
　2 新唐19/209/5910
郭弘業
　5 新表10/74上/3130
郭弘道

① 按《新志》此處著錄靖延撰《武德令》三十一卷，涇州別駕。下《姓纂》載靖延康，據岑仲勉《元和姓纂四校記》，其人爲唐高祖武德時人。疑《新志》與《姓纂》所載爲同一人，《新志》缺"康"字。

②③ 《姓纂》"敬"作"慶"，今據岑仲勉《元和姓纂四校記》考定改正。

④ 《舊唐》作"郭霸"，今從《新唐》。

⑤ 《直齋》作"鄭延誨"，今從《新志》作"郭延誨"。

⑥ 《姓纂》"球"作"求"，今據岑仲勉《元和姓纂四校記》考定改正。

⑦ 《姓纂》"璘"作"鄰"，今據岑仲勉《元和姓纂四校記》考定改正。

⑧ 徐松以爲此郭璘之卽《姓纂》與《登科》卷四之郭璘，待考。

⑨ 《御考》"順"字後原缺一字。

26方鎮6/57A
郭行則
　8 全文457/3A
郭行貫
　5 新表10/74上/3130
郭行餘
　1 舊唐13/169/4409
　2 新唐17/179/5324
　8 全文729/17B
　25登科27/13B
　26方鎮1/21A
郭儒華
　19姓纂10/28B
郭虔 見郭虔瓘
郭虔瓘
　1 舊唐10/103/3187
　2 新唐15/133/4543
　19姓纂10/30A①
　26方鎮8/53A
　　　　8/53B
　　　　8/59A
　76齊乘6/37A
郭處弘
　5 新表10/74上/3128
郭處嚴
　5 新表10/74上/3128
郭處殷
　5 新表10/74上/3128
郭處範
　5 新表10/74上/3114
郭師從
　40十國86/6B
22郭粵
　20郎考15/11A
郭炭
　2 新唐19/214/6018
郭邕
　11全詩11/780/8822
郭嶸
　25登科27/38A
郭山惲
　1 舊唐15/189下/4970
　2 新唐13/109/4106
　7 新志5/58/1491
郭利貞
　11全詩2/101/1079
　17紀事上/6/79
　20郎考4/61A

郭崇禮
　19姓纂10/30A
郭崇韜(安時)
　3 舊五3/57/763
　4 新五1/24/245
　8 全文844/1B
　9 拾遺46/5A
郭崇默
　19姓纂10/30A
郭崇嗣
　19姓纂10/30A
郭崇岳
　40十國65/4B
　41九國9/7B
郭巢穎
　5 新表10/74上/3119
郭崧
　10續拾6/13B
23郭允明(竇十)
　3 舊五5/107/1414
　4 新五1/30/339
郭儵
　19姓纂10/30B
郭峻
　25登科26/32A
24郭佐殷
　19姓纂10/28B
郭待聘
　1 舊唐8/83/2775
　19姓纂10/28B
郭待封
　1 舊唐8/83/2775
　2 新唐13/111/4132
　19姓纂10/28B
　25登科2/11A
郭待舉
　5 新表10/74上/3114
　19姓纂10/28B⑨
　20郎考6/2B
郭休賢
　8 全文408/6A
郭幼謙
　5 新表10/74上/3134
　19姓纂10/29B
郭幼儒(幼儒)
　5 新表10/74上/3132
　19姓纂10/29A
郭幼沖

　5 新表10/74上/3134
　19姓纂10/29A
　　　　10/29B
郭幼明
　1 舊唐11/120/3474
　2 新唐15/137/4613
　5 新表10/74上/3133
　19姓纂10/29A
郭幼賢
　5 新表10/74上/3132
　19姓纂10/29A
郭納
　5 新表10/74上/3114
　8 全文351/17A
　19姓纂10/28B
　20郎考6/11B
　25登科8/24B
郭紘
　5 新表10/74上/3121
25郭仲文
　1 舊唐11/120/3473
　5 新表10/74上/3124
郭仲詞
　5 新表10/74上/3125
郭仲翊
　5 新表10/74上/3125
郭仲謙
　5 新表10/74上/3125
郭仲文
　5 新表10/74上/3126
郭仲武
　5 新表10/74上/3125
郭仲宣
　5 新表10/74上/3125
郭仲恭
　5 新表10/74上/3124
郭仲翔
　5 新表10/74上/3135
　8 全文358/13A
郭仚
　19姓纂10/28A
郭岫
　19姓纂10/28A
郭紳
　5 新表10/74上/3120
郭績
　5 新表10/74上/3120
郭繢

5 新表10/74上/3121
26郭偲
　19姓纂10/30B
郭緄
　5 新表10/74上/3120
27郭歸厚
　4 新五1/13/131
郭侗(青哥)
　3 舊五5/122/1607
　4 新五1/19/199
郭向
　8 全文408/33B
　11全詩3/203/2118
　14國秀上/127
　　　　　上/149
郭修真
　11全詩12/863/9758
郭敻
　5 新表10/74上/3117
郭峋
　19姓纂10/28A
郭總
　5 新表10/74上/3120
郭叔暢
　19姓纂10/30B
郭紹宗
　19姓纂10/28B
郭紹蘭(任宗妻)
　11全詩11/799/8984
28郭佺
　21御考2/22A
　　　　2/42A
　　　　2/50B
　　　　2/51B
　　　　3/15A
郭從謙　見郭門高
郭從義
　9 拾遺46/10B
郭儉

19姓纂10/28A
30郭液
　19姓纂10/28A
郭進
　19姓纂10/29A
郭守愿(守筠)
　4 新五1/19/199
郭守筠　見郭守愿
郭審容(惟肖)
　10續拾5/8A
郭良
　11全詩3/203/2118
　14國秀中/127
　　　　　中/150
　20郎考16/27B
郭良輔
　7 新志5/59/1543
郭良驥
　11全詩8/505/5741
　17紀事下/50/765
郭密之
　11全詩12/887/10031
郭定哥　見郭遜
郭宗識
　5 新表10/74上/3128
31郭江
　5 新表10/74上/3128
郭福始
　19姓纂10/28A
郭福善
　5 新表10/74上/3115
　19姓纂10/28B
32郭遜(定哥)
　4 新五1/19/199
34郭沕
　11全詩11/777/8798③
郭漢章
　9 拾遺16/8A
郭漢夫

5 新表10/74上/3118
郭洪
　10續拾5/2A
36郭涓
　5 新表10/74上/3120
郭湜
　7 新志5/58/1484
　8 全文441/2A
　28直齋7/5A
郭昶履球子
　5 新表10/74上/3116
郭昶廣敬子
　19姓纂10/29A
37郭潤
　5 新表10/74上/3114
　19姓纂10/28B
郭鴻
　5 新表10/74上/3135
郭渙
　19姓纂10/28A
郭澹
　11全詩4/252/2843
郭通
　5 新表10/74上/3116
　19姓纂10/29A
郭逷
　8 全文621/12B④
郭逷遠
　19姓纂10/30B
38郭洽
　19姓纂10/30B
郭遵
　8 全文613/13A
　11全詩6/347/3882
　17紀事下/43/666
　25登科27/10B
郭道規
　7 新志5/59/1564
　69嘉定鎮江17/8A

① 《姓纂》無"瓊"字,今據岑仲勉《元和姓纂四校記》考定補正。
② 《姓纂》無"待"字,今據岑仲勉《元和姓纂四校記》考定補正。又《姓纂》載其官職爲"北齊黄門侍郎平章事",亦誤,郭待舉實爲唐高宗時宰相。岑仲勉謂《姓纂》原文當作"北齊黄門侍郎郭育,孫待舉,黄門侍郎平章事",説可參。
③ 《全詩》此處載郭沕《同崔員外温泉官即事》詩。岑仲勉《讀全唐詩札記》云:"按《會要》三〇,'開元十一年十月五日,置温泉宫于驪山,至天寶六載十月三日,改温泉宫爲華清宫'。觀其題,當是開、天時作,格調亦然。考《郎官柱題名》封外有郭納,據《姓纂》,後官至給事中、陳留採訪使,詠詩者應是當日侍從之臣,余以爲郭沕者郭納之訛也。"俟參。
④ 岑仲勉《元和姓纂四校記》以爲此郭逷即《姓纂》之郭逷遠。因無其他佐證,今仍分爲二人。

57郭輅
　　5 新表10/74上/3117
58郭軫
　　5 新表10/74上/3117
60郭昉
　　5 新表10/74上/3132
　　19姓纂10/29A
　郭旼
　　5 新表10/74上/3132
　　26方鎮1/21B
　郭昱
　　25登科27/24A
　郭囿
　　20郎考18/19B
　郭晟
　　5 新表10/74上/3135
　　19姓纂10/29B
　郭思
　　11全詩11/795/8959
　郭思訓(逸)
　　25登科4/26B
　郭思謨
　　25登科4/26B
　郭圖
　　9 拾遺30/7B
　　19姓纂10/30A
　郭圓
　　11全詩8/547/6314
　　17紀事下/59/902
　　20郎考18/19A
　郭景初
　　5 新表10/74上/3117
　郭景華
　　19姓纂10/28B
61郭晊
　　5 新表10/74上/3133
　郭晒
　　5 新表10/74上/3133
　　19姓纂10/29A
　郭旰
　　5 新表10/74上/3121

　　19姓纂10/29A⑦
　郭旴　見郭旰
　郭晫
　　5 新表10/74上/3134
　　19姓纂10/29B
　郭晤(晤)
　　1 舊唐11/120/3466
　　5 新表10/74上/3122
　　19姓纂10/29A
　　20郎考3/86A
　　　5/17A
　　　17/11A
62郭昕
　　1 舊唐11/120/3474
　　2 新唐15/137/4613
　　5 新表10/74上/3134
　　19姓纂10/29A
　　26方鎮8/63A
　郭曖(暖)
　　1 舊唐11/120/3470
　　2 新唐15/137/4611
　　5 新表10/74上/3124
　　19姓纂10/29A
　郭晙
　　5 新表10/74上/3122
　　19姓纂10/29A
63郭暄
　　5 新表10/74上/3133
　　19姓纂10/29A
　郭旷
　　2 新唐18/193/5558
　　5 新表10/74上/3132
　　19姓纂10/29A
　郭晙
　　25登科25/21B
　郭䁟
　　5 新表10/74上/3133
　　19姓纂10/29A
64郭曉
　　5 新表10/74上/3132
　　19姓纂10/29A

　郭晞
　　1 舊唐11/120/3468
　　2 新唐15/137/4610
　　5 新表10/74上/3121
　　19姓纂10/29A
　郭暐
　　5 新表10/74上/3116
　　19姓纂10/29A
　郭暉
　　5 新表10/74上/3134
　郭晧
　　5 新表10/74上/3134
　　19姓纂10/29A
　　　10/29B
65郭映
　　1 舊唐11/120/3466
　　5 新表10/74上/3126
　　19姓纂10/29A
　郭味先
　　19姓纂10/28A
　郭味邱
　　19姓纂10/28A
　郭味賢
　　19姓纂10/28A
　　　10/28B
66郭晛
　　5 新表10/74上/3131
　　19姓纂10/29A
　郭暘
　　5 新表10/74上/3132
　郭暤
　　5 新表10/74上/3133
　　19姓纂10/29A
　郭曙子儀子
　　1 舊唐11/120/3471
　　2 新唐15/137/4613
　　5 新表10/74上/3126
　　19姓纂10/29A
　郭曙渙子
　　19姓纂10/28B
67郭曜(曜)

---

① 《姓纂》作"郭嘉",岑仲勉《元和姓纂四校記》謂"嘉"下當奪"一"字,今據補。
② 《姓纂》"英彦"作"彦英",今據岑仲勉《元和姓纂四校記》乙正。
③ 《五代畫遺》"乾"作"權","暉"作"輝",今據《畫譜》、《圖誌》、《圖繪》改正。
④ 《姓纂》原無"一"字,今據岑仲勉《元和姓纂四校記》考定補正。
⑤ 《新表》"秦"作"泰",皆爲待舉子,係一人,今據《姓纂》改作"秦"。
⑥ 同上。
⑦ 《姓纂》"旰"作"旴",今據岑仲勉《元和姓纂四校記》考定改正。

1 舊唐11/120/3467
2 新唐15/137/4609
5 新表10/74上/3116
19姓纂10/29A

郭暉
5 新表10/74上/3133
19姓纂10/29A

郭昭度
7 新志5/59/1537

郭昭慶
40十國28/12B
43馬書14/3A
44陸書12/4B

郭昭文(子龍)
5 新表10/74上/3130

郭嗣立
5 新表10/74上/3130

郭嗣本
19姓纂10/28A
    10/28B

郭煦
5 新表10/74上/3133
19姓纂10/29A
    10/29B

郭郱
11全詩5/309/3494
17紀事上/31/489

68郭晦
5 新表10/74上/3134

71郭階
8 全文959/8B

77郭同知
19姓纂10/30A

郭同節
19姓纂10/30A

郭冏
5 新表10/74上/3115

郭周藩
11全詩8/488/5544
17紀事下/49/744
25登科18/3B

郭鵬 唐左驍騎將軍
5 新表10/74上/3135

郭鵬 南唐大理司直
40十國28/12B
43馬書14/3A

郭履球
5 新表10/74上/3116

郭降
19姓纂10/30A

郭舉 見郭待舉

郭門高(從謙)
4 新五2/37/401

80郭全義
40十國30/1A
44陸書11/1A

郭金海
3 舊五4/94/1248

郭鑲
5 新表10/74上/3122
19姓纂10/29A

郭鏐
5 新表10/74上/3122

郭夒
11全詩9/566/6559①
17紀事下/56/846

郭無爲(無不)
40十國108/6B

郭義
1 舊唐7/52/2200

郭善愛
5 新表10/74上/3135②
19姓纂10/29B③

郭善慶 見郭善愛

81郭鈺
5 新表10/74上/3123
19姓纂10/29A

郭釬
5 新表10/74上/3122

82郭釗
1 舊唐11/120/3471
2 新唐15/137/4611
5 新表10/74上/3124
19姓纂10/29A
26方鎮1/19B
    4/4B
    4/52A
    6/65B
    6/78B

郭鐙
5 新表10/74上/3123

郭鐈
5 新表10/74上/3123
19姓纂10/29A

郭鋌
5 新表10/74上/3127

郭銛
2 新唐15/137/4613
5 新表10/74上/3126
19姓纂10/29A

郭鐇
5 新表10/74上/3123

83郭錄
5 新表10/74上/3122
19姓纂10/29A

郭鍭
5 新表10/74上/3127

84郭銑
5 新表10/74上/3127

郭錡
5 新表10/74上/3117
19姓纂10/29A

郭鑄
2 新唐15/137/4611
5 新表10/74上/3124
19姓纂10/29A

郭鎮
5 新表10/74上/3124

郭銕
5 新表10/74上/3122
19姓纂10/29A

郭饒
3 舊五4/94/1247
4 新五2/46/516

85郭鏈
5 新表10/74上/3116

郭鍵
5 新表10/74上/3123

郭鍊
5 新表10/74上/3121
19姓纂10/29A

86郭鋗
5 新表10/74上/3122
19姓纂10/29A

郭知允
20郎考8/1A

郭知微
5 新表10/74上/3120

郭知運(逢時、威)
1 舊唐10/103/3189
2 新唐15/133/4544
19姓纂10/30A
26方鎮8/37A
    8/48A

87郭鈞
　5 新表10/74上/3121
　19姓纂10/29A
郭鋼
　1 舊唐11/120/3469
　5 新表10/74上/3121
　19姓纂10/29A
郭鋼
　5 新表10/74上/3127
郭鋒
　5 新表10/74上/3116
　19姓纂10/29A
郭翔
　7 新志5/57/1441
郭叙
　53赤城志8/17A
88郭銓
　5 新表10/74上/3127
　26方鎮3/30B
郭鋭
　5 新表10/74上/3116
　19姓纂10/29A
郭筠
　10續拾7/3B
郭銶
　5 新表10/74上/3124
郭鏦（利用）
　1 舊唐11/120/3472
　2 新唐15/137/4612
　5 新表10/74上/3126
　19姓纂10/29A
郭簡
　3 舊五5/110/1447
　4 新五1/11/109
郭符
　53赤城志8/18A
89郭鐦
　5 新表10/74上/3122

　19姓纂10/29A
郭鋏
　5 新表10/74上/3123
90郭懷
　19姓纂10/30B
郭少聿
　8 全文440/6A
郭尚溫
　8 全文399/17A
91郭恆
　19姓纂10/30A
94郭慎微
　19姓纂10/30A④
　20郎考7/8B⑤
　　　15/10B
郭慎微　見郭慎微
郭慎徽　見郭慎微
97郭鄰　見郭璘
郭炯
　8 全文620/3A
　25登科14/13B

0762₀ 詞

34詞浩
　8 全文920/13B

詢

80詢公
　70至順鎮江19/32A

0764₇ 設

71設阿忽
　2 新唐20/221下/6245

0766₂ 韶

26韶和尚
　81景德22/18B

0821₂ 施

12施廷皎
　73吳興志16/53A
19施璘（仲寶）
　33五代畫遺6/30A
　36圖誌2/55
　38圖繪2/34B
22施利
　1 舊唐16/198/5312
　2 新唐20/221下/6258
27施各皮
　2 新唐20/222中/6294
30施肩吾（希聖、棲真子）
　7 新志5/59/1523
　　　5/60/1612
　8 全文739/6A
　11全詩8/494/5585
　　　12/871/9877
　12詩逸上/10184
　17紀事下/41/629
　18才子6/104
　25登科18/28A
　27郡齋3下/35A
　　　4中/6A
　28直齋12/3B
　　　12/6B
　　　19/15B
　59毗陵志11/6A
　　　19/2B
40施士匄
　2 新唐18/200/5707
48施敬本
　2 新唐18/200/5697
　7 新志5/58/1491
　　　5/59/1563
　8 全文302/1A
　27郡齋3下/22A

---

① 《全詩》原注：“藥一作藥。”
② 《新表》載郭善愛，濟州刺史，睿宗時宰相郭元振父。按《舊唐書》卷九七《郭元振傳》載元振於睿宗景雲二年同中書門下三品，代宋璟爲吏部尚書，旋又爲兵部尚書，封館陶縣男，“時元振父愛年老在鄉，就拜濟州刺史，仍聽致仕”。則元振父單名愛。
③ 《姓纂》作“郭善慶”，云館陶人，齊州刺史致仕。按《新表》載郭善愛，元振父，濟州刺史。《舊唐書·郭元振傳》載元振於睿宗時封館陶縣男，其父愛年老在鄉，就拜濟州刺史，仍聽致仕。《新表》與《舊傳》一作善愛，一單作愛，有岐異，但均有“愛”字，其事迹與《姓纂》之郭善慶同（《姓纂》之“齊州”顯係濟州之誤），則《姓纂》之“慶”當係“愛”字之誤。今從《新表》改。
④ 《姓纂》“微”作“徽”，勞格考定當作“微”，今據改。
⑤ 《郎考》此處“微”作“徽”，勞格謂當作“微”，今從之。

28直齋6/12 B
80施乞叉難陀　見實叉難陀

0824₇ 旃
34旃達鉢
　2 新唐20/222下/6299
73旃陀越摩
　2 新唐20/222下/6304

0861₄ 詮
25詮律師
　80宋僧14/22 A

0861₆ 說
21說上人
　70至順鎮江19/32 A

0862₇ 論
12論瑀　見論惟貞
17論弓仁
　2 新唐13/100/4126
　19姓纂9/4 B
21論佉
　19姓纂9/4 B
　論偕
　19姓纂9/4 B
23論儦
　19姓纂9/4 B①
24論贊婆
　19姓纂9/4 B
44論莽熱
　1 舊唐16/196下/5258
53論成節
　19姓纂9/4 B
87論欽陵
　19姓纂9/4 B
90論惟貞(瑀)
　2 新唐13/110/4127
　19姓纂9/4 B
　論惟明
　19姓纂9/4 B
　26方鎮1/43 B
　論惟賢
　19姓纂9/4 B
93論儳　見論儦

0863₂ 譣
26譣和尚

81景德10/10 A

0863₇ 謙
36謙禪師
　81景德20/6 A
90謙光
　11全詩12/825/9301
　42五補5/14 A

0864₀ 許
00許彥
　73吳興志14/34 A
　許彥伯
　1 舊唐8/82/2765
　2 新唐20/223上/6339
　5 新表9/73上/2875
　7 新志5/60/1601
　19姓纂6/13 B
　許彥真
　40十國66/2 B
　許康佐
　1 舊唐15/189下/4979
　2 新唐18/200/5722
　7 新志5/57/1440
　　　5/58/1485
　8 全文633/12 A
　11全詩5/319/3600
　17紀事下/41/633
　20郎考13/18 A
　24壁記　翰苑羣書
　　　　上/46 A
　25登科15/14 A
　39書史5/29 B
　許文積
　41九國10/7 A
　74臨汀志　大典
　　　　7893/1 B②
　許文縝　見許文積
　許文寶
　19姓纂6/15 A③
02許新月　見吳越文穆王仁
　惠夫人許氏
03許詠
　7 新志5/59/1571
　許誠惑　見許諴惑
　許誠言
　5 新表9/73上/2878
　19姓纂6/14 A④

許誠非
　19姓纂6/14 A
許誠惑
　5 新表9/73上/2877
　19姓纂6/14 A
　21御考2/48 B⑤
　　　3/18 A
　　　3/20 B
04許塾
　27郡齋3下/25 A
　許詵
　5 新表9/73上/2877
　19姓纂6/14 A
　許譓
　19姓纂6/15 A
05許諫
　5 新表9/73上/2876
　19姓纂6/14 A
07許望
　5 新表9/73上/2875
　19姓纂6/13 B
　許諷
　5 新表9/73上/2877
　19姓纂6/14 A
　許韶伯
　5 新表9/73上/2875
　19姓纂6/13 B
　55吳郡志11/4 B
08許論
　5 新表9/73上/2876
　19姓纂6/14 A
　21御考3/2 B
10許三畏
　11全詩10/667/7634
　許正言
　19姓纂6/13 B
　許元佐
　1 舊唐15/189下/4979
　25登科27/11 A
　許天正
　11全詩1/45/551
　許可瓊
　40十國74/9 A
11許珂
　71嚴州1/31 A
12許登
　8 全文441/3 A
　20郎考8/27 B

---

① 《姓纂》“偉”作“慘”，今據岑仲勉《元和姓纂四校記》考定改正。
② 《臨汀志》“稹”作“鎭”，云開運元年爲泉州刺史，事迹與《九國志》之許文稹同，當同爲一人。今從《九國志》作“稹”。
③ 《姓纂》“文”作“太”，今據岑仲勉《元和姓纂四校記》考定改正。
④ 《姓纂》“誠”作“戒”。誠、戒古通，今從《新表》作“誠”。下許誠非、許誠惑同。
⑤ 《御考》此處“誠惑”作“誡惑”，勞格疑當作“誠惑”，勞說是。今按《新表》亦作“誠惑”，可證。
⑥ 《全詩》原注：“碏一作鵲。”

11 全詩10/678/7764②
17 紀事下/71/1052
18 才子10/175③
71 嚴州2/29A④
44 許恭
　　68 咸淳臨安51/13A
　　許孝崇
　　7 新志5/59/1570
　　許孝宗
　　7 新志5/59/1573
　　許孝常
　　5 新表9/73上/2878
　　19 姓纂6/14B
　　許勃
　　8 全文622/22A
　　許世緒
　　1 舊唐7/57/2298
　　2 新唐12/88/3741
　　許贊
　　25 登科12/7A
46 許坦
　　1 舊唐15/188/4921
47 許鵲　見許硩
　　許郴　見許彬
48 許敬宗（延族、恭、繆）
　　1 舊唐8/82/2761
　　2 新唐20/223上/6335
　　5 新表9/73上/2875
　　6 舊志6/46/1989
　　　　6/46/1998
　　　　6/46/2004
　　　　6/46/2012
　　　　6/47/2046
　　　　6/47/2073
　　　　6/47/2077
　　　　6/47/2080
　　7 新志5/58/1450
　　　　5/58/1471
　　　　5/58/1483
　　　　5/58/1491
　　　　5/58/1500
　　　　5/58/1506
　　　　5/59/1562

　　　　5/59/1563
　　　　5/59/1570
　　　　5/60/1598
　　　　5/60/1621
　　8 全文151/5B
　　9 拾遺16/1A
　　10 續拾1/15B
　　11 全詩1/35/462
　　　　12/882/9966
　　17 紀事上/4/44
　　19 姓纂6/13B
　　27 郡齋2上/4B
　　68 咸淳臨安60/12A
　　許敬遷
　　8 全文854/8B
50 許中孚
　　8 全文861/10A
　　許畫
　　11 全詩11/715/8220
　　17 紀事下/67/1010
　　25 登科24/27B
　　許本行
　　19 姓纂6/13B⑤
53 許輔德
　　5 新表9/73上/2877
　　19 姓纂6/14A
　　許輔乾
　　5 新表9/73上/2876
　　19 姓纂6/14A
　　許戒言　見許誡言
　　許戒非　見許誡非
　　許戒惑　見許誡惑
56 許規
　　40 十國29/11A
　　43 馬書18/3A
　　63 新安志6/12A
60 許昱
　　5 新表9/73上/2876
　　19 姓纂6/13B
　　許圉師（簡）
　　1 舊唐7/59/2330
　　2 新唐12/90/3771
　　5 新表9/73上/2879

　　7 新志5/58/1491
　　　　5/60/1621
　　11 全詩1/45/551
　　19 姓纂6/14A
　　　　6/14B
　　20 郎考8/2A
　　　　9/3B
　　25 登科27/1A
　　許昇　見許昇
　　許昇
　　5 新表9/73上/2876
　　19 姓纂6/13B⑥
　　許昌莊肅公主
　　2 新唐12/83/3673
　　許昂
　　1 舊唐8/82/2764
　　5 新表9/73上/2875
　　19 姓纂6/13B
　　許炅
　　72 三山志20/34A
　　許杲
　　5 新表9/73上/2876⑦
　　19 姓纂6/13B
　　許果　見許杲
　　許景
　　5 新表9/73上/2876
　　19 姓纂6/13B
　　許景先
　　1 舊唐15/190中/5031
　　2 新唐14/128/4464
　　8 全文268/11B
　　11 全詩2/111/1134
　　17 紀事上/15/222
　　19 姓纂6/15A
　　21 御考2/12A
　　25 登科27/4B
　　59 毗陵志16/13A
　　許景休
　　8 全文956/1A
　　許景林
　　19 姓纂6/15A
　　許景周
　　59 毗陵志11/6A

---

① ③ ④　《續拾》、《才子》、《嚴州》"彬"作"琳"，今據《紀事》諸書改。
②　《全詩》原注："一作許郴，又作許琳。"
⑤　岑仲勉《元和姓纂四校記》疑"本行"當作"行本"，許行本見前《郎考》12/2A，俟考。
⑥　《姓纂》"昇"作"昇"，係版刻之誤，今據《新表》改正。
⑦　《新表》"杲"作"果"，岑仲勉《元和姓纂四校記》謂《新表》誤，當從《姓纂》作"杲"。岑說是。

67許鳴謙
1 舊唐13/154/4099
19姓纂6/14 B
20郎考13/8 B
77許且
25登科2/26 B
許堅(介石)
11全詩11/757/8613
12/861/9734
40十國34/5 A
43馬書15/4 B
許學士
11全詩12/862/9747
78許臨謙
19姓纂6/14 B
80許義均
19姓纂6/15 A
86許鐸
2 新唐13/114/4201
許知禮
19姓纂6/14 A
許智仁
1 舊唐7/59/2329
2 新唐12/90/3771
5 新表9/73上/2879
19姓纂6/14 A
6/14 B

87許欽寂(忠)
1 舊唐7/59/2329
2 新唐12/90/3772
5 新表9/73上/2876
19姓纂6/14 A
許欽澄
26方鎮8/80 A ①
許欽淡
5 新表9/73上/2878
19姓纂6/14 A
6/14 B
許欽明
1 舊唐7/59/2329
2 新唐12/90/3772
5 新表9/73上/2877
19姓纂6/14 A
88許籌
8 全文790/1 A
90許光大
40十國29/10 A
許棠(文化、許洞庭)
2 新唐17/177/5276
7 新志5/60/1613
8 全文812/15 B
11全詩9/603/6962
17紀事下/70/1037
18才子9/150

25登科23/16 A
28直齋19/20 B

0865₇ 誨

42誨機(超慧大師)
81景德23/10 B

0968₉ 談

10談元茂
25登科13/15 A
20談皎
7 新志5/59/1560
22談峯
20郎考17/15 B
24談皓
38圖繪2/23 B
33談戫
7 新志5/60/1610
11全詩2/114/1162
25登科27/6 A
69嘉定鎮江18/43 B
70至順鎮江18/2 A
85談銖
25登科22/2 A
88談筵
80宋僧5/22 A

---

① 按此許欽澄於開元八年鎮平盧,而《新表》、《姓纂》載許欽淡爲深州刺史,時代相近,疑卽爲一人。

1000_0 一

21一行(張遂、大慧禪師)
1 舊唐16/191/5111
7 新志5/57/1426
5/59/1530
5/59/1548
5/59/1558
8 全文914/15 B
9 拾遺49/19 A
28直齋12/19 B
80宋僧5/3 A
85一鉢和尚
80宋僧11/2 A

1010_1 三

17三刀法師(伯達)
80宋僧24/14 A
46三相和尚
81景德20/21 A
55三慧
79續僧16/12 B

正

00正言
8 全文920/10 B
10正元師
7 新志5/59/1523
40正壽
80宋僧23/1 B
71正原(性空大師)
81景德10/12 A

1010_3 玉

21玉虚公主
2 新唐12/83/3663
22玉山公主
40十國19/14 A
26玉泉子
7 新志5/59/1543
35玉清公主
2 新唐12/83/3663
40玉真公主(持盈、上清玄都大洞三景師)
2 新唐12/83/3657

1010_4 王

00王亭
5 新表9/72中/2624
王序
3 舊五5/128/1679
王彦章
3 舊五1/21/289
4 新五2/32/347
42五補1/2 A
王彦儔
40十國22/2 A
43馬書12/4 A
44陸書5/3 A
王彦復
40十國94/8 A
王彦威(子美、靖)
1 舊唐13/157/4154
2 新唐16/164/5056
7 新志5/57/1446
5/58/1467
5/58/1472
5/58/1478
5/58/1492
5/59/1531
8 全文729/7 A
9 拾遺29/10 A
11全詩8/516/5896
17紀事下/51/781
20郎考5/25 B
6/36 B
11/41 A
22/15 B
25登科27/32 A
26方鎮2/8 B
2/35 B
3/40 A
28直齋4/35 B
6/13 B
王彦規
5 新表9/72中/2607
王彦昌
25登科23/29 B
王彦鎔
8 全文849/7 B
王彦銖
41九國7/17 A
王彦範
5 新表9/72中/2607
王齊望
5 新表9/72中/2644
王齊休
5 新表9/72中/2645
20郎考17/7 B
18/3 B①
王齊翰
35畫譜4/3 B
40十國31/10 A
王方慶(綝、貞)
1 舊唐9/89/2896
2 新唐14/116/4223
5 新表9/72中/2611
6 舊志6/46/1999
7 新志5/57/1434
5/57/1451
5/58/1475
5/58/1477
5/58/1484
5/58/1487
5/58/1492
5/58/1500
5/58/1506
5/59/1513
5/59/1521
5/59/1536
5/59/1538
5/59/1540
5/59/1571
5/60/1622
8 全文169/9 B
20郎考3/10 A
10/1 B
25登科2/19 B
28直齋5/27 A
29書斷4/4 B
王方誕
5 新表9/72中/2626
王方謂
5 新表9/72中/2626
王方翼(仲翔)

① 《郎考》此處“休”字原缺，《新表》及《郎考》17/7B有王齊休，疑即是一人，今據補。

1 舊唐15/185上/4802
2 新唐13/111/4134
王方寔
　5 新表9/72中/2626
王方士(玄逸)
　5 新表9/72中/2602
王方壽
　5 新表9/72中/2628
王方茂
　5 新表9/72中/2626
王方泰(玄敏)
　5 新表9/72中/2604
王方則(玄憲)
　5 新表9/72中/2602
王方興
　5 新表9/72中/2640
王方智
　5 新表9/72中/2627
王高(忠)
　5 新表9/72中/2616
　20郎考3/89A
王商
　35畫譜3/1A
　38圖繪2/26B
王裔
　5 新表9/72中/2654
王卞
　26方鎮1/92A
王應
　5 新表9/72中/2615
王康壽
　5 新表9/72中/2638
王庭胤(紹基)
　3 舊五4/88/1150
王庭湊　見王廷湊
王度
　3 舊五4/95/1261
王慶
　5 新表9/72中/2651
王慶玄
　5 新表9/72中/2636
王慶詵
　5 新表9/72中/2636
王慶祚
　5 新表9/72中/2636
王慶存
　1 舊唐13/163/4268
王慶賢

5 新表9/72中/2633
王慶符
　5 新表9/72中/2636
王厰　見王嶽
王廣
　25登科27/15B
王文端
　7 新志5/58/1495
王文秉
　40十國31/8A
王文仲
　5 新表9/72中/2633
王文濟
　5 新表9/72中/2645
　20郎考4/59B
　　　　15/3A
　　　　25/3A
王文泊
　5 新表9/72中/2646
王章五代大名南樂人
　3 舊五5/107/1409
　4 新五1/30/334
王章唐鄆邪人
　5 新表9/72中/2607
王言從
　1 舊唐14/178/4639
　5 新表9/72中/2653
　25登科5/1B
王言史
　11全詩11/770/8749
王雍唐末人,官職不詳
　10續拾7/6B
王雍唐德宗時福建觀察使
　26方鎮6/3A
王玄
　11全詩11/778/8804
王玄應
　2 新唐12/85/3696
王玄度
　6 舊志6/46/1967
　　　　6/46/1972
　7 新志5/57/1428
　　　　5/57/1430
　　　　5/57/1434
　　　　5/57/1440
王玄宗(承真、太和先生)
　2 新唐18/199/5668
　8 全文203/5A ①

王玄道
　5 新表9/72中/2639
王玄志
　26方鎮8/83B
王玄壽
　5 新表9/72中/2638
王玄覽
　20郎考26/3B
王玄策
　6 舊志6/46/2016
　8 全文204/13A
王袞
　5 新表9/72中/2604
　20郎考3/74B
　　　　7/18A
01王顏唐德宗時衛尉卿
　1 舊唐7/52/2194
　8 全文545/11A
　67乾道臨安3/5A
　68咸淳臨安45/12B
王顏五代南唐滁州刺史
　28直齋5/3A
王諲
　8 全文333/10B
　11全詩2/145/1470
　14國秀下/128
　　　　下/179
　17紀事上/23/341
　25登科8/16B
02王端
　2 新唐15/149/4804
　8 全文362/5A
　21御考3/37B
　　　　3/40B
　25登科8/3B
王訓　見王忠嗣
王新豐
　5 新表9/72中/2611
03王贇
　40十國74/4B
　41九國11/7B
04王計
　8 全文633/7B
王謝老
　5 新表9/72中/2624
05王靖
　1 舊唐13/156/4138
　5 新表11/75下/3455

---

① 《全文》"玄"作"元"，係清人避諱改，今據《新唐》本傳改正。
② 《十國》原注："翃一作翊。"
③④ 《歷畫》、《圖繪》原注："韶應，或作韶隱。"
⑤ 《御考》"元"後原缺一字。
⑥ 按，此王晉爲璋子，約中晚唐之際人。下《新志》之王晉，撰《使範》一卷，其他未詳。未能確定是否爲一人，姑
　　分列以待考。

5 新表9/72中/2615①
王賈 明經及第
25登科27/27B
11王珂
1 舊唐14/181/4697
2 新唐17/187/5439
3 舊五1/14/198
4 新五2/42/458
26方鎮4/60A
王珏
1 舊唐10/105/3228
王瑤
1 舊唐10/105/3228
15/185上/4803
20郎考7/6A
8/4B
王璿(希琢)武后時宰相
5 新表9/72中/2629②
8 全文259/1A
王璿 唐德宗時易州司士參軍
10續拾4/7B
王璿 唐玄宗時侍御史
20郎考26/7A
21御考2/52B
3/16B
3/19A
3/21A
王頊 唐玄宗時人，冀州刺史
5 新表9/72中/2640
王頊 唐宣宗時人，文林郎
9 拾遺31/19A
王麗
5 新表9/72中/2622
王麗真
11全詩12/866/9800
12/899/10165
王麗成
2 新唐15/147/4761
王孺卿
5 新表9/72中/2622
王碩
11全詩11/726/8321
17紀事下/67/1008
12王琇
20郎考8/17A
21御考1/21A
2/13B
王璠(魯玉)監察御史

1 舊唐13/169/4405
2 新唐17/179/5322
20郎考4/41A
25登科18/1B
26方鎮4/37A
5/41A
69嘉定鎮江14/28B
王璠(伯玉)長子縣主簿
25登科27/28B
王瑤 崇禮子
5 新表9/72中/2602
王瑤 德素子
5 新表9/72中/2630
王弘
38圖繪2/25B
王弘度(承宗)
5 新表9/72中/2626
王弘讓(敬宗)
1 舊唐9/89/2897
5 新表9/72中/2602
王弘訓(孟宗)
5 新表9/72中/2626
王弘仁(嗣宗)
5 新表9/72中/2626
王弘道(玄宗)
5 新表9/72中/2628
王弘直(長宗、孝)
1 舊唐9/89/2897
2 新唐14/116/4223
5 新表9/72中/2605
王弘藝(延宗)
5 新表9/72中/2628
王弘贊
4 新五2/48/544
王弘義 武后時衡水人
1 舊唐15/186上/4847
2 新唐19/209/5910
王弘義(林宗) 唐太宗時瑯邪人
5 新表9/72中/2626
20郎考23/1B
王烈
11全詩5/295/3352
王延(世美)
3 舊五5/131/1725
4 新五2/57/663
8 全文842/7A
25登科26/3A

王延稟(周彥琛、獨眼龍)
40十國98/5B
王延望
40十國94/8B
王延璋
5 新表9/72中/2610
王延武
40十國94/7B
94/8B
王延政(閩天德帝)
3 舊五6/134/1793
4 新五3/68/853
40十國92/8A
43馬書28/5A
王延豐
40十國94/9A
王延休
40十國94/9A
王延齡
8 全文402/11A
王延之
5 新表9/72中/2610
王延客
5 新表9/72中/2626
王延宗
40十國94/8B
王延祚
5 新表9/72中/2610
王延喜
40十國94/8A
王延彬
11全詩11/763/8665
40十國94/6B
王延期
39書史5/29A
王延翰(子逸、閩嗣主)
4 新五3/68/847
8 全文952/13B
40十國91/1A
43馬書28/1B
72三山志20/46B
王延肅
5 新表9/72中/2610
王延貴 見王虔休
王延虹
40十國94/9A
王延昌(宣)
8 全文435/10B

9 拾遺23/7A
20 郎考3/45A
　　11/25B
　　14/5A

王延嗣（唐五經）
9 拾遺33/23B
40 十國94/9A

王延興
40 十國94/9A

王延羲（羲、曦、閩景宗）
3 舊五6/134/1793
4 新五3/68/851
8 全文130/26B
40 十國92/1A
43 馬書28/3B
72 三山志20/48B

王延美
40 十國94/7B

王延鈞（鏻、閩惠宗）
3 舊五6/134/1792
4 新五3/68/847
40 十國91/2B
43 馬書28/2A
72 三山志20/46B

王延範
40 十國103/3A

王延光
8 全文459/17B

王廷珪
11 全詩11/795/8955

王廷政
74 臨汀志　大典
　　7893/1B

王廷宗
74 臨汀志　大典
　　7893/1B

王廷湊
1 舊唐12/142/3884
2 新唐19/211/5959
3 舊五3/54/725
5 新表11/75下/3457
26 方鎮4/117B③

王廷暠
74 臨汀志　大典
　　7893/1B

王硈　見王冰
13 王玭
5 新表9/72中/2643

王球
26 方鎮7/35A

王武
4 新五3/74/919

王武俊（元英、忠烈）
1 舊唐12/142/3871
2 新唐19/211/5951
8 全文456/25A
26 方鎮4/116B

王武宣
5 新表9/72中/2654

王武陵（晦伯）
8 全文805/14A
11 全詩5/275/3122
20 郎考18/11B

王琮
71 嚴州1/30A

14 王珪（叔玠、懿）顗子，相太宗
1 舊唐8/70/2527
2 新唐13/98/3887
5 新表9/72中/2644
9 拾遺16/4A
11 全詩1/30/429
17 紀事上/4/39

王珪希倩子，漢州別駕
5 新表9/72中/2606

王珪五代南漢諫議大夫
40 十國65/5B

王瑾
7 新志5/58/1484
8 全文818/1B

王琪
1 舊唐14/182/4697
2 新唐17/187/5438
3 舊五1/14/200

26 方鎮4/23B

王瓚重盈子
3 舊五3/59/794
4 新五2/42/459

王瓚昌禹子
5 新表9/72中/2607

王瓚潤州司兵參軍
11 全詩11/772/8757
69 嘉定鎮江16/6B

王琳妻　見王氏

王勔
1 舊唐15/190上/5005
8 全文176/17A
11 全詩2/56/685
17 紀事上/7/98

王礎進士，有文名
1 舊唐13/169/4405

王礎瓮子，黔中觀察使
5 新表9/72中/2646
9 拾遺24/10B
20 郎考13/9A
25 登科10/30B
26 方鎮6/45B

15 王璉
5 新表9/72中/2639

王融
5 新表9/72中/2607

王建（仲初）大曆進士，詩人
7 新志5/60/1611
11 全詩5/297/3362
　　12/890/10054
17 紀事下/44/671
18 才子4/66
25 登科11/1B
27 郡齋4上/24B
　　19/11B
　　19/12A

王建（光圖、賊王八、前蜀高祖）
3 舊五6/136/1815
4 新五3/63/783

① 按，據《新表》排列時序，此王賈約爲文宗、武宗時人。下《登科》之王賈，乃據《太平廣記》引《紀聞》，係小說家言，未必實有其人。今分列，備考。

② 按，《新表》之王璿（希琢），武后時宰相；《續拾》之王璿，德宗建中時人；《郎考》、《御考》之王璿，據其排列時序，當是玄宗時人，與上二人之時代均不合。今分列。可參見岑仲勉《唐史餘瀋》卷二"三王璿"條。

③ 《方鎮》"廷"作"庭"，今據新、舊《唐書》改。

8 全文129/1A
11 全詩1/8/76
26 方鎮6/72A
　　　　8/77A
40 十國35/1A
42 五補1/6A
　　　　1/6B

王建 高麗王
4 新五3/74/919
8 全文1000/1A
9 拾遺69/1B

王建立
3 舊五4/91/1198
4 新五2/46/512

王建及　見李建及
王建子
5 新表9/72中/2606

王建侯
53 赤城志8/20A

王建肇
26 方鎮5/14B
　　　　6/51B

王建封
40 十國22/8A
43 馬書19/2B
44 陸書5/2B

16 王現
5 新表9/72中/2623

王瑒
5 新表9/72中/2640

王聰
5 新表9/72中/2635

王環 真定人
3 舊五5/129/1706
4 新五2/50/568
40 十國54/6A

王環 京兆人
3 舊五1/22/302

王環 許州人
40 十國72/6A
41 九國11/7A

17 王孟諸
8 全文792/20A

王孟堅
5 新表9/72中/2647
20 郎考13/11A

王羽
25 登科27/17B

王羽　見王希羽
王珣（伯玉、孝）
1 舊唐10/105/3229
　　　15/185上/4803
2 新唐13/111/4136
25 登科3/22B
　　　27/35A

王璆
5 新表9/72中/2607

王瓊
69 嘉定鎮江17/7A

王琚
1 舊唐10/106/3248
2 新唐14/121/4331
7 新志5/59/1561
8 全文280/16B
11 全詩2/98/1061
17 紀事上/20/293
69 嘉定鎮江14/7A

王璵 淮南節度使
1 舊唐11/130/3617
2 新唐13/109/4107
5 新表9/72中/2619
8 全文363/18A
20 郎考8/11A
　　　21/9B
21 御考2/2B
　　　3/3A
　　　3/35A
26 方鎮4/45A
　　　5/21B
　　　5/48B
64 掇英18/12B
65 會稽志2/29A

王瑛　見王璵
王瑣
5 新表9/72中/2635

王弼
5 新表9/72中/2643

王承慶
5 新表9/72中/2631

王承元
1 舊唐12/142/3883
2 新唐15/148/4787
26 方鎮1/7A
　　　1/46B
　　　2/21A
　　　3/39B

王承弁
26 方鎮7/57A

王承先
5 新表9/72中/2631

王承休
40 十國46/8A

王承傑
40 十國39/8A

王承家
5 新表9/72中/2653

王承宗
1 舊唐12/142/3878
2 新唐19/211/5956
8 全文694/19A
26 方鎮4/116A

王承祧
40 十國38/10A

王承業 唐肅宗時河東節度使
26 方鎮4/30A

王承業 唐懿宗時劍南東川節度使
26 方鎮6/84A

王承祀
40 十國38/10A

王承肇（獼獠兒）
40 十國39/3A

王承檢
40 十國39/16A

王承規
39 書史5/33B

王豫
5 新表9/72中/2630
20 郎考8/6B

王及
5 新表9/72中/2619
25 登科12/21B

王及善（貞）
1 舊唐9/90/2909
2 新唐14/116/4240

王子文
5 新表9/72中/2614

王子顏
1 舊唐14/183/4750
2 新唐15/147/4753

王子麟
64 掇英18/11B
65 會稽志2/27B

王子西

5 新表9/72中/2614

王子先
8 全文952/10A

王子遂
5 新表9/72中/2637

王子奇
5 新表9/72中/2633

王子真
5 新表9/72中/2636

王子松　見王仙姑

王子尚
5 新表9/72中/2614

王君廓
1 舊唐7/60/2352
2 新唐12/92/3807

王君仲
5 新表9/72中/2633

王君奐（威明）
1 舊唐10/103/3191
2 新唐15/133/4547
26 方鎮8/38A
　　 8/38B
　　 8/48A

王君操
1 舊唐15/188/4920
2 新唐18/195/5585

王君照
48 寶慶四明12/3A

王君愕
1 舊唐9/90/2909
2 新唐14/116/4240

王邵
9 拾遺51/13B①

王邵
11 全詩11/770/8743

王函
8 全文792/7B

王翼美暢子，鹽屋令
5 新表9/72中/2643②

王翼開元中司農少卿
9 拾遺21/12B

王翼殿中侍御史
21 御考2/42B
　　 2/51B

　　 3/6A
　　 3/19B
　　 3/22A

王柔
3 舊五5/125/1648

18 王玠
8 全文757/19B

王瑜（希瑩）德素子，唐侍御史
5 新表9/72中/2630

王瑜欽祚子，仕晉
3 舊五4/96/1272

王玢
5 新表9/72中/2643

王璲
8 全文363/14A

王政
26 方鎮4/131B

王璩
8 全文395/13A
9 拾遺22/10B

王瑤
1 舊唐15/185上/4803

19 王璘
11 全詩11/795/8948
17 紀事下/66/991

20 王重
1 舊唐13/165/4299
5 新表9/72中/2633

王重裔
3 舊五5/129/1702

王重盈
2 新五2/42/458
26 方鎮4/23A
　　 4/59B

王重師
3 舊五1/19/257
4 新五1/22/232
26 方鎮3/46A
　　 8/4A

王重華承先孫，左拾遺
5 新表9/72中/2631

王重華
8 全文952/8B③

王重明
5 新表9/72中/2631

王重簡
26 方鎮8/9A

王重榮河中人，縱子
1 舊唐14/182/4695
2 新唐17/187/5435
3 舊五1/14/198
4 新五2/42/458
26 方鎮4/58B

王重榮瑯邪臨沂人，子顥子
1 舊唐14/183/4751

王喬
11 全詩3/203/2119
14 國秀中/127
　　 中/151

王喬士
36 圖誌2/40
38 圖繪2/36A

王億
3 舊五5/131/1726

王愛景
5 新表9/72中/2637

王千石
8 全文205/4A

王孚
20 郎考16/12B

王季文（宗素）
11 全詩9/600/6944
17 紀事上/29/458
25 登科27/19B

王季羽
5 新表9/72中/2616

王季良
2 新唐14/121/4334

王季友
8 全文442/2A
11 全詩4/259/2888
　　 11/780/8823
　　 12/883/9977
13 河嶽上/67
17 紀事上/26/392
18 才子4/65
25 登科14/18B

---

① 按，《全詩》之王邵約唐末人。此處之王邵，陸心源注云"事跡俟考"，未能確定是否即爲一人，現分列，待考。
② 按，以下三王翼，皆未能確定是否一人，暫分列三人，待考。
③ 按，《新表》之王重華乃承先孫，左拾遺，約唐代宗、德宗時人。《全文》之王重華，身世、仕履皆不詳，《全文》載其《對縣令祭山川判》，亦未能斷定其時代。今姑分列爲二人，備考。

王虔威
　　5 新表11/75下/3455
王處廉
　　1 舊唐15/190下/5051
　　5 新表9/72中/2642
王處士
　　40十國103/6 A
王處存(忠肅)
　　1 舊唐14/182/4699
　　2 新唐17/186/5418
　　4 新五2/39/419
　　26方鎮4/83 B
王處直(允明)
　　1 舊唐14/182/4701
　　2 新唐17/186/5420
　　3 舊五3/54/731
　　4 新五2/39/419
　　26方鎮4/84 B
王處回(亞賢)
　　40十國52/1 A
王熊
　　11全詩2/98/1062
　　17紀事上/13/186
　　30歷畫10/192
　　38圖繪2/24 A
王卓
　　11全詩11/781/8830
王衡
　　5 新表9/72中/2639
王睿
　　28直齋10/16 B
王師順
　　2 新唐18/200/5700
　　20郎考18/2 B
王師貞
　　5 新表9/72中/2618
王師寶
　　5 新表9/72中/2621
王師述
　　5 新表9/72中/2609
王師達
　　5 新表9/72中/2608
王師造
　　5 新表9/72中/2609

王師逞
　　5 新表9/72中/2609
王師逸
　　5 新表9/72中/2608
王師逈
　　5 新表9/72中/2608
王師遂
　　5 新表9/72中/2609
王師乾(修然)
　　8 全文397/21 A
王師甫
　　5 新表9/72中/2632
王師旦
　　20郎考8/1 B
　　　　10/1 A
　　25登科1/24 B
　　　　1/29 A
　　　　1/30 A
王師簡
　　8 全文716/3 B
王師範
　　2 新唐17/187/5445
　　3 舊五1/13/175
　　4 新五2/42/452
　　26方鎮3/45 A
　　　　4/11 B
　　76齊乘6/38 B
王顗
　　11全詩3/204/2133
王貞
　　5 新表9/72中/2624
王貞白(有道)
　　7 新志5/60/1614
　　11全詩10/701/8056
　　　　12/885/10006
　　17紀事下/67/1005
　　18才子10/172
　　25登科24/14 A
　　28直齋19/22 A
王貞伯
　　5 新表9/72中/2631
王貞範
　　28直齋15/11 A
　　40十國103/2 A

王緯
　　8 全文440/5 B
　　11全詩4/262/2910
　　25登科10/5 B
王縉(夏卿)處廉子，河中人
　　1 舊唐10/118/3416
　　2 新唐15/145/4715
　　5 新表9/72中/2642
　　8 全文370/1 A
　　9 拾遺22/1 A
　　11全詩2/129/1310
　　17紀事上/16/239
　　21御考3/11 B
　　25登科6/9 B
　　　　7/26 A
　　　　27/36 A
　　26方鎮4/31 A
　　　　4/103 A
　　37書小史10/4 A
　　39書史5/21 B
王縉璲子，懷州温縣人
　　1 舊唐13/156/4138①
　　5 新表11/75下/3455
22王豐
　　2 新唐2/50/563
　　3 舊五5/130/1711
王崟
　　5 新表9/72中/2646
　　20郎考2/14 B
　　　　4/21 B
　　　　4/24 A
　　　　12/31 A
　　　　14/4 A
王嵚
　　5 新表9/72中/2638
　　20郎考7/2 B②
　　　　7/38 B
王嶼
　　5 新表9/72中/2646
王倕
　　2 新唐14/122/4360
　　26方鎮8/49 B
王鼎德素子
　　5 新表9/72中/2630

① 錢大昕《十駕齋養新錄》卷一二《王維王縉》條云："唐太原王維、王縉兄弟，一爲右丞，一爲宰相，而瑯邪王方則之孫維與縉，亦兄弟也。又王智興之父亦名縉。"今查《新表》，王方則之孫有名維者，但並無縉名，錢氏恐係誤記。本書所載王縉，一即代宗時宰相字夏卿之王縉，一即王智興之父王縉(即璲子)，無第三人王縉如錢氏所云者。
② 《郎考》此處"嵚"作"厰"，勞格疑即王嵚。今從勞說。

王鼎 翮子
　　5 新表9/72中/2636
王鼎子
　　5 新表9/72中/2623
王崧 萬年人
　　5 新表9/72中/2645
王崧 幽州人
　　75 崑山志2/2A
王崧岳
　　8 全文952/9A
王僑
　　40 十國47/8A
王後己
　　20 郎考22/10B
　　　　25/8A
王仙仙
　　11 全詩12/863/9764
王仙齡
　　20 郎考6/4B
王仙客
　　5 新表9/72中/2640
王仙姑 (子松)
　　53 赤城志35/11B
王鸞
　　20 郎考7/38B
　　　　12/52B
　　73 吳興志14/32A
王慜
　　3 舊五6/134/1791
　　4 新五3/68/845
　　40 十國90/1A
王劣
　　5 新表9/72中/2646
王嶷 孝遠子
　　5 新表9/72中/2638
王嶷 仁忠子
　　5 新表9/72中/2645
王岩
　　5 新表9/72中/2646
王崑
　　5 新表9/72中/2645
王邕
　　5 新表9/72中/2636
　　8 全文356/16A
　　11 全詩3/204/2132
　　20 郎考15/12A
　　25 登科9/20A
王利文

　　8 全文306/1A
王利貞
　　8 全文282/20A
王利器
　　8 全文398/8B
王崇 孝遠子
　　5 新表9/72中/2638
王崇 仁忠子
　　5 新表9/72中/2646
王崇文 (光福)
　　40 十國22/1A
　　43 馬書11/6B
　　44 陸書5/6A
王崇禮
　　5 新表9/72中/2602
王崇基
　　1 舊唐8/70/2530
　　5 新表9/72中/2644
　　20 郎考5/37A
　　　　6/2A
王崇範
　　40 十國103/3B
王繼弘
　　3 舊五5/125/1643
王繼柔
　　40 十國94/11A
王繼崇
　　40 十國94/7B
王繼勳
　　11 全詩11/763/8663
　　17 紀事下/52/798
　　40 十國94/7B
王繼沂
　　40 十國94/11A
王繼業
　　40 十國94/9A
　　74 臨汀志　大典
　　　　　7893/1B
王繼裕　見王繼嚴
王繼韜
　　40 十國94/9B
王繼恭
　　8 全文852/8A
　　40 十國94/10A
王繼成
　　40 十國94/11B
王繼昌
　　40 十國94/11A

　　72 三山志20/49B
王繼圖　見王亞澄
王繼嚴 (繼裕)
　　40 十國94/10A
王繼隆
　　40 十國94/11A
王繼鵬　見王昶
王繼鏞　見王繼鎔
王繼鎔
　　40 十國94/10A①
23 王伾 元和中朔方靈鹽節度使
　　1 舊唐11/133/3686
　　2 新唐16/154/4880
　　26 方鎮1/73A
王伾 暉子，歷官不詳
　　5 新表9/72中/2625
王參 (內魯)
　　5 新表9/72中/2619
王參元
　　25 登科17/3A
　　39 書史5/28B
王允之
　　30 歷畫9/189
王佇
　　5 新表9/72中/2637
王佣 (靈龜)
　　2 新唐14/116/4226
　　5 新表9/72中/2611
　　25 登科27/29A
王俊 約唐末人
　　11 全詩11/795/8957
王俊 (真長) 約中唐人
　　25 登科27/37A
王弁
　　3 舊五4/91/1198
王台老
　　5 新表9/72中/2606
　　25 登科27/33B
王峻 (秀峯)
　　3 舊五5/130/1711
　　4 新五2/50/563
王鍼 五代後唐魏博節度使
　　3 舊五3/60/805
　　8 全文842/14B
王鍼 (方舉) 唐隋州司馬
　　5 新表9/72中/2605
王鍼
　　20 郎考11/58A②

---

① 《十國》原注："繼鎔，一作繼鏞。"

② 按，此王緘與《舊五》、《全文》及《新表》之王緘，時代均不合，故列作另一人。

③ 按，新、舊《唐書》之王勔乃"初唐四傑"之一王勃兄，武后萬歲通天二年(公元697)被殺。而《唐詩紀事》此處却云"勔，開元中任中書舍人"。開元爲玄宗年號(公元713—741)，則似爲二人。但《紀事》又云："先是五王出閣，同日受册，有司忘載册文，百官在列，方知闕禮。勔召五吏執管授，一時俱畢。"按此事即見《舊唐書》王勔本傳，謂"長壽中擢爲鳳閣舍人"，後卽敍五王出閣，同日授册及勔召書吏事。鳳閣舍人即中書舍人。長壽爲武后年號(公元692—694)。 由此考知《唐詩紀事》之"開元"實爲"長壽"之誤，《紀事》之王勔亦卽新、舊《唐書》之王勔。

④ 《郎考》"德"字原缺，勞格謂當有"德"字。今從之。

⑤ 《全詩》原注："真一作貞。"

王贊
　8 全文865/12 B

王紞
　5 新表9/72中/2642
　20郎考7/11 B
　　　　22/9 B①

王綺
　5 新表9/72中/2603

王絃
　5 新表9/72中/2642

王綝 見王方慶

王緯(文卿)
　1 舊唐12/146/3964
　2 新唐16/159/4953
　8 全文437/3 B
　11全詩4/252/2843
　20郎考16/13 B
　25登科27/30 B
　26方鎮5/37 B
　69嘉定鎮江14/17 B

王緒
　5 新表9/72中/2603
　7 新志5/58/1484

王鎮
　20郎考5/17 A
　　　　11/28 A
　　　　12/28 B
　71嚴州1/29 A

王繪(方紹)弘直子，羅川令
　5 新表9/72中/2610

王縝猛子，吏部郎中
　20郎考3/80 A

25王仲文
　5 新表9/72中/2621

王仲璋
　5 新表9/72中/2637

王仲武
　5 新表9/72中/2622

王仲鸞
　5 新表9/72中/2612

王仲連南唐臣
　40十國23/7 B

王仲連唐懿宗相王鐸祖
　5 新表9/72中/2619

王仲漣
　53赤城志8/20 A

王仲堪(仲湛)
　25登科10/30 A

王仲昇
　26方鎮1/41 A
　　　　8/65 A

王仲丘
　2 新唐18/200/5700
　7 新志5/58/1491
　　　　5/58/1498
　　　　5/59/1524
　8 全文335/21 A
　20郎考20/2 B
　28直齋6/12 B
　76齊乘6/36 B

王仲周
　1 舊唐14/178/4639
　5 新表9/72中/2652
　8 全文531/20 A
　25登科27/10 B
　53赤城志8/20 B

王仲父
　10續拾7/12 A

王仲翔
　5 新表9/72中/2647

王仲舒(弘中)
　1 舊唐15/190下/5058
　2 新唐16/161/4985
　7 新志5/60/1616
　8 全文545/7 A
　9 拾遺25/14 B
　11全詩7/473/5371
　20郎考4/33 B
　　　　10/9 A
　　　　20/9 B
　25登科13/24 B
　26方鎮5/83 A
　54吳郡圖經上/15 B
　55吳郡志11/5 A

王伸約中宗、玄宗時人
　5 新表9/72中/2625

王伸五代時史官
　28直齋4/37 B

王佛奴
　5 新表9/72中/2623

王傳
　11全詩9/566/6553
　17紀事下/48/731
　25登科22/22 A

王傳乂
　39書史5/20 B

王傳拯
　3 舊五4/94/1255

王傑
　5 新表9/72中/2623

王紳
　5 新表9/72中/2609
　8 全文684/7 B

王純景子，成武令
　5 新表9/72中/2603

王純 見王紹

王積薪
　7 新志5/59/1561

王績(無功、東皋子)
　1 舊唐16/192/5116
　2 新唐18/196/5594
　6 舊志6/47/2073
　7 新志5/60/1598
　8 全文131/3 A
　11全詩1/37/477
　　　　11/769/8728
　　　　12/882/9965
　17紀事上/4/54
　　　　上/5/68②
　18才子1/2
　27郡齋4上/10 A
　28直齋16/7 B

王績中唐時人
　25登科27/16 B③

王績(方節)武后時法曹參軍
　5 新表9/72中/2610

王績文宗時主客郎中
　20郎考25/11 B
　　　　26/22 B

王練
　5 新表9/72中/2603

26王自立
　1 舊唐14/178/4640
　5 新表9/72中/2653

王自勉
　5 新表9/72中/2637

王泉龍朔中內侍監給事
　8 全文205/10 B

王泉貞元中榮縣縣令
　10續拾4/12 A

王儇
　5 新表9/72中/2622

王得中
　40十國107/5 A

王儼
　5 新表9/72中/2651
　20郎考1/1 A
　　　3/5 B
　　　7/2 A
　　　8/1 B
　　　10/1 A
王保衡
　40十國108/6 B
王保晦
　40十國44/1 B
王保義 （劉去非）幽州人，仕周
　3 舊五6/133/1753
王保義 江陵人，仕荊南
　40十國102/4 B
王和
　5 新表9/72中/2622
王和及
　5 新表9/72中/2624
王和子（王孝女）
　1 舊唐16/193/5151
　2 新唐18/205/5827
王和友
　5 新表9/72中/2624
王緄（方操）
　5 新表9/72中/2625
王總
　8 全文902/1 A
　69嘉定鎮江18/47 B
　70至順鎮江18/3 A
王穆
　1 舊唐12/151/4061
　2 新唐16/170/5170
王繟
　5 新表9/72中/2642
27王凱沖
　6 舊志6/46/1968
　7 新志5/57/1424
王龜（大年）
　1 舊唐13/164/4281
　2 新唐16/167/5119

　5 新表9/72中/2649
　8 全文764/4 A
　11全詩11/795/8947
　20郎考11/54 B
　　　21/7 B
　26方鎮5/58 B
　64掇英18/15 A
　65會稽志2/33 A
王歸
　40十國53/6 B
王歸一
　6 舊志6/47/2074
　7 新志5/60/1599
王歸樸
　25登科25/15 B
王向
　5 新表9/72中/2635
王侗
　5 新表9/72中/2623
王侚（垂光）
　5 新表9/72中/2619
王翺
　5 新表9/72中/2636
王脩禮 源評子，其他不詳
　5 新表9/72中/2618
王脩禮 畫家
　38圖繪2/19 A
王衆
　5 新表9/72中/2620
王衆仲
　1 舊唐13/165/4299
　5 新表9/72中/2633
　25登科27/14 B
王象
　7 新志5/59/1561
　30歷畫10/192
　38圖繪2/24 A
王俶
　5 新表9/72中/2623
王伋
　21御考3/33 B
王殷 五代武將

　3 舊五5/124/1625
　4 新五2/50/566
　8 全文857/2 A
王殷 五代畫家
　36圖誌2/38
　38圖繪2/35 B
王殷任
　5 新表9/72中/2648
王侶
　5 新表9/72中/2625
王惚　見王總
王翔
　5 新表9/72中/2634
　20郎考6/15 B
王彝倫
　25登科27/30 A
王魯衡 子，歷官不詳
　5 新表9/72中/2639
王魯 當塗宰
　11全詩12/873/9893
王魯復（夢周）
　11全詩7/470/5346
　12詩逸上/10182
王魯卿 太學生，進士
　2 新唐18/194/5572
　25登科27/11 A
王魯卿 沼子，其他不詳
　5 新表9/72中/2615
王郜
　1 舊唐14/182/4701
　2 新唐17/186/5419
　26方鎮4/84 A
王叡（炙轂子）
　7 新志5/59/1541
　　　5/60/1626
　8 全文725/14 A
　11全詩8/505/5742
　17紀事下/50/761
　27郡齋3上/23 A
　28直齋22/9 A
王約
　5 新表9/72中/2637

---

① 《郎考》作“王紝”，趙鉞案疑是王紞。王紞見《郎考》卷七勳中。
② 《紀事》“績”作“勣”。王績已見《唐詩紀事》卷四，爲隋末唐初詩人，而同書卷五又重出王勣，云“武德、貞觀間人”，實卽王績。此誤前人校《唐詩紀事》者已有駁正。《全詩》11/769/8728 原亦作王勣，卽承襲《紀事》之誤。今皆改正。
③ 按，前之王績（東皋子）爲隋末唐初詩人。此之王績，據《登科記考》云白居易有《前進士王績授校書郎江西巡官制》，則爲中唐時人。

6 舊志6/47/2074
7 新志5/60/1599
11 全詩11/779/8810
20 郎考4/1 A

王舒景子，通事舍人
5 新表9/72中/2603

王舒大曆十一年及第
25 登科11/7 A

王綱昱子，臨洺丞
5 新表9/72中/2604

王綱逸子
5 新表9/72中/2608

王綱崑山縣令
46 玉峯志中/13 A
75 崑山志2/2 A

王叔文
1 舊唐11/135/3733
2 新唐16/168/5124
23 故事　翰苑羣書
上/25 B
24 壁記　翰苑羣書
上/41 B

王叔平
8 全文614/17 A

王叔政
7 新志5/59/1558

王叔鸞
5 新表9/72中/2616

王叔邕
8 全文527/20 B
26 方鎮6/75 A

王叔仲
5 新表9/72中/2634

王叔偲
20 郎考25/4 A

王叔達
21 御考3/6 A
3/6 B

王叔通
9 拾遺21/9 A
48 寶慶四明12/3 B

王叔泰
1 舊唐12/151/4062

王叔雅（元宏）
25 登科12/24 A

王叔鳳
5 新表9/72中/2616

王紹（純、德素、敬）官至兵

部尚書
1 舊唐11/123/3520
2 新唐15/149/4804
8 全文446/28 A
9 拾遺23/11 B
20 郎考11/30 A
18/23 B
26 方鎮3/24 B

王紹袞子
5 新表9/72中/2604

王紹仲連子
5 新表9/72中/2619

王紹鼎（嗣先）
1 舊唐12/142/3889
2 新唐19/211/5961
5 新表11/75下/3457
26 方鎮4/119 A

王紹宗（承烈）
1 舊唐15/189下/4963
2 新唐18/199/5668
8 全文203/6 A
11 全詩2/100/1073
29 書斷3/7 A
30 歷畫9/185
37 書小史9/7 B
38 圖繪2/19 A
39 書史5/26 A

王紹懿
1 舊唐12/142/3889
2 新唐19/211/5962
5 新表11/75下/3458
26 方鎮4/119 A

王紹卿
1 舊唐7/52/2199

28 王佺
5 新表9/72中/2624

王佺期
5 新表9/72中/2604

王份
5 新表9/72中/2622

王倫
5 新表9/72中/2619

王佾
5 新表9/72中/2622

王徹晏球子，懷州刺史
3 舊五3/64/855

王徹言子，左拾遺
25 登科25/14 A

王徹（昭文、貞）
1 舊唐14/178/4639
2 新唐17/185/5408
5 新表9/72中/2653
8 全文793/1 A
20 郎考5/36 B
10/32 A
11/70 B
25 登科22/34 A

王徹姪女　見王氏女

王復
5 新表9/72中/2622

王儀
5 新表9/72中/2624

王從敬　見王敬從

王牧涇陽尉
5 新表9/72中/2611

王牧考功員外郎
20 郎考10/9 A

王皦　見王光輔

王收（種德）
1 舊唐14/178/4639
5 新表9/72中/2652
25 登科21/17 A

王稔
40 十國9/1 A
41 九國1/20 A

王給（執中）
5 新表9/72中/2609

王繪
5 新表9/72中/2604

王縱咸通中武將，鹽州刺史
1 舊唐14/182/4695
2 新唐17/187/5435

王縱昇子，中宗、玄宗時人
5 新表9/72中/2604

王縱唐代宗時人
20 郎考18/9 A①

29 王倰唐河南府文學
5 新表9/72中/2619

王倓十國時閩臣
40 十國96/3 A

王秋
3 舊五4/91/1198

30 王宜陽
5 新表9/72中/2604

王淮
5 新表9/72中/2614

① 按，新、舊《唐書》之王縱，咸通中有邊功，爲鹽州刺史，又見司空圖《故鹽州防禦使王縱追述碑》（《司空表聖文集》卷六）。《新表》之王縱爲昇子，約中宗、玄宗時人。《郎考》之王縱，據《郎考》爲倉部員外郎。戴叔倫有《漸至洺州先寄王員外使君縱》詩（《全唐詩》卷二七三），作於代宗大曆時，與《郎考》之時序亦相合，則爲代宗時人。

② 《郎考》此處"王"字原缺，趙鉞案疑是王守真，見祠外（《郎考》卷二二）。

閩太祖、忠懿）
3 舊五6/134/1791
4 新五3/68/845
9 拾遺11/24A
26 方鎮6/13A
40 十國90/4B
43 馬書28/1A
72 三山志20/44B

王良士
11 全詩5/318/3587
25 登科12/26A

王良會
11 全詩11/732/8372
17 紀事下/45/682

王寰
5 新表9/72中/2621

王密
1 舊唐14/178/4639
5 新表9/72中/2652
8 全文791/5B
25 登科27/8A
47 乾道四明1/10A
48 寶慶四明1/15B
49 延祐四明2/1B
64 掇英18/13A
65 會稽志2/29B
73 吳興志14/26B

王定（鎮卿）唐代宗時集賢院
學士
1 舊唐14/178/4639
5 新表9/72中/2652
20 郎考3/86B
4/25A
9/12A
20/8A
25 登科27/7B

王定 唐太宗時尚方令
7 新志5/59/1560
30 歷畫9/173
31 唐畫6/15A
38 圖繪2/19B
39 書史5/29A

王定保（翊聖）蕘子
5 新表9/72中/2649

王定保 撰《唐摭言》
25 登科24/24A
27 郡齋3下/5B
28 直齋11/8A

40 十國62/5B

王定簡
40 十國95/10A

王寔
5 新表9/72中/2651

王實
5 新表9/72中/2647

王賓
5 新表9/72中/2651

王寶
5 新表9/72中/2615

王寶子
5 新表9/72中/2606

王宗 晚唐時節度使
1 舊唐14/182/4699
2 新唐17/186/5418
4 新五2/39/419
26 方鎮4/157A

王宗（箝耳宗）唐初兵部侍郎
19 姓纂5/44B

王宗裔
40 十國39/12B

王宗訓（茂權）
40 十國39/12A

王宗謹（釗）
40 十國39/9A

王宗平
40 十國38/7B

王宗瑤（寶臣、姜郅）
40 十國39/11B
41 九國6/7B

王宗弼（魏弘夫）
4 新五3/63/794
9 拾遺48/1A
40 十國39/4B
41 九國6/10A

王宗信
40 十國39/13B

王宗仁
40 十國38/5A

王宗衍 見王衍

王宗儒（楊儒）
40 十國39/10A

王宗鼎
40 十國38/7A

王宗弁（鹿弁）
40 十國39/6A

王宗綰（李綰）

26 方鎮8/33A
40 十國39/9A

王宗儔
8 全文889/1B
40 十國39/8A

王宗偉
40 十國39/15B

王宗佶
8 全文889/1A
26 方鎮6/87B
8/73A
40 十國39/1B
41 九國6/4B

王宗勳
40 十國39/15A

王宗勉（趙章）
40 十國39/12A

王宗特
40 十國38/8A

王宗傑
40 十國38/7B

王宗侃（田師）
40 十國39/2B
41 九國6/7A

王宗儼
40 十國39/16A

王宗魯
40 十國39/14B

王宗紀
40 十國38/7A

王宗紹
40 十國39/14A

王宗憲
40 十國39/16A

王宗宏
40 十國39/14B

王宗汭
40 十國39/15B

王宗浩
40 十國39/10A

王宗祐
40 十國39/13A

王宗澤
40 十國38/7A

王宗渥（鄭渥）
40 十國39/11A

王宗滌（華洪）
26 方鎮6/87A

① 按,《新志》之王冰,號啓元子,注《黄帝素問》二十四卷,又釋文一卷,有肅宗寶應元年自序(可參余嘉錫《四庫提要辨證》卷一二《黄帝素問》條),則爲肅宗時人。另《新表》卷七二中有王冰,爲唐文宗時宰相播子,任京兆府參軍。時代不同,當爲二人。《全文》載王冰《黄帝素問自序》一文,則當爲肅宗時之王冰,而小傳又云"寶應中官京兆府參軍、金部員外郎",乃合三人事迹爲一,此爲《全文》之誤。

②③《郡齋》"冰"作"砅",今從《新志》作"冰"。按杜甫有《送重表姪王砅評事使南海》詩(杜集卷一二),王砅爲杜甫重表姪,大曆五年時爲評事。時代與此正合,似爲一人,則當時亦有作"砅"者,今録以備考。

④ 按《新表》之王冰,乃唐文宗時宰相王播子,官京兆府參軍。《郎考》之王冰,據其排列時序,約唐懿宗、僖宗時人,金部員外郎。二者時代相近,未能確定是否即同一人,今分列,備考。

⑤ 按,《舊唐》之王泛,約爲代宗時尉氏尉,此之王泛,僅載其爲舒州刺史俛子,未注官職。時代相近,但未能確定是否一人。今分列,待考。

⑥《御考》作"王沐",今從《新表》、《寶慶四明》、《延祐四明》諸書作"王沐"。

⑦《新五》作"王進逵"。吳任臣《十國春秋》卷七《王逵傳》注云:"《周世宗實録》及歐陽《五代史》皆作王進逵,今從《通鑑》"。此從《通鑑》、《十國》、《九國》等作王逵,另出王進逵作參見條。

⑧ 按,此王達爲王重裔父,歷安、均、洛三州刺史。據點校本《舊五代史》校勘記,《永樂大典》(膠卷)卷六八五一,"達"作"逵"。

⑨ 按,《舊唐》之王遇爲唐德宗昭德皇后王氏父,官至秘書監,有子果爲眉州司馬。《新唐》之王遇,肅宗至德間常州人,以孝友聞。《新表》此處之王遇,爲杭州别駕王潤子,著作郎,未載其有子;其弟源中,唐憲宗時爲天平節度使,時代較晚,非德宗后王氏父。

王潮（信臣）
　　2 新唐17/190/5491
　　4 新五2/68/845
　26 方鎮6/12 B
　40 十國90/1 A
　42 五補2/4 B
　72 三山志20/44 A
王洞玄
　　5 新表9/72中/2625
王潤
　　5 新表9/72中/2615
　20 郎考12/31 A
王澗
　　5 新表9/72中/2616
王鴻
　　5 新表9/72中/2604
王溧（瀑源）
　　5 新表9/72中/2609
王渙 綺子
　　5 新表9/72中/2603
王渙（羣吉）愔子
　　5 新表9/72中/2641
　11 全詩10/690/7919
　17 紀事下/66/995
　20 郎考4/67 B
　　　　10/33 B
　25 登科24/4 B
王淑 乾元中右金吾長史
　　9 拾遺22/13 A
王淑 大和三年及第
　25 登科20/27 A
王潚
　25 登科10/29 A
王澥
　25 登科24/28 A
王渾
　20 郎考12/23 A
王澹 純子
　　5 新表9/72中/2603
王澹 浙西鎮海節度使判官
　69 嘉定鎮江14/20 A ①
　　　　15/47 B
王沼 倩子，集州刺史
　　5 新表9/72中/2615
王沼 晃子，禮部郎中
　　5 新表9/72中/2647
　　8 全文450/1 A
　20 郎考19/8 A

　25 登科27/37 B
王洛賓
　　7 新志5/59/1564
王凝（致平、成庶、貞）
　　1 舊唐13/165/4299
　　2 新唐15/143/4693
　　5 新表9/72中/2634
　20 郎考5/34 A
　　　　9/19 A
　　　　10/31 A
　　　　20/18 A
　25 登科21/11 A
　　　　22/19 B
　　　　23/15 A
　　　　27/33 A
　26 方鎮5/73 B
　　　　6/39 A
王凝妻　見李氏
王潔
　　5 新表9/72中/2647
王深
　20 郎考12/52 B
王滌（用霖）
　　5 新表9/72中/2641
　11 全詩11/726/8320
　17 紀事下/67/1008
　25 登科27/22 B
王冠
　　5 新表9/72中/2624
王初
　11 全詩8/491/5557
　25 登科27/15 A
王逸（從之）
　　5 新表9/72中/2608
王迟
　　5 新表9/72中/2613
王通（仲淹、文中子）
　　1 舊唐15/190上/5004
　　2 新唐18/196/5594
王迥（白雲先生）
　11 全詩3/215/2249
王退思
　　5 新表9/72中/2618
王逢 沛子，忠武節度使
　　1 舊唐13/161/4225
　　2 新唐17/171/5190
　26 方鎮2/37 B
王逢 定子，殿中侍御史

　　1 舊唐14/178/4639
　　5 新表9/72中/2652
　25 登科27/10 B
王逢元
　　5 新表9/72中/2616
王退
　　2 新唐18/195/5580
　59 毗陵志16/3 A
王退休
　　1 舊唐13/169/4407
　　2 新唐17/104/5323
王退觀
　25 登科27/1 B
王運充
　　8 全文952/7 B
王罕
　　5 新表9/72中/2624
王鄩
　　1 舊唐14/182/4701
38 王汾
　25 登科26/28 B
　　　　26/32 A
王冷然
　　8 全文294/5 B
　11 全詩2/115/1172
　14 國秀中/128
　　　　中/163
　17 紀事上/20/295
　18 才子1/16
　25 登科5/30 B
　　　　7/4 B
王澈
　　5 新表9/72中/2625
王瀚　見王翰
王海（巨元）
　　5 新表9/72中/2606
王海雲
　　5 新表9/72中/2610
王海賓
　　1 舊唐10/103/3197
　　2 新唐15/133/4551
王洽　見王默
王祚
　　2 新唐17/179/5317
　　5 新表9/72中/2647
　25 登科27/4 A
　　　　27/35 A
王裕（文）

---

① 按，《新表》之王澄，爲成武令純子，未載官職。此處之王澄，爲憲宗時浙西鎮海軍節度判官，元和初鎮海節度使李錡反，爲錡所殺。未能確定是否爲一人，現分列，待考。

② 《全詩》原注: "一作王羽。"

王志斌
　5 新表9/72中/2605
王志仁
　5 新表9/72中/2640
王志福
　5 新表9/72中/2605
王志凝
　5 新表9/72中/2605
王志深
　5 新表9/72中/2605
王志簡
　5 新表9/72中/2605
王志愔
　1 舊唐9/100/3118
　2 新唐14/128/4463
　8 全文282/7B
　21御考1/4B
　　　2/2B
　　　2/27B
　25登科27/3B
王志悌
　5 新表9/72中/2604
　8 全文902/3B
王燾
　2 新唐13/98/3890
　5 新表9/72中/2644
　7 新志5/59/1572
　8 全文397/8A
　20郎考3/32A
　　　12/15A
　21御考2/21A
　　　2/47B
　27郡齋3下/31A
　28直齋13/6A
王友方
　8 全文202/1A
　9 拾遺16/12B
　20郎考3/8A
王嘉
　3 舊五4/91/1198
王難得
　1 舊唐14/183/4750
　2 新唐15/147/4752
王晉
　5 新表9/72中/2626
王壽
　20郎考10/8B
　　　11/17B

王雄
　5 新表9/72中/2622
王雄誕
　1 舊唐7/56/2270
　2 新唐12/92/3802
　63新安志9/17B
王雄風
　8 全文952/8A
王真
　8 全文683/20B
　25登科12/21B
王真儒
　7 新志5/57/1428
王賁
　40十國53/7A
王檀（衆美、忠毅）瓌子，仕梁
　3 舊五1/22/302
　4 新五1/23/240
王檀（秀山）璵子，唐人
　5 新表9/72中/2650
41王樞
　11全詩8/546/6310
王樗
　1 舊唐14/178/4643
　5 新表9/72中/2653
王栖霞　見王棲霞
王栖曜（成）
　1 舊唐12/152/4068
　2 新唐16/170/5171
　26方鎮1/44A
　69嘉定鎮江16/25A
王楷
　5 新表9/72中/2632
42王彭
　5 新表9/72中/2625
王哲
　25登科27/15A
43王博
　8 全文202/15A
王博古
　7 新志5/59/1564
王博式
　2 新唐18/195/5591
王式
　1 舊唐13/164/4282
　2 新唐16/167/5119
　5 新表9/72中/2649
　25登科20/24B

　26方鎮3/29B
　　　4/8A
　　　5/57B
　　　7/59A
　64掇英18/14B
　65會稽志2/33A
王求
　5 新表9/72中/2624
王求禮
　1 舊唐10/101/3154
　　　15/187上/4884
　2 新唐13/112/4172
王越賓
　11全詩11/732/8372
王朴（文伯）東平人，仕周
　3 舊五5/128/1679
　4 新五1/31/341
　8 全文860/16A
　25登科26/15A
　42五補5/8B
王朴魏城人，仕前蜀
　40十國42/12B
44王堪
　5 新表9/72中/2635
王嘉
　25登科26/28B
王潘
　5 新表9/72中/2632
　20郎考11/71A
王藻
　40十國53/6B
王夢周
　11全詩11/770/8748
王夢簡
　28直齋22/9A
王薿龜子，右司員外郎
　1 舊唐13/164/4282
　2 新唐16/167/5119
　3 舊五4/92/1222
　4 新五2/56/648
　5 新表9/72中/2649
　20郎考26/28A
王薿員伯子
　5 新表9/72中/2632
王蕭
　5 新表9/72中/2631
　20郎考2/16B
王蘭英

1 舊唐16/193/5139	5 新表9/72中/2622	王著(成象)
2 新唐18/205/5817	王孝遠	25登科27/24A
王茂章　見王景仁	5 新表9/72中/2638	王蕃
王茂元	王孝達	39書史5/29A
1 舊唐12/152/4070	7 新志5/58/1494①	王藹(望之)
2 新唐16/170/5172	王孝通	5 新表9/72中/2636
8 全文684/23A	7 新志5/59/1547	8 全文622/19B
26方鎮1/34A	8 全文134/1A	王喆
2/6B	王孝女　見王和子	5 新表9/72中/2651
2/36A	王孝幹	王世充(行滿)
7/9B	5 新表9/72中/2638	1 舊唐7/54/2227
7/21A	王孝敬	2 新唐12/85/3689
7/33B	72三山志20/28A	王世鼎
王茂權　見王宗訓	王執言	5 新表9/72中/2639
王茂時	20郎考6/7B	王世偉
5 新表9/72中/2644	21御考1/16A	2 新唐12/85/3696
11全詩2/72/789	2/9B	王世果
17紀事上/7/89	2/46B	2 新唐12/92/3803
王蘋(玄禮)	王勃(子安)	王甚夷(無黨)
5 新表9/72中/2650	1 舊唐15/190上/5004	11全詩9/552/6398
王葆(禮羽)	2 新唐18/201/5739	17紀事下/55/839
5 新表9/72中/2631	6 舊志6/46/1968	25登科22/7B
20郎考15/27B	6/46/1981	王鬱
王恭	6/47/2075	8 全文848/4B
1 舊唐8/73/2603	7 新志5/57/1426	王楚玉
2 新唐18/198/5645	5/57/1444	25登科5/2A
7 新志5/57/1426	5/59/1548	王贄
27郡齋1上/3B	5/60/1600	5 新表9/72中/2615
王蘇蘇	5/60/1618	王權(秀山)堯子
11全詩11/802/9028	8 全文177/1A	1 舊唐13/164/4282
王莘	11全詩2/55/669	3 舊五4/92/1222
5 新表9/72中/2631	17紀事上/7/97	4 新五2/56/648
20郎考7/37A	18才子1/5	5 新表9/72中/2649
王孝京	25登科2/15B	8 全文851/1A
5 新表9/72中/2633	27郡齋4上/10B	9 拾遺46/15B
王孝柔	王萬宏	25登科25/43A
5 新表9/72中/2636	40十國42/1A②	王權重明子,國子祭酒
王孝傑	王萬洪　見王萬宏	5 新表9/72中/2631
1 舊唐9/93/2977	王華	8 全文516/3B
2 新唐13/111/4148	5 新表9/72中/2636	王蘊
5 新表9/72中/2650	王莓	26方鎮2/40B
王孝倫	5 新表9/72中/2619	45王坤
5 新表9/72中/2638	王若巖	7 新志5/58/1469
王孝源	11全詩11/782/8838	王棲霞(敬真、元隱、元博

① 按，《新志》之王孝達爲唐初中書舍人，與裴寂、顏師古等撰《武德令》三十卷。另《新表》有王孝遠，亦唐初人，官中書舍人。二人時代、職官均同，疑卽同一人，但未有確據，今仍分列，俟考。
② 《十國》原注："萬宏，一作萬洪。"

大師、真素先生）
8　全文928/18A
25登科24/19A
40十國34/2A
78茅山志7/14B

王椿
1　舊唐14/178/4643
5　新表9/72中/2653

46王旭
1　舊唐8/70/2531
　　15/186下/4853
2　新唐19/209/5914
5　新表9/72中/2644
20郎考1/34A
　　2/6A
21御考1/14A
　　2/11A

王坦緒子
5　新表9/72中/2603

王坦九思子
5　新表9/72中/2654

王觀
11全詩5/311/3514
17紀事下/50/763

王帽仙
40十國47/8B

王駕（大用、守素先生）
7　新志5/60/1614
11全詩10/690/7918
　　12/885/10005
17紀事下/63/942
18才子9/166
20郎考20/21B
25登科24/3A
28直齋19/22B

王駕妻　見陳玉蘭

王恕（士寬）昇子
1　舊唐13/164/4275
5　新表9/72中/2649

王恕卿子
25登科27/38A

王想
40十國94/8A

王韞秀（元載妻）
11全詩11/799/8985
17紀事上/29/450

王賀
5　新表9/72中/2615

王觀
8　全文269/1A

王枛（不耀）
5　新表9/72中/2617
11全詩11/726/8319①
17紀事下/67/1006②

王相老
5　新表9/72中/2625

王枳
11全詩11/795/8948

47王郁
3　舊五3/54/732

王懿中
7　新志5/58/1491

王毅（虛中、臨沂子）
7　新志5/60/1614
11全詩10/694/7986
17紀事下/70/1043
18才子10/174
25登科24/20B
28直齋19/22A

王都（雲郎）
3　舊五3/54/731

王翃（宏肱、肅）大曆二年卒
1　舊唐13/157/4143
2　新唐15/143/4691
5　新表9/72中/2635
25登科10/5A
26方鎮1/83B
　　6/4A
　　7/29A

王翃（雄飛）大順時進士
7　新志5/60/1616
25登科24/5B
　　27/22B

王翃　見王翶

王起（舉之、文懿）
1　舊唐13/164/4278
2　新唐16/167/5117
5　新表9/72中/2649
7　新志5/58/1461
　　5/58/1473
　　5/58/1485
　　5/60/1607
　　5/60/1617
　　5/60/1623
　　5/60/1626
8　全文641/1A

11全詩7/464/5271
17紀事下/55/829
20郎考8/34A
24壁記　翰苑羣書
　　　上/48B
25登科14/18B
　　15/22B
　　17/13A
　　19/26A
　　19/30A
　　22/7B
　　22/13B
26方鎮4/18B
　　4/52B
　　4/138A
　　4/154A

王超（子榮）
1　舊唐14/178/4639
5　新表9/72中/2652
7　新志5/59/1571
25登科27/17B

王栩
8　全文　536/3B

48王乾壽
5　新表9/72中/2638

王翰（子羽）
1　舊唐15/190中/5039③
2　新唐18/202/5759
7　新志5/60/1602
　　5/60/1622
8　全文355/13B
11全詩3/156/1602
　　12/882/9971
14國秀上/127
　　上/139
17紀事上/21/314
18才子1/13
25登科5/1B
　　5/17B
　　5/18A

王幹無考
12詩逸中/10200④

王幹（箝耳幹）文舉子
19姓纂5/44B⑤

王警
5　新表9/72中/2643

王敬元

①② 《全詩》、《紀事》“祝”誤作“祝”，今據《新表》改正。

③ 《舊唐》“翰”作“澣”，下《新志》同。按此爲盛唐時詩人，“澣”、“翰”字通，皆爲一人，一般均作王翰。

④ 據《全詩》原注，此王幹履歷無可考者，僅存佚詩二句。

⑤ 據《姓纂》，此王幹爲北周文舉子，封湯陰侯，約唐初人。

⑥ 《全文》作“王從敬”，今從《新志》。

⑦ 《郎考》此處作“王從敬”，趙鉞案“從敬”當是“敬從”之誤。趙説是，今據改。

⑧ 按，《新表》之王振，字文飛，約晚唐人，未載官職。《新志》、《直齋》之王振，著《汴水滔天錄》一卷，昭宗時拾遺。《十國》之王振，仕五代吳，爲史官。此三人時代相近，但未能確定是否一人或二人，今分列，待考。

---

① ② 《新表》、《登科》"摶"誤作"搏"，今據《新唐》本傳逕改。參見宋吳縝《新唐書糾繆》卷六。

③ 按，《新表》之王摶，字中禮，每子，未注官職，時當晚唐。《全文》之王摶，小傳僅云"唐末宰相"，所載《通犀賦》一文，從中亦未能考定其事迹。今查《新唐書・宰相年表》，唐末宰相無王摶者；與其姓名相近者，有王摶、獨孤損，或《全唐文》誤取二人之姓與名，以爲王摶者之小傳。總之，《全唐文》與《新表》之王摶，時代相近，但尚無確切材料證其爲同一人，今分列，備考。

④ 按，《新表》之王拯字蘊華，未載官職，約晚唐人。《郎考》、《登科》之王拯，載于《郎考》者爲司勳員外郎及戶部員外郎，《登科記考》引《唐摭言》謂王拯於昭宗大順二年登進士第，後曾任司勳員外郎，則《登科》與《郎考》所載者爲一人，而與《新表》之王拯是否一人尚待考。

⑤ 按，《舊唐書》卷一六四《王播傳》，播祖名昇，咸陽令。而據《新唐書》卷七二中《宰相世系表》，王播祖爲昇，咸陽令，昇之兄名昇，未載官職。此處之王昇與《舊唐》之王昇應爲一人，但《舊唐》作王播祖，《新表》作王播伯祖。未詳孰是，錄以備考。

⑥ 徐松謂《文苑英華》作王昂。

① 按，《舊唐》、《全詩》、《紀事》之王景爲王緯祖，任司門員外、萊州刺史。王緯父名之咸，與開元時詩人王之渙爲堂兄弟。緯於大曆、貞元中歷任刺史官職。《郎考》、《御考》之王景，按其時爲開元時人，與王緯祖之王景時代不相及，必非同一人。《新表》之王景則爲方則子，蘭州刺史，其他不詳。《拾遺》之王景，乃五代時人。今分列爲四人。
② 按，《全文》小傳云："景風，咸通中官吏部侍郎，後謫守漳浦。"岑仲勉《讀全唐文札記》云："按此卽卷七九一王飆（颷）之仕歷，傳誤。"錄以備考。
③ 《唐畫》作"王墨"，並云："不知何許人。不知其名，善潑墨山水，故謂之王墨。"按《歷代名畫記》載貞元時畫家有王默，"風顛酒狂"，"醉後以頭髻取墨，抵於絹畫"。似王墨卽王默，今姑作一人。
④⑤ 《畫譜》、《圖繪》作"王洽"，今從《歷畫》作王默。
⑥ 《十國》作"王畔"，今從《圖繪》作王眄。

11全詩11/765/8676
18才子10/175
25登科27/22A
28直齋19/28A
王朋從
　5 新表9/72中/2653
　25登科5/1B
王陶
　76齊乘6/38B
王展長慶時人
　8 全文730/22A
王展進士、與項斯同時
　53赤城志32/4A①
王履仁
　5 新表9/72中/2637
　20郎考4/68A
王履貞
　8 全文546/1A
　11全詩5/319/3594
　17紀事上/35/550
　25登科12/28B
王履冰
　2 新唐14/121/4334
王履道
　21御考2/5A
王居嚴
　40十國14/2A
王又玄
　6 舊志6/46/1967
王閔
　5 新表9/72中/2643
王闡
　5 新表9/72中/2640
王關
　5 新表9/72中/2640
王興
　21御考3/36A
王輿
　40十國7/10B③
　43馬書9/3B
　44陸書12/8B
　69嘉定鎮江14/50B
王賢　見李存賢
78王陁子
　30歷畫9/176
　31唐畫6/16A
　38圖繪2/21A
80王全

40十國75/1B
王益蒙
　5 新表9/72中/2639
王金刀
　5 新表9/72中/2623
王金堯（天義）
　9 拾遺69/2B
王鎬逌子
　5 新表9/72中/2613
王鎬（仁固）涼子
　5 新表9/72中/2633
王翁慶
　5 新表9/72中/2637
王鑣（中御）
　5 新表9/72中/2634
王鉉
　8 全文791/21A
王羨門
　11全詩3/203/2126
　14國秀下/129
　　　　下/186
王俞
　8 全文765/11A
王分
　20郎考17/10B
王義　見王延義
王令謀
　40十國10/13A
王令元
　5 新表9/72中/2636
王令賓
　5 新表9/72中/2625
王令溫（順之）
　3 舊五5/124/1632
　4 新五1/29/325
王無競（仲烈）
　1 舊唐15/190中/5026
　2 新唐13/107/4078
　11全詩2/67/760
　17紀事上/8/108
　25登科2/23A
　76齊乘6/37A
王無擇
　1 舊唐9/93/2978
　5 新表9/72中/2650
王無畏
　5 新表9/72中/2651
王美暢（通理）

5 新表9/72中/2643
　20郎考5/9A
　69嘉定鎮江14/4A
王義童
　72三山志20/26B
王義方泗州漣水人
　1 舊唐15/187上/4874
　2 新唐13/112/4159
　7 新志5/59/1563
　8 全文161/18A
　25登科27/25A
王義方太原人
　41九國7/17A
王合
　20郎考15/21A
　25登科18/8A
王曾
　21御考3/11A
王會歷官封外、倉外
　20郎考6/23A
　　　　18/16A
王會　見王安
王倉
　5 新表9/72中/2634
王谷
　25登科25/30B
王公亮
　7 新志5/59/1551
　11全詩7/466/5300
　17紀事上/40/623
　25登科27/11A
　26方鎮6/35A
81王鉅（弘猷）唐僖宗時人
　1 舊唐13/165/4300
　5 新表9/72中/2634
　20郎考10/34A
　　　　21/13A
王鉅唐憲宗時人
　9 拾遺26/16A③
王鐵（聲仁）
　5 新表9/72中/2619
王鍇（豐祥）寡言子
　5 新表9/72中/2634
王鍇（鱸祥）仕前蜀
　8 全文890/7A
　11全詩11/760/8630
　40十國41/5A
82王釗項子、約唐前期

5 新表9/72中/2640
王釗唐武宗時洺州刺史
　8 全文744/7 B
王劍　見王宗瑾
王鋌
　11全詩5/272/3055
　17紀事下/53/802
83王釴
　5 新表9/72中/2613
王鐺
　5 新表9/72中/2613
王鍼（公禦）
　5 新表9/72中/2619
王鎔（王五哥）景崇子
　1 舊唐12/142/3890
　2 新唐19/211/5963
　3 舊五3/54/725
　4 新五2/39/411
　5 新表11/75下/3457
　8 全文843/7A
　11全詩11/734/8385
　26方鎮4/120A
王鎔逎子
　5 新表9/72中/2613
84王銑
　5 新表9/72中/2606
王饒（受益）
　3 舊五5/125/1648
王鑄（台臣）
　5 新表9/72中/2650
王鍇
　1 舊唐10/105/3228
　2 新唐15/134/4564
　8 全文346/2A
　20郎考11/19 B
　　　12/13A
　21御考3/24A
　　　3/34A
　　　3/39 B
　　　3/48 B

王鎮播子,秘書丞
　5 新表9/72中/2649
王鎮福州刺史
　26方鎮6/10A④
　72三山志20/41 B
王鐐（德耀）
　1 舊唐13/164/4285
　2 新唐17/185/5407
　5 新表9/72中/2650
　11全詩9/600/6945
　17紀事下/66/1000
　20郎考1/28 B
　　　18/22A
　　　26/27 B
　　　27/19A
85王鍊
　5 新表9/72中/2613
86王鍔（昆吾）
　1 舊唐12/151/4059
　2 新唐16/170/5168
　26方鎮4/34 B
　　　4/50A
　　　5/25A
　　　7/5A
　　　7/31A
王銷
　2 新唐13/111/4136
　20郎考4/29A
王錫
　5 新表9/72中/2613
王銲
　20郎考11/22A
王鐸（昭範）炎子
　1 舊唐13/164/4282
　2 新唐17/185/5406
　5 新表9/72中/2650
　8 全文793/10 B
　9 拾遺30/25 B
　11全詩9/557/6461
　17紀事下/65/982

　25登科22/2A
　　　23/8 B
　26方鎮2/13A
　　　2/28A
　　　4/95A
　　　5/13A
王鐸頊子
　5 新表9/72中/2640
王知綬
　5 新表9/72中/2608
王知魯
　5 新表9/72中/2606
王知進
　5 新表9/72中/2608
王知古
　5 新表9/72中/2610
王知蘊（積中）
　5 新表9/72中/2607
王知敬
　1 舊唐16/192/5118
　2 新唐18/196/5600
　9 拾遺16/6A
　20郎考24/1A
　37書小史9/7A
　38圖繪2/21 B
　39書史5/19A
王知節
　5 新表9/72中/2642
王知慎
　30歷畫9/173
　37書小史9/7A
　38圖繪2/21 B
　39書史5/19A
王智方
　20郎考11/2 B
王智明
　8 全文400/3 B
王智興（匡諫）
　1 舊唐13/156/4138
　2 新唐17/172/5201

---

① 按，《全文》之王展，據《全唐文》小傳，爲長慶時人，其他不詳。《赤城志》之王展，僅云曾寓台州，進士，與項斯同時。按項斯有《病中懷王展先輩在天台》詩（《全唐詩》卷五五四）。唐人謂先舉進士者爲先輩，《赤城志》所云當即據項斯詩題。項斯於會昌四年擢第，稍後於長慶。疑兩處之王展非同一人，姑分列，俟考。

② 《十國》原注："輿，或作璵。"

③ 按，《舊唐》、《新表》、《郎考》之王鉅，爲王凝弟之子，王凝乃僖宗時人。《拾遺》之王鉅，爲元和時人。時代不同，顯係二人。

④ 按，《新表》之王鎮爲王播子，秘書丞。《方鎮》之王鎮，宣宗大中間爲福建觀察使。時代相近，但未有確證斷定爲同一人。今分列，待考。

① 按，兩《唐書》之王鈞，唐玄宗開元時曾任洛陽尉，號酷吏。《新表》之王鈞，爲冀州刺史項子，仕履不詳。疑非一人，姑列分，俟考。

② 《登科》作"豆盧琢"，今從兩《唐書》本傳。

③ 據《新表》所載，此豆盧承業乃豆盧寬之子，豆盧欽望之父。而據《舊唐書》卷九〇《豆盧欽望傳》，謂欽望之祖名寬，父名仁業。據此，則《新表》之豆盧承業應爲《舊傳》之豆盧仁業。但據岑仲勉《元和姓纂四校記》所考，謂寬有三子，即仁業、承業、懷讓，仁業與承業非同一人，欽望乃仁業子。今據岑説，以仁業與承業分列，實則《新表》誤，而《舊傳》是。又勞格《讀書雜識》卷一則謂豆盧承業與豆盧仁業爲同一人，實名承基，係避唐玄宗諱改。今錄其説如下，備參："(《新唐書·宰相世系表》豆盧承業，領軍將軍)《舊書·豆盧欽望傳》：父仁業，高宗時爲左衛將軍。《金石錄》目四有《唐右衛將軍豆盧承基墓誌》，永徽元年二月。《京兆金石錄》及《萬年宮銘碑》亦作承基。《表》作承業，《舊傳》作仁業，並避玄宗諱改。"

④ 參前豆盧承業名下注。

⑤ 《全詩》原注："岑一作峯。"

---

① 《新表》作"豆盧欽爽"，今從《姓纂》。
② 《新表》作"豆盧鄭麟"，今從《姓纂》。
③④⑤⑥ 《紀事》、《刻錄》、《會稽志》、《宋僧》"徹"作"澈"，唐人詩文中"靈徹"、"靈澈"互見，如《劉夢得文集》卷二三《澈上人文集序》，即作"澈"。今姑據《新志》等作"靈徹"，另出"靈澈"作參見條。
⑦ 據《五代畫遺》等載，丁謙爲五代南唐時晉陵宜興人，工畫蔬果。《圖繪》作"丁謙義"，並謂其爲五代時宜(?)人。疑此卽前之丁謙，"義"蓋衍文。
⑧ 《全詩》原注："仙一作先。"
⑨ 《全文》作"丁春澤"，今從《全詩》、《紀事》、《登科》作"丁澤"。

60丁思僮　見丁思觀
　丁思觀
　　8 全文893/3 B
　　40十國73/8 B
　　42五補3/4 A①
77丁鳳
　　9 拾遺21/5 A
　丁居立
　　20郎考12/45 B
　丁居晦
　　8 全文757/13 B
　　11全詩11/780/8823
　　20郎考5/28 A
　　　　8/40 A
　　24壁記　翰苑羣書
　　　　上/47 B
　　　　上/48 B
　　25登科19/25 B
　　28直齋6/5 B
　丁興
　　65會稽志14/44 A
80丁會
　　3 舊五3/59/789
　　4 新五2/44/481
　　26方鎮4/10 A
　　　　4/10 B
　　　　4/11 A
　　　　4/73 B
　　　　4/74 A
　丁公著（平子）
　　1 舊唐15/188/4936
　　2 新唐16/164/5049
　　7 新志5/57/1434
　　　　5/59/1513
　　24壁記　翰苑羣書
　　　　上/46 B
　　25登科12/26 A
　　　　12/27 A
　　26方鎮5/40 B
　　　　5/54 A
　　64掇英18/13 B
　　65會稽志2/31 A
　　69嘉定鎮江14/27 B
86丁知沆
　　3 舊五3/59/790
98丁悅
　　25登科11/23 B

1021₀ 兀

77兀兒
　　4 新五3/74/920

1021₁ 元

00元亨（利貞）
　　2 新唐15/143/4681
　元充
　　25登科27/22 A
　元彥將　見元彥沖
　元彥沖
　　19姓纂4/2 B②
　　20郎考3/25 B
　　　　4/15 B
　　　　8/17 B
　　21御考1/21 B
　　　　2/16 A
　　　　2/50 A
　　64掇英18/12 A
　　65會稽志2/28 A
　元彥英
　　19姓纂4/4 B
　元應文贄子，襄城尉
　　5 新表11/75下/3401
　元應唐京兆莊嚴寺僧
　　8 全文919/26 A
　元應（清豁、性空禪師）
　　40十國99/9 A
　元康榮子
　　19姓纂4/4 B
　元康唐太宗時僧人
　　11全詩12/869/9844
　　80宋僧4/8 A
　元庭珍
　　5 新表11/75下/3401
　元文俊
　　19姓纂4/4 B
　元文儵
　　19姓纂4/4 B
　元文贄
　　5 新表11/75下/3401
　元辨
　　8 全文927/15 B
　元讓
　　1 舊唐15/188/4923
　　2 新唐18/195/5581
　　25登科27/25 A

　元玄褘　見源玄緯
　元玄敬
　　19姓纂4/4 B
　元玄哲
　　19姓纂4/5 B
　元玄質
　　19姓纂4/5 B
02元端
　　19姓纂4/4 B
03元誼
　　19姓纂4/3 A
04元詵
　　69嘉定鎮江18/47 B
　　70至順鎮江19/21 B
　元諲
　　19姓纂4/3 A
07元詢俏
　　19姓纂4/4 A
　元韶唐高祖時瓜州道行軍總管
　　19姓纂4/4 A
　元韶唐順宗時河陽節度使
　　19姓纂4/5 B
　　26方鎮4/3 A
08元敦義
　　19姓纂4/2 A
10元正
　　2 新唐18/201/5745
　　19姓纂4/4 A
　　25登科27/29 B
　元至
　　19姓纂4/3 B
　元亘
　　19姓纂4/4 B
　　64掇英18/13 A
　　65會稽志2/29 B
　元靈遵
　　19姓纂4/4 B
　元霄　見元宵
　元震
　　19姓纂4/4 A
　元平叔
　　5 新表11/75下/3405
　　19姓纂4/3 B
12元琇
　　2 新唐15/149/4798
　　19姓纂4/2 B
　　26方鎮7/4 A
　　　　7/30 A

元愻
　5 新表11/75下/3402
元延福
　5 新表11/75下/3403
　19姓纂4/3 B
元延祖（太先生）
　2 新唐15/143/4681
元延祚
　5 新表11/75下/3405
　19姓纂4/3 B
元延壽
　5 新表11/75下/3403
　19姓纂4/3 B
　71嚴州1/27 B
元延景
　1 舊唐13/166/4327
　5 新表11/75下/3404
　19姓纂4/3 B
13元琬
　8 全文904/3 B
元武壽
　19姓纂4/4 A
元武斡
　19姓纂4/3 A
元武榮
　19姓纂4/3 A
元琯
　5 新表11/75下/3405
14元珪
　80宋僧19/1 B
　81景德4/19 B
元瓘
　19姓纂4/4 A ③
元礎
　11全詩12/851/9632
15元融　　見元季川
17元弼
　8 全文949/5 B
　52仙溪志4/2 A
元務真
　19姓纂4/2 A

20郎考5/5 B
元務整
　19姓纂4/2 A
元承先
　8 全文398/2 A
元承徵
　8 全文304/5 A
元承裕
　5 新表11/75下/3402
元子貢
　8 全文949/6 B
元子柔
　19姓纂4/2 B
元子上
　19姓纂4/2 B
元子倡
　40十國87/1 A
元子求
　19姓纂4/2 B
元子哲
　19姓纂4/2 B
元子長
　19姓纂4/2 B
18元瑜
　1 舊唐16/199下/5362
20元俯
　19姓纂4/5 B
元孚
　11全詩12/823/9275
元季方
　2 新唐18/201/5745
　19姓纂4/4 A
　20郎考14/8 B ④
　　　　15/14 B
　　　　23/4 A
　25登科27/29 B
元季能
　19姓纂4/6 A
元季川（融）
　11全詩4/259/2893
　17紀事上/32/505

18才子3/48
元季良
　19姓纂4/2 A
元皎
　80宋僧24/9 A
21元仁虔
　19姓纂4/4 A
元仁基（惟固）
　2 新唐15/143/4681
元仁觀
　19姓纂4/2 B ⑤
元仁惠
　19姓纂4/2 A
元俳
　19姓纂4/3 B
元虛受
　19姓纂4/2 A
元伾
　5 新表11/75下/3403
　19姓纂4/3 B
元行沖（澹、獻）
　1 舊唐10/102/3176
　2 新唐18/200/5690
　6 舊志6/46/1981
　　　6/46/2011
　7 新志5/57/1434
　　　5/57/1443
　　　5/58/1466
　8 全文272/1 A
　19 姓纂4/2 B
　25登科27/3 B
　28直齋5/11 B
元行欽（李紹榮）
　3 舊五3/70/925
　4 新五1/25/270
元僧
　5 新表11/75下/3403
　19姓纂4/3 B
元師獎
　19姓纂4/5 A
元租

---

① 《五補》作“丁思僅”，今從《全文》、《十國》。
② 《姓纂》作“元彥將”，今據岑仲勉《元和姓纂四校記》考定改正。
③ 《姓纂》“瓘”作“權”，據岑仲勉《元和姓纂四校記》考定改正。
④ 《郎考》此處“季’字原缺，勞格案謂當是季方。《姓纂》有監察御史元正，子季方。《新唐書·文藝傳》元萬頃曾孫季方。
⑤ 《姓纂》作“仁人觀觀”，岑仲勉《元和姓纂四校記》謂“人觀”二字衍。

7 新志5/58/1495
19 姓纂4/5 B
20 郎考2/2 B
元紹俊
　5 新表11/75下/3401
28 元復禮
　5 新表11/75下/3405
元從
　5 新表11/75下/3402
19 姓纂4/3 B
21 御考3/41 A
元從質
19 姓纂4/3 A
30 元注
　5 新表11/75下/3405
19 姓纂4/3 B
元液
19 姓纂4/4 A
元淳
11 全詩11/805/9060
17 紀事下/78/1127
18 才子2/27
元凜
11 全詩11/774/8774
17 紀事上/28/440
元寬 排子
　1 舊唐13/166/4327
　5 新表11/75下/3404
19 姓纂4/3 B
元寬 㫄子
19 姓纂4/2 A
20 郎考14/6 A
元宵
　5 新表11/75下/3404
19 姓纂4/3 B⑤
元邃
19 姓纂4/2 A
元守真
19 姓纂4/3 A
元宰
19 姓纂4/2 A
元安

80 宋僧12/18 A
81 景德16/14 B
元寓
19 姓纂4/2 A
元寄
19 姓纂4/3 B
元寔
19 姓纂4/2 A
元寶琳　見元寶綝
元寶綝
　5 新表11/75下/3401⑥
19 姓纂4/5 A
元寶藏
19 姓纂4/3 A
元寶林
19 姓纂4/3 A
元宗簡（居敬）
19 姓纂4/4 A
20 郎考16/18 A
　　　　17/15 B
25 登科27/11 B
元察
25 登科27/22 A
元寂
11 全詩12/825/9299
40 十國33/5 B
31 元泚
19 姓纂4/4 A
元涉
19 姓纂4/4 A
元顧道
　5 新表11/75下/3402
19 姓纂4/5 A
32 元兆殷
19 姓纂4/5 B
元澄
19 姓纂4/3 A
元泝
　5 新表11/75下/3404
元遜
19 姓纂4/2 A
33 元泳

7 新志5/58/1497
元述古
19 姓纂4/2 B
34 元湛 守真子
19 姓纂4/3 A
元湛 武榮曾孫
19 姓纂4/3 A
元浩（廣成）
80 宋僧6/7 A
元洪
　5 新表11/75下/3405
19 姓纂4/3 B
元衲
40 十國99/7 A
元祐
19 姓纂4/2 B
元遄
19 姓纂4/2 A
35 元神霽
19 姓纂4/3 A
元神儼
19 姓纂4/4 B
元神力
19 姓纂4/4 B
元神威
19 姓纂4/4 B
元禮誠
19 姓纂4/4 A
元禮臣
19 姓纂4/2 B
36 元澤　見元白澤
元禪師
81 景德22/16 A
37 元潮
19 姓纂4/4 A
元瀚
19 姓纂4/2 A
元澹　見元行沖
元通理
　5 新表11/75下/3402
19 姓纂4/3 B
元朗　見玄朗

---

① 《姓纂》"粔"作"拒"，今據岑仲勉《元和姓纂四校記》考定改正。
② 《姓纂》"稹"作"稹"，今據岑仲勉《元和姓纂四校記》考定改正。
③ 《姓纂》作"元澤"，今據岑仲勉《元和姓纂四校記》考定補正。
④ 《姓纂》"修"作"僃"，今據岑仲勉《元和姓纂四校記》考定改正。
⑤ 《姓纂》"宵"作"霄"。按其兄名寬，則當作"宵"。《新表》正作"宵"，可證。
⑥ 《新表》"綝"作"琳"，今從《姓纂》。

38元海（休則）
　　7 新志5/60/1602
元裕
　　19姓纂4/3A
元道護
　　5 新表11/75下/3404
39元逖
　　19姓纂4/2A
40元大士
　　8 全文204/19A
　　19姓纂4/2A
　　20郎考9/4A
　　　　　10/1A
　　　　　13/2A
元大智
　　19姓纂4/4A
元大簡
　　19姓纂4/3A
元友讓
　　11全詩4/258/2881
元友諒
　　8 全文620/15B
元友直
　　11全詩5/288/3290
　　19姓纂4/5B
　　20郎考13/15B
　　　　　14/13A
　　25登科11/22A
元直
　　19姓纂4/2B
元希古
　　19姓纂4/2B
元希聲
　　5 新表11/75下/3403
　　6 舊志6/47/2075
　　7 新志5/60/1600
　　11全詩2/101/1079
　　19姓纂4/3B
　　20郎考10/15A
　　　　　26/4B
　　25登科27/3A
　　39書史5/30A
元志儉
　　19姓纂4/4B
元壽
　　5 新表11/75下/3405
元雄
　　19姓纂4/4B

元杭
　　19姓纂4/3A
41元楷
　　8 全文908/1A
43元博古
　　19姓纂4/2B
元求仁
　　25登科2/27B
元載（公輔、成縱）
　　1 舊唐10/118/3409
　　2 新唐15/145/4711
　　7 新志5/57/1426
　　　　　5/58/1472
　　　　　5/59/1518
　　　　　5/60/1604
　　8 全文369/1A
　　11全詩2/121/1213
　　17紀事上/29/450
　　19姓纂4/5B
　　20郎考13/21B
　　　　　22/7B
　　25登科8/31A
　　26方鎮5/77A
　　28直齋4/34B
元載妻　見王韞秀
44元競
　　7 新志5/60/1625
　　　　　5/60/1626
　　12詩逸中/10190
元恭
　　19姓纂4/2A
元孝緯
　　19姓纂4/2B
　　21御考3/9A
　　　　　3/11B
　　　　　3/15A
元孝直
　　19姓纂4/4A
元孝節
　　5 新表11/75下/3402
　　19姓纂4/3B
元萬頃
　　1 舊唐15/190中/5010
　　2 新唐18/201/5743
　　7 新志5/57/1450
　　8 全文168/7A
　　11全詩1/44/541
　　17紀事上/5/62

　　19姓纂4/4B
元英
　　10續拾8/14B
元若拙
　　19姓纂4/4B
元冀
　　19姓纂4/4B
　　20郎考26/20B
　　67乾道臨安3/4B
　　68咸淳臨安45/15B
元楚
　　8 全文920/7B
元權　見元瓘
46元觀
　　80宋僧9/19B
元觀賓
　　19姓纂4/4A
元恕
　　21御考3/40B①
48元敬同
　　19姓纂4/5B
50元申
　　19姓纂4/3A
元表（鑑水）唐僖宗廣明時僧
　　80宋僧16/12B
元表天寶中高麗國人
　　80宋僧30/2B
元素　見玄素
51元拒　見元袒
52元撥
　　19姓纂4/2A
53元軾
　　19姓纂4/2B
元成壽
　　19姓纂4/4A
元威
　　19姓纂4/3A
54元撝
　　5 新表11/75下/3406
　　19姓纂4/3B
　　21御考3/1B
元撝謙
　　19姓纂4/3A
元持
　　5 新表11/75下/3406
　　19姓纂4/3B
　　20郎考4/21B②
　　　　　6/14A

① 《御考》"恕"字後原缺一字。
② 《郞考》作"特"，今據《新表》等改。
③ 《拾遺》原注："缺姓。"

11全詩11/782/8835
19姓纂10/45A
万俟著
19姓纂10/45A
万俟蕭
19姓纂10/45A

1024₇ 夏

00夏方慶
8 全文615/3A
11全詩6/347/3886
25登科13/23B
08夏謙
8 全文871/4B
17夏承原
9 拾遺47/16A
27夏侯亮
20郎考16/2B
夏侯玄
39書史5/28B
夏侯端
1 舊唐15/187上/4864
2 新唐18/191/5496
19姓纂7/13B⑦
夏侯碎金（劉寂妻）
1 舊唐16/193/5143
2 新唐18/205/5819
夏侯斐
5 新表11/75下/3415
夏侯延祐
36圖誌4/94
40十國56/12A
夏侯琪
25登科25/30B
夏侯子雲
11全詩11/778/8807
夏侯孜（好學）
1 舊唐14/177/4603
2 新唐17/182/5373
5 新表11/75下/3415

8 全文746/15B
11全詩9/563/6531
25登科20/14B
26方鎮4/20B
　　4/57B
　　6/69A
夏侯維
19姓纂5/41B⑧
夏侯締
19姓纂5/41B⑨
夏侯處讓
19姓纂5/41B⑩
夏侯處信
19姓纂5/41B⑪
20郎考18/1A⑫
夏侯處節
19姓纂5/41B⑬
夏侯綏
19姓纂5/41B⑭
夏侯德昭
19姓纂7/13B
夏侯紳
19姓纂5/41B⑮
夏侯岷
20郎考1/4B
夏侯收
19姓纂5/41B⑯
夏侯宜
20郎考1/7A
21御考1/21A
　　2/16A
　　2/31A
夏侯審
2 新唐18/203/5786
11全詩5/295/3352
18才子4/60
20郎考13/9B
　　26/18A
25登科11/23A
夏侯審端　見夏侯端

夏侯審封
1 舊唐14/177/4603
5 新表11/75下/3415
夏侯潭（虛中）
1 舊唐14/177/4605
5 新表11/75下/3415
20郎考1/29A
25登科23/31B
　　27/19B
夏侯浦
25登科27/34A
夏侯澧
19姓纂5/41B⑰
夏侯澤（表中）
1 舊唐14/177/4605
5 新表11/75下/3415
25登科23/21A
夏侯淑
20郎考3/97A
夏侯遵業
19姓纂7/13B
夏侯遵本
19姓纂7/13B
夏侯雄
19姓纂5/41B⑱
夏侯藻（司文）
5 新表11/75下/3415
夏侯楚
11全詩11/780/8821
夏侯坦
1 舊唐14/177/4604
5 新表11/75下/3415
8 全文849/10A
夏侯輻
7 新志5/60/1618
夏侯敬
5 新表11/75下/3415
夏侯敫
5 新表11/75下/3415
夏侯瞳

---

①《郎考》此處作"元和敬"，疑與《郎考》卷三之知敬爲一人。
②③《姓纂》、《郎考》"謙"作"孅"，今據岑仲勉《元和姓纂四校記》考定改正。
④⑤⑥《御考》"廷"作"庭"，今從《姓纂》。
⑦《姓纂》作"夏侯審端"，今據岑仲勉《元和姓纂四校記》考定删"審"字。
⑧《姓纂》"夏侯"作"南郭"，今據岑仲勉《元和姓纂四校記》考定改正。
⑨⑩⑪⑬⑭⑮⑯《姓纂》"夏侯"作"南郭"，今據岑仲勉《元和姓纂四校記》考定改正。
⑫《郎考》原缺"處信"二字，趙鉞謂當是處信，今從之。
⑰⑱《姓纂》"夏侯"作"南郭"，今據岑仲勉《元和姓纂四校記》考定改正。

① 《姓纂》"夏侯"作"南郭",今據岑仲勉《元和姓纂四校記》考定改正。
② 《姓纂》"玄"作"元",今據《新表》改。
③ 《姓纂》"詮"作"銓",今據岑仲勉《元和姓纂四校記》考定改正。
④ 《新表》作"于正方",按《姓纂》及新、舊《唐書》于頔本傳,頔有子正,贊善大夫;方爲頔第二子,于正、于方應是二人,誤。《新表》以正方爲一人,誤。參見沈炳震《新唐書宰相世系表訂譌》。
⑤ 于瓌,《新表》作字匡德,《紀事》、《全詩》作字正德。岑仲勉《讀全唐詩札記》云:"按《新表》七二下:'瓌字匡德。'正字宋人諱改之,唯《廣卓異記》引《登科記》作于瑛。"
⑥ 《姓纂》"瓌"作"環",今據岑仲勉《元和姓纂四校記》考定改正。
⑦⑧ 《姓纂》"承"作"丞",今據岑仲勉《元和姓纂四校記》考定改正。
⑨ 《姓纂》"尹"作"允",今據岑仲勉《元和姓纂四校記》考定改正。
⑩ 《舊唐》本傳、《全詩》、《全文》、《登科》等皆載于邵字相門,唯《新表》謂字德門,未詳孰是,今並存備考。

37于沼
8 全文947/12A
于鄴　見于武陵
38于遂古
5 新表9/72下/2829
19姓纂2/27B
于遊藝
5 新表9/72下/2829
19姓纂2/27B
39于逖
11全詩4/259/2891
17紀事上/27/409
18才子3/48
40于大猷(徽本)
5 新表9/72下/2831
19姓纂2/27B
于士俊
19姓纂2/28A④
于克勤
5 新表9/72下/2830
于克懋
5 新表9/72下/2830
于克構
5 新表9/72下/2830
于志寧(仲謐、定)
1 舊唐8/78/2693
2 新唐13/104/4003
5 新表9/72下/2829
6 舊志6/47/2034
6/47/2073
7 新志5/57/1426
5/57/1428
5/58/1457
5/58/1491
5/58/1495
5/59/1513
5/60/1598
8 全文144/1A
9 拾遺14/15B
11全詩1/33/449
19姓纂2/27B
27郡齋1上/3B
于志本
5 新表9/72下/2826
于嘉祥
5 新表9/72下/2831
19姓纂2/27B
41于頎
5 新表9/72下/2825
42于圻
5 新表9/72下/2828
于韜玉　見于棁
44于蕿　見于夐
于蕘
5 新表9/72下/2823
于兢(德源)
5 新表9/72下/2832
8 全文841/8A
36圖誌2/35
38圖繪2/35A
于孝
20郎考17/2B⑤
于孝辯
20郎考15/1B
于世虔
5 新表9/72下/2818
于蘊
5 新表9/72下/2823
47于懿孫
5 新表9/72下/2825
于超
5 新表9/72下/2824
48于敬言
5 新表9/72下/2821
于敬之京兆長安人，復州刺史
5 新表9/72下/2819
19姓纂2/26B
于敬之河南人，江寧縣令
8 全文186/10B
于敬同
5 新表9/72下/2826
19姓纂2/27A
于棁(韜玉、拱臣)
5 新表9/72下/2832
25登科23/29A
50于申
5 新表9/72下/2820
19姓纂2/27A
21御考3/46A
于肅
1 舊唐12/149/4009
2 新唐13/104/4008
5 新表9/72下/2832
8 全文371/2B
19姓纂2/27B
20郎考9/10B
23故事　翰苑羣書上/24B
24壁記　翰苑羣書上/40A
于貴寧(簡)
19姓纂2/28A
20郎考26/1A
于素
5 新表9/72下/2819
19姓纂2/27A
20郎考17/20B
18/23A
51于頔(允元、思)
1 舊唐13/156/4129
2 新唐17/172/5199
5 新表9/72下/2822
8 全文544/11B
11全詩7/473/5365
19姓纂2/27A
20郎考8/27B
26方鎮4/15B
4/134B
39書史5/28A
54吴郡圖經上/15B
55吴郡志11/3B
73吴興志14/27A
52于哲
5 新表9/72下/2818
57于抱誠
5 新表9/72下/2827

① 《姓纂》作"頫"，岑校據《新表》及四庫本改作"頎"，今從之。
② 《姓纂》無"德"字，今據岑仲勉《元和姓纂四校記》考定補正。
③ 《姓纂》"夐"作蕿，岑仲勉《元和姓纂四校記》謂應從《新表》作"夐"，是。《姓纂》下文"瓊生頊、頔"之"瓊"，亦應作"夐"。
④ 《姓纂》作"子俊"，今據岑仲勉《元和姓纂四校記》考定改正。
⑤ 《郎考》"孝"字後原缺一字。

19姓纂2/27A
于韶
　5 新表9/72下/2824
58于敖(蹈中)
　1 舊唐12/149/4009
　2 新唐13/104/4009
　5 新表9/72下/2832
　11全詩5/318/3589
　19姓纂2/27B
　20郎考3/70B
　　　8/33A
　　　18/13B
　25登科27/9B
　26方鎮5/67B
60于思言
　5 新表9/72下/2826
　19姓纂2/27A
　20郎考11/6B
于思讓
　5 新表9/72下/2824
于思謙
　5 新表9/72下/2824
于因
　5 新表9/72下/2824
61于顗
　5 新表9/72下/2820
　19姓纂2/27A
63于黙成
　1 舊唐12/149/4007
　5 新表9/72下/2831
　19姓纂2/27B
67于明
　5 新表9/72下/2821
于郅
　5 新表9/72下/2829
　19姓纂2/27A
　　　2/27B
68于畛
　5 新表9/72下/2820
　19姓纂2/27A
于晦
　5 新表9/72下/2822
于贈
　2 新唐20/222中/6294
71于頔(休明)
　1 舊唐12/146/3965
　2 新唐15/149/4800
　5 新表9/72下/2820

8 全文443/2B
9 拾遺23/9A
19姓纂2/27A
20郎考11/27A
　　　12/31A
　　　13/22A
于頤
　5 新表9/72下/2821
72于盾
　5 新表9/72下/2825
77于興宗
　5 新表9/72下/2822
　11全詩9/564/6541
　17紀事下/53/803
于周
　5 新表9/72下/2824
于履
　21御考3/2B①
80于人文
　5 新表9/72下/2828
　19姓纂2/27B②
于人聞　見于人文
于益
　2 新唐13/104/4008
　5 新表9/72下/2831
　8 全文371/1A
　19姓纂2/27B
　20郎考20/7A
　23故事　翰苑羣書
　　　　上/24B
　24壁記　翰苑羣書
　　　　上/40A
　25登科9/3A
于公肅
　5 新表9/72下/2819
　19姓纂2/27A
于公異
　1 舊唐11/137/3767
　2 新唐18/203/5784
　8 全文513/6A
　20郎考22/11B
　25登科11/28A
86于錫
　30歷畫10/200
　35畫譜15/4B
　38圖繪2/18A
于知微(辯機)
　5 新表9/72下/2830

8 全文237/7A
19姓纂2/27B
25登科27/2A
于知機
　19姓纂2/28A
87于欽明
　5 新表9/72下/2819
88于銓　見于詮
于筠
　1 舊唐11/137/3765
　19姓纂2/27A
于範
　39書史5/25B
于敏
　5 新表9/72下/2822
　19姓纂2/27A
于敏直
　1 舊唐16/193/5144
　5 新表9/72下/2819
　19姓纂2/26B
　73吳興志14/23A
于敏直妻　見張氏
于敏同
　5 新表9/72下/2819
　20郎考3/6A
　　　4/3B
　　　26/2A
90于惟謙
　19姓纂2/28A
　20郎考10/3A
于光弼
　19姓纂2/28A
于光偉
　19姓纂2/28A
于光進
　19姓纂2/28A
于光宰
　19姓纂2/28A
于光業
　19姓纂2/28A
于光遠
　5 新表9/72下/2831
　19姓纂2/27B
于光運
　5 新表9/72下/2819
　19姓纂2/26B
于光嗣
　19姓纂2/28A

① 《御考》"履"後原缺一字。
② 《姓纂》作"人閭",今據岑仲勉《元和姓纂四校記》考定改正。

90石光贊
　8 全文852/10 B
97石恪（子專）
　11全詩12/865/9786
　32益畫中/10 A
　40十國56/11 A

1060₁ 晉

00晉高祖（石敬塘）
　3 舊五4/75/977
　4 新五1/8/77
　8 全文114/1 A
　9 拾遺10/8 B
　42五補3/1 A
晉高祖皇后李氏
　3 舊五4/86/1131
　4 新五1/17/175
　8 全文127/3 A
晉高祖安太妃
　3 舊五4/86/1133
　4 新五1/17/180
10晉平公主
　2 新唐12/83/3665
22晉出帝　見晉少帝
26晉和
　41九國6/13 A
30晉安公主
　2 新唐12/83/3647
60晉國公主
　2 新唐12/83/3658
67晉暉
　40十國40/7 A
　41九國6/13 A
74晉陵子
　9 拾遺52/18 A
76晉陽公主（明達、兒子）
　　　唐太宗女
　2 新唐12/83/3648
晉陽公主唐代宗女
　2 新唐12/83/3663
90晉少帝（晉出帝、石重貴）
　3 舊五4/81/1067
　4 新五1/9/89
　8 全文118/1 A
　9 拾遺10/13 A

42五補3/1 A
晉少帝皇后張氏
　3 舊五4/86/1133
晉少帝皇后馮氏
　3 舊五4/86/1133
　4 新五1/17/180

1060₃ 雷

00雷彥威
　26方鎮8/35 A
雷彥恭
　3 舊五1/17/237
　4 新五2/41/445
　26方鎮8/35 A
　40十國8/8 B
22雷嶽
　9 拾遺48/5 A
24雷德驤（善行）
　25登科26/21 B
30雷賓泰
　9 拾遺21/17 A
34雷滿（秉仁）
　2 新唐17/186/5421
　3 舊五1/17/236
　4 新五2/41/445
　26方鎮8/34 A
　40十國8/8 B
44雷萬春
　2 新唐18/192/5543
53雷威
　39書史5/28 B

1062₀ 可

00可度者
　1 舊唐16/199下/5354
　2 新唐20/219/6173
可文
　81景德16/18 B
12可弘
　81景德26/10 B
17可瓊
　81景德24/20 A
21可止（文智大師）
　11全詩12/825/9291
　17紀事下/77/1110

18才子3/45
　80宋僧7/11 A
可頻瑜
　8 全文525/12 B
24可先
　81景德26/25 B
可儔（明辯大師）
　81景德22/8 B
可休越州洞岩僧
　81景德19/3 B
可休永興北院僧
　81景德24/15 A
可勳
　81景德26/4 B
25可朱渾定遠
　19姓纂6/33 A
可朱渾懷儼
　19姓纂6/33 A
可朱渾懷敏
　19姓纂6/33 A
27可黎可足
　8 全文999/7 A
30可突于
　1 舊唐16/199下/5352
　2 新唐20/219/6170
46可觀
　81景德19/8 B
77可隆（了空大師）
　11全詩12/851/9631
　81景德21/16 B
可周
　80宋僧7/9 B
可朋（醉髡）
　11全詩12/849/9611
　　　　12/888/10036
　17紀事下/74/1085
　18才子3/45
　40十國57/6 A

1062₁ 哥

36哥邏僕羅
　2 新唐20/221下/6245
　8 全文999/25 B
46哥楞（易勿真莫賀可汗）
　2 新唐19/217下/6142

---

① 《舊五》作“石贊”，今從《新五》本傳。
② 《舊五》作“石暉”，今從《新五》本傳。

87哥舒峘
　　2 新唐15/135/4576
　　19姓纂5/6A
哥舒皓
　　19姓纂5/6A
哥舒崿
　　2 新唐15/135/4576
哥舒圯
　　2 新唐15/135/4576
哥舒嵫
　　2 新唐15/135/4576
哥舒沮
　　1 舊唐10/104/3211
　　19姓纂5/6A
哥舒道元
　　1 舊唐10/104/3211
　　2 新唐15/135/4569
　　19姓纂5/6A
哥舒垣　見哥舒恒
哥舒翰（武愍）
　　1 舊唐10/104/3211
　　2 新唐15/135/4569
　　8 全文406/2B
　　19姓纂5/6A
　　26方鎮8/40B
　　　　8/50B
哥舒晃
　　19姓纂5/6A
哥舒曄
　　19姓纂5/6A
哥舒曜（子明）
　　2 新唐15/135/4574
　　19姓纂5/6A
　　26方鎮8/17B
哥舒恒
　　8 全文740/18A
　　25登科15/23A①

1071₇ 瓦

43瓦棺和尚
　　81景德16/8B

1073₁ 雲

10雲震
　　81景德23/9B
12雲弘允
　　19姓纂3/21B
雲弘業

　　19姓纂3/21B
雲弘暕
　　19姓纂3/21B
　　20郎考25/3B
雲弘善
　　19姓纂3/21B
　　20郎考6/4A
20雲住和尚
　　81景德20/8B
21雲師端
　　19姓纂3/21B
雲師德
　　19姓纂3/21B
22雲山和尚
　　81景德12/13A
30雲安公主
　　2 新唐12/83/3666
雲容
　　11全詩12/851/9633
33雲邃
　　80宋僧29/19B
34雲洪嗣
　　73吳興志14/22B
40雲真
　　8 全文921/1A
44雲蓋和尚
　　81景德16/14A
47雲朝霞
　　69嘉定鎮江16/3B
50雲表
　　11全詩12/825/9293
　　17紀事下/74/1086
　　18才子3/45
60雲昌
　　19姓纂3/21B

1080₆ 賈

00賈彦璋
　　11全詩11/776/8788
　　19姓纂7/12B
　　21御考3/3A
　　　　3/33A
賈彦璿
　　8 全文351/11A
　　19姓纂7/12B
　　21御考2/32B
賈彦璉
　　19姓纂7/12B

賈膺福
　　1 舊唐15/185上/4789
　　2 新唐18/197/5623
　　8 全文259/1B
　　19姓纂7/12A
　　37書小史9/9A
賈廉
　　19姓纂7/11B
賈慶言　見賈敬言
賈文度
　　9 拾遺28/22A
賈文通
　　7 新志5/59/1570
賈言道
　　19姓纂7/11B
賈言中　見賈言忠
賈言忠
　　1 舊唐15/190中/5027
　　2 新唐14/119/4297
　　19姓纂7/11B
　　20郎考4/59A②
　　　　10/14B③
　　25登科27/37B
賈玄贊
　　19姓纂7/12B
賈玄禕
　　5 新表11/75下/3390
　　19姓纂7/12A
賈玄暐
　　5 新表11/75下/3390
05賈竦
　　5 新表11/75下/3391
08賈敦實
　　1 舊唐15/185上/4788
　　2 新唐18/197/5623
　　19姓纂7/11B
　　20郎考5/8A
賈敦頤
　　1 舊唐15/185上/4788
　　2 新唐18/197/5622
　　8 全文161/16B
　　19姓纂7/11B④
10賈正義
　　8 全文303/1A
賈至（幼鄰、幼幾、文）⑤
　　1 舊唐15/190中/5029
　　2 新唐14/119/4298
　　7 新志5/60/1603

① 《登科》原注："恒，一作垣。"

②③ 《郎考》"忠"作"中"，今從《舊唐》、《新唐》、《姓纂》、《登科》諸書。

④ 《姓纂》"敦頤"作"顗"，今據岑仲勉《元和姓纂四校記》考定改正。

⑤ 按，賈至之字有幼鄰、幼幾兩說。《新唐書》本傳及《唐詩紀事》、《全唐詩》、《全唐文》作幼鄰，《郡齋》、《直齋》、《唐才子傳》作幼幾。其字之歧異在唐人所作文中卻已存在，如李華《三賢論》稱幼鄰（《文苑英華》卷七四四），而同時之李舟《獨孤常州集序》作幼幾（同上卷七〇二），未詳孰是，錄以備考。

⑥ 按，《全文》之賈元珪，據小傳，五代晉開運時官殿中侍御史。《姓纂》之賈元珪，曾官賓興令，其時在唐憲宗元和以前，當爲二人。

賈邕
　11全詩3/209/2174
　17紀事上/27/422
　25登科9/18B
賈崇
　40十國23/5B
23賈參寥
　7 新志5/59/1522
24賈侁
　5 新表11/75下/3389
賈德達
　19姓纂7/12A
賈幼知
　19姓纂7/12B
賈稜
　5 新表11/75下/3390
　8 全文594/4A
　11全詩6/347/3880
　19姓纂7/12A
　25登科13/1A
賈緯
　1 舊五5/131/1727
　2 新五2/57/657
　8 全文856/10B
　28直齋4/20A
　　　4/37B
　　　5/17A
25賈仲璣
　19姓纂7/11B
26賈伯業
　19姓纂7/11B
　　　7/12A
賈伯起
　19姓纂7/12A
賈伯招
　19姓纂7/12A
賈伯卿
　19姓纂7/12A
賈伯饒
　19姓纂7/12A
賈和光
　6 舊志6/47/2047
　7 新志5/59/1566
27賈絛
　20郎考26/26A
賈翺
　5 新表11/75下/3389
賈島(浪仙、閬仙、無本、碣

石山人)
　2 新唐17/176/5268
　7 新志5/60/1612
　　　5/60/1626
　11全詩9/571/6617
　　　12/884/9989
　12詩逸上/10187
　17紀事上/40/610
　18才子3/45
　　　5/78
　27郡齋4中/22A
　28直齋19/14A
　　　22/8A
　39書史5/19A
28賈馥
　3 舊五3/71/941
30賈宣譽
　19姓纂7/11B
賈寧
　1 舊唐13/169/4407
　5 新表11/75下/3391
賈憲
　19姓纂7/12A
賈宗
　11全詩11/777/8801①
31賈潭(孟澤)
　25登科24/8A
　40十國9/6B
賈潁　見賈敦頤
32賈洮
　5 新表11/75下/3389
33賈泳
　25登科24/20B
34賈遠則
　5 新表11/75下/3389
36賈渭
　1 舊唐13/169/4407
　5 新表11/75下/3391②
37賈淑
　5 新表11/75下/3389
賈深
　19姓纂7/11B
賈逸
　79續僧34/14B
賈通理
　19姓纂7/12A
38賈道沖
　2 新唐18/193/5558

40賈大隱
　1 舊唐15/189上/4950
　2 新唐18/198/5649
　6 舊志6/47/2028
　　　6/47/2031
　7 新志5/59/1517
　　　5/59/1532
　8 全文188/13B
　19姓纂7/12B
　20郎考10/2B
賈直言
　1 舊唐15/187下/4912
　2 新表18/193/5558
賈直言妻　見董氏
賈賁
　1 舊唐15/187下/4902
　21御考3/14B
42賈彬
　8 全文871/2B
44賈茂宗
　19姓纂7/12A
賈孝女　見賈氏
賈蓀
　19姓纂7/11B③
賈蕡
　8 全文723/10A
　11全詩8/488/5542
　25登科18/5B
賈楚珪
　19姓纂7/12A
賈黃中(娟民)
　25登科26/10B
　　　26/29B
賈林
　7 新志5/59/1551
47賈均清
　19姓纂7/11B
賈郁(正文)
　40十國96/6B
　52仙溪志2/1B
48賈敬言
　5 新表11/75下/3388
　19姓纂7/12A④
賈敬忠
　5 新表11/75下/3390
50賈中立
　9 拾遺25/12A
賈冑　見賈渭

① 《全詩》原注: "宗一作琮。"
② 《新表》"渭"作"冑",並謂賈冑爲寧父,餗祖。按《舊唐書》卷一六九《賈餗傳》云: "(餗)祖渭,父寧。"則《舊傳》之賈渭與《新表》之賈冑實爲一人,渭、冑字異,未詳孰是。今姑從《舊傳》作渭,另出賈冑作參見條。
③ 《姓纂》"蓀"作"孫",今據岑仲勉《元和姓纂四校記》考定改正。
④ 《姓纂》"敬"作"慶",今據岑仲勉《元和姓纂四校記》考定改正。
⑤ 《姓纂》作"賈隱",無"林"字,今據岑仲勉《元和姓纂四校記》考定補正。
⑥ 《姓纂》"公"作"元",今據岑仲勉《元和姓纂四校記》考定改正。
⑦ 《九國》作"賈鐸",無"公"字,今從《十國》。

① 《姓纂》"宏"作"弘",今據新、舊《唐書》本傳改正。
② 《新志》原注:"言一作權。"
③ 《姓纂》謂甄權"有文學,隋朝散大夫"。岑仲勉《元和姓纂四校記》據《譚賓錄》稱權至唐太宗時尚存,其拜朝散大夫在唐太宗時,"隋"字當係"唐"字之誤。
④ 《全詩》原注:"立一作玄。"
⑤ 《郎考》此處作"彥超",趙鉞案,疑卽彥起,見《郎考》卷五。今從之。
⑥ 《馬書》作"彥能",爲南楚州守將,周世宗用兵淮南,諸郡皆降,唯張彥能與其副將鄭昭業堅守楚州,未下,後終因兵寡不敵而死。其事迹與《陸書》記張彥卿者相同。《十國春秋》亦作彥卿,吳任臣云:"卒莫得而詳其孰是。"今據陸、吳二書作彥卿,另列張彥能作參見條。

5 新表9/72下/2684

張廉允恭子
　5 新表9/72下/2692

張府上
　5 新表9/72下/2709

張庭
　26方鎮7/54A

張庭訓
　5 新表9/72下/2707

張庭珪　見張廷珪

張庭秀
　5 新表9/72下/2707

張庭逸
　5 新表9/72下/2707

張庭芳
　7 新志5/60/1622
　8 全文364/1A

張庭貴
　5 新表9/72下/2707

張庭範
　34書譜18/7B

張慶礦祖,世爲農
　3 舊五4/98/1314

張慶無考
　20郎考14/2B

張意义
　5 新表9/72下/2681

張文
　8 全文951/1B

張文謹
　69嘉定鎮江18/47B
　70至順鎮江19/21B①

張文琮
　1 舊唐9/85/2816
　2 新唐13/113/4187
　5 新表9/72下/2713
　7 新志5/60/1601
　8 全文162/6A
　11全詩1/39/503
　17紀事上/5/64

張文瑾　見張文謹

張文瓘(稚圭、懿)
　1 舊唐9/85/2814
　2 新唐13/113/4186
　5 新表9/72下/2712
　7 新志5/58/1495
　8 全文162/7A
　25登科27/24B

張文璕
　5 新表9/72下/2711

張文璉
　5 新表9/72下/2688

張文嵩
　5 新表9/72下/2692

張文倚
　5 新表9/72下/2696

張文仲
　1 舊唐16/191/5099
　2 新唐18/204/5800
　7 新志5/59/1573

張文收
　1 舊唐9/85/2817
　2 新唐13/113/4188
　5 新表9/72下/2714
　7 新志5/57/1436
　11全詩1/38/495

張文寶
　3 舊五3/68/905
　8 全文842/6B
　25登科25/31A

張文禧
　5 新表9/72下/2711

張文達
　5 新表9/72下/2691

張文禮(王德明)
　3 舊五3/62/829
　4 新五2/39/415

張文姬(鮑參軍妻)
　11全詩11/799/8996
　17紀事下/79/1133

張文蔚(右華、在華)②褆子
　1 舊唐14/178/4624
　3 舊五1/18/241
　4 新五2/34/376
　5 新表9/72下/2716
　20郎考4/66B
　　　7/37B
　　　8/58B
　　　21/12B
　25登科23/23A
　　　24/29B

張文蔚瑞子
　5新表9/72下/2696

張文恭
　7 新表5/58/1456
　11全詩1/39/501

17紀事上/3/36

張文懿
　7 新志5/59/1571

張文表
　40十國76/4A

張文規
　1 舊唐11/129/3613
　2 新唐14/127/4449
　5 新表9/72下/2679
　7 新志5/58/1507
　11全詩6/366/4134
　20郎考4/47A
　26方鎮7/48A
　28直齋14/9B
　73吳興志14/30A

張文曜
　5新表9/72下/2691

張文智
　5 新表9/72下/2688

張文範
　5 新表9/72下/2689

張譙
　20郎考16/26B
　　　25/13A

張玄(張羅漢)
　32益畫中/1B
　35畫譜3/7A
　36圖誌2/51
　38圖繪2/28A

張玄　見張立

張玄弼
　5 新表9/72下/2676
　25登科27/25A③
　　　27/34B④

張玄素
　1 舊唐8/75/2638
　2 新唐13/103/3998
　8 全文148/8A

張玄晏(寅節)
　7 新志5/60/1608
　8 全文818/12B⑤

張襃
　5 新表9/72下/2713

張袞克紹子
　5 新表9/72下/2704

張袞宥子
　5 新表9/72下/2712
　20郎考6/14A⑥

① 《至順鎮江》“謹”作“瑾”，今從《嘉定鎮江》。
② 按，新、舊《五代史》本傳謂文蔚字右華，《新表》作字在華，“右”、“在”未詳孰是，待攷。
③④ 《登科》“玄”作“元”，今據《新表》改正。
⑤ 《全文》“玄”作“元”，今據《新志》改正。
⑥ 《郎考》作“裴袞”，勞格謂裴袞又見於《郎考》卷四、卷八，爲文宗時人，與此時代不合，疑此裴袞卽玄宗時張袞，時
　　代亦合。勞說近是，今從之。
⑦ 按，《新表》之張諲，易簡子，未注官職，時代較晚。另一張諲，與王維、李頎等盛唐詩人交友，善丹青，官至刑部員
　　外郎，當是玄宗時人。今分列爲二人。
⑧ 《圖繪》“諲”作“湮”，云刑部員外郎。“湮”當是“諲”之形訛。
⑨ 按，《郡齋》之張詵，據著錄曾撰《文選注》，其他不詳。《赤城志》之張詵，唐睿宗景雲二年爲台州刺史。未知否
　　爲同一人，姑分列，待攷。

20郎考5/10A
　　　6/4B
　　　7/32A
張元正
　11全詩11/782/8840
張元琮
　8 全文260/7B
張元弼　見張玄弼
張元勿
　9 拾遺32/14B
張元徵
　40十國107/3B
　41九國8/2A
張元審
　8 全文760/6A
張元宗
　11全詩8/542/6259⑤
　17紀事上/29/451
張元達　見張義方
張元吉
　5 新表9/72下/2689
張元觀
　20郎考13/4A
張元夫
　1 舊唐13/162/4253
　20郎考20/14A
　25登科27/14A
張元素
　8 全文740/16A
張元晏　見張玄晏
張元昌
　5 新表9/72下/2684
張元瞿
　53赤城志8/12A
張元覽
　8 全文951/13A
張元愔　見張元靖
張震飲璟子
　5 新表9/72下/2706
張震後胤子
　5 新表9/72下/2708

張震游藝子
　5 新表9/72下/2717
　11全詩11/768/8713
　20郎考2/11A
　　　11/20A
張罩
　39書史5/29A
張平高
　1 舊唐7/57/2297
　2 新唐12/88/3746
張平叔
　25登科13/25A
張无逸
　20郎考1/29A
　　　11/63A
　　　13/13B
　　　16/26B
張天
　5 新表9/72下/2682
張天保
　5 新表9/72下/2680
張再英
　5 新表9/72下/2689
張西岳
　9 拾遺26/10B
張晉明
　21御考2/18A
張可記
　5 新表9/72下/2687
張可琮
　41九國2/12A
張可續
　20郎考6/31A
張可復（伯恭）五代周時
　3 舊五5/131/1724
張可復約中晚唐時
　5 新表9/72下/2695
張可英
　5 新表9/72下/2689
張雲（方慶）約中唐人，桐城令
　5 新表9/72下/2711

張雲（景之、瑞卿）唐末人，
　　起居舍人
　7 新志5/58/1469
　8 全文806/8B
　28直齋5/15B
張雲五代人，前蜀右補闕
　40十國43/9A
張雲容
　11全詩12/863/9754
張貢
　5 新表9/72下/2684
張賈
　8 全文531/24A
　11全詩6/366/4133
　17紀事下/59/903
　20郎考3/65A
　　　12/28A
　　　20/11A
　25登科12/16B
　26方鎮3/17A
張不矜
　8 全文363/8B
張不疑
　25登科21/24B
　　　27/15A
張不耀
　8 全文260/25B
11張玩
　5 新表9/72下/2686
張珏
　5 新表9/72下/2706
張珂仲建子
　5 新表9/72下/2694
張珂涇原節度使
　26方鎮1/39B⑥
張珩
　5 新表9/72下/2705
張項
　41九國7/9A
張頂
　11全詩7/472/5363

---

① 按，《新表》之兩張諷，據《新表》排列時序，均當爲晚唐時人。《拾遺》、《郎考》之張諷，唐文宗大和中歷官刑部員外郎、吏部郎中、虔州刺史。時代皆相近，但《新表》兩張諷未載官職，今分列，備考。
② 《郎考》此處作"張詢故"，趙鉞案疑爲詢古之誤。今從之。
③ 按，張謂字正言，此張正言未知是否即張謂，以所載不詳，姑分列，備考。
④ 《御考》作"元愔"，勞格謂疑作"元靖"。今從勞說。
⑤ 《全詩》原注："一作張充宗。"
⑥ 按，《新表》之張珂，爲仲建子，未注官職。《方鎮》之張珂，唐昭宗光化二年爲涇原節度使，似爲二人。

17紀事下/49/743
張斐
  6 舊志6/46/2011
張礪(夢臣)
  3 舊五4/98/1313
  25登科25/10 B
張礪
  3 舊五5/123/1621①
12張登
  7 新志5/60/1605
  11全詩5/313/3525
  17紀事上/40/615
  18才子5/82
  25登科27/37A
  27郡齋4中/3A
張璀涉子
  5 新表9/72下/2689
張璀庭秀子
  5 新表9/72下/2707
張琇審素子, 唐玄宗時)
  1 舊唐15/188/4933
  2 新唐18/195/5584
張琇渥子, 晚唐時人
  5 新表9/72下/2689
張瑀
  5 新表9/72下/2690
張瑞
  5 新表9/72下/2696
張璞
  5 新表9/72下/2695
張珽
  5 新表9/72下/2690
張瑗瀾子, 晚唐時
  5 新表9/72下/2697
張瑗五代時, 仕吳越
  8 全文898/3 B②
  40十國85/8 B
張璣
  5 新表9/72下/2697
張瑤仲建子
  5 新表9/72下/2694
張瑤術子, 封川主簿
  5 新表9/72下/2706
張瑤唐文宗時義武節度使
  26方鎮4/78 B
張瑤
  5 新表9/72下/2704
張弘讓

5 新表9/72下/2707
張弘靖(調、元理)
  1 舊唐11/129/3610
  2 新唐14/127/4447
  5 新表9/72下/2679
  8 全文544/9 B③
  9 拾遺25/13 B④
  11全詩6/366/4131
  17紀事下/59/903
  20郎考4/35A
    20/9 B
  25登科17/24A⑤
  26方鎮2/7A
    4/16 B
    4/35 A
    4/50 B
    4/106 B
  39書史5/31 B
張弘毅
  5 新表9/72下/2686
張弘衍
  5 新表9/72下/2707
張弘胤
  5 新表9/72下/2707
張弘載
  5 新表9/72下/2682
張弘藏
  5 新表9/72下/2684
張弘顯
  5 新表9/72下/2683
張弘雅
  5 新表9/72下/2681
  25登科27/25A⑥
張弘驥
  5 新表9/72下/2707
張弘愈
  1 舊唐9/99/3097
  5 新表9/72下/2687
張弘矩
  5 新表9/72下/2682
張弘智
  5 新表9/72下/2687
張弧
  8 全文828/3 B
  27郡齋1上/4A
張烈
  5 新表9/72下/2685
張廷珪(貞穆)

1 舊唐10/101/3150
  2 新唐14/118/4261
  8 全文269/2 B
  9 拾遺17/2 B⑦
  20郎考4/13A⑧
    27/2A
    27/34 B
  37書小史10/1A⑨
  39書史5/31 B
張廷傑
  5 新表9/72下/2689
張廷裕
  3 舊五3/65/867
張廷蘊(德樞)
  3 舊五4/94/1246
  4 新五2/47/530
張廷範
  2 新唐20/223下/6361
  8 全文839/15A
  26方鎮3/32A
張延師(敬)
  1 舊唐8/83/2776
  2 新唐13/111/4133
  8 全文169/1A
張延朗
  3 舊五3/69/919
  4 新五1/26/282
  8 全文849/13A
  9 拾遺46/8 B
張延翰(德華)
  40十國21/11A
  43馬書10/5 B
  44陸書3/6A
張延播
  3 舊五4/97/1289
張延嗣
  8 全文871/5 B
張延賞(寶符、成肅)
  1 舊唐11/129/3607
  2 新唐14/127/4444
  5 新表9/72下/2679
  8 全文432/1A
  9 拾遺23/3 B
  25登科10/25 B
    10/28 B
    10/30 A
  26方鎮5/3 B
    5/22 B

　　　　　6/62A

張磻
　8　全文732/17A
13張瑄 成繢子，歷官不詳
　5　新表9/72下/2710
張瑄 殿中侍御史
　9　拾遺21/12A⑩
　20郎考18/6A
　21御考3/29B
　　　3/40B
　　　3/48B
張球 汝翼子
　5　新表9/72下/2705
張球　見張演
張武 五代時仕前蜀
　8　全文891/7B
　40十國43/1A
張武 五代時仕吳
　40十國14/4A
張武定
　5　新表9/72下/2721
張瑊
　5　新表9/72下/2701
張琮
　5　新表9/72下/2690
　20郎考18/19B
張戣
　7　新志5/58/1497
張戩
　1　舊唐9/85/2816
　5　新表9/72下/2713
　7　新志5/58/1492
14張珪 隋子，唐睿宗、玄宗時人

　5　新表9/72下/2678
　20郎考11/64B
　　　16/1B
張珪 唐末鄉貢進士
　9　拾遺33/22B
張瑾 歟然子
　5　新表9/72下/2685
張瑾 後胤子，武德令
　5　新表9/72下/2710
張瓘
　3　舊五5/106/1395
張瑛 洪子
　5　新表9/72下/2691
張瑛 婦女
　11全詩11/801/9017⑪
張琪
　5　新表9/72下/2688
張琪
　5　新表9/72下/2677
張璜
　8　全文951/4B
張琳
　40十國40/9A
張勔
　26方鎮7/56B
15張璉 全義祖，田農
　3　舊五3/63/837
張璉 頵子
　5　新表9/72下/2695
張璉 克讓子，永順令
　5　新表9/72下/2704
張璉 乾寧二年涇原節度使
　26方鎮1/39A

張臻
　5　新表9/72下/2721
張建章
　7　新志5/58/1508
張建封（本立）
　1　舊五12/140/3828
　2　新唐16/148/4939
　7　新志5/60/1605
　11全詩5/275/3117
　17紀事上/35/534
　26方鎮3/23B
張建封妾　見眄眄
張建封妓　見眄眄
16張瑝
　1　舊唐15/188/4933
張聰
　5　新表9/72下/2684
張環 湖水主簿天子
　5　新表9/72下/2682
張環 唐玄宗時侍御史
　8　全文352/3B
　21御考2/46A
張璪（文通）
　20郎考22/23B
　30歷畫10/198
　31唐書6/7A⑫
　35畫譜10/8A⑬
　36圖誌5/125
　38圖繪2/14A⑭
張碧（太碧）
　7　新志5/60/1611
　11全詩7/469/5337
　　　12/883/9980

① 按，《舊五》卷九八及《登科》之張磻，據《舊五代史》本傳，五代後唐明宗時曾歷禮部、兵部員外郎，知制誥，契丹人汴，曾授右僕射、平章事。《舊五》卷一二三之張磻，據《舊五代史·張彥成傳》，僅官至昭義行軍司馬。且前之張磻，後唐同光二年(公元924)始擢進士第，而後之張磻，其子彥成，於天成(公元926—930)中即已由泰州鹽鐵判官改鄆州都押牙。無論官職與時代，均不相合。今列爲二人。
② 按，《新表》之張瑗，爲瀾子，晚唐人，未注官職。《全文》、《十國》之張瑗，五代時人，仕吳越錢鏐爲司空，與前似爲二人。
③④⑤ 《全文》、《拾遺》、《登科》"弘"作"宏"，係清人避諱改，今改正。
⑥ 《登科》"弘"作"宏"，係清人避諱改，今改正。
⑦⑧⑨ 《拾遺》、《郎考》、《舊小史》"廷"作"庭"，今據新、舊《唐書》本傳改正。
⑩ 按，《新表》之張瑄，成繢子，鄆王府長史，當爲唐玄宗、肅宗時人，未注官職。《拾遺》、《郎考》、《御考》之張瑄，據《唐會要》卷五九，天寶二年由殿中侍御史改爲太府出納使，又《舊唐書·楊慎矜傳》，天寶六載爲太府少卿。時代相近，未能確定是否爲一人，今分列，備考。
⑪ 《全詩》原注："瑛一作英。"
⑫ 《唐畫》原作"張藻"，即張璪，今改。又可參見五代時荊浩所作《筆法記》文。
⑬ 《畫譜》原注："璪，一作藻。"
⑭ 《圖繪》原注："璪，一作藻。"

17紀事下/45/690
18才子5/80
28直齋19/13B
張碧雅
　40十國63/3A
17張孟常（景宜）
　5新表9/72下/2696
張玓
　5新表9/72下/2697
張珣洪子
　5新表9/72下/2691
張珣瀾子
　5新表9/72下/2697
張瑜
　5新表9/72下/2709
　20郎考3/26B
　　　　7/7B
　21御考1/21A
　　　　2/38A
張翔
　5新表9/72下/2688
張琡悅子，給事中
　5新表9/72下/2679
張琡金部郎中
　20郎考16/8A①
張瓊
　5新表9/72下/2690
張琪
　5新表9/72下/2686
張琛
　5新表9/72下/2685
　8全文901/13A
張璨瑜子
　5新表9/72下/2690
張璨仲誼子
　5新表9/72下/2703
張璨誼子
　5新表9/72下/2706
張璨緒子
　5新表9/72下/2707
張承慶
　72三山志20/31B
張承訓
　5新表9/72下/2709
張承休
　5新表9/72下/2709
　25登科27/35B

張承纘
　5新表9/72下/2709
張承業（繼元、貞憲、正憲）
　3舊五3/72/949
　4新五2/38/403
張承翰
　74臨汀志　大典
　　　　7893/5B
張承奉（金山白衣天子）
　26方鎮5/19B
張及
　3舊五4/94/1246
張及之
　35畫譜14/1B
　38圖繪2/31B
張子琳
　8全文952/2A
張子虙
　5新表9/72下/2681
張子容
　11全詩2/116/1175
　14國秀下/128
　　　　　下/173
　17紀事上/23/344
　18才子1/14
　25登科5/4B
張子良
　69嘉定鎮江16/23B
張子漸
　8全文397/14B
　21御考3/21A
　25登科5/5B
張子沖
　5新表9/72下/2707
張子薈
　5新表9/72下/2707
張子肯
　5新表9/72下/2684
　60剡錄1/7B
　65會稽志3/16A
張子明
　11全詩11/770/8744
張子卿
　5新表9/72下/2706
張子猷
　5新表9/72下/2707
張异潚子

　5新表9/72下/2677
張异鳳鎡子
　5新表9/72下/2685
張畢　見張彙
張尹
　9拾遺21/26A
張君政迴傪
　3舊五3/53/713
　4新五2/36/390
張君政雲州長史
　3舊五4/91/1204
張君政守禮子，韶州別駕
　5新表9/72下/2681
張君緒
　26方鎮1/22B
張君相
　27郡齋3上/10B
張君卿
　1舊唐14/178/4623
　5新表9/72下/2716
　25登科27/13A
18張玠
　1舊唐12/140/3828
　2新唐16/158/4939
張瑜
　5新表9/72下/2686
張玲
　5新表9/72下/2707
張璲
　5新表9/72下/2689
張玫
　36圖誌2/50
　38圖繪2/37B
　40十國56/9B
張孜
　11全詩9/607/7009
　17紀事下/67/1011
張嵇
　5新表9/72下/2679
19張琰
　11全詩11/801/9012
　17紀事下/79/1131
20張重政
　1舊唐15/187下/4909
張重光
　20郎考3/42A
　21御考3/25A
　25登科8/13A

---

① 按，《新表》之張珦爲開元時宰相張説子，曾任給事中。《郎考》之張珦，按《郎考》排列時序，亦在玄宗時，但爲金部郎中。史籍未載張説子曾任此職，疑爲二人，姑分列，備考。
② 按，《新表》僅載爲張季延子，與《新志》之晚唐詩人張喬似爲二人。
③ 《郎考》卷三有張行褘，疑與張仁褘爲一人，因證據不足，今仍分列，詳參張行褘下注文。
④ 按，兩《唐書》之張伾，德宗建中初爲澤潞鎮將，後以武功遷泗州刺史，貞元末卒。《新志》之張伾，據《新志》著錄，撰《判格》三卷，其他未詳，似爲晚唐時。當爲二人，今分列。

張行實
　　7 新志5/58/1495
張行禪
　　20郎考3/9Ｂ①
張行成（德立、定）
　　1 舊唐8/78/2703
　　2 新唐13/104/4012
　　5 新表9/72下/2719
　　7 新志5/57/1428
　　　　5/58/1495
　　8 全文156/22Ｂ
　　25登科27/34Ａ
張行扶
　　5 新表9/72下/2681
張行昌　見志徹
張行則
　　20郎考12/7Ｂ
張行鈞
　　5 新表9/72下/2718
張行簡
　　3 舊五4/88/1147
張處讓
　　5 新表9/72下/2681
張處玄
　　5 新表9/72下/2681
張處襲
　　5 新表9/72下/2683
張處斌
　　7 新志5/58/1496
張處訥
　　5 新表9/72下/2715
張處珣
　　5 新表9/72下/2715
張處瑝
　　5 新表9/72下/2681
張處承
　　5 新表9/72下/2683
張處琁
　　5 新表9/72下/2687
張處信
　　8 全文951/8Ｂ
張處倫
　　5 新表9/72下/2683
張處沖
　　5 新表9/72下/2715
張處遏
　　5 新表9/72下/2687
張處茂

　　5 新表9/72下/2682
張處泰
　　5 新表9/72下/2682
張處揔
　　5 新表9/72下/2687
張處閑
　　5 新表9/72下/2683
張處欽　見張昱
張處榮
　　5 新表9/72下/2682
張虔裕
　　40十國40/8Ｂ
張虔釗
　　3 舊五3/74/973
　　40十國53/8Ｂ
　　41九國7/10Ａ
張頻
　　7 新志5/57/1434
張悊
　　5 新表9/72下/2676
張卓
　　25登科27/28Ｂ
張岯
　　5 新表9/72下/2678
張師迎
　　5 新表9/72下/2704
張師老
　　5 新表9/72下/2695
張師素
　　8 全文724/20Ｂ
張師質
　　5 新表9/72下/2680
張貞
　　5 新表9/72下/2700
張術
　　5 新表9/72下/2706
張縉
　　5 新表9/72下/2689
張緬
　　5 新表9/72下/2683
張穎五代周時
　　3 舊五5/129/1707
　　8 全文857/1Ａ
張穎約中唐時
　　5 新表9/72下/2682
22張豐
　　5 新表9/72下/2716
張豐仁

　　5 新表9/72下/2710
張彪（張山人）
　　11全詩4/259/2892
　　　　12/882/9974
　　17紀事上/23/343
　　18才子3/39
　　39書史5/27Ａ
張鼎（沖和子）約唐初
　　6 舊志6/47/2048
　　　　6/47/2051
　　7 新志5/59/1569
　　　　5/59/1570
張鼎唐玄宗時司勳員外郎
　　8 全文364/9Ｂ
　　11全詩3/202/2108
　　　　12/882/9972
　　14國秀上/127
　　　　上/147
　　20郎考8/55Ｂ
張鼎（台業）唐昭宗時進士
　　18才子10/171
　　25登科24/7Ａ
張嵩（仲山）
　　1 舊唐10/103/3189
　　2 新唐15/133/4544②
　　7 新志5/60/1603③
　　8 全文328/6Ｂ
　　21御考2/29Ｂ
　　25登科27/5Ａ④
　　26方鎮4/26Ｂ⑤
　　　　8/54Ａ⑥
張侹
　　11全詩11/774/8775
張偶
　　5 新表9/72下/2686
　　11全詩4/258/2885
　　17紀事上/24/361
張後胤（嗣宗、康）
　　1 舊唐15/189上/4950
　　2 新唐18/198/5650
　　5 新表9/72下/2708
　　46玉峯志中/23Ａ
　　75崑山志4/2Ａ
張後嗣
　　71嚴州1/27Ａ
張後餘
　　25登科17/3Ａ
張嚴

1 舊唐14/180/4679

張循
　5 新表9/72下/2683

張循之
　11全詩2/99/1065

張循憲
　20郎考7/5A

張仙庭
　7 新志5/59/1522

張仙喬　見張愛兒

張鷟
　3 舊五5/108/1431

張恚
　5 新表9/72下/2687

張岩
　5 新表9/72下/2679

張利貞
　8 全文397/20A
　20郎考16/7A
　21御考2/44B
　　　3/16B
　　　3/19A
　　　3/21B

張利用
　5 新表9/72下/2690

張崇五代吳廬州觀察使
　40十國9/3B
　41九國1/18A

張崇天祐三年常州刺史
　59毗陵志7/17B

張崇訓
　8 全文900/5A
　40十國107/8A

張崇紀
　5 新表9/72下/2696

張崇暉
　71嚴州1/29A

張繼處倫子
　5 新表9/72下/2683

張繼道興子
　5 新表9/72下/2688

張繼(懿孫)唐大曆時詩人

7 新志5/60/1610
11全詩4/242/2718
15中興下/289
17紀事上/25/380
18才子3/42
25登科9/25A

張繼文
　5 新表9/72下/2699

張繼鸞　見張從訓

張繼業
　8 全文843/17B

張繼祚
　3 舊五4/96/1274
　4 新五2/45/492

張繼本
　5 新表9/72下/2709

張纁琪子
　5 新表9/72下/2677

張纁澤子
　5 新表9/72下/2697

張綏
　8 全文408/1A

23張允五代時禮部侍郎
　3 舊五5/108/1429
　4 新五2/57/659
　8 全文855/3A
　25登科26/7A
　　　26/8A
　　　26/8B

張允約唐玄宗祠部員外郎
　20郎考22/7A

張允伸(逢昌、忠烈)
　1 舊唐14/180/4679
　2 新唐19/212/5982
　26方鎮4/109A

張允齡
　5 新表9/72下/2684

張允濟
　1 舊唐15/185上/4784
　2 新唐18/197/5618
　76齊乘6/36B

張允恭

5 新表9/72下/2692

張允明
　5 新表9/72下/2692

張佖常州人
　40十國30/9A

張佖　見張泌

張參
　5 新表9/72下/2715
　7 新志5/57/1451
　8 全文458/1A
　20郎考11/25B
　25登科27/9B
　28直齋3/32B

張獻誠
　1 舊唐11/122/3497
　2 新唐15/133/4550
　8 全文434/4B
　26方鎮2/2A
　　　4/147A
　　　6/73B

張獻之
　5 新表9/72下/2685

張獻恭
　1 舊唐11/122/3498
　2 新唐15/133/4550
　26方鎮4/147A
　　　4/147B

張獻甫
　1 舊唐11/122/3498
　2 新唐15/133/4551
　26方鎮1/17B

張俊
　5 新表9/72下/2699

張俊興
　5 新表9/72下/2679

張台大中十三年進士
　25登科22/37A

張台撰《錢譜》
　27郡齋3上/24A⑦

張岱
　5 新表9/72下/2679

張絾

---

① 《郎考》於張行禕名下注云無考。按此張行禕爲吏部郎中，另《郎考》卷四又有張仁禕，爲吏部員外郎，據其排列
　　次序，皆爲武后時人。疑此處之張行禕應作張仁禕。

②③④⑤⑥ 《新唐》、《新志》、《登科》、《方鎮》並作"張孝嵩"，今從《舊唐》。

⑦ 按，《登科》之張台，據《登科記考》引宋張禮《遊城南記》，謂宜宗大中十三年進士。《郡齋》之張台，撰有《錢譜》，
　　其他皆不詳。未能確定是否爲同一人，姑分列，備考。

① 按,《新表》之張倚,爲九章孫,九章卽張九齡弟,唐玄宗開元、天寶時人。倚既爲其孫,則當爲肅、代宗時人。《全文》、《郎考》、《御考》之張倚,據《全唐文》小傳,謂天寶時侍御史,乃與張九章同時。當係二人,今分列。

② 《全詩》原注:"絃,一作法。"

③ 按,《全詩》載張仲謀詩一首,題《題搗口》,《書譜》則謂張仲謀以草書著稱,其他皆不詳,疑卽一人,待考。

④ 按,《新表》之張仲宣,爲張九齡族孫,揖子。張九齡爲唐玄宗開元時人。《全文》、《登科》之張仲宣,開元九年運籌決勝科及第。時代不合,當爲二人。

11全詩11/770/8745
張保年
　2 新唐20/220/6206
張皋
　1 舊唐14/171/4449
　2 新唐14/118/4289
　8 全文732/15B
張魏賓
　8 全文806/6A
張崒
　5 新表9/72下/2677
張和文喔子
　5 新表9/72下/2691
張和翮子
　5 新表9/72下/2702
張總　見張惣
張纓
　5 新表9/72下/2683
張緟
　9 拾遺19/1A
27張龜齡　見張志和
張歸霸（正臣）
　3 舊五1/16/223
　4 新五1/22/230
　26方鎮4/73B
　　　　8/27A
張歸弁（從冕）
　3 舊五1/16/227
　4 新五1/22/232
張歸厚（德坤）
　3 舊五1/16/225
　4 新五1/22/231
張翮
　5 新表9/72下/2720
張修之
　11全詩11/769/8729
張仍
　5 新表9/72下/2686
張仍裕
　5 新表9/72下/2704
張象
　8 全文804/15A
張衆
　5 新表9/72下/2684
張衆甫（子初）
　11全詩5/275/3121
　15中興上/268
　　　　　上/304

17紀事上/29/448
18才子3/48
張殷衡
　12詩逸中/10200
張忽峅　見張士貴
張惣
　20郎考18/10B
張舟
　5 新表9/72下/2710
　26方鎮7/55B
張翱
　11全詩12/873/9893
張名振
　1 舊唐15/187下/4908
　2 新唐18/193/5555
張名播
　7 新志5/56/1496
張魯客
　5 新表9/72下/2719
張魯封
　11全詩12/871/9876
張嶱
　5 新表9/72下/2695
張粲
　9 拾遺47/4B
張彙
　8 全文615/2A
　11全詩6/368/4141①
張彙征
　71嚴州圖經1/29B
張約
　5 新表9/72下/2715②
　8 全文203/16B
張絢
　7 新志5/58/1466
張絢
　5 新表9/72下/2715
張綢
　5 新表9/72下/2716
張綱
　68咸淳臨安45/13A
張叔弼
　8 全文952/5B
張叔政
　8 全文436/22B
張叔良
　8 全文441/1A
　11全詩5/272/3056

17紀事上/31/497
　25登科10/18A
　　　　10/25B
張叔敖
　5 新表9/72下/2698
張叔卿
　11全詩5/272/3060
張紹
　8 全文872/13B
　11全詩12/887/10024
張紹文
　39書史5/43A
張紹儒
　5 新表9/72下/2695
　25登科27/33A
張紹貞
　1 舊唐13/162/4252
　26方鎮6/55B
張紹先
　39書史5/27A
28張徹
　25登科17/24A
張徵
　3 舊五5/108/1429
張徵夫
　1 舊唐13/162/4253
　25登科27/14B
張倣
　40十國76/4A
張徼
　39書史5/20B
張復
　5 新表9/72下/2702③
　11全詩8/495/5614
　25登科16/4B
張復元
　8 全文594/12A
　11全詩11/779/8815
　25登科13/15A
　　　　13/16A
張復珪（環中）
　5 新表9/72下/2701
　20郎考5/33B
　　　　7/27B
　　　　8/46A
張復魯（敦古）韶州曲江人
　5 新表9/72下/2700
　20郎考13/27B

① 《全詩》原注："一作張彙征。" 按《全唐詩》小傳謂張彙貞元十年進士(《全唐文》小傳同)。而據《嚴州圖經》，張彙征於貞元七年二月自刑部郎中拜睦州刺史，顯係二人。由此可證《全唐詩》校注"一作張彙征"者誤。

② 按，據《新表》，約爲惠珍孫，未載官職，似爲太宗至高宗時人。《全唐文》之張約，據小傳，謂高宗龍朔中司更寺丞。時代相合，當爲一人。

③ 按，據《新表》，復魯爲九章曾孫，九章爲玄宗時人，其曾孫亦當在憲宗元和時，與《全唐詩》之張復時代相合(《全唐詩》小傳謂張復"元和中人")，或卽爲一人。

④ 按，《新表》之張復魯，爲度支郎中，與《郎考》所載者合，當爲一人。但此之張復魯，係始興張氏，世居韶州曲江。《登科》之張復魯，據杜牧《唐故宣州觀察使御史大夫韋公墓誌銘》(《樊川文集》卷八)，稱韋溫有女四人，"長嫁南陽張復魯，復魯得進士第，有名於時"。則爲南陽張氏。時代雖相近，而郡望不同，當係二人。

⑤ 按，《舊五》之張從訓，後唐明宗初授石州刺史，歷憲、德二州刺史，後入晉爲絳州刺史，皆仕於北方諸州。《方鎮》之張從訓，據《通鑑》，唐僖宗中和(公元881)卽已爲嶺南西道節度使，早於前者近五十年，當係二人。

⑥ 按，《新表》之張稔爲濟子，未載官職，韶州曲江人。《書史》之張稔，乃云河東人，以善書著稱，未知是否爲同一人，今姑分列，待考。

⑦ 按，《新表》有二張宥：一爲准子，允齡曾孫，其時當在中唐，未注官職；二爲洽子，仕揚州長史，約當開元之際。《方鎮》之張宥，據《舊唐書·吐蕃傳》及《通鑑》，開元末歷任華州刺史、劍南節度使等職，與《新表》之洽子，時代相近，但未有確據能考定其爲一人，今仍分列，備考。

1 舊唐14/179/4656
2 新唐17/185/5411
5 新表9/72下/2717
7 新志5/60/1616
9 拾遺33/17 B
20 郎考14/13 B
張源德
4 新五2/33/356
張憑
8 全文951/3 B
32張淵
8 全文951/5 A
張列
8 全文260/1 A
20 郎考25/6 A
21 御考2/11 B④
　　　　 2/28 A
張澄真
5 新表9/72下/2687
張澄昱
5 新表9/72下/2687
張漸
1 舊唐10/106/3247
2 新唐19/206/5852
11 全詩2/121/1215
20 郎考16/9 A
23 故事　翰苑羣書
　　　　 上/24 A
24 壁記　翰苑羣書
　　　　 上/39 B
71 嚴州1/28 B
張㤠　見張列
張冰
5 新表9/72下/2684
張叢
11 全詩9/597/6913
26 方鎮7/49 B

張透
5 新表9/72下/2684
張巡(巡)
1 舊唐15/187下/4899
2 新唐18/192/5534
8 全文345/1 A
11 全詩3/158/1611
17 紀事上/25/379
20 郎考25/7 B
25 登科8/14 B
　　　　 27/5 B
張遜
1 舊唐12/141/3854
張業(知業)
40 十國51/5 B
41 九國7/5 B
33張泌(子澄)
8 全文872/17 B
11 全詩11/742/8450⑤
　　　 12/898/10145
40 十國25/11 B
張泳
5 新表9/72下/2717
張浤
21 御考2/34 B
張浚
5 新表9/72下/2721
21 御考1/22 A
張演(球)復魯子
5 新表9/72下/2700
張演
11 全詩9/600/6938⑥
18 才子8/148
張祕
5 新表9/72下/2681
張述　見呂術
張述澤州刺史

3 舊五5/123/1621
張述
8 全文717/14 A⑦
20 郎考5/29 A
張梁客
5 新表9/72下/2720
20 郎考3/81 B
34張為
7 新志5/60/1614
8 全文817/9 A
11 全詩11/727/8329
17 紀事下/65/975
18 才子10/171
25 登科27/18 B
28 直齋22/10 B
張洗(濯纓)
8 全文633/19 B
張湛
9 拾遺50/26 B
張滿
5 新表9/72下/2685
張漪(若水)東之子
2 新唐14/120/4323
5 新表9/72下/2676
25 登科4/3 A
　　　　 27/3 B
張漪文瓘子
5 新表9/72下/2712
張浤　見張絃
張法
8 全文399/15 A
張漾
2 新唐14/125/4411
5 新表9/72下/2678
8 全文617/7 A
9 拾遺26/7 A
11 全詩5/288/3288

---

① 按，《新志》之張容，咸通間人，撰《九江新舊錄》三卷。《唐畫》之張容，工畫仕女，其他皆不詳。未能確定爲同一人，今分列，備考。

② 《郎考》作"張□容"，原缺一字。

③ 按，《新表》之張密，爲張均子，當是唐玄宗、肅宗時人。《新志》之張密，晚唐人，著《廬山雜記》一卷，他皆不詳，當爲二人。

④ 《御考》此處作"張㤠"，勞格謂同書卷二五有監察張列，疑卽是。

⑤ 《全詩》原注："泌，一作佖。"

⑥ 按，《新表》之張演，初名球，爲度支郎中復魯子，未注官職，約晚唐時人。《全詩》、《才子》之張演，唐懿宗咸通十三年進士及第，《全唐詩》載其詩一首。時代相近，但未能確定卽爲同一人，今分列，備考。

⑦ 按，《舊五》之張述，爲五代周張彥成祖，歷澤州刺史。《全文》之張述，爲唐太宗大和時司封郎中、袁州刺史，與《郎考》卷五(卽司封郎中)所載者合。二者時代相近，但尚未能確定是否卽是一人，今分列，備考。

25登科12/27 B
26方鎮6/45 A
張漢融
　4 新五1/22/232
張漢環
　3 舊五3/61/821
張漢瑜
　26方鎮4/11 B
張漢鼎
　3 舊五1/16/224
張漢傑
　3 舊五1/16/224
　4 新五1/22/231
張汝亮
　5 新表9/72下/2705
張汝弼
　5 新表9/72下/2704
張汝翼
　5 新表9/72下/2705
張濤
　48寶慶四明16/3 A
張洪
　5 新表9/72下/2691
張濆
　5 新表9/72下/2701
張濱
　53赤城志32/3 A
張襑
　20郎考8/53 A
　　　12/51 A
張禕（冠章）
　1 舊唐13/162/4253
　9 拾遺33/1 A
　11全詩10/667/7633
　69嘉定鎮江16/4 B
張祐
　5 新表9/72下/2691
張祐　見張祜
張祜（承吉）
　7 新志5/60/1612①
　11全詩8/510/5794
　　　12/870/9858
　　　12/879/9952
　　　12/883/9984
　17紀事下/52/792
　18才子6/107②
　27郡齋4中/12 B
　28直齋19/17 B③

70至順鎮江19/21 B
張邁
　20郎考10/8 B
張達
　3 舊五5/131/1724
張造唐德宗貞元時渭南縣尉
　8 全文621/5 A
張造五代前蜀
　40十國40/8 A
　41九國6/14 A
35張沖（孝源）
　5 新表9/72下/2713
張沖虛
　8 全文928/13 A
張清朝
　5 新表9/72下/2710
張神安
　8 全文156/21 B
36張泊（師黯、師闇、偕仁）
　8 全文872/2 A
　9 拾遺47/11 A
　27郡齋3下/8 A
　40十國30/11 A
　43馬書23/8 B
張墊
　5 新表9/72下/2720
張溫（德潤）
　3 舊五3/59/798
張溫彥
　5 新表9/72下/2704
張溫琪
　25登科22/22 B
張溫業
　5 新表9/72下/2704
張溫裕
　5 新表9/72下/2704
張溫士
　5 新表9/72下/2699
　20郎考18/21 B
張溫其
　5 新表9/72下/2699
張溫卿
　5 新表9/72下/2704
張涓
　5 新表9/72下/2687
張潭
　5 新表9/72下/2679
張澤

5 新表9/72下/2697④
7 新志5/60/1617
張昶
　20郎考3/18 B
　　　22/5 B
　21御考2/11 B
　　　2/41 B
張褐（公表）
　1 舊唐14/178/4623
　3 舊五1/18/241
　5 新表9/72下/2716
　20郎考8/61 B
　　　21/8 A
　24壁記　翰苑羣書
　　　　上/57 B
　25登科22/12 B
　26方鎮3/10 B
張遇賢
　40十國66/5 A
　43馬書26/5 A
37張渥
　5 新表9/72下/2689
張濯
　8 全文446/7 B
　11全詩4/262/2910
　17紀事上/28/430
　25登科10/5 B
張浣
　5 新表9/72下/2686
張淘古
　27郡齋2上/18 B
張潮
　7 新志5/60/1610
　11全詩2/114/1159⑤
　70至順鎮江19/21 A
張潤
　5 新表9/72下/2685
張瀾
　5 新表9/72下/2697
張鴻
　11全詩11/774/8776
張渙
　5 新表9/72下/2679
張淑
　23故事　翰苑羣書
　　　　上/24 A
　24壁記　翰苑羣書
　　　　上/39 B

---

① 按，《新書》之張祐，據《新表》爲瑛子，其他不詳，當與晚唐詩人張祜(字承吉)者非同一人。又詩人張祜亦有作張
祐者，今統作張祜，另出張祐作參見條目。

②③ 《才子》、《直齋》作"張祐"，今從《新志》。

④ 按，《新表》張澤，未注官職，唐末人。下《新志》之張澤，撰《飲河集》十五卷，亦爲唐末時人，疑卽一人，備考。

⑤ 《全詩》原注："潮，一作朝。"

⑥ 按，《新表》之張通，爲惠珍孫，曹州刺史，約唐太宗、高宗時人。《歷畫》之張通，高宗、武后時畫家，僅云："並工山
水雜畫，通尤精贍。"未載官職。似爲二人，今分列，備考。

⑦ 按，兩《唐書》之張洽，爲唐高宗時宰相文瓘子，官至魏州刺史。《新表》有二張洽，一卽上文瓘子，一爲唐高宗相
大安子，左金吾將軍。《吳興志》之張洽，乃武后大足元年湖州刺史，時代與前二人相近，未能確定當屬何人。上
《郎考》之張洽，亦爲唐初人。今分列，備考。

張克讓採子
　5 新表9/72下/2704
張克己
　5 新表9/72下/2690
張克柔
　5 新表9/72下/2690
張克和
　5 新表9/72下/2704
張克脩
　5 新表9/72下/2683
張克紹
　5 新表9/72下/2704
張克從
　5 新表9/72下/2691
張克儉
　5 新表9/72下/2696
張克勤左武衛大將軍
　1 舊唐12/141/3859
　2 新唐15/148/4771
張克勤進士
　25登科27/33 B①
張克恭茂昭子
　1 舊唐12/141/3859
張克恭採子
　5 新表9/72下/2703
張克戎
　5 新表9/72下/2683
張有德
　55吳郡志11/4 B
張南
　36圖誌2/44
張南容
　11全詩11/777/8799
　25登科8/12 B
張南史(季直)
　7 新志5/60/1610
　11全詩5/296/3356
　15中興下/301
　17紀事下/41/634
　18才子3/52
　28直齋19/16 A
張南本

32益畫上/8 A
35畫譜2/8 B
36圖誌2/32
38圖繪2/8 B
張希裴
　20郎考3/6 B
張希虞
　5 新表9/72下/2703
張希崇(德峯)
　3 舊五4/88/1147
　4 新五2/47/528
　8 全文851/17 B
張希臧
　5 新表9/72下/2718
張希復薦之，深州陸澤人
　1 舊唐12/149/4025
　25登科27/12 A
張希復(善繼)鎮州常山人
　11全詩8/546/6310
　　　12/891/10060
張希璧
　5 新表9/72下/2703
張希範
　5 新表9/72下/2692
張存始興張氏
　5 新表9/72下/2682
張存清河張氏
　25登科27/31 B
張存信
　3 舊五4/91/1204
張存敬
　3 舊五1/20/275
　4 新五1/21/217
張存則
　8 全文951/10 B
　25登科17/2 B
張志亮
　26方鎮8/38 B
張志和(子同、龜齡、煙波子、煙波釣徒、玄真子)
　2 新唐18/196/5608
　7 新志5/59/1518

　　　5/59/1522
　8 全文433/1 A
　11全詩5/308/3491
　　　12/890/10053
　17紀事下/46/708
　18才子3/55
　25登科27/28 B
　28直齋9/23 B
　30歷畫10/203
　31唐畫6/17 B
　37書小史10/6 A
　38圖繪2/20 A
　39書史5/20 A
　65會稽志14/51 A
　73吳興志17/25 A
張志寬
　1 舊唐15/188/4918
　2 新唐18/195/5579
張友
　5 新表9/72下/2682
張友正唐德宗貞元時人
　8 全文536/3 B
張友正撰《雜編》
　7 新志5/60/1609②
　11全詩11/727/8327
張友直
　39書史5/23 A
張嘉貞
　1 舊唐9/99/3090
　2 新唐14/127/4441
　5 新表9/72下/2679
　8 全文299/12 B
　11全詩2/111/1137
　17紀事上/14/205
　25登科3/7 B
　26方鎮4/25 B
　　　6/54 B
　53赤城志8/13 A
張嘉穎
　5 新表9/72下/2695
張嘉祐
　1 舊唐9/99/3093

---

① 按，兩《唐書》之張克勤，係唐憲宗義武及河中等州節度使張茂昭子，以父蔭與弟克恭官諸衛大將軍，克勤並於穆宗長慶中爲左武衛大將軍。《登科》之張克勤，乃徐松《登科記考》引《太平廣記》，於某年應明經舉後又舉進士及第，他皆不詳。當爲二人，今分列。

② 按，《全文》之張友正，據《全唐文》小傳，謂唐德宗貞元時人。《新志》之張友正，撰《雜編》一卷，依《新志》排列時序，約當唐僖宗、昭宗時，與《全唐詩》小傳所云"唐末人"相合。則《全文》之張友正與《新志》、《全詩》之張友正爲同名異人。

① 按，《新志》、《歷畫》、《唐畫》、《畫譜》、《圖繪》之張萱，爲唐時著名畫家，據《新志》載:"開元館畫直。"似未曾任他
　職。《全文》之張萱，據《全唐文》小傳，唐玄宗天寶時渝州太守。《郎考》、《御考》之張萱，曾爲金部郎中、倉部員外
　郎、知雜御史等職。三者時代雖皆相近，然仕履不合，今分列，備考。

② 據《新表》載，張孝詢爲太子率更令文收子，太僕少卿。《新表》在此之前又載有張詢孝，爲吏部侍郎詢
　古弟，其祖虔威，隋江都贊務，父名不詳。張詢孝與張孝詢時代相同，官職相近。沈炳震《新唐書宰相世系表訂
　訛》謂"孝詢卽前詢孝詢，重出"。沈說備參。

③ 按，《新表》之張桂，智子，其他不詳。《圖繪》之張桂，亦僅謂唐畫家。未能確定爲同一人，今分列，備考。

④ 按，《新表》之張權，與孔穎達等同撰《禮記正義》，爲魏王李泰參軍事。《全文》與《郎考》之張權爲唐憲宗時人，時
　代不合，當是二人。

⑤ 按，《新表》之張林，沆子，約唐昭宗時，未載官職。《全詩》、《紀事》、《登科》之張林，亦唐末人，擢進士第，官至御
　史，他亦不詳。未能確定是否卽爲一人，今分列，備考。

① 《郎考》此處作"張鈞"，勞格疑"鈞"當作"均"。今從勞說。

② 《紀事》將此張朝排列在中唐時，並謂大曆時詩人，但又稱其爲丹陽人。按下之張朝見張潮者，卽丹陽人，殷璠嘗輯其詩人《丹陽集》，見《新志》，但張潮爲唐玄宗開元時人。時代不相及，似當爲二人。然《紀事》云張朝爲丹陽人，是否有誤，亦待考。

③ 按，《新表》之張起，郎子，端州司戶參軍，時約晚唐。《全詩》之張起，小傳未載其生平仕履，其時亦當爲晚唐。但未能確證其爲一人，今分列，備考。

④ 《御考》此處"樽"作"搏"，今從同書卷一作"樽"。

⑤ 按，《新表》之張振，爲欽尊子，未注官職，似爲中唐時。《郎考》之張振，按其排列時序，當爲唐高宗時主客郎中。時代不合，當是二人。

⑥ 按《新表》載九章子數人，內有二張授，一爲楊川主簿，一未注官職。二子同名，不合情理，定有誤。

張昌宗(六郎)易之弟、武后時
　1 舊唐8/78/2706
　2 新唐13/104/4014
　5 新表9/72下/2719
　6 舊志6/47/2046
　7 新志5/59/1563
　11 全詩2/80/868
張昌期
　5 新表9/72下/2718
　20 郎考12/5 B
張固
　7 新志5/59/1542
　11 全詩9/563/6534
　20 郎考15/21 B
　26 方鎮7/48 A
　27 郡齋3下/5 A
　28 直齋11/5 A
張署
　11 全詩5/314/3538
　18 才子5/85
　25 登科12/16 B
　　　27/37 A
張圖(張將軍、仲謀)
　33 五代畫遺6/23 A
　36 圖誌2/44
　38 圖繪2/34 A
張果(通玄先生)
　1 舊唐16/191/5106
　2 新唐18/204/5810
　7 新志5/59/1521
　8 全文923/1 A
　11 全詩12/860/9718
張景
　8 全文397/16 B
張景新
　5 新表9/72下/2687
張景重
　5 新表9/72下/2689
張景升
　1 舊唐15/185下/4810
　2 新唐13/100/3948③
張景休
　74 臨汀志 大典
　　　　7893/15 B

張景佚
　1 舊唐15/185下/4810
　2 新唐13/100/3948
張景宣　見張孟常
張景源
　8 全文270/10 A
　11 全詩2/105/1102
　17 紀事上/12/180
張景初
　1 舊唐11/129/3613
　5 新表9/72下/2680
張景淑
　21 御考3/14 A
　　　3/22 B
張景遵
　73 吳興志14/24 B
張景思蕭子
　5 新表9/72下/2694
張景思張玄後裔
　32 益畫下/1 A
　36 圖誌2/53
　38 圖繪2/38 B
張景昇　見張景升
張景明
　8 全文352/2 B
　20 郎考6/8 B
　　　18/4 B
　21 御考1/21 B
　　　2/14 A
　　　2/37 B
　　　2/46 B
張景毓
　8 全文405/12 B
張景當
　5 新表9/72下/2681
61 張晤
　5 新表9/72下/2714
　21 御考2/8 A
　　　2/32 A
張顒
　5 新表9/72下/2692
張顥
　40 十國13/5 A
62 張睽妻　見侯氏

張則
　5 新表9/72下/2676
63 張默之
　8 全文952/3 A
張貽憲(去華)
　1 舊唐14/178/4624
　5 新表9/72下/2716
　25 登科24/14 B
64 張曉
　1 舊唐15/187下/4899
　20 郎考13/6 B
　21 御考2/51 A
　　　3/33 B
張睦
　40 十國95/6 B
張時敏
　8 全文951/6 B
張疇
　8 全文951/2 B
張暐
　1 舊唐10/106/3247
　2 新唐14/121/4334
　21 御考1/10 A
張晧然
　5 新表9/72下/2685
66 張睍　見張道古
張曙裴子
　8 全文829/24 A
　11 全詩10/690/7923
　17 紀事下/66/996
　18 才子9/168
　25 登科24/5 A
張曙(阿灰)禋子
　11 全詩12/891/10070
張嚴
　3 舊五5/131/1723
67 張明允
　21 御考1/20 B
張鳴鶴
　8 全文951/16 B
張昭　見張昭遠
張昭胤
　39 書史5/42 B
張昭遠(昭、潛夫)

---

① 按，《新表》之張昱，初名處欽，洪州都督府參軍弘矩子，未注官職。《圖繪》之張昱，僅謂爲唐畫家，他皆不詳。
　未能確定爲同一人，今分列，待考。
② 《全詩》"暈"作"翬"，並注云："翬，一作暈。"今從《新志》作"暈"。
③ 《新唐》"升"作"昇"，今從《舊唐》。

① 《全文》作"張昭"，係五代時避劉知遠諱省"遠"字，今補正。下《續拾》、《全詩》、《登科》同。
② 《郎考》此處作"張昭令"，勞格謂"《郎考》卷一二作張昭命，疑是"。今從勞説。
③ 《登科》"隲"作"隲"，今從《新表》。

張合憨
  64掇英18/11B
  65會稽志2/26B
張善安
  1 舊唐7/56/2277
  2 新唐12/87/3729
張善相
  1 舊唐15/187上/4871
  2 新唐18/141/5505
張善見
  5 新表9/72下/2721
張谷
  2 新唐19/214/6018
張公謹(弘慎、襄)
  1 舊唐8/68/2506
  2 新唐12/89/3755
  5 新表9/72下/2720
  8 全文134/15B
張公珽
  57景定建康49/26A
  58金陵志13下/44A
張公儒
  20郎考15/19A
  71嚴州1/30A
張公休
  69嘉定鎮江14/3B
張公义
  8 全文951/20B
  11全詩11/782/8837
張公藝
  1 舊唐15/188/4920
張公素(白眼相公)
  1 舊唐14/180/4680
  2 新唐19/212/5982
  26方鎮4/110A
  41九國6/14A
張公鐸
  40十國51/8B
  41九國7/9A
82張釗
  5 新表9/72下/2707
張鋋
  5 新表9/72下/2698
張鐪
  26方鎮1/38B
84張銑
  7 新志5/60/1622
  28直齋15/5A

張鑄(司化)文蔚子
  3 舊五1/18/242
  8 全文861/15A
  25登科25/6B
張鑄瑛子
  5 新表9/72下/2691
張鎌   見張鐸
85張鍊
  8 全文408/20B
86張錫文琮子
  1 舊唐9/85/2816
  2 新唐13/113/4188
  5 新表9/72下/2714
  11全詩2/105/1102
  17紀事上/9/116
  20郎考11/3A
     12/8A
張錫瑛子
  5 新表9/72下/2691
張鐸(司振)
  1 舊唐14/179/4656①
  5 新表9/72下/2717
  20郎考1/26B
     25/12B
張知玄
  1 舊唐15/185下/4809
  2 新唐13/100/3947
  25登科27/25B②
張知元   見張知玄
張知久
  5 新表9/72下/2717
張知微(通幽)
  5 新表9/72下/2708
  20郎考17/21B
張知謇(匪躬)
  1 舊唐15/185下/4809
  2 新唐13/100/3947
  20郎考13/1B
  25登科27/25B
張知實(冠仁)
  5 新表9/72下/2712
  25登科20/14B
張知業   見張業
張知古
  5 新表9/72下/2721
張知泰(定)
  1 舊唐15/185下/4809
  2 新唐13/100/3947

  20郎考1/3A
  25登科27/25B
張知默
  1 舊唐15/185下/4809
  2 新唐13/100/3948
  25登科27/25B
張知晦
  1 舊唐15/185下/4809
  2 新唐13/100/3947
  25登科27/25B
張智
  5 新表9/72下/2699
張智周
  25登科27/33A
87張鈞   見張均
張鈞郇子
  5 新表9/72下/2688
張鈞涇原節度使
  26方鎮1/38A③
張鍛
  5 新表9/72下/2704
張鋒
  5 新表9/72下/2685
張欽
  5 新表9/72下/2695
張欽元
  34書譜5/1B
  39書史5/11B
張欽瑒
  5 新表9/72下/2706
張欽璟
  5 新表9/72下/2706
張欽尊
  5 新表9/72下/2707
張欽敬
  8 全文401/18A
  11全詩11/780/8822
張朔
  8 全文901/11B
88張銳
  20郎考3/1B
張鎰(季權、公度)
  1 舊唐11/125/3545
  2 新唐15/152/4829
  5 新表9/72下/2709
  7 新志5/57/1434
     5/57/1446
     5/59/1512

---

① 《舊唐》作"張鎬",今從《新表》、《郎考》。
② 《登科》"玄"作"元",今據兩《唐書》改。
③ 按,一作張均之張鈞,爲唐玄宗時張說子。《新表》之張鈞,爲湖南鹽鐵判官張郢子,未注官職。《方鎮》之張鈞,
　　唐僖宗中和二年爲涇原節度使,與《新表》之張鈞時代相近,但未能確定爲同一人。今分列,備考。
④ 《郎考》作"張懷□",原闕一字。
⑤ 《郎考》作"張奇",勞格案:"《御史臺侍御題名》有張光奇,疑卽是。"今從勞説。

11全詩8/505/5746
張光輔
1 舊唐9/90/2922
20郎考11/6A
　　　12/6A
張光晟
1 舊唐11/127/3573
8 全文445/5A
26方鎮1/83A
張光敏
5 新表9/72下/2689
張尚進
2 新唐19/207/5868
張常洧(巨川)
57景定建康49/26A
58金陵志13下/44A
張省躬
8 全文406/5A
11全詩12/865/9784
21御考3/28B
張賞
20郎考12/20B
張焆
5 新表9/72下/2689
張棠
25登科21/17A①
91張愃
2 新唐12/89/3756
5 新表9/72下/2720
張烜
7 新志5/58/1491
　　　5/59/1563
11全詩11/769/8729
21御考3/19B
27郡齋3下/22A
92張桃
8 全文405/12A
93張怡
5 新表9/72下/2691
張燨
11全詩11/774/8777
94張忱
20郎考22/18A
張慎
5 新表9/72下/2685
張慎微
5 新表9/72下/2722
25登科26/28B

張慎思
3 舊五1/15/214
26方鎮3/33B
96張懷藏
1 舊唐16/191/5097
2 新唐18/204/5802
97張耀
8 全文951/1A
張燿
5 新表9/72下/2691
張爘
11全詩7/466/5307
17紀事下/46/706
99張瑩韶州曲江人
5 新表9/72下/2685
張瑩(昭文)連江人
11全詩11/795/8949②
25登科24/3A
72三山志26/5A
張榮爍子
5 新表9/72下/2690
張榮德言子
5 新表9/72下/2707
張榮問
8 全文952/1B

1140₀ 斐

80斐公衍
12詩逸中/10196

1142₇ 孺

12孺登(少室山人)
7 新志5/59/1522

1173₂ 裴

00裴充
20郎考18/16A
73吳興志14/29B
裴兗
5 新表7/71上/2203
裴亮
5 新表7/71上/2199
裴彦先
1 舊唐9/87/2845
5 新表7/71上/2186
裴齊參
5 新表7/71上/2229
裴齊游

5 新表7/71上/2229
裴齊嬰
5 新表7/71上/2230
裴齊丘
5 新表7/71上/2230
裴齊閔
5 新表7/71上/2229
裴方產
5 新表7/71上/2218
20郎考1/1A
裴育
5 新表7/71上/2207
裴裔
5 新表7/71上/2190
裴康時
5 新表7/71上/2184
裴庭裕　見裴廷裕
裴度(中立)
1 舊唐14/170/4413
2 新唐17/173/5209
5 新表7/71上/2242
7 新志5/58/1493
　　　5/60/1624
8 全文537/1A
9 拾遺25/4B
17紀事上/33/515
20郎考5/22A
　　　6/19B
　　　7/38B
25登科12/24B
　　　13/5A
　　　13/23B
26方鎮4/35A
　　　4/37A
　　　4/138A
　　　4/151B
　　　5/26B
　　　8/69A
28直齋16/17A
裴慶遠
5 新表7/71上/2212
裴廣襄冶子
5 新表7/71上/2202
8 全文401/25B
裴廣罸子
5 新表7/71上/2241
裴文立
5 新表7/71上/2187

裴享
　5 新表7/71上/2184
裴交泰
　11全詩7/472/5359
　17紀事上/36/560
裴讓
　5 新表7/71上/2244
裴詃
　5 新表7/71上/2180
裴玄本
　5 新表7/71上/2218
　20郎考11/1 B③
裴玄智
　11全詩12/869/9843
裴袞(補臣)
　5 新表7/71上/2197
　20郎考4/45 B
　　　　10/8 B
裴袞　見張袞
裴京
　5 新表7/71上/2208
01裴諧
　11全詩11/715/8221
　17紀事下/65/974
　18才子10/180
　25登科24/31 B
裴襲治
　5 新表7/71上/2202
02裴謠
　5 新表7/71上/2188
03裴誼
　9 拾遺30/12 B
　20郎考15/17 B
　26方鎮5/68 A
　　　　5/84 A
裴識(通理、昭)
　1 舊唐14/170/4433
　2 新唐17/173/5219
　5 新表7/71上/2243
　20郎考8/37 B
　　　　11/44 B
　　　　26/21 B

26方鎮1/10 A
　　　　1/24 B
　　　　1/35 B
　　　　1/78 A
　　　　2/37 B
　　　　3/9 A
　　　　6/37 A
裴諴
　5 新表7/71上/2243
　11全詩9/563/6540
　20郎考26/24 A
04裴訥
　5 新表7/71上/2188
裴謨
　5 新表7/71上/2220
　53赤城志8/22 B
05裴靖
　5 新表7/71上/2207
裴竦
　5 新表7/71上/2189
　21御考3/51 B
07裴望
　5 新表7/71上/2223
裴望郎
　5 新表7/71上/2188
裴調
　5 新表7/71上/2243
裴詡
　5 新表/71上/2242
　20郎考11/44 A
　　　　13/11 A
裴諝(士明)
　1 舊唐11/126/3567
　2 新唐14/130/4490
　5 新表7/71上/2205
　8 全文371/17 B
　11全詩12/873/9891
　　　　12/887/10022
　20郎考1/10 B
　　　　9/11 A
　　　　11/72 B
　25登科27/29 B

30歷畫10/197
38圖繪2/24 B
裴讚(宜業)
　1 舊唐14/170/4434
　5 新表7/71上/2242
　20郎考5/4 A
　25登科19/8 A
裴歆
　5 新表7/71上/2206
　21御考1/25 B
　　　　2/19 A
08裴敦柔
　5 新表7/71上/2225
裴敦復
　20郎考3/26 B
　　　　10/8 A
　21御考1/24 B
　　　　2/43 A
　　　　3/18 A
　25登科7/15 B
　　　　7/33 A
　　　　7/34 A
裴説
　11全詩11/720/8260
　17紀事下/65/974
　18才子10/180
　25登科24/31 B
　27郡齋4中/17 A
　28直齋19/25 A
　39書史5/33 B
裴諗
　1 舊唐14/170/4434
　2 新唐17/173/5220
　5 新表7/71上/2243
　20郎考5/29 B
　　　　10/30 B
　24壁記　翰苑羣書
　　　　　上/50 B
　26方鎮5/70 A
裴海
　5 新表7/71上/2219
09裴談

① 按，徐松謂"棠一作堂"。
② 《全詩》作"張塋"，小傳謂速江人，大順初登第，官禮部尚書。按《全詩》僅載其詩兩句，並注云："見地志。"此所謂"地志"，卽《淳熙三山志》。《三山志》載此詩二句，其作者云張塋，並云連江人，大順初登第。徐松《登科記考》同。由此可見　有關張塋事迹及詩，唯一史料來源卽《三山志》。今據此改"塋"爲"塋"。又《全詩》小傳記其籍貫爲速江，唐無速江建置，當係連江之訛。
③ 《郎考》"玄"作"元"，係清人板刻避諱改，今據《新表》改正。

5 新表7/71上/2184
11全詩12/890/10049
10裴正
5 新表7/71上/2240
裴正覺
5 新表7/71上/2228
裴王廷
7 新志5/59/1571
裴瑰
7 新志5/59/1571
53赤城志8/11B①
裴璋
5 新表7/71上/2189
裴元　見裴次元
裴元琰
5 新表7/71上/2192
裴元乘
5 新表7/71上/2227
裴元裕
26方鎮7/58B
裴元本　見裴玄本
裴元明
5 新表7/71上/2184
裴元質
5 新表7/71上/2209
20郎考8/12B
25登科27/3A
裴元簡
5 新表7/71上/2187
裴夏
5 新表7/71上/2242
裴平
5 新表7/71上/2242
裴霸(士會)
5 新表7/71上/2205
20郎考4/21A
16/12A
裴晉
5 新表7/71上/2192
11裴珏
5 新表7/71上/2206
68咸淳臨安45/16A
裴璩(挺秀)克子
5 新表7/71上/2206
20郎考11/56A
24壁記　翰苑羣書
上/55A
26方鎮5/45B

5/72B
7/15A
69嘉定鎮江14/38B
裴璩綱子
5 新表7/71上/2236
裴項
5 新表7/71上/2230
裴頠
5 新表7/71上/2229
25登科14/22B
裴礭
5 新表7/71上/2235
裴冀
5 新表7/71上/2230
20郎考16/12A
12裴登士淹子
5 新表7/71上/2202
裴登失父名
5 新表7/71上/2239
裴瑀西眷裴氏
5 新表7/71上/2183
裴瑀(夷玉)東眷裴氏
5 新表7/71上/2232
裴瑤　見劉瑤
裴弘文瑞子
5 新表7/71上/2210
裴弘(裕志)休子
5 新表7/71上/2232
20郎考12/49B
25登科22/39A②
裴弘慶
5 新表7/71上/2226
裴弘獻
5 新表7/71上/2185
7 新志5/58/1494
8 全文162/12A③
20郎考25/2A
裴弘儀
5 新表7/71上/2205
裴弘泰
5 新表7/71上/2189
26方鎮1/8B④
1/22A
2/23A
6/48A
7/22A
7/45B
裴弘本

5 新表7/71上/2226
裴弢(藏器)
1 舊唐14/177/4594⑤
5 新表7/71上/2232
裴慈
5 新表7/71上/2239
裴廷裕(膺餘)
5 新表7/71上/2239⑥
7 新志5/58/1469
8 全文841/1B
11全詩10/688/7907
17紀事下/61/926
20郎考5/41A
25登科23/30B
28直齋5/15B⑦
裴延通事舍人
5 新表7/71上/2199
裴延
11全詩11/769/8733⑧
裴延慶
5 新表7/71上/2183
裴延休貞隱子，職官不詳
5 新表7/71上/2212
裴延休慈州刺史
5 新表7/71上/2190
裴延魯(東禮)
5 新表7/71上/2232
20郎考15/26A
25登科23/1A
26方鎮5/59A
64掇英18/15A
65會稽志2/33B
裴延齡(繆)
1 舊唐11/135/3719
2 新唐16/167/5106
5 新表7/71上/2210
20郎考21/10A
裴延翰(伯甫)儔子
5 新表7/71上/2231
裴延翰從度子
8 全文759/8B
裴延昕
5 新表7/71上/2204
13裴琬綜子
5 新表7/71上/2198
裴琬知言子
5 新表7/71上/2222
裴武

5 新表7/71上/2198
26方鎮1/45B⑨
　　　　5/7A
14裴瑾　見裴壇
　裴瑾之
5 新表7/71上/2203
20郎考8/5A
　　　17/20B
　裴瓆
5 新表7/71上/2206
20郎考2/33B
25登科23/22A
26方鎮6/39B
15裴融
5 新表7/71上/2223
　裴建
5 新表7/71上/2225
16裴瑒
5 新表/71上/2222
　裴璟
5 新表7/71上/2188
17裴玘
5 新表7/71上/2226
　裴羽(用化)
3 舊五5/128/1690
4 新五2/57/663
5 新表7/71上/2220
　裴羽仙
11全詩11/801/9013

18才子2/28
裴珣無晦子，河内太守
1 舊唐9/100/3132
5 新表7/71上/2207⑩
20郎考1/48B
25登科27/27B
裴珣(德潤)弘子
5 新表7/71上/2232
裴璆
5 新表7/71上/2227
裴璩
5 新表7/71上/2232
裴務
5 新表7/71上/2190
裴承先　見裴承光
裴承光
1 舊唐7/57/2289⑪
2 新唐12/88/3739
5 新表7/71上/2181
裴承禄
5 新表7/71上/2181
裴及
5 新表7/71上/2221
26方鎮7/22B
裴子建
8 全文378/1A
21御考2/54B
裴子儀
5 新表7/71上/2182

裴子餘(孝)
1 舊唐15/188/4926
2 新唐14/129/4474
5 新表7/71上/2196
8 全文270/7B
20郎考12/13B
21御考2/24A
25登科27/28A
裴磵(祈山)
5 新表7/71上/2198
裴邵南
5 新表7/71上/2216
裴柔(楊國忠妻)
2 新唐19/206/5852
裴柔之　見裴淑
18裴玢(節)
1 舊唐12/146/3969
2 新唐13/110/4129
26方鎮1/45A
　　　4/150A
裴玲
5 新表7/71上/2227
裴政
5 新表7/71上/2242
裴政柔
5 新表7/71上/2225
裴孜察
5 新表7/71上/2213
19裴珖

① 按，《新志》之裴瑈，撰《五藏論》一卷，《赤城志》之裴瑈，武后垂拱二年爲台州刺史，時代相近，疑是一人。
② 按，《登科》引《唐語林》作裴弘餘，亦云休子，當爲一人，今從《新表》、《郎考》作弘，另出裴弘餘作參見條。
③ 《全文》"弘"作"宏"，係清人避諱改，今據《新表》等改正。
④ 《方鎮》"弘"作"宏"，係清人避諱所改，今據《新表》改正。
⑤ 《舊唐·裴休傳》云："休子弢。"裴弢名下校云："岑建功《舊唐書校勘記》卷五九云：'張本弢作弢，云本作弢，不成字。《新書·世系表》亦誤作弢，然稱其字曰藏器，則其名必爲弢可知。'"
⑥ 《新表》"廷"作"庭"，今據《新志》、郎考》改正。
⑦ 《直齋》"廷"作"延"，顯係形訛，今逕改。
⑧ 按，《新表》之裴延，約當唐玄宗、肅宗時，官通事舍人。《全詩》之裴延，編爲無世次爵里可考者。未能確定爲同一人，今分列，備考。
⑨ 按，《新表》之裴武，官太府卿，爲裴佶之弟。佶，據兩《唐書》本傳，唐德宗時爲兵部郎中、諫議大夫，後任黔中觀察使、同州刺史等職，憲宗元和八年卒。《方鎮》之裴武，元和八年爲鄜坊觀察使，元和十一年爲荆南節度使。時代相合。又據《舊唐書·憲宗紀》，元和八年八月丁亥，"以司農卿裴武爲鄜坊觀察使"。可見裴武在出任方鎮之前，曾爲九卿之官，與《新表》之任太府卿亦相近。據此，則《新表》與《方鎮》之裴武當爲一人。
⑩ 《新表》"珣"作"恂"，今據《舊唐》、《郎考》諸書改正。參沈炳震《新唐書宰相世系表訂譌》。
⑪ 《舊唐書》卷五七、《新唐書》卷八八《裴寂傳》，皆作裴承先，謂承先爲律師子，武則天時爲殿中監，爲酷吏所害。按《新表》律師有子二人：長曰承光，檢校左羽林軍將軍、鄖國公；次曰承禄，右清道率、河東公。承禄子景僊。岑仲勉《唐史餘瀋》卷一謂："光、先字形相近，其中當有一訛。唐人家諱甚嚴，承先之姪，似不至取名景僊。我國命子方法，除排名外，伯仲叔季之間，往往帶其他聯繫，如仁義禮智信，或溫良恭儉讓等。光禄自古爲貴官，則承光、承禄，恰相影照，竊以爲《新表》之承光可信也。"岑說甚是，新舊傳之承先當據《新表》改爲承光。

5 新表7/71上/2221
裴仙裔
　5 新表7/71上/2185
裴嶠
　5 新表7/71上/2225
23裴參玄
　5 新表7/71上/2212
裴允初
　5 新表7/71上/2212
裴俅(冠識、冠儀)
　1 舊唐14/177/4594③
　5 新表7/71上/2232
　25登科20/14A
裴傳
　5 新表7/71上/2200
裴綰
　5 新表7/71上/2241
裴綜
　5 新表7/71上/2198
　20郎考3/49B
　　　4/29A
　　　8/25B
24裴佐儒卿子
　5 新表7/71上/2199
裴佐浩子
　5 新表7/71上/2234
裴倚
　5 新表7/71上/2215
裴侑
　5 新表7/71上/2215
　69嘉定鎮江16/5B
裴德融(周耀)
　5 新表7/71上/2199
　7 新志5/59/1563
　25登科21/12B
裴德藩(商老)
　5 新表7/71上/2199
裴德符(渭翁)
　5 新表7/71上/2199
　20郎考11/71A
　　　16/26B
　73吳興志14/31B
裴儔(次之)
　1 舊唐14/177/4593

5 新表7/71上/2231
　25登科20/5A
　　　27/14A
　26方鎮5/86B
裴佑
　5 新表7/71上/2199
裴儲
　5 新表7/71上/2220
裴佶(弘正、貞)
　1 舊唐9/98/3083
　2 新唐14/127/4455
　5 新表7/71上/2198
　20郎考4/31A
　　　26/17B
　25登科10/28A
　26方鎮6/46A
　39書史5/28B
裴休(公美)
　1 舊唐14/177/4593
　2 新唐17/182/5371
　5 新表7/71上/2232
　7 新志5/58/1472
　　　5/59/1530
　8 全文743/1A
　11全詩9/563/6530
　17紀事下/48/730
　25登科19/26A
　　　20/24A
　　　22/24A
　26方鎮1/10B
　　　2/11A
　　　4/40A
　　　4/70A
　　　5/11B
　　　5/69B
　　　5/85A
　　　6/36B
　27郡齋3下/38B
　28直齋4/35B
　34書譜9/6B
　37書小史10/8A
　39書史5/14B
　63新安志9/23B
　81景德12/9A

裴休貞
　5 新表7/71上/2212
裴皓
　20郎考3/6A
裴幼卿
　5 新表7/71上/2199
　8 全文403/10B
裴緒
　7 新志5/59/1551
裴稹(道安)
　2 新唐13/108/4091
　5 新表7/71上/2213
　20郎考8/61A
　　　22/6A
　25登科27/28B
裴纘
　20郎考11/70B
25裴律師
　1 舊唐7/57/2289
　2 新唐12/88/3739
　5 新表7/71上/2181
裴律嗣
　2 新唐12/88/3739
裴仲佐
　5 新表7/71上/2200
裴仲卿
　5 新表7/71上/2195
裴倩(容卿、節)稹子
　2 新唐13/108/4091
　5 新表7/71上/2213
　7 新志5/60/1604
　20郎考7/32A
　　　13/17B
　　　14/12B
裴倩知節子
　5 新表7/71上/2202
裴仙先
　1 舊唐9/87/2845
　2 新唐14/117/4249
　5 新表7/71上/2187
　26方鎮4/98A
裴傑
　5 新表7/71上/2182
　7 新志5/60/1625

---

① 《全詩》原注:“裴虔餘,一作裴乾餘。”
② 按,《新表》之裴鼎與《全文》之裴鼎,時代相近,官職不同,未詳是否同一人,今姑分列,待考。
③ 按,《舊書》本傳作字冠識,《新表》作冠儀。識、儀形近,未知孰是。參沈炳震《新唐書宰相世系表訂誤》。

---

① ②《新表》、《紀事》作"裴梢然",今據《歷畫》、《圖繪》、《全詩》改正。
③《郎考》此處作"裴澈",今據同書卷一一改正。
④ 按,兩《唐書・裴寂傳》作字"玄真",《新表》作"真玄",宋吳縝《新唐書糾謬》卷四曾注意及此,但云"未知孰是"。

20郎考12/26Ａ⑥
　　　15/15Ａ
38裴況
　5 新考7/71上/2204
裴澈（深源）休子
　5 新表7/71上/2233
　11全詩9/600/6938
　17紀事下/68/1019
　20郎考13/13Ｂ
裴澈 昱子
　5 新表7/71上/2201
裴澈　見裴徹
裴洽 昱子
　5 新表7/71上/2201
裴洽 孝禮子
　5 新表7/71上/2224
裴遂（從）觀子
　5 新表7/71上/2192
　20郎考1/10Ｂ
　　　17/10Ｂ
　　　18/8Ａ
裴遂 輝卿子
　5 新表7/71上/2197
裴遵度
　7 新志5/58/1467
裴遵慶（少良）
　1 舊唐10/113/3355
　2 新唐15/140/4646
　5 新表7/71上/2217
　20郎考4/18Ａ
　　　8/23Ｂ
　　　19/6Ｂ
裴遵業
　5 新表7/71上/2217
裴遵裕
　5 新表7/71上/2216
裴導 令溫子，職官不詳
　5 新表7/71上/2202

裴導 乾符初常州司錄
　8 全文813/24Ａ⑦
39裴潾（敬）
　1 舊唐14/171/4446
　2 新唐14/118/4287
　7 新志5/59/1513
　　　5/60/1622
　8 全文713/19Ａ
　11全詩8/507/5763
　17紀事下/52/786
　20郎考3/89Ａ
　　　9/15Ｂ
　34書譜9/3Ａ
　37書小史10/8Ａ
　39書史5/13Ｂ
40裴乂
　2 新唐17/182/5375
　5 新表7/71上/2219
　26方鎮6/6Ａ
　72三山志20/38Ｂ
裴九思
　5 新表7/71上/2195
裴大亮
　5 新表7/71上/2229
裴大方
　5 新表7/71上/2226
　20郎考4/4Ｂ
　　　4/5Ｂ
　　　8/4Ａ
裴大章
　11全詩11/781/8831
　25登科18/2Ａ
裴大感
　5 新表7/71上/2212
裴爽 孝瑜從子
　5 新表7/71上/2181
裴爽 義山子
　5 新表7/71上/2202

裴爽
　5 新表7/71上/2241
裴士安
　5 新表7/71上/2199
裴士淹
　5 新表7/71上/2202
　8 全文409/23Ｂ
　11全詩2/124/1231
　20郎考6/12Ａ
　　　7/9Ａ
　23故事　翰苑羣書
　　　上/24Ｂ
　24壁記　翰苑羣書
　　　上/39Ｂ
　25登科10/2Ｂ
　　　10/4Ａ
裴士南 皎然子
　5 新表7/71上/2216
裴士南 倩子
　5 新表7/71上/2203
裴墉
　5 新表7/71上/2239
　20郎考26/20Ｂ
裴堯臣
　5 新表7/71上/2210
裴克
　5 新表7/71上/2206
裴克諒
　5 新表7/71上/2242
裴克諧
　5 新表7/71上/2186
　20郎考16/2Ｂ
裴克己
　5 新表7/71上/2186
裴有鄰
　1 舊唐14/170/4413
　5 新表7/71上/2242
裴希顏

---

① 按，《新表》之裴清，卓子，官秘書監，約唐代宗、德宗時。《全文》、《吳興志》之裴清，代宗大曆二年爲湖州刺史。
　 時代相近，官職不同，未詳是否卽爲一人，今姑分列，備考。
② 按，《新表》之裴迪，逵之兄，裴逵爲代宗大曆時進士。《全詩》、《紀事》等之裴迪，與王維爲詩友，係唐玄宗、肅宗
　 時人。《新五》之裴迪，係五代時梁臣。時代不同，當是三人，今分列。
③ 按，《書史》所載裴況，身世不詳，未能確定屬於《新表》之何人。今分列。
④ 《全詩》無"次"字，注云："裴元一作裴次元。"
⑤ 《新表》記裴通字爲文玄，《新志》作字又玄，"文"、"又"二字形近，必有一誤。
⑥ 按，《郎考》之裴通未能確定屬於何人，今姑分列，待考。
⑦ 按，《新表》之裴導，令溫子，未注官職，中晩唐時。《全文》之裴導，據小傳，唐僖宗乾符初官常州司錄，似爲二人。
　 今分列，備考。

46裴旭
　1 舊唐11/135/3719
　5 新表7/71上/2210
裴埍(弘中)
　1 舊唐12/148/3989
　2 新唐16/169/5147
　5 新表7/71上/2237
　7 新志5/58/1472
　8 全文616/3A
　9 拾遺26/6B
　20郎考9/13B
　　　10/9B
　　　20/10B
　22院記　翰苑羣書
　　　上/14B
　23故事　翰苑羣書
　　　上/26A
　24壁記　翰苑羣書
　　　上/42A
　25登科13/23B
　　　27/9B
　28直齋4/35A
裴坦(知進)義子
　2 新唐17/182/5375
　5 新表7/71上/2220
　8 全文764/4A
　20郎考2/30A
　　　12/42A
　25登科21/9B
　　　22/39B
　26方鎮4/143A
　　　5/88A
裴坦無晦子
　5 新表7/71上/2205
裴埤(右郊)
　5 新表7/71上/2221
　20郎考2/35A
裴埙
　5 新表7/71上/2215
　20郎考11/69A

裴觀
　5 新表7/71上/2192
　20郎考11/12B
　21御考1/7B
裴相
　5 新表7/71上/2236
47裴均(君齊)倩子
　2 新唐13/108/4091
　5 新表7/71上/2213
　7 新志5/60/1624
　25登科27/31B
　26方鎮4/135A
　　　5/5B
裴均彝子
　5 新表7/71上/2241
裴坰
　5 新表7/71上/2237
裴懿
　5 新表7/71上/2186
　25登科27/18B
裴郁
　5 新表7/71上/2219
　8 全文684/2A
　20郎考12/29A
裴殼
　5 新表7/71上/2240
裴歡
　5 新表7/71上/2236
裴懋(莊己)
　5 新表7/71上/2239
裴好古
　5 新表7/71上/2201
裴杞
　5 新表7/71上/2209
　11全詩11/779/8814
　25登科13/16A
裴毅
　20郎考17/2B
裴格寅子
　5 新表7/71上/2217

　25登科24/23A
裴格(文明)爽子
　5 新表7/71上/2241
48裴增
　5 新表7/71上/2236
裴乾貞(敬夫)
　5 新表7/71上/2188
　20郎考5/28A
　　　13/9B
裴乾餘　見裴虔餘
裴警
　5 新表7/71上/2219
裴敬
　8 全文764/16A
裴敬休
　5 新表7/71上/2225
裴敬彝
　1 舊唐15/188/4923
　2 新唐18/195/5582
　5 新表7/71上/2209
　20郎考4/58B
裴敬忠
　5 新表7/71上/2192
50裴中庸
　5 新表7/71上/2224
裴抗唐玄宗時京㙩
　5 新表7/71上/2231
　8 全文444/20A
裴抗唐武宗時烏程令
　73吳興志15/3A⑭
裴夷直(禮卿)
　1 舊唐13/163/4268
　2 新唐15/148/4772
　7 新志5/60/1611
　8 全文759/27B
　11全詩8/513/5856
　17紀事下/51/774
　18才子6/101
　20郎考2/27A
　　　4/63A

① 按兩《唐書》本傳及《新安志》等皆謂裴樞字紀聖,唯《新表》載樞字化聖,疑《新表》誤。
② 《新志》"埙"作"瑄",云字封叔,光庭曾孫,元和吉州刺史。按《新表》七一上有裴埙,字封叔,徽子。又《柳河東集》卷九《唐故萬年令裴府君墓碣》云:"公諱埙,字封叔,河東聞喜人。大理卿府君諱徽,實父。"(世綵堂本)。裴埙夫人柳氏,爲柳宗元之姊,據柳文,裴埙之名,偏旁從土,當可信。今據改。
③ 《郎考》此處作"裴藏耀",今從《郎考》卷二、三作"藏曜"。"曜"、"耀"形近,未知孰是。
④⑤⑥⑦⑧⑨⑩⑪⑫⑬ 《舊唐》、《新唐》、《舊志》、《新志》原並無"世"字,蓋唐人避李世民諱省,今據《新表》補正。
⑭ 按,《新表》、《全文》之裴抗,官京㙩,爲裴肅祖,肅貞元中官浙東觀察使,則抗當是玄宗時人。《吳興志》之裴肅,唐武宗會昌中吳興烏程縣令。時代與歷官均不合,當是二人。

① 按新舊《唐書》本傳作字胤叔，《新表》作字遜叔，今並存備考。
② 按，此《郎考》之裴繡，未能確定究屬何人，今分列，待考。
③ 《郎考》作"裴思□"，原缺一字。
④ 《郎考》作"裴咢"，勞格引王昶說疑"咢"作"噩"，今從之。

20郎考10/13 A

裴鐇
5 新表7/71上/2215
20郎考4/46 A
12/39 A

83裴鉞(鼎俊)
5 新表7/71上/2198

84裴銑
5 新表7/71上/2214

裴鋯
5 新表7/71上/2213

86裴鍠(振德)埧子
5 新表7/71上/2215

裴鍠垍子
5 新表7/71上/2237

裴鍔
5 新表7/71上/2214

裴錫
5 新表7/71上/2209
20郎考8/7 B

裴銷
5 新表7/71上/2214

裴知言
5 新表7/71上/2222

裴知柔
5 新表7/71上/2202

裴知久
5 新表7/71上/2219

裴知禮
5 新表7/71上/2211

裴知古
1 舊唐16/191/5101
2 新唐12/91/3797
5 新表7/71上/2211

裴知機
5 新表7/71上/2242

裴知節
5 新表7/71上/2202

裴知周
2 新唐18/195/5584

87裴邠
5 新表7/71上/2219

88裴銳
5 新表7/71上/2226

裴筠
20郎考7/37 B

25登科27/21 B

裴簡永
8 全文695/19 A

裴籛
5 新表7/71上/2240

裴繁
5 新表7/71上/2213

90裴懷古
1 舊唐15/185下/4807
2 新唐18/197/5625
20郎考5/10 A
22/3 A

裴光裔
5 新表7/71上/2184

裴光庭(克、連城、忠獻、忠
憲)
1 舊唐8/84/2806
2 新唐13/108/4089
5 新表7/71上/2213
7 新志5/58/1496
5/58/1497
5/59/1513
8 全文299/1 A
9 拾遺18/14 A
11全詩2/108/1120
17紀事上/14/209
25登科27/28 A
53赤城志8/14 B

裴光鼎(德原)
5 新表7/71上/2243

裴光叔
5 新表7/71上/2228

裴光復
5 新表7/71上/2194

裴光進
5 新表7/71上/2210

裴光輔
25登科13/4 B

裴常
5 新表7/71上/2212

裴常憲
5 新表7/71上/2201

裴常棣
5 新表7/71上/2201
67乾道臨安3/3 A
68咸淳臨安45/15 B

裴炎(子隆、忠)
1 舊唐9/87/2843
2 新唐/14/117/4247
5 新表7/71上/2186
7 新志5/58/1495
8 全文168/1 A
25登科27/25 A

裴炫
5 新表7/71上/2225

91裴恆
5 新表7/71上/2184

裴怦
5 新表7/71上/2236

裴悟
5 新表7/71上/2235
72三山志20/33 B

裴悟玄
5 新表7/71上/2212

94裴慎辭
5 新表7/71上/2238

裴慎從
5 新表7/71上/2187

96裴煜
7 新志5/59/1522

裴憚(知止)
5 新表7/71上/2197

97裴恂該裔孫
5 新表7/71上/2180

裴恂中庸孫
5 新表7/71上/2224

裴恂 見裴珣

裴憚唐玄宗時人
5 新表7/71上/2224

裴憚唐敬宗時人
25登科20/4 B

裴恪
5 新表7/71上/2225

裴耀卿(煥之、文獻)
1 舊唐9/98/3079
2 新唐14/127/4452
5 新表7/71上/2197
7 新志5/60/1602
8 全文297/10 B
9 拾遺18/12 B
11全詩2/113/1148
17紀事上/22/321

---

① 《新表》作"裴無悔",今從《舊唐書》。參沈炳震《新唐書宰相世系表訂誤》。

20郎考10/18B
25登科3/13A
　　　5/32B
　　　5/34B
98裴恰
　5　新表7/71上/2184
99裴卷(翁喜)
　5　新表7/71上/2216
　20郎考11/4A
　　　12/53B
　68咸淳臨安45/10B

1180₁ 冀

10冀元珪
　19姓纂8/5B
20冀重(子泉)
　7　新志5/59/1514
25冀仲輔
　19姓纂8/5B
80冀金
　12詩逸中/10208

1210₈ 登

22登利可汗
　1　舊唐16/194上/5177
　2　新唐19/215下/6054
60登里可汗(牟羽可汗)
　1　舊唐16/195/5201
　2　新唐19/217上/6117
97登輝
　8　全文920/14A

1212₇ 瑞

22瑞巖和尚
　81景德17/24B

1217₇ 瑙

36瑙禪師
　81景德21/7B

1222₁ 弶

37弶通禪師
　81景德20/9B

1223⁰ 水

30水空和尚
　81景德14/11B
33水心寺僧

　11全詩12/851/9629
40水塘和尚
　81景德8/14B
44水老和尚
　81景德8/16B
72水丘昭券
　40十國86/7A
　68咸淳臨安60/15B
74水陸和尚
　81景德12/19A

弘

00弘亮
　67乾道臨安3/2B
弘度
　20郎考17/15B①
弘章
　81景德23/19A
弘辯(圓智禪師)
　81景德9/13A
弘辯(妙果大師)
　81景德21/16A
12弘瑫(明真大師)
　81景德19/1B
17弘忍(大滿禪師)
　1　舊唐16/191/5110
　80宋僧8/1A②
　　　3/14B
30弘察　見洪察
44弘執恭
　17紀事上/5/68
80弘含光　見李含光
86弘智
　79續僧31/18B

1240₁ 延

00延慶公主
　2　新唐12/83/3671
26延和尚
　81景德23/22B
30延寵
　2　新唐20/219/6175
延安公主
　2　新唐12/83/3669
40延壽(沖立、抱一子、智覺
　禪師、永明宗照大師)
　8　全文922/3B
　40十國89/6A

　68咸淳臨安70/6A
　81景德26/9B
延壽和尚潭州
　81景德23/23B
44延茂禪師
　81景德17/22A
56延規
　81景德25/27A
60延田跌
　2　新唐20/221上/6232
67延昭唐懿宗時
　8　全文920/11A
延昭五代
　81景德13/4B③

1241₀ 孔

00孔立言
　5　新表11/75下/3433
　19姓纂6/2B
　20郎考21/4A
孔齊參
　1　舊唐16/192/5130
　8　全文404/21A
孔齊卿
　5　新表11/75下/3432
　19姓纂6/2B
04孔勗(鼎文)
　3　舊五3/64/858
08孔謙
　3　舊五3/73/963
　4　新五1/26/280
10孔至(惟微)
　2　新唐18/199/5685
　7　新志5/58/1501
　19姓纂6/2B
孔璋
　8　全文375/13B
孔元義
　8　全文207/17A
12孔延緘
　3　舊五5/125/1642
13孔琮
　5　新表11/75下/3433
　19姓纂6/2B
孔戣(君嚴、貞)
　1　舊唐13/154/4097
　2　新唐16/163/5008
　5　新表11/75下/3434

8 全文693/3∨
19姓纂6/2B
　6/3A
25登科11/21B
26方鎮7/7B
47乾道四明1/10A
14孔珪
19姓纂6/2B
17孔務本
5 新表11/75下/3434
孔承恭
5 新表11/75下/3436
18孔璪之(藏輝)
5 新表11/75下/3432
20孔垂寶
19姓纂6/3A
孔季詡(季和)
1 舊唐15/190上/4983
2 新唐18/199/5684
25登科3/19A
孔舜
1 舊唐16/192/5130
21孔穎達(仲達、沖達、憲)
1 舊唐8/73/2601
2 新唐18/198/5643
5 新表11/75下/3433
6 舊志6/46/1968
　6/46/1970
　6/46/1971
　6/46/1974
　6/46/1978
　6/47/2073
7 新志5/57/1426
　5/57/1428
　5/57/1430
　5/57/1433
　5/57/1440
　5/57/1443
　5/58/1457
　5/58/1491
　5/60/1598

8 全文146/1B
19姓纂6/2B
27郡齋1上/3B
　1上/12B
　1上/16B
　1上/20B
　1下/3A
28直齋1/4A
　2/2B
　2/11A
　2/24A
　3/4A
22孔岑父
1 舊唐14/179/4648
5 新表11/75下/3434
孔嵩(景)
32益畫中/9A
36圖誌2/51
38圖繪2/38A
孔循(趙殷衡)
4 新五1/15/161
　2/43/473
孔崇弼(昌弼、佐化)
1 舊唐14/179/4652
3 舊五4/96/1271
5 新表11/75下/3435④
8 全文852/10A
25登科27/20B
孔崇基
5 新表11/75下/3432
孔巢父(弱翁、忠)
1 舊唐13/154/4095
2 新唐16/163/5007
5 新表11/75下/3437
19姓纂6/2B
孔繢(徵夫)
5 新表11/75下/3434
25登科23/20A
23孔絨
5 新表11/75下/3435
25登科23/24B

24孔德紹
2 新唐18/196/5609
8 全文134/15A
11全詩11/733/8379
孔德倫
5 新表11/75下/3432
19姓纂6/2B
孔緯(化文)
1 舊唐14/179/4648
2 新唐16/163/5010
5 新表11/75下/3435
8 全文804/16A
20郎考9/19B
　10/31B
　20/18A
25登科22/37A
孔續(胤脩)
5 新表11/75下/3435
25孔仲思
19姓纂6/2B
20郎考1/5A
　13/2B
孔績
5 新表11/75下/3435
27孔絢(延休)
5 新表11/75下/3434
25登科23/1A
69嘉定鎮江17/7A
孔紓(特卿、持卿)⑤
5 新表11/75下/3435
25登科23/12B
孔絳(受文)
5 新表11/75下/3435
孔紹安
1 舊唐15/190上/4982
2 新唐18/199/5683
6 舊志6/47/2073
7 新志5/60/1598
11全詩1/38/490
17紀事上/3/30
19姓纂6/2A

① 《郎考》作"□弘度"，原缺姓。
② 《宋僧》"弘"作"宏"，清人板刻時避諱改，今改正。
③ 按《全文》之延昭，爲唐懿宗咸通時僧人，《景德》之延昭，爲五代至宋初(宋真宗時尚在世)僧人。時代不合，當爲二人。
④ 《新表》作"孔昌弼"，沈炳震《新唐書宰相世系表訂譌》云"(《舊唐書》)《緯傳》名崇弼"。按《舊五代史》亦作崇弼，今據改。
⑤ 《裝新》作字特卿，《登科記考》引鄭仁表《左拾遺孔府君墓誌銘》作字持卿。似作持卿是。

①②《姓纂》、《郎考》"禎"作"槙"，今據岑仲勉《元和姓纂四校記》考定改正。
③《赤城志》"禎"作"禕"，今從兩《唐書》作"禎"。
④《新唐》作"孔志"，岑仲勉《元和姓纂四校記》謂其所以無"玄"字，乃宋人諱省，今據《新表》、《姓纂》補正。
⑤《姓纂》"玄"作"元"，蓋清人板刻避諱改省，今據《新表》改正。
⑥按，《新表》之孔莊，虞部郎中昌庶子，約晚唐時。《全文》之孔莊，據小傳，謂後唐明宗朝官刑部員外郎。未詳是否爲一人，待考。
⑦《姓纂》作"孔昌"，無"寓"字，今據岑仲勉《元和姓纂四校記》考定補正。
⑧《郎考》此處作"孫元享"，《新唐書·武后紀》、《姓纂》並作"孫元亨"，《郎考》卷一一亦作"孫元亨"，今據改。

孫平子
　8　全文335/18A
孫賈
　5　新表10/73下/2961
11孫非熊
　5　新表10/73下/2958
孫玩
　5　新表10/73下/2952
孫毗
　25登科11/23A
孫璩
　5　新表10/73下/2958
孫項
　5　新表10/73下/2955
孫彊
　27郡齋1下/14B
　68咸淳臨安60/12A①
14孫瑛
　19姓纂4/11A
孫璠
　26方鎮1/5B
孫瑱
　5　新表10/73下/2958
15孫璉岳子
　3　舊五3/69/918
孫璉公紹子
　5　新表10/73下/2955
16孫瑝(子澤)
　5　新表10/73下/2956
孫碧
　5　新表10/73下/2956
17孫翌　見孫季良
孫羽客
　39書史5/28A
孫珣
　8　全文819/18A
孫璵
　5　新表10/73下/2956
孫鄂
　25登科27/20B
孫承先
　8　全文403/18A
孫承家
　5　新表10/73下/2948
孫承祐
　40十國87/8A
　56吳郡志11/7A
孫忌　見孫晟

孫子韶
　5　新表10/73下/2963
孫子多
　11全詩12/870/9864
孫子盛
　5　新表10/73下/2962
孫子鑠
　5　新表10/73下/2963
孫子榮
　5　新表10/73下/2962
19孫琰(孫百計)
　40十國85/3B
　53赤城志8/26A
孫槊
　5　新表10/73下/2952
20孫重進　見李存進
孫伉
　5　新表10/73下/2960
孫位(遇、會稽山人)
　32益畫上/1A
　35畫譜2/8A
　36圖誌2/31
　38圖繪2/8A
　39書史5/34A
孫魴(伯魚)
　11全詩11/743/8454
　　　12/886/10014
　17紀事下/71/1056
　18才子10/183
　40十國31/1B
　43馬書13/6A
　45江南7/4B
孫季邕
　7　新志5/59/1558
孫季良(翌)
　1　舊唐15/189下/4975
　2　新唐18/199/5672
　7　新志5/58/1477
　　　5/59/1563
　　　5/60/1623
　8　全文305/15B
　11全詩2/113/1149②
　17紀事上/22/324③
　21御考2/50A④
　27郡齋3下/22A
21孫上客　見孫尚客
孫仁貴
　30歷畫9/177

孫伾
　5　新表10/73下/2960
孫何
　5　新表10/73下/2948
孫行
　1　舊唐16/191/5096
　19姓纂4/11A
孫行友
　3　舊五5/125/1650
孫行成
　5　新表10/73下/2947
孫儒
　2　新唐17/188/5466
　26方鎮4/9B
　　　5/32A
孫儒郎
　5　新表10/73下/2949
孫虔禮(過庭)
　8　全文202/5B
　34書譜18/4B
　37書小史9/5A
　39書史5/17A
孫處立　見孫處玄
孫處玄
　1　舊唐16/192/5123
　7　新志5/60/1610
　8　全文266/1A
　11全詩2/114/1164⑤
　17紀事上/29/454⑥
　69嘉定鎮江18/42B⑦
　70至順鎮江19/21A
孫處元　見孫處玄
孫處約(道茂、歷道)
　1　舊唐8/81/2758
　2　新唐13/106/4056
　5　新表10/73下/2946
　8　全文168/16B
　19姓纂4/11A
　20郎考10/1A
孫頒
　8　全文457/1A
　11全詩11/779/8813
　25登科27/8B
孫紹(純化)
　5　新表10/73下/2952
22孫侔
　5　新表10/73下/2954
孫佽

孫嶠
　5 新表10/73下/2955
孫崇古
　8 全文949/3A
孫繼
　5 新表10/73下/2950
23孫伏伽
　1 舊唐8/75/2634
　2 新唐13/103/3995
　8 全文135/1A
　19姓纂4/11A
　25登科1/4A
孫獻可
　5 新表10/73下/2952
孫俊
　5 新表10/73下/2946
　19姓纂4/11A
孫緑(子韋)
　5 新表10/73下/2950
24孫侑
　5 新表9/73下/2946
孫備(禮用)
　5 新表10/73下/2959
孫德師
　5 新表10/73下/2962
孫德威
　40十國63/2A
孫德昭
　1 舊五1/15/211
　2 新五2/43/474
孫儲(文府)
　2 新唐17/183/5386
　5 新表10/73下/2959
　26方鎮8/46A
　73吳興志14/32A
孫休
　5 新表10/73下/2948
孫綺

　25登科27/15A
孫緯(中隱)
　5 新表10/73下/2951
　11全詩9/600/6936
　17紀事下/60/911
　20郎考2/35B
　　　　11/64B
　25登科23/12A
　63新安志9/25B
孫緒
　5 新表10/73下/2952
孫結
　7 新志5/58/1478
25孫仲將
　1 舊唐15/190中/5043
26孫保衡
　5 新表10/73下/2953
孫峴(文山)
　11全詩11/757/8617
孫繹(景章)
　5 新表10/73下/2949
27孫偓(龍光)
　2 新唐17/183/5386
　5 新表10/73下/2960
　11全詩10/688/7905
　25登科23/27A
孫僎
　5 新表10/73下/2948
孫邰　見孫鄀
孫紓
　1 舊唐15/190中/5045
　5 新表10/73下/2950
　25登科27/15B
孫叔向
　11全詩7/472/5358
　17紀事上/28/430
孫絳
　1 舊唐15/190中/5044
　5 新表10/73下/2953
　19姓纂4/10B

孫紹
　9 拾遺70/9B
孫紹榮
　9 拾遺47/9A
23孫佺(麟德)唐中宗時
　1 舊唐8/81/2758
　2 新唐13/106/4056
　5 新表10/73下/2947
　11全詩2/105/1101
　17紀事上/12/179
　19姓纂4/11A
　20郎考26/4A
孫佺五代時
　3 舊五3/53/717
孫佾(文節)
　5 新表10/73下/2961
　20郎考7/37A
孫微仲
　5 新表10/73下/2954
孫徽
　1 舊唐15/190中/5045
　5 新表10/73下/2950
　20郎考1/28B
　25登科27/15B
　59毗陵志7/17A
孫徽茂道子
　5 新表10/73下/2946
　19姓纂4/11A
孫徽基貞子
　5 新表10/73下/2948
孫復禮
　5 新表10/73下/2958
孫儉(德府)
　5 新表10/73下/2960
30孫濟
　19姓纂4/11A
　20郎考1/47B
　　　　4/68A
　21御考2/16B
　　　　2/35A

---

① 按,《郡齋》之孫彊,僅於《玉篇》下云"孫彊增字"。《咸淳臨安》之孫彊,則云"富陽人",其他皆不詳。未知是否同
　　一人,待考。
②③④ 《全詩》、《紀事》、《御考》皆作"孫翊",實即孫翌,即孫季良。"翊"、"翌"字異,今另出孫翊作參見條。
⑤ 《全詩》原注:"玄一作立。"按《紀事》即作孫處立。《全詩》小傳云:"孫處立,江寧人,則天長安中官左拾遺。"岑仲
　　勉《讀全唐詩札記》云:"按《新書》六〇'江寧有右拾遺孫處玄',《全文》九八七缺名引《重修順祐王廟記》引孫處
　　玄《潤州圖經》,又同冊前文包融下注引《新書》亦作右拾遺,作'立'作'左'者均誤。"
⑥ 《紀事》"玄"作"立",今從《舊書》本傳。詳見上注。
⑦ 《嘉定鎮江》"玄"作"元",蓋清人避諱改,今改正。

孫宸
　　5 新表10/73下/2963
孫宿
　　1 舊唐15/190中/5044
　　5 新表10/73下/2949
　　8 全文439/7 B
　　19姓纂4/10 B
　　20郎考18/8 B
孫守崇
　　5 新表10/73下/2958
孫客卿
　　5 新表10/73下/2958
孫審象
　　5 新表10/73下/2954
孫定(志元)
　　11全詩11/715/8219
　　17紀事下/66/997
31孫顗
　　11全詩11/779/8813
孫道
　　5 新表10/73下/2948
32孫澄
　　25登科25/30 B
孫滔
　　5 新表10/73下/2961
33孫浣
　　5 新表10/73下/2951
孫溥(熙化)
　　5 新表10/73下/2960
　　25登科24/14 B
孫治
　　9 拾遺31/5 B
孫溶
　　9 拾遺32/20 B
孫祕
　　8 全文949/1 A
34孫漢韶
　　40十國53/8 A
　　41九國7/14 B
孫漢英
　　3 舊五5/129/1703
孫漢威
　　40十國21/10 B
孫池
　　5 新表10/73下/2947
孫造
　　5 新表10/73下/2961
　　19姓纂4/10 B

35孫清
　　5 新表10/73下/2961
孫遣
　　5 新表10/73下/2958
　　19姓纂4/10 B
36孫滉
　　5 新表10/73下/2959
孫視
　　5 新表10/73下/2955
　　19姓纂4/10 B
孫遇　見孫位
37孫逸
　　5 新表10/73下/2948
孫過庭　見孫虔禮
孫遹
　　5 新表10/73下/2955
　　19姓纂4/10 B
孫逢吉
　　39書史5/43 A
　　40十國56/4 B
孫朗
　　40十國76/3 B
38孫海　見陸海
孫洽(道弘)
　　5 新表10/73下/2959
孫道師
　　5 新表10/73下/2961
孫道茂　見孫處約
孫啓　見孫榮
孫榮(文威、無為)
　　5 新表10/73下/2953
　　8 全文827/3 B
　　11全詩11/727/8328
　　17紀事下/65/982
　　18才子9/155①
　　27郡齋3下/6 B
　　28直齋11/6 B
39孫逖(文)
　　1 舊唐15/190中/5043
　　2 新唐18/202/5759
　　5 新表10/73下/2949
　　7 新志5/60/1602
　　8 全文308/1 A
　　9 拾遺19/12 A
　　11全詩2/118/1186
　　　　12/882/9969
　　14國秀上/127
　　　　上/147

　　17紀事上/26/402
　　18才子1/15
　　19姓纂4/10 B
　　20郎考3/30 A
　　　　10/20 A
　　25登科5/17 A
　　　　5/17 B
　　　　5/18 A
　　　　7/14 A
　　　　7/19 B
　　　　8/4 B
　　　　8/13 A
40孫大名
　　5 新表10/73下/2958
孫太真　見吳越忠懿王妃
　　孫氏
孫奭(化南)
　　5 新表10/73下/2957
　　20郎考13/28 B
　　　　17/19 B
孫士倓
　　5 新表10/73下/2957
孫堯
　　5 新表10/73下/2957
孫希莊
　　1 舊唐15/190中/5043
　　2 新唐18/202/5759
　　19姓纂4/10 B
孫存進
　　41九國7/14 B
孫志直
　　26方鎮1/2 A
孫嘉之
　　1 舊唐15/190中/5043
　　2 新唐18/202/5759
　　5 新表10/73下/2949
　　8 全文259/19 A
　　19姓纂4/10 B
　　25登科4/2 B
　　　　4/21 B
孫雄(孫卯齋)
　　40十國45/3 A
孫樵(可之、隱之)
　　7 新志5/60/1608
　　8 全文794/1 A
　　25登科22/31 A
　　27郡齋4中/12 A
　　28直齋16/27 B

43孫朴
　25登科27/16A
44孫基貞
　5 新表10/73下/2948
孫藻
　5 新表10/73下/2948
孫蘭
　25登科27/34A
孫茂道　見孫處約
孫孝哲
　1 舊唐16/200上/5376
　2 新唐20/225上/6425
孫蔫
　5 新表10/73下/2961
孫華　見孫革
孫華清
　5 新表10/73下/2949
孫革
　8 全文745/21B
　11全詩7/473/5371②
　21御考3/46A
　25登科27/8B
孫菩薩
　59毗陵志25/6B
孫贄
　5 新表10/73下/2954
46孫觀
　5 新表10/73下/2951
47孫穀(子相)
　5 新表10/73下/2956
　24壁記　翰苑羣書
　　　　　上/50A
　25登科2/21B③
孫朝陽
　5 新表10/73下/2957
孫翺　見孫季良
孫翱開元初及第
　8 全文303/4B

25登科6/9B④
孫起
　5 新表10/73下/2958
孫穀　見孫穀
48孫翰
　7 新志5/59/1564
50孫惠
　40十國63/5B
孫由禮
　5 新表10/73下/2958
52孫揆(聖圭)
　2 新唐18/193/5562
　5 新表10/73下/2956
　25登科27/21A
　26方鎮4/73A
孫拙(幾玄)
　5 新表10/73下/2956
53孫成(退思、思退)⑤
　1 舊唐15/190中/5044
　2 新唐18/202/5760
　5 新表10/73下/2953
　19姓纂4/10B
　20郎考8/20A
　　　　　17/11B
孫咸
　11全詩11/770/8748
54孫蚪
　5 新表10/73下/2951
55孫替否
　5 新表10/73下/2955
　19姓纂4/10B
58孫敖曹
　1 舊唐16/199下/5350
　2 新唐20/219/6168
60孫昉
　41九國7/14B
孫日用
　7 新志5/58/1492

28直齋6/17B
孫昱
　5 新表10/73下/2948
孫蜀
　11全詩9/607/7007
　17紀事下/71/1052
孫晟(鳳、忌、文忠)五代南唐
　時
　3 舊五5/131/1732
　4 新五2/33/365
　8 全文861/1A
　40十國27/5A
　43馬書16/4A
　44陸書8/6A
　45江南5/1A
　58金陵志13上/17B
　76齊乘6/41A
孫晟唐德宗時
　26方鎮7/41B
孫思邈
　1 舊唐16/191/5094
　2 新唐18/196/5596
　6 舊志6/47/2044
　7 新志5/59/1518
　　　　5/59/1522
　　　　5/59/1538
　　　　5/59/1557
　　　　5/59/1571
　8 全文158/1A
　11全詩12/860/9717
　19姓纂4/11A
　28直齋6/22B
　　　　12/3A
　　　　13/5A
　39書史5/25A
孫晏(節)
　5 新表10/73下/2952
孫冕

---

① 《才子》作"孫啓"，並注云："似當作孫棨，今本《北里志》題孫棨撰。"
② 《全詩》原注："革一作華。"岑仲勉《讀全唐詩札記》云："按'革'，精舍碑（按卽《御考》——引者）有題名，作'華'非。"
③ 《登科》作"孫穀"，今從《新表》、《壁記》改正。
④ 《登科》據《文苑英華》謂孫翱爲開元七年舉文詞雅麗科第七人。按今查《文苑英華》卷四八五《文詞雅麗策》，第七名作孫珝。《登科》作翱，似誤。
⑤ 按，孫成之字，《舊唐》作退思，而《新唐》、《新表》作思退。又《册府元龜》卷八二○總録部載孫成爲信州刺史時，州人爲立生祠，惜未載其字。岑仲勉《元和姓纂四校記》謂千唐誌有孫成墓誌，亦云未見拓本。今按"退思"見《左傳》"進思盡忠，退思盡言"，而"思退"未見其出典，似作"退思"爲是。但亦未能確定，今併存，備考。

---

① 《登科》“胤”作“允”，係清人避諱改，今改正。
② 按，《新表》、《毗陵志》之孫會，遠子，常州刺史，封晉安縣男，約當唐代宗時。《新志》之孫會，撰《嬰孺方》十卷，據其排列時序，當是晚唐時醫家。《全文》之孫會，據小傳，謂唐玄宗開元二十九年郴州太守。時代與官職均不同，當是三人，今分列。
③④ 《全文》、《十國》皆作“孫郜”，“郜”字誤，今從《新志》、《紀事》等書作“郜”。參岑仲勉《讀全唐文札記》。
⑤ 《姓纂》“尚”作“上”，今據岑仲勉《元和姓纂四校記》考定改正。

---

① 《新表》作"武信忠",今從《姓纂》。
② 《新表》云武崇敏字正卿,係武攸暨子。按《姓纂》載攸暨子崇敏,宗正卿。由此可證《新表》所謂"字正卿"乃"宗正卿"之誤。今不列武崇敏之字。
③ 《姓纂》"若"作"君",似作"若"是,今從《新表》。
④ 《新表》作"武敬",今從《姓纂》。

①《新表》作"武昕忠"，爲攸止子，鴻臚卿。按《姓纂》謂攸止生昕、忠、信，忠爲鴻臚卿，信爲秘書監。則武昕、武忠實爲二人，《新表》誤合爲一。今據《姓纂》分列。
②《御考》作"□琯"，原缺姓。
③《姓纂》"詵"作"說"，今據岑仲勉《元和姓纂四校記》考定改正。
④《赤城志》"詵"作"銑"，並云武后時累遷鳳閣舍人，以武后不悅而出。按新、舊《唐書》本傳，孟詵於武后垂拱間累遷至鳳閣舍人，後不悅於武后，乃因事出爲台州司馬。則《赤城志》之孟銑當是孟詵之誤，今改正。
⑤《全詩》原注："守一作宁。"

17紀事下/41/632
19姓纂9/15 B
20郎考4/37 A
　　5/21 B
　　18/12 A
25登科27/10 B
　　27/12 B⑧
26方鎮4/136 B
　　5/53 A
59毗陵志7/15 A
64掇英18/13 B
65會稽志2/30 B
71嚴州1/30 A

1712₀ 刁

00刁彥能（德明）
　40十國21/7 B
　43馬書11/1 A
　44陸書3/8 B
　69嘉定鎮江18/48 A
　70至順鎮江19/20 A
21刁衎（元賓）
　40十國21/8 B
35刁禮
　43馬書11/1 A
　44陸書3/8 B
87刁舒（公綽）
　69嘉定鎮江18/48 B
90刁光胤
　32益畫中/2 B
　35畫譜15/5 B⑨
　36圖誌2/34
　38圖繪2/18 A

40十國44/9 B⑩
刁尚能
　8 全文819/2 B

玥

玥
　20郎考17/19 B⑪

1712₇ 鄧

00鄧文佐
　25登科13/15 A
鄧玄挺
　1 舊唐15/190上/5007
　6 舊志6/47/2075
　7 新志5/60/1599
　19姓纂9/19 A
　20郎考11/6 A⑫
　　12/5 A
　　12/23 B
鄧衮
　8 全文757/12 A
10鄧元機
　19姓纂9/19 A
鄧元挺　見鄧玄挺
鄧元明
　40十國42/5 B
13鄧武遷
　73吳興志14/24 B
17鄧承緒
　8 全文397/15 A
　25登科27/28 B
　　27/36 A
20鄧季筠

3 舊五1/19/262
21鄧行儼
　7 新志5/58/1506
　19姓纂9/19 A
鄧處訥（沖韞）
　2 新唐17/186/5420
　26方鎮6/41 B
　41九國11/12 B
24鄧倚
　11全詩11/779/8816
25鄧伸
　40十國64/1 B
30鄧注
　19姓纂9/19 A⑬
鄧進忠
　41九國11/4 B
鄧進恩
　41九國11/4 B
31鄧汪　見鄧注
35鄧沖
　19姓纂9/19 A
36鄧溫
　19姓纂9/19 A
37鄧洵美（鄧馱）
　11全詩11/734/8387⑭
　25登科26/12 B
　40十國75/5 A
　45江南7/5 A
38鄧洋
　19姓纂9/19 A
40鄧吉知
　1 舊唐16/197/5278
44鄧茂林

---

① 《姓纂》原無"禮"字，今據岑仲勉《元和姓纂四校記》考定補正。
② 《郎考》此處"溫禮"作"知禮"，勞格謂當作"溫禮"，今從之。
③④⑤ 《新志》、《全文》、《直齋》"棨"作"啓"，蓋形近而譌，今改正。
⑥ 《十國》原注："威一作咸。"
⑦ 《全詩》作"孟匡明"，岑仲勉《讀全唐詩札記》云："按此殆爲孟匡朝之訛。玄宗朝匡朝爲翰林學士，見《翰林志》。"岑說是，今改正。
⑧ 《登科》卷二七載孟簡凡兩處：27/10B云："郊之叔，見孟郊詩。"27/12B引《舊唐書》本傳及《唐詩紀事》，載簡爲孟詵孫，字幾道，平昌人，元和中登第。徐松按語云："按此與孟郊之叔別是一人。"今經考查，徐氏所云無據，新、舊《唐書》本傳及《紀事》等所載之孟簡，即爲孟郊叔父，中唐時除此更無名孟簡者。可參看華忱之《孟郊年譜》。
⑨⑩ 《畫譜》、《十國》作"刁光"，無"胤"字，蓋清人避諱省，今補正。
⑪ 《郎考》作"□玥"，原缺姓。
⑫ 《郎考》此處"玄"作"元"，蓋清人避諱改，今據同書卷一二改正。
⑬ 《姓纂》"注"作"汪"，今據岑仲勉《元和姓纂四校記》考定改正。
⑭ 《全詩》原注："洵一作恂。"

20郎考4/10A
鄧世隆
　1 舊唐8/73/2599
　2 新唐13/102/3984
　7 新志5/58/1507
47鄧懿文
　40十國74/4A
50鄧表　見鄧素
鄧素
　19姓纂9/19A①
　20郎考7/1B
60鄧暗
　10續拾6/18A
鄧曷
　19姓纂9/19A
鄧景山（敬）
　1 舊唐10/110/3313
　2 新唐15/141/4655
　19姓纂9/19A
　25登科7/26A
　26方鎮3/34A
　　　　4/30B
　　　　5/21A
　　　　8/51A
鄧羅顛
　2 新唐20/222中/6294
71鄧陟
　11全詩11/780/8825
90鄧惟恭
　2 新唐19/214/6002
96鄧惲　見鄧惲
97鄧洵美　見鄧洵美
鄧惲
　19姓纂9/19A②
98鄧敞
　25登科22/20B

耶

25耶律倍　見李贊華
耶律德光
　44陸書15/3A
耶律突欲　見李贊華

1719₄ 琛

36琛禪師
　81景德22/12A

1720₇ 了

23了然
　81景德11/14B
30了空
　9 拾遺49/24A
91了悟
　81景德20/10B

弓

30弓之遘　見弓遘之
弓之義　見弓義之
34弓遘之
　19姓纂1/3A③
37弓逸
　19姓纂1/3A
40弓志元
　19姓纂1/3A
　　　　1/3B
弓志弘
　19姓纂1/3A
弓志和
　19姓纂1/3A
42弓彭祖
　19姓纂1/3A
　　　　1/3B
67弓嗣説
　19姓纂1/3B
弓嗣宗
　19姓纂1/3A
　20郎考22/22A
弓嗣業
　19姓纂1/3B
弓嗣初
　11全詩2/72/787
　17紀事上/7/88
　19姓纂1/3B
80弓義之
　19姓纂1/3A④

1721₄ 翟

00翟立言
　19姓纂10/35A
10翟璋
　3 舊五4/95/1268
　21御考1/18B
　　　　2/37A
19翟琰

30歷畫9/177
35畫譜2/4A
38圖繪2/6B
20翟禹錫
　8 全文399/14A
21翟仁欽
　4 新五2/33/362
翟行約
　69嘉定鎮江16/22B
翟虔
　40十國10/11A
　41九國2/11B
30翟進宗
　4 新五2/33/362
40翟木樓
　25登科27/2B
44翟楚質
　25登科27/2B⑤
翟楚賢
　8 全文959/12A
60翟景珂
　3 舊五5/129/1698
　4 新五2/49/553
80翟無言
　19姓纂10/35A
90翟光鄴（化基、永定）
　3 舊五5/129/1698
　4 新五2/49/553

1723₂ 承

10承璩
　8 全文747/12A
30承宗
　1 舊唐16/195/5198
　2 新唐19/217上/6114
承宷
　1 舊唐16/195/5198
　2 新唐19/217上/6115
34承遠
　8 全文913/6B

豫

00豫章公主
　2 新唐12/83/3646

1734₆ 尋

77尋閣勸　見苴蒙閣勸

1740₇ 子

00子立　見惠立
12子瑈(真瑛)
　　80宋僧26/14B
24子休(馮翊子)
　　7 新志5/59/1543
28子儀(心印水月大師)
　　8 全文913/1A
　　81景德21/20A
37子朗
　　40十國47/4B
38子祥(性實)
　　40十國66/7B
　　70至順鎮江19/32A
44子蘭
　　11全詩12/824/9286
　　17紀事下/72/1061
　　18才子3/45
50子泰
　　12詩逸中/10209
77子興(明悟大師)
　　81景德22/4A
97子鄰
　　80宋僧3/8B

1742₇ 邢

00邢文偉
　　1 舊唐15/189下/4959
　　2 新唐13/106/4057
　　5 新表10/74上/3153
　　8 全文162/19A
　　20郎考10/3A
08邢説
　　1 舊唐11/137/3765
　　2 新唐18/203/5781
14邢璹
　　9 拾遺18/14A
　　28直齋1/7A

17邢羣(渙思)
　　11全詩8/546/6307
　　20郎考12/41A
　　25登科20/26B
　　63新安志9/23B
　　69嘉定鎮江15/48B
　　　　　　15/50A
　　　　　　15/51A
　邢君牙
　　1 舊唐12/144/3925
　　2 新唐16/156/4908
　　26方鎮1/3B
26邢和璞
　　2 新唐18/204/5811
　　7 新志5/59/1548
27邢象玉
　　11全詩11/777/8797
30邢濟
　　26方鎮7/39A
　　53赤城志8/18A⑥
　邢宇(紹宗)
　　2 新唐18/194/5565
　　8 全文436/3B
　　20郎考6/14B
　　　　　　9/11B
　　　　　　12/19B
　邢宙(次宗)
　　2 新唐18/194/5565
　　8 全文453/13B
40邢南和
　　7 新志5/59/1517
44邢肅
　　20郎考17/17A
　邢甚夷
　　8 全文819/1A
50邢蕭
　　20郎考8/30B
57邢招濟　見邢濟
71邢巨

1 舊唐15/190中/5035
　　8 全文301/7A
　　11全詩2/117/1183
　　21御考3/23A
　　　　　　3/26A
　　25登科5/5B
　　　　　　6/9B
　邢長史
　　69嘉定鎮江16/2B
77邢鳳
　　11全詩12/868/9830
　邢册
　　25登科13/4B
88邢筠
　　8 全文816/5A

1750₆ 鞏

12鞏弘武
　　19姓纂6/3A
　鞏廷美
　　40十國106/3B
26鞏伯壎
　　8 全文900/5B

1750₇ 尹

00尹文憲
　　19姓纂6/35A
　　20郎考16/1A
10尹正理
　　19姓纂6/35A
　尹正義
　　19姓纂6/35A
　　20郎考13/19B
　　64掇英18/11B
　　65會稽志2/27A
　尹玉羽(自然先生)
　　3 舊五4/93/1236
　尹元貞(壯)
　　1 舊唐15/187上/4877

---

① 《姓纂》"索"作"表",今據岑仲勉《元和姓纂四校記》考定改正。
② 《姓纂》"惲"作"惲",今據岑仲勉《元和姓纂四校記》考定改正。
③ 《姓纂》"遠之"作"之遠",今據岑仲勉《元和姓纂四校記》考定改正。
④ 《姓纂》"義之"作"之義",今據岑仲勉《元和姓纂四校記》考定改正。
⑤ 按,唐長孫儆《漢故丞相翟公重建表》(《全唐文》卷七三二)云:"國朝已還,楚質、木樓,皆以文詞登第。"而《全唐文》載翟楚賢文三篇:《碧落賦》、《觀鑄鐘賦》、《天行健賦(以"天德以陽故能行健"爲韻)》,似即爲應試時所作辭賦。質、賢形近,似即一人。但其他材料無考,今仍分列。
⑥ 《赤城志》作"邢招濟",並注云:"按唐僧清晝有送邢濟牧台州詩,即無'招'字,恐《壁記》誤。"《壁記》者,即《赤城志》卷八之《唐太守題壁記》。今改作邢濟。

19姓纂6/35A
69嘉定鎮江17/6B
尹元備
　19姓纂6/34B
尹元繹
　19姓纂6/35A
尹元凱
　1 舊唐15/190中/5027
　2 新唐18/202/5752
　19姓纂6/35A
尹元叔
　19姓纂6/35A
尹元徽
　19姓纂6/35A
尹元超
　19姓纂6/35A
尹震鐸
　9 拾遺31/11A
12尹璞
　11全詩8/517/5908
14尹琳唐高宗時
　30歷畫9/183
　38圖繪2/22B
　31唐畫6/16A①
尹琳五代時
　45江南6/2A
17尹悉
　17紀事上/17/253
尹子産
　19姓纂6/35A
尹子羽
　19姓纂6/35A
21尹仁弘
　19姓纂6/35A
尹仁德
　19姓纂6/35A
22尹繼昭
　35畫譜8/2A
　36圖誌2/34
　38圖繪2/12A
24尹勳
　3 舊五4/88/1154
26尹程
　8 全文956/13A
27尹伊
　8 全文162/18B②
28尹徵
　25登科9/28A

30尹守貞
　25登科3/13A
32尹澄
　31唐畫6/16A
37尹深源
　8 全文403/17B
尹朗
　19姓纂6/35A
40尹爽
　19姓纂6/35A
　20郎考21/8B
41尹極
　25登科18/6B
尹樞
　8 全文619/11B
　25登科12/27B
44尹懋
　11全詩2/98/1060
尹勢
　19姓纂6/35A
尹若　見尹伊
尹植
　7 新志5/58/1498
尹林　見尹琳
50尹中庸
　19姓纂6/34B
尹中言
　19姓纂6/34B
　21御考3/23B
尹中和
　19姓纂6/34B
尹惠
　19姓纂6/34B
52尹拙
　8 全文865/9A
　25登科25/7B
56尹暢
　8 全文399/5A
　25登科7/19B
60尹日昇
　19姓纂6/35A
尹思貞(簡)京兆長安人
　1 舊唐9/100/3109
　2 新唐14/128/4459
　19姓纂6/34B③
　25登科2/10B
尹思貞(季弱)泰州天水人
　2 新唐18/200/5703

25登科27/28A
尹恖貞　見尹思貞
67尹暉
　3 舊五4/88/1154
　4 新五2/48/543
尹鶚
　11全詩12/895/10110
　40十國44/4B
71尹匡祚
　8 全文403/2B
86尹知章
　1 舊唐15/189下/4974
　2 新唐18/199/5671
　6 舊志6/47/2032
　7 新志5/57/1443
　　5/59/1517
　　5/59/1518
　　5/59/1532
　　5/59/1533
　19姓纂6/35A
　20郎考20/1B
90尹愔
　2 新唐18/200/5703
　8 全文927/6A
　23故事　翰苑羣書
　　　上/24A
　24壁記　翰苑羣書
　　　上/39B
98尹悦
　8 全文713/7A

1752₇ 那

23那伏帝阿羅那順
　1 舊唐16/198/5307
　2 新唐20/221上/6238
27那俱車鼻施
　2 新唐20/221下/6246
36那邏邇娑婆寐
　1 舊唐16/198/5308
　2 新唐20/221上/6238
47那都泥利
　2 新唐20/221下/6252
56那提　見福生
60那羅延
　2 新唐20/221下/6255
　8 全文999/30B
63那跋陀羅　見智賢
74那陵提婆

① 《唐畫》"琳"作"林"，今據《歷畫》、《圖繪》諸書改正。
② 《全文》原注："伊一作君。"
③ 《姓纂》"思"作"恩"，今據岑仲勉《元和姓纂四校記》考定改正。
④ 《姓纂》原作"司徒襲成"，云："上元澗州刺史司徒襲成云河內人。"岑仲勉《元和姓纂四校記》云此處"司徒冒司空
之文"，並據四庫本及《新唐書》卷一九二《張巡傳》，謂應作"上元澗州刺史司空襲禮，或云河內人"。岑說是，今
據改。
⑤ 《姓纂》作"司徒圖"。今據岑仲勉《元和姓纂四校記》改爲司空圖。岑氏並謂此司空圖爲司空曙之孫，非晚唐詩
人司空圖。據《舊唐書·司空圖傳》，圖之祖名象，非。
⑥ 《姓纂》"曙"作"署"，實即大曆時詩人司空曙，今據岑仲勉《元和姓纂四校記》改正。
⑦ 《姓纂》"垂"作"錘"，今據岑仲勉《元和姓纂四校記》考定改正。

司馬喬鄉　見司馬喬卿
司馬喬卿
　19姓纂2/8B①
司馬仁節
　19姓纂2/8B
司馬貞
　7 新志5/58/1457
　8 全文402/2A
　27郡齋2下/3A
　28直齋4/13B
　69嘉定鎮江16/1B
司馬利賓
　19姓纂2/8B
司馬待徵
　19姓纂2/8B
司馬宅相
　7 新志5/59/1562
司馬福
　40十國85/3A
司馬滔
　8 全文436/14B
司馬禮　見司馬札
司馬逸客
　11全詩2/100/1073
　19姓纂2/8B②
司馬逸容　見司馬逸客
司馬退之
　11全詩12/852/9637
　17紀事上/23/338
司馬鄴(表仁)
　3 舊五1/20/270
司馬裕
　7 新志5/59/1558
司馬太貞
　8 全文162/10A
司馬才章
　1 舊唐8/73/2603
　7 新志5/57/1426
　27郡齋1上/3B
司馬希象
　2 新唐18/202/5753
　19姓纂2/8A
　20郎考5/42A
　　　6/3B

13/6B
　22/7A
21御考3/35A
　3/39A

司馬希奭
　19姓纂2/8A
司馬札
　11全詩9/596/6899③
　18才子10/175
　28直齋19/20A
司馬蒼
　19姓纂2/8B
司馬都
　11全詩9/600/6946
　17紀事下/64/959
　25登科27/20A
司馬思溫
　19姓纂2/8B
司馬晤
　19姓纂2/8B
司馬曜
　19姓纂2/8B
司馬驤
　7 新志5/59/1558
司馬益
　19姓纂2/8B
司馬僉
　6 舊志6/47/2074
　7 新志5/60/1599
司馬錘　見司馬垂
司馬鐵
　19姓纂2/8B
司馬鍠
　1 舊唐15/190中/5017
　2 新唐18/202/5753
　8 全文260/23A
　19姓纂2/8B
　20郎考4/8A
司馬銓
　19姓纂2/8B
　20郎考11/13A
　21御考2/6B
　　　2/30A
司馬烜
　1 舊唐8/73/2603

1762₇ 邵

00邵齋欽
　30歷畫9/183
06邵謁
　11全詩9/605/6992
　12/865/9786

18才子8/137
28直齋19/26A
08邵説
　1 舊唐11/137/3765
　2 新唐18/203/5781
　7 新志5/60/1604
　8 全文452/1A
　9 拾遺24/5A
　19姓纂9/9A
　20郎考7/11A
　　　11/27B
　21御考3/52A
　25登科27/7B
12邵廷玠
　40十國65/2A
　41九國9/5B
17邵瓊之
　8 全文374/6A
　19姓纂9/9A
　21御考2/52A
　　　3/35B
　25登科27/36A
21邵偃
　11全詩6/347/3885
　邵貞鉉
　19姓纂9/10A④
　邵貞鈫　見邵貞鉉
25邵仲方
　9 拾遺26/14A
30邵安石
　25登科23/26B
36邵混之
　8 全文364/25A
　邵潭
　19姓纂9/9B
37邵潤之
　8 全文404/15A
　25登科5/18A
　邵朗
　8 全文806/16A
38邵滄
　19姓纂9/9B
40邵大震(令遠)
　11全詩2/63/746
　17紀事上/8/106
　邵士彥
　11全詩11/774/8773
　17紀事上/13/190

邵真
1 舊唐15/187下/4905
2 新唐19/211/5950
8 全文445/1A
11 全詩5/313/3527
17 紀事下/43/663
44 邵摯
19 姓纂9/9A
69 嘉定鎮江17/4B
邵英俊
7 新志5/59/1573
邵楚萇（待倫）
11 全詩7/464/5273
25 登科14/22B
72 三山志26/2B
50 邵中和
19 姓纂9/9A
52 邵拙（拙之）
11 全詩11/795/8953
40 十國29/2A
43 馬書22/3A
58 邵軫
2 新唐18/202/5770
8 全文333/8A
25 登科8/17A
60 邵昇
11 全詩2/69/774
19 姓纂9/9A
53 赤城志8/14A
邵固
1 舊唐16/199下/5352
2 新唐20/219/6170
邵炅
8 全文622/1B
19 姓纂9/9A
20 郎考10/18A
21 御考2/6A
2/28B
25 登科4/21B
邵景
11 全詩12/869/9852
25 登科27/3A

72 邵岳
40 十國75/1B
76 邵陽公主
2 新唐12/83/3667
77 邵卿①
8 全文958/2B
86 邵錫
25 登科27/20B
邵知新
7 新志5/58/1496
19 姓纂9/9A

1771_0　乙

25 乙失鉢（野咥可汗）
1 舊唐16/199下/5344
2 新唐19/217下/6134
30 乙注車鼻可汗　見車鼻
35 乙速孤行方
19 姓纂10/18B
乙速孤行儼
19 姓纂10/18B
25 登科27/25B
乙速孤行均
19 姓纂10/18B
乙速孤神慶
19 姓纂10/18B
乙速孤令從
19 姓纂10/18B
55 乙弗弘禮
1 舊唐16/191/5091
2 新唐18/204/5803
乙弗武
19 姓纂10/17B
61 乙毗射匱可汗
1 舊唐16/194下/5185
2 新唐19/215下/6060
乙毗沙鉢羅葉護可汗（同俄設）
1 舊唐16/194下/5184
2 新唐19/215下/6059
乙毗咄陸可汗（欲谷設）
1 舊唐16/194下/5184

2 新唐19/215下/6058

1812_1　瑜

26 瑜和尚
81 景德24/22A

1813_7　玲

22 玲幽
8 全文919/23B

1840_4　婺

32 婺州山中人
11 全詩11/784/8851

1915_9　璘

26 璘和尚
81 景德23/7A

1918_0　耿

10 耿玉真
11 全詩12/899/10165
耿雲
44 陸書14/4A
24 耿先生（天自在山人、比大先生）
40 十國34/6B
43 馬書24/4A
44 陸書14/4A
24 耿緯　見耿湋
25 耿純
30 歷畫9/183
34 耿湋（洪源）
2 新唐18/203/5786
7 新志5/60/1611
11 全詩4/268/2973
12/883/9976
16 極玄上/326⑤
17 紀事上/30/464
18 才子4/57
25 登科10/14B⑥
27 郡齋4上/22B
28 直齋19/9A

---

① 《姓纂》"卿"作"鄉"，今據岑仲勉《元和姓纂四校記》考定改正。
② 《姓纂》"客"作"容"，今據岑仲勉《元和姓纂四校記》考定改正。
③ 《全詩》原注："札一作禮。"
④ 《姓纂》"鉉"作"鉈"，今據岑仲勉《元和姓纂四校記》考定改正。
⑤ 《極玄》原注："湋一作緯。"
⑥ 《登科》"湋"作"緯"，今從《新唐書》本傳。下《郡齋》同。

2010_4 重

34 重滿
　81景德23/16 B
42 重機
　81景德21/6 B

2021_4 住

40 住力
　79續僧39/13 B

2022_7 秀

25 秀律師
　80宋僧14/16 B
28 秀黼和尚
　81景德8/14 A
36 秀禪師
　81景德24/11 A

喬

00 喬庶
　53赤城志8/21 B
13 喬琮
　8 全文450/5 B
14 喬琳
　1 舊唐11/127/3576
　2 新唐20/224下/6390
　5 新表11/75下/3379
　8 全文356/8 B
　11全詩3/196/2014
　17紀事下/53/802
　26方鎮8/2 B
　27郡齋2下/21 A
17 喬琛
　5 新表11/75下/3379
　25登科10/14 B
20 喬舜　見喬匡舜
　喬維岳（伯周）
　25登科26/23 B
21 喬師望
　1 舊唐15/190中/5012
　8 全文187/3 A
　69嘉定鎮江14/2 B
23 喬弁　見高弁
24 喬備
　1 舊唐15/190中/5012

　6 舊志6/47/2075
　7 新志5/60/1600
　11全詩2/81/878
　12/882/9969
26 喬侃
　1 舊唐15/190中/5012
　7 新志5/59/1563
　11全詩2/81/878
　17紀事上/6/74
27 喬龜年
　37書小史10/7 A
　喬彝
　5 新表11/75下/3379
　8 全文546/9 A
31 喬潭（源）
　2 新唐18/194/5565
　8 全文451/1 A
　25登科9/28 A
44 喬夢松
　21御考1/20 A
　2/19 A
　2/39 B
　喬林
　25登科9/5 A
53 喬輔舜
　69嘉定鎮江15/49 B
71 喬匡舜（亞元、貞）
　11全詩11/757/8618①
　40十國25/11 A
　44陸書5/8 A
72 喬氏喬知之妹
　11全詩11/799/8983
　喬氏南唐宮人
　9 拾遺51/2 B
　40十國18/8 B
86 喬知之
　1 舊唐15/190中/5012
　6 舊志6/47/2075
　7 新志5/60/1600
　11全詩2/81/873
　17紀事上/6/73
　20郎考1/33 B
　28直齋19/4 A

2024_7 愛

77 愛同

　80宋僧14/21 B
　83開元錄9/571
　85貞元新錄14/873

2025_2 舜

24 舜化
　2 新唐20/222中/6293

2026_1 信

47 信都承慶
　19姓纂9/3 A
　信都鎬
　28直齋5/3 A
　40十國11/5 B
　信都公主
　2 新唐12/83/3675
53 信成公主
　2 新唐12/83/3659

2033_1 焦

00 焦彥賓（英服）
　41九國7/20 A
17 焦璐
　7 新志5/58/1461
　5/59/1543
40 焦希望
　2 新唐19/207/5868
46 焦如璧
　21御考2/14 A
47 焦郁
　11全詩8/505/5743
　17紀事上/35/553
58 焦鬖
　41九國7/20 A
91 焦悱
　53赤城志8/19 B

2033_9 悉

04 悉諾
　2 新唐20/221下/6257
22 悉利移
　1 舊唐16/197/5286

2040_0 千

00 千旁羅顚
　2 新唐20/222中/6295

---

① 《全詩》作"喬舜"，今據陸游《南唐書》及《十國春秋》補"匡"字。

77毛熙震
　　11全詩12/895/10113
79毛勝(公敵、天饒居士)
　　8　全文899/17A
　　40十國88/3A
87毛欽一(傑、雲夢子)
　　7　新志5/60/1602
　　8　全文239/17B
　　28直齋16/14B
91毛炳
　　11全詩11/795/8953
　　40十國29/1B
　　43馬書15/5A
　　44陸書4/10A

2090₁ 乘

26乘和尚
　　81景德23/8B
46乘如
　　8　全文916/22A
　　80宋僧15/10A
60乘恩
　　80宋僧6/17B

2090₄ 禾

22禾山和尚
　　81景德17/13A

采

00采庭芝
　　19姓纂6/33B
30采宣明
　　19姓纂6/33B
44采蘭芝
　　19姓纂6/33B
50采泰眷
　　19姓纂6/33B

80采公敏
　　19姓纂6/33B
90采懷敬
　　19姓纂6/33B
　　20郎考3/10B

2091₃ 統

44統葉護可汗
　　1　舊唐16/194下/5181
　　2　新唐19/215下/6056

2091₄ 維

60維亮
　　80宋僧15/14B

2108₆ 順

16順璟
　　80宋僧4/10A
21順貞
　　80宋僧2/14A
24順化可汗　見仁裕
40順支(了悟大師)
　　81景德12/10B

2110₀ 上

10上元夫人
　　11全詩12/863/9759
22上仙公主
　　2　新唐12/83/3658
26上泉和尚
　　81景德26/5B
30上宮厩户豐耳聰太子
　　9　拾遺72/2B
上官庭璋
　　5　新表10/73下/2944
　　19姓纂7/16B
上官庭芝

1　舊唐8/80/2744
2　新唐13/105/4035
5　新表10/73下/2943
19姓纂7/16B
上官詔
　　5　新表10/73下/2944
上官靈芝
　　8　全文168/16A
上官翼
　　7　新志5/59/1524
上官翼伯
　　19姓纂7/16B
上官經緯
　　5　新表10/73下/2944
　　19姓纂7/16B
上官經國
　　5　新表10/73下/2944
　　19姓纂7/16B
上官經野
　　5　新表10/73下/2944
　　19姓纂7/16B
上官儀(游韶)
　　1　舊唐8/80/2743
　　2　新唐13/105/4035
　　5　新表10/73下/2943
　　6　舊志6/47/2073
　　7　新志5/58/1456
　　　　5/59/1561
　　　　5/60/1598
　　　　5/60/1621
　　8　全文154/11B
　　11全詩1/40/505
　　12詩逸上/10174
　　17紀事上/6/72
　　19姓纂7/16B
　　25登科1/8B
　　27郡齋3下/27B

---

① 《登科》"季"作"李",謂開元二十三年將帥科登第。按季廣琛爲開元二十三年登第,肅宗時歷任方鎮,大曆時右
　散騎常侍,其事迹可參見岑仲勉《元和姓纂四校記》所考。《登科》以"季"爲"李",當是板刻之誤。
② 《乾道臨安》"洛"作"恪",形誤,今據岑仲勉《元和姓纂四校記》考定改正。
③ 《姓纂》於"陽"下云:"唐右武衛大將軍、定相二州總管、杭州刺史。"岑仲勉《元和姓纂四校記》據《新唐書》卷一武
　德五年及同書卷八六《劉黑闥傳》、《乾道臨安志》卷三、《全唐文》卷一五六《宣霧山鑱經像碑》,謂任定、相二州總
　管及杭州刺史者應爲雙士洛(《乾道臨安志》作雙士恪,恪字形誤),非雙陽,今本《姓纂》乃脫去士洛名,陽則爲士
　洛之子。錄以備考。
④ 《姓纂》謂淩澤生千柏,千柏生陟,陟爲吏部侍郎。然《舊唐書》卷一四九《奚陟傳》謂陟祖乾曜,《劉夢得集》卷二
　八奚陟碑文同,此處疑有誤。詳參岑仲勉《元和姓纂四校記》。
⑤⑥《全文》、《登科》"玄"並作"元",蓋避清諱改,今改正。
⑦ 《全詩》此處作"毛女",今與同書卷八六三統一作"毛女正美"。

81景德12/13B

盧

00盧立
　5 新表9/73上/2938
盧庇
　5 新表9/73上/2928
盧彦
　5 新表9/73上/2937
盧彦倫
　5 新表9/73上/2924
盧彦恭
　5 新表9/73上/2923
盧彦威
　26方鎮4/95A
盧彦卿
　1 舊唐15/189下/4972
　7 新志5/58/1466
盧序
　5 新表9/73上/2938
盧齊卿
　1 舊唐8/81/2749
　2 新唐13/106/4048
　20郎考17/6B
盧方慶
　2 新唐14/120/4313
　5 新表9/73上/2912
盧方壽
　5 新表9/73上/2889
盧膺怡子,大理評事
　5 新表9/73上/2909
盧膺(公禮)湿子,刑部侍郎
　5 新表9/73上/2917
盧膺五代南漢中書侍郎
　40十國64/1B
盧商(為臣)
　1 舊唐14/176/4575
　2 新唐17/182/5366
　5 新表9/73上/2914
　8 全文759/22B
　20郎考5/27B
　　　　13/27B
　25登科17/23B

26方鎮5/41B
　　　6/22B
　　　6/81A
55吳郡志11/4B
69嘉定鎮江14/31A
盧裔庸子
　5 新表9/73上/2909
盧裔奉卿子
　5 新表9/73上/2924
盧裔惰(子惰)
　5 新表9/73上/2933
盧庚元和時人
　5 新表9/73上/2892
盧庚天寶時人
　25登科9/33B①
盧庚
　8 全文375/10B
盧庭言
　5 新表9/73上/2910
盧庭芳
　5 新表9/73上/2910
盧庭昌
　5 新表9/73上/2910
盧庭光
　5 新表9/73上/2909
盧廙
　5 新表9/73上/2927
　20郎考16/5A
　21御考2/35B
盧廣
　1 舊唐14/176/4575
　5 新表9/73上/2914
盧廣微
　5 新表9/73上/2896
盧廣濟
　5 新表9/73上/2897
盧廣敬
　5 新表9/73上/2896
盧廣明
　5 新表9/73上/2896
盧廣全
　5 新表9/73上/2906
盧廣(昌舜)

　5 新表9/73上/2917
盧庥(垂禮)
　5 新表9/73上/2917
盧文度(子澄)
　2 新唐17/177/5283
　5 新表9/73上/2932
盧文紀(子持)
　2 新唐17/177/5285
　3 舊五5/127/1667
　4 新五2/55/627
　5 新表9/73上/2934
　8 全文855/12A
　9 拾遺46/22B
　11全詩11/737/8406
盧文進(國用、大用)
　3 舊五4/97/1294
　4 新五2/48/539
　8 全文870/5A
　40十國23/2B
　43馬書12/1A
　44陸書6/4A
　69嘉定鎮江14/50A
盧文涣(子林)
　5 新表9/73上/2932
盧文洽
　20郎考22/1A
盧文勵
　5 新表9/73上/2934
　20郎考23/1B
盧文焕
　25登科24/21B
盧奕(貞烈)
　1 舊唐11/135/3713
　　　15/187下/4893
　2 新唐18/191/5526
　5 新表9/73上/2926
　20郎考11/20B
盧言唐玄宗時
　11全詩12/887/10022②
盧言唐文宗時考功郎中
　20郎考9/3A
　　　11/46A
　28直齋11/6A

---

① 《新表》之盧庚,係盧鈞弟,鈞為唐憲宗元和四年進士登第,則此盧庚亦當是元和時人。《登科》之盧庚,據《唐才子傳》所載,為唐玄宗天寶十五載狀元,時代不相及,當為二人。又下《全文》所載之盧庚,小傳云"玄宗時人",其他不詳,與《登科》之盧庚時代相同。"庚"、"庚"形近,似為一人,因無確據,現仍分列。

② 《全詩》原注:"言一作顏。"

盧玄約
　5 新表9/73上/2938
盧玄禧(子裕)
　1 舊唐13/163/4273
　5 新表9/73上/2932
　25登科27/17A①
盧玄明
　5 新表9/73上/2939
盧玄暉(子餘、白衣卿相)
　5 新表9/73上/2924
　25登科24/7B②
盧玄卿(子真)
　5 新表9/73上/2896
盧玄範
　5 新表9/73上/2935
盧衮　見盧絳
盧褒
　5 新表9/73上/2925
01盧顏　見盧言
　盧顏遠價子
　5 新表9/73上/2911③
　盧頏
　20郎考12/51A
　盧襲秀
　2 新唐14/120/4313
　21御考2/46A
　盧襲乂
　5 新表9/73上/2912
02盧端向子
　5 新表9/73上/2888
　盧端伯超子
　5 新表9/73上/2924
03盧誧
　5 新表9/73上/2911
04盧計　見盧繼
　盧詵慎思子
　5 新表9/73上/2887
　盧詵景子
　5 新表9/73上/2913
　盧詵撰《梁四公記》
　7 新志5/58/1484④
　28直齋7/4A
　盧誤
　5 新表9/73上/2929
05盧竦
　5 新表9/73上/2886
06盧謂
　5 新表9/73上/2910

07盧望
　3 舊五4/93/1227
　4 新五2/56/643
　20郎考2/34A
　　　7/31B
盧翊
　5 新表9/73上/2914
盧諷
　5 新表9/73上/2936
盧詞
　5 新表9/73上/2917
盧詢
　5 新表9/73上/2923
盧詡
　5 新表9/73上/2895
盧諎
　5 新表9/13上/2897
　20郎考3/81B
盧韶
　5 新表9/73上/2929
盧歆
　5 新表9/73上/2929
08盧於陵
　5 新表9/73上/2923
盧放
　5 新表9/73上/2913
盧敦禮
　5 新表9/73上/2915
盧説
　8 全文821/7B
盧論
　5 新表9/73上/2895
盧諭慎思子
　5 新表9/73上/2887
盧諭從愿子
　5 新表9/73上/2930
　8 全文365/6A
09盧麟(垂禎)
　5 新表9/73上/2918
10盧正言(光)
　5 新表9/73上/2905
盧正己　見盧元裕
盧正紀
　5 新表9/73上/2902
盧正容
　5 新表9/73上/2908
　69嘉定鎮江16/6A
盧正道

　5 新表9/73上/2903
盧正勤
　5 新表9/73上/2903
盧正義
　5 新表9/73上/2904
盧玉昆
　5 新表9/73上/2889
盧瓖
　7 新志5/60/1624
盧元
　20郎考14/2B⑤
盧元亨
　5 新表9/73上/2910
盧元亮
　5 新表9/73上/2909
盧元珪
　5 新表9/73上/2885
盧元貞
　5 新表9/73上/2909
盧元德
　5 新表9/73上/2909
盧元休
　5 新表9/73上/2939
盧元寓
　5 新表9/73上/2889
盧元福
　5 新表9/73上/2885
盧元禧　見盧玄禧
盧元裕(正己、子寬)
　5 新表9/73上/2919⑥
　　　9/73上/2919⑦
　8 全文437/8B⑧
　9 拾遺22/21B
　20郎考12/9B
　26方鎮6/59A
盧元莊
　5 新表9/73上/2898
盧元茂
　5 新表9/73上/2911
盧元中
　5 新表9/73上/2923
　20郎考12/38A
盧元哲
　5 新表9/73上/2922
盧元輔(子望)
　1 舊唐11/135/3718
　2 新唐18/191/5526
　5 新表9/73上/2926

① 《登科》"玄"作"元",今據《舊唐》、《新表》改正。
② 《登科》"玄"作"元",今據《新表》改正。
③ 按前之盧顏,一作盧言,見《全唐詩》卷八八七,天寶末安祿山入洛陽時曾有詩上安祿山。《新表》之盧顏,爲遠價子,身世不詳,約中唐以後人。
④ 按此盧詵,據《新志》,乃撰《梁四公記》者,他皆不詳,今分列,待考。
⑤ 《郎考》作"盧□元",缺一字。
⑥ 《新表》此處作"盧正己",今改作元裕,注詳下。
⑦ 《新表》此處前作"盧正己",履冰子。《新表》同頁前作"盧正己"者,亦稱履冰子,並以元裕與正己爲兄弟。按常袞《太子賓客盧君正己墓誌銘》(《文苑英華》卷九四二)云:"公字子寬,本諱元裕,以聲協上之尊稱,時方大用,優詔改錫焉。"宋人彭叔夏校注謂"元裕改名正己,《宰相世系表》乃以爲兄弟二人,恐非"。《新表》在同一頁於履冰表格內,既出元裕,又出正己,實誤。今以元裕爲主目,正己爲參見條。
⑧ 《全文》作"盧正己",今改作元裕,見上注。
⑨ 《姓纂》云:"唐蜀州司馬閭邱珣,上元中准制改姓閭氏,生雲曇,倉部郎中。"岑仲勉《元和姓纂四校記》謂"改姓閭氏誤",當是改姓盧氏。任倉部郎中者爲盧雲,"曇"乃涉"雲"而衍。盧雲又見《姓纂》卷三,實即同一人。
⑩ 《舊唐》作"盧弘正",《新唐》作"盧弘止"。《通鑑》卷二四〇唐武宗會昌六年八月載"盧弘止爲(邢、銘、滋)三州留後",《考異》云:"舊紀、傳皆作正,實錄、新紀、傳皆作弘止,今從之。"岑仲勉《唐方鎮年表正補》亦云"作弘止爲是"(載前《歷史語言研究所集刊》第十五本)。今統一作弘止,另出弘正爲參見條。
⑪⑫⑬ 《全文》、《拾遺》、《登科》均作"盧宏正","宏"乃避清諱改。今作盧弘止,見上注。

26方鎮2/18 B 　　2/19 A	**2** 新唐14/123/4374	**5** 新表9/73上/2892
盧羣仕履不詳	**5** 新表9/73上/2900	盧締
5 新表9/73上/2892⑦	**19**盧珖	**5** 新表9/73上/2902
盧羣玉	**40**十國29/9 B	盧絃
11全詩11/775/8783	**20**盧重玄	**21**御考3/2 A
盧君亮	**5** 新表9/73上/2900	**21**盧順之(子謨)
5 新表9/73上/2919	**7** 新志5/59/1558⑧	**5** 新表9/73上/2926
盧君胤	**8** 全文361/5 A⑨	**11**全詩9/563/6537
5 新表9/73上/2913	**20**郎考7/8 A	盧順密
盧君通	**25**登科4/34 A⑩	**3** 舊五4/95/1264
5 新表9/73上/2925	盧重元　見盧重玄	盧衍刑部侍郎
盧君肅	盧重明	**3** 舊五4/93/1227
5 新表9/73上/2912	**5** 新表9/73上/2912	盧衍橯子,歷仕不詳
盧君胄	盧伉	**5** 新表9/73上/2894⑫
5 新表9/73上/2919	**5** 新表9/73上/2902	盧顗
盧君静	盧秀	**20**郎考8/48 B
5 新表9/73上/2920	**5** 新表9/73上/2892	盧仁弘
盧習信	盧秀才	**5** 新表9/73上/2939
5 新表9/73上/2929	**12**詩逸中/10210	盧仁宗
18盧玠政子	盧億(子元)	**6** 舊志6/47/2049
5 新表9/73上/2919	**25**登科27/23 B	**7** 新志5/59/1569
盧玠坦子	盧辭玉	盧仁祖
5 新表9/73上/2936	**5** 新表9/73上/2928	**5** 新表9/73上/2925
盧瑜	盧孚	盧仁杞
20郎考12/12 B 　　16/8 A	**5** 新表9/73上/2898	**5** 新表9/73上/2936
盧珍	盧受采　見盧受彩	盧仁瞻
38圖繪　補遺/3 B	盧受彩	**8** 全文947/10 A
盧玢	**5** 新表9/73上/2912	盧仁炯
5 新表9/73上/2901	**6** 舊志6/47/2075⑪	**25**登科24/6 B
盧政	**7** 新志5/60/1600	盧征
5 新表9/73上/2918	盧維全音子	**11**全詩11/782/8839
盧璬	**5** 新表9/73上/2902	**25**登科23/2 B
1 舊唐9/94/3000	盧維宰子	盧虛舟
	5 新表9/73上/2927	**5** 新表9/73上/2925
	盧維惠	**20**郎考2/14 B

①②③《方鎮》"止"作"正",今改,説見213頁注⑩。

④⑤《全文》、《登科》"弘"作"宏",係清人避諱改,今改正。

⑥《新表》載承泰爲赤松子,承泰弟,並云:"承泰字齊卿,太子詹事、廣陽郡公",未載其有子,按《舊唐書》卷八一《盧承慶傳》謂承慶父名赤松,有弟承業、承泰,皆與《新表》同。惟《舊傳》云承泰字齊卿,唐玄宗時累遷太子詹事、廣陽縣公,承泰則仕爲齊州長史。《新唐書·盧承慶傳》與《舊傳》同。《郎考》卷一七(倉部郎中)亦有盧齊卿。由此可考知,盧齊卿者,另有人,爲承泰子,非承泰字齊卿。《新表》誤以子名爲父字,並以其子之官稱錯移於其父,謬甚。今如所考,於盧承泰名下去其字號爲齊卿者。

⑦按,兩《唐書》本傳之盧羣,德宗時歷任尚書郎中、義成軍節度使等職,卒贈工部尚書,爲當時名人。其父名炅。《新表》之盧羣,雖亦載父名炅,但此盧炅爲大理評事,且其子羣未載官職,當非同一人。今分列,備考。

⑧⑨⑩《新志》、《全文》、《登科》"玄"並作"元",蓋清人避諱改,今據《新表》、《郎考》改正。

⑪《舊志》"彩"作"采",今從《新表》。下《新志》同。

⑫按,《舊五》之盧衍爲五代時質祖,唐時任刑部侍郎、太子賓客。《新表》之盧衍,爲橯子,未注官職,未能確定是否爲一人。今分列,待考。

4/22 B

盧偓
  19姓纂3/1 B

盧行術 見盧周仁

盧行嘉
  1 舊唐15/189下/4972
  2 新唐18/199/5671
  5 新表9/73上/2888

盧行超(孟起)
  7 新志5/57/1426

盧行簡
  5 新表9/73上/2896

盧髙
  5 新表9/73上/2937

盧虔(靈感)
  1 舊唐11/132/3652
  2 新唐15/141/4660
  5 新表9/73上/2938
  8 全文444/7 B
  19姓纂3/1 B
  21御考3/45 A
        3/50 B
  25登科27/9 A

盧虔灌(子蕭)
  1 舊唐13/163/4273
  2 新唐17/177/5284
  5 新表9/73上/2933
  8 全文802/23 B①
  25登科27/17 A

盧處約
  5 新表9/73上/2906

盧處實
  5 新表9/73上/2913

盧處權
  25登科22/34 A

盧處厚
  5 新表9/73上/2895

盧倬
  5 新表9/73上/2928

盧價
  25登科25/30 B

盧頻
  11全詩11/719/8258
  17紀事下/60/912

盧頎
  5 新表9/73上/2890

盧占
  5 新表9/73上/2903

盧師立 見盧師丘

盧師莊
  5 新表9/73上/2888

盧師老
  5 新表9/73上/2887

盧師昉
  5 新表9/73上/2888

盧師丘
  5 新表9/73上/2888
  20郎考15/5 A②
        16/3 B

盧貞汝州刺史
  8 全文303/14 B③
  20郎考14/11 A

盧貞(子蒙)河南尹
  11全詩7/463/5270
  17紀事下/49/739
       下/49/748
  20郎考11/42 A
  26方鎮6/8 A
       7/11 A

盧貞諒
  5 新表9/73上/2923

盧貞桥
  5 新表9/73上/2919

盧術
  8 全文408/5 A

盧綽
  8 全文947/4 B

盧緬
  5 新表9/73上/2904

盧穎
  3 舊五5/128/1688
  20郎考16/25 A
       17/2 B④
  39書史5/28 B

22盧胤征
  20郎考4/58 A
       6/28 B

盧倕
  5 新表9/73上/2899

盧鼎(調臣)
  5 新表9/73上/2916
  25登科24/14 A

盧鼎臣
  5 新表9/73上/2939

盧僑壽
  5 新表9/73上/2893

盧嶽 見盧岳

盧侹
  5 新表9/73上/2903

盧循
  5 新表9/73上/2885

盧仙童
  5 新表9/73上/2931

盧仙宗
  5 新表9/73上/2924

盧仙壽
  5 新表9/73上/2893

盧巖
  5 新表9/73上/2886

盧峯
  5 新表9/73上/2895

盧邕
  12詩逸中/10205

盧嶠抗子
  5 新表9/73上/2895

盧嶠优子
  5 新表9/73上/2902
  8 全文621/4 B

盧山甫
  5 新表9/73上/2887

盧巒澂子
  1 舊唐12/153/4091
  5 新表9/73上/2886
  25登科27/28 B

盧巒河童子
  5 新表9/73上/2936

盧利貞
  5 新表9/73上/2910

盧崇道
  5 新表9/73上/2935
  11全詩2/113/1151
  17紀事上/13/188

盧繼
  1 舊唐14/177/4591
  5 新表9/73上/2891⑤

23盧外師
  20郎考25/3 A

盧允
  5 新表9/73上/2930
  20郎考3/42 A
       7/10 A
       15/11 B
       16/10 A

盧倄

2 新唐18/200/5705
5 新表9/73上/2928
8 全文267/13 B
盧獻
1 舊唐16/193/5147
5 新表9/73上/2913
20 郎考26/3 A
盧獻卿
7 新志5/60/1615
11 全詩12/868/9832
盧俊
40 十國107/9 A
盧弁
31 唐畫6/16 B
盧峻(子翰)弘宗子
5 新表9/73上/2898
盧峻昇子
5 新表9/73上/2913
盧緘
20 郎考2/31 B
　　　4/55 A
盧秘
5 新表9/73上/2936
24 盧佐元
5 新表9/73上/2936
盧先之
5 新表9/73上/2907
8 全文399/16 B
25 登科8/14 B
盧僅
5 新表9/73上/2912
盧侑
5 新表9/73上/2898
盧德師
20 郎考11/2 A
盧儔
5 新表9/73上/2906
盧儲

11 全詩6/369/4152
17 紀事下/52/797
25 登科18/27 A
盧佶
5 新表9/73上/2931
盧休
11 全詩11/795/8958
17 紀事下/64/968
盧休期
5 新表9/73上/2898
盧告(子有)
2 新唐18/197/5633
5 新表9/73上/2903
7 新志5/58/1472
20 郎考2/31 B
　　　5/4 B
25 登科27/17 A
28 直齋4/36 A
盧皓
40 十國97/2 A
盧幼平
5 新表9/73上/2898
盧幼孫
1 舊唐16/193/5147
5 新表9/73上/2913
盧幼卿
5 新表9/73上/2896
盧幼臨
5 新表9/73上/2897
盧幼年
73 吳興志14/26 A
盧贊
40 十國107/7 A
盧稜伽
30 歷畫9/178
31 唐畫6/14 B
盧纘
5 新表9/73上/2930

25 盧仲雍
5 新表9/73上/2929
盧仲臻
5 新表9/73上/2937
盧仲弼
5 新表9/73上/2885
盧仲宗
5 新表9/73上/2887
盧仲連
5 新表9/73上/2929
盧仲甫
5 新表9/73上/2929
盧仲長
5 新表9/73上/2935
盧仲犖
5 新表9/73上/2929
盧律師
7 新志5/58/1495
20 郎考15/28 A
盧傳禮
5 新表9/73上/2904
盧傳素
11 全詩12/867/9817
26 盧自牧
20 郎考12/51 A
　　　　26/26 B
盧伯玉
5 新表9/73上/2935
盧伯初
5 新表9/73上/2901
盧伯超
5 新表9/73上/2924
盧伯成
5 新表9/73上/2890
盧伯陽
5 新表9/73上/2934
盧伯卿　見盧卿
盧伽逸多

---

① 《全文》"灌"作"瓘",係板刻之誤,今逕改。
② 《郎考》此處作"盧師立",勞格謂"師立"疑是"師丘"之誤。
③ 錢大昕《十駕齋養新錄》卷一二《盧貞》條云:"盧貞字子蒙,會昌五年爲河南尹,白樂天九老會,貞元末七十,亦預焉。時又有內供奉盧貞(見《唐詩紀事》)。"錢氏意謂中唐時有二盧貞,一爲河南尹,一爲內供奉,前者見《全詩》、《紀事》等所載,後者僅於《唐詩紀事》敘述中及之,無專書記載。《全文》此處所裁之盧貞,小傳謂其"貞元時官度支員外郎,授汝州刺史,充本州防禦使"。其時代、仕履與《全詩》等所載之盧貞皆不合,當是另一人,乃錢氏所未及者。
④ 《郎考》此處"穎"詑作"潁",今逕改。
⑤ 《新表》作"盧計",盧晃子,鈞父。按《舊唐書·盧鈞傳》謂鈞父繼,晃子,實則"盧繼"、"盧計"爲一人,點校本《舊唐書》及《新表》俱失校。

2 新唐20/221上/6239

盧偲
　3 舊五4/93/1227
盧侃
　5 新表9/73上/2900
　8 全文435/14 B
　20郎考5/19 B
　　　11/69 A
　　　12/24 B
　21御考3/46 B
盧魏客
　5 新表9/73上/2910
盧朋
　5 新表9/73上/2925
盧晶
　5 新表9/73上/2931
盧峴
　5 新表9/73上/2893
盧和
　5 新表9/73上/2894
盧和玉
　5 新表9/73上/2928
盧程
　3 舊五3/67/886
　4 新五1/28/303
　25登科24/27 B
27盧多遜
　25登科26/23 B
盧向
　5 新表9/73上/2888
盧脩
　5 新表9/73上/2887
盧傳
　7 新志5/58/1507
盧鷦
　5 新表9/73上/2935
盧象
　25登科22/36 A
盧象(緯卿)
　7 新志5/60/1603
　8 全文307/9 B
　11全詩2/122/1217
　　　2,082/9970
　13河岳下/111
　14國秀下/128
　　　下180
　17紀事上/26/388
　18才子2/21

20郎考8/19 A
　　24/3 B
　　26/14 A
25登科27/7 A
盧俶
　5 新表9/73上/2900
盧將順
　5 新表9/73上/2895
盧將明
　5 新表9/73上/2894
盧殷
　11全詩7/470/5341①
盧复
　8 全文853/12 B
盧詹(楚良)
　3 舊五4/93/1231
　8 全文853/9 B
　25登科25/25 B
盧佋成軌子
　5 新表9/73上/2899
盧佋演子
　5 新表9/73上/2924
　20郎考11/29 B
盧僎
　2 新唐18/200/5705
　5 新表9/73上/2928
　7 新志5/59/1540
　11全詩2/99/1069
　14國秀上/127
　　　上/143
　20郎考4/17 B
　　　4/21 A
　　　8/18 A
　　　22/6 A
盧條
　12 詩逸中/10199
盧夫
　1 舊唐9/98/3069
　2 新唐14/126/4418
　5 新表9/73上/2926
　59毗陵志7/13 B
盧奂
　5 新表9/73上/2909
盧彝倫
　5 新表9/73上/2938
盧粲
　1 舊唐15/189下/4972
　2 新唐18/199/5670

8 全文271/4 A
25登科27/4 A
盧絢
　5 新表9/73上/2904
　20郎考3/24 B
　25登科4/26 A
盧綱
　5 新表9/73上/2898
盧舒
　7 新志5/58/1497
盧叔慈
　5 新表9/73上/2911
盧絳全音子
　5 新表9/73上/2902
盧絳(子華)僑子
　5 新表9/73上/2906
盧絳(晉卿、衮)南唐時
　40十國30/5 A
　43馬書22/4 A
　44陸書11/4 B
　45江南10/1 A
　69嘉定鎮江14/55 A
盧紹翾子
　5 新表9/73上/2895
盧紹(子美)詞子
　5 新表9/73上/2917
盧紹
　20郎考7/31 A②
　20郎考11/61 A
28盧佺壽
　5 新表9/73上/2892
盧微明
　5 新表9/73上/2900
　21御考2/29 B
盧徵
　1 舊唐12/146/3966
　2 新唐15/149/4799
　8 全文478/6 B
　10續拾4/14 B
　20郎考14/13 A
盧徵鎮子
　5 新表9/73上/2935
盧徵序子
　5 新表9/73上/2938
盧徵遠
　5 新表9/73上/2899
　69嘉定鎮江14/4 A
盧復

5 新表9/73上/2917
25登科27/37B
盧僧朗
1 舊唐14/176/4575
5 新表9/73上/2914
盧從
20郎考2/18B
盧從儉
10續拾5/19B
盧從遠（懿）
2 新唐18/197/5620
盧從道
2 新唐18/197/5620
盧從史
1 舊唐11/132/3652
2 新唐15/141/4660
19姓纂3/1B
26方鎮4/65B
盧從愿（子龔、文）
1 舊唐9/100/3123
2 新唐14/129/4478
5 新表9/73上/2930
7 新志5/58/1496
8 全文282/21A
11全詩2/111/1138
17紀事上/14/205
20郎考4/10B
25登科4/16A
　　　　27/27A
28直齋7/32B
盧從範
5 新表9/73上/2931
盧綸（允言）
1 舊唐13/163/4268
2 新唐18/203/5785
5 新表9/73上/2932
7 新志5/60/1611
16極玄上/327
17紀事上/30/466
18才子4/56

20郎考11/69A
27郡齋4上/22B
28直齋19/9B
盧給
5 新表9/73上/2913
盧繪
5 新表9/73上/2902
30盧宣
5 新表9/73上/2927
盧注
11全詩11/768/8720
17紀事下/66/998
盧沆（德遠）
5 新表9/73上/2918
盧潭
5 新表9/73上/2921
盧濟
5 新表9/73上/2931
盧沛
5 新表9/73上/2907
盧汶 侹子
5 新表9/73上/2903
盧汶 先之子
5 新表9/73上/2908
盧汶 惟穆子
5 新表9/73上/2931
盧寧
5 新表9/73上/2927
盧寬
9 拾遺16/7B
盧寬中
5 新表9/73上/2894
盧進寶
5 新表9/73上/2915
盧進賢
5 新表9/73上/2915
盧之信
5 新表9/73上/2922
盧之道
5 新表9/73上/2922
盧之翰

5 新表9/73上/2932
盧守賓
5 新表9/73上/2888
盧守直
5 新表9/73上/2913
盧守節
5 新表9/73上/2935
盧守悌
5 新表9/73上/2920
盧宰
5 新表9/73上/2927
盧準（昭儉）知退子
5 新表9/73上/2901
盧準 潤州司士參軍
69嘉定鎮江16/7A③
盧安
5 新表9/73上/2931
20郎考18/10B
盧安石
5 新表9/73上/2887
盧安志
5 新表9/73上/2904
盧安壽
5 新表9/73上/2902
盧宏正 見盧弘止
盧宏宣 見盧弘宣
盧審經
5 新表9/73上/2936
盧審忠
5 新表9/73上/2937
盧良
5 新表9/73上/2917
盧宷
5 新表9/73上/2918
盧密
5 新表9/73上/2928
盧宗謙
5 新表9/73上/2888
盧宗回（望淵）
11全詩8/490/5549
17紀事下/48/734

---

① 《全詩》原注：“宋時避諱，‘殷’改作‘隱’。”按《全詩》之盧殷，據其排列時序，係唐貞元、元和時人，即唐中葉德宗、憲宗之際。唐人另有盧隱者，《登科記考》據《唐語林》係唐懿宗咸通五年進士，唐末宰相王鐸門生。據此，則盧隱與盧殷時代不相及，非一人。

② 按《新表》有兩盧紹，一爲詡子，未注官職。另一爲詞子，太子少保。時代均相近，約皆晚唐時。《郎考》此處之盧紹，未能確定屬於何人，今分列，待考。

③ 按，《新表》之盧準，爲知退子，其他不詳。《嘉定鎮江》之盧準，曾任潤州司士參軍，大曆時詩人盧綸有《送從叔士準赴任潤州司士》（《全唐詩》卷二七六），則似以作“盧士準”爲是。

5 新表9/73上/2927
盧潯(子黯)
　5 新表9/73上/2936
盧潋
　5 新表9/73上/2885
盧澂
　11全詩9/563/6539
　17紀事下/59/900
盧澥
　5 新表9/73上/2909
盧渾友坦孫
　5 新表9/73上/2893
盧渾貽子
　5 新表9/73上/2923
盧澹
　5 新表9/73上/2885
盧沼(明源)詞子
　5 新表9/73上/2918
　20郎考9/20 B
盧沼克明子，芮城令
　5 新表9/73上/2921
盧深
　20郎考11/58 A
　24壁記　翰苑羣書
　　　　　　上/56 B
　25登科22/20 A
盧深咸
　21御考3/43 A
盧祖尚(季良)
　1 舊唐8/69/2521
　2 新唐12/94/3834
　19姓纂3/1 B
盧迅
　5 新表9/73上/2889
盧逸
　5 新表9/73上/2909
　20郎考10/17 B
　25登科5/2 A
盧逢
　5 新表9/73上/2915
　20郎考3/69 A

11/69 A
12/34 B
盧罕(子讓)
　5 新表9/73上/2908
　20郎考4/51 B
　　　　8/42 B
盧朗
　5 新表9/73上/2896
　69嘉定鎮江14/2 B ⑤
盧資實
　5 新表9/73上/2894
盧鄴(漳臣)
　5 新表9/73上/2891
　11全詩9/566/6553
　17紀事下/59/899
　20郎考15/27 B
　25登科22/23 A
38盧況
　5 新表9/73上/2905
盧瀚
　5 新表9/73上/2921
盧游
　5 新表9/73上/2889
　20郎考7/10 A
盧游道
　5 新表9/73上/2904
盧洋
　5 新表9/73上/2907
盧洽
　5 新表9/73上/2921
盧祚
　5 新表9/73上/2911
盧祥玉
　5 新表9/73上/2932
盧道元
　8 全文928/8 B
盧導(熙化)
　3 舊五4/92/1220
　4 新五2/54/622
　5 新表9/73上/2901
　25登科25/42 A

盧肇(子發)
　7 新志5/60/1615
　8 全文768/1 A
　11全詩9/551/6381
　　12/870/9860
　17紀事下/55/831
　20郎考18/20 A
　25登科22/5 B
　39書史5/21 A
　63新安志9/24 A
盧啓
　5 新表9/73上/2894
39盧遜
　5 新表9/73上/2909
40盧大辯
　5 新表9/73上/2930
盧大璟
　5 新表9/73上/2937
盧大琰
　5 新表9/73上/2937
盧大道
　5 新表9/73上/2885
盧大機
　5 新表9/73上/2935
盧大藏
　5 新表9/73上/2935
盧大觀
　5 新表9/73上/2888
盧士玫　見盧士玫
盧士珏
　5 新表9/73上/2903
盧士弘
　19姓纂3/1 B
盧士瑛
　5 新表9/73上/2906
盧士珙
　5 新表9/73上/2908
盧士珵
　5 新表9/73上/2905
盧士瓊(德卿)
　5 新表9/73上/2906

---

① 《全詩》原注：“一作盧弼。”
② 《才子》作“盧弼”，今據新舊《唐書》、新舊《五代史》本傳改正。
③④ 《舊唐》、《全詩》作“盧鴻一”，今從《新唐》、《歷代名畫記》、《書史會要》作“盧鴻”。按唐、宋人著述中，盧鴻、盧鴻
　　一皆混用，今統一作“盧鴻”，另出“盧鴻一”作參見條。
⑤ 《嘉定鎮江》作“盧明”，並云承慶姪行，歷潤、青等州刺史。按《新表》盧承慶姪行中任潤、青等州刺史者爲盧朗。
　　是知《嘉定鎮江》作“明”，顯係“朗”之形訛，今據《新表》改正。

① 《新表》“玫”作“玟”，今據兩《唐書》本傳改正。
② 《全詩》“玫”作“政”，今據兩《唐書》本傳改正。
③ 《郎考》此處作“盧士牧”，勞格謂卽同書卷三、卷四之盧士玫，今從勞説。
④ 《登科》“開”作“閱”，今從《全文》。
⑤ 《御考》此處作“盧執□”，原缺“顏”字，勞格謂疑卽執顏。今從之。
⑥ 《郎考》此處作“盧萬碩”，趙鉞謂疑卽是盧萬石。按《新表》有二盧萬石，皆爲唐初人，《郎考》此處爲司勳員外郎、
　金部郎中，唐高宗、武后時人。時代與前二人亦相近，但未能確定當屬何人。今分列，待考。
⑦ 《全詩》原注:“栯一作郁。”

5 新表9/73上/2912

盧國淳
5 新表9/73上/2912

盧國英
5 新表9/73上/2912

盧國因
53赤城志8/18 B

盧見象
5 新表9/73上/2912

盧見義
5 新表9/73上/2912
21御考1/25 A
    2/22 A
    3/15 B

盧易
5 新表9/73上/2938

盧恩順
5 新表9/73上/2889

盧思殷
5 新表9/73上/2922

盧思敬
5 新表9/73上/2889

盧旻 雅子
5 新表9/73上/2890

盧旻 處實子
5 新表9/73上/2913

盧晏（望卿）
1 舊唐14/178/4639
2 新唐17/184/5399
5 新表9/73上/2940

盧昊
5 新表9/73上/2938

盧昇
5 新表9/73上/2913
72三山志20/33 B ③

盧昇明　見盧昇

盧昪
5 新表9/73上/2925

盧曡
5 新表9/73上/2891

盧昌
8 全文398/1 A

盧固然
5 新表9/73上/2909

盧晶
5 新表9/73上/2910

盧昂
1 舊唐14/176/4575
5 新表9/73上/2914

盧園吏
5 新表9/73上/2925
20郎考9/7 A ④

盧園公
5 新表9/73上/2925

盧喦 激子，滎陽尉
5 新表9/73上/2886

盧喦 河童子，河中倉曹參軍
5 新表9/73上/2936

盧員
5 新表9/73上/2915

盧買德
5 新表9/73上/2938

盧買臣
5 新表9/73上/2937

盧炅 雅子
1 舊唐14/177/4591
5 新表9/73上/2891

盧炅 眺子
5 新表9/73上/2905

盧炅 子真子
5 新表9/73上/2910

盧景
5 新表9/73上/2913

盧景亮（長晦）
2 新唐16/164/5043
5 新表9/73上/2925
7 新志5/59/1537
8 全文445/24 A
11全詩7/473/5366
25登科10/29 B
    13/15 B

盧景明
5 新表9/73上/2904

61盧旺

5 新表9/73上/2915

盧暉
5 新表9/73上/2931

62盧眺（日旦）
5 新表9/73上/2905

盧則
5 新表9/73上/2923

63盧暄 承悌子
5 新表9/73上/2898

盧暄 萬石子
5 新表9/73上/2920

盧晙 師莊子
5 新表9/73上/2888

盧晙 翹子
5 新表9/73上/2915

盧戡
5 新表9/73上/2890

盧踐微
5 新表9/73上/2907

盧貽
5 新表9/73上/2923
8 全文362/11 B

盧貽殷
1 舊唐13/163/4273
5 新表9/73上/2932

64盧曉（子昭）
5 新表9/73上/2926

盧曄
5 新表9/73上/2915

65盧陳
5 新表9/73上/2888

66盧躅（子範）
5 新表9/73上/2935

盧單
5 新表9/73上/2889

67盧明　見盧朗

盧明遠
5 新表9/73上/2898

盧暉
5 新表9/73上/2888

盧瞻
5 新表9/73上/2931

---

① 《郎考》此處"稽"作"捐"，今從同書卷五作"稽"。
② 按，《舊唐》之盧甫，代宗永泰時爲原武尉。《新表》之盧甫，僅載其爲高郵令相之子，其他皆不詳，未能確定是否
　 一人。今分列，待考。
③ 《三山志》作"盧昇明"，今從《新表》。
④ 《郎考》"吏"訛"史"，今逕改。

盧居中
　　5 新表9/73上/2897
盧居易播子
　　5 新表9/73上/2894
盧居易玄卿子
　　5 新表9/73上/2897
盧居簡父失名
　、5 新表9/73上/2896
盧居簡玄卿子
　　5 新表9/73上/2897
盧屆
　　5 新表9/73上/2886
盧舉
　　5 新表9/73上/2895
盧醫王
　　5 新表9/73上/2939
盧卿(伯卿)
　　3 舊五4/92/1220
　　5 新表9/73上/2901
盧鷗
　　5 新表9/73上/2935
盧昷澂子
　　5 新表9/73上/2886
盧昷河童子
　　5 新表9/73上/2936
盧巽
　　5 新表9/73上/2898
78盧駢
　　11全詩9/600/6944
　　17紀事下/66/994
盧臨
　　5 新表9/73上/2928
80盧仝(玉川子)
　　2 新唐17/176/5268
　　7 新志5/60/1611
　　8 全文683/3A
　　11全詩6/387/4364
　　17紀事上/35/540
　　18才子5/74
　　27郡齋1下/4A
　　　　4中/6B
　　28直齋19/12A
盧全誠
　　5 新表9/73上/2901

盧全濟
　　5 新表9/73上/2922
盧全晉
　　5 新表9/73上/2902
盧全壽
　　5 新表9/73上/2901
盧全操
　　5 新表9/73上/2901
盧全義
　　5 新表9/73上/2901
盧益
　　5 新表9/73上/2925
盧金友
　　5 新表9/73上/2890
　　21御考2/39B
盧鎬
　　5 新表9/73上/2937
盧鉉
　　1 舊唐15/186下/4857
　　2 新唐15/134/4567
　　5 新表9/73上/2919
　　20郎考21/9A
　　　　22/7A
　　21御考3/33A
盧令
　　5 新表9/73上/2915
盧令章
　　5 新表9/73上/2912
盧令涓
　　5 新表9/73上/2889
盧慈龍
　　5 新表9/73上/2920
盧兼愛
　　9 拾遺18/17A
盧并
　　11全詩11/795/8946
盧義
　　5 新表9/73上/2923
盧含
　　5 新表9/73上/2903
盧含光
　　5 新表9/73上/2896
盧善祚
　　5 新表9/73上/2929

盧善觀
　　5 新表9/73上/2929
盧會昌
　　5 新表9/73上/2927
　　20郎考13/15B
盧曾(孝伯)
　　3 舊五1/24/323
盧公憲
　　20郎考3/66B
　　　　7/15B
　　　　8/32B
81盧鈺
　　11全詩11/771/8751
　　20郎考2/32B
　　　　12/46A
盧鐯
　　5 新表9/73上/2891
　　25登科19/8A
82盧釗
　　5 新表9/73上/2932
盧鋌
　　5 新表9/73上/2934
　　7 新志5/60/1617
盧銛
　　5 新表9/73上/2937
　　8 全文901/4A
83盧鈇
　　5 新表9/73上/2891
84盧鎮絢子
　　5 新表9/73上/2904
盧鎮同宰子
　　5 新表9/73上/2935
86盧知順
　　5 新表9/73上/2889
盧知微
　　1 舊唐14/176/4575
　　5 新表9/73上/2914
盧知宗
　　1 舊唐14/176/4575
　　5 新表9/73上/2914
盧知遠商子
　　1 舊唐14/176/4575
　　5 新表9/73上/2914
盧知遠行嘉子

---

① 《登科》"岳"作"嶽",今從《新表》。下《方鎮》同。
② 《方鎮》卷四、卷六兩處作"盧行術",卷六亦有作"盧周仁"者。岑仲勉《唐方鎮年表正補》謂作"行術"者誤。今從岑說改正。

---

① 《舊五》原注："原作如晦，《新表》作知晦，今從《新表》。"
② 《全詩》原注："元上，一作玄之。"
③ 《全詩》"詣"作"宣"，今從《紀事》。又《全詩》原注："一作仲詣。""詣"、"詣"形近，必有一誤。

33五代畫遺6/32A
36圖誌2/55
38圖繪2/35A
37何迎
　25登科23/28B
何迴
　8 全文950/11B
40何力
　2 新唐19/217下/6142
何士幹
　8 全文436/11B
　20郎考10/23B
　25登科10/21A
　26方鎮6/17B
　69嘉定鎮江15/45A
何奎
　40十國45/2B
何希堯（唐臣）
　11全詩8/505/5745
何嘉周
　39書史5/27A
44何孝物
　1 舊唐14/181/4687
何蕃
　2 新唐18/194/5572
47何起門
　71嚴州2/29A
何超（令升）
　7 新志5/58/1458
　8 全文403/9A
48何敬
　11全詩11/772/8759
何敬之
　20郎考7/31B
　　　16/4B
何敬洙（威烈）
　40十國22/2B
　43馬書11/4A
　44陸書3/4B
何敬真（景真）
　40十國76/2A
　41九國11/20B
51何據
　8 全文950/8A
55何扶
　11全詩8/516/5899
　17紀事下/49/746
　25登科21/11A

60何最
　21御考2/48B
何易于
　2 新唐18/197/5634
何昌裔
　39書史5/31A
何昌齡
　11全詩11/757/8610
何昌裕
　20郎考12/22A
何景山
　40十國75/5A
何景真　見何敬真
63何默
　1 舊唐14/181/4687
64何耽
　20郎考1/20B
　　　2/26A
66何曠
　25登科26/28A
68何晦
　28直齋11/8B
　40十國28/13B
70何璧
　39書史5/24A
71何長壽
　30歷畫9/172
　31唐畫6/12A
　35畫譜1/10B
　38圖繪2/5B
74何隨
　40十國53/7A
77何鳳
　25登科4/16A
　64掇英18/12A
　65會稽志2/27B
何履光
　26方鎮7/1A
80何全皞（定）
　2 新唐19/210/5937
　26方鎮4/128B
何公弁
　68咸淳臨安60/13A
88何籌（栖夷子）
　8 全文757/8B
90何懷福
　3 舊五4/94/1245
　41九國7/13B

何光遠（輝夫）
　40十國56/6B
何光乂
　8 全文850/1B

2122₁ 行

00行言
　40十國33/5A
08行敦
　34書譜11/2A
　39書史5/37A
10行靄
　81景德23/17A
行雲
　40十國99/10A
12行瑫姓陳
　80宋僧25/16A
行瑫（仁慧大師）姓王
　81景德18/21A
22行崇
　81景德22/11A
25行傳
　81景德20/11B
27行修（宗慧大師、崇慧大
　師、長耳相禪師）
　40十國89/5A
　68咸淳臨安70/6A
　80宋僧30/15A
行修（慧觀禪師、光睦和
　尚）
　81景德17/21B
35行沖
　81景德23/17A
37行朗
　81景德23/24A
38行遵
　80宋僧22/3B
40行友
　7 新志5/59/1527
　9 拾遺49/2B
　79續僧15/13B
60行思
　80宋僧9/2A
　81景德5/12B
行因
　40十國33/4B
　80宋僧13/15A
　81景德23/20A

66行嚴
　80宋僧27/17A
67行明(開化禪師)姓張
　40十國89/12A
　68咸淳臨安70/7B
　行明姓魯
　80宋僧23/9A
　行明(傳法大師)姓千
　81景德26/19A
77行堅
　9 拾遺50/6B
　行覺
　80宋僧29/16A
　行周
　81景德19/4A
87行欽(廣法大師)
　81景德24/12A

2122₇ 衞

00衞庭訓
　25登科9/5A
10衞元經
　19姓纂8/20A
　衞元嵩
　7 新志5/57/1426
　27郡齋1上/6A
　28直齋1/6B
12衞弘敏
　8 全文200/12A①
　19姓纂8/20A②
　20郎考3/80B③
　73吳興志14/23A
15衞融(明遠)
　25登科26/2A
　40十國107/6A
20衞秀
　39書史5/33B
22衞嵩
　7 新志5/59/1571

衞幾道
　19姓纂8/20A④
　20郎考8/2B
　　　　11/65B⑤
衞畿道　見衞幾道
23衞俌(立言)
　8 全文435/16B⑥
24衞俍
　19姓纂8/20A
　衞倚
　19姓纂8/20A
　衞儔
　40十國107/8A
　41九國8/3A
26衞伯玉
　1 舊唐10/115/3378
　2 新唐15/141/4657
　19姓纂8/20A
　26方鎮5/2B
　　　　5/3A
　衞總持
　72三山志20/27A
27衞象
　11全詩5/295/3353
　17紀事下/43/664
　19姓纂8/20A
　衞包
　7 新志5/57/1428
　34書譜2/3B
　37書小史10/2B
　39書史5/7A
30衞憲
　31唐畫6/16A
　38圖繪2/26B
　衞準
　11全詩11/795/8944⑦
　17紀事下/63/943⑧
　25登科10/28A
　衞宏敏　見衞弘敏

衞良儒
　25登科11/23A
衞密(獻)
　19姓纂8/20A
　20郎考11/28A
　25登科27/30A
31衞憑
　8 全文306/6A
32衞業
　7 新志5/57/1450
35衞洙
　1 舊唐13/159/4180
　2 新唐16/164/5046
　26方鎮2/26B
37衞泂
　8 全文790/17A
　衞次公(從周、敬)
　1 舊唐13/159/4179
　2 新唐16/164/5045
　8 全文526/8A
　19姓纂8/20A
　20郎考8/29A
　22院記　翰苑羣書
　　　　上/15A
　23故事　翰苑羣書
　　　　上/25B
　24壁記　翰苑羣書
　　　　上/41B
　　　　上/42B
　25登科11/11A
　　　　17/13B
　26方鎮 4/17A
　　　　5/26A
39衞遜
　59毗陵志16/12B
　　　　26/7A
40衞大經
　1 舊唐16/192/5122
　2 新唐18/196/5601

① 《全文》"弘"作"宏",係清人避諱改,今改正。
② 《姓纂》"弘"作"知",今據岑仲勉《元和姓纂四校記》考定改正。
③ 《郎考》作"知敏",勞格謂當作"弘敏",今從之。
④ 《姓纂》"幾"作"畿",今據岑仲勉《元和姓纂四校記》考定改正。
⑤ 《郎考》此處作"畿道",今從同書卷八。參上注。
⑥ 《全文》小傳云:"俌字立言,元和朝國子司業。"岑仲勉《讀全唐文札記》云:"余按《新書》五八:'杜信《東齋籍》二十卷。字立言,元和國子司業。'今《全文》卷四三六收杜信《春判》一首,祇云'信,憲宗朝擢書判拔萃科'。殆誤以信之字與官,附於俌下也。"錄以備考。
⑦⑧ 《全詩》、《紀事》原注:"準一作單。"

44衛填
　　12詩逸中/10201
衛芊
　　31唐畫6/17A
衛孝女　見衛無忌
衛孝節
　　19姓纂8/20A
衛萬
　　11全詩11/773/8767
衛菜
　　8 全文404/22A
衛葉
　　11全詩11/777/8803
50衛中行(大受)
　　19姓纂8/20A
　　20郎考20/23A
　　25登科13/15B
　　26方鎮4/17B
　　　　6/7A
60衛國文懿公主
　　2 新唐12/83/3674
衛國公主
　　2 新唐12/83/3659
衛晏
　　19姓纂8/20A
　　26方鎮8/3A
衛固損
　　19姓纂8/20A
66衛單　見衛準
77衛賢
　　33五代畫遺6/31B
　　35畫譜8/3A
　　36圖誌2/53
　　38圖繪2/30A
　　40十國31/10A
80衛無忌(衛孝女)
　　1 舊唐16/193/5141
　　2 新唐18/205/5818
86衛知敏　見衛弘敏
90衛惟良
　　19姓纂8/20A
衛光一
　　11全詩11/776/8795
衛常寧
　　2 新唐19/212/5950

儒

40儒李都羅

2 新唐20/220/6210

2123₄ 虞

08虞說
　　25登科27/9B
22虞鼎(少微)
　　25登科23/14B
26虞皐
　　40十國99/12B
30虞進
　　8 全文403/18B
32虞洮
　　40十國57/2A
虞遜
　　19姓纂2/26
36虞昶
　　1 舊唐8/72/2571
　　2 新唐13/102/3973
　　19姓纂2/26A
　　20郎考13/2A
40虞有賢
　　11全詩12/855/9672
虞雄
　　40十國95/9B
44虞協
　　27郡齋3下/24B
虞茂世
　　19姓纂2/26A①
虞世南(伯施、文懿)
　　1 舊唐8/72/2565
　　2 新唐13/102/3969
　　6 舊志6/46/1995
　　　　6/47/2046
　　　　6/47/2073
　　7 新志5/58/1491
　　　　5/59/1536
　　　　5/59/1563
　　　　5/60/1597
　　8 全文138/1A
　　9 拾遺13/1A
　　11全詩1/36/470
　　17紀事上/4/41
　　19姓纂2/26A
　　27郡齋3下/22B
　　28直齋14/20B
　　29書斷3/5B
　　34書譜8/5A
　　37書小史9/2A

39書史5/4A
49延祐四明4/9B
50至正四明4/3B
65會稽志14/27A
　　　16/10B
47虞郁
　　39書史5/18B
53虞咸
　　8 全文400/19A
　　25登科7/27A
　　　　27/37A
55虞搆
　　12詩逸中/10202
56虞操
　　19姓纂2/26A
67虞鳴鶴
　　25登科27/11B
88虞篆
　　37書小史9/2B
　　39書史5/18B

2124₀ 虔

32虔州少年
　　40十國12/4B

2124₁ 處

04處訥
　　9 拾遺50/4B
10處玉璿
　　8 全文915/1A
28處微禪師
　　81景德9/12B
30處寂
　　80宋僧20/1A
40處真
　　81景德20/10A
處木昆匐延闕律啜
　　8 全文999/2B
60處羅可汗(俟利弗設)
　　1 舊唐16/194上/5154
　　2 新唐19/215上/6029
處羅可汗(曷薩那可汗)
　　1 舊唐16/194下/5180
　　2 新唐19/215下/6056
63處默
　　11全詩12/849/9613
　　17紀事下/77/1112
　　18才子3/45

40十國89/12 B
83宋僧30/9 A
90處常子
　27郡齋4下下/3 B

2131₇ 虢

60虢國公主
　2 新唐12/83/3666

2133₁ 熊

07熊望（原師）
　1 舊唐13/154/4108
　2 新唐17/175/5251
　25登科27/12 B
10熊元皓
　26方鎮3/1 A
　熊元逸
　8 全文203/13 B
11熊孺登
　11全詩7/476/5418
　17紀事下/43/665
　18才子6/99
　25登科27/11 A
　28直齋19/15 B
20熊季成
　8 全文398/18 A
　熊皎　見熊皦
28熊皦（九華山人）
　11全詩11/737/8409
　　　　11/737/8409②
　　　　12/886/10012
　18才子10/187③
　25登科25/43 A
　27郡齋4中/18 A

28直齋19/27 A
44熊執易
　7 新志5/59/1536
　8 全文623/9 A
　19姓纂1/3 B
　20郎考11/33 A④
　25登科11/29 B
　　　　12/7 A
　　　　13/24 A
　熊若谷
　25登科26/32 A
67熊曜
　8 全文351/13 A
　11全詩11/776/8790
　19姓纂1/3 B⑤
　熊躍　見熊曜

2140₆ 卓

10卓雲
　25登科24/19 A
　72三山志26/6 A
21卓偓　見卓巖明
22卓胤
　53赤城志8/13 A
　卓巖明（偓、體明）
　40十國98/10 A
　72三山志20/49 B⑥
　卓岩明　見卓巖明
44卓英璘
　2 新唐15/145/4714
　卓英英
　11全詩12/863/9755
90卓惟休
　40十國65/6 B

2143₀ 衡

00衡方厚
　1 舊唐16/193/5150
　衡方厚妻　見程氏
30衡濟
　26方鎮4/2 B
　衡守直
　20郎考15/8 A
　　　　16/4 B
32衡州舟子
　11全詩11/784/8854
76衡陽公主唐高祖女
　2 新唐12/83/3644
　衡陽公主唐憲宗女
　2 新唐12/83/3667

2160₀ 占

44占夢僧
　40十國32/2 A

2160₁ 訾

00訾亮　見楊守亮

2171₀ 比

10比粟　見比粟毒
　比粟毒
　1 舊唐16/195/5197
　2 新唐
　　　19/217上/6114⑦
60比景公主
　2 新唐12/83/3646

---

① 《姓纂》謂"虞世南生昶，昶生茂世，虞世南爲太宗時人"。岑仲勉《元和姓纂四校記》據《隋書》卷六七謂茂世乃陳虞荔子世基之字，世基爲世南之兄。且唐人諱"世"字，如爲世南之後，似不得仍以"世"爲名，疑此處有脫文。今錄以備考。

② 《全詩》此處"皦"作"皎"，小傳云："熊皎，自稱九華山人，《南金集》二卷。"而於同頁熊皦名下小傳云："熊皦，後唐清泰二年登進士第，延州劉景巖辟爲從事，入晉，拜補闕，貶商州上津令。《屠龍集》五卷。"今按熊皦、熊皎實爲一人，"皦"、"皎"字通，而《全唐詩》此處乃誤分爲二人。《唐才子傳》卷九熊皎小傳卽載云："皎，九華山人，唐清泰二年進士。劉景巖節度延安，辟爲從事。"又云："今有《屠龍集》、《南金集》合五卷傳世。"則《屠龍集》、《南金集》皆熊皦所作。熊皦（皎）事又可參見《新五代史》卷四七《劉景巖傳》、阮閱《詩話總龜》卷一三"警句門"。本書統一改作熊皦，另出熊皎作參見條。

③ 《才子》"皦"作"皎"，今改，説詳上。

④ 《郎考》作"熊錫"，"執"字原缺。勞格謂"錫"當作"易"，卽熊執易。

⑤ 《姓纂》"曜"作"躍"，今據岑仲勉《元和姓纂四校記》考定改正。

⑥ 《三山志》"巖"作"岩"，今從《十國》。

⑦ 《新唐》作"比粟"，今從《舊唐》。

2172₇ 師

00師彦
  80宋僧13/7A
  81景德17/17B
 師夜光
  2 新唐18/204/5811
04師訥
  81景德21/18B
 師護
  81景德26/14B
17師鄗(鑒真禪師)
  81景德19/8A
21師虔
  81景德17/12A
 師貞
  8 全文946/5B
22師巍和尚(通玄禪師)
24師備
  80宋僧13/5B
  81景德18/1A
27師解
  40十國99/7A
  81景德11/10B
30師寬
  81景德22/19A
 師進
  81景德22/2B
 師密
  81景德23/10A
34師浩(傳心大師)
  81景德21/19B
37師祖
  81景德10/6A
43師术
  81景德26/18A
47師均
  25登科25/30B
    25/35A
 師郁(悟真大師)
  81景德18/17B
50師貴
  81景德22/4B
52師哲
  7 新志5/59/1528
57師靜
  81景德21/10A
77師用

  8 全文919/11B
80師普
  81景德23/18A
 師會28/5B
81師頌
  8 全文861/5A
86師智
  81景德26/25B
88師簡
  53赤城志35/4A
  80宋僧22/9B

2180₆ 貞

00貞辯
  80宋僧7/7B
08貞誨
  80宋僧7/10A
10貞元文士
  11全詩11/784/8847
23貞峻
  80宋僧16/15B
33貞邃
  81景德13/3B
48貞幹
  80宋僧27/2B

2190₃ 紫

28紫微孫處士
  11全詩12/862/9747
47紫桐和尚
  81景德11/13A

2190₄ 柴

03柴誼
  4 新五1/20/204
 柴誠
  4 新五1/20/204
 柴諴
  4 新五1/20/204
10柴再用(存)
  40十國6/1A
  41九國1/14A
  44陸書3/3A
27柴紹(嗣昌、襄)
  1 舊唐7/58/2314
  2 新唐12/90/3774
30柴宿
  11全詩11/779/8811

  25登科16/6A
柴守禮(克讓)
  3 舊五5/114/1509
  4 新五1/20/204
柴宗讓(熙讓)
  3 舊五5/122/1608
  4 新五1/20/204
柴宗訓 見周恭帝
柴宗誼
  3 舊五5/122/1608
40柴克宏(威烈)
  40十國22/4A
  43馬書11/5A
  44陸書3/3A
 柴存 見柴再用
52柴哲威
  1 舊唐7/58/2316
  2 新唐12/90/3774
77柴熙讓 見柴宗讓
 柴熙謹
  3 舊五5/122/1608
  4 新五1/20/204
 柴熙誨
  3 舊五5/122/1608
  4 新五1/20/204
80柴燮
  11全詩8/516/5900
  17紀事下/52/798
  25登科27/14B
 柴令武
  1 舊唐7/58/2316
  2 新唐12/90/3774
90柴少儒
  8 全文457/17A
99柴榮 見周世宗

2191₀ 紅

29紅綃妓
  11全詩11/800/8998

2210₈ 豐

10豐干
  11全詩12/807/9109
  53赤城志35/3A
  80宋僧19/11B
  81景德27/10A
24豐化和尚
  81景德20/6B

豐德寺和尚
　　81景德12/15 A
34豐祐
　　2 新唐20/222中/6281
36豐禪師
　　81景德23/6 B
43豐城公主
　　40十國19/14 A
64豐時
　　2 新唐20/222中/6294
68豐咩
　　2 新唐20/222中/6294
76豐陽公主
　　2 新唐12/83/3673

2210₉ 鑾

60鑾國公主
　　40十國50/8 B

2220₀ 劇

10劇可久（尚賢）
　　8 全文861/9 A
44劇燕
　　11全詩11/795/8948
　　17紀事下/70/1039
　　18才子10/170

2220₇ 岑

00岑廣成
　　5 新表9/72中/2672
　　19姓纂5/38 A
岑文叔
　　5 新表9/72中/2672
岑文本（景仁、憲）
　　1 舊唐8/70/2535
　　2 新唐13/102/3965
　　5 新表9/72中/2668
　　6 舊志6/47/2073
　　7 新志5/58/1500
　　　　5/59/1562
　　　　5/60/1598
　　8 全文150/3 B
　　9 拾遺15/15 B
　　11全詩1/33/451
　　17紀事上/4/48
　　39書史5/32 B

05岑靖
　　5 新表9/72中/2669
06岑謂
　　5 新表9/72中/2670
10岑至
　　5 新表9/72中/2668
岑靈源
　　5 新表9/72中/2672
　　19姓纂5/38 A①
12岑弘
　　5 新表9/72中/2668
15岑融
　　5 新表9/72中/2669
17岑尹
　　5 新表9/72中/2669
岑郡丞
　　69嘉定鎮江16/4 A
18岑玢
　　5 新表9/72中/2669
20岑垂
　　5 新表9/72中/2671
岑乘
　　5 新表9/72中/2671
21岑虛源　見岑靈源
岑穎
　　5 新表9/72中/2672
岑卓兒
　　5 新表9/72中/2671
23岑參
　　5 新表9/72中/2671
　　7 新志5/60/1603
　　8 全文358/5 A
　　11全詩3/198/2023
　　13河嶽中/81
　　17紀事上/23/349
　　18才子3/37
　　19姓纂5/38 A
　　20郎考10/22 A
　　　　22/9 A
　　25登科9/6 B
　　27郡齋4上/18 A
　　28直齋19/7 A
岑獻
　　5 新表9/72中/2668
　　19姓纂5/38 A
　　20郎考6/6 A

24岑贊
　　5 新表9/72中/2670
　　19姓纂5/38 A
25岑仲休
　　2 新唐13/102/3968
　　5 新表9/72中/2669
　　19姓纂5/38 A
　　57景定建康49/4 A
　　58金陵志13下/3 B
岑仲義
　　57景定建康49/4 A
岑仲翔
　　2 新唐13/102/3968
　　5 新表9/72中/2669
　　19姓纂5/38 A
　　57景定建康49/4 A
27岑冬卿
　　5 新表9/72中/2671
岑終
　　5 新表9/72中/2672
30岑定
　　5 新表9/72中/2668
36岑況
　　5 新表9/72中/2670
37岑通
　　5 新表9/72中/2668
40岑賁（明歊）
　　5 新表9/72中/2669
岑楷
　　5 新表9/72中/2671
44岑植（德茂）
　　5 新表9/72中/2670
　　25登科27/27 B
岑椅
　　5 新表9/72中/2672
岑栒　見崔栒
岑橫
　　5 新表9/72中/2672
45岑棣
　　5 新表9/72中/2671
58岑敷
　　5 新表9/72中/2669
60岑曼倩
　　5 新表9/72中/2668
　　19姓纂5/38 A
岑炅

---

① 《姓纂》"靈"作"虛"，今據《舊唐書》卷七〇《岑文本傳》及《新表》改正。

① 《姓纂》"羲"作"義",今據岑仲勉《元和姓纂四校記》考定改正。
② 《姓纂》"玄"作"元",今據岑仲勉《元和姓纂四校記》考定改正。
③ 《姓纂》"瓌"作"懷",今據岑仲勉《元和姓纂四校記》考定改正。
④ 《歷盡》原注:"另一版本'貞'作'直'。"
⑤ 《全詩》原注:"翻一作蕃。"
⑥⑦ 《紀事》、《才子》"翻"作"蕃",今從《新志》。
⑧ 《直齋》"翻"並作"藩"。按任翻一作蕃,《直齋》作"藩",顯係"蕃"之訛,今改正。
⑨ 《新唐書》本傳作任敬臣字希古,而《舊志》、《新志》等皆作任希古,蓋以其字行者。今以任敬臣作參見條。
⑩ 《全文》"希"作"知",今據《新唐》本傳改正。
⑪ 《姓纂》"古"作"吉",今據岑仲勉《元和姓纂四校記》考定改正。

崔
5 新表9/72下/2746
崔諒
5 新表9/72下/2747
20郎考17/9B
崔雍(順中)
2 新唐16/159/4963
5 新表9/72下/2781
25登科27/16B
崔玄童
11全詩2/67/763
20郎考5/11A
25登科4/16A③
崔玄亮播子
5 新表9/72下/2787
崔玄亮(晦叔)杭子
1 舊唐13/165/4313
2 新唐16/164/5051
3 舊五3/69/917④
5 新表9/72下/2812
7 新志5/59/1572
　　 5/60/1624
8 全文615/17A⑤
11全詩7/466/5301
17紀事上/39/591
20郎考24/6B
25登科14/1A
　　 14/29A
　　 15/23A
63新安志9/22B
73吳興志14/29A
崔玄弼
5 新表9/72下/2760
崔玄胤
5 新表9/72下/2813
崔玄獎
5 新表9/72下/2816
崔玄之
5 新表9/72下/2735
20郎考13/19B
崔玄祗
5 新表9/72下/2791

崔玄禕
5 新表9/72下/2791
崔玄機
5 新表9/72下/2768
20郎考14/1A
崔玄本
20郎考4/1A
崔玄泰
5 新表9/72下/2768
崔玄彭
5 新表9/72下/2756
崔玄靚
5 新表9/72下/2730
20郎考4/2A
崔玄景
5 新表9/72下/2817
崔玄默
5 新表9/72下/2756
崔玄暐(曅)
1 舊唐9/91/2934
2 新唐14/120/4316
5 新表9/72下/2779
7 新志5/58/1483
　　 5/59/1536
　　 5/60/1622
20郎考3/83A
25登科2/13A⑥
崔玄頤
5 新表9/72下/2817
崔玄同
20郎考4/11B
崔玄覽
5 新表9/72下/2758
崔玄範
5 新表9/72下/2816
崔玄籍
5 新表9/72下/2734
崔袞
5 新表9/72下/2767
崔襄
5 新表9/72下/2767

崔褒著子
5 新表9/72下/2767
崔褒圓子
5 新表9/72下/2771
01崔龍藏
5 新表9/72下/2751
崔顏(希卿)繪子
1 舊唐10/117/3404
2 新唐15/114/4708
25登科27/14A
崔顏紹子
5 新表9/72下/2768
崔証(若虛)
5 新表9/72下/2799
崔諲緄子
5 新表9/72下/2738
崔諲佶子
5 新表9/72下/2761
崔譚
8 全文395/39A
20郎考1/9B
　　 8/23A
　　 18/5B
21御考2/41B
　　 3/19A
　　 3/22B
02崔端
5 新表9/72下/2753
崔訓
5 新表9/72下/2783
21御考2/38B
崔訢
5 新表9/72下/2784
03崔斌
5 新表9/72下/2749
崔謐
5 新表9/72下/2809
崔誼(宜之)
5 新表9/72下/2760
崔詠
26方鎮7/7B

---

① 《詩逸》原注："膚一作廔。"
② 按，《新表》有兩崔廈，一爲峯子，襄城主簿；另一爲藝孫，舒州刺史。《全文》之崔廈，據小傳，僅云"乾元時人"，《郎考》之崔廈爲左司員外郎，時代皆相近，約爲中唐時人。《全文》、《郎考》所載甚略，未能確定是否一人，亦未能確定屬於《新表》何人。今姑分列爲四人。
③ 《登科》"玄"作"元"，今據《郎考》、《全詩》改正。
④⑤ 《舊五》、《全文》"玄"作"元"，今據兩《唐書》本傳改正。
⑥ 《登科》"玄"原作"元"，係避清諱改，今據新、舊《唐書》本傳改。

崔元芳
　71嚴州1/29 B

崔元植
　5 新表9/72下/2807

崔元翰(鵬)
　1 舊唐11/137/3766
　2 新唐18/203/5783
　5 新表9/72下/2814
　7 新志5/60/1605
　8 全文523/10 B
　11全詩5/313/3521
　17紀事上/35/533
　20郎考20/8 A
　25登科11/27 B
　　　　12/21 A

崔元敬
　5 新表9/72下/2752
　20郎考12/4 A
　　　　15/3 B

崔元異
　5 新表9/72下/2753

崔元暉　見崔玄暉

崔元嗣
　5 新表9/72下/2786

崔元略
　1 舊唐13/163/4260
　2 新唐16/160/4973
　5 新表9/72下/2788
　8 全文717/9 B
　9 拾遺28/13 A
　11全詩8/542/6266
　25登科27/10 A
　26方鎮2/22 B
　　　　6/20 A
　　　　6/47 B

崔元譽
　5 新表9/72下/2752
　20郎考13/2 B

崔元範

崔震
　5 新表9/72下/2779

崔霞
　30歷畫9/184

崔干　見崔于

崔于(潘之)
　1 舊唐13/159/4190
　5 新表9/72下/2759③
　8 全文761/22 A
　20郎考8/41 A④
　26方鎮6/9 A
　72三山志20/40 B

崔平仲
　5 新表9/72下/2741

崔晉道融子
　5 新表9/72下/2777

崔晉　見崔瑨

崔貢
　5 新志9/72下/2769

11崔玭
　10續拾4/3 A

崔珏(夢之)
　5 新表9/72下/2770
　7 新志5/60/1613
　11全詩9/591/6857
　17紀事下/58/886
　18才子9/155
　25登科27/18 A

崔琢(子文)
　5 新表9/72下/2764
　25登科22/19 B

崔璩
　1 舊唐9/91/2935
　　　　10/108/3280
　2 新唐14/120/4318
　5 新表9/72下/2779
　20郎考3/15 B

崔瑨頲子

崔　　　　11全詩9/563/6536
　17紀事下/59/898

1 舊唐14/177/4590
　5 新表9/72下/2796
　20郎考1/21 B
　　　　3/76 B
　　　　11/46 A
　　　　17/17 A
　　　　17/22 A⑤
　59毗陵志7/17 A

崔瑨玄暉子
　5 新表9/72下/2780
　20郎考25/5 B

崔瓚　見崔潛

崔瓚之
　5 新表9/72下/2807

崔頊
　5 新表9/72下/2799

崔弢
　5 新表9/72下/2742

崔頂
　5 新表9/72下/2809

崔預
　5 新表9/72下/2810

崔頤懿子
　1 舊唐14/177/4587
　2 新唐17/182/5362
　5 新表9/72下/2794
　25登科12/6 A

崔頤父名不詳
　5 新表9/72下/2792

崔硊
　5 新表9/72下/2794

崔礦(殷詰)
　5 新表9/72下/2759
　25登科24/14 B

崔冀
　5 新表9/72下/2767

12崔登
　25登科27/12 A

崔璀

---

① 《舊唐》謂"敦禮本名元禮,高祖改名焉"。《新唐》謂"崔敦禮字安上"。岑建功《舊唐書校勘記》卷三八云:"趙氏紹祖按,趙明誠《金石錄》敦禮碑跋曰:《世系表》名安上,字敦禮。此碑所書與表合。然《舊書》及碑皆云'本名元禮,高祖改名焉'。其孫兢墓誌亦云名敦禮。疑其以字行焉。"

② 《新表》作崔安上,字敦禮。參宋王觀國《學林》卷三。

③ 《新表》"于"作"干",秩子。今按《舊唐書》卷一五九《崔羣傳》云"羣弟于"。《新表》之崔干,亦即羣之堂兄弟。《三山志》亦作"于"。今改作"于",另出"崔干"條。

④ 《郎考》"于"作"干"。據《舊唐書·崔羣傳》,崔于官至郎署。《郎考》之"崔干"當即"崔于",今改。

⑤ 《郎考》作"崔晉",勞格謂"石刻有崔瑨,疑是"。

① 按《全文》此處崔瓘小傳云：“瓘，博陵人。代宗時爲潭州刺史，不爲煩苛，人便安之，戶流亡還歸，居二年，增戶萬數，詔特進五階以寵異政。仕終湖南觀察使。”又按《全文》卷四三四另有崔瓘，其小傳云：“瓘，博陵人，累官至澧州刺史，風化大行，優詔特加五階，至銀青光祿大夫，移潭州，兼御史中丞，充湖南都團練觀察處置使。大曆五年，兵馬使減玠搆亂，遇害。”《全文》卷四三四之小傳較卷四五九小傳之文爲詳，但所敍事迹實相同。據新、舊《唐書》崔瓘本傳，崔瓘，博陵人，累遷至澧州刺史，下車削去煩苛，居二年，風化大行，增戶數萬，有司以聞，優詔特加五階，至銀青光祿大夫，遷潭州刺史，兼御史中丞、充湖南都團練觀察處置使。大曆五年，兵馬使臧玠作亂，瓘遇害死。觀此，則《全文》四五九崔瓘小傳皆出於此（小傳云代宗時爲潭州刺史，“潭”顯係“澧”之誤）。唐人另有崔璀者，見《舊唐書》卷一五五《崔邠傳》，乃邠之子，任吏部尚書，未曾任湖南觀察使。且據本書所考，此崔璀應從《新表》、《舊五代史》等作“崔璀”，爲貞元、元和時人，較湖南觀察使之崔瓘，時代稍晚。又按《全文》卷四三四崔瓘文一篇，題爲《對驅儺判》，《全文》卷四五九崔瓘文一篇，題爲《對私習天文判》，皆未能確定其時代，亦無從考索作者之事迹。綜上所述，《全文》必有誤，其誤之可能性，一爲將湖南觀察使崔瓘之傳文分作兩處，即一在卷四三四，作崔瓘，一在卷四五九，誤作崔瓘；二爲卷四五九之崔瓘，即崔邠子之崔璀（亦即《新表》字汝器之崔璀，本書作崔璀，見該條注），但却將湖南觀察使崔瓘之事迹誤植於此。由此亦可見《全唐文》館臣之疏失謬誤。本書爲讀者查閱方便起見，仍照原書作崔瓘，而於此處注中稍作考析，以供參閱。

②③④ 《登科》、《方鎮》“弘”作“宏”，係避清諱改，今改正。

⑤ 按，勞格《讀書雜識》卷八《讀全唐文札記》疑崔琮爲崔璵之誤。錄以備考。

⑥ 《全詩》小傳云：“崔瓘字汝器，博陵人。累官至澧州刺史。大曆中遷湖南觀察使，爲別將臧玠所害。”按此處“博陵人”以下，皆與新、舊《唐書》本傳合，但新舊唐書並未載其字汝器。字汝器者乃別爲一人，即《新表》之崔璀（《新表》作鄧子，《舊唐》卷一五五《崔邠傳》作鄧邠子，實爲一人）。按璀於唐德宗貞元中始因賢良方正科登第授渭南尉，卒於憲宗元和十年，而新、舊《唐書》之崔瓘於代宗大曆四、五年即已任湖南觀察使，時代與《新表》之崔璀不合。由此可見，《全詩》以湖南觀察使崔瓘字汝器，誤。今不取。

⑦ 《郎考》卷三（吏中）、卷一一（戶中）、《御考》卷三（侍御史）皆作崔灌。按常袞有《授崔灌湖南觀察使制》（《文苑英華》卷四○八），稱“銀青光祿大夫、前澧州刺史、兼侍御史、上柱國、義豐縣開國男崔灌”，與新、舊《唐書》本傳載湖南觀察使崔瓘事迹合。今從新、舊《唐書》作崔瓘，另出崔灌作參見條。

⑧ 《舊唐》作“崔瓘”。按此見《舊唐》卷一五五《崔邠傳》，邠有弟郜、郇、鄆等六人，子璀、璜，璜子彥融。而據《新表》，崔邠有弟鄲、郇、鄩、郜、鄀、郇、鄜等六人，與《舊唐》合。《新表》又載邠子璜，鄆子璀，璀子彥融。由此可見，二書所載僅有小異，《舊唐》之崔瓘與《新表》之崔璀實爲一人。《舊五代史》卷五八《崔協傳》及《郎考》卷八勳外皆有崔璀，時代與仕履和《新表》之崔璀均合，則應作“璀”爲是，今據改。

⑨ 《登科》作“崔瓘”，今據《新表》等改。詳見前注。

⑩ 《新表》作“崔黃”，崔諴子，宣宗時宰相崔龜從父。又《舊唐書》卷一七六有《崔龜從傳》云：“祖璜，父諴，官微。”《新表》載龜從父爲崔黃，《舊傳》載龜從祖爲崔璜，世系與名均有異，則崔璜與崔黃實爲一人。參見沈炳震《新唐書宰相世系表訂誤》。今從《舊唐》作崔璜，另出崔黃作參見條。

22院記　翰苑羣書
　　　　上/15 A
23故事　翰苑羣書
　　　　上/26 A
24壁記　翰苑羣書
　　　　上/42 B
25登科13/4 A
　　　13/24 A
　　　18/11 B
26方鎮3/25 B
　　　5/8 A
　　　5/67 A
　　　6/34 A
崔君實
　5 新表9/72下/2737
　6 舊志6/47/2073
　7 新志5/60/1598
崔君肅
　1 舊唐9/90/2923
　2 新唐13/114/4204
崔君摸
　5 新表9/72下/2748
崔君操
　5 新表9/72下/2749
18崔瑜
　5 新表9/72下/2806
崔珍
　5 新表9/72下/2793
崔璲
　20郎考6/2 A
崔致遠（海夫、孤雲、文
　昌侯）
　7 新志5/60/1617
　9 拾遺34/1 A
　12詩逸中/10193
　25登科23/21 B
崔璬
　5 新表9/72下/2801
19崔璘（垂裕）坦子
　5 新表9/72下/2769
崔璘 昇子
　5 新表9/72下/2781
崔耿
　5 新表9/72下/2783

9 拾遺30/5 B
11全詩12/887/10031
26方鎮7/59 A
崔琰之（霹靂手）
　1 舊唐9/100/3128
　2 新唐14/130/4487
20崔重
　5 新表9/72下/2737
崔重明
　5 新表9/72下/2815
崔位 遂州別駕
　2 新唐16/162/4990
　8 全文545/2 B
崔位　見崔澭
崔秀
　5 新表9/72下/2767
崔儁
　5 新表9/72下/2794
崔億
　5 新表9/72下/2745
崔信
　5 新表9/72下/2769
崔信明
　1 舊唐15/190上/4991
　2 新唐18/201/5731
　11全詩1/38/489
　18才子1/4
　25登科1/13 A
　76齊乘6/37 A
崔鯨
　5 新表9/72下/2774
崔千齡
　5 新表9/72下/2811
崔千里
　5 新表9/72下/2733
崔孚
　1 舊唐13/163/4265
　5 新表9/72下/2810
崔季康
　26方鎮4/42 A
　　　　4/83 A
崔季孫
　5 新表9/72下/2808
崔季重

21御考2/41 B
崔季梁
　9 拾遺19/21 A
崔季友
　20郎考14/3 B
　21御考1/24 B
　　　　2/17 A
　　　　2/18 A
崔季恭
　5 新表9/72下/2748
崔季長
　5 新表9/72下/2761
崔季卿
　11全詩5/295/3353
　17紀事下/48/735
崔禹
　5 新表9/72下/2814
崔禹錫（洪範、貞）
　1 舊唐9/94/3000
　2 新唐13/114/4196
　5 新表9/72下/2738
　11全詩2/111/1137
　17紀事上/14/206
　25登科2/10 A
崔皎
　21御考1/7 B
崔系
　5 新表9/72下/2748
崔集
　5 新表9/72下/2738
崔稦
　5 新表9/72下/2758
　25登科11/1 A
21崔順
　5 新表9/72下/2793
崔衍（誋）貞元時刺史
　1 舊唐15/188/4934
　2 新唐16/164/5041
　8 全文481/13 B
　25登科27/29 B
　26方鎮5/64 B
崔衍 後唐長興初給事中
　8 全文847/5 A
崔顥

---

① 《舊唐》作“崔豈”，爲彥昭父。岑建功《舊唐書校勘記》卷五九引張宗泰語，謂當依《新表》作冠，今據改。
② 按，徐松謂“一作崔珞”。
③ 《御考》此處作“崔子原”，《御考》2/5A作崔子源，勞格謂當即同一人。今據改。

崔 **5** 新表9/72下/2796
崔仁亮
　5 新表9/72下/2813
崔仁冀(子遷)
　40十國87/9 A
崔仁睿
　5 新表9/72下/2791
崔仁師
　1 舊唐8/74/2620
　2 新唐13/99/3920
　5 新表9/72下/2774
　8 全文135/16 A
　20郎考13/18 B
　　　　14/1 A
崔仁術
　5 新表9/72下/2776
崔仁穎(處之)
　5 新表9/72下/2764
崔仁魯(化元)
　5 新表9/72下/2795
崔仁浣
　8 全文1000/4 A
崔仁寶(國華)
　5 新表9/72下/2795
　25登科24/13 A
崔仁遇(贊堯)
　5 新表9/72下/2764
崔仁矩
　5 新表9/72下/2795
崔能(子才)
　1 舊唐14/177/4581
　2 新唐13/114/4198
　5 新表9/72下/2743
　26方鎮3/47 A
　　　　7/8 A
崔何
　5 新表9/72下/2731
　11全詩4/252/2842
崔行謹
　1 舊唐9/91/2934
崔行功
　1 舊唐15/190上/4996
　2 新唐18/201/5734
　5 新表9/72下/2783
　7 新志5/58/1456
　　　　5/59/1562
　　　　5/59/1571
　　　　5/60/1601

　8 全文175/1 A
　20郎考1/1 B
　　　　3/5 B
　　　　4/3 A
　　　　11/1 B
　　　　26/2 A
　25登科2/11 A
崔行集
　5 新表9/72下/2770
崔行先
　5 新表9/72下/2766
　8 全文620/6 A
崔行溫
　5 新表9/72下/2768
崔行古
　5 新表9/72下/2761
崔行真
　5 新表9/72下/2785
崔行檢(聖用)
　5 新表9/72下/2793
　12詩逸中/10199
崔行表
　5 新表9/72下/2813
崔行成
　5 新表9/72下/2808
　20郎考8/3 A
　　　　11/66 A
崔行整
　5 新表9/72下/2785
崔行則
　5 新表9/72下/2787
崔行堅
　5 新表9/72下/2770
崔行簡
　5 新表9/72下/2783
崔行範
　5 新表9/72下/2786
崔儒志廉子
　5 新表9/72下/2733
崔儒宗之子
　5 新表9/72下/2814
　9 拾遺24/1 A
　20郎考4/27 A
　　　　11/28 B
崔虔偁子
　5 新表9/72下/2755
崔虔湛子
　5 新表9/72下/2758

崔處仁
　5 新表9/72下/2799
崔處實
　5 新表9/72下/2803
崔處直
　5 新表9/72下/2799
崔倬
　5 新表9/72下/2754
　8 全文759/7 A
崔穎達子
　5 新表9/72下/2743
崔穎揆子
　5 新表9/72下/2794
崔卓
　20郎考11/51 A①
　39書史5/28 B
崔衡
　20郎考26/26 B
崔頻
　5 新表9/72下/2796
崔師
　5 新表9/72下/2738
崔師魯
　5 新表9/72下/2770
崔師蒙
　5 新表9/72下/2743
崔師本
　5 新表9/72下/2761
　21御考3/47 A
崔師周
　5 新表9/72下/2770
崔貞
　5 新表9/72下/2762
崔貞固嬰子
　1 舊唐13/162/4251
　5 新表9/72下/2781
崔貞固神鼎子
　5 新表9/72下/2731
崔貞固方鶱子
　5 新表9/72下/2771
崔貞簡
　5 新表9/72下/2803
崔貞敏
　5 新表9/72下/2803
崔貞慎
　1 舊唐8/81/2748
　5 新表9/72下/2803
崔紫雲

11全詩11/800/9003
崔經
　5 新表9/72下/2771
崔概
　5 新表9/72下/2783
崔綽
　5 新表9/72下/2815
22崔胤(昌遐、垂休、緇郎)
　1 舊唐14/177/4582
　2 新唐20/223下/6355
　5 新表9/72下/2745
　20郎考3/95B
　　　4/66A
　　　10/33A
　25登科23/23A②
　　　27/20B③
崔豈　見崔玘
崔豐潛子
　5 新表9/72下/2754
崔豐少容子
　5 新表9/72下/2757
崔蠻(得車)
　5 新表9/72下/2747④
崔倕
　1 舊唐13/155/4117
　2 新唐16/163/5016
崔鼎
　5 新表9/72下/2748
　20郎考11/28A
　53赤城志8/17B
崔嵩庭晦子,不仕
　5 新表9/72下/2756
崔嵩去惑子,不仕
　5 新表9/72下/2794
崔嵩尉馬都尉
　5 新表9/72下/2801
崔偁　見崔稱
崔嚴(標魯)
　1 舊唐10/119/3444

　5 新表9/72下/2800
　20郎考2/30A
崔循禮
　5 新表9/72下/2768
崔鸞
　5 新表9/72下/2784
崔恁
　5 新表9/72下/2787
　8 全文365/15A
崔嶷
　5 新表9/72下/2740
崔峯
　5 新表9/72下/2741
崔皒　見崔晊
崔嶠(巖士)
　5 新表9/72下/2765
崔崇業
　5 新表9/72下/2804
　8 全文204/1A
　20郎考26/2B
崔繼
　5 新表9/72下/2739
崔纘
　5 新表9/72下/2745
崔稱
　5 新表9/72下/2758
　20郎考12/25B⑤
崔綬
　5 新表9/72下/2752
崔緩
　5 新表9/72下/2812
23崔參
　5 新表9/72下/2770
崔允　見崔胤
崔允中
　5 新表9/72下/2741
崔俊　見崔俊
崔巘
　5 新表9/72下/2805

崔峻
　5 新表9/72下/2805
　20郎考2/36B
崔綰(公綏)韶子
　5 新表9/72下/2749
崔綰珍子
　5 新表9/72下/2793
崔綜蘊子
　5 新表9/72下/2739
崔綜道都子
　5 新表9/72下/2761
崔綜(君維)淵子
　5 新表9/72下/2779
24崔先意
　5 新表9/72下/2805
　20郎考16/4B
崔先讓
　21御考2/46A
崔先志
　5 新表9/72下/2805
崔先事
　5 新表9/72下/2806
崔先知
　5 新表9/72下/2806
崔侁
　5 新表9/72下/2750
崔倚玄同子
　5 新表9/72下/2773
崔倚無詭子
　5 新表9/72下/2785
崔倚伯陽子
　5 新表9/72下/2802
崔侑
　5 新表9/72下/2737
崔備
　5 新表9/72下/2735
　8 全文544/15B
　11全詩5/318/3585
　17紀事下/45/683

① 《郎考》於崔卓名下注云"無考"。按《新表》載有崔倬,未注官職,約宣宗時,與此崔卓時代相同,其名之字形亦相近,未知是否即爲一人,備考。
② 《登科》"胤"作"允",蓋後人避諱改,今改正。
③ 《登科》此處作"崔敬本",引《北里志》"崔垂休名敬本,字似之,及第時年二十,即崔四十相也"。岑仲勉《唐人行第錄》謂此即崔胤,並云《北里志》此處所述當有訛舛,崔胤決不可能名敬本。岑説可信,今仍出崔敬本條,備查閱。
④ 沈炳震《新唐書宰相世系表訂譌》謂"蠻疑作鑾"。今按以其字得車而言,似作鑾爲是。備考。
⑤ 《郎考》"稱"作"偁",今從《新表》。

---

① 《全文》作"崔俊"，其小傳謂崔俊係唐元和十五年戶部侍郎、判度支。勞格《讀書雜識》卷八《讀全唐文札記》引
　新、舊《唐書‧崔俊傳》，謂俊自湖南都團練觀察使入爲戶部侍郎、判度支，正在穆宗初，則"俊"當作"俊"。勞說
　備參。
② 《吳郡志》"俊"作"稜"今從新、舊《唐書》本傳。
③ 《新表》"鄖"作"鄣"，今從《新唐》本傳。
④ 《吳興志》"言"作"官"，乃板刻之誤，今逕改。

1/71A
6/61A
8/2B

崔寬寧弟,御史中丞
1 舊唐10/117/3402
2 新唐15/144/4707

崔寬道猷孫,赤尉
5 新表9/72下/2761

崔寬玄禕子,比部郎中
5 新表9/72下/2791

崔寬左外、考中
20郎考2/15B⑤
9/12A

崔宥
5 新表9/72下/2798

崔永
5 新表9/72下/2769

崔進思
5 新表9/72下/2796

崔蹇
5 新表9/72下/2732

崔憲
5 新表9/72下/2747

崔守業
5 新表9/72下/2803

崔守默
5 新表9/72下/2755

崔準
5 新表9/72下/2760
26方鎮5/71B
73吳興志14/31A

崔安石
1 舊唐15/190下/5059
5 新表9/72下/2749

崔安上　見崔敦禮

崔安儼
5 新表9/72下/2786
20郎考26/5B

21御考2/9B

崔安潛(進之、貞孝)
1 舊唐14/177/4580
2 新唐13/114/4199
5 新表9/72下/2745
11全詩9/597/6905
17紀事下/66/992
20郎考4/55B
5/34B
25登科22/21B
26方鎮2/39B
5/89B
6/71A

崔安都
8 全文204/8B

崔寓唐玄宗時人
5 新表9/72下/2798
8 全文364/6B
20郎考3/83B
4/19B
21御考3/2B
3/9A
3/11B
3/48B
26方鎮4/45B
64掇英18/12B
65會稽志2/28B

崔寓唐僖宗時人
20郎考1/28A
12/49B
26方鎮5/73B

崔宏慶
8 全文947/17A

崔宏禮　見崔弘禮

崔容
5 新表9/72下/2755

崔審昕子
5 新表9/72下/2755

崔審昇子
5 新表9/72下/2774
20郎考16/13A

崔審文
21 御考3/32B

崔嵜
5 新表9/72下/2815

崔良弼
5 新表9/72下/2814

崔良佐(貞文孝父)
2 新唐18/203/5783
5 新表9/72下/2814
7 新志5/57/1426
5/57/1428
5/58/1467
5/60/1604
25登科27/28A

崔密寧弟,歷使府從事
1 舊唐10/117/3404
2 新唐15/144/4708

崔密玄範子,雷州刺史
5 新表9/72下/2816

崔定言(安道)
5 新表9/72下/2813

崔寅亮
1 舊唐13/165/4314
5 新表9/72下/2813
25登科27/11B

崔實
5 新表9/72下/2778

崔實德
5 新表9/72下/2797
20郎考5/5B

崔宗
11全詩11/781/8831

崔宗之(成輔)
2 新唐14/121/4331
5 新表9/72下/2814

① 按,《新表》有兩崔復:一爲鳳翔少尹,武后、中宗時相玄暐孫,復本人爲玄宗、肅宗時人;另一崔復,其祖曰新之兄曰用相睿宗、玄宗,復本人爲肅宗、代宗時興州刺史。《郎考》此處之崔復爲倉部員外郎,然按其時代,與興州刺史之崔復爲近。但是否同一人,並無確證。今暫列於此,待考。

② 《全文》作"崔莅",小傳云:"左臺侍御史,景雲二年吏部員外郎。"此與崔澀之時代官職均合。"莅"、"澀"同字異體。今從《新表》作"澀"。

③ 《拾遺》"澀"作"莅",今從《新表》改。

④ 《郎考》作"崔位",趙鉞案謂"位當是澀字之誤,御史臺侍御題名作澀"。趙說是。《舊唐書·崔湜傳》亦作"崔澀",可證。

⑤ 按,《郎考》之崔寬,未能確定屬上何人,姑分列,備考。

8 全文300/7B①
11全詩4/261/2905
17紀事上/19/275
20郎考19/4A
　　　　20/3A

31崔江
　　11全詩11/775/8779
崔涇
　　5 新表9/72下/2817
崔汪 敬嗣子
　　1 舊唐10/111/3317
　　2 新唐15/141/4653
　　5 新表9/72下/2811②
崔汪 綱子
　　5 新表9/72下/2770
崔汪（希度）瑜子
　　5 新表9/72下/2794
崔涯
　　5 新表9/72下/2777
　　11全詩8/505/5740
　　　　12/870/9858
　　17紀事下/52/796
　　18才子6/107
崔溉 唐初人
　　5 新表9/72下/2750
崔溉 中唐人
　　5 新表9/72下/2754
　　20郎考3/59A
　　　　12/26A
　　　　22/11B
崔汀
　　1 舊唐13/163/4263
　　5 新表9/72下/2788
　　20郎考12/53A
崔河圖
　　5 新表9/72下/2791
崔沔（孝公）旺子
　　1 舊唐10/119/3437
崔沔（善沖、若沖、孝）旺子
　　1 舊唐15/188/4927
　　2 新唐14/129/4475
　　5 新表9/72下/2800
　　7 新志5/60/1622
　　8 全文273/1A
　　9 拾遺17/3B
　　11全詩2/108/1122
　　17紀事上/14/210
　　20郎考22/4B

21御考2/8B
25登科4/10A
崔琢
　　3 舊五4/93/1231
　　4 新五2/55/635
　　5 新表9/72下/2790
崔潭（德鑒）
　　1 舊唐13/163/4263
　　5 新表9/72下/2788
崔潛 隱甫子，處州刺史
　　5 新表9/72下/2754
崔潛 抗子，濟州刺史
　　5 新表9/72下/2814
崔潘
　　5 新表9/72下/2806
　　20郎考26/5B③
　　　　26/27A
崔涵
　　8 全文304/6B
崔渠
　　20郎考26/22B
　　25登科20/24B
崔福（昌遠）
　　5 新表9/72下/2782
　　20郎考25/13A
　　25登科27/16B
32崔洌 玄之孫，肅弟
　　5 新表9/72下/2735
崔洌 廈子
　　5 新表9/72下/2807
崔澄（鑒之）球子
　　5 新表9/72下/2796
崔澄 見崔滌
崔沂（德潤）
　　1 舊唐13/163/4263
　　3 舊五3/68/900
　　5 新表9/72下/2788
　　8 全文839/2A
崔浙
　　5 新表9/72下/2793
崔漸
　　5 新表9/72下/2760
崔滔（深之）
　　1 舊唐14/177/4590
　　5 新表9/72下/2794
　　25登科22/19A
33崔泌
　　5 新表9/72下/2775

崔泳（君易）微子
　　5 新表9/72下/2754
　　25登科27/11A
崔泳（表聖）鈞子
　　5 新表9/72下/2789
崔溥
　　5 新表9/72下/2776
崔治
　　5 新表9/72下/2810
崔淙（君濟）
　　5 新表9/72下/2805
　　8 全文459/3A
　　25登科10/25B
　　63新安志9/21B
崔祕
　　8 全文435/9B
崔遂
　　5 新表9/72下/2755
崔述 河南府士曹參軍
　　5 新表9/72下/2740
崔述 右諭德
　　5 新表9/72下/2756
崔述 包子，歷官不詳
　　5 新表9/72下/2770
崔述（元明）昇之子，房州刺史
　　5 新表9/72下/2809
34崔瓘 見崔瓘
崔湛（湛然）
　　5 新表9/72下/2758
崔漪 子美子，歷官不詳
　　5 新表9/72下/2765
崔漪 庫部郎中
　　5 新表9/72下/2771
　　20郎考3/37A④
　　　　13/8B
　　　　26/14A
　　25登科27/1B
崔漪 抗子，河間丞
　　5 新表9/72下/2814
崔法言
　　5 新表9/72下/2753
崔濛（退澤）
　　5 新表9/72下/2767
崔漢衡
　　1 舊唐11/122/3502
　　2 新唐15/143/4690
　　5 新表9/72下/2798
　　8 全文619/4A

① 《全文》作"崔宗之"，小傳云："開元時禮部員外郎。"勞格《讀書雜識》卷八《讀全唐文札記》謂"疑作崔宗之"。岑仲
　勉《讀全唐文札記》云："按'崇'勞格格疑'崔'之訛，是也。《英華》七〇二崔祐甫《齊昭公崔府君集序》，嗣子宗之，
　開元中起居郎，再爲尚書禮部員外郎。"今據勞、岑二説改。

② 《新表》作"崔悦"，爲敬嗣子，光遠父，洛州司户參軍。按據《舊唐書》卷一一一、《新唐書》卷一四一《崔光遠傳》，
　光遠祖敬嗣，父汪，汪於唐中宗時爲洛州司功，則崔悦、崔汪實爲一人。"悦"、"汪"字異，未詳孰是。參沈炳震
　《新唐書宰相世系表訂誤》。今從新、舊《唐書·崔光遠傳》作"汪"，另出崔悦作參見條。

③ 《郎考》此處作"崔璿"，勞格謂當依同卷二七頁作崔璿。今從之。

④ 《郎考》此處作"崔猗"，當即同書卷一三、二六之崔漪，今改。

① 《詩逸》原注："澹一作膽。"

崔猗　見崔漪
崔蔚(文豹)
　5 新表9/72下/2792
崔存
　5 新表9/72下/2767
崔茂
　5 新表9/72下/2807
崔藏穎
　5 新表9/72下/2787
崔藏之
　5 新表9/72下/2788
　20郎考24/2 B
　25登科27/5 A
崔藏類
　5 新表9/72下/2786
崔葆
　7 新志5/60/1616
　53赤城志8/23 B
崔恭
　5 新表9/72下/2814
　8 全文480/5 B
　11全詩6/366/4132
　17紀事下/59/903
　20郎考7/15 A
崔恭禮
　1 舊唐10/115/3373
　2 新唐19/209/5917
　5 新表9/72下/2794
崔芊
　78茅山志9/8 A
崔孝童
　5 新表9/72下/2752
崔執柔
　26方鎮3/43 B
崔勁(晏之)
　5 新表9/72下/2795
崔萬石
　5 新表9/72下/2793
　20郎考26/2 B
崔萬善(信)
　5 新表9/72下/2801
崔華
　5 新表9/72下/2773
崔著
　5 新表9/72下/2767
崔蕃(師陳)
　25登科27/32 A
崔薿

20郎考17/2 A
崔世瑛
　5 新表9/72下/2758
崔世濟
　5 新表9/72下/2752
崔藝
　5 新表9/72下/2807
崔其興
　5 新表9/72下/2791
崔黄　見崔璜
崔黄中
　8 全文713/13 A
崔權
　5 新表9/72下/2793
崔植(公修、敬)
　1 舊唐10/119/3441
　2 新唐15/142/4668
　5 新表9/72下/2801
　8 全文695/1 A
　20郎考3/69 B
　　　11/36 A
　26方鎮6/20 B
　　　7/8 B
崔蘊
　5 新表9/72下/2739
崔枏(茂孝)
　5 新表9/72下/2805
　20郎考3/74 B ①
　　　12/36 B
崔樟
　5 新表9/72下/2801
45崔構(高秀)
　5 新表9/72下/2789
46崔旭
　5 新表9/72下/2783
崔坦 鄆子,歷官不詳
　5 新表9/72下/2769
崔坦 載子,司勳員外郎
　5 新表9/72下/2816
　20郎考8/54 B
崔覲
　1 舊唐16/192/5134
　2 新唐18/196/5612
崔觀
　5 新表9/72下/2780
崔智
　5 新表9/72下/2799
崔枳

5 新表9/72下/2805
47崔均
　5 新表9/72下/2732
崔懿
　1 舊唐14/177/4587
　5 新表9/72下/2794
崔懿伯
　5 新表9/72下/2809
崔懿曾
　67乾道臨安3/3 A
崔翹(成)
　1 舊唐9/94/3000
　　　14/177/4577
　2 新唐13/114/4196
　5 新表9/72下/2739
　8 全文328/1 A
　11全詩2/124/1229
　17紀事上/14/202
　20郎考6/7 B
　　　9/1 A
　25登科4/21 A
　　　5/18 A
　　　8/27 A
　　　8/27 B
　　　8/31 A
崔憼(敬之)
　7 新志5/59/1514
崔朝(懿忠)
　5 新表9/72下/2759
崔碬(乾錫)
　2 新唐17/180/5343
　7 新志5/60/1616
　8 全文726/1 A
　17紀事下/50/765
　20郎考9/16 B
　　　12/39 A
　25登科18/28 A
　　　19/9 A
崔邯 陲子
　5 新表9/72下/2764
崔邯 謙子
　5 新表9/72下/2768
崔柅(制之)
　1 舊唐14/177/4581
　5 新表9/72下/2745
崔杷
　5 新表9/72下/2805
　8 全文732/16 B

① 《郎考》作"岑栒",勞格疑作崔栒,時代正合。今從之。
② 《全詩》原注:"櫓一作魯。"
③ 《才子》作"崔魯",注云:"魯一作櫓,"今從《新志》、《紀事》諸書作"櫓"。
④ 《郎考》"敬"字原缺,趙鉞案疑是敬嗣,今從之。

崔冕
5 新表9/72下/2758
崔昊
5 新表9/72下/2785
71嚴州1/28 B①
崔昪鯨子
5 新表9/72下/2774
崔昪(玄樂)慎子
5 新表9/72下/2781
崔昪之
5 新表9/72下/2809
崔暈鯢子
5 新表9/72下/2775
崔暈 見崔玄暐
崔暈
5 新表9/72下/2785
崔昌胤
5 新表9/72下/2778
崔昌容
5 新表9/72下/2797
崔昌遠
5 新表9/72下/2778
崔昌遐(貽休)
5 新表9/72下/2744②
崔昌符
5 新表9/72下/2778
崔昌範
5 新表9/72下/2778
崔固本
5 新表9/72下/2797
崔固險
5 新表9/72下/2813
崔晷
5 新表9/72下/2784
崔署景孫
5 新表9/72下/2784
崔署 見崔曙
崔昂
5 新表9/72下/2774
崔曇
5 新表9/72下/2785
崔曇首
5 新表9/72下/2809
崔喦
5 新表9/72下/2749
崔異
1 舊唐14/177/4577
5 新表9/72下/2742
崔圓(有裕、昭襄)
1 舊唐10/108/3279
2 新唐15/140/4641
5 新表9/72下/2771
20郎考7/9 B
8/24 A
25登科8/13 A
26方鎮5/21 B
6/58 A
8/16 A
36圖誌5/123
崔景行功子
5 新表9/72下/2784
崔景伯
5 新表9/72下/2809
崔景運
5 新表9/72下/2797
崔景晊
1 舊唐10/108/3279
5 新表9/72下/2771
25登科4/21 A
61崔晊儼子
1 舊唐10/119/3437
15/188/4927③
5 新表9/72下/2800
崔晊(正封)殷夢子
5 新表9/72下/2755
崔盱 見崔寧
崔顒秀子,歷官不詳
5 新表9/72下/2768
崔顒宋州刺史
5 新表9/72下/2796
崔顥
1 舊唐15/190下/5049
2 新唐18/203/5780
7 新志5/60/1609

① 《嚴州》作"崔景",並云:"開元十九年三月自眉州刺史拜嚴州刺史。"按,據《新表》,崔行功子崔景,未載官職,其弟有名昊者,爲眉州刺史。而《嚴州圖經》卷一載崔景於開元十九年三月自眉州刺史爲嚴州,"景"字當是"昊"之誤。今據《新表》改。

② 按,《新表》載崔慎由二子,長曰昌遐,字貽休,太子賓客;次曰胤,字垂休,相昭宗。然《舊唐書》卷一七七《崔慎由傳》僅載慎由一子爲胤,並謂胤字昌遐,則昌遐乃胤之字,非胤之兄。《新唐書》卷一一四《崔慎由傳》亦云:"子胤,别傳。"同書卷二二三下《崔胤傳》作字垂休,與《新表》同,唯傳末又云:"世言慎由晚年無子,遇異浮屠,以術求,乃生胤,字緇郎。"則慎由僅生胤,與《舊唐書·崔慎由傳》同。沈炳震《新唐書宰相世系表訂譌》曾據此疑崔胤實無兄。今按《新表》載崔昌遐官歷太子賓客,而據《舊唐書·崔慎由傳》附崔胤傳,胤晚年即仕爲太子賓客,《新表》此處即以胤之字及仕履另立一人,爲胤之兄,亦即崔昌遐與崔胤實爲一人。但勞格仍主二人,其《讀書雜識》卷一云:"案《文苑英華》三百九十九薛廷珪《授峽州刺史崔昌遐秘書監制》略云:'昔以令季作鎮衡湘,願分使符,出守荆楚,輟自秘府,委之夷陵。二天方惠於疲人,三入復蘇於旱歲。亟陳章表,牢執撝謙,以爲手足秉鈞,固絶饑寒之患;簪緌委地,宜均休戚之懷,且惜分飛,懼妨賢路。'云云。考《宰相表》,胤罷相鎮武安在乾寧三年七月,復相在是年九月,據制云云,蓋胤既罷相,昌遐自秘書監出刺峽州,胤復相後,昌遐復自峽州入爲祕書監也。據此,則昌遐是胤兄非字明矣。至浮屠之説,見《北夢瑣言》四,僅云崔慎猷廉察浙西,術士言有貴子,及誕胤日,即瓦棺寺僧,一説云是終南山僧(以上《瑣言》),亦不云晚無子也。惟《南部新書》丁,崔慎由鎮西川,四十無子,終南翠微寺僧卒,遂生胤,與傳頗合。然慎由未嘗鎮西川,小説傳聞,本不足據。"據勞格説,今仍將崔昌遐與崔胤分列,並徵引有關資料,以備研討。

③ 《舊唐》此處作"崔皚",卷一八八《崔沔傳》云:"父皚,庫部員外郎、汝州長史。"而《舊唐》卷一一九《崔祐甫傳》又云:"祖晊,懷州長史。父沔,黄門侍郎,謚曰孝公。"同爲崔沔父,一作晊,一作皚(《新表》又云沔父皓,未載崔皚),未詳孰是,今姑作晊。參見岑建功《舊唐書校勘記》卷四四。

---

① ②　《續拾》、《郎考》"縣"皆作"懸",今從《新表》。

③ ④　《河嶽》、《才子》"曙"作"署",誤,今改。

⑤　《新表》載崔器爲昌容子,《舊唐書》本傳云廡然子,似爲二人。但新、舊《唐書》本傳又謂其曾祖爲恭禮,貞觀中駙馬都尉,《新表》亦載器之曾祖爲恭禮,駙馬都尉,且傳與表載崔器之官職均爲御史大夫。由此可證,新、舊《唐書》本傳之崔器與《新表》之崔器實爲同一人,唯父名所載有異,校點本新、舊《唐書》俱失校。

⑥　《新表》"愿"作"原",今從《舊唐》改。參見沈炳震《新唐書宰相世系表訂誤》。

⑦　《郎考》此處"厚"作"原",勞格謂當作"厚",又見同書卷四、七、八、一六。

① 《新表》作“崔義直”，爲知溫父，峽州刺史（“峽”當是“陝”之訛）。按《舊唐書》卷一八五上《崔知溫傳》云：“父義真，陝州刺史。”“直”、“義”字異，未知孰是，今從《舊唐書》。

② 《全詩》“達”作“遠”，並注云：“遠一作達。”今據《紀事》、《才子》諸書作“達”。

③ 按，《新表》載鎗爲元儒子，《舊唐》載鎗爲元式子，似爲二人。但《新表》載元受、元式、元儒皆爲兄弟，《舊唐》亦謂“元略弟元受、元式、元儒”。由此可證，《新表》之崔鎗與《舊唐》之崔鎗實爲一人，唯父名有異。校點本新、舊《唐書》未校。

④ 按，《新表》載鋽爲元式子，《舊唐》載鋽爲元受子，似爲二人。查《舊唐》云“元受子鈞、鋽、銖”，而《新唐》載元受子爲鈞、鏶、銖，元受弟元式子則有鎮、鋽、鉅，由此可知，《新表》之崔鋽與《舊唐》之崔鋽實爲一人，唯二書所載父名有異。點校本新、舊《唐書》失校。

8 全文839/15 A

96崔憬
　　5 新表9/72下/2734
　崔煜
　　5 新表9/72下/2812
97崔恂 玄籍子
　　5 新表9/72下/2734
　　67 乾道臨安3/3 A
　　68 咸淳臨安45/15 B
　崔恂 德厚子
　　5 新表9/72下/2808
　崔惲
　　20 郎考15/25 A
　崔恪
　　5 新表9/72下/2734
98崔悦 璧子
　　5 新表9/72下/2740
　崔悦　見崔汪
　崔敞
　　5 新表9/72下/2766
99崔瑩
　　5 新表9/72下/2766
　崔鶯鶯（鸞鸞）
　　11 全詩11/800/9001
　　17 紀事下/79/1136
　　18 才子2/28
　崔燮
　　5 新表9/72下/2740
　崔榮
　　5 新表9/72下/2739

2222₇ 嵩

22嵩山和尚
　　81 景德10/11 A
　嵩山女
　　11 全詩12/863/9762
80嵩公
　　80 宋僧2/10 B
97嵩鄰　見大嵩鄰

㠭

53㠭輔首
　　2 新唐20/222中/6293

2223₄ 僕

60僕固俊
　　2 新唐19/217下/6133
　僕固懷恩
　　1 舊唐11/121/3477
　　2 新唐20/224上/6365
　　8 全文432/9 A
　　26 方鎮1/69 B
　僕羅
　　8 全文999/28 A

嶽

44嶽麓山和尚
　　81 景德22/11 A

2224₁ 岸

36岸禪師
　　80 宋僧18/22 B

2224₇ 後

00後唐太祖（李克用、獨眼龍）
　　2 新唐20/218/6157
　　3 舊五2/25/331
　　4 新五1/4/32
　　5 新表11/75下/3453
　　8 全文103/1 A
　　26 方鎮4/43 A
　　　　8/22 A
　　42 五補2/1 A
　　　　2/1 B
　後唐太祖貞簡皇后曹氏
　　3 舊五3/49/671
　　4 新五1/14/141
　　8 全文127/1 A
　後唐太祖魏國夫人陳氏（阿婿、智顗、建法大師、圓惠大師、光國大師）
　　3 舊五3/49/673
　後唐太祖劉太妃
　　3 舊五3/49/672
　　4 新五1/14/141
　後唐莊宗（李存勗）

3 舊五2/27/365
4 新五1/4/31
5 新表11/75下/3453
8 全文103/4 A
9 拾遺9/6 B
11 全詩12/889/10041
26 方鎮4/44 A
42 五補2/2 A
　　2/2 B
　後唐莊宗德妃伊氏
　　3 舊五3/49/675
　　4 新五1/14/143
　後唐莊宗神閔敬皇后劉氏
　　3 舊五3/49/674
　　4 新五1/14/143
　後唐莊宗淑妃韓氏
　　3 舊五3/49/675
　　4 新五1/14/143
　後唐末帝（唐廢帝、李從珂、二十三、阿三）
　　3 舊五2/46/625
　　4 新五1/7/71
　　8 全文113/3 A
　　9 拾遺10/7 A
　後唐末帝劉皇后
　　3 舊五3/49/678
　　4 新五1/16/171
　後唐明宗（李嗣源、李亶）
　　3 舊五2/35/481
　　4 新五1/6/53
　　8 全文106/1 A
　　9 拾遺9/9 B
　　42 五補2/3 A
　後唐明宗和武顯皇后曹氏
　　3 舊五3/49/676
　　4 新五1/15/157
　　8 全文127/1 B
　後唐明宗宣憲皇后魏氏
　　3 舊五3/49/676
　　4 新五1/45/158
　後唐明宗淑妃王氏
　　4 新五1/15/158
　後唐明宗昭懿皇后夏氏
　　3 舊五3/49/676

---

① 《郎考》此處作"崔懷嶷"，趙鉞案疑卽崔懷從，今從之。
②③ 《郎考》、《御考》此處並作"崔琮"，勞格案謂與崔憬爲一人。今從勞説。

30 樂宗
　　5 新表10/73下/2945
35 樂沖　見樂坤
36 樂溫公主
　　2 新唐12/83/3672
43 樂城公主
　　2 新唐12/83/3660
44 樂世
　　20 郎考11/1 A③
45 樂坤(沖)
　　25 登科18/21 B
50 樂史(子正)
　　8 全文888/12 B
60 樂思誨　見樂思晦
　　樂思順
　　5 新表10/73下/2945
　　樂思晦
　　1 舊唐8/81/2759
　　5 新表10/73下/2945
　　19 姓纂10/14 A④
　　20 郎考4/7 A
　　　　6/4 A⑤
72 樂質
　　19 姓纂10/14 A
77 樂朋龜(兆吉)
　　7 新志5/60/1616
　　8 全文814/1 A
90 樂少寂
　　1 舊唐14/181/4689

變

35 變清(渾之)
　　11 全詩12/860/9722
45 變坤
　　20 郎考14/11 B

2291₃ 繼

34 繼達
　　81 景德24/20 B

2300₀ 卜

71 卜長福

7 新志5/60/1622
19 姓纂10/6 B
25 登科7/29 A
72 卜隱之
　　7 新志5/60/1622

2320₂ 參

77 參開
　　25 登科27/6 B

2321₀ 允

00 允文(執經)
　　80 宋僧16/10 A

2322₇ 偏

60 偏羅矣
　　2 新唐20/222中/6294

2323₄ 伏

00 伏帝匐
　　1 舊唐16/195/5198
　　2 新唐19/217上/6114
　　伏帝難
　　1 舊唐16/195/5198
23 伏允
　　1 舊唐16/198/5297
　　2 新唐20/221上/6224
26 伏和尚(慧覺大師)
　　81 景德16/13 A
30 伏適
　　7 新志5/59/1571
77 伏闍信
　　1 舊唐16/198/5305
　　2 新唐20/221上/6235
　　伏闍雄
　　1 舊唐16/198/5305
80 伏念
　　1 舊唐16/194上/5166
　　2 新唐19/215上/6043

俟

22 俟利弗設　見處羅可汗

72 俟斤
　　2 新唐20/221下/6257

獻

03 獻誠
　　1 舊唐16/199上/5328
　　2 新唐13/110/4124
21 獻上人
　　39 書史5/38 B
36 獻禪師
　　81 景德20/14 A

2324₀ 代

00 代病師
　　80 宋僧26/18 B
60 代國公主(李華、華婉)
　　2 新唐12/83/3656

2324₂ 傅

00 傅交益
　　5 新表10/74上/3154
　　傅奕
　　1 舊唐8/79/2714
　　2 新唐13/107/4059
　　6 舊志6/47/2027
　　7 新志5/58/1483
　　　　5/59/1516
　　　　5/59/1517
　　8 全文133/19 A
　　39 書史5/33 A
07 傅毅
　　26 方鎮1/48 A
　　　　4/90 B
10 傅玉
　　39 書史5/33 B
　　傅元淑
　　5 新表10/74上/3154
12 傅延嗣
　　5 新表10/74上/3155
20 傅依仁
　　5 新表10/74上/3155
21 傅仁均

---

① 《全文》作“□幾元”，並注云：“幾元前缺姓。”
② 《郎考》作“□嶠”，原缺姓。
③ 《郎考》作“樂世□”，原缺一字。
④ 《姓纂》“晦”作“誨”，今從《舊唐》本傳。
⑤ 《郎考》此處“晦”亦作“誨”，勞格韻“誨”字誤。

1 舊唐8/79/2710
2 新唐18/204/5798
7 新志5/59/1547
8 全文133/16A
22傅仙宗
7 新志5/59/1523
23傅允
10續拾8/18B①
26傅伯玉
5 新表10/74上/3154
30傅良弼
26方鎮1/57B
4/90B
35傅神童
20郎考15/4B
36傅溫
12詩逸中/10197
38傅遊藝
1 舊唐15/186上/4842
2 新唐20/223上/6342
5 新表10/74上/3155
40傅古
38圖繪2/30B
44傅夢求
8 全文958/1A
傅黄中
5 新表10/74上/3155
20郎考7/51B
21御考2/4A
72三山志20/32A
60傅昇卿
8 全文404/18A
90傅懷海
8 全文958/2A
傅光 見傅允

2324₇ 俊
36俊禪師
81景德24/16A

2325₀ 俄
19俄琰兒
1 舊唐16/197/5278

臧
40臧希讓
26方鎮1/15B
1/42A

4/146B
臧希晏
9 拾遺22/12B
臧嘉猷
7 新志5/60/1625
90臧懷亮(時明)
25登科27/35B
26方鎮8/80A
臧懷恪
26方鎮8/38A

牟
15牟融
11全詩7/467/5308
17牟羽可汗 見登里可汗
19牟瓛
8 全文791/19B
26牟和尚
81景德17/23B
41牟栖
1 舊唐16/198/5316
77牟尼室利 見寂默

2360₄ 昝
27昝殷
27郡齋3下/31B
94昝慎盈
19姓纂7/26B

2395₀ 織
40織女
11全詩12/863/9761
86織錦人
11全詩11/784/8853

2414₇ 歧
48歧敬忠
8 全文946/6B

2420₀ 什
85什鉢苾 見突利可汗

射
71射匱可汗(達頭)
1 舊唐16/194下/5181
2 新唐19/215下/6056

斛
25斛律齊

8 全文959/1A
斛律禮文
19姓纂10/10B
斛律禮備
19姓纂10/10B
20郎考4/58B
斛律觀國
19姓纂10/10B
斛律貽慶
19姓纂10/10B
20郎考8/4A
42斛斯道仲
19姓纂10/11A
斛斯道濟
19姓纂10/11A
斛斯敬則
8 全文203/13A
斛斯成生
19姓纂10/11A

2421₁ 先
17先那準
1 舊唐16/198/5302
31先汪
11全詩7/472/5355

2421₂ 尢
00尢章(曹山)
11全詩12/823/9285

2421₇ 仇
27仇殷
3 舊五1/24/328
40仇士良(匡美)
2 新唐19/207/5872
仇克義
19姓纂5/30B
80仇公遇
26方鎮8/45A

2423₁ 德
03德誠 見船子和尚
07德韶(惠舟)
40十國89/4A
53赤城志35/4A
81景德25/1B
08德謙
81景德23/12B

20德秀
　80宋僧14/21B
22德山和尚
　81景德20/7B
28德倫
　40十國89/12B
　德徽
　10續拾8/14A
30德宣
　8 全文915/6A
　德宗官人
　11全詩11/797/8967
35德清公主
　2 新唐12/83/3675
38德海
　81景德22/11A
53德感
　80宋僧4/23B
80德美
　79續僧39/20A
84德饒
　38圖繪2/30B
88德符
　36圖誌2/56
　38圖繪2/39A

佉

76佉陽照
　2 新唐20/222中/6293

2424₁ 待

46待駕
　80宋僧19/22B

2424₇ 彼

22彼岸
　27郡齋3下/36A

伎

11伎巧夫人（嚴氏）
　33五代畫遺6/34A

2426₀ 儲

10儲石

19姓纂2/23A
22儲仙舟
　48寶慶四明12/3B
26儲伯陽
　39書史5/29A
44儲燕客
　19姓纂2/23A
67儲嗣宗
　11全詩9/594/6882
　18才子8/131
　19姓纂2/23A
　25登科22/37A
　28直齋19/19B
72儲隱
　19姓纂2/23A
90儲光羲
　7 新志5/59/1513
　　　5/60/1603
　　　5/60/1609
　11全詩2/136/1373
　13河嶽中/95
　17紀事上/22/322
　18才子1/18
　19姓纂2/23A
　25登科7/19A
　27郡齋4上/14B
　28直齋19/5A
　69嘉定鎮江18/43A
　70至順鎮江18/2A

2426₅ 僖

30僖宗官人
　11全詩11/797/8968
　17紀事下/78/1125
　僖宗朝北省官
　11全詩11/784/8847

2429₀ 休

28休復（悟空禪師）
　40十國33/1B
　81景德24/8B
57休靜（寶智大師）
　80宋僧13/3A
　81景德17/10B

2433₇ 慭

47慭鶴山和尚
　81景德19/16B

2454₁ 特

　特
　20郎考24/8B②

2460₁ 告

53告成縣狂僧
　80宋僧22/5B

2466₁ 皓

10皓玉
　80宋僧29/16A

2472₇ 幼

10幼璋（志德大師、瑞龍禪
　　師）
　40十國89/2B
　53赤城志35/3B
　68咸淳臨安70/6A
　81景德20/17A
32幼澄
　4 新五1/16/172

帥

00帥夜光
　7 新志5/59/1518
　19姓纂10/16A
　25登科7/34A

2474₇ 岐

76岐陽莊淑公主
　2 新唐12/83/3667

2480₆ 贊

30贊寧（通慧、圓明大師）
　40十國89/7A
34贊婆
　1 舊唐16/196上/5223
　2 新唐19/216上/6075

2500₀ 牛

00牛方裕

---

① 《續拾》原注：“允一作光。”
② 《郎考》作“□特”，原缺姓。

77牛鳳及
　5　新表11/75上/3366
　11全詩2/99/1072
　17紀事上/3/35
　19姓纂5/28 B
　牛殳
　11全詩11/776/8794
80牛會
　5　新表11/75上/3364
86牛錫庶
　25登科12/17 B

2520₆ 仲

12仲廷預
　40十國42/10 B
17仲子陵
　2　新唐18/200/5707
　7　新志5/58/1493
　8　全文515/10 A
　11全詩5/281/3195
　19姓纂8/1 A
　20郎考26/18 A
　25登科11/11 A
　　　　13/24 B
30仲之元
　8　全文957/8 B
77仲興
　81景德15/11 B
80仲無顏
　8　全文740/25 B

2522₇ 佛

27佛嶼和尚
　81景德8/9 A
60佛日和尚
　81景德20/3 B
73佛陀多羅　見覺救
　佛陀波利　見覺護
　佛陀跋多羅　見覺救

2524₃ 傳

27傳殷

81景德24/11 B
34傳法和尚
　81景德23/24 B
40傳古
　35畫譜9/2 B
　36圖誌2/56
44傳楚
　81景德20/22 B

2590₀ 朱

00朱亶
　5　新表10/74下/3188
朱立少
　5　新表10/74下/3190
朱彥時
　5　新表10/74下/3188
朱齊時
　5　新表10/74下/3189
朱廓
　5　新表10/74下/3196
朱應
　5　新表10/74下/3192
朱康時
　5　新表10/74下/3189
朱慶瑄父，里之豪右
　1　舊唐14/182/4717
　3　舊五1/13/169
朱慶潁子，徐州户曹參軍
　5　新表10/74下/3197
朱慶餘（可久）
　7　新志5/60/1612
　11全詩8/514/5864
　17紀事下/46/704
　18才子6/109
　25登科20/14 B
　28直齋19/16 B
朱庠
　5　新表10/74下/3196
朱廩
　5　新表10/74下/3198
朱文進
　40十國98/7 B

72三山志20/49 A
朱言
　5　新表10/74下/3187
朱褒
　11全詩11/734/8388
02朱訓
　5　新表10/74下/3188
03朱斌
　11全詩3/203/2124
　14國秀下/128
　　　　下/178
朱詠
　5　新表10/74下/3194
朱誠
　3　舊五1/1/1
　4　新五1/1/1
04朱討
　5　新表10/74下/3192
05朱諫
　5　新表10/74下/3200
　25登科13/23 B
07朱毅衡
　5　新表10/74下/3192
08朱放（長通）
　7　新志5/60/1610
　11全詩5/315/3539
　16極玄下/339
　17紀事上/26/401②
　18才子5/80
　25登科12/17 A
　27郡齋4中/5 A③
　28直齋19/10 B
　69嘉定鎮江18/45 A
10朱正奇
　5　新表10/74下/3190
朱亞
　5　新表10/74下/3188
朱丕
　5　新表10/74下/3199
朱玫
　3　舊五3/66/876
朱元晚唐時

---

①《舊唐》作"牛幼簡"，見《牛僧孺傳》，乃僧孺父。而《新表》載僧孺父為幼閑，鄭縣尉。清沈炳震《新唐舊宰相世系表訂誤》亦僅列舉《新表》與《舊書》互異之處，未加判斷。今查唐李珏《故丞相太子少師贈太尉牛公（僧孺）神道碑》（《文苑英華》卷八八八）載："父幼閑，華州鄭縣尉。"與《新表》合，則作幼閑是。今據改。
②《紀事》原注："一作朱倣。"
③《郡齋》"放"作"倣"，今從《新志》、《登科》諸書。

5 新表10/74下/3191
朱子轉
　5 新表10/74下/3187
朱子昇
　5 新表10/74下/3192
朱子路
　5 新表10/74下/3191
朱子隱
　5 新表10/74下/3193
朱子岳
　5 新表10/74下/3191
朱子興
　5 新表10/74下/3191
朱子興
　5 新表10/74下/3193
朱子金
　5 新表10/74下/3193
朱子羔
　5 新表10/74下/3187
朱子欽
　5 新表10/74下/3191
朱子恂
　5 新表10/74下/3192
朱巳治
　5 新表10/74下/3189
朱翼
　5 新表10/74下/3196
18朱玠
　5 新表10/74下/3190
朱珍
　3 舊五1/19/259
　4 新五1/21/210
　8 全文841/7A
朱玫
　1 舊唐14/175/4548
　2 新唐20/224下/6404
　26方鎮1/25B
20朱重誨
　5 新表10/74下/3190
朱重胤
　5 新表10/74下/3200
朱重制
　5 新表10/74下/3200
朱重魄

5 新表10/74下/3200
朱重寬
　5 新表10/74下/3190
朱重邦
　5 新表10/74下/3190
朱重馴
　5 新表10/74下/3200
朱重熙
　5 新表10/74下/3194
朱重悟
　5 新表10/74下/3187
朱信
　3 舊五1/1/1
朱千乘
　10續拾5/7B
　12詩逸中/10192
朱受
　5 新表10/74下/3192
朱季
　5 新表10/74下/3192
21朱仁誨
　5 新表10/74下/3199
朱仁濟
　5 新表10/74下/3198
朱仁祚
　5 新表10/74下/3198
朱仁軌(德容、孝友先生)
　2 新唐14/115/4221
　5 新表10/74下/3187
朱仁愿
　5 新表10/74下/3198
朱仁範
　5 新表10/74下/3199
朱行先(蘊之、小由基)
　40十國85/2A
朱行存
　40十國85/2A
朱行勤
　40十國85/2A
朱行忠
　40十國85/2A
朱衍
　5 新表10/74下/3199
朱穎存子，晚唐時

5 新表10/74下/3192
朱穎存古子，晚唐時
　5 新表10/74下/3197
朱穎貞元時
　25登科13/25A
朱頃
　5 新表10/74下/3195
朱貞
　5 新表10/74下/3189
22朱岸
　5 新表10/74下/3192
朱偊
　5 新表10/74下/3190
朱嚴世爲小校
　3 舊五3/63/844
朱嚴亞子，歷官不詳
　5 新表10/74下/3188
朱嶠
　5 新表10/74下/3199
朱巒
　5 新表10/74下/3197
朱繇
　35畫譜3/3A
　36圖誌2/45
　38圖繪2/27B
朱利
　1 舊唐16/200下/5385
朱崇俊
　40十國22/11A
朱崇勳
　3 舊五3/64/858
朱崇節
23朱儆
　5 新表10/74下/3188
朱綰
　5 新表10/74下/3188
24朱仕明　見朱忠亮
朱佐
　5 新表10/74下/3196
朱佐時
　5 新表10/74下/3189
朱儔
　7 新志5/58/1493
朱休

---

① 《姓纂》"度"作"廢"，今據岑仲勉《元和姓纂四校記》考定改正。
② 《郎考》此處"度"作"廢"，今改。見前注。
③④ 《新唐》、《新五》作"朱宜"。按《舊唐書》、《舊五代史》朱瑄兄弟爲朱瓊、朱瑾，皆從玉，則"宜"當作"瑄"。

8 全文946/20 B
11全詩11/780/8820

朱勛
　5 新表10/74下/3195
朱幼
　5 新表10/74下/3200
朱緒
　5 新表10/74下/3200
25朱仲
　5 新表10/74下/3196
朱仲武
　9 拾遺47/20 B
朱仲晦
　11全詩1/38/494
朱伸
　5 新表10/74下/3187
朱傳
　5 新表10/74下/3199
朱使欣
　11全詩2/98/1064
朱積
　5 新表10/74下/3194
26朱自新
　5 新表10/74下/3199
朱自勉
　73吳興志15/6 B
朱皋
　5 新表10/74下/3196
朱得一
　5 新表10/74下/3200
27朱龜從
　5 新表10/74下/3188
朱歸道
　5 新表10/74下/3188
朱危
　5 新表10/74下/3189
朱偓
　40十國51/10 B
朱偶
　5 新表10/74下/3189
朱修己
　5 新表10/74下/3188
朱躬
　5 新表10/74下/3194
朱殷衡
　5 新表10/74下/3192
朱僎
　5 新表10/74下/3199

朱翱
　5 新表10/74下/3192
朱郜
　5 新表10/74下/3192
朱粲
　1 舊唐7/56/2275
　2 新唐12/87/3728
朱絢
　5 新表10/74下/3200
朱叔夜
　26方鎮1/33 B
朱叔宗
　3 舊五3/66/876
朱叔明
　26方鎮1/76 B
朱絳
　11全詩11/769/8732
　17紀事上/28/440
朱紹
　5 新表10/74下/3200
28朱倣　見朱放
朱徵
　5 新表10/74下/3191
朱從
　5 新表10/74下/3189
朱從訓
　40十國85/2 A
29朱儹
　5 新表10/74下/3196
30朱宣　見朱瑄
朱濤
　8 全文399/9 A
朱液
　5 新表10/74下/3192
朱宿(遐景)
　11全詩5/275/3123
　19姓纂2/30 B
朱守言
　5 新表10/74下/3191
朱守讓
　5 新表10/74下/3191
朱守顏
　5 新表10/74下/3194
朱守訥
　5 新表10/74下/3191
朱守謙
　5 新表10/74下/3192
朱守瑨

5 新表10/74下/3192
朱守璓
　5 新表10/74下/3187
朱守璠
　5 新表10/74下/3193
朱守登
　5 新表10/74下/3194
朱守瑘
　5 新表10/74下/3194
朱守瓊
　5 新表10/74下/3191
　25登科27/28 A
朱守信
　5 新表10/74下/3191
朱守和
　5 新表10/74下/3201
朱守殷(會兒)
　3 舊五3/74/971
　4 新五2/51/573
　8 全文839/3 B
朱守滔
　5 新表10/74下/3201
朱守溫
　5 新表10/74下/3194
朱守乾
　5 新表10/74下/3187
朱守泰
　5 新表10/74下/3193
朱守臣
　5 新表10/74下/3193
朱守質
　5 新表10/74下/3193
朱守同
　5 新表10/74下/3194
朱牢
　5 新表10/74下/3188
朱審
　30歷畫10/196
　31唐畫6/8 B
　38圖繪2/18 B
朱密
　5 新表10/74下/3196
朱宻慶
　73吳興志14/24 A
朱實可南子，歷仕不詳
　5 新表10/74下/3200①
朱實常州刺史
　59毗陵志7/17 B

朱賓
5 新表10/74下/3194
朱寶積
8 全文234/13A
31朱泚
1 舊唐16/200下/5385
2 新唐20/225中/6441
8 全文526/12B
26方鎮1/3A
1/29A
4/103B
朱潛
5 新表10/74下/3187
朱濬
5 新表10/74下/3188
32朱冽
5 新表10/74下/3188
朱澄
38圖繪2/39B
40十國31/8A
朱涔
5 新表10/74下/3201
朱灣(巨川、滄洲子)
7 新志5/60/1610
8 全文536/11B
11全詩5/306/3475
15中興上/278
17紀事下/45/680
18才子3/54
28直齋19/10B
朱滔
1 舊唐12/143/3896
2 新唐19/212/5968
8 全文526/13B
26方鎮4/103B
朱遥 見朱逵
33朱泳
5 新表10/74下/3194
朱演
5 新表10/74下/3193
34朱漢賓(績臣、貞惠)
3 舊五3/64/856
4 新五2/45/496
朱濤
5 新表10/74下/3198
朱洪
9 拾遺32/4B
朱洪實
3 舊五3/66/878
朱祐
5 新表10/74下/3195
朱逵
11全詩3/204/2135②
35朱沖和
11全詩8/505/5746
12/870/9858
25登科27/33B
36朱泂
1 舊唐14/180/4673
朱温 見梁太祖
朱温唐中宗時擢書判拔萃科
8 全文276/8A
朱渭輔
20郎考4/15A
5/13A
21御考1/18A
2/9B
2/33B
朱澤
11全詩12/870/9862
朱迴
5 新表10/74下/3196
朱暹
5 新表10/74下/3194
37朱洞
5 新表10/74下/3198
朱涣播時子
5 新表10/74下/3187
朱涣守同子
5 新表10/74下/3194
朱潯
40十國11/5B
朱澹
5 新表10/74下/3188
朱迎
5 新表10/74下/3188
朱選益
5 新表10/74下/3198
朱鄴
8 全文901/2A
38朱澈
5 新表10/74下/3194
朱遂
25登科11/12A
朱遵度(幕府書厨、朱萬卷)
8 全文893/7B
40十國75/4B
朱遵式(咸則)
25登科26/23B
朱道秀
5 新表10/74下/3193
40朱太忠 見梁太祖
朱士明 見朱忠亮
朱友文(康勤、德明)
3 舊五1/12/165
4 新五1/13/136
朱友諒
3 舊五1/12/160
4 新五1/13/133
朱友雍
3 舊五1/12/166
朱友謙(德光、簡、李繼麟)
3 舊五3/63/844
4 新五2/45/492
26方鎮4/24A
朱友誨
3 舊五1/12/161
4 新五1/13/133
朱友璋
3 舊五1/12/165
朱友珪(遥喜)
3 舊五1/12/165
4 新五1/13/136
朱友孜
3 舊五1/12/166
4 新五1/13/138
朱友能
3 舊五1/12/160
4 新五1/13/133
朱友貞 見梁末帝
朱友倫

① 按,據《新表》,此朱實爲可南子,未注官職。下《毗陵志》之朱實,僖宗中和四年爲常州刺史。二者時代相近,但未能確證爲同一人,姑分列,待考。

② 《全詩》原注:"逵一作遥。"

①② 《新志》此處及《全文》"玄"作"元"，當是清人避諱改，今從《新志》卷五九及《直齋》作"玄"。

88朱筠
5 新表10/74下/3200
朱簡
39書史5/29A
朱簡章
36圖誌2/40
38圖繪2/35B
朱敏
5 新表10/74下/3195
朱餘
5 新表10/74下/3188
90朱懷珪
1 舊唐16/200下/5385
2 新唐20/225中/6441
朱懷隱
8 全文189/4B
朱少京
5 新表10/74下/3199
朱少伯
5 新表10/74下/3190
朱少連
5 新表10/74下/3200
朱少昌
5 新表10/74下/3199
朱少陽
5 新表10/74下/1522
朱光序
5 新表10/74下/3188
朱光弼
11全詩11/778/8804
朱光迪
5 新表10/74下/3194
朱光啓
5 新表10/74下/3199
朱光榮
26方鎮1/31A
朱常
5 新表10/74下/3188
朱黨
5 新表10/74下/3189
朱省
5 新表10/74下/3194
91朱恆生
5 新表10/74下/3190
朱恆觀
5 新表10/74下/3200
朱恆春
5 新表10/74下/3199

93朱悛
5 新表10/74下/3190
朱悰
36圖誌2/54
38圖繪2/38B
97朱恂
8 全文871/15B
朱燿
5 新表10/74下/3193

2590₆ 种

64种時光　見南唐烈祖夫人
种氏

2591₇ 純

20純白
8 全文922/12B
73純陀(無由)
80宋僧29/8A

2593₂ 穭

44穭華
11全詩12/866/9809

2599₆ 練

20練寯(章仔鈞妻)
40十國97/7B

2600₀ 白

00白文珂(德溫)
3 舊五5/124/1633
白辯
3 舊五5/124/1633
10白元光(元光)
2 新唐15/136/4594
白再榮(白麻答)
3 舊五5/106/1399
4 新五2/48/549
白西
8 全文921/17B
白雲和尚
81景德24/19A
12白琇珪　見白志貞
白廷誨
3 舊五5/124/1634
白廷翰
7 新志5/59/1537
白延遇(希望)

3 舊五5/124/1634
17白承福
4 新五3/74/910
白君成
3 舊五5/124/1633
20白季康
1 舊唐13/166/4358
5 新表11/75下/3414
57景定建康49/4A
白季庚
1 舊唐13/166/4340
2 新唐14/119/4300
5 新表11/75下/3413
25登科27/29B
白季平
5 新表11/75下/3414
白季軫
5 新表11/75下/3414
白季隨(李隨)
25登科11/23A
21白順求(幾聖)
5 新表11/75下/3414
白仁敍
7 新志5/59/1573
白行簡(知退、退之、阿憐)
1 舊唐13/166/4358
2 新唐14/119/4305
5 新表11/75下/3413
7 新志5/60/1606
8 全文692/1A
11全詩7/466/5304
17紀事下/41/627
20郎考13/29A
23/5A
25/14B
26/21A
25登科17/2B
22白崇嗣(光祚)
5 新表11/75下/3414
23白傅規(慶餘)
5 新表11/75下/3414
24白幼文
5 新表11/75下/3413
27白龜兒
1 舊唐13/166/4358
28白從暉
40十國107/4B
30白宏儒　見白鴻儒

---

① 《拾遺》"鴻"作"宏"，今從《全文》。

17紀事下/52/789
28直齋11/7 B
皇甫枚(遵美)
28直齋11/7 B
皇甫忠
1 舊唐7/62/2386
19姓纂5/13 B
64掇英18/12A
65會稽志2/27 B
皇甫冉(茂政)
2 新唐18/202/5771
7 新志5/60/1610
8 全文451/13A
11全詩4/249/2793
　　　12/882/9972
15中興上/275
16極玄下/337
17紀事上/27/416
18才子3/45
25登科9/33 B
27郡齋4上/21 B
28直齋19/7A
59毗陵志19/3 B
69嘉定鎮江18/44 B
70至順鎮江18/2 B
皇甫威
8 全文619/16A
皇甫思忠
19姓纂5/13 B
皇甫思義
19姓纂5/13 B
皇甫思智
19姓纂5/13 B
皇甫岊
5 新表11/75下/3394
皇甫曙
10續拾5/16A
11全詩8/490/5551
17紀事下/52/787
25登科18/14 B

皇甫暉
4 新五2/49/556
40十國24/8 B
43馬書17/1A
44陸書7/3A
皇甫岳
5 新表11/75下/3394
19姓纂5/13 B
皇甫閱
39書史5/20 B
皇甫閒　見皇甫恂
皇甫屏度　見皇甫异度
皇甫覽
27郡齋3下/23A
皇甫鏡幾
5 新表11/75下/3394
19姓纂5/13 B
皇甫鎬
20郎考17/19A
皇甫鏞(穌卿)
1 舊唐11/135/3743
2 新唐16/167/5114
5 新表11/75下/3395
7 新志5/60/1606
11全詩5/318/3589
25登科27/9 B
皇甫無逸(仁儉、良)
1 舊唐7/62/2384
2 新唐12/91/3788
19姓纂5/13A
皇甫曾(孝常)
2 新唐18/202/5771
7 新志5/60/1610
11全詩3/210/2179
15中興下/297
16極玄下/336
17紀事上/27/418
18才子3/46
25登科9/25A
28直齋19/7 B

皇甫鎮江18/44 B
69嘉定鎮江18/44 B
70至順鎮江18/2 B
皇甫公義
8 全文204/18A
19姓纂5/13 B
皇甫鈺
20郎考3/78 B
　　　4/53A
皇甫鋯
19姓纂5/13 B
20郎考18/8 B
皇甫鎛
1 舊唐11/135/3738
2 新唐16/167/5113
5 新表11/75下/3395
9 拾遺27/6A
19姓纂5/13 B
20郎考3/65A
　　　4/37 B
　　　18/12 B
25登科12/29A
　　　13/24A
皇甫知常
5 新表11/75下/3395
19姓纂5/13 B
20郎考3/11 B
　　　4/9A
　　　9/1A
皇甫敏
19姓纂5/14A
皇甫惟明
8 全文357/22A
26方鎮8/40A
　　　8/50A
皇甫惜
5 新表11/75下/3395
19姓纂5/13 B⑨
皇甫悟
5 新表11/75下/3396
19姓纂5/13 B

---

① 《姓纂》“异”作“屏”,今據岑仲勉《元和姓纂四校記》考定改正。
② 《郎考》此處作“皇甫屏度”,勞格謂“屏度”疑即“异度”之誤,是。參上注。
③ 《御考》此處“优”作“先”,誤。今逕改。
④ 《全文》作“皇甫瓊”,並注云:“瓊,一作伯瓊”。今據《姓纂》等作“伯瓊”。
⑤⑥ 《全詩》、《紀事》“徵”作“徹”,岑仲勉《元和姓纂四校記》謂應作“徵”,今從之。
⑦ 《郎考》“徹”作“微”,勞格案謂疑作“徹”,今從勞說。
⑧ 《姓纂》“寡”作“宜”,今據岑仲勉《元和姓纂四校記》考定改正。
⑨ 《姓纂》“惜”作“惜”今據岑仲勉《元和姓纂四校記》考定改正。

皇甫悰
　　5 新表11/75下/3395
　　19姓纂5/13 B
皇甫恷
　　19姓纂5/13 B
皇甫惜　見皇甫憎
皇甫煒
　　20郎考18/20 A
　　　　26/25 A
皇甫懌
　　5 新表11/75下/3395
　　19姓纂5/13 B
皇甫憬
　　5 新表11/75下/3395
　　8 全文397/18 A
　　19姓纂5/13 B
皇甫恂
　　5 新表11/75下/3394
　　19姓纂5/13 B①
皇甫鄰幾
　　1 舊唐11/135/3738
　　5 新表11/75下/3395
　　19姓纂5/13 B
皇甫煥
　　19姓纂5/13 B
皇甫煥
　　20郎考2/31 B
皇甫愉
　　1 舊唐11/135/3738
　　5 新表11/75下/3395
　　19姓纂5/13 B

2620₀ 伯

14伯琦
　　20郎考5/10 B②

伽

44伽梵達摩　見尊法

2623₂ 泉

32泉州後招慶和尚
　　81景德22/11 B

2629₄ 保

36保遏
　　28直齋22/8 B
37保初
　　81景德24/22 A

44保恭
　　79續僧13/15 B

2633₀ 息

00息塵
　　80宋僧23/10 A
50息夫牧
　　8 全文442/1 A
　　11全詩4/257/2872
　　17紀事上/20/299

2640₀ 卑

67卑路斯
　　1 舊唐16/198/5312
　　2 新唐20/221下/6259
卑路斯威
　　2 新唐20/221下/6264

2641₃ 魏

00魏充
　　5 新表9/72中/2656
　　19姓纂8/9 B
魏亮
　　19姓纂8/9 A
魏齊之
　　74臨汀志　大典
　　　　7893/5 B
魏膺
　　1 舊唐8/71/2562
　　5 新表9/72中/2658
魏方進
　　5 新表9/72中/2656
　　19姓纂8/9 B
　　20郎考11/18 A
　　21御考3/20 B
　　　　3/22 B
魏方回
　　5 新表9/72中/2656
　　19姓纂8/9 B
魏廣業
　　5 新表9/72中/2657
　　19姓纂8/9 B
魏文博
　　19姓纂8/9 B
魏玄同(和初)
　　1 舊唐9/87/2849
　　2 新唐14/117/4252
　　5 新表9/72中/2656

　　8 全文168/2 B③
　　19姓纂8/9 B
　　20郎考3/6 A
　　　　4/4 B
　　　　8/2 A
　　25登科27/1 A④
05魏靖慶州刺史
　　7 新志5/59/1529
　　8 全文402/16 B⑤
　　19姓纂8/9 A
魏靖監察御史
　　8 全文208/23 A
07魏詢　見魏洵
10魏正勛
　　19姓纂8/9 A
魏正見
　　19姓纂8/9 A
魏正則
　　25登科27/10 A
魏正雅
　　19姓纂8/9 A
魏正臣
　　19姓纂8/9 A
魏元　見魏允
魏元忠(真宰、貞)
　　1 舊唐9/92/2945
　　2 新唐14/122/4339
　　5 新表9/72中/2659
　　7 新志5/58/1471
　　8 全文176/1 A
　　11全詩1/46/556
　　17紀事上/13/192
　　19姓纂8/10 A
　　39書史5/33 A
魏元同　見魏玄同
魏寬
　　5 新表9/72中/2656
　　19姓纂8/9 B
魏晉孫
　　30歷畫10/194
11魏珏
　　5 新表9/72中/2660
12魏璀
　　8 全文372/1 A
　　11全詩3/204/2133
　　25登科9/20 A
魏弘遠
　　19姓纂8/9 A

① «姓纂»"恂"作"閒",今據岑仲勉«元和姓纂四校記»考定改正。
② «郎考»作"□伯琦",缺姓。
③④ «全文»、«登科»"玄"作"元",蓋清人避諱改。今據兩«唐書»本傳改正。
⑤ «全文»此處作"魏静",小傳云開元時慶州刺史。今按«姓纂»魏靖名下云庫部郎中、秦州都督;«新志»云魏靖編次«玄覺永嘉集»十卷,慶州刺史;«宋高僧傳»亦云"慶州刺史魏靖"。據此,則«全文»此處之"魏静"乃"魏靖"之誤。今改正。
⑥⑦⑧⑨⑩ «郎考»、«登科»"弘"作"宏",蓋清人避諱改。今據«姓纂»改正。
⑪ «新表»"允"作"元",今據岑仲勉«元和姓纂四校記»考定改正。
⑫ «新表»"修"作"循",今從«姓纂»。

37書小史9/6A
39書史5/30A
魏謩(申之)
1 舊唐14/176/4567
2 新唐12/97/3882
5 新表9/72中/2658
7 新志5/58/1472
　　　5/59/1536
　　　5/60/1607
8 全文766/1A
9 拾遺30/21A
11全詩9/563/6531
17紀事下/53/810
25登科21/7A
26方鎮6/68B
28直齋4/36A
魏喆
5 新表9/72中/2659
魏黃裳
5 新表9/72中/2657
19姓纂8/9B
魏模
2 新唐18/198/5640
魏林
5 新表9/72中/2660
46魏加慶
8 全文957/19A
47魏懿文(皋)
19姓纂8/8B
魏懋
19姓纂8/8B
50魏中庸
19姓纂8/8B
魏奉古
7 新志5/58/1496
11全詩2/91/988
17紀事上14/213
20郎考1/5B

2/5A
11/11A
21御考2/3B
　　2/29A
25登科27/34B
52魏哲
37書小史9/9B
53魏甫
5 新表9/72中/2657
19姓纂8/9B
55魏扶(相之)
5 新表9/72中/2660
8 全文757/15B
11全詩8/516/5898
17紀事下/51/770
20郎考6/24A
　　9/3A
24壁記　翰苑羣書
　　　上/49B
25登科21/1B
　　22/19B
57魏静 見魏靖
58魏敖
5 新表9/72中/2658
60魏國憲穆公主
2 新唐12/83/3664
魏晃
5 新表9/72中/2659
19姓纂8/10A
魏昇
5 新表9/72中/2659
19姓纂8/10A
魏昌
5 新表9/72中/2660
魏景倩
2 新唐18/198/5641
20郎考14/3A
61魏顯 見魏萬

62魏晰
69嘉定鎮江16/5A
魏則之
9 拾遺28/15A
67魏曜
5 新表9/72中/2660
魏明
1 舊唐14/176/4567
5 新表9/72中/2658
魏瞻
5 新表9/72中/2658
魏昭
20郎考25/4B
魏嗣萬
19姓纂8/8B
20郎考15/6A⑥
　　15/28B
　　16/4A
71魏匡贊
9 拾遺25/8B
魏長裕
5 新表9/72中/2656
19姓纂8/9B
72魏氏(樊彦琛妻)
1 舊唐16/193/5145
2 新唐18/205/5820
魏氏(宋庭瑜妻)
1 舊唐16/193/5146
魏氏(魏求己妹)
11全詩11/799/8982
74魏隋
5 新表9/72中/2658
77魏隆(道崇、道泰)
69嘉定鎮江20/3A
70至順鎮江19/33B
魏朋妻
11全詩12/866/9808
魏駒　見魏洵

---

① 《郎考》"璘"作"麟",勞格謂"麟疑璘字之誤"。按《舊唐書·魏徵傳》,徵第三子叔璘,《新表》亦載魏徵有子叔琬、叔璘等,可證。
② 按,"叔虹",徐松謂"一作升卿"。
③ 《新表》"馮"作"憑",爲謩父,獻陵臺令。《舊唐》卷一七六亦載魏謩父馮,獻陵臺令,顯係一人。"馮"、"憑"二字古通。今從《舊唐》作"馮",另出魏憑作參見條。
④ 《郎考》"洵"作"詢",今據岑仲勉《元和姓纂四校記》考定改正。
⑤ 《嚴州》作"魏駒"。按《姓纂》有魏洵,睦州刺史,亦見《郎考》卷二一。勞格謂"《嚴州圖經》刺史題名有魏駒,當中、睿二朝時,疑即魏洵之誤"。今從勞説。
⑥ 《郎考》此處作"韋嗣萬",勞格案云,嗣萬無考,《元和姓纂》有魏嗣萬,金部郎中,石刻金外亦有魏嗣萬,按其時代亦正相合,此"韋"字係"魏"字之誤。

80魏全恕
　　19姓纂8/9A
　魏鑣
　　20郎考18/19B
　魏羔
　　19姓纂8/8B
　魏兼柔
　　8 全文957/20A
　魏兼恕
　　11全詩11/776/8788
　魏義通
　　26方鎮4/4A
　　　　　6/47B
86魏知古(忠)
　　1 舊唐9/98/3061
　　2 新唐14/126/4413
　　5 新表9/72中/2659
　　6 舊志6/47/2076
　　7 新志5/60/1601
　　8 全文237/12A
　　11全詩2/91/991
　　17紀事上/15/221
　　25登科2/15B
　　　　　27/1A
　魏智本
　　19姓纂8/9A
87魏欽構
　　19姓纂8/9A
88魏籥(守之)
　　5 新表9/72中/2660
　　20郎考7/30B①
　　　　　19/13A
　　25登科22/39B
　魏管　見魏籥
90魏憻
　　5 新表9/72中/2656②
　　19姓纂8/9B
　魏憎
　　5 新表9/72中/2656
　　19姓纂8/9B
　　25登科4/26A
　魏懷　見魏憻
　魏少賓
　　19姓纂8/9A
　魏少游　見魏少遊
　魏少遊(少游)
　　1 舊唐10/115/3376
　　2 新唐15/141/4656③
　　19姓纂8/9A

20郎考1/36B
26方鎮5/78B
　魏光本
　　19姓纂8/9A
　魏炎　見魏萬
91魏恆
　　19姓纂8/8B
　魏烜
　　8 全文398/8A
92魏恬(安禮)
　　1 舊唐9/87/2853
　　2 新唐14/117/4255
　　5 新表9/72中/2657
　　19姓纂8/9B
　　20郎考4/14A
　　　　　15/8B
　　　　　16/5A
　　25登科27/5A
97魏炤
　　8 全文957/17A
98魏悌
　　39書史5/33B

2643₀ 吳　見6043₀

2690₀ 和

01和龍和尚
　　81景德23/11B
18和政公主
　　2 新唐12/83/3660
23和峻
　　3 舊五5/127/1673
26和峴
　　3 舊五5/127/1673
　和和
　　80宋僧19/19A
27和解熱素
　　1 舊唐16/199下/5358
31和濡
　　3 舊五5/127/1671
37和凝(成績)
　　3 舊五5/127/1671
　　4 新五2/55/639
　　8 全文859/1A
　　9 拾遺47/2B
　　11全詩11/735/8393
　　　　　12/893/10089

25登科25/6B
　　　　　25/41A
　和逢堯
　　1 舊唐15/185下/4817
　　2 新唐14/123/4378
　　3 舊五5/127/1671
　　21御考2/8A
　　25登科27/4A
81和矩
　　3 舊五5/127/1671
　　4 新五2/56/639
98和敞
　　3 舊五5/127/1671

細

44細封步賴
　　1 舊唐16/198/5291
　　2 新唐20/221上/6215
47細奴邏
　　1 舊唐16/197/5280
　　2 新唐20/222上/6270

2691₄ 程

00程彥先
　　9 拾遺17/16B
　程彥矩
　　8 全文902/8B
　程庭玉
　　8 全文404/10B
　程廣
　　39書史5/32B
　程文英
　　21御考2/29A
03程贇
　　40十國95/10A
05程諫(仲幾)
　　8 全文374/11B
10程元皓
　　1 舊唐12/143/3903
　程元素
　　8 全文187/2B
　程元振
　　1 舊唐15/184/4761
　　2 新唐19/207/5861
11程彌綸
　　11全詩3/203/2122

14國秀中/128
　　中/167
12程烈
　20郎考12/17A
　21御考2/43A
17程羽(沖遠)
　25登科26/8B
　程務挺
　1舊唐8/83/2784
　2新唐13/111/4146
　程承辯
　32益畫中/12B
　38圖繪2/39A
　程子珪
　5新表11/75下/3396
　程昪(師舉、恭)
　1舊唐11/135/3737
　2新唐16/168/5142
　5新表11/75下/3396
　8全文455/13A
　25登科27/31A
　　　27/37B
20程千里
　1舊唐15/187下/4903
　2新唐18/193/5545
　26方鎮4/61A
　　　8/56B
　程維　見程雅
21程仁紹
　8全文898/19B
　程行諶(則、貞)
　11全詩2/108/1120
　17紀事上/14/207
　20郎考15/7A
　21御考2/2A
　25登科27/6A④
　程行謀　見程行諶
　程行世　見程行諶
　程處亮
　1舊唐8/68/2504
　2新唐12/90/3773

程紫霄
　11全詩12/855/9673
　　　12/871/9881
22程山甫
　9拾遺32/7A
　程崇雅
　40十國54/5B
23程獻可
　5新表11/75下/3396
24程休(士美)
　2新唐18/194/5565
　8全文435/13B
　20郎考2/12A
　　　3/85B⑤
　　　5/2B
　　　6/13B
　程休文　見程休
　程皓
　8全文440/8A
　程鮫金　見程知節
26程伯獻
　1舊唐8/68/2504
　程伯儀
　31唐畫6/16A
27程脩己(景立)
　25登科27/32A
　31唐畫6/12B
　38圖繪2/19A
　程俱羅
　2新唐18/195/5589
　程名振
　1舊唐8/83/2784
　2新唐13/111/4146
30程進
　30歷畫9/177
　程寶
　40十國63/1B
　程宗楚
　26方鎮1/37B
31程福贇
　3舊五4/95/1269

　4新五2/34/372
32程遜(浮休)
　3舊五4/96/1279
　30歷畫9/182
34程浩
　8全文443/3A
　20郎考19/16A
　程浩然
　25登科26/28B
36程邈
　8全文763/25A
　31唐畫6/16B
37程洛濱(李華侍兒)
　11全詩11/800/8998
　程凝
　36圖誌2/42
　38圖繪2/36A
40程九皋
　21御考2/31A
　程士禺
　8全文202/16A
　程袁師
　2新唐18/195/5580
42程荊杞
　21御考2/55A
44程執恭　見程權
　程華　見程日華
　程昔範(子齊)
　25登科18/21A
　程權(執恭)
　1舊唐12/143/3905
　2新唐19/213/5997
　26方鎮1/19B
　　　4/88A
　　　4/88B
46程賀(君山)
　11全詩10/667/7637
　17紀事下/67/1010
　25登科23/30B
　程日華(華)
　1舊唐12/143/3903

---

① 《郎考》此處作"魏管",勞格謂"管"當作"筥",今從之。
② 《新表》"亶"作"憻",未詳孰是,今從《姓纂》作"亶"。
③ 《新唐》"遊"作"游",今從《舊唐》。
④ 《登科》作程行謀。按,《文苑英華》卷八八九有蘇頲《贈右丞相程行謀碑》。岑仲勉《讀全唐詩札記》引《郎考》卷
　一五云"謀"當作"諶"。諸書所載時代相同,且程行諶謚貞,蘇頲所作碑亦云行謀謚貞,則當是一人。又 《登科》
　引蘇頲碑云:"名則,字行世,以字行。"今查《英華》,實作"公名則,字行謀,世以字行",《登科》誤抄。
⑤ 《郎考》此處作"程休文",今據《新唐》本傳及《郎考》卷二、五、六改。

① 《歷畫》原注：“另一版本‘雅’作‘維’。”
②③ 《郎考》、《登科》“召”作“紹”，今從《舊唐》。
④ 《方鎮》“晦”作“海”，當係板刻之誤，今逕改。

11全詩5/288/3289
17紀事上/36/559
25登科11/7B
11/23A
44黎埴
8 全文759/8A
19姓纂3/9A①
20郎考8/40A
24壁記 翰苑羣書
上/48A
26方鎮6/8A②
72三山志20/41A③
黎植 見黎埴
48黎幹
1 舊唐10/118/3426
2 新唐15/145/4717
7 新志5/59/1558
8 全文446/12B
9 拾遺23/10B
19姓纂3/9A
26方鎮7/40A
56長安志2/7B
62黎昕
19姓纂3/9A
91黎炬
19姓纂3/9A
92黎姚
19姓纂3/9A
黎煖
19姓纂3/9A④
96黎熠
19姓纂3/9A
黎煩 見黎煖
98黎燧
19姓纂3/9A

2720$_7$ 多

10多帀
2 新唐20/221上/6232
31多福和尚
81景德11/12B
36多邏斯(忠貞可汗)
1 舊唐16/195/5208
2 新唐19/217上/6124
38多濫葛塞匐
2 新唐19/217下/6142
多濫葛末
2 新唐19/217下/6142
72多岳
40十國53/5B

2721$_2$ 危

24危德興
9 拾遺48/1A
27危仔倡
68咸淳臨安60/14A
80危全諷(上諫)
8 全文868/10A
41九國2/4A

2721$_7$ 倪

09倪麟
38圖繪 補遺/2A
10倪可福
40十國102/5A
103/1B
28倪從進
40十國103/1B
30倪宥
7 新志5/60/1626
44倪若水(子泉)
1 舊唐15/185下/4811
2 新唐14/128/4466
8 全文277/7B
19姓纂3/10B
20郎考4/13B
21御考1/7A
25登科27/3B
66倪曙(孟曦)
25登科23/33A
40十國62/3B
72三山志26/5A
77倪屬利稽 見李獻誠
90倪少通
8 全文928/13B

2722$_0$ 勿

30勿定摽莎
4 新五3/74/921
56勿提提羼魚 見蓮花精進

仰

08仰詮
48寶慶四明1/17A
49延祐四明2/3A
21仰仁詮
40十國83/4A
86/4B

向

02向訓
9 拾遺47/19B
14向瓚
40十國56/3B
21向衡 見尚衡
26向總 見尚總
51向振 見尚振

御

71御厨
40十國32/3A
44陸書14/2A

2722$_2$ 修

21修處士
38圖繪 補遺/2B
修上人
39書史5/38B
64修睦
11全詩12/849/9615
12/888/10036
17紀事下/76/1105
18才子3/45
28直齋19/29A
70修雅
11全詩12/825/9298

2723$_4$ 侯

10侯元亮(閙侯)
40十國75/1B
侯霸榮
40十國108/8A
侯雲章
19姓纂5/33A
25登科20/5A
侯雲長
19姓纂5/33A
25登科15/12B
12侯列 見侯洌
15侯融
40十國63/4B
17侯璪
25登科26/22A
侯翮

40十國44/1 B
侯君集
　1 舊唐8/69/2509
　2 新唐12/94/3825
　5 新表9/72中/2667
　19姓纂5/33 A
侯君素
　7 新志5/59/1540
18侯璥節
　19姓纂5/33 A
20侯季文
　25登科27/9 B
21侯上卿
　8 全文459/5 B
侯仁寶
　9 拾遺47/15 A
侯仁實
　40十國53/11 A
侯仁矩
　40十國53/11 A
侯行果
　2 新唐18/200/5702
侯師　見侯師仁
侯師仁
　19姓纂5/33 A⑤
　20郎考11/65 B⑥
　　　12/7 A
22侯嶽(公祝)
　25登科22/36 A⑦
　72三山志26/4 A
侯嶠金部員外郎
　8 全文621/4 A
　19姓纂5/33 A
　20郎考16/15 B
侯嶠國子祭酒
　19姓纂5/33 A
侯繼
　20郎考7/18 A
　25登科13/3 B
侯繼圖妻　見任氏
24侯備

20郎考4/56 A
　　　7/28 B
24壁記　翰苑羣書
　　　上/56 A
侯纘(信美)
　41九國1/16 B
25侯仲莊(仲莊)
　2 新唐15/136/4595
26侯總
　10續拾4/6 A
27侯殷
　10續拾7/22 B
30侯宏實
　40十國51/7 B
31侯潛(彰臣)
　25登科23/27 A
32侯烈
　8 全文722/22 A
　11全詩8/488/5544⑧
　17紀事下/50/763
　25登科18/3 B
34侯造
　31唐畫6/16 A
　38圖繪　補遺/3 B
36侯溫
　25登科27/15 B
　71嚴州1/31 A
38侯遵
　19姓纂5/33 A
侯道華
　11全詩12/860/9723
40侯圭
　8 全文806/2 A
侯希逸
　1 舊唐11/124/3533
　2 新唐15/144/4703
　26方鎮3/35 A
　　　8/84 A
侯喜(叔迓)
　8 全文732/5 B
　17紀事下/41/635

25登科15/22 A
侯喜業　見侯善業
44侯莫陳應
　19姓纂5/36 A
侯莫陳詮
　19姓纂5/36 A
侯莫陳愻
　19姓纂5/35 B
　　　5/36 A
侯莫陳瓘
　19姓纂5/35 B
侯莫陳瑋
　19姓纂5/33 B
侯莫陳恁
　19姓纂5/35 B
侯莫陳俊
　19姓纂5/36 A
侯莫陳忕
　19姓纂5/36 A
侯莫陳傑
　19姓纂5/36 A
侯莫陳濟
　19姓纂5/36 A
侯莫陳進
　19姓纂5/36 A
侯莫陳涉
　19姓纂5/35 B
　　　5/36 A
　73吳興志14/23 B
侯莫陳逌
　19姓纂5/36 A
侯莫陳澄
　19姓纂5/35 B
侯莫陳遙
　19姓纂5/35 B
侯莫陳渙
　19姓纂5/35 B
　　　5/36 A
侯莫陳逿妻　見鄭氏
侯莫陳越
　19姓纂5/35 B

---

① 《姓纂》"埴"作"植"，今據岑仲勉《元和姓纂四校記》考定改正。
②③ 《方鎮》、《三山志》"埴"作"植"，今改。參上注。
④ 《姓纂》"煖"作"煩"，今據岑仲勉《元和姓纂四校記》考定改正。
⑤ 《姓纂》作"侯師"，無"仁"字，今據岑仲勉《元和姓纂四校記》考定改正。
⑥ 《郎考》此處作"侯師"，勞格謂"《郎考》卷一二有侯師仁，疑卽是"。今從勞説。
⑦ 《登科》"嶽"作"岳"，徐松謂《淳熙三山志》作侯嶽，"岳"當作"嶽"。
⑧ 《全詩》原注："列一作列。"

侯莫陳協
　19姓纂5/36A
侯莫陳恕
　19姓纂5/36A
侯莫陳起
　19姓纂5/35B
侯莫陳超
　19姓纂5/33B
侯莫陳肅（虔會）
　19姓纂5/35B
　20郎考9/6B
侯莫陳晶
　19姓纂5/35B
侯莫陳昇
　19姓纂5/35B
　　5/36A
侯莫陳昌
　19姓纂5/35B
侯莫陳曇
　19姓纂5/35B
侯莫陳嗣忠
　19姓纂5/35B
侯莫陳廈（重構）
　30歷畫10/204
　38圖繪2/25B
侯莫陳愿
　19姓纂5/35B
侯莫陳知道
　19姓纂5/35B
侯莫陳知節
　19姓纂5/35B
侯莫陳懍
　19姓纂5/36A
50侯春時
　25登科21/4B
60侯思止
　1 舊唐15/186上/4844
　2 新唐19/209/5909
侯恩
　20郎考11/54A
侯冕
　8 全文443/7B
侯固（子重）
　25登科20/18B
　　21/11A
　26方鎮1/50B
　　1/78A
　　4/82B

　　72三山志26/3B
65侯味虛
　19姓纂5/33A①
　20郎考1/2B
　　2/1A
　　11/65B
　侯味處　見侯味虛
67侯郢雖
　7 新志5/58/1496
71侯陟
　25登科26/15A
72侯劉
　19姓纂5/33A②
　侯氏（張揆妻）
　11全詩11/799/8992
　17紀事下/78/1124
　侯岳　見侯嶽
77侯鳳
　19姓纂5/33A
80侯益
　8 全文862/4A
　40十國53/9B
　侯令德
　20郎考15/6B
　侯令儀
　19姓纂5/33A
　26方鎮5/35A
　　7/28A
　68咸淳臨安45/12A
　侯令表
　19姓纂5/33A
　侯善業
　19姓纂5/33A③
81侯銙
　9 拾遺23/20A
　侯矩　見王宗矩
86侯知一
　19姓纂5/33A
　20郎考15/4A
　侯知道
　2 新唐18/195/5589

2724₇ 殷

00殷亮
　7 新志5/58/1484
　8 全文514/9A
　19姓纂4/1B
　20郎考3/56A

　　4/27A
　　6/15B
　　8/28A
　68咸淳臨安45/15B
殷文禮　見殷聞禮
殷文祥　見殷七七
殷文圭（表儒、桂郎、湯文
　圭）
　8 全文868/11B
　11全詩11/707/8133
　17紀事下/68/1016
　18才子10/175
　25登科24/20A
　28直齋19/26B
　40十國11/1A
　43馬書23/8A
10殷元嗣
　19姓纂4/1A
殷元覺（元明）
　25登科27/27A
殷天祥　見殷七七
殷不害
　38圖繪2/23A
12殷璠
　7 新志5/60/1610
　　5/60/1623
　8 全文436/20A
　28直齋15/8B
　69嘉定鎮江18/44B
　70至順鎮江19/21A
13殷琮
　11全詩11/779/8817
14殷琪
　25登科27/18B
17殷丞業　見殷承業
殷盈孫
　1 舊唐13/165/4323
　2 新唐16/164/5055
　8 全文816/13A
殷羽
　1 舊唐13/165/4323
　25登科21/3B
殷承業
　2 新唐18/199/5683
　19姓纂4/1A④
20殷秀實
　25登科27/29B
殷季友

---

① 《姓纂》"味虛"作"味處"，今據岑仲勉《元和姓纂四校記》考定改正。
② 按，岑仲勉《元和姓纂四校記》疑此處"劉"字當作"釗"，謂唐人寫"劉"字與"釗"相近。盧綸有《留別侯釗》等詩，時代亦相合。錄以備考。
③ 《姓纂》"善"作"喜"，今據岑仲勉《元和姓纂四校記》考定改正。
④ 《姓纂》"承"作"丞"，今據岑仲勉《元和姓纂四校記》考定改正。
⑤ 《新志》作"殷毃"，并云"殷毃、韋无忝畫《皇朝九聖圖》"。《歷畫》作"殷敦"，云與韋无忝作《唐朝七聖圖》等，兩人時代事跡均合，當是一人。
⑥ 《姓纂》作"殷容"，今據岑仲勉《元和姓纂四校記》考定補正。
⑦ 《全詩》原注："堯一作克。"
⑧ 《新志》"芊"作"芋"，誤，今據《舊志》、《姓纂》改正。

7 新志5/58/1498
19姓纂4/1 B
25登科5/32 A

77殷陶
11全詩11/770/8740

殷鵬（大舉）
3 舊五4/89/1174
8 全文852/1 A
25登科25/37 B

殷聞禮（大端）
1 舊唐7/58/2312
6 舊志6/47/2073
7 新志5/60/1598
19姓纂4/1 A
30歷畫9/184
38圖繪2/23 A①
39書史5/19 A

殷開山（嶠、節）
1 舊唐7/58/2311
2 新唐12/90/3766
19姓纂4/1 A
37書小史9/4 B

80殷益
11全詩11/770/8743

殷令言
19姓纂4/1 A

殷令德
19姓纂4/1 A

殷令名
19姓纂4/1 A
20郎考15/2 B
16/1 B
30歷畫9/184
37書小史9/6 B
38圖繪2/23 A
39書史5/19 A

殷令威
19姓纂4/1 A

90殷少野
11全詩3/209/2177
17紀事上/27/424
25登科9/34 A

96殷㻟
1 舊唐13/165/4320

98殷悦　見湯悦

2725₂ 解

00解彦融

11全詩11/769/8735
17紀事上/22/322

13解琬
1 舊唐9/100/3112
2 新唐14/130/4500
11全詩2/105/1103
17紀事上/12/178
19姓纂6/32 B
25登科2/15 B

21解處中
36圖誌4/95
40十國31/10 A

25解倩
30歷畫9/179
38圖繪2/22 A

27解叔禄
12詩逸中/10201

40解貢
8 全文404/13 B
20郎考18/8 A

50解忠順
19姓纂6/32 B
21御考1/20 A

解忠鯉
6 舊志6/47/2041

78解脱
79續僧26/3 A

2725₇ 伊

00伊廣（言）
3 舊五3/55/746

12伊璠
11全詩9/600/6934
17紀事下/70/1045
25登科23/5 B②

伊延璪
40十國55/4 A

17伊承俊
3 舊五3/55/746

20伊悉爛俟斤
2 新唐20/221下/6255

23伊然可汗
1 舊唐16/194上/5177
2 新唐19/215下/6054

30伊審徵（申圖）
40十國55/4 A

39伊沙伏麾
1 舊唐16/198/5309

44伊夢昌
11全詩11/776/8793
12/862/9753

50伊婁大辯
19姓纂2/6 A

伊婁大昌
19姓纂2/6 A

伊婁明傑
19姓纂2/6 A

52伊播　見伊璠

54伊捺吐屯屈勒
2 新唐20/221下/6246
8 全文999/26 A

60伊思俱習
2 新唐20/221下/6264

67伊嗣俟　見伊嗣候
伊嗣候
1 舊唐16/198/5312
2 新唐20/221下/6258③

77伊用昌
11全詩12/861/9732
12/900/10171
40十國76/7 A

94伊慎（寡悔、壯繆）
1 舊唐12/151/4054
2 新唐16/170/5164
19姓纂2/4 A
26方鎮8/72 A

2726₁ 詹

08詹敦仁（君澤、清隱）
8 全文900/1 A
9 拾遺48/14 A
11全詩11/761/8641
40十國97/3 B

11詹琲（鳳山山人）
11全詩11/761/8643
40十國97/4 B

22詹鸞
34書譜4/3 A
39書史5/9 B

40詹雄（伯鎮）
11全詩11/795/8947
17紀事下/63/943

2728₁ 俱

00俱文珍（劉貞亮）

① 《圖繪》"閌"作"文",今據《舊唐》、《姓纂》諸書改正。
② 《登科》原作"伊播",今從《全詩》、《紀事》。
③ 《新唐》作"伊嗣俟",今從《舊唐》。
④ 《姓纂》作"烏玭",岑仲勉《元和姓纂四校記》據《韓昌黎集》卷二六《烏氏廟碑》與《新唐書》卷一三六等書,謂當作烏承玭。今據改。
⑤⑥ 《全文》、《姓纂》"胤"作"允",係避諱改,今從兩《唐書》本傳改正。
⑦ 《方鎮》"貞"作"真",係避諱改,今據《新表》改正。

①② 《新唐》、《全文》並作“烏勒伽”,係同名異譯,今從《舊唐》。
③ 按,岑仲勉《元和姓纂四校記》據《通典》卷一七○及《舊唐書》卷七謂當是魚承曄。錄以備考。
④ 《書譜》“玄”作“元”,係板刻避清諱改,今據《全詩》、《書史》改正。
⑤ 《拾遺》作“□酆”,缺姓。

08紀謙
　5 新表11/75上/3258
　19姓纂6/7A
10紀元皋
　11全詩8/491/5555
17紀及
　5 新表11/75上/3258
　19姓纂6/7A
21紀處訥
　1 舊唐9/92/2973
　2 新唐13/109/4103
　5 新表11/75上/3258
　19姓纂6/7A
　20郎考11/7B
　紀經　見紀全經
24紀先知
　5 新表11/75上/3258
　19姓纂6/7A
　20郎考3/11A
　　　16/3B
26紀儼
　5 新表11/75上/3258
　19姓纂6/7A
33紀逡
　19姓纂6/7A
44紀黃石
　19姓纂6/7A
　紀黃中
　5 新表11/75上/3258
53紀咸
　5 新表11/75上/3258
　19姓纂6/7A
60紀國公主
　2 新唐12/83/3661
77紀履忠
　9 拾遺17/2A
80紀全經
　5 新表11/75上/3258
　19姓纂6/7A①
　20郎考11/65B
　　　16/4B
99紀瑩
　27郡齋3下/18B

2792₀ 約
36約禪師 建州白雲
　81景德15/9B
約禪師 潭州寶蓋

81景德16/13A

稠
86稠錫禪師
　59毗陵志25/5B

2792₂ 繆
27繆島雲
　11全詩11/795/8946
　17紀事下/65/985
72繆氏子
　11全詩11/783/8845

2792₇ 邾
27邾象錢
　8 全文947/13A

2793₂ 緣
24緣德(道濟禪師)
　40十國33/2A
　81景德26/7B
30緣密(圓明大師)
　81景德22/14A
46緣觀
　81景德24/25B
79緣勝
　81景德26/6A

2793₃ 終
40終南山僧
　8 全文922/17B
　終南山翁
　11全詩11/784/8855

2793₄ 緱
30緱進筠
　74臨汀志　大典
　　　7893/1B

2794₀ 叔
12叔孫文懷
　19姓纂10/9A
　叔孫玄觀
　8 全文440/9A②
　11全詩11/780/8822
　19姓纂10/8B③
　叔孫元觀　見叔孫玄觀
　叔孫伯

8 全文959/3A
叔孫矩
　8 全文745/15A

2796₂ 紹
18紹孜
　81景德23/14B
22紹巖(了空大智常照禪師)
　40十國89/12A
　81景德25/22A
26紹伯
　12詩逸中/10209
27紹修
　81景德24/10A
30紹安(通辯明德禪師)
　81景德26/13A
　紹宗壽州
　81景德12/14B
　紹宗(圓智禪師)廬州開元寺
　81景德21/13A
34紹遠
　81景德24/24B
36紹禪師
　81景德17/24A
61紹顯
　81景德25/26A
67紹明
　81景德26/4A
77紹闍梨
　79續僧37/20B
　紹卿(興法大師)
　81景德18/21A

2820₀ 似
26似和泥熟　見蘇農泥熟
　似和舒
　19姓纂10/47A④

2822₇ 倫
36倫禪師
　81景德22/16A

2824₀ 微
36微禪師 福州牛頭
　81景德15/20A
　微禪師 紫陵
　81景德23/22A

2824₇ 復

35復禮
　　6　舊志6/47/2030
　　7　新志5/59/1526
　　8　全文912/8A
　　80宋僧17/2A
　　83開元錄9/564
　　85貞元新錄12/864

2825₃ 儀

22儀崇哲
　　8　全文946/7A
60儀晏
　　40十國89/9A

2826₆ 僧

00僧辯
　　79續僧17/7A
06僧竭
　　80宋僧27/1A
10僧一（本淨大師）
　　81景德16/9A
　僧奇
　　79續僧26/4B
12僧瑗（辯空）
　　80宋僧4/21A
21僧衒
　　80宋僧24/6A
22僧鸞（鮮于鳳）
　　11全詩12/823/9281
　　18才子3/45
　僧邕
　　79續僧23/17B
23僧絨
　　80宋僧22/6B
24僧備（宗一禪師）
　　40十國99/4B
26僧伽唐太宗時
　　79續僧28/14A
　僧伽唐中宗時
　　80宋僧18/6B
　　81景德27/9A

28僧倫
　　79續僧25/15A
　僧徹貞觀時
　　79續僧24/27A
　僧徹咸通時
　　80宋僧6/23B
30僧密
　　81景德15/17A
　僧定
　　79續僧23/1B
31僧泚
　　18才子3/45
32僧泓
　　1　舊唐16/191/5113
　僧遁
　　81景德26/6A
34僧達
　　80宋僧29/3B
37僧深
　　40十國33/4A
44僧蓋
　　79續僧36/11B
　僧藏
　　80宋僧23/1A
60僧晃
　　79續僧39/12A
　僧恩
　　79續僧38/8B
67僧明
　　79續僧35/30B
　僧昭
　　40十國89/2A
　　42五補2/13B
　僧照
　　80宋僧7/17A
77僧鳳
　　11全詩12/808/9116
　　79續僧15/17A

2828₁ 從

01從襲
　　81景德19/15B
02從訓

　　21御考2/25B⑤
05從諫
　　80宋僧12/5B
08從諗（真際大師）
　　80宋僧11/15A
　　81景德10/7A
10從瓌
　　81景德21/18A
17從琛（洪忍禪師）
　　81景德22/10A
23從允
　　40十國99/9A
30從審
　　80宋僧25/12A
　從實
　　81景德23/18B
34從漪
　　81景德26/7A
35從禮
　　80宋僧16/14A
40從志（玄明大師、圓廣禪師）
　　81景德20/10A
44從梵
　　86續貞元錄1052
50從貴
　　81景德22/5A
61從顯
　　81景德25/26B
72從隱
　　80宋僧7/18A
77從展
　　40十國99/8A
　　81景德19/4A
　從欣
　　81景德21/15B
80從弁（超證大師）
　　81景德18/21B
　從善
　　81景德24/23A

2829₄ 徐

00徐主（鍾山公、鍾山老嫗）

---

① 《姓纂》作"紀經"，無"全"字，今據岑仲勉《元和姓纂四校記》考定補正。
② 《全文》"玄"作"元"，今據《姓纂》改正。
③ 《姓纂》作"叔孫通玄孫觀"，今據岑仲勉《元和姓纂四校記》考定改正。
④ 《姓纂》"似和"作"跌跌"，今據岑仲勉《元和姓纂四校記》考定改正。
⑤ 《御考》作"□從訓"，缺姓。

① 《姓纂》"玄"作"元"，係避諱改，今據岑仲勉《元和姓纂四校記》考定改正。
② 《郎考》此處作"徐立之"，趙鉞案："立之疑是玄之之誤。"今從趙說。
③④⑤ 《御考》、《吳興志》"玄"作"元"，今改。見注①。
⑥⑦⑧ 《御考》、《登科》"弘"作"宏"，係避諱改，今據《新表》、《姓纂》改正。
⑨ 《全詩》原注："徐一作余。"

① 《舊唐》作"徐嶠"，無"之"字。此見《徐浩傳》，傳云："浩字季海，越州人。父嶠，官至洛州刺史。"按《姓纂》卷二有徐嶠之，爲徐浩父，洛州刺史，居會稽。又按，唐另有徐嶠，字巨山，爲徐齊聃孫，徐堅子，湖州長城人，開元中爲集賢院直學士、中書舍人、河南尹、潤州刺史。見《新唐書》卷一九九《徐齊聃傳》、《姓纂》卷二。而徐浩之父，其名應爲嶠之，字維嶽，越州人，係書法家。武平一《徐氏法書記》云："豫州刺史東海徐公嶠之，懷才蘊藝，依仁踐禮，自許筌蹏，人稱草聖。……季子浩，並有羲、獻之妙。"(《全唐文》卷二六八) 又萬齊融《法華寺戒壇院記》云："故洺州刺史徐嶠之。"(《全唐文》卷三三五) 徐浩《古跡記》亦稱"臣先祖故益州九隴縣尉、吏部侍郎師道，臣先考故洺州刺史、贈左常侍嶠之，真行草並名冠古今。"張式《東海徐公神道碑銘》(《全唐文》卷四四五)："公姓徐氏，諱浩，字季海，東海郯人。…… 九隴縣尉、贈吏部侍郎師道之孫，銀青光祿大夫、洺州刺史、贈左散騎常侍嶠之之子。"凡此，皆可證《舊唐書》此處所載"嶠"乃"嶠之"之訛，"洛州"乃"洺州"之訛。今據上引諸書改正。

② 《全文》作"徐嶠"，無"之"字。其小傳云："嶠(《新唐書》作嶠之)字維嶽，贈吏部侍郎師道子，歷越、湖、洛、潤三(？)州刺史。入爲中書舍人，大理寺卿，贈左散騎常侍。"按小傳既稱師道子，又收錄其《洛州帖》，則當是徐浩之父，應名徐嶠之，見上注。又按，《全文》小傳記述亦有誤，云"《新唐書》作嶠之"，實則《新唐書·徐齊聃傳》作徐嶠，並無"之"字。且《新唐書》之徐嶠字巨山，與字維嶽之徐嶠之實爲二人。小傳又謂歷湖、潤等州刺史，入爲中書舍人，亦爲字巨山之徐嶠仕履。《全唐文》不考本末，誤合二人之事迹加于一人。今爲辨正。

③ 《郎考》此處作"徐演"，勞格謂"倉外(《郎考》卷一八)有徐縝，疑即是"。今從勞說。

④ 《郎考》作"徐尚"，勞格謂"尚"當作"向"。

⑤⑥ 新、舊《唐書》作"徐惀"，按《新志》、《姓纂》均有徐倫，並爲徐有功子，岑仲勉《元和姓纂四校記》謂作"倫"，是。

⑦⑧ 《拾遺》、《全詩》作"徐夤"，今據《才子》、《直齋》諸書改正。

① 《姓纂》作"徐蛟"，岑仲勉《元和姓纂四校記》據李華《徐府君碑》謂應從《新表》作敼。今據改。

② 《姓纂》作"徐監"，今據岑仲勉《元和姓纂四校記》考定改正。

8　全文723/1A⑩
9　拾遺30/15B
19　姓纂10/22A⑪
20郎考7/21A
　　　15/20A
25登科18/11A
26方鎮5/86A
　　　7/12A
紇干濬
　8　全文813/1A

紇干遂　見紇干著
紇干著
　11全詩11/769/8731
　19姓纂10/22A⑫
紇干俞　見紇干泉
77紇骨大威
　19姓纂10/22A

2992₇ 稍

08稍施芳

2　新唐20/221下/6247

2998₀ 秋

12秋水
　40十國18/8B
22秋山和尚
　81景德17/22A

---

① 《姓纂》作"徐知"，今據岑仲勉《元和姓纂四校記》考定補正。
② 《全詩》原注："一作徐鈞。"
③ 《全詩》原注："溥，一作浦。"
④ 《十國》原注："光溥，景煥《野人閑話》作'光潛'。"
⑤ 《姓纂》作"徐渾"，岑仲勉《元和姓纂四校記》謂應據《郎考》、《新表》等作"煇"。今據改。
⑥ 《姓纂》列入夏侯氏之下，今據岑仲勉《元和姓纂四校記》考定改作"鮮于仲"。
⑦ 《姓纂》原將叔明列於夏侯氏下，今據岑仲勉《元和姓纂四校記》考定作"鮮于叔明"。
⑧ 《姓纂》原列於夏侯氏下，今據岑仲勉《元和姓纂四校記》考定作"鮮于昊"。
⑨ 《姓纂》原列於夏侯氏下，今據岑仲勉《元和姓纂四校記》考定作"鮮于昪"。又按，昪，《姓纂》及《舊唐書》卷一二二並作"昪"，《新唐書》卷一四七作"煇"，岑仲勉謂當作"昪"。
⑩⑪ 《全文》、《姓纂》"槀"作"命"，今據岑仲勉《元和姓纂四校記》考定改正。
⑫ 《姓纂》"著"作"遂"，今據岑仲勉《元和姓纂四校記》考定改正。

3010₁ 空

38空海（遍照金剛、宏法大師）
1 舊唐16/199上/5341
2 新唐20/220/6209
9 拾遺72/9B
10 續拾16/26B
44空藏
7 新志5/59/1529
79 續僧38/14A

3010₆ 宣

30宣宗宫人
11 全詩11/797/8968
32宣州軍士
40 十國14/4B
宣業
8 全文908/23B
43宣城公主
2 新唐12/83/3667
78宣鑒（見性大師）
80 宋僧12/3A
81 景德15/2A

3010₇ 宜

43宜城公主
2 新唐12/83/3653
44宜芬公主（豆盧氏）
11 全詩1/7/67
47宜都公主
2 新唐12/83/3665
50宜春公主
2 新唐12/83/3659

3011₃ 流

15流珠
40 十國18/8A

3011₄ 淮

40淮南畫工
40 十國11/7A
淮南公主
2 新唐12/83/3644
76淮陽公主唐睿宗女
2 新唐12/83/3656
淮陽公主唐穆宗女
2 新唐12/83/3669

3011₇ 瀛

26瀛和尚（明慧禪師）
81 景德22/10B

3014₇ 淳

10淳于希顏
8 全文856/1B
淳于難
19 姓纂3/21A
淳于敬一
8 全文200/18B
淳于晏
3 舊五3/71/943

3019₆ 涼

60涼國公主（華莊）
2 新唐12/83/3656

3020₁ 寧

21寧師（入冥和尚）
80 宋僧21/22B
40寧賁
80 宋僧29/20B
60寧國公主
2 新唐12/83/3670

3021₄ 寇

00寇彥卿（俊臣）
3 舊五1/20/277
4 新五1/21/220
寇裔
3 舊五1/20/277
寇章
39 書史5/28B
10寇可長
8 全文759/13B
11寇毗　見寇泚
12寇弘
19 姓纂9/23B
13寇瑊
3 舊五1/20/277
31寇泚
8 全文271/11A
11 全詩2/101/1081
19 姓纂9/24A①
20 郎考12/14A
25 登科3/30B②

4/29B③

36寇湘
25 登科26/10A
40寇志覽
19 姓纂9/24A
44寇埴
11 全詩11/778/8808
46寇坦
11 全詩2/120/1210
寇坦母　見趙氏
60寇思遠
19 姓纂9/24A④
寇恩遠　見寇思遠
61寇毗　見寇泚
77寇同
8 全文695/17B
82寇鍰
20 郎考12/22B

3021₇ 扈

43扈載（仲熙）
3 舊五5/131/1726
4 新五1/31/345
8 全文860/9B
11 全詩12/887/10032
25 登科26/16B
28 直齋16/30B
44扈蒙（日用）
25 登科27/24A

3022₇ 房

00房彥謙
5 新表8/71下/2398
房彥雲
5 新表8/71下/2399
房彥儒
4 新五2/46/508
房彥藻
8 全文134/17A
房廣
39 書史5/31A
房玄齡（喬、喬松、文昭）
1 舊唐7/66/2459
2 新唐12/96/3853
5 新表8/71下/2398
6 舊志6/46/1975
　　6/46/1998
　ϲ/46/2010

---

① 《姓纂》“毗”作“毗”，今據岑仲勉《元和姓纂四校記》考定改正。
②③ 《登科》“毗”作“毗”，今據《郎考》諸書改正。
④ 《姓纂》“思”作“恩”，今據岑仲勉《元和姓纂四校記》考定改正。

---

① 《郎考》"憲"字前缺姓。

4/1 B

7/1 B

宇文籍（夏龜）

1 舊唐13/160/4209

7 新志5/58/1472

25登科27/12 B

宇文懷儉

19姓纂6/22 B

宇文懷志

19姓纂6/22 B

宇文懷義

19姓纂6/22 B

宇文賞

8 全文459/10 B

宇文炫

5 新表8/71下/2405

19姓纂6/22 B

宇文敵

19姓纂6/22 B

20郎考11/3 B

3040₄ 安

00安彥威（國俊）

3 舊五4/91/1202

4 新五2/47/534

安康公主唐太宗女

2 新唐12/83/3647

安康公主唐穆宗女

2 新唐12/83/3670

安慶緒（仁執）

1 舊唐16/200上/5372

2 新唐20/225上/6420

安文祐

3 舊五4/90/1186

安文成

19姓纂4/16 B④

10安元度

25登科26/32 A

安元信（子言、忠懿）

3 舊五3/61/816

4/90/1189

安平公主唐高祖女

2 新唐12/83/3644

安平公主唐憲宗女

2 新唐12/83/3668

20安重誨

3 舊五3/66/873

4 新五1/24/251

8 全文839/2 B

安重霸

3 舊五3/61/818

4 新五2/46/511

40十國46/4 A

安重進

3 舊五3/61/820

安重榮（鐵胡）

3 舊五4/98/1301

4 新五2/51/582

8 全文850/17 A

42五補3/9 B

21安順琳

3 舊五3/61/816

安仁執　見安慶緒

安仁義

40十國13/1 A

41九國3/3 B

69嘉定鎮江14/42 B

安師儒

26方鎮2/28 B

3/44 B

22安山盛

3 舊五5/123/1614

安崇阮（晉臣）

3 舊五4/90/1186

安樂公主

2 新唐12/83/3654

24安化公主

2 新唐12/83/3674

25安生成　見安文成

26安和尚（明照禪師）

81景德20/18 B

安程錡

17紀事上/40/610

27安叔千（胤宗）

3 舊五5/123/1622

4 新五2/48/550

28安從進

3 舊五4/98/1305

4 新五2/51/586

30安守忠

3 舊五5/123/1616

安守鏻

3 舊五5/123/1617

安審琦（國瑞）

3 舊五5/123/1614

10續拾7/20 A

42五補4/6 B

安審信（行光、成穆）

3 舊五5/123/1617

安審通

3 舊五3/61/816

安審暉（明遠、靜）

3 舊五5/123/1616

安定公主

2 新唐12/83/3644

31安福遷

3 舊五3/66/873

4 新五1/24/251

37安鴻漸

11全詩11/770/8738

安祿山（軋犖山）

1 舊唐16/200上/5367

2 新唐20/225上/6411

26方鎮4/29 A

4/100 A

8/82 B

40安友親

3 舊五3/61/818

安友權

3 舊五3/61/818

26方鎮7/61 B

47安殺

2 新唐20/221下/6260

---

① 《新表》載蠍為寰子，《姓纂》載蠍為憲子，父名不同，似為二人。但字文寰、字文憲實為一人，見本書字文憲名下注，則此處《新表》與《姓纂》所載之字文蠍亦當為一人。

② 《新表》原作“字文寰”。按《姓纂》載字文全志之堂姪為虞部員外郎字文順，字文順子字文憲，憲子為蠍；《新表》載字文全志姪為字文順，虞部員外郎，順子寰，寰子蠍、虵。如此，則字文寰、字文憲實為一人，但未詳寰、憲孰是，今姑據《姓纂》作憲。

③ 《郎考》此處作“□□節”，趙鉞案疑是字文節。

④ 《姓纂》“文”作“生”，今據岑仲勉《元和姓纂四校記》考定改正。

48安敬思　見李存孝
50安忠敬
　　19姓纂4/16 B
　　26方鎮8/38 B
57安抱玉　見李抱玉
　安静
　　80宋僧19/7 A
60安思謙
　　40十國57/3 A
　　41九國7/19 A
　安思順
　　26方鎮1/68 A
　　　　1/68 B
　　　　8/50 A
77安鳳
　　11全詩11/770/8747
　安興貴
　　19姓纂4/16 B
　安興昭懷公主
　　2 新唐12/83/3656
80安全
　　3 舊五4/98/1301
　　4 新五2/51/582
　安金俊
　　26方鎮8/26 B
　安金祐
　　3 舊五5/123/1617
　安金藏(忠)
　　1 舊唐15/187上/4885
　　2 新唐18/191/5506
　安金全
　　3 舊五3/61/815
　　4 新五1/25/273
84安錡
　　11全詩11/768/ 8719①
86安知建
　　26方鎮8/26 B
90安懷浦
　　3 舊五3/61/820
　安懷盛
　　3 舊五5/123/1622
91安恒安
　　19姓纂4/16 B

3040₇ 字

30字寰
　　8 全文959/21 A②

3041₇ 究

26究和尚
　　81景德24/22 A

3043₀ 突

22突利可汗(什鉢苾)
　　1 舊唐16/194上/5160
　　2 新唐19/215上/6038
　突利失可汗　見曳莽
44突地稽
　　1 舊唐16/199下/5358
　　2 新唐13/110/4122
72突昏
　　1 舊唐16/198/5311
　　2 新唐20/221下/6244
87突欲　見李贊華

3043₂ 宏

17宏忍　見弘忍
21宏仁
　　8 全文959/25 B③
33宏沆
　　80宋僧6/2 A

3044₇ 寗

21寗師宗
　　19姓纂9/18 B
　寗師表
　　19姓纂9/18 B
23寗允忠
　　19姓纂9/18 B
28寗齡先
　　8 全文438/5 A
71寗原悌
　　8 全文278/4 B
92寗愷
　　19姓纂9/18 B

3050₂ 牢

72牢氏(鍾允章妻)
　　40十國65/9 A

3051₆ 窺

44窺基(洪道)
　　80宋僧4/1 A

3060₆ 宫

11宫項
　　19姓纂1/4 B
40宫志惲
　　19姓纂1/4 B

富

18富玫
　　36圖誌2/43
　　38圖繪2/36 B
40富嘉謨
　　1 舊唐15/190中/5013
　　2 新唐18/202/5752
　　6 舊志6/47/2076
　　7 新志5/59/1563
　　　　5/60/1600
　　8 全文235/6 B
　　11全詩2/94/1011
　　17紀事上/6/81
　　19姓纂9/19 B
　　21御考2/26 A
　　25登科27/4 A
50富春孫
　　28直齋3/41 B

3060₈ 睿

43睿娘
　　40十國18/8 B

3060₉ 審

47審邽(次都)
　　2 新唐17/190/5492
52審哲
　　81景德20/13 A

3073₂ 良

20良秀
　　8 全文916/31 A
　　80宋僧5/21 B
28良价(悟本禪師)
　　7 新志5/59/1530
　　80宋僧12/8 A
　　81景德15/12 A
38良遂
　　81景德9/12 B
40良乂
　　11全詩12/823/9280

① 《全詩》原注:"一作鄭錡。"
② 《全文》"字寰"前缺姓。
③ 《全文》"宏仁"前缺姓。
④ 《全文》"良士"缺姓,勞格《讀書雜識》卷六《文苑英華辨證補》,據《舊唐書·房式傳》謂當是王良士。
⑤ 《續拾》"良嗣"前原缺姓。
⑥ 《姓纂》無"庭"字。《新表》有庭字。按其祖義節,義節生誠盈、誠言,誠言生庭萱、庭蘭,誠盈生庭芝、庭華,皆有庭字,此處據《新表》補。
⑦ 《姓纂》無"庭"字,今據《新表》補,説見"寶庭萱"條注。
⑧ 按寶庭華事見新、舊《唐書·楊國忠傳》,原作寶華,爲楊國忠之黨,天寶時翰林學士。又見《翰林院故事》、《重修承旨學士壁記》,皆作寶華,云開元後中書舍人。《姓纂》與《新表》有寶庭華,時代、仕履皆與此寶華同(《新表》另有寶泌子寶華,當係另一人),則爲同一人,誠盈子。又據《新表》,誠盈有子四人,即庭芝、庭華、庭蕙、庭芳,其名皆從庭字,則寶華當從《姓纂》、《新表》作寶庭華。
⑨⑩ 《御考》作寶華,今改作寶庭華,參見上注。
⑪⑫ 《故事》、《壁記》皆作寶華,今改作寶庭華,參見上注。

竇廣成
　5 新表8/71下/2297
竇文靖
　9 拾遺47/14 B
竇文工
　5 新表8/71下/2309
竇文仲
　5 新表8/71下/2299
竇文雄
　5 新表8/71下/2299
竇文場
　1 舊唐15/184/4766
　2 新唐19/207/5866
竇文表
　5 新表8/71下/2330
　19姓纂9/23 A
竇文剛
　5 新表8/71下/2299
竇文舉　見竇及
竇雍
　40十國42/8 A
01竇顏
　5 新表8/71下/2316
竇襲
　5 新表8/71下/2330
　19姓纂9/23 A
02竇端
　5 新表8/71下/2332
　19姓纂9/23 B
竇誕（安）
　1 舊唐7/61/2370
　2 新唐12/95/3849
　5 新表8/71下/2321
　19姓纂9/22 A
03竇誼
　19姓纂9/23 A
竇誠言
　5 新表8/71下/2298①
　19姓纂9/21 B②
竇誠盈
　5 新表8/71下/2300
　19姓纂9/21 B③
竇誠逸
　5 新表8/71下/2302
竇誠奢
　5 新表8/71下/2301
竇誠信
　5 新表8/71下/2303

竇誠順
　5 新表8/71下/2303
竇誠家
　5 新表8/71下/2304
竇誠愨
　5 新表8/71下/2304
竇誠則
　5 新表8/71下/2304
竇誠勖
　5 新表8/71下/2304
竇誠質
　5 新表8/71下/2304
04竇詵
　5 新表8/71下/2296
05竇靖
　19姓纂9/22 A
07竇詡惠慈子
　5 新表8/71下/2315
竇詡旻子
　5 新表8/71下/2330
08竇論
　5 新表8/71下/2291
竇謙餘
　1 舊唐12/155/4121
　5 新表8/71下/2331
竇詳思亮子
　5 新表8/71下/2303
竇詳惠慈子
　5 新表8/71下/2315
10竇工奴
　5 新表8/71下/2292
竇至柔
　5 新表8/71下/2330
　19姓纂9/23 A
竇靈獎
　5 新表8/71下/2317
　19姓纂9/22 A④
竇靈運
　5 新表8/71下/2312
　19姓纂9/22 A⑤
竇靈感
　5 新表8/71下/2318
竇靈勖
　5 新表8/71下/2316
竇霈
　5 新表8/71下/2292
竇璡（之推、安）
　1 舊唐7/61/2371

　2 新唐12/95/3849
　5 新表8/71下/2329
　7 新志5/57/1436
　19姓纂9/23 A
竇璋
　5 新表8/71下/2315
竇元昌
　1 舊唐13/167/4363
　5 新表8/71下/2332
竇元晦
　5 新表8/71下/2330
　19姓纂9/23 A
竇元臣
　5 新表8/71下/2311
竇霽
　5 新表8/71下/2292
竇覃
　5 新表8/71下/2298
竇平
　25登科12/25 B
竇霸
　5 新表8/71下/2298
竇西賓
　5 新表8/71下/2293
竇晉
　5 新表8/71下/2314
11竇瑨
　5 新表8/71下/2292
竇璔
　5 新表8/71下/2290
竇項
　5 新表8/71下/2322
　19姓纂9/22 A
竇冀
　11全詩3/204/2134
12竇瑗
　5 新表8/71下/2326
　19姓纂9/22 B
竇璠
　5 新表8/71下/2313
　20郎考13/13 A
　　　　18/22 A
竇弘儼
　5 新表8/71下/2329
　19姓纂9/23 A
竇弘果
　30歷畫9/177
竇弘餘

1 舊唐13/155/4122
5 新表8/71下/2331
11 全詩12/890/10057
53 赤城志8/22A
竇烈婦
2 新唐18/205/5830
竇廷琬
3 舊唐3/74/972
竇延宗
5 新表8/71下/2307
竇延福
5 新表8/71下/2307
竇延祚
5 新表8/71下/2307
13 竇琮（敬）
1 舊唐7/61/2367
2 新唐12/95/3846
5 新表8/71下/2329
19 姓纂9/23A
竇戩
5 新表8/71下/2322
14 竇珪
5 新表8/71下/2314
竇瑾
5 新表8/71下/2322
19 姓纂9/22A
竇瓘
5 新表8/71下/2313
竇瑋
5 新表8/71下/2325
19 姓纂9/22B
竇瓚
5 新表8/71下/2326
19 姓纂9/22B
竇琳
5 新表8/71下/2316
15 竇瑰　見竇希瑰
竇璉
5 新表8/71下/2325
19 姓纂9/22B
竇建

5 新表8/71下/2291
竇建德
1 舊唐7/54/2234
2 新唐12/85/3696
16 竇璟
26 方鎮4/57B
　　　4/58B
17 竇珣令瑜子
5 新表8/71下/2311
竇珣靈運子
5 新表8/71下/2313
19 姓纂9/22A⑥
20 郎考17/6B
竇玥
20 郎考16/27A
竇璆
5 新表8/71下/2314
竇璁
5 新表8/71下/2314
竇琛
5 新表8/71下/2312
竇務
5 新表8/71下/2316
竇承慶
5 新表8/71下/2294
竇承胤
5 新表8/71下/2312
竇承家
5 新表8/71下/2290
竇承福
5 新表8/71下/2296
竇承禮
5 新表8/71下/2294
竇承祖
5 新表8/71下/2292
竇承基
5 新表8/71下/2293
竇承孝
5 新表8/71下/2295
竇及（文舉）
5 新表8/71下/2299

竇子童
5 新表8/71下/2301
竇子夏
5 新表8/71下/2301
竇子禹
5 新表8/71下/2301
竇羣
8 全文398/6A
竇羣（丹烈）
1 舊唐13/155/4120
2 新唐17/175/5243
5 新表8/71下/2331
7 新志5/58/1457
　　　5/60/1623
8 全文612/12B
9 拾遺25/21B
11 全詩4/271/3039
17 紀事上/31/484
18 才子4/71
19 姓纂9/23A
20 郎考3/62B
　　　24/5A
26 方鎮6/46B
　　　7/32B
28 直齋15/8A
59 毗陵志19/1B
竇羣（友封、嗑囁翁）
1 舊唐13/155/4122
2 新唐17/175/5245
5 新表8/71下/2332
7 新志5/60/1623
11 全詩4/271/3048
　　　12/883/9982
17 紀事上/31/485
18 才子4/71
19 姓纂9/23B
20 郎考8/36B
25 登科17/2B
28 直齋15/8B
竇君布
5 新表8/71下/2297

---

① 點校本《新唐書》"誠"誤作"誠"，今據殿本改正。
② 《姓纂》"誠"原作"戒"，古時戒、誠通用，今從《新表》作"誠"，下竇誠盈同。
③ 參看前注。
④ 《姓纂》"靈"作"虛"。按《新表》竇靈獎兄弟皆以靈字排列，今從《新表》改。下《姓纂》竇靈運同。
⑤ 參看前注。
⑥ 《姓纂》"珣"作"恂"，今據岑仲勉《元和姓纂四校記》考定改正。

15中興下/294
17紀事下/43/648
19姓纂9/22 A
20郞考16/16 B
竇儋
　25登科15/34 B
竇獻誠
　5 新表8/71下/2309
竇俊
　5 新表8/71下/2296
竇牟(貽周)
　1 舊唐13/155/4122
　2 新唐17/175/5245
　5 新表8/71下/2331
　7 新志5/60/1623
　11 全詩4/271/3035
　17紀事上/31/484
　18才子4/70
　19姓纂9/23 B
　25登科12/15 A
　28直齋15/8 A
竇繽
　5 新表8/71下/2326
　19姓纂9/22 B
竇繽
　5 新表8/71下/2325
　19姓纂9/22 B
竇綜
　5 新表8/71下/2325
　19姓纂9/22 B
24竇仕俒
　5 新表8/71下/2316
竇仕品･
　5 新表8/71下/2316
竇姚
　5 新表8/71下/2326
　19姓纂9/22 B
竇德玄(恭)
　1 舊唐14/183/4724
　2 新唐12/95/3850
　5 新表8/71下/2302

7 新志5/60/1622
8 全文186/6 A
19姓纂9/21 B③
竇德元　見竇德玄
竇德宗
　5 新表8/71下/2330
　19姓纂9/23 A
竇德遠
　5 新表8/71下/2308
竇德沖
　5 新表8/71下/2296
　19姓纂9/21 B④
竇德洽
　5 新表8/71下/2309
　19姓纂9/21 B
竇德藏
　5 新表8/71下/2312
　19姓纂9/21 B
竇德素
　5 新表8/71下/2290
　19姓纂9/21 B
竇德明
　1 舊唐14/183/4723
　5 新表8/71下/2290
　19姓纂9/21 B
　20郞考9/6 A
　　　13/1 A
　59毗陵志7/16 B
竇偉
　5 新表8/71下/2294
竇僖
　25登科26/15 B
25竇仲女　見竇仲娘
竇仲娘(竇仲女)
　1 舊唐16/193/5147
　2 新唐18/205/5803
竇倩
　5 新表8/71下/2294
竇傑
　5 新表8/71下/2293
竇積善

5 新表8/71下/2296
竇績
　5 新表8/71下/2326
　19姓纂9/22 B
26竇自正
　5 新表8/71下/2301
竇伯玉
　5 新表8/71下/2292
竇伯元
　5 新表8/71下/2300
竇伯瑜
　5 新表8/71下/2293
竇伯良
　5 新表8/71下/2300
竇伯朗
　5 新表8/71下/2300
竇伯女　見竇伯娘
竇伯娘(竇伯女)
　1 舊唐16/193/5147
　2 新唐18/205/5823
竇伯昌
　5 新表8/71下/2300
竇伯陽
　5 新表8/71下/2300
竇伯金
　5 新表8/71下/2292
竇侃
　25登科26/13 A
竇臬　見竇泉
竇泉(靈長)
　8 全文447/1 A
　19姓纂9/22 B⑤
　37書小史10/7 A
　39書史5/33 B
竇儼(望之)
　5 新表8/71下/2293
　8 全文863/1 A
　25登科26/7 A
　　　26/33 B
　28直齋4/37 B
竇穆

---

① 岑仲勉《元和姓纂四校記》謂此竇巖與《新表》之竇巖皆爲竇審言子，似爲同一人。今錄以備考。
② 《全文》作竇泰，收《泥雨停朝參奏》一文，爲唐德宗貞元二年御史中丞。勞格《讀書雜識》卷八《讀全唐文札記》
　云："泰，當依《會要》卷二十四作參，《唐書》有傳。"勞說是，今據改。
③ 《姓纂》"玄"作"元"，蓋清人避諱改，今據兩《唐書》本傳改正。
④ 《姓纂》無"德"字，今據岑仲勉《元和姓纂四校記》考定補正。
⑤ 《姓纂》"臬"作"泉"，今據岑仲勉《元和姓纂四校記》考定改正。

竇寰
　5 新表8/71下/2305

竇寊
　5 新表8/71下/2305

竇賓
　19姓纂9/22 A

竇宗直
　20郎考11/44 A

31竇泚
　5 新表8/71下/2313

竇汪琬子
　5 新表8/71下/2314

竇汪昱子
　5 新表8/71下/2318

竇沔
　5 新表8/71下/2324
　19姓纂9/22 B

竇潛
　5 新表8/71下/2324
　19姓纂9/22 B

竇遷
　5 新表8/71下/2299

32竇洌
　5 新表8/71下/2314

竇漼思光子
　5 新表8/71下/2305

竇漼昱子
　5 新表8/71下/2318

竇漼希琬子
　5 新表8/71下/2324

竇澄音微子
　5 新表8/71下/2310

竇澄琰子
　5 新表8/71下/2313

竇澄之
　7 新志5/58/1502

竇浵
　5 新表8/71下/2318
　25登科27/38 A

竇沚
　5 新表8/71下/2316

竇遜(克讓)
　5 新表8/71下/2320
　19姓纂9/22 A

33竇泌思光子
　5 新表8/71下/2305

竇泌昇子
　5 新表8/71下/2319

竇浦
　5 新表8/71下/2292

竇泳崇道子
　5 新表8/71下/2306

竇泳采子
　5 新表8/71下/2307

竇溥
　5 新表8/71下/2305

竇遂
　5 新表8/71下/2321
　19姓纂9/22 A

竇述
　5 新表8/71下/2295

竇梁賓(盧東表侍兒)
　11全詩11/799/8994

34竇淹
　5 新表8/71下/2313

竇泓
　5 新表8/71下/2314

竇漢
　5 新表8/71下/2304

竇浩
　5 新表8/71下/2315

竇造
　1 舊唐7/61/2370
　2 新唐12/95/3848
　5 新表8/71下/2320
　19姓纂9/22 A

35竇沖　見竇德沖

竇津
　5 新表8/71下/2302

竇連
　5 新表8/71下/2313

36竇況
　5 新表8/71下/2306

竇溫思純子
　5 新表8/71下/2303

竇溫琛子
　5 新表8/71下/2312

竇溫顏
　8 全文850/6 B

竇湡
　5 新表8/71下/2318

竇逞
　5 新表8/71下/2295

竇邈
　5 新表8/71下/2312

竇遏
　5 新表8/71下/2316

竇遇
　5 新表8/71下/2295

37竇濯
　5 新表8/71下/2314

竇洞
　5 新表8/71下/2315

竇洵直
　5 新表8/71下/2332
　11全詩8/508/5768
　20郎考11/49 B
　　　　22/18 A
　25登科19/8 B

竇潤琬子
　5 新表8/71下/2314

竇潤昇子
　5 新表8/71下/2319

竇潮
　5 新表8/71下/2319

竇濟
　8 全文829/9 B
　26方鎮5/74 B

竇滑
　5 新表8/71下/2314

竇鴻漸
　5 新表8/71下/2296

竇渙
　5 新表8/71下/2319

竇汲
　5 新表8/71下/2303

竇渾
　5 新表8/71下/2305

竇凝
　5 新表8/71下/2306

竇潔
　5 新表8/71下/2303

竇深
　19姓纂9/23 A

竇迴南容子
　5 新表8/71下/2292

竇迴倮子
　5 新表8/71下/2295

---

① 《新表》"直"作"真"。按從直兄弟爲易直、敬直,皆從直字,今據《姓纂》、《全文》改正。

38竇瀚
　26方鎮1/50 B
　　　　4/41 B
　竇逾
　5 新表8/71下/2295
　竇遂
　5 新表8/71下/2312
　竇遂良
　5 新表8/71下/2306
40竇乂
　5 新表8/71下/2326
　19姓纂9/22 B
　竇大智
　5 新表8/71下/2316
　竇克順
　5 新表8/71下/2329
　19姓纂9/23 A
　竇克良
　5 新表8/71下/2324
　19姓纂9/22 B①
　竇克溫
　5 新表8/71下/2324
　19姓纂9/22 B
　竇克恭
　5 新表8/71下/2324
　19姓纂9/22 B
　竇克構
　8 全文620/13 B
　竇克艮　見竇克良
　竇希琬
　5 新表8/71下/2324
　19姓纂9/22 B
　竇希球(國珍、靖)
　1 舊唐14/183/4725
　5 新表8/71下/2323
　19姓纂9/22 B
　竇希瑊(美玉)
　1 舊唐14/183/4725
　5 新表8/71下/2323
　19姓纂9/22 B
　竇希瓛　見竇希瑰
　竇希瑰(希瓛)
　1 舊唐14/183/4725②
　5 新表8/71下/2323
　19姓纂9/22 B
　竇希玠
　1 舊唐7/61/2371
　5 新表8/71下/2321

　11全詩2/104/1095
　17紀事上/12/176
　19姓纂9/22 A
　竇希璩
　5 新表8/71下/2321
　19姓纂9/22 A
　竇有意
　5 新表8/71下/2330
　19姓纂9/23 A
　竇南容
　5 新表8/71下/2292
　竇南銑
　5 新表8/71下/2297
　竇志
　5 新表8/71下/2318
　竇育言
　5 新表8/71下/2309
　竇育非
　5 新表8/71下/2310
　竇育盈
　5 新表8/71下/2310
　竇育微
　5 新表8/71下/2310
　竇育滔
　5 新表8/71下/2310
　竇育惑
　5 新表8/71下/2309
　竇育知
　5 新表8/71下/2309
41竇楨幹
　5 新表8/71下/2309
43竇求
　5 新表8/71下/2318
　竇載
　5 新表8/71下/2332
44竇協
　5 新表8/71下/2306
　竇萱　見竇庭萱
　竇藩餘(外臣)
　5 新表8/71下/2331
　竇夢徵
　3 舊五3/68/903
　8 全文844/8 A
　25登科24/29 B
　竇兢(思慎)
　2 新唐13/109/4101
　竇蘭　見竇庭蘭
　竇蒙(子泉、子全)③

　5 新表8/71下/2327
　7 新志5/59/1561
　　　5/59/1564
　8 全文447/33 B
　11全詩4/262/2909
　19姓纂9/22 B
　28直齋14/11 A
　37書小史10/6 B
　39書史5/33 B
　竇廉
　5 新表8/71下/2302
　竇薇
　5 新表8/71下/2302
　竇孝立
　5 新表8/71下/2321
　19姓纂9/22 A
　竇孝誠
　5 新表8/71下/2322
　19姓纂9/22 A
　竇孝諶
　1 舊唐7/51/2176
　　　14/183/4725
　5 新表8/71下/2323
　19姓纂9/22 A
　　　9/22 B
　69嘉定鎮江14/3 B
　竇孝謙
　5 新表8/71下/2329
　19姓纂9/23 A
　竇孝臻
　5 新表8/71下/2322
　19姓纂9/22 A
　竇孝仁
　5 新表8/71下/2329
　19姓纂9/23 A
　竇孝綽
　5 新表8/71下/2327
　19姓纂9/22 B
　竇孝鼎
　5 新表8/71下/2330
　19姓纂9/23 A
　20郎考6/1 A
　　　7/1 B
　竇孝德
　5 新表8/71下/2321④
　竇孝約
　5 新表8/71下/2327
　19姓纂9/22 B

① 《姓纂》“良”作“艮”，按據《新表》，竇克良為竇沔子，駙馬都尉。《姓纂》亦云竇克艮為竇沔子，駙馬（岑仲勉《元和姓纂四校記》謂尚代宗女壽昌公主），則顯係一人。據《新表》及《姓纂》，其兄弟之名為克恭、克溫，則以作克良為是，《姓纂》作“艮”誤，今據《新表》改。

② 《舊唐》謂竇孝諶子希瑊、希球、希瓅，並云希瓅後改名璡。《新表》則謂孝諶子希瑊字美玉，希球字國珍，希瑅字希瓅。希瓅與希瑅顯係一人，而志與傳所載歧異。今從《新表》作希瑅，另出竇希瓅、竇瑅條。

③ 《新表》、《新志》、《姓纂》未載竇蒙字，《直齋》謂蒙字子泉，而《書小史》、《書史》及《全詩》、《全文》皆云字子全，未詳孰是。今並列，備考。

④ 岑仲勉《元和姓纂四校記》謂此孝德應據《姓纂》作孝慈，同為諲子。

⑤ 《姓纂》“栩”原作“相”，今據岑仲勉《元和姓纂四校記》考定改正。

竇郢
　5 新表8/71下/2315
72竇岳
　5 新表8/71下/2296
76竇隈
　5 新表8/71下/2319
77竇鳳
　5 新表8/71下/2316
竇周餘
　1 舊唐13/155/4122
　5 新表8/71下/2331
竇履庭　　見竇履廷
竇履霸
　5 新表8/71下/2298
竇履廷
　5 新表8/71下/2327④
　19姓纂9/22 B
　　　　9/23 A
竇履信
　5 新表8/71下/2327
　19姓纂9/23 A
竇郿
　5 新表8/71下/2315
竇興公
　19姓纂9/23 B
80竇全真
　5 新表8/71下/2309
竇全質
　5 新表8/71下/2311
竇鉉
　5 新表8/71下/2323
竇令瓌處常子
　5 新表8/71下/2308
竇令瓌全真子
　5 新表8/71下/2310
竇令琇
　5 新表8/71下/2310
竇令琬
　5 新表8/71下/2310
竇令珍
　5 新表8/71下/2311
竇令玢
　5 新表8/71下/2310

竇令瑜
　5 新表8/71下/2311
竇令琰
　5 新表8/71下/2310
竇令宗
　5 新表8/71下/2309
竇慈遜
　21御考2/31 B
竇義方
　5 新表8/71下/2316
竇義積
　5 新表8/71下/2297
竇義節
　5 新表8/71下/2298
　19姓纂9/21 B
竇普行
　5 新表8/71下/2329
　19姓纂9/23 A
竇善衡
　5 新表8/71下/2331
　19姓纂9/23 B
竇公亮
　5 新表8/71下/2298
竇公衡
　8 全文408/23 B
　20郎考12/29 B
竇公佐
　5 新表8/71下/2298
竇公甫
　5 新表8/71下/2298
竇公軌
　5 新表8/71下/2298
竇公敏
　5 新表8/71下/2298
82竇劘
　5 新表8/71下/2317
84竇銑履霸子
　5 新表8/71下/2298
竇銑靈勖子
　5 新表8/71下/2317
竇鎮
　5 新表8/71下/2321
　19姓纂9/22 A

85竇鍊
　5 新表8/71下/2323
　19姓纂9/22 B
86竇鍠
　5 新表8/71下/2310
竇錫
　5 新表8/71下/2321
　19姓纂9/22 A
竇鍔希瑊子
　1 舊唐14/183/4725
　5 新表8/71下/2324
　19姓纂9/22 B
竇鍔靈勖子
　5 新表8/71下/2317
竇覦
　1 舊唐14/183/4749
　5 新表8/71下/2328
　19姓纂9/23 A
　26方鎮5/24 A
竇知約
　5 新表8/71下/2311
竇知敬
　5 新表8/71下/2290
竇知軌
　5 新表8/71下/2311
竇知勖
　5 新表8/71下/2308
竇知義
　5 新表8/71下/2311
竇知節
　5 新表8/71下/2308
竇智弘
　5 新表8/71下/2328
　19姓纂9/23 A
竇智純
　5 新表8/71下/2328
　19姓纂9/23 A
竇智圓
　5 新表8/71下/2328
　19姓纂9/23 A
87竇鋼
　5 新表8/71下/2323
　19姓纂9/22 B

---

① 沈炳震《新唐書宰相世系表訂譌》云"兩思泰,當有一譌"。
② 《新表》"畢"作"疊",今從《姓纂》作"畢"。
③ 《新表》"景"作"愄",今從《姓纂》作"景"。
④ 《新表》"廷"作"庭",今從《姓纂》作"廷"。

竇鋒
　　5 新表8/71下/2324
　　19姓纂9/22 B
竇欽
　　5 新表8/71下/2316
竇欽望
　　5 新表8/71下/2297
88竇銓
　　5 新表8/71下/2321
　　19姓纂9/22 A
竇銳
　　5 新表8/71下/2321
　　19姓纂9/22 A
竇鑑
　　5 新表8/71下/2323
　　19姓纂9/22 B
竇簡能
　　5 新表8/71下/2305
90竇懷亶
　　5 新表8/71下/2331
竇懷文
　　5 新表8/71下/2290
竇懷讓
　　5 新表8/71下/2302
　　19姓纂9/21 B
竇懷玉
　　5 新表8/71下/2328
　　19姓纂9/23 A
竇懷武
　　5 新表8/71下/2307
竇懷貞(從一)
　　1 舊唐14/183/4724
　　2 新唐13/109/4100
　　5 新表8/71下/2307
　　19姓纂9/21 B①
　　20郎考15/6 A
　　64掇英18/11 B
　　65會稽志2/26 B
竇懷昶
　　5 新表8/71下/2328
　　19姓纂9/23 A
竇懷道
　　5 新表8/71下/2306
竇懷哲
　　5 新表8/71下/2293
竇懷質　見竇懷貞
竇懷質 德洽子
　　5 新表8/71下/2312

竇懷恪
　　5 新表8/71下/2307
　　19姓纂9/21 B
　　20郎考11/65 A
　　73吳興志14/22 B
竇光
　　1 舊唐14/183/4749
竇常(中行)
　　1 舊唐13/155/4122
　　2 新唐17/175/5244
　　5 新表8/71下/2331
　　7 新志5/60/1605
　　　　5/60/1623
　　11全詩4/271/3030
　　17紀事上/30/483
　　18才子4/70
　　25登科11/12 A
　　27郡齋4下下/3 B
　　28直齋15/8 A
竇尚烈
　　5 新表8/71下/2327
　　19姓纂9/22 B
竇尚義
　　5 新表8/71下/2326
　　8 全文204/1 B
　　19姓纂9/22 B
92竇忻
　　8 全文403/4 B
竇燈
　　5 新表8/71下/2298
96竇憬　見竇景
97竇恂　見竇珣
竇憚
　　1 舊唐7/61/2365
　　5 新表8/71下/2330
　　19姓纂9/23 A
　　20郎考15/3 A②
竇鄉
　　5 新表8/71下/2315
98竇敞
　　5 新表8/71下/2296
99竇榮懷質子
　　5 新表8/71下/2312
竇榮彝子
　　5 新表8/71下/2317
竇榮昱子
　　5 新表8/71下/2318
竇榮鑑子

　　5 新表8/71下/2323
　　19姓纂9/22 B

寶

00寶彥金
　　20郎考26/13 A
寶應和尚
　　81景德12/18 A
01寶襲
　　79續僧14/19 A
10寶雲
　　81景德7/1 B
17寶瓊
　　79續僧38/9 A
22寶巖
　　79續僧40/17 B
寶峯和尚
　　81景德15/4 A
25寶積(凝寂大師)
　　81景德7/5 B
26寶和尚
　　81景德22/18 A
27寶修
　　80宋僧10/9 A
30寶安
　　80宋僧30/7 A
34寶達
　　80宋僧21/14 A
36寶禪師
　　81景德7/6 B
寶暹
　　76續僧16/3 A
　　80宋僧2/11 A
37寶資(曉悟大師)
　　81景德21/13 A
40寶壽和尚
　　81景德12/19 A
寶壽沼和尚
　　81景德12/11 B
44寶蓋山和尚
　　81景德17/13 B
寶華和尚
　　81景德24/17 B
寶黃科　見龔黃科
46寶相
　　79續僧38/17 B
60寶思惟(阿儞真那)
　　80宋僧3/2 A

83開元録9/567
85貞元新録13/867
71寶曆宮人
　11全詩11/797/8970
77寶月
　11全詩12/808/9120
79寶勝
　81景德24/12 B
90寶掌(千歲和尚)
　65會稽志15/39 A

3090₁ 宗

00宗亮(月僧)
　80宋僧27/12 B
05宗靖
　81景德19/7 B
　宗諫
　7 新志5/58/1498
10宗正辯
　19姓纂1/10 B
　宗晉卿
　2 新唐13/109/4103
　5 新表10/74上/3157
17宗瓊
　19姓纂1/10 B
　55吳郡志11/5 B
20宗季
　80宋僧7/18 B
22宗炭
　2 新唐13/109/4101
　5 新表10/74上/3156
28宗徹
　81景德12/8 B
30宗密(定慧禪師)
　7 新志5/59/1530
　8 全文920/1 A
　27郡齋3下/36 A
　　　3下/36 B
　　　3下/38 B
　80宋僧6/13 A
　81景德13/12 B
44宗楚客(叔敖、子敖)③

1 舊唐9/92/2971
2 新唐13/109/4101
5 新表10/74上/3157
11全詩1/46/560
17紀事上/9/119
25登科27/2 A
50宗秦客
　1 舊唐9/92/2971
　5 新表10/74上/3156
　6 舊志6/46/1998
　7 新志5/58/1471
52宗哲
　80宋僧4/23 A
61宗顯(明慧大師)
　81景德24/14 A
87宗鄭卿
　5 新表10/74上/3157

察

25察失利婆末婆那
　1 舊唐16/197/5272
　2 新唐20/222下/6303

3090₄ 宋

00宋彥筠
　3 舊五5/123/1623
　宋齊丘(子嵩、昭回、九華
　先生、醜繆)
　8 全文870/12 B
　9 拾遺47/9 B
　11全詩11/738/8414
　　　12/879/9953
　27郡齋3上/23 A
　28直齋10/17 A
　39書史5/43 B
　40十國20/4 A
　42五補2/9 A
　43馬書20/1 B
　44陸書1/1 A
　45江南4/1 A
　69嘉定鎮江14/51 B
　宋庭瑜

1 舊唐16/193/5146
5 新表11/75上/3356
19姓纂8/2 A
20郎考13/20 A
　　17/7 B
　　18/3 A
宋庭瑜妻　見魏氏
宋庭璇
　5 新表11/75上/3356
　19姓纂8/2 A
　20郎考12/53 B
宋庭璘
　5 新表11/75上/3357
　19姓纂8/2 A
　21御考1/6 B
　　2/5 A
　　2/26 A
宋庭芬
　1 舊唐7/52/2198
宋慶禮(敬)
　1 舊唐15/185下/4814
　2 新唐14/130/4493
　19姓纂8/3 B
　21御考2/3 B
　25登科27/25 B
宋文通　見李茂貞
宋言(表文、嶽)
　7 新志5/60/1616
　8 全文762/4 A
　25登科22/35 B
宋雍
　11全詩11/771/8751
　17紀事下/50/756
　　　下/61/927④
宋玄獎
　19姓纂8/3 A⑤
宋玄爽
　19姓纂8/3 A⑥
　20郎考3/8 B
宋玄撫
　1 舊唐9/96/3029
　5 新表11/75上/3357

---

① 《姓纂》"貞"作"質"，今據岑仲勉《元和姓纂四校記》考定改正。按此爲德玄子，《新表》另有德洽子，名懷質。
② 《郎考》作"寶暉"，勞格案暉疑當作憚。
③ 宗楚客之字，《新唐書》本傳、《新表》、《紀事》皆作叔敖，獨《全詩》作子敖。《全詩》晚出，疑有誤。
④ 《紀事》此處作宋邕，並注云"一作宋雍"。今《全詩》及《紀事》卷五〇正作宋雍，統歸一律。
⑤⑥ 《姓纂》"玄"作"元"，今據岑仲勉《元和姓纂四校記》考定改正。

① 《姓纂》"玄"作"元",今據《舊唐書》本傳及《新表》改正。
② 《咸淳臨安》"璟"作"憬",並云中宗時杭州刺史。今按《舊唐書》宋璟本傳,載宋璟於中宗時檢校貝州刺史,"又歷杭、相二州刺史"。則中宗時任杭州刺史者乃宋璟,而非宋憬。"憬"字誤。
③ 《全詩》原註:"宋務光一作宋先。"
④ 《姓纂》"光"作"先",今據岑仲勉《元和姓纂四校記》考定改正。
⑤ 《圖繪》"慈"作"望"。按宋之慈原名之望,後改名之慈,爲之問弟,今從《新唐》作之慈。
⑥ 《書史》作宋之遜,今從《新唐書》。
⑦ 《姓纂》"睿"作"慎"。按"睿"即"慎",今從《新表》作睿。

19姓纂8/3 B

宋溫瑗
19姓纂8/3 B
21御考1/21 B
2/14 A
2/37 B

宋溫瑾
19姓纂8/3 B

宋渭
19姓纂8/3 A

宋褆
5 新表11/75上/3357

37宋渾
1 舊唐9/96/3036
2 新唐14/124/4394
5 新表11/75上/3358
19姓纂8/2 B
20郎考6/8 B

38宋遵貴
19姓纂8/3 B

40宋大辯
19姓纂8/2 A

宋希玉
21御考2/40 A

宋壽
19姓纂8/2 B

44宋考玉
19姓纂8/3 A

宋萬傳
1 舊唐16/197/5275

宋華瓛子，尉氏令
2 新唐14/124/4394
5 新表11/75上/3359
19姓纂8/2 B

宋華濮陽宰
11全詩4/257/2872

宋華東里子
19姓纂8/3 A

宋華慈溪縣令
48寶慶四明16/3 A

宋若水
19姓纂8/3 A

宋若倫
2 新唐11/77/3508

宋若憲
1 舊唐7/52/2198
2 新唐11/77/3508
11全詩1/7/68

宋若莘
1 舊唐7/52/2198
2 新唐11/77/3508
11全詩1/7/67①

宋若華　見宋若莘

宋若荀
2 新唐11/77/3508
17紀事下/79/1132

宋若思
19姓纂8/3 A②
21御考2/55 A

宋若恩　見宋若思

宋若昭(尚宮宋氏)
2 新唐11/77/3508
7 新志5/58/1487
8 全文98/12 A
11全詩1/7/68
17紀事下/79/1131

宋藝
32益畫下/5 A
36圖誌2/46
38圖繪2/36 B
40十國44/10 B

宋楚璧
5 新表11/75上/3356
19姓纂8/2 A

46宋恕
1 舊唐9/96/3036
2 新唐14/124/4394
5 新表11/75上/3358
19姓纂8/2 B

宋輼
40十國18/1 B
44陸書13/1 A

48宋樽
19姓纂8/3 B

50宋申錫(慶臣、貞)
1 舊唐13/167/4370
2 新唐15/152/4844
5 新表11/75上/3361
8 全文623/1 A
20郎考11/40 B
20/14 B
24壁記　翰苑羣書
上/46 A
25登科27/13 B

宋本立
5 新表11/75上/3360

宋素
1 舊唐13/167/4370
5 新表11/75上/3361

宋東里
19姓纂8/3 A

53宋威
26方鎮3/44 A

宋戎
26方鎮7/59 B

55宋捷
19姓纂8/3 A

57宋抱一
38圖繪2/26 B

60宋昱
1 舊唐10/106/3247
2 新唐19/206/5852
8 全文354/1 A
11全詩2/121/1215

宋國公主
2 新唐12/83/3659

宋嵓
8 全文957/9 B

宋思禮(過庭)
2 新唐18/195/5581

宋思敬
19姓纂8/3 A

宋昇
1 舊唐9/96/3036
2 新唐14/124/4394
5 新表11/75上/3358
19姓纂8/2 B
20郎考22/22 B

宋昌藻
19姓纂8/3 A

宋昆
25登科20/25 A

宋果毅
19姓纂8/3 A

宋景
7 新志5/59/1547

61宋顒
5 新表11/75上/3356
19姓纂8/2 A

62宋則
19姓纂8/3 B

68宋晦
19姓纂8/3 A

71宋巨

45江南8/1A
50江本
　　7 新志5/59/1548
60江旻
　　8 全文923/8B
　　江景防(漢臣)
　　40十國87/10B
74江陵士子
　　11全詩11/784/8852

3111₄ 汪

00汪衰
　　63新安志5/16A
13汪武
　　63新安志5/15B
23汪台符
　　8 全文869/14B
　　40十國10/7B
　　43馬書14/2A
　　44陸書12/4A
　　45江南9/1A
　　63新安志6/6B
38汪遵
　　11全詩9/602/6954①
　　17紀事下/59/896
　　18才子8/139
　　25登科23/10B
41汪極(極甫)
　　11全詩10/690/7923
44汪萬於(叔振)
　　11全詩7/473/5372
90汪少微
　　10續拾7/23A
　　40十國11/6B
97汪煥
　　8 全文870/12A
　　40十國25/13A

3112₀ 河

11河北士人
　　11全詩11/784/8848
　　17紀事下/80/1140

3112₇ 馮

00馮立
　　1 舊唐15/187上/4872
　　馮慶
　　19姓纂1/2A

馮文瓚
　　19姓纂1/2B
　　馮衰
　　1 舊唐13/168/4392
　　11全詩9/597/6914
　　20郎考13/12A
　　25登科27/17B
　　55吳郡志11/3A
03馮諡　見馮延魯
　　馮贄
　　4 新五1/27/290
08馮敦直
　　19姓纂1/2A
10馮玉(璟臣)
　　3 舊五4/89/1173
　　4 新五2/56/642
　　42五補4/12B
　　馮璋
　　4 新五1/27/290
　　馮元(道宗、章靖)
　　40十國65/7A
　　馮元度
　　10續拾6/12A
　　馮元德
　　8 全文804/22B
　　馮元淑
　　1 舊唐15/185上/4800
　　2 新唐13/112/4179
　　20郎考21/3B
　　馮元常
　　1 舊唐15/185上/4799
　　2 新唐13/112/4178
　　19姓纂1/2A
　　25登科27/25A
12馮延己(延嗣、正中、忠肅)
　　8 全文876/14A
　　9 拾遺47/12A
　　11全詩11/738/8415
　　　　　12/898/10149
　　28直齋21/1B
　　40十國26/6A
　　43馬書21/2B
　　44陸書8/1A
　　馮延魯(叔文、諡)
　　40十國26/9A
　　43馬書21/4B
　　44陸書8/3B
　　馮延嗣　見馮延己

13馮球
　　25登科20/4B
17馮承素
　　39書史5/21A
　　馮子華
　　2 新唐17/177/5277
　　25登科8/31A
　　馮子猷
　　2 新唐13/110/4114
18馮玠
　　1 舊唐15/189下/4978
　　25登科27/23B
20馮伉
　　1 舊唐15/189下/4978
　　2 新唐16/161/4986
　　7 新志5/57/1441
　　　　　5/59/1537
　　8 全文438/20A
　　11全詩5/330/3688
　　17紀事上/31/494
　　19姓纂1/2B
　　25登科10/21B
　　　　　11/29B
21馮僎
　　40十國57/8B
　　馮行襲(正臣、馮青面、忠敬)
　　2 新唐17/186/5425
　　3 舊五1/15/209
　　4 新五2/42/464
　　26方鎮8/28B
　　馮顥定子，咸通中歷臺省
　　1 舊唐13/168/4392
　　20郎考5/4B
　　　　　10/13A
　　25登科27/17B
　　馮顥吏部郎中
　　20郎考3/15B②
　　馮師訓
　　19姓纂1/2A
　　馮師古
　　19姓纂1/2B
22馮巖
　　1 舊唐13/168/4392
　　20郎考11/59B
　　　　　22/20B
　　25登科27/17B
　　71嚴州1/31A

馮嶷
　19姓纂1/2 B
馮繼先
　28直齋3/8 B
馮繼業
　3 舊五5/125/1645
　4 新五2/49/555
23馮緘（宗之）
　1 舊唐13/168/4392
　2 新唐17/177/5279
　20郎考11/54A
　　　16/24 B
　21御考3/5 B
　25登科27/17 B
24馮德晏
　3 舊五1/15/211
馮待徵
　8 全文402/14 B
　11全詩11/773/8766
27馮魯
　19姓纂1/2 B
　25登科12/26A
馮紹
　30歷畫9/179③
馮紹正
　8 全文298/21A
馮紹烈
　19姓纂1/2A
　20郎考16/6A
　21御考1/19 B
　　　2/16 B
　　　2/41A
馮紹政
　19姓纂1/2A
　31唐畫6/13 B
　38圖繪2/19A
30馮寬
　1 舊唐13/168/4392
　2 新唐17/177/5278
　19姓纂1/2 B
　25登科27/11A
馮宿（拱之、懿）
　1 舊唐13/168/4389

2 新唐17/177/5277
7 新志5/60/1606
8 全文624/10A
11全詩5/275/3120
12詩逸上/10180
17紀事下/43/661
19姓纂1/2 B
25登科13/3A
26方鎮6/79 B
63新安志9/22 B*
馮篝
　19姓纂1/2 B
馮宏鐸
　40十國8/1A
　41九國2/2 B
馮審（退思）
　1 舊唐13/168/4392
　2 新唐17/177/5279
　8 全文633/5 B
　19姓纂1/2 B
　20郎考12/37A
　25登科14/4A
　　　15/35A
　26方鎮7/46A
馮定（介夫）
　1 舊唐13/168/4390
　2 新唐15/147/4755
　19姓纂1/2 B
　20郎考22/15 B
　25登科15/14A
　69嘉定鎮江15/45 B
馮宗
　19姓纂1/2 B
　21御考1/16 B
　　　2/13 B
31馮涯
　11全詩8/542/6267
馮河清
　26方鎮1/29 B
32馮漸
　25登科27/32 B
34馮濛
　4 新五1/17/180

馮渚
　11全詩11/778/8809
35馮神德
　8 全文202/1 B
馮禮本
　19姓纂1/2A
36馮涓（信之）
　8 全文889/2A
　11全詩11/760/8631
　　　12/870/9871
　17紀事下/66/989
　25登科22/23A
　40十國40/1A
馮逸
　21御考3/51A
37馮淑
　19姓纂1/2A
38馮道（可道、長樂老、文懿）
　3 舊五5/126/1655
　4 新五2/54/612
　8 全文857/5 B
　9 拾遺47/2A
　11全詩11/737/8405
　42五補3/6 B
　　　5/10 B
　　　5/11A
馮道之
　11全詩11/776/8787
馮道幕客
　11全詩12/870/9869
40馮大和
　19姓纂1/2 B
馮大恩
　64掇英18/10 B
　65會稽志2/25 B
馮士翺
　19姓纂1/2 B
馮克廬
　25登科4/23A
馮嘉賓
　19姓纂1/2 B
馮嘉勛
　19姓纂1/2A

---

① 《全詩》原注：“一作王道。”
② 按前之馮顥爲馮定子，進士登第，咸通中歷臺省。據勞格云此處之馮顥，與《舊唐》、《郎考》5/4B、10/13A 時代
　不合，當爲另一人。勞格又謂石本作馬覬，不作馮顥。本書另出“馬覬”作參見條。
③ 《歷畫》原注云另一版本“紹”作“昭”。

馮吉(惟一)
　　39書史5/42A
　　42五補5/12B
馮真素
　　8 全文946/1A
42馮韜
　　1 舊唐13/168/4390
　　8 全文721/18A
　　20郎考6/24B
　　　　　16/24A
　　25登科27/14B
43馮戡
　　11全詩11/795/8945
44馮芫
　　19姓纂1/2B
　　25登科18/3B
馮萬石
　　8 全文208/14A
　　25登科4/16B
　　　　　4/21B
　　　　　4/26B
　　　　　5/6A
　　　　　5/18A
　　　　　5/34B
　　　　　7/16B
　　　　　7/27A
　　　　　8/24B
馮著
　　11全詩3/215/2248
　　19姓纂1/2B
馮苞
　　25登科17/13A
馮贊
　　8 全文812/18A
　　28直齋11/23B
馮藥　見馮葯
馮葯
　　1 舊唐15/189下/4978
　　19姓纂1/2B
　　20郎考8/36A
　　25登科27/13A
　　　　　27/37A
47馮朝隱
　　7 新志5/59/1517
48馮敬徵
　　8 全文402/17B
50馮中庸
　　7 新志5/59/1513

　　25登科7/32B
馮益(明達)
　　1 舊唐10/109/3287
　　2 新唐13/110/4112
　　19姓纂1/2B
51馮軒
　　1 舊唐13/168/4392
　　25登科27/17B
55馮捷
　　19姓纂1/2A
56馮摠
　　19姓纂1/2A
馮損
　　21御考3/29A
　　　　　3/38B
57馮擲
　　19姓纂1/2A
60馮昴
　　3 舊五1/15/211
馮見鬼
　　40十國45/4A
馮思雍
　　19姓纂1/2A
　　20郎考1/5B①
馮思邕　見馮思雍
馮圖(昌之)
　　1 舊唐13/168/4390
　　2 新唐17/177/5278
　　20郎考4/52A
　　25登科27/14B
67馮暉
　　3 舊五5/125/1644
　　4 新五2/49/554
　　11全詩12/870/9870
馮昭　見馮紹
馮昭泰
　　19姓纂1/2A
　　71嚴州1/28A
71馮長命
　　19姓纂1/2A
77馮用之
　　8 全文404/1A
　　19姓纂1/2B
　　20郎考16/9A
　　　　　17/10A
馮陶
　　1 舊唐13/168/4390
　　25登科27/14B

78馮臨
　　71嚴州1/29A
79馮勝
　　40十國57/8B
80馮令頵
　　40十國26/6A
　　43馬書21/2B
馮令問
　　19姓纂1/2A
馮義弘
　　19姓纂1/2A
86馮智戴
　　2 新唐13/110/4113
88馮鑑
　　27郡齋3上/22B
　　　　　4中/23B
　　28直齋4/20B
90馮小寶　見薛懷義
馮惟良(雲翼)
　　53赤城志35/10B
馮惇
　　19姓纂1/2A
馮少師
　　19姓纂1/2B
馮少吉
　　11全詩11/770/8739
馮光嗣
　　19姓纂1/2A
　　20郎考8/8A
　　　　　16/7A
　　　　　18/3A
　　21御考2/21A
　　　　　2/39B
91馮怦
　　19姓纂1/2A
96馮煜
　　19姓纂2/2B
　　25登科27/12B

3113₂ 涿

32涿州紙衣和尚
　　81景德12/13B

3114₆ 潭

32潭州伏龍山和尚
　　81景德17/20B
　　　　　17/21A
67潭明和尚

81景德23/8A

3116₀ 酒

75酒肆布衣
11全詩12/862/9740

3116₁ 潛

40潛真(義璋)
8 全文916/30A
80宋僧5/16B
84續開元錄中/759

3119₆ 源

00源玄緯
19姓纂4/8B②
　　4/9A③
20郎考4/16A
　　7/8B④
21御考2/22B⑤
源玄禕　見源玄緯
03源誠心
5 新表11/75上/3363
8 全文205/11B
19姓纂4/8B
17源弼
5 新表11/75上/3363
19姓纂4/8B
20源重
20郎考8/47A
　　14/11B
73吳興志14/31A
21源順(其濟)
9 拾遺72/7A
源行壯
19姓纂4/9A⑥
源行守

19姓纂4/9A⑦
20郎考8/4A
22源循業　見源修業
源崑玉
5 新表11/75上/3362
19姓纂4/8B
24源壯　見源行壯
源休
1 舊唐11/127/3574
5 新表11/75上/3362
19姓纂4/8B
20郎考13/8B
　　25/14A
源幼良
5 新表11/75上/3363
19姓纂4/9A⑧
26源伯良
5 新表11/75上/3363
19姓纂4/9A
27源修業
5 新表11/75上/3362
19姓纂4/8B⑨
28源復
5 新表11/75上/3362
19姓纂4/8B
30源守　見源行守
源安都
5 新表11/75上/3363
19姓纂4/9A
34源洧(懿)
1 舊唐9/98/3072
2 新唐14/127/4451
5 新表11/75上/3362
8 全文354/2A⑩
19姓纂4/8B
20郎考3/34A

　　4/15A
21御考3/38B
　　3/40A
26方鎮5/1A
源禕　見源玄緯
35源清
5 新表11/75上/3363
19姓纂4/8B
36源渭　見源清
37源潔
5 新表11/75上/3363
19姓纂4/8B
源初良　見源幼良
40源直心
1 舊唐9/98/3070
2 新唐14/127/4450
5 新表11/75上/3362
6 舊志6/46/2010
7 新志5/58/1495
8 全文189/11B
19姓纂4/8B
44源蔚
20郎考16/26B
48源乾珍
5 新表11/75上/3362
19姓纂4/8B
源乾曜
1 舊唐9/98/3070
2 新唐14/127/4450
5 新表11/75上/3362
8 全文279/7B
9 拾遺18/9A
11全詩2/107/1110
17紀事上/14/204
19姓纂4/8B
20郎考14/12A

---

① 《郎考》作"馮思邕",岑仲勉《元和姓纂四校記》謂此即《姓纂》之馮思雍。
②③ 《姓纂》作"源禕",今據《郎考》卷四統一作"源玄緯"。
④ 《郎考》作"元玄禕",趙鉞謂疑即"源玄緯"。
⑤ 《御考》作"源玄禕",《郎考》卷四有"源玄緯",當是一人,今統一作"源玄緯"。
⑥ 《姓纂》作"源壯",無"行"字,今據岑仲勉《元和姓纂四校記》考定改正。
⑦ 《姓纂》作"源守",無"行"字,今據岑仲勉《元和姓纂四校記》考定改正。
⑧ 《姓纂》"幼"作"初",《新表》有源幼良,皆爲源匡贊子,疑是一人。
⑨ 《姓纂》"修業"作"循業",今據岑仲勉《元和姓纂四校記》考定改正。
⑩ 《全文》原作源洧,小傳云:"洧,天寶中□南道觀察使。"岑仲勉《讀全唐文札記》云:"按《元龜》二四,天寶十四載,□南道觀察源洧,即《全文》所本。考《元和姓纂》,光裕生洧,給事中、江陵節度採訪留後。《新表》亦作洧。《全文》所收《上雲氣圖奏》云:'江陵郡故紀城東有紫氣成雲,……臣謹畫圖奏獻。'是源氏時官江陵,空格當補山字,洧應正作洧。"岑說是,今據改。

① 《新表》"贊"作"讚",今從《姓纂》作"贊"。
② 《姓纂》"憒"作"僭",今據岑仲勉《元和姓纂四校記》考定改正。
③ 《姓纂》"乘"作"垂",今據岑仲勉《元和姓纂四校記》考定改正。
④ 《新表》"裕"作"俗",皆源乾曜從孫。據新舊《唐書》乾曜本傳所載,光裕歷任刑戶二部侍郎、尚書左丞,與《新表》所載官職亦合,當爲一人。中華書局點校本《新唐書》有校,謂新舊《唐書》乾曜傳作"光裕",《源光乘墓誌》、《源溥墓誌》(拓片)作"光俗"。今從兩《唐書》作"光裕",另出"源光俗"作參見條。
⑤ 《全唐文》小傳謂福琳元和中人,而據《宋高僧傳》、《景德傳燈錄》福琳卒于唐德宗與元初,實爲一人,但《全唐文》小傳記其元和時尚在則誤。
⑥⑦ 《新志》、《續僧》"福生"作"那提",按此爲唐高宗時僧人,於永徽時由中印度入長安,那提爲梵名,福生爲華譯,今統一作福生,另出那提作參見條。
⑧ 《姓纂》"顧"作"露",今據岑仲勉《元和姓纂四校記》考定改正。
⑨ 《姓纂》"顧胤"作"露允",今據岑仲勉《元和姓纂四校記》考定改正。
⑩ 《姓纂》"顧"作"露",今據岑仲勉《元和姓纂四校記》考定改正。
⑪ 《姓纂》作"露俊",今據岑仲勉《元和姓纂四校記》考定改正。
⑫ 《姓纂》作"露沈",今據岑仲勉《元和姓纂四校記》考定改正。
⑬⑭ 《姓纂》"顧"作"露",今據岑仲勉《元和姓纂四校記》考定改正。

　　　　12/40A
　25登科18/22A
潘賁（子文）
　43馬書23/3A
43潘求仁
　6 舊志6/47/2074
　7 新志5/60/1598
　11全詩11/773/8764
　19姓纂4/19B
　20郞考4/1A
46潘觀
　8 全文397/7B
47潘好禮
　1 舊唐15/185下/4818
　2 新唐14/128/4465
　8 全文279/8B
　19姓纂4/19B
　21御考1/9B
　25登科27/28A
潘起
　40十國72/11B
50潘蕭仁
　19姓纂4/19B
潘貴
　44陸書10/4B
53潘成　見潘咸
潘咸
　11全詩8/542/6263⑤
　　　12/884/9987
　17紀事下/63/949⑥
　28直齋19/18A
60潘圖
　8 全文741/24A
　11全詩11/770/8746
　25登科27/18B
潘景厚
　3 舊五4/94/1243
80潘令妻　見王氏
90潘炎

　2 新唐16/160/4972
　8 全文442/5A
　11全詩5/272/3056
　19姓纂4/20A
　23故事　翰苑羣書
　　　　上/24B
　24壁記　翰苑羣書
　　　　上/40A
　25登科11/11A
　　　11/13A
潘炕（凝夢）
　40十國41/10A
94潘慎修（成德）
　40十國30/8B
　　96/4B

3224₀ 衹

44衹林和尚
　81景德10/13A

3230₇ 遙

55遙聟
　4 新五3/72/886

3290₄ 業

00業方
　80宋僧26/1B

3300₀ 心

88心鑑禪師
　77嘉禾志14/2A

3310₀ 泌

泌
　9 拾遺52/7A⑦

3318₆ 演

48演教
　81景德12/14B

3320₀ 祕

00祕魔巖和尚
　81景德10/13A
12祕弘遇
　3 舊五4/94/1255
17祕瓊
　3 舊五4/94/1255

3330₉ 述

述
　20郞考17/12B⑧

3390₄ 梁

00梁高望
　8 全文305/14A
梁庶
　8 全文401/2A
梁廣
　30歷畫10/200
　31唐畫6/16B
　35畫譜15/5A
　38圖繪2/18A
梁文貞
　1 舊唐15/188/4934
　2 新唐18/195/5582
梁文贊
　8 全文855/10A
梁文矩（德義）
　3 舊五4/92/1216
　8 全文851/5A
10梁元一
　34書譜5/5B
　39書史5/36A
梁震（靄、雨下、荆臺隱
　士）
　11全詩11/762/8659
　25登科27/20B
　40十國102/6A

① 《全文》“守”作“宁”，今據《姓纂》改正。
② 《登科》此處“守”作“宁”。徐松謂“或疑宁爲守之譌”。按《姓纂》及同書27/9B 作“濮陽守”，今據改。
③ 《全詩》“灌”作“瓘”，《姓纂》有濮陽灌，岑仲勉《元和姓纂四校記》謂與《全詩》之濮陽瓘當即一人。岑仲勉《讀全唐詩札記》又謂：“按《姓纂》，大曆嶺南判官檢校刑部員外濮陽灌，當即其人，唯灌、瓘小異。”
④ 《書史》“佑”作“祐”，今改正。
⑤ 《全詩》原注：“潘咸又作潘誠”。
⑥ 《紀事》“咸”原作“誠”，今從《全詩》、《直齋》統一作“咸”。
⑦ 《拾遺》“泌”字前原缺姓。
⑧ 《郞考》“述”字前原缺姓。

①《全文》原注："渙"一作"渼。"
② 梁肅之字，據唐崔元翰《右補闕翰林學士梁君墓誌》（《文苑英華》卷九四四）謂字寬中；《新唐書》本傳謂字敬之，
　一字寬中，他書有作敬之，有作寬中者不一，獨《唐詩紀事》云字欽之，疑有誤。今併錄待考。
③《書史》"昇"作"升"，今據《新唐書》本傳改正。
④《新五》作"沈斌"，今從《舊五》。

---

① 《全文》此處作"沈珣"，小傳云："珣，宣宗朝官中書舍人，以禮部侍郎出爲浙東觀察使。"按《全文》卷七六七另有沈詢，小傳云："詢字誠之，贈禮部尚書，傳師子。會昌初進士，累遷中書舍人，出爲浙東觀察使，除户部侍郎。咸通四年爲昭義節度使，奴結牙將爲亂，滅其家，贈兵部尚書。"所載事蹟當本自《舊唐書》卷一四九、《新唐書》卷一三二《沈傳師傳》。《全文》卷七六三之沈珣與《全文》卷七六七之沈詢，事蹟皆同，當爲一人。經查《文苑英華》，乃分沈珣與沈詢爲二人，沈珣名下收《授曹確充翰林學士制》、《封棣王制》等篇，沈詢名下收《授紇干泉嶺南節度使制》、《授白敏中邠寧節度使制》等篇，《全唐文》均與之相同。《全唐文》編者當襲《文苑英華》之舊，而不察其實爲一人，因而誤分爲二人。今從新、舊《唐書》本傳等作沈詢，另出沈珣作參見條。參見勞格《讀書雜識》卷八。

② 《吳興志》作"沈志"，岑仲勉《元和姓纂四校記》謂《吳興談錄》卷十六"忌"作"志"，未知孰是。今姑從《姓纂》。

③④ 《姓纂》、《登科》"偉"作"衛"，今據岑仲勉《元和姓纂四校記》考定改正。

⑤ 沈崧字《新表》作"文甫"，《登科》與《十國》作吉甫。《登科》係引《吳越備史》。按《詩經》有《崧高》篇，係贊美尹吉甫者，沈崧字吉甫，即取義於此，疑作吉甫是。

⑥ 《姓纂》"佐"作"左"，今據岑仲勉《元和姓纂四校記》考定改正。

⑦ 按《全文》小傳云沈仲爲天寶時進士，其他不詳，載其文一篇，題爲《象環賦（以謙德無事循轉爲韻）》，似即爲應進士試所作文賦。又《紀事》、《全詩》另有沈仲昌，小傳云天寶九載進士，臨海人。兩人時代相同，又同爲天寶時進士，頗疑《全文》之沈仲脫一昌字。今仍分列，備考。

⑧ 《郎考》此處作"沈□□"，勞格謂疑即沈佺期。

⑨ 《姓纂》"道"作"近"，今據岑仲勉《元和姓纂四校記》考定改正。

25登科27/10 B
34沈對
　19姓纂7/25 B
　沈法護
　　73吳興志17/22 B
　沈法牧
　　19姓纂7/25 A
　沈法興
　　1 舊唐7/56/2272
　　2 新唐12/87/3726
　沈浩
　　25登科10/4 B
　沈浩偓
　　19姓纂7/25 B
　沈浩源
　　19姓纂7/25 B
　沈遙
　　8 全文957/1 A
　　19姓纂7/25 B①
　　73吳興志16/53 B
35沈遘（期遠）
　　1 舊唐5/131/1730
　沈迪
　　19姓纂7/26 A
36沈迥
　　8 全文444/1 A
　　11全詩5/288/3293
37沈祖仙
　　11全詩11/774/8773②
　　17紀事上/13/188
　沈祖山　見沈祖仙
　沈迥
　　19姓纂7/25 B
　　25登科12/7 A
　沈逢年
　　8 全文957/2 A
　沈朗
　　8 全文741/17 B
　　25登科21/21 B
38沈汾
　　7 新志5/59/1523
　　8 全文829/10 B③
　　28直齋12/3 A
　沈遵
　　7 新志5/58/1457
　沈道之
　　19姓纂7/25 A
40沈大禮

19姓纂7/25 A
　73吳興志16/54 A
沈士弼
　73吳興志16/54 A
沈士衡
　19姓纂7/25 A
沈克濟
　19姓纂7/25 B
沈希義
　73吳興志16/53 B
沈存誠
　73吳興志16/54 A
沈志　見沈忌
沈志廉
　73吳興志16/53 B
沈真怪
　19姓纂7/26 A
沈賁
　19姓纂7/25 B
41沈樞
　19姓纂7/25 B
　25登科21/25 A
沈栖遠（子鸞）
　7 新志5/60/1608
　19姓纂7/26 A
　25登科27/19 B
沈栖逸
　19姓纂7/26 A
42沈韜文
　11全詩11/763/8663
　40十國87/5 B
　73吳興志14/34 A
沈彬（子文）
　8 全文872/7 B
　11全詩11/743/8455
　17紀事下/71/1054
　18才子10/182
　27郡齋4中/17 B
　40十國29/3 A
　42五補4/11 B
　43馬書15/2 A
　44陸書4/7 B
　45江南6/5 B
　69嘉定鎮江18/48 B
　70至順鎮江19/27 A
44沈封
　8 全文618/10 A

25登科11/23 A
沈芝
　28直齋12/26 A
沈孝澄
　73吳興志16/54 A
沈萬石
　20郎考12/11 B
沈華
　19姓纂7/25 A
沈若濟（子舟）
　68咸淳臨安69/7 A
沈黃中
　25登科21/17 A
46沈如筠
　7 新志5/59/1541
　　5/60/1610
　11全詩2/114/1163
　69嘉定鎮江18/44 B
　73吳興志16/53 B
47沈朝宗
　19姓纂7/25 B
沈超
　5 新表10/74上/3147
　9 拾遺26/15 B
　40十國86/1 A
沈杞
　25登科15/12 B
沈櫓
　9 拾遺30/11 A
50沈中黃
　19姓纂7/26 A
沈泰之
　7 新志5/59/1572
沈東美
　8 全文330/11 B
　11全詩4/255/2865
　19姓纂7/26 A
　20郎考8/25 A
　　24/3 A
51沈振
　3 舊五5/131/1731
52沈虬之
　19姓纂7/26 A
53沈成福
　8 全文200/19 B
　19姓纂7/25 A
　53赤城志8/11 B④
沈成業

① 岑仲勉《元和姓纂四校記》謂《吳興談志》“途”作“達”，未詳孰是。
② 《全詩》原注：“仙一作山。”
③ 《全文》“汾”作“玢”，今從《新志》、《直齋》改作“汾”。
④ 《赤城志》作“沈福”，無“成”字，謂垂拱四年台州刺史。按據《姓纂》沈成福爲道之子，歷簡、台、盧等州刺史。道
　之兄名訓之，訓之子名成業。名字中皆有“成”字。《全唐文》小傳云沈成福，永徽時人，時代亦相合。岑仲勉
　《元和姓纂四校記》引拓本沈知敏誌，亦作“父成福，通議大夫、台州刺史”。此皆可證《赤城志》作“沈福”者誤。
⑤ 勞格《讀書雜識》卷八《讀全唐文札記》謂疑作鄭敗。
⑥ 《姓纂》“全”作“佺”，據新、舊《唐書》本傳改正。
⑦ 《姓纂》“全字”作“字宣”，今據《新唐書》卷二〇二改。

---

① 《全詩》原注："振一作震，又作貞。"
②③ 《全詩》、《紀事》"凌敬"作"陸敬"，今據《舊志》、《新志》、《姓纂》等書改正。凌敬事迹又見《舊唐書》卷五十四
　《竇建德傳》。參岑仲勉《讀全唐詩札記》。

19姓纂5/17 B

3416₁ 浩

21浩虛舟
7 新志5/60/1626
8 全文624/1 A
11全詩7/472/5362
25登科19/25 B
50浩聿
19姓纂9/10 B

3418₁ 洪

00洪慶元
40十國31/7 B
洪文用
40十國29/8 A
01洪諲（法濟大師）
80宋僧12/11 B
81景德11/7 A
10洪正
80宋僧24/7 B
洪元眘
39書史5/33 B
17洪子興
11全詩2/101/1081
19姓纂1/3 A①
21御考1/10 A
2/31 B
25登科4/16 A
洪子興 見洪子興
21洪經綸
1 舊唐11/127/3579
8 全文526/16 B
19姓纂1/3 A
24洪勳
40十國31/7 B
26洪儼禪師
81景德21/14 B
30洪進
81景德24/8 A
洪察（弘察）
19姓纂1/3 A
31洪源
25登科10/14 A
32洪州將軍
11全詩11/784/8847
34洪滿 貞觀十三年卒
79續僧35/24 A

洪滿 咸亨中僧
8 全文912/4 B
洪遠
79續僧38/8 B
38洪道
40十國76/5 B
42五補3/12 A
40洪壽
40十國31/7 B
洪真
80宋僧23/16 A
41洪堰
37書小史10/11 A
44洪荐（紹隆大師）
81景德16/12 A
洪孝昌
7 新志5/58/1491
19姓纂1/3 A
60洪恩
81景德6/10 B
71洪厚
19姓纂1/3 A

3426₀ 祐

44祐莫離（枯莫離）
1 舊唐16/199下/5350
2 新唐20/219/6168②

褚

00褚亮（希明、康）
1 舊唐8/72/2578
2 新唐13/102/3975
5 新表9/72下/2727
6 舊志6/47/2073
7 新志5/60/1597
5/60/1601
8 全文147/1 A
9 拾遺15/1 A
11全詩1/31/442
12/882/9965
17紀事上/4/40
19姓纂6/15 A
68咸淳臨安60/11 B
褚彥季
5 新表9/72下/2729
19姓纂6/15 B
褚彥沖
5 新表9/72下/2728

19姓纂6/15 B
68咸淳臨安60/12 A
褚彥甫
5 新表9/72下/2728
19姓纂6/15 B
68咸淳臨安60/12 A
褚齊賢
39書史5/28 B
褚廌
20郎考18/20 A
褚庭誨（小褚）
9 拾遺19/21 A
39書史5/25 A
07褚望
20郎考26/15 B
褚謬 見褚璆
10褚元方
5 新表9/72下/2728
19姓纂6/15 B
褚无疆 見褚无量
褚无量（弘度、文）
1 舊唐10/102/3164
2 新唐18/200/5687
7 新志5/58/1466
5/59/1513
8 全文294/1 A
19姓纂6/15 B③
25登科27/27 B
68咸淳臨安60/12 A
11褚冀
39書史5/27 B
12褚琇
5 新表9/72下/2727
11全詩2/108/1120
19姓纂6/15 B
59毗陵志7/16 B
褚廷訓
19姓纂6/15 B
褚廷詢
8 全文403/13 A
19姓纂6/15 B
褚廷誨
19姓纂6/15 B
25登科5/32 A
17褚珣
5 新表9/72下/2728
19姓纂6/15 B
褚璆（伯玉）

① 《姓纂》"輿"作"興"，今據岑仲勉《元和姓纂四校記》考定改正。
② 《新唐》作"枯莫離"，系同名異譯，今從《舊唐》。
③ 《姓纂》"量"作"彊"，今據岑仲勉《元和姓纂四校記》考定改正。
④ 《郎考》此處作"褚謬"，趙鉞謂當作"褚瑏"。
⑤ 《新表》"遂"作"逯"。遂年之兄弟輩遂良、遂功等皆以遂字排名，《姓纂》亦作遂年，今逕改。
⑥ 《新表》無"如"字，今據《姓纂》補正。
⑦ 《郎考》此處作"褚大孺"，勞格謂疑作"褚長孺"，同書卷一三、二二作"長孺"。

3430₂ 邁

邁
20郎考17/17A①

3430₃ 遠

遠
20郎考5/7B②

3430₄ 達

00達摩
　8 全文999/23A
達摩掬多
　80宋僧2/2A
達摩因陀訶斯
　2 新唐20/221上/6240
達摩戰湼羅　見法月
達磨
　2 新唐19/216下/6104
達磨流志　見法希
11達頭　見射匱可汗
20達奚珣
　8 全文345/4B
　21御考3/7A
　　　3/23A
　25登科5/32A
　　　9/5B
　　　9/6B
　　　9/9A
　　　9/11B
達奚通
　7 新志5/58/1508
達奚摯
　8 全文436/16B
26達和尚
　81景德24/21A

3440₄ 婆

11婆彌
　2 新唐20/222下/6301
20婆悉籠獵贊(挲悉籠臘贊)
　1 舊唐16/196上/5236
　2 新唐19/216上
　　　/6087③
60婆羅門
　1 舊唐16/197/5270
　2 新唐20/222下/6298
77婆閏

　1 舊唐16/195/5197
　2 新唐19/217上/6113

3510₆ 沖

21沖虛子
　7 新志5/59/1523
27沖奧(明法大師)
　81景德21/8B
67沖煦(慧悟禪師)
　81景德21/23A

3512₇ 清

00清讓禪師
　81景德13/3B
清稟
　40十國33/5A
　81景德23/7A
04清護(崇因大師、妙行禪師)
　81景德21/23B
06清諤(宗曉禪師)
　81景德21/23A
20清皎
　81景德23/17B
21清虛
　80宋僧25/1B
清虛子(太白山人)
　28直齋12/5B
24清化(全付禪師)
　65會稽志15/38B
28清徹約武后時
　7 新志5/59/1528
清徹唐憲宗時
　80宋僧16/3A
清聳(了悟禪師)
　40十國89/10A
　81景德25/15B
30清塞(周賀、南卿)
　7 新志5/60/1614
　11全詩8/503/5716
　17紀事下/76/1101
　18才子6/98
　27郡齋4中/23A
　28直齋19/23A
清進
　81景德23/17A
31清江
　11全詩12/812/9144

16極玄下/344
17紀事下/72/1067
18才子3/45
80宋僧15/12A
清河公主(李敬、德賢)
　2 新唐12/83/3647
清源
　80宋僧29/19A
清源公主
　2 新唐12/83/3670
34清遠道士
　11全詩12/862/9739
37清瀾
　65新安志8/35B
清運(資化禪師)
　81景德22/9A
38清海襄州奉國
　81景德23/10A
清海郴州太平院
　81景德24/15A
清豁
　11全詩12/888/10037
　81景德22/12B
43清越
　8 全文920/9A
44清慕
　81景德24/13A
46清觀(明中)
　12詩逸中/10192
　80宋僧20/22A
48清幹
　81景德12/14B
50清忠(宏法大師)
　52仙溪志3/10A
57清換
　81景德21/15B
60清昱(圓通妙覺禪師)
　40十國89/12A
　81景德26/14B
清田和尚
　81景德9/12A
73清院和尚
　81景德17/21B
77清閑
　12詩逸中/10212
86清錫
　81景德25/24A
90清尚

11全詩12/849/9619
18才子3/45
97清耀
　　81景德23/9 B

3516₀ 油

44油蔚
　　11全詩11/768/8719

3520₆ 神

01神龍從臣
　　11全詩11/784/8846
04神讚
　　81景德9/10 B
20神秀（大通禪師）
　　1 舊唐16/191/5109
　　80宋僧8/7 B
　　81景德4/15 A
21神穎
　　11全詩12/823/9283
　　12詩逸上/10189
　　17紀事下/74/1084
22神鼎
　　80宋僧29/4 A
　神邕（道恭）
　　80宋僧17/12 A
24神皓（恆度）
　　80宋僧15/14 A
35神清撰《參元語錄》
　　7 新志5/59/1530
　神清（靈庾）梓州慧義寺
　　80宋僧6/9 B
　神湊
　　80宋僧16/5 A
37神禄
　　81景德23/10 B
　神迴京師大莊嚴寺
　　11全詩12/851/9631
　　79續僧15/16 A
　神迴越州大禹寺
　　80宋僧29/8 A
41神楷撰《維摩經疏》

7 新志5/59/1529
　神楷京兆崇福寺
　　80宋僧4/19 B
44神藏
　　81景德8/14 A
　神英
　　80宋僧21/1 A
50神素（紹則）
　　79續僧15/29 B
53神彧
　　28直齋22/8 B
60神昉
　　8 全文908/7 A
　神晏（興聖國師）
　　40十國99/6 A
　　81景德18/18 A
63神暄
　　80宋僧20/11 A
67神照
　　79續僧15/25 B
78神鑒
　　80宋僧20/21 B
80神會（真宗）姓高，襄陽人
　　8 全文916/7 A
　　80宋僧8/10 A
　　81景德5/24 A
　神會姓石，西域人
　　80宋僧9/14 B
86神智武后長壽中僧
　　10續拾8/1 A
　神智唐僧宗光啓時僧
　　80宋僧25/11 A
91神悟（通性）
　　80宋僧17/7 A

3521₈ 禮

30禮宗
　　80宋僧5/14 B

3530₀ 連

20連重遇
　　40十國98/7 B

26連總（會川）
　　25登科23/12 B
　　72三山志26/4 B
36連禪師
　　81景德21/12 B
57連揔　見連總

3530₈ 遺

28遺俗
　　79續僧38/16 A
62遺則（佛窟禪師）
　　53赤城志35/3 B
　　80宋僧10/9 B

3610₀ 泊

66泊嚴和尚
　　81景德17/24 B

湘

76湘驛女子
　　11全詩11/801/9019

3611₁ 混

38混淪先生
　　59毗陵志25/4 A

3611₇ 温

00温彦弘　見温大雅
　温彦將（大有）
　　1 舊唐7/61/2362④
　　2 新唐12/91/3783
　　5 新表9/72中/2664
　　19姓纂4/11 B
　　　　　4/12 A
　温彦韜　見温韜
　温彦博（大臨、恭）
　　1 舊唐7/61/2360
　　2 新唐12/91/3782
　　5 新表9/72中/2663
　　6 舊志6/47/2073
　　　　　6/47/2078
　　7 新志5/58/1473

---

① 《郎考》“邁”字前缺姓。
② 《郎考》“遠”字前原缺二字。
③ 《新唐》作“鞏悉籠獵贊”，係同名異譯，今從《舊唐》。
④ 新、舊《唐書》本傳皆云温大有字彦將，《新表》則作彦將字大有，互異，今據考定應是彦將爲名，大有爲字，詳見温大雅名下注文。

1 舊唐13/165/4314	**8** 全文132/11B	**19**姓纂4/11B
2 新唐12/91/3784	**19**姓纂4/11B	4/12A
5 新表9/72中/2662	**27**郡齋2上/10A	**53**溫輔國
7 新志5/59/1523	**28**直齋4/32B	**1** 舊唐13/165/4314
5/60/1607	溫克讓	**60**溫皎
8 全文730/11A	**5** 新表9/72中/2661	**5** 新表9/72中/2663
20郎考1/44A	**19**姓纂4/11B	**19**姓纂4/12A
26方鎮4/5A	溫克修	溫早
4/152A	**40**十國103/5B	**5** 新表9/72中/2663
36溫邈	溫克明	溫景倩
2 新唐12/91/3786	**5** 新表9/72中/2661	**1** 舊唐13/165/4314
5 新表9/72中/2662	**19**姓纂4/11B	**5** 新表9/72中/2662
37溫初	溫睿微	**64**溫晧
5 新表9/72中/2665	**20**郎考11/4B	**5** 新表9/72中/2663
19姓纂4/12A	**42**溫韜(彥韜、昭圖)	**19**姓纂4/12A
38溫道沖	**3** 舊五3/73/961	**67**溫昭圖　見溫韜
5 新表9/72中/2665	**4** 新五2/40/441	**68**溫曦
19姓纂4/12A	**51**溫振	**2** 新唐12/91/3783
40溫大雅(彥弘、孝)	**1** 舊唐7/61/2362	**5** 新表9/72中/2663
1 舊唐7/61/2359⑦	**2** 新唐12/91/3783	**19**姓纂4/12A
2 新唐12/91/3781	**5** 新表9/72中/2663	**72**溫氏(李邕妻)
5 新表9/72中/2661	**19**姓纂4/11B	**8** 全文945/3B
6 舊志6/46/1998	**52**溫挺	**77**溫履言
7 新志5/58/1467	**1** 舊唐7/61/2362	**5** 新表9/72中/2664
5/58/1471	**2** 新唐12/91/3783	**19**姓纂4/12A
5/58/1477	**5** 新表9/72中/2664	溫丹徒

① 《新唐》"庭"作"廷","皓"作"晧",今從《舊唐》。

② 《直齋》原作"逢皓",與段成式、溫庭筠、余知古、韋蟾、徐商等在襄陽時倡和詩什編集爲《漢上題襟集》。夏承燾《溫飛卿繫年》(見《唐宋詞人年譜》)云:"《文獻通考》無逢皓,有崔皎。案逢皓、崔皎皆庭皓之誤。《全唐詩》:'溫庭皓初爲襄陽徐商從事。'"按溫庭皓爲庭筠弟,可參見《唐摭言》卷十、《唐詩紀事》卷五十八等。今據夏說改逢皓爲溫庭皓。

③ 《新唐》"庭"作"廷",今從《舊唐》作"庭",《新志》亦作"庭"。

④ 《新表》作"溫早","早""章"形近,未知孰是,今從《姓纂》。

⑤ 《新表》作"溫衮",今從《姓纂》作"溫襄"。

⑥ 《姓纂》"胤"作"允",係清人避諱改,今據《新表》改正。

⑦ 按溫大雅另有弟大臨、大有。其兄弟三人之名與字,新、舊《唐書》本傳及《新表》所載,極爲矛盾歧異。《舊唐書·溫大雅傳》謂大雅字彥弘;弟彥博,未載字;弟大有,字彥將;《新唐書·溫大雅傳》謂大雅字彥弘;弟彥博,字大臨;弟大有,字彥將。《新表》則云溫大雅,字彥弘;彥博,字大臨;彥將,字大有。北宋時歐陽修《集古錄跋》已注意及此,而未有確解。南宋時洪邁《容齋隨筆》解之顏詳,今錄如下,以供研討。《容齋四筆》卷十一《溫大雅兄弟名字》條云:"《新唐書》,溫大雅字彥弘,弟彥博字大臨,大有字彥將,《舊史》不載彥博字,它皆同。三溫,兄弟也,而兩人以大爲名,彥爲字,一以彥爲名,大爲字。《宰相世系表》則云彥將字大有,而博、雅與傳同,讀者往往致疑。歐陽公《集古錄》引《顏思魯制》中書舍人彥將行,蓋《表》爲是,然則惟彥博異耳,故或以爲誤。……(予)後見《大唐創業起居注》,大雅所撰,其中云:'煬帝遣使至太原,溫彥將宿於城西門樓上,首先見之。報兄彥弘,馳以啓帝,帝方臥,聞而驚起,執彥弘手而笑。'據此,則三溫之名皆從彥,而此書首簡乃云大雅奉敕撰,不應於其間敢自稱字。已而詳考之,高宗太子弘爲武后所酖,追尊爲孝敬皇帝,廟曰義宗,列於太廟,故諱其名。如弘文館改爲昭文,弘農縣改爲恆農,徐弘敏改爲有功,韋弘機但爲機,李含光本姓弘,易爲李,曲阿弘氏易爲洪,則大雅之名,後人追改之也。……"據洪邁所考,則溫氏兄弟之名,皆從彥,即溫彥弘(字大雅),溫彥博(字大臨),溫彥將(字大有)。以大雅爲名者,乃後人因避太子弘諱而追改之,但唐宋時諸書所載多作溫大雅,故本書仍以大雅爲主目,而彥弘作參見條。至彥博、彥將,則各從其本名,而改正《新傳》之誤。

2 新唐19/217下/6133

遇

15遇臻
　81景德26/20A
27遇緣衢州南禪
　81景德21/18B
　遇緣衢州鎮境
　81景德22/3B
30遇寧
　81景德26/26A
　遇安（善智禪師、朗智禪
　師）杭州光慶寺
　68咸淳臨安70/7A
　81景德26/16A
　遇安溫州瑞鹿寺
　81景德26/19B

邊

11邊玕
　3 舊五5/128/1693
　8 全文865/11B
17邊玼（待價）
　3 舊五5/128/1693
　25登科26/7A
　邊承斐
　8 全文403/7B
　20郎考16/10A
22邊鸞
　30歷畫10/200
　31唐畫6/13A
　35畫譜15/3B
　38圖繪2/17B
27邊歸讜（安正）
　8 全文861/16B
　邊魯
　8 全文862/1A
35邊沖寂
　21御考1/21B
44邊蔚（得昇）
　3 舊五5/128/1692
　8 全文858/13B

56邊操
　3 舊五5/128/1692
77邊鳳
　76齊乘6/38B
　邊岡
　7 新志5/59/1548
80邊鎬（康樂、邊和尚、邊佛
　子、邊菩薩）
　40十國22/6A
　43馬書11/7A
　44陸書2/6B
90邊光範（子儀）
　8 全文862/8A

3630₃ 還

76還陽子
　7 新志5/59/1524

3711₂ 氾

10氾雲將
　8 全文396/1A
　19姓纂9/26A④
　21御考3/17A
　　　3/20A
　　　3/22A
27氾叔敖
　19姓纂9/26A

3711₄ 泥

04泥孰　見咄陸可汗
　泥孰匐
　1 舊唐16/194上/5166
　2 新唐19/215上/6042
36泥涅師師
　1 舊唐16/198/5311
　2 新唐20/221下/6244
　泥涅師
　2 新唐20/221下/6259

3712₀ 洞

28洞谿和尚
　81景德20/23A

30洞安和尚
　81景德8/13B
67洞明（真覺大師）
　81景德24/12A

3712₇ 滑

00滑廣
　19姓纂10/24B

鴻

24鴻休
　80宋僧23/5B
30鴻究（妙濟大師）
　81景德12/17A
44鴻莒
　80宋僧25/13B
　鴻楚（方外）
　80宋僧25/12B

3713₂ 淥

12淥水和尚
　81景德11/11B

3714₆ 潯

　潯
　21御考2/24A⑤
76潯陽公主
　2 新唐12/83/3666

3714₇ 沒

04沒謹忙
　2 新唐20/221下/6251
　沒諾干（王五哥）
　3 舊五3/54/725
21沒盧贄心牙
　2 新唐19/216下/6105
74沒陵贊
　2 新唐20/221下/6257

3715₆ 渾

10渾正元
　5 新表11/75下/3380

---

① 勞格《讀書雜識》卷八《讀全唐文札記》謂《文苑英華》卷五一七作楊浚。
② 《新唐》作“迦獨邏”，係同名異譯，今從《舊唐》。
③ 《新唐》作“暹盛炎”，係同名異譯，今從《舊唐》。
④ 《姓纂》無“將”字，今據岑仲勉《元和姓纂四校記》考定改正。
⑤ 《御考》“潯”前原缺二字。

40十國14/1A
44祖孝孫
　1 舊唐8/79/2709
　20郎考3/79B
77祖鳳成
　19姓纂6/28A
　21御考2/25A③
90祖惜
　19姓纂6/28A

3722₀ 初

初
　7 新志5/59/1537④

3722₇ 祁

21祁順　見祁順之
祁順之
　19姓纂2/4B⑤
　20郎考2/12B
　21御考3/29B
72祁岳
　38圖繪　補遺/3A

3723₂ 禄

26禄和尚
　81景德21/9B
30禄注
　19姓纂10/7A⑥
35禄清和尚
　81景德15/12A
38禄裕
　19姓纂10/7A⑦
50禄東贊
　19姓纂10/7B

3730₂ 通

26通和尚
　81景德24/16A
28通微子
　7 新志5/59/1541

34通達
　79續僧34/21B
36通禪師 廣州和安寺
　81景德9/11A
　通禪師(證真大師)益州北院
　81景德17/14A
　通禪師 杭州龍井
　81景德19/4A
77通闍梨
　79續僧35/17A

過

04過訥(含章)
　25登科22/36B

3730₃ 逯

21逯仁傑
　20郎考11/65B

3730₄ 逢

12逢弘敏
　19姓纂1/16B⑧
21逢行珪
　6 舊志6/47/2037
　7 新志5/59/1517
　　5/59/1544
　8 全文163/7B⑨
　28直齋9/21A⑩

逢

12逢弘敏　見逢弘敏
24逢皓　見溫庭皓

3772₀ 朗

23朗然
　80宋僧15/3B
30朗寧公主
　2 新唐12/83/3671
34朗法
　39書史5/38B
36朗禪師

81景德23/8A

3772₇ 郎

21郎穎(楚之、平)
　1 舊唐15/189下/4961
　2 新唐18/199/5659
　6 舊志6/47/2073
　7 新志5/60/1598
22郎炎
　2 舊唐15/187上/4885
40郎大家宋氏
　11全詩11/801/9008
郎士元(君冑)
　7 新志5/60/1610
　11全詩4/248/2780
　15中興下/284
　16極玄上/332
　17紀事下/43/649
　18才子3/43
　25登科9/33B
　27郡齋4上/22A
　28直齋19/7B
44郎蔚之
　1 舊唐15/189下/4961
郎楚之　見郎穎
50郎蕭
　8 全文805/10B
86郎知運
　1 舊唐15/189下/4961
郎知年
　2 新唐18/199/5659
　20郎考7/2A
88郎餘慶
　1 舊唐15/189下/4961
　2 新唐18/199/5660
　6 舊志6/47/2075
　7 新志5/60/1600
郎餘令
　1 舊唐15/189下/4961
　2 新唐18/199/5659

---

① 《才子》作"淡交"，今從《全詩》、《紀事》作"澹交"。
② 《姓纂》作"祖穎"，無"元"字，今據岑仲勉《元和姓纂四校記》考定改正。
③ 《御考》原缺"成"字。《元和姓纂》有祖莊生鳳成，殿中御史，當即同一人，今據補。
④ 《新志》"初"字前缺姓。《新志》云"魯人名初，不著姓，大中人"。
⑤ 《姓纂》作"祁順"，無"之"字，今據岑仲勉《元和姓纂四校記》考定改正。
⑥ 岑仲勉《元和姓纂四校記》謂"禄注"即"鹿注"，見《姓纂》10/5B。
⑦ 岑仲勉《元和姓纂四校記》謂"禄裕"即"鹿裕"，見《姓纂》10/5B。
⑧ 《姓纂》作"逢弘敏"，岑仲勉《元和姓纂四校記》云當是逢弘敏。今從之。
⑨⑩ 《全文》、《直齋》"逢"皆作"逢"，今據新、舊《唐志》改正。

7 新志5/58/1483
11 全詩2/72/791
17 紀事上/7/90
25 登科27/2 B
30 歷畫9/182
38 圖繪2/22 B

3780₆ 資

31 資福和尚
　81 景德22/15 B
60 資國和尚
　81 景德16/9 A

3813₇ 冷

10 冷元琇
　30 歷畫9/184
　31 唐畫6/16 A
47 冷朝陽
　8 全文513/1 A
　11 全詩5/305/3471
　17 紀事上/30/478
　18 才子4/63
　19 姓纂5/16 A
　25 登科10/25 A
冷朝光
　11 全詩11/773/8767

冷

23 冷然
　11 全詩12/825/9296
　17 紀事下/73/1074

3814₇ 游

00 游方
　8 全文365/1 A
08 游詳
　19 姓纂5/30 A
　20 郎考16/3 B①
17 游子騫
　19 姓纂5/30 A
　21 御考1/16 A
　2/9 B
21 游仁宗
　19 姓纂5/30 A
38 游祥　見游詳
44 游恭
　25 登科27/23 B
　40 十國11/5 A
　43 馬書10/5 A

44 陸書3/7 B
50 游中台
　19 姓纂5/30 A
88 游簡言(敏中、宜靖)
　40 十國21/9 A
　43 馬書10/5 A
　44 陸書3/7 B

3815₇ 海

10 海雲 貞觀時
　8 全文904/13 A
海雲 約唐末
　80 宋僧27/16 A
21 海順
　8 全文903/1 A
　11 全詩12/808/9115
　79 續僧15/10 A
37 海湖和尚
　81 景德16/20 B
55 海慧(仲休)
　65 會稽志15/40 B
57 海蟾子
　7 新志5/59/1524
60 海晏
　81 景德16/13 A
77 海印
　11 全詩11/805/9061
　17 紀事下/79/1136

3816₇ 滄

32 滄州米倉和尚
　81 景德12/14 A
34 滄浩
　11 全詩12/850/9627
　17 紀事下/76/1100
　18 才子3/45

3821₁ 祚

99 祚榮　見大祚榮

3825₁ 祥

26 祥和尚 福州安國院
　81 景德22/7 A
祥和尚(實性大師)韶州白雲
　81 景德22/13 B

3826₈ 裕

36 裕禪師
　81 景德24/17 A

3830₃ 遂

02 遂端
　80 宋僧25/10 B
30 遂安公主
　2 新唐12/83/3645

3830₄ 遵

08 遵誨
　80 宋僧28/3 A
40 遵古
　81 景德15/20 B

3830₆ 道

道
　21 御考3/44 A②
00 道亮 姓趙，越州人
　79 續僧29/2 B
道亮 姓朱，越州人
　80 宋僧8/14 A
道彥
　12 詩逸中/10208
道齊 姓趙，錢塘人
　80 宋僧29/18 A
道齊 姓金，洪州人
　81 景德26/26 B
道膺(弘覺大師)
　80 宋僧12/13 A
　81 景德17/2 B
道育
　80 宋僧23/12 A
道慶
　79 續僧14/23 A
01 道顏
　79 續僧36/35 A
03 道誠 貞觀時
　79 續僧24/5 A
道誠(通法大師)五代宋初
　81 景德26/24 A
08 道詮
　81 景德24/16 B
道謙 唐初
　79 續僧16/6 B
道謙 五代
　81 景德23/7 B
10 道一(大寂禪師)
　80 宋僧10/1 A
　81 景德6/1 B
道丕(廣智)

80宋僧17/24A

道璋
　79續僧31/11B

道吾和尚
　81景德11/14A

12道惢
　79續僧16/6A

18道玠
　31唐畫6/17A

20道信（大醫禪師）
　79續僧26/13B
　81景德3/13B

21道順
　79續僧36/13B

道行澧州開元寺
　80宋僧20/12A
　81景德6/8A

道行廣州羅浮山
　80宋僧20/18A

道虔（大覺禪師）筠州九峯
　81景德16/10A

道虔隨州雙泉山
　81景德23/19A

道綽
　7　新志5/59/1529
　79續僧24/20B

22道岸
　80宋僧14/10B

道幽
　81景德17/11B

23道俊
　80宋僧8/14B

道蠍
　81景德12/15B

24道休
　79續僧37/22B

道怤（順德大師）
　40十國89/3B
　80宋僧13/10B
　81景德18/12A

25道傑
　79續僧15/26B

道積益州福威寺
　79續僧38/8A

道積蒲州普救寺

79續僧39/17A

26道和（祖照禪師）
　52仙溪志3/10B

27道舟
　80宋僧23/15A

30道宣（澄照）
　6　舊志6/46/2005
　　　　6/47/2030
　　　　6/47/2079
　7　新志5/59/1525
　　　　5/59/1526
　8　全文909/1A
　9　拾遺49/10A
　73吳興志17/19B
　80宋僧14/1A
　82內典5/282
　83開元錄8/562
　85貞元新錄12/862

道濟
　79續僧16/1B

道宗撰《續高僧傳》
　7　新志5/59/1529

道宗京師勝光寺
　79續僧13/13B

道宗同州大興國寺
　79續僧16/11A

31道潛（慈化定慧禪師）
　40十國89/10B
　80宋僧13/16A
　81景德25/14A

32道澄（大圓）
　80宋僧16/2A

33道溥（弘教大師）
　81景德19/7A

道邃
　10續拾8/2B
　80宋僧29/9A

34道洪
　79續僧18/14B

35道清
　8　全文921/10B

36道禪師
　81景德9/11B

37道鴻（通辯禪師）
　81景德26/5B

道通
　80宋僧10/6B
　81景德6/9A

38道祥
　73吳興志17/20B

道遵（宗達）蘇州支硎山
　80宋僧27/3A

道遵和尚（法雲大師）潭州
水西南臺
　81景德22/15A

40道希
　81景德21/8A

41道標（西嶺和尚）
　68咸淳臨安70/5A
　80宋僧15/17A

44道基
　7　新志5/59/1527

道芬
　30歷畫10/204
　38圖繪2/25B

道恭
　8　全文905/2B
　11全詩12/808/9115

道英蒲州普濟寺
　79續僧34/17B

道英京兆海寺
　80宋僧18/25A

道世　　見玄惲

道樹
　80宋僧9/18A
　81景德4/17B

道林同州大興國寺
　79續僧23/3A

道林杭州鳥窠
　81景德4/12A

47道翹
　7　新志5/59/1531

道超
　80宋僧5/17B

50道冑
　79續僧29/1③

51道振
　8　全文919/13A

52道虬
　73吳興志17/21A

道哲
79續僧24/3 B
53道成
80宋僧14/5 B
58道撫唐初
79續僧13/19 B
道撫貞觀時
79續僧24/22 B
60道旽
79續僧25/7 B
道因
80宋僧2/10 A
道昂
79續僧24/1 B
道圓
81景德26/18 B
61道晤(實相大師)
80宋僧29/10 A
67道明壽陽楞伽寺
10續僧8/5 A
道明袁州蒙山
81景德4/16 A
道明袁州南源
81景德6/10 A
72道隱寧州南山二聖院
80宋僧29/10 A
道隱并州廣福寺
81景德23/22 A
道刪
79續僧15/7 A
道岳
7 新志5/59/1527
79續僧15/19 B
77道堅元和時
80宋僧10/4 B
道堅五代宋初
81景德26/27 B
道殷
81景德21/17 B
道熙
40十國99/5 A
81景德22/9 B
道興
79續僧29/4 A
道賢
80宋僧25/14 B

道閑(法寶禪師)福州羅山
40十國99/7 B
81景德17/18 B
道閑杭州餘杭功臣院
81景德22/3 A
78道鑒
80宋僧18/16 B
80道慈
81景德26/25 A
道義
80宋僧21/4 A
道會
8 全文905/5 A
11全詩12/808/9117
79續僧32/9 B
道氤
7 新志5/59/1529
8 全文914/15 A
80宋僧5/9 A
87道欽（國一、徑山禪師、大覺禪師）杭州徑山
39書史5/38 B
68咸淳臨安70/4 A
81景德4/11 B
道欽（義禪師）金陵鍾山
81景德25/11 A
道欽鄞州興陽山
81景德24/15 B
88道簡（昭化禪師）
81景德20/6 B
90道光
80宋僧14/25 A
道常
81景德25/23 A
91道悟
80宋僧10/11 B
81景德14/3 B

3860₄ 啓

17啓柔
81景德23/5 A
44啓芳
80宋僧24/6 A

3912₀ 沙

11沙瑟畢
2 新唐20/221下/6248
12沙延祚
40十國51/9 B
17沙承贊
25登科27/23 B
62沙吒忠義
19姓纂5/7 B①
沙吒阿博　見舍利阿博
73沙陀忠儀　見沙吒忠義
77沙門紹
9 拾遺50/7 A
沙門逸
9 拾遺49/21 A
85沙鉢羅頡利發
2 新唐20/221下/6255
沙鉢羅咥利失可汗
1 舊唐16/194下/5183
2 新唐19/215下/6058

3918₉ 淡

00淡交　見澹交
23淡然
11全詩12/851/9633

3930₂ 逍

32逍遥和尚
81景德8/16 A

3930₉ 迷

44迷地
1 舊唐16/198/5316
2 新唐20/221下/6263

3940₄ 娑

27娑匐俟利發歌濫拔延
2 新唐19/217下/6140
44娑葛
1 舊唐16/194下/5190
2 新唐19/215下/6066
8 全文194下/2 A
60娑固
1 舊唐16/199下/5352
2 新唐20/219/6170

3950₂ 挲

20挲悉籠臘贊　見婆悉籠臘
贊

---

① 《姓纂》作"沙陀忠儀"，今據岑仲勉《元和姓纂四校記》考定改正。

4000₀ 乂

24乂德
　79續僧34/20B

4001₇ 九

22九峻山和尚
　81景德15/20B
31九江公主
　2 新唐12/83/3644

4003₀ 大

00大度設
　1 舊唐16/199下/5345
　2 新唐19/217下/6135
01大諲譔
　4 新五3/74/920
11大悲和尚
　81景德12/19A
13大武藝（武藝）
　1 舊唐16/199下/5360
　2 新唐20/219/6181
15大珠（慧海禪師）
　65會稽志15/38A
20大乘山和尚
　81景德23/21B
21大仁秀（仁秀）
　1 舊唐16/199下/5363
　2 新唐20/219/6181
　大行
　80宋僧24/12A
22大川漢州棲賢寺
　80宋僧20/5B
　大川和尚（大湖）潭州
　81景德14/9B
　大嵩璘（嵩璘）
　1 舊唐16/199下/5362
　2 新唐20/219/6181
　大嶺和尚
　81景德17/24B
27大彝震
　1 舊唐16/199下/5363
28大儀
　80宋僧5/1B
30大渡可汗　見咄陸可汗
　大安（圓智大師）福州人
　80宋僧12/9B
　81景德9/9A

大安湘州人
　80宋僧4/18B
33大浪和尚
　81景德23/22A
37大湖　見大川和尚
38大祚榮（祚榮）
　1 舊唐16/199下/5360
　2 新唐20/219/6179
　4 新五3/74/920
40大壽
　2 新唐19/217下/6141
41大顛
　81景德14/10B
44大梵和尚
　81景德20/8B
　大茅和尚
　81景德10/14B
57大靜
　53赤城志35/4A
60大易
　11全詩12/810/9134
　大愚
　11全詩12/825/9297
71大歷和尚
　81景德24/17B
　大願
　80宋僧4/12B
76大陽和尚
　81景德8/10B
77大覺魏府
　81景德12/8B
　大覺和尚廬州
　81景德12/19A
　大同（慈濟大師）
　80宋僧13/4A
　81景德15/6A
　大門藝（門藝）
　1 舊唐16/199下/5361
　2 新唐20/219/6181
　大閑
　12詩逸中/10212
80大慈
　80宋僧14/4A
　大義（慧覺禪師）信州鵝湖
　81景德7/4B
　大義（元貞）越州稱心寺
　80宋僧15/4B
　大善和尚

81景德8/9A
　大乞乞仲象
　4 新五3/74/920
86大智
　81景德6/14B
90大光
　80宋僧24/15A

太

00太康公主
　2 新唐12/83/3675
10太平公主
　1 舊唐14/183/4738
　2 新唐12/83/3650
17太乙真君
　11全詩12/862/9748
21太上隱者
　11全詩11/784/8850
26太白山玄士
　11全詩12/862/9749
　太和公主唐代宗女
　2 新唐12/83/3663
　太和公主五代南唐李昇女
　40十國19/14A
30太寧公主
　40十國19/14B
44太華公主
　2 新唐12/83/3659
60太易
　17紀事下/76/1099
　18才子3/45
71太原妓
　11全詩11/802/9024
80太毓（大寶禪師）
　59毗陵志25/5A
　80宋僧11/7B
　81景德7/6A

4003₄ 爽

26爽和尚
　81景德22/16B

4010₀ 士

80士義總
　19姓纂6/7A
　20郎考11/1A
　　　　　13/1B
　士義惣　見士義總

4010₁ 左

00左文通
- 30歷畫9/196
- 38圖繪2/26B

10左元澤
- 53赤城志35/11A

21左偃
- 11全詩11/740/8443

30左牟(德膠)
- 8 全文762/7A
- 11全詩9/552/6397①
- 17紀事下/55/839
- 25登科22/7B②

35左禮
- 35畫譜3/2B
- 36圖誌
- 38圖繪2/27A

40左難當
- 19姓纂7/9A

77左興宗
- 39書史5/28B

80左全
- 32益畫上/7B
- 36圖誌2/29
- 38圖繪2/20B

90左光允
- 8 全文403/1B

左光嗣
- 8 全文408/14B

4010₄ 臺

34臺濛(頂雲)
- 2 新唐17/189/5479
- 26方鎮5/75B
- 40十國5/8B
- 41九國1/6B

4010₆ 查

00查文徽(光慎、宣)
- 11全詩11/757/8609
- 40十國26/12B
- 43馬書21/7B
- 44陸書2/4B
- 63新安志6/11A

10查元方
- 40十國26/14B

77查陶(大鈞)

- 63新安志6/11A

4010₇ 直

48直幹　見真幹

4022₇ 南

00南康公主
- 2 新唐12/83/3668

南唐元宗　見李璟

南唐元宗光穆皇后鍾氏
- 40十國18/3A
- 43馬書6/2B
- 44陸書13/2A

南唐烈祖　見李昇

南唐烈祖元敬皇后宋氏
　（宋福金）
- 40十國18/1B
- 43馬書6/1B
- 44陸書13/1A

南唐烈祖順妃王氏
- 40十國18/1A

南唐烈祖夫人种氏（种時
　光）
- 40十國18/2B
- 43馬書6/2A
- 44陸書13/1B

南唐後主　見李煜

南唐後主繼國后周氏
- 40十國18/6B
- 43馬書6/8A
- 44陸書13/3B

南唐後主保儀黃氏
- 40十國18/7B
- 43馬書6/9A
- 44陸書13/4A

南唐後主昭惠國后周氏
　（周娥皇）
- 40十國18/3B
- 43馬書6/3B
- 44陸書13/2B

南唐先生　見李昇

南唐失名僧
- 11全詩12/851/9630

南唐吳國太夫人凌氏
- 40十國18/3B

07南郭維　見夏侯維

南郭締　見夏侯締

南郭處讓　見夏侯處讓

南郭處信　見夏侯處信

南郭處節　見夏侯處節

南郭綏　見夏侯綏

南郭紳　見夏侯紳

南郭收　見夏侯收

南郭澧　見夏侯澧

南郭雄　見夏侯雄

南郭銛　見夏侯銛

南詔驃信
- 11全詩11/732/8373

10南霽雲
- 2 新唐18/192/5542

南平公主
- 2 新唐12/83/3645

17南承嗣
- 2 新唐18/192/5543

21南卓(昭嗣)
- 7 新志5/57/1437
- 　　　5/58/1467
- 　　　5/60/1618
- 9 拾遺29/2B
- 11全詩9/563/6535
- 17紀事下/54/820
- 25登科20/24A
- 26方鎮6/49A
- 27郡齋1上/25A
- 28直齋14/3B

22南嶽南臺和尚
- 81景德20/7B

30南宮說
- 7 新志5/59/1547
- 19姓纂5/41A

南宮傅
- 19姓纂5/41A

34南漢高祖　見劉龑

南漢高祖皇后馬氏
- 40十國61/2A

南漢烈宗　見劉隱

南漢武皇后韋氏
- 40十國61/1B

南漢殤帝　見劉玢

南漢後主　見劉鋹

南漢後主貴妃李氏
- 40十國61/2B

南漢後主美人李氏
- 40十國61/2B

南漢太妃趙氏
- 40十國61/2A

---

① 《全詩》"左牟"作"弋牟",並注云"一作左牟"。按《全文》、《紀事》皆作"左牟",今從之。
② 《登科》"左牟"作"尤牟",今從《全文》作"左牟"。
③ 《十國》"辯"原作"辨",今從《景德》改。
④ 《新志》作"希還"。據點校本《新唐書》卷五九校勘記一考定此"希還"疑是"希遷"之訛。
⑤ 《全唐文》卷七九九皮日休《皮子世錄》作皮瓛叔,爲日休從祖,係同一人。遷、瓛字異,未知孰是。

11全詩12/851/9634
17紀事下/76/1100
32志澄（積善大師）
　　81景德26/24 B
34志滿
　　80宋僧10/3 B
　　志遠
　　80宋僧7/1 A
37志鴻（儼）
　　80宋僧15/9 B
　　志通
　　80宋僧23/13 B
　　志逢（伏虎禪師、大扇和
　　　尚、善覺大師）
　　40十國89/11 B
　　68咸淳臨安70/6 B
　　81景德26/11 B
　　志罕
　　81景德17/24 A
　　志朗（圓朗大師）
　　81景德23/24 A
38志道
　　81景德5/11 A
44志勤
　　81景德11/8 A
47志超
　　79續僧24/14 B
50志忠（廣濟禪師）
　　52仙溪志3/10 B
56志操
　　81景德23/17 B
57志靜
　　8 全文912/14 A
60志恩
　　81景德24/13 A
　　志圓（顯教大師）
　　81景德17/20 A
77志賢（大遠禪師）
　　80宋僧9/12 A
　　志閑唐憲宗元和時
　　80宋僧10/11 B
　　志閑唐昭宗乾寧時
　　81景德12/11 A

4040₁ 幸

27幸黌遜　見幸寅遜
30幸寅遜
　　8 全文891/23 A

11全詩11/761/8644①
40十國54/1 A
40幸南容
　　25登科13/14 A
51幸軒
　　25登科23/11 A

4040₇ 支

08支詳
　　26方鎮3/31 A
13支戩
　　40十國11/6 B
20支喬
　　8 全文683/25 B
25支仲元
　　35畫譜3/2 A
　　36圖誌2/41
　　38圖繪2/27 A
27支叔才
　　2 新唐18/195/5580
37支逸文　見睦逸文
57支蟾（慈悟禪師）
　　40十國89/12 A

李

00李主簿
　　11全詩12/879/9953
　　李主簿姬
　　11全詩11/801/9019
　　李亶　見唐明宗
　　李亶（景信）正基子
　　5 新表8/72上/2448
　　李亨　見唐肅宗
　　李亨（嘉會）正基子
　　5 新表8/72上/2453
　　李充蘭子，伊闕令
　　5 新表8/72上/2569
　　李充
　　10續拾4/17 B②
　　李競
　　53赤城志8/15 A
　　李亢延休子
　　5 新表8/72上/2571
　　李亢撰《獨異志》
　　7 新志5/59/1541③
　　李亮虎子
　　2 新唐11/78/3527
　　李亮演閦子

5 新表8/72上/2555
李彥
　　5 新表8/72上/2542
李彥方悌子
　　5 新表8/72上/2513
李彥方貞元十七年進士
　　25登科15/1 A④
李彥頵（德循）
　　3 舊五5/129/1700
李彥球
　　3 舊五3/53/721
李彥琮
　　1 舊唐16/191/5098
　　5 新表8/72上/2588
李彥琦（子溫）
　　41九國7/12 A
李彥珣
　　3 舊五4/94/1256
李彥弼
　　3 舊五4/91/1207
李彥允
　　20郎考5/1 B⑤
　　　　15/10 B
　　21御考3/28 B
　　　　3/31 B
　　　　3/39 A
　　　　3/40 A
李彥佐
　　26方鎮1/49 A
　　　　1/76 A
　　　　1/77 B
　　　　3/6 B
　　　　3/27 B
　　　　4/91 A
李彥德
　　40十國42/1 B
李彥徽
　　73吳興志14/32 B
李彥從（士元）
　　3 舊五5/106/1397
李彥之
　　5 新表8/72上/2517
李彥賓
　　10續拾7/15 B
李彥遠
　　11全詩5/311/3516⑥
　　17紀事上/29/450
李彥韜

① 《全詩》"寅"作"夤",今從《全文》、《十國》。
② 按,《新表》之李充,蘭子,伊闕令。《續拾》之李充,唐德宗貞元中官大中大夫、守京兆尹、上護軍。時代相近,官職不同,未能確定是否即爲一人。今分列,備考。
③ 按,《新表》之李充,延休子,慈州別駕,約唐玄宗時。《新志》之李充,乃撰《獨異志》者,似當爲二人。今分列,備考。
④ 按,《新表》之李彦方,僅知其爲悌子,未注官職。《登科》之李彦方,唐德宗貞元十七年登進士第。時代相近,而身世、仕履皆不詳,未能確定是否即爲一人。今分列,備考。
⑤ 《郎考》此處原作"李彦□",勞格謂以時代核之,此闕字當是"允"字。按勞説是,《郎考》卷十五、《御考》卷三等有李彦允,今據補。
⑥ 《全詩》原注:"遠一作暉。"
⑦ 《姓纂》"管"原作"誉",今據岑仲勉《元和姓纂四校記》考定改正。
⑧⑨ 《登科》"玄"作"元",係清人避諱改,今據《新唐書》本傳改正。

5 新表8/72上/2570

李應
　5 新表8/72上/2556
　8 全文615/23A
　9 拾遺26/4B
　11全詩6/368/4143
　17紀事上/33/513
　20郎考11/35B
　　　12/35A
　25登科14/1B
　73吳興志14/28B

李應規
　1 舊唐14/176/4566

李康 撰《明皇政錄》
　7 新志5/58/1468

李康 撰《玉臺後集》
　7 新志5/60/1623
　27郡齋4下下/2B①
　28直齋15/7B②

李康 東川節度使
　26方鎮6/76A③

李康成
　8 全文358/7B④
　11全詩3/203/2128

李康成 見李康

李康時
　5 新表8/72上/2458

李庚
　8 全文740/1A
　25登科27/19A
　26方鎮6/39B

李庭
　21御考2/9B⑤

李庭言
　5 新表8/72上/2462
　21御考2/25B

李庭誨
　20郎考16/6B
　21御考2/10B
　　　2/40A

李庭弼
　5 新表11/75下/3452

李庭秀
　5 新表8/72上/2559

李庭芝
　52仙溪志4/5A

李庭光
　5 新表8/72上/2560

李度
　25登科26/30B

李慶
　5 新表8/72上/2454

李慶孫
　5 新表8/72上/2461

李慶業
　5 新表8/72上/2560

李慶遠
　5 新表8/72上/2467

李唐
　40十國72/9A

李唐賓
　3 舊五1/21/287
　4 新五1/21/212

李唐卿
　5 新表8/72上/2558

李廙
　20郎考3/36A
　　　4/19B

李廣弘
　1 舊唐12/144/3920
　2 新唐16/156/4907

李廣利
　5 新表8/72上/2569

李廣業
　2 新唐11/78/3530

李文
　3 舊五1/15/206

李文孺
　48寶慶四明1/16A
　49延祐四明2/2A

李文禮
　7 新志5/58/1495

李文通
　5 新表8/72上/2565

李文才
　32益畫中/7A
　38圖繪2/39A
　40十國56/11A

李文楷
　5 新表8/72上/2443

李文蔚
　25登科3/23A

李文幹
　5 新表8/72上/2482

李文敬
　5 新表8/72上/2516

李文素
　25登科27/6A

李文成
　7 新志5/59/1536

李文則 德琰子，約高宗、武后時
　5 新表8/72上/2515

李文則 唐德宗時
　9 拾遺24/17B⑥

李文暕
　1 舊唐7/60/2345
　2 新唐11/78/3534

李文長
　5 新表8/72上/2577

李文用
　40十國11/7A

李文舉
　53赤城志8/21A
　71嚴州1/30B

李文範
　5 新表8/72上/2515

李文尚
　5 新表8/72上/2493

李文炳
　5 新表8/72上/2518

李文悅
　26方鎮1/75A
　　　3/16B

李章
　11全詩11/773/8767
　40十國10/12B⑦
　43馬書9/4B

李章武（子飛）
　11全詩8/516/5901
　17紀事下/59/902
　25登科27/10B

李章甫 見李仍叔

李交
　5 新表8/72上/2579

李奕 益子
　5 新表8/72上/2453
　7 新志5/58/1485
　8 全文536/15A

李奕 元子
　5 新表8/72上/2571

李奕
　20郎考10/8B⑧

李辨 仲宣子
　5 新表8/72上/2501

①② 《郡齋》、《直齋》作"李康成"，撰《玉臺後集》，與《新志》所載同。但《新志》作"李康"，未詳孰是。今姑據《新志》作李康，另出李康成作參見條。
③ 按《新志》5/58/1468之李康，撰《明皇政錄》十卷，似爲中唐時人。《新志》5/60/1623之李康，撰《玉臺後集》十卷，排列於元思敬《詩人秀句》、孫翌《正聲集》前，當爲唐玄宗時或唐玄宗以前人。《方鎮》之李康，唐順宗永貞元年爲東川節度使。當爲三人，今分列，備考。
④ 按《全文》之李康成，唐玄宗天寶時人，並據《全詩》小傳，乃與李白、杜甫同時，當有過往，係同一人。此與撰《玉臺後集》之李康成時代亦相近，未知是否即爲一人。今姑分列，備考。
⑤ 《御考》"庭"後原缺一字。
⑥ 按《新表》之李文則，其祖祖欽，爲隋總管府長史，文則本人約當高宗、武后時人。《拾遺》之李文則，陸心源以爲建中朝人，即唐德宗時。時代不合，當係二人。
⑦ 《十國》原注："李章一作季章。"
⑧ 《郎考》作"李澳"，勞格謂疑"李奕"。又此李奕未能確定屬於何人，今分列，備考。
⑨ 《舊唐》原作"李諺"，附見《李淳風傳》，云："子諺，孫仙宗，並爲太史令。"《新唐》卷二〇四《李淳風傳》云："子該，孫仙宗，並擢太史令。"則李諺、李該爲一人。岑建功《舊唐書校勘記》卷三十七云："沈本、影宋本諺作該。"據此，則似作該是，今從《新唐書》。

李訓唐高祖時
　1 舊唐7/64/2428
　2 新唐11/79/3551
李訓（仲言、子垂）唐文宗時
　1 舊唐13/169/4395
　2 新唐17/179/5309
　25登科19/29 B
李證　見李澄
李託
　40十國66/3 A
李誘
　1 舊唐7/64/2432
李䄂
　5 新唐8/72上/2489
03李誼元嘉子
　1 舊唐7/64/2428⑤
　2 新唐11/79/3551
李誼（謨）邈子
　1 舊唐12/150/4042
　2 新唐12/82/3624
李詠迪子
　5 新表8/72上/2498
李詠兼金子
　5 新表8/72上/2504
李詠
　20郎考18/19 B⑥
李誠崇德子
　5 新表8/72上/2542
李誠仁穎子
　5 新表8/72上/2582
李誠
　20郎考1/6 A⑦
　21御考2/6 B
　　　　2/24 B
李誠（元成）
　25登科5/27 B⑧
　　　　7/14 A

李識
　5 新表8/72上/2499
李誠
　1 舊唐12/150/4046
　2 新唐12/82/3626
李誠
　1 舊唐12/150/4045
　2 新唐12/82/3626
04李詵靈夔子
　2 新唐11/79/3558
李詵庭光子
　5 新表8/72上/2560
李詵仁穎子
　5 新表8/72上/2582
李謹度
　20郎考8/13 A
　21御考2/11 A
　　　　2/43 A
李謹言
　11全詩11/770/8745
李謹行
　1 舊唐16/199下/5359
　2 新唐13/110/4122
李諶唐德宗子
　1 舊唐12/150/4043
　2 新唐12/82/3625
李諶元嘉子
　2 新唐11/79/3551
李諶崇德子
　5 新表8/72上/2544
李諶仁穎子
　5 新表8/72上/2581
　21御考2/39 B
李訥元嘉子
　1 舊唐7/64/2428
　2 新唐11/79/3552
李訥（敦止）建子

　1 舊唐13/155/4125
　2 新唐16/162/5005
　8 全文438/13 B
　11全詩9/563/6536
　17紀事下/59/898
　20郎考4/49 B
　　　　19/10 A
　24壁記　翰苑羣書
　　　　　上/49 A
　25登科27/13 B
　26方鎮5/57 A
　64掇英18/14 B
　65會稽志2/32 B
李訥仁穎子
　5 新表8/72上/2580
　20郎考8/3 B⑨
　　　　10/19 A⑩
李謨　見李誼
李訏
　5 新表8/72上/2499
李詩瓊高
　1 舊唐16/199下/5356
　2 新唐20/219/6175
李護國　見李輔國
李誥（思翰）
　5 新表8/72上/2597
李謀道
　5 新表8/72上/2485
05李靖（藥師、景武）
　1 舊唐8/67/2475
　2 新唐12/93/3811
　5 新表8/72上/2465
　6 舊志6/47/2040
　7 新志5/59/1521
　　　　5/59/1551
　　　　5/59/1558
　　　　5/60/1617

---

① 《嘉定鎮江》作"李元義"，並云行師子，終潤州刺史。今查《新表》行師子中任潤州刺史者乃李玄义。《嘉定鎮江》作李玄義誤，今據改。
②③ 《新唐》、《全文》"玄"作"元"，今據《舊唐書》本傳改正。
④ 《全文》、《御考》、《登科》"玄"作"元"，今據《新表》、《郎考》改正。
⑤ 岑建功《舊唐書校勘記》卷三十五引張宗泰云："誼，一本作誼。"
⑥ 按以上二李詠，約皆在中晚唐際，皆未註官職，《郎考》之李詠未能確定屬於何人。今姑分列，備考。
⑦ 《新表》有兩李誠，《郎考》、《御考》之李誠，未能確定屬於《新表》何人，今分列，待考。
⑧ 按，《登科》之李誠，於唐玄宗開元三年、十年登第，未能確定屬於《新表》何人，今分列，待考。
⑨ 勞格案，《郎考》卷四、一九有李納，當唐武宗、宣宗時，與此別一人。《郎考》卷一〇李納疑即李訥之誤，時代正合。
⑩ 《郎考》此處作"李納"，勞格謂同書卷八作李訥，疑即是，此處作"納"字疑誤。

8 全文153/11 B
27 郡齋3下/20 A
39 書史5/22 A

李諌 迪子
  5 新表8/72上/2498
李諌 惲子
  5 新表8/72上/2514
李諌 鄭卿子
  5 新表8/72上/2574
李𬤝（特卿）
  8 全文458/15 A
  11 全詩5/281/3191
  17 紀事上/32/500
  20 郎考3/51 B
        8/28 B
  25 登科10/21 B
  26 方鎮6/17 A
06 李諤 唐德宗子，封欽王
  1 舊唐12/150/4045
  2 新唐12/82/3626
李諤 唐初陝州刺史
  2 新唐18/191/5504
李諤（德遠）唐昭宗時
  5 新表8/72上/2597
07 李望仙
  5 新表8/72上/2540
李翊 唐玄宗代宗時人
  5 新表8/72上/2559
李翊 唐宣宗大中間進士
  9 拾遺31/6 A
李翊 唐德宗貞元間進士
  25 登科15/12 B
李翊 唐文宗開成時人
  26 方鎮6/36 A①
李郎（建侯、蕭）
  1 舊唐13/157/4147
  2 新唐15/146/4744
  5 新表8/72上/2597
  9 拾遺27/4 B
  26 郎考3/61 A
        3/87 B②
        4/33 A
        22/11 B
  25 登科27/9 B
  26 方鎮1/5 A
        4/34 B
        5/25 B
李毅

3 舊五4/91/1203
李訊
  5 新表8/72上/2498
李諷 迪子
  5 新表8/72上/2498
李諷 參子
  5 新表8/72上/2568
李詢 元慶子，壽州刺史
  1 舊唐7/64/2433
李詢 鉻子，宋城令
  5 新表8/72上/2562
李詢 南唐時人
  11 全詩11/757/8612
李詢古（垂卿）
  5 新表8/72上/2579
李詢甫
  5 新表8/72上/2447
  20 郎考26/7 A
李詢軌
  5 新表8/72上/2455
李詞
  5 新表8/72上/2514
  26 方鎮6/46 B
  73 吳興志14/27 B
李調
  8 全文829/2 A
李誦   見唐順宗
李靜
  5 新表8/72上/2498
李韶 玻子
  5 新表8/72上/2485
李韶 震子
  5 新表8/72上/2534
李韶 虛已子
  5 新表8/72上/2558
  69 嘉定鎮江17/5 A
李韶 無考
  11 全詩11/770/8738
李韶 戶部員外郎
  20 郎考12/48 A
李韶 畫家
  30 歷畫10/194③
李諓
  1 舊唐7/64/2428
  2 新唐11/79/3551
  8 全文207/18 A
李歆
  8 全文955/4 B

08 李説（嚴甫）
  1 舊唐12/146/3958
  2 新唐11/78/3532
  9 拾遺23/14 A
  26 方鎮4/33 A
李論
  5 新表8/72上/2569
李謙 唐德宗子
  1 舊唐12/150/4045
  2 新唐12/82/3626
李謙 珵子
  2 新唐12/81/3588
李謙 崇德子
  5 新表8/72上/2541
李謙 仁穎子
  5 新表8/72上/2582
李許
  12 詩逸中/10204
李詳 唐德宗子
  1 舊唐12/150/4044
  2 新唐12/82/3625
李詳（審己）仁穎子，唐太子少保
  5 新表8/72上/2579
  21 御考1/5 B
李詳 晉天福中中書舍人
  8 全文852/11 B
李議
  5 新表8/72上/2498
李海
  26 方鎮6/11 B
李譜（昌之）
  5 新表8/72上/2584
09 李麟（德）
  1 舊唐10/112/3338
  2 新唐15/142/4663
  20 郎考3/33 A
        4/17 A
        10/21 A
        12/20 B
  21 御考2/22 A
        3/13 A
  25 登科9/21 A
        9/24 B
李讜
  3 舊五1/19/264
李讜兒
  5 新表8/72上/2527

10李一(悼)
　1 舊唐10/107/3263
　2 新唐12/82/3610
李正度
　5 新表8/72上/2512
李正言
　40十國19/13A
李正諫
　5 新表8/72上/2524
李正議
　5 新表8/72上/2573
李正己(懷玉)
　1 舊唐11/124/3534
　2 新唐19/213/5989
　5 新表11/75下/3448
　26方鎮3/35A
李正辭
　5 新表8/72上/2572
　11全詩5/319/3599
　20郎考2/21A
　　　　26/20A
李正叔
　5 新表8/72上/2597
　25登科14/18B
李正源
　5 新表11/75下/3452
李正禮大師子
　5 新表8/72上/2461
李正禮德瑞子
　5 新表8/72上/2513
李正封(中護)
　5 新表8/72上/2466
　11全詩6/347/3880
　17紀事上/40/618
　20郎考7/15B
　　　　8/33B
　25登科17/2B

17/13A
李正基
　5 新表8/72上/2448
李正規
　5 新表8/72上/2524
李正明
　5 新表8/72上/2467
李正臣
　5 新表8/72上/2596
　71嚴州1/29B
李正卿
　5 新表8/72上/2597
李正美
　5 新表8/72上/2512
李正範隨子
　3 舊五4/93/1229
　5 新表8/72上/2450
李正範戎子
　5 新表8/72上/2534
李正節
　5 新表8/72上/2512
李玉簫
　11全詩11/797/8969
　40十國38/4A
李王烈
　5 新表8/72上/2496
李王喬
　5 新表8/72上/2496
李王粲
　5 新表8/72上/2496
李王戎
　5 新表8/72上/2496
李至
　8 全文432/5A
李至遠(鵬)
　1 舊唐12/148/3997
　　15/185上/4786

　2 新唐18/197/5619
　5 新表8/72上/2475
　8 全文435/4B
　20郎考3/10B④
　　　　4/7A
　　　　7/3A
　　　　8/6B
　　　　18/2A
　21御考3/6A⑤
李至道
　20郎考4/7A
李亘
　39書史5/33B⑥
李亘一
　5 新表8/72上/2446
李五福
　5 新表8/72上/2524
李亞立
　72三山志20/33A
李亘　見李亘
李靈龜
　1 舊唐7/64/2423
　2 新唐11/79/3548
李靈幹
　9 拾遺70/12B
李靈曜
　26方鎮2/3A
李靈夔
　1 舊唐7/64/2434
　2 新唐11/79/3558
　37書小史2/9A
　39書史5/3A
李靈光
　8 全文955/11A
李靈省
　31唐畫6/17B
　38圖繪2/20A

① 按，《新表》之李翊，爲庭秀子，據其排列時序，約唐玄宗至代宗時人。《拾遺》之李翊，唐宣宗大中間鄉貢進士。《登科》之李翊，唐德宗貞元十八年進士及第。《方鎮》之李翊，唐文宗開成二年湖南觀察使。或因時代不合，或因仕履未詳，皆未能確定其歸屬。今皆分列，備考。又勞格《讀書雜識》卷七謂任湖南觀察使之李翊疑與李翔爲同一人，參本書李翔條。
② 《郎考》此處作"李備"，勞格謂李備無考，石刻有李郿，其時代正合，則"備"當是"郿"之誤。
③ 按《新表》三李韶，區分較易。《全詩》卷七七〇之李韶，身世爵里無考。《郎考》之李韶，約晚唐時人，其他不詳。《歷畫》之李韶，爲畫家，工花鳥。此皆未能定其歸屬。今皆分列，備考。
④⑤ 《郎考》卷三、四、八及《御考》作"李志遠"，今據兩《唐書》本傳改正。《郎考》卷七、一八亦作"至遠"。
⑥ 《書史》原作"李亘"，並云與韋嶠、徐彥伯爲河東三絕。今查兩《唐書》徐彥伯傳，稱河東三絕者乃徐彥伯、韋嶠、李亘，非李亘。亘亘形近而誤，今據改。

李丕
　2　新唐19/214/6020
　26方鎮1/49 B
　　　　1/88 B
李瑝
　5　新表8/72上/2472
李璥
　1　舊唐8/76/2651
　2　新唐12/80/3569
李璡憲子
　1　舊唐9/95/3014
　2　新唐12/81/3599
李璡敬本子
　5　新表8/72上/2442
李璡禪師子
　5　新表8/72上/2513
李瓌安子
　1　舊唐7/60/2350
　2　新唐11/78/3525
李瓌處恭子
　5　新表8/72上/2551
李璋(重禮)絳子
　1　舊唐13/164/4292
　2　新唐15/152/4844
　3　舊五3/60/810
　5　新表8/72上/2526
　7　新志5/58/1507
　20郎考6/26 B
　25登科27/16 B
　26方鎮5/73 B
　　　　6/38 B
　28直齋8/18 A
李璋虎子，封畢王
　2　新唐11/78/3514
李璋聽子，太常寺太祝
　5　新表8/72上/2471
李璋唐末神策兵馬使
　41九國7/7 B
李元約中唐
　20郎考12/43 A
　21御考3/30 B
李元唐高宗時台州刺史
　53赤城志8/10 A
李元立
　5　新表11/75下/3451
李元亨
　1　舊唐7/64/2426
　2　新唐11/79/3549

李元方
　1　舊唐7/64/2426
　2　新唐11/79/3550
李元裔
　5　新表8/72上/2450
李元慶(孝)唐高祖子
　1　舊唐7/64/2432
　2　新唐11/79/3556
李元慶行翻子
　5　新表8/72上/2502
李元弈
　5　新表11/75下/3445
李元諒(駱元光、莊威)
　1　舊唐12/144/3916
　2　新唐16/156/4901
　26方鎮8/8 B
李元謹
　5　新表8/72上/2494
李元平
　1　舊唐11/130/3629
　2　新唐15/151/4818
李元瓓　見李元璡
李元孫
　5　新表11/75下/3450
李元珪(如玉)
　5　新表8/72上/2557
李元瑾
　5　新表8/72上/2496
李元瓘
　8　全文304/19 A
　20郎考7/5 B①
李元瓊
　5　新表8/72上/2461
李元瑒
　5　新表8/72上/2495
李元珍
　5　新表8/72上/2456
李元瑜
　5　新表8/72上/2495
李元璥
　5　新表8/72上/2462
　21御考2/24 A
李元琰
　5　新表8/72上/2495
李元貞
　5　新表8/72上/2492
李元諴
　5　新表8/72上/2468

李元綜
　5　新表8/72上/2468
　19姓纂7/18 A
李元德
　5　新表8/72上/2461
李元休
　5　新表8/72上/2491
李元紘(大綱、文忠)道廣子
　1　舊唐9/98/3073
　2　新唐14/126/4418
　5　新表8/72上/2468
　8　全文300/2 A
　11全詩2/108/1114
　17紀事上/10/142
　19姓纂7/18 A
　20郎考3/17 B
　　　　14/12 A
　69嘉定鎮江16/3 A
李元紘昭德子
　5　新表8/72上/2467
李元皐
　20郎考12/39 A
李元穆
　5　新表8/72上/2510
李元繹
　5　新表8/72上/2468
　19姓纂7/18 A
李元龜
　8　全文849/1 A
　9　拾遺46/7 B
李元名
　1　舊唐7/64/2433
　2　新唐11/79/3557
李元儉
　5　新表8/72上/2491
李元淳(長榮)
　26方鎮4/1 B
　　　　4/2 B
　　　　4/65 A
　69嘉定鎮江16/25 A
李元賓
　5　新表8/72上/2449
李元福
　25登科27/26 B
李元憑
　5　新表11/75下/3445
李元澄
　5　新表8/72上/2448

李元祐
　20郎考11/17A
　　　　17/9A
　　　　18/4B
李元清
　40十國29/9A
　43馬書22/7B
　44陸書12/7B
李元禮唐高祖子，封徐王
　1 舊唐7/64/2426
　2 新唐11/79/3550
李元禮僖宗時節度使
　26方鎮1/61A
　　　　1/79B
李元通
　5 新表8/72上/2595
李元祥(安)
　1 舊唐7/64/2435
　2 新唐11/79/3559
李元裕(康)
　1 舊唐7/64/2433
　2 新唐11/79/3557
李元道
　5 新表8/72上/2461
李元嘉(元嘉)
　1 舊唐7/64/2427
　2 新唐11/79/3551
　11全詩1/6/65
　17紀事上/3/29
　30歷畫9/166
　37書小史2/8B
　38圖繪2/21A
　39書史5/3A
李元吉(三胡)
　1 舊唐7/64/2420
　2 新唐11/79/3545
李元真　　見李玄真
李元喜
　26方鎮7/57A
李元楷
　5 新表8/72上/2494
李元恭(豫)
　5 新表8/72上/2491
　20郎考7/4B
　　　　8/7B
　　　　16/4A

李元贊
　5 新表8/72上/2449
李元懿(惠)唐高祖子
　1 舊唐7/64/2429
　2 新唐11/79/3552
李元懿五代周北海令
　8 全文856/13B
李元中
　9 拾遺31/22B
李元本
　1 舊唐12/142/3871
　2 新唐19/211/5951
　5 新表11/75下/3451
李元忠(曹令忠)
　26方鎮8/57B
李元素孝卿子
　1 舊唐8/81/2756
　2 新唐13/106/4053
　5 新表8/72上/2481
　20郎考3/82A
　　　　9/4B
李元素(大朴、大祁)祖光子
　1 舊唐11/132/3657
　2 新唐15/147/4762
　5 新表8/72上/2596
　8 全文695/6A
　20郎考1/15A
　　　　4/31A
　　　　8/30B
　　　　11/33A
　26方鎮2/19A
　　　　5/39A
　69嘉定鎮江14/20B
李元振
　37書小史9/9A
李元哲
　5 新表8/72上/2596
李元輔
　5 新表8/72上/2573
李元成
　5 新表8/72上/2571
李元甫
　5 新表8/72上/2491
李元軌唐高祖子
　1 舊唐7/64/2429
　2 新唐11/79/3553

李元軌全壽子
　5 新表8/72上/2494
李元規全壽子
　5 新表8/72上/2494
李元規銘子
　25登科27/11B
李元操
　11全詩2/124/1232
　17紀事上/20/290
李元易
　5 新表8/72上/2449
李元恩
　5 新表8/72上/2511
李元昌
　1 舊唐7/64/2425
　2 新唐11/79/3549
　7 新志5/59/1559
　29書斷3/4B
　30歷畫9/166
　31唐畫6/1A
　35畫譜13/2B
　37書小史2/8B
　38圖繪2/15A
　39書史5/3A
李元景
　1 舊唐7/64/2423
　2 新唐11/79/3548
　8 全文99/2A
李元則(思)
　1 舊唐7/64/2428
　2 新唐11/79/3552
李元曉(貞)
　1 舊唐7/64/2436
　2 新唐11/79/3559
李元嬰
　1 舊唐7/64/2436
　2 新唐11/79/3560
　30歷畫9/166
　31唐畫6/1A
　35畫譜15/2B
　36圖誌5/114
　38圖繪2/17A
李元暉
　19姓纂4/17B
李元嗣
　5 新表8/72上/2492

---

① 《郎考》作李元瓛，趙鉞謂疑即李元瓛，時代正合。

李元陟
　5 新表8/72上/2449
李元質
　5 新表11/75下/3451
李元用
　5 新表8/72上/2571
李元周
　5 新表8/72上/2450
李元夔
　5 新表8/72上/2450
李元義進士
　25登科27/1A
李元義　見李玄义
李元善
　1 舊唐13/164/4285
　5 新表8/72上/2526
李元符
　5 新表8/72上/2492
李元愷
　1 舊唐16/192/5122
　2 新唐18/196/5601
李元慎
　5 新表8/72上/2464
李元恪
　5 新表8/72上/2444
李元悦
　5 新表8/72上/2510
李霓
　3 舊五2/35/481
　4 新五1/6/53
李需
　2 新唐12/81/3588
李霄　見李霄遠
李霄遠
　34書譜18/5B
　39書史5/17B①
李震勘子
　1 舊唐8/67/2490
　2 新唐12/93/3822
李震珍玉子
　1 舊唐13/155/4123
李震大曆時詩人李端父
　1 舊唐13/163/4266
李震唐僖宗子
　1 舊唐14/175/4545
　2 新唐12/82/3638
李震義瑋子
　5 新表8/72上/2445

李震皆子
　5 新表8/72上/2452
李震文敬子
　5 新表8/72上/2516
李震陳子
　5 新表8/72上/2534
李震爽子
　5 新表8/72上/2583
李震天寶間進士
　8 全文371/19A②
李震五代周時人
　25登科26/28B③
李干
　25登科18/11A
李覃
　25登科26/28A
李旡思
　5 新表8/72上/2490
李弄璋
　5 新表8/72上/2496
李再思
　5 新表8/72上/2566
李再義　見李載義
李平唐懿宗時
　20郎考13/13A
　26方鎮1/24B
李平(楊訥)五代南唐時
　11全詩11/795/8950
　40十國24/10B
　43馬書19/7B
　44陸書10/7A
李平均　見李平鈞
李平鈞
　30歷畫10/193
　37書小史10/5A
　38圖繪2/24A④
　39書史5/20A
李石(中玉)
　1 舊唐14/172/4483
　2 新唐14/131/4512
　7 新志5/58/1468
　8 全文730/3B
　20郎考3/74B
　　　　11/42A
　　　　12/37A
　25登科18/21A
　26方鎮4/38A
　　　　5/9A

　27郡齋2上/20A
李西昇
　5 新表8/72上/2484
李晉德良孫
　1 舊唐7/60/2346
　2 新唐11/78/3521
李晉整孫
　5 新表8/72上/2445
李晉客
　5 新表8/72上/2522
　20郎考17/5A
李百藥(重規、康)
　1 舊唐8/72/2571
　2 新唐13/102/3973
　5 新表8/72上/2598
　6 舊志6/46/1990
　　　　6/47/2073
　7 新志5/58/1457
　　　　5/58/1491
　　　　5/60/1598
　8 全文142/1A
　9 拾遺14/1A
　11全詩1/43/533
　17紀事上/4/48
　18才子1/11
　27郡齋2上/6A
　28直齋4/8B
李可瞻
　5 新表8/72上/2519
李可舉
　1 舊唐14/180/4680
　2 新唐19/212/5983
　26方鎮4/110B
李靄之(金波處士)
　35畫譜14/2B
　36圖誌2/39
　38圖繪2/31B
李雲將
　1 舊唐8/72/2584
　5 新表8/72上/2454
李雲卿
　8 全文955/7A
11李玭唐玄宗時
　8 全文373/10A
　9 拾遺22/4A
李玭唐宣宗時節度使
　26方鎮1/9A
　　　　3/17A

① 《書史》原注："一無遺字。"
② 據《全唐文》小傳，此李震爲河東人，唐玄宗天寶間進士，其他不詳。未能確定其歸屬，今分列。
③ 《登科》引《册府元龜》，此李震爲五代周顯德二年重試落下，其他皆不詳，今分列，備考。
④ 《圖繪》"鈞"作"均"，今從《歷畫》、《書小史》諸書改正。
⑤ 按《新表》之二李琇，約當唐玄宗時。《郎考》之李琇，係戶部郎中，據其排列時序，與《新表》所載時代相同，未能確定屬於何人，抑或另有一任戶部郎中之李琇，今分列備考。

---

① 《全文》"弘"作"宏"，今據《新表》、《郎考》改正。

②③⑤ 《全文》、《十國》、《嘉定鎮江》"弘"作"宏"，係清人避諱改，今據《陸書》改正。

④ 《馬書》脫"弘"字，今據《陸書》補正。

⑥ 《新表》之李弘源，爲范陽李氏，載義子，官太子左諭德。《方鎮》之李弘源，咸通二年鎮嶺南西道，時代相近，歷官不同，其他皆不詳，未能確定是否即爲一人。今分列，備考。

⑦ 《十國》"弘"作"宏"，今據《陸書》改正。

⑧ 《馬書》脫"弘"字，今據《陸書》補正。

⑨ 按《新表》仁濟子之李延嗣，約當唐高宗時，《新表》薦子之李延嗣，約當中晚唐際，未注官職。《郎考》之李延嗣，約唐德、憲宗時主客員外郎，時代較晚，似爲另一人。今分列，備考。

⑩ 新、舊《唐書》本傳之李瑾，爲範子，唐玄宗天寶時太僕卿。《新表》之李瑾，爲聽子。《新志》之李瑾，撰《春秋指掌》十五卷，約唐憲宗、穆宗時人，時代與《新表》之李瑾相近，但亦未能確定是否即爲一人。今分列，備考。

⑪ 《全文》小傳僅云左衛參軍，其他不詳，排列於中晚唐之際，未能確定，今亦另立。

李聰
　2/35 B
　3/26 B
　4/35 B
　4/53 A
李聰希
　5 新表8/72上/2548
　20郎考22/11 A
李瑛（嗣謙、鴻）
　1 舊唐10/107/3258
　2 新唐12/82/3607
　8 全文100/10 A
李璹憲子
　1 舊唐9/95/3014
　2 新唐12/81/3601
李璹鄉子
　5 新表8/72上/2561
李瑋
　1 舊唐8/76/2651
李琪（澄）唐玄宗子
　1 舊唐10/107/3270
　2 新唐12/82/3614
李琪 元和時右武衛上將軍
　1 舊唐13/161/4226
　2 新唐17/171/5189
李琪庭光子，監利丞
　5 新表8/72上/2560
李琪（台秀）
　3 舊五3/58/781
　4 新五2/54/615
　8 全文847/8 A
　9 拾遺46/6 B
　11全詩11/715/8218
　25登科24/26 B
　　　　27/23 A
李瑱（潓）唐玄宗子
　1 舊唐10/107/3271
　2 新唐12/82/3614
李瑱思子
　2 新唐18/195/5578
　5 新表8/72上/2485
　21御考2/34 A
李瓚宗閔子
　1 舊唐14/176/4555
　2 新唐17/174/5237
　24壁記　翰苑羣書
　　　　上/55 B
　25登科27/17 B
　26方鎮6/10 B

　　7/50 A
72三山志20/42 A
李瓚昭子
　5 新表8/72上/2463
李琳憲子
　1 舊唐9/95/3014
　2 新唐12/81/3599
李琳素節子
　1 舊唐9/86/2827
　2 新唐12/81/3588
李琳元懿子
　2 新唐11/79/3553
李琳仲思子
　5 新表8/72上/2565
李衬
　5 新表8/72上/2572
李勔
　5 新表8/72上/2544
李礎
　25登科15/22 A
15李瑰景祥子
　5 新表8/72上/2516
李瑰鐸子
　5 新表8/72上/2549
李臻
　5 新表8/72上/2543
李融（茂融）鳳子
　1 舊唐7/64/2431
　2 新唐11/79/3554
李融季卿子，滑州節度使
　1 舊唐9/99/3102
　8 全文446/7 A
　26方鎮2/8 A
李融晚年，不仕
　3 舊五4/91/1203
李融義琄子
　5 新表8/72上/2447
李融處實子
　5 新表8/72上/2484
李融
　20郎考12/23 B①
　　　　13/6 B
　21御考3/17 B
李殊
　20郎考18/22 A
李建係子
　1 舊唐10/116/3384
　2 新唐12/82/3617

李建（杓直、恭肅、元）震子
　1 舊唐13/155/4125
　2 新唐16/162/5005
　20郎考3/66 A
　　　　4/38 A
　23故事　翰苑羣書
　　　　上/25 B
　24壁記　翰苑羣書
　　　　上/41 B
　25登科14/18 B
　　　　18/29 A
李建逵子
　5 新表8/72上/2499
李建及（王建及）
　3 舊五3/65/863
　4 新五1/25/269
李建崇
　3 舊五5/129/1701
李建勳（致堯、鍾山公、靖）
　11全詩11/739/8420
　18才子10/176
　28直齋19/27 A
　40十國21/3 A
　43馬書10/1 A
　44陸書6/8 B
　57景定建康31/15 B
李建徽
　26方鎮1/43 A
李建業
　11全詩11/770/8742
李建樞
　11全詩11/775/8782
李建成（毗沙門、隱）
　1 舊唐7/64/2414
　2 新唐11/79/3540
16李聖天
　4 新五3/74/917
李現
　1 舊唐14/173/4506
　5 新表8/72上/2478②
李琨恪子
　1 舊唐8/76/2651
　2 新唐12/80/3567
李現（希立）宗閔子
　2 新唐17/174/5237
　20郎考1/27 A
　　　　2/33 B
　　　　8/52 A③

25登科27/17 B

李瑝(沔)唐玄宗子
1 舊唐10/107/3269
2 新唐12/82/3614

李瑝愿子
5 新表8/72上/2486

李珵
5 新表8/72上/2567

李瑒
1 舊唐9/95/3019
2 新唐12/81/3603

李玙
1 舊唐9/95/3019
2 新唐12/81/3603
21御考2/40 B
　　　　3/23 A

李聰昕子
5 新表8/72上/2457

李聰晟子
5 新表8/72上/2470

李聰
11全詩11/775/8785④

李環(溢)
1 舊唐10/107/3268
2 新唐12/82/3613

李珵(清)
1 舊唐10/107/3266
2 新唐12/82/3613

李琨
5 新表8/72上/2565

李璟(景、伯玉、徐景通、南
唐元宗、南唐嗣主)
3 舊五6/134/1787
4 新五3/62/769
8 全文128/5 A
9 拾遺11/17 B
11全詩1/8/70

12/889/10042

28直齋21/1 B
34書譜5/7 B
39書史5/39 B
40十國16/1 A
43馬書2/1 A
44陸書2/1 A
45江南2/1 A

李璟源子，無錫丞
5 新表8/72上/2524

李璟鎰子，饒東主簿
5 新表8/72上/2549

17李丞　見李承

李孟犖(公悦)
20郎考20/2 B

李孟德
20郎考17/6 B⑤

李孟宣
5 新表8/72上/2544

李孟嘗
1 舊唐7/57/2295
2 新唐12/88/3747
5 新表8/72上/2523

李盈
5 新表8/72上/2541

李盈休
8 全文849/1 A

李珮魁子
5 新表8/72上/2554

李珮絹子
5 新表8/72上/2528

李玘
5 新表8/72上/2564

李羽唐懿宗時度支郎中
20郎考13/14 A

李羽南唐進士
11全詩11/757/8610

李珝　見李玥

李玥
9 拾遺30/12 A
20郎考12/22 A
　　　　26/11 A⑥

李珣意子
1 舊唐9/95/3014
2 新唐12/81/3601

李珣鎰子
5 新表8/72上/2549

李珣(德潤)五代前蜀時
11全詩11/760/8635
12/896/10118
40十國44/4 A

李璆素節子，宗室
1 舊唐9/86/2828
2 新唐12/81/3588
9 拾遺12/6 B

李璆絲子
5 新表8/72上/2526

李璆仲思子
5 新表8/72上/2564

李璆
37書小史9/11 A⑦
39書史5/30 B⑧

李弱翁
5 新表8/72上/2583

李玖
11全詩9/562/6527

李璩
5 新表8/72上/2563

李瑊思子
5 新表8/72上/2485

李瑊絹子
5 新表8/72上/2529

李珉
5 新表8/72上/2534

李瓊(隱光)滄州人，仕晉
3 舊五4/94/1251

① 按，《郎考》之李融，約唐代宗、德宗時，户部員外郎，與《舊唐》季卿子之李融(貞元時滑州節度使)時代相近，實爲
　 兩人，詳見岑仲勉《新唐書突厥傳擬注》及《讀全唐文札記》所考。
② 《新表》作“李峴”，爲幷子，固言父。《舊唐書》卷一七三《李固言傳》云“祖幷，父峴”。則李峴、李現實爲一人，峴、
　 現字異，未詳孰是。今姑從《舊唐書》作現，另出李峴作參見條。
③ 《郎考》作“李滉”，據勞格審定當是“李珉”，今從之。
④ 按《新表》之二李聰，時代均相近，皆爲中唐時。《全詩》之李聰，乃編爲世次爵里俱無考類，僅收其詩一首，題爲
　 《詠溧溪在歷陽西一里》。今分列，備考。
⑤ 《郎考》原缺“德”字，今據勞格所考補正。
⑥ 《郎考》此處“玥”作“珝”，今據同書卷十二及《拾遺》統一作“玥”。又，勞格《讀書雜識》卷七引《新唐書·李訓
　 傳》、《舊唐書·文宗紀》、《唐會要》卷六十、元稹《李玥授監察御史制》等，韻：“參考諸書，李翊、李玥，疑即一人。”
　 按唐人名李翊者有數人，此李翊爲湖南觀察使李玥。勞說備參。
⑦⑧ 《書小史》、《書史》之李璆，僅云隴西人，其他皆不詳，今分列，備考。

4 新五2/47/535

李瓊薊州人，薊州別駕
  3 舊五4/90/1188

李瓊亙一子，普州刺史
  5 新表8/72上/2446

李瓊聰子，福昌尉
  5 新表8/72上/2472

李瓊㻧子，易州參軍
  5 新表8/72上/2533

李瓊(李老虎)桂州刺史
  26方鎮7/51 B
  40十國72/4 A
  41九國11/8 B

李琚(思順)道子
  1 舊唐8/76/2660
  2 新唐12/80/3575
  20 郎考1/2 B

李琚唐玄宗子
  1 舊唐10/107/3262
  2 新唐12/82/3609

李琚旷子
  5 新表8/72上/2528

李琚鄰子
  5 新表8/72上/2561

李琚頓丘人，開元中進士
  8 全文377/11 B
  25登科8/4 A
        8/4 B

李璵 見唐肅宗

李璵南漢給事中
  40十國64/1 B

李琛(仲寶)安子
  1 舊唐7/60/2347
  2 新唐11/78/3522

李琛炅子
  5 新表8/72上/2466

李琛有意子
  5 新表8/72上/2552

李弼義瑛子
  5 新表8/72上/2445

李弼正辭子
  5 新表8/72上/2572

李務該
  1 舊唐14/171/4453

李務光 見李傑

李鄂
  26方鎮7/59 B

李承

1 舊唐10/115/3378
2 新唐15/143/4686
5 新表8/72上/2475
20郎考3/51 A
25登科27/29 A
26方鎮4/133 A①
      6/30 A②

李承度
  2 新唐11/79/3547

李承慶
  25登科27/16 A

李承訓
  5 新表8/72上/2553

李承務
  5 新表11/75下/3448

李承胤
  5 新表8/72上/2589

李承仙
  5 新表8/72上/2491

李承鸞
  2 新唐11/79/3547

李承仕
  2 新唐16/169/5150

李承先
  21御考2/46 A

李承休
  5 新表8/72上/2594

李承勳
  3 舊五3/55/746

李承獎
  2 新唐11/79/3547

李承約(德儉)
  3 舊五4/90/1188
  4 新五2/47/527

李承寧
  1 舊唐9/86/2834
  2 新唐12/81/3592

李承家
  5 新表8/72上/2492
  20郎考17/7 B③
  21御考1/17 B

李承宏
  1 舊唐9/86/2834
  2 新唐12/81/3592

李承宷
  1 舊唐9/86/2834
  2 新唐12/81/3592

李承福(德華)五代仕晉

3 舊五4/90/1192

李承福唐高宗時
  39書史5/21 B

李承業元吉子
  2 新唐11/79/3547

李承業昱子
  5 新表8/72上/2469
  19姓纂7/17 B

李承況
  1 舊唐7/64/2423
  2 新唐11/79/3548

李承渥
  40十國65/4 A

李承裕
  2 新唐11/79/3547

李承嘉
  5 新表8/72上/2469
  19姓纂7/18 A
  20郎考8/6 B

李承真
  5 新表8/72上/2481

李承愨
  5 新表8/72上/2492

李承乾(高明、愨)
  1 舊唐8/76/2648
  2 新唐12/80/3564
  8 全文99/3 B

李承規
  5 新表8/72上/2570

李承勗
  26方鎮1/36 A
      7/12 B

李承嗣趙郡人
  5 新表8/72上/2518

李承嗣代州雁門人
  3 舊五3/55/742
  40十國8/5 A

李承嗣隴西人
  8 全文260/15 A

李承昭
  26方鎮4/63 A
      6/1 A
  72三山志20/34 B

李承義
  20郎考26/13 B

李承悅
  1 舊唐12/152/4073
  2 新唐16/170/5176

李豫　見唐代宗
李豫　見李元恭
李及
　41九國7/8 B
李弨（存誠）
　5 新表8/72上/2572
李子章
　5 新表8/72上/2570
李子交
　5 新表8/72上/2581
李子雲
　7 新志5/57/1428
李子貢
　5 新表8/72上/2508
李子珣
　8 全文406/7 A
李子稱
　63新安志5/37 B
李子和
　1 舊唐7/56/2282
　2 新唐12/92/3804
李子仍
　8 全文955/12 B
李子通
　1 舊唐7/56/2273
　2 新唐12/87/3726
李子游
　5 新表8/72上/2508
李子哲
　5 新表8/72上/2508
李子昂
　11全詩11/781/8833
李子卿
　8 全文454/1 A
李子公
　5 新表8/72上/2539
李子智
　59毗陵志7/16 A
李子簡

8 全文374/13 A
李鞏
　5 新表8/72上/2563
李羣琇子，奉先丞
　5 新表8/72上/2562
李羣唐文宗時户部員外郎
　20郎考12/38 B ④
　25登科19/30 B
李羣（文幹）五代畫家
　36圖誌2/38⑤
　38圖繪2/35 B ⑥
李羣玉（文山）
　7 新志5/60/1612
　8 全文793/21 A
　11全詩9/568/6570
　17紀事下/54/821
　18才子7/129
　25登科22/28 A
　27郡齋4中/12 A
　28直齋19/18 B
李那舍
　5 新表8/72上/2575
李習
　11全詩11/769/8732
李君平
　5 新表8/72上/2456
李君可
　5 新表8/72上/2456
李君球
　1 舊唐15/185上/4789
　8 全文159/1 A
李君武
　5 新表8/72上/2490
李君异
　5 新表8/72上/2456
李君政
　8 全文156/24 B
李君信
　5 新表8/72上/2490

李君系
　5 新表8/72上/2580
李君何
　11全詩7/466/5298
　25登科12/20 B
李君德
　5 新表8/72上/2456
李君仲
　5 新表8/72上/2574
李君徹
　5 新表8/72上/2456
李君房
　8 全文536/19 A
　11全詩5/319/3601⑦
　25登科12/27 A
李君淑
　5 新表8/72上/2576
李君逸
　5 新表8/72上/2577
李君遵
　5 新表8/72上/2575
李君志
　5 新表8/72上/2455
李君壽
　5 新表8/72上/2490
李君協
　5 新表8/72上/2575
李君芳　李君房
李君威
　5 新表8/72上/2575
李君操
　3 舊五4/90/1188
李君既
　5 新表8/72上/2518
李君羨
　1 舊唐8/69/2524
　2 新唐12/94/3836
李君範
　5 新表8/72上/2455

---

① ②《方鎮》"承"作"丞"，按據新、舊《唐書》本傳當作"承"（並可參見《舊唐書・德宗紀》、《通鑑》諸書），今改正。

③ 《郎考》"李"字原缺。勞格謂審定是《御考》侍御李承家，出東祖房，不詳歷官。

④ 《郎考》之李羣，約當唐文宗大和時，爲户部員外郎。《登科》之李羣，引《唐摭言》，稱合肥李郎中，於唐穆宗長慶
　四年登進士第。其時代與官職均相近，當屬一人。此與《新表》之李羣（琇子，奉先丞）時代亦相近，但未能確定
　爲一人。今分列，備考。

⑤ ⑥ 《圖誌》、《圖繪》之李羣，約當五代時，字文幹，云唐宗室，與前之二李羣當是另一人。

⑦ 《全詩》原注："房一作芳。"

李磵(耀山)
　20郎考11/58 B
　　　　15/26 A
　　　　18/21 B
李邵
　5 新表8/72上/2547
李翼鳳子
　2 新唐11/79/3554
李翼昂子
　5 新表8/72上/2535
李翼陝虢都防禦觀察使
　26方鎮4/14 B
李柔
　9 拾遺31/12 B
18李瑜
　5 新表8/72上/2527
李珍業子
　1 舊唐9/95/3017
　2 新唐12/81/3602
李珍貞悌子
　5 新表8/72上/2525
李珍玉
　1 舊唐13/155/4123
李珍子
　2 新唐12/80/3577
李玢憲子
　1 舊唐9/95/3015
李汾(洄)唐玄宗子
　1 舊唐10/107/3267
　2 新唐12/82/3613
李玢伯思子
　5 新表8/72上/2564
李璲(潍)唐玄宗子
　1 舊唐10/107/3263
　2 新唐12/82/3610
李璲處恭子,括倉尉
　5 新表8/72上/2551
李璲再思子,潭州司戶參軍
　5 新表8/72上/2566
李璲唐懿宗時平盧節度使
　26方鎮1/36 B
　　　　3/43 A
李政藻
　5 新表8/72上/2474
李政起
　5 新表8/72上/2475
李政期
　5 新表8/72上/2475

李政感
　5 新表8/72上/2513
李玫唐宣宗時撰《纂異記》
　7 新志5/59/1541
李玫五代仕吳
　40十國12/3 A
李璲(澐)唐玄宗時
　1 舊唐10/107/3263
　2 新唐12/82/3610
　8 全文100/11 A
李璲紳子
　5 新表8/72上/2529
李璲元懿子
　1 舊唐7/64/2429
　2 新唐11/79/3552
李璲(滔)唐玄宗子
　1 舊唐10/107/3272
　2 新唐12/82/3615
李璲思子
　5 新表8/72上/2487
李璲再思子
　5 新表8/72上/2567
李玲
　5 新表8/72上/2472
19李耿
　5 新表8/72上/2447
李琰(嗣真)唐玄宗子
　1 舊唐10/107/3260
　2 新唐12/82/3608
李琰教子
　3 舊五2/35/481
李琰惟和子
　5 新表8/72上/2546
李琰有意子
　5 新表8/72上/2552
李璘唐玄宗子
　1 舊唐10/107/3264
　2 新唐12/82/3611
　8 全文100/11 B
李璘鎔子
　5 新表8/72上/2562
20李重
　5 新表8/72上/2535
李重璋　見李抱玉
李重胤
　3 舊五1/19/265
李重俊(節愍太子)唐中宗子
　1 舊唐9/86/2837

　2 新唐12/81/3595
　59毗陵志7/7 A
李重俊從璋子
　3 舊五4/88/1156
李重福
　1 舊唐9/86/2835
　2 新唐12/81/3594
　8 全文99/10 A
李重潤(重照、懿德太子)
　1 舊唐9/86/2834
　2 新唐12/81/3593
李重古
　26方鎮1/25 B
李重吉
　3 舊五3/51/697
　4 新五1/16/172
李重茂(殤)
　1 舊唐9/86/2839
　8 全文99/11 A
　9 拾遺12/6 A
李重英
　5 新表11/75下/3444
李重照　見李重潤
李重丘
　5 新表8/72上/2558
李重美
　3 舊五3/51/697
　4 新五1/16/172
　9 拾遺46/3 B
李重光
　5 新表8/72上/2558
李伉唐壽王瑁子
　2 新唐12/82/3613
李伉撰《系蒙》
　7 新志5/59/1537
李伉咸通時吏部郎中
　8 全文806/19 A
　48 寶慶四明1/16 B
　49 延祐四明2/2 B
李伉無考
　11全詩11/775/8779
李伉歷吏中、戶中
　20郎考3/3 B①
　　　　11/20 B
李位元道子
　5 新表8/72上/2461
李位準子
　5 新表8/72上/2582

李位 廙子
　25登科27/31 B②
　26方鎮7/20 B
　69嘉定鎮江15/44 A
李秀慎子
　2 新唐12/80/3578
李秀誠子
　5 新表8/72上/2582
李秀芝
　21御考2/18 B
　　　　2/44 A
李喬聿　見李喬年
李喬卿
　5 新表8/72上/2490
李喬年
　5 新表8/72上/2588
　8 全文282/17 B
　20郎考1/36 B
　　　　18/8 A③
　21御考1/26 A
　　　　3/33 B
李備　見李廝
李依禮
　5 新表8/72上/2492
李億
　25登科22/35 B
李億姜　見魚玄機
李俯
　1 舊唐10/107/3262
　2 新唐12/82/3609
李佼
　1 舊唐10/107/3270
　2 新唐12/82/3614
李舜弦　見前蜀後主昭儀
　　　　李氏
李舜卿
　3 舊五5/108/1419

李信瑗子
　5 新表8/72上/2574
李信唐宗室，潤州司戶參軍
　69嘉定鎮江16/6 A
李信陵
　5 新表8/72上/2523
李倞
　2 新唐12/82/3613
李千里(仁)
　1 舊唐8/76/2650
　2 新唐12/80/3567
李隼
　5 新表8/72上/2456
李孚
　5 新表8/72上/2588
李季平
　9 拾遺23/6 A
李季碻
　5 新表8/72上/2577
李季何
　11全詩6/368/4144
　17紀事上/33/513
　25登科14/1 B
李季貞
　8 全文618/8 A
李季良
　10續拾3/7 A
李季蘭(冶)
　11全詩11/805/9057④
　　　　12/888/10039⑤
　15中興下/292
　17紀事下/78/1123
　18才子2/26
　28直齋19/29 B
李季華
　11全詩11/778/8804
李季操

　40十國19/5 A
李季思
　5 新表8/72上/2567
李季回
　5 新表8/72上/2444
李季明
　19姓纂4/17 A
李季卿
　1 舊唐9/99/3102
　2 新唐18/202/5748
　8 全文458/13 A
　20郎考3/37 B
　　　　11/24 A
　25登科27/28 B
　　　　27/36 A
李皎
　2 新唐11/79/3559
李系
　20郎考20/19 B
李集
　73吳興志15/3 A
李維
　5 新表8/72上/2455
李稚詮　見李智雲
李稚川
　5 新表8/72上/2456
　20郎考18/24 B
李稦
　26方鎮2/27 B
　　　　3/9 A
李縞
　11全詩11/726/8321
　17紀事下/67/1008
李締
　5 新表8/72上/2455
21李順融
　8 全文998/14 B

---

① 按《新唐》本傳之李伉，爲唐玄宗孫，壽王瑁子，封薛國公。《新志》之李伉，撰《系蒙》二卷，時代、身世均不詳。《全
　文》之李伉，小傳云咸通朝官吏部郎中。此蓋據《寶慶四明志》載李伉爲咸通六年刺史及《郎考》卷三吏部郎中李
　伉，小傳合二爲一。實則《郎考》吏部郎中李伉，據其排列時序，爲唐玄、肅宗時人，與咸通朝之李伉非同一人。又
　《全詩》之李伉，乃屬世次爵里無可考者，所收詩一首題爲《責宜陽到荊渚》，他皆不詳。本書分李伉同名者爲五
　人，備考。

② 《新表》8/72上/2461之李位，元道子，房州刺史。《新表》8/72上/2582之李位，準子，未注官職。《登科》與《方
　鎮》之李位，乃據柳宗元所作墓誌。按柳宗元所題爲《唐故邕管經略招討等使李公墓銘》(世綵堂本《柳河東
　集》卷十)，據柳文，此李位爲廙子，曾爲湖南、浙東副使，刺岳、信二州，終邕管經略使，未嘗任房州刺史。則是爲
　另一人。今皆分列，備考。

③ 《郎考》此處“喬年”作“喬聿”。趙鉞案，喬聿疑是喬年之誤，喬年見《郎考》卷一，時代亦合。

④⑤ 李冶字季蘭，以字行。《全詩》作李冶，並注云“冶一作裕”。

李順節
69嘉定鎮江14/42B
李上德
25登科1/4A
李上士
5 新表8/72上/2525
李上金
1 舊唐9/86/2825
2 新唐12/81/3586
李上義
5 新表8/72上/2462
李上善
71嚴州1/27B
李上公
1 舊唐14/178/4624
5 新表8/72上/2451
20郎考15/14A
26方鎮4/16B
李仁琰子
2 新唐12/82/3609
李仁 見李千里
李仁亮
5 新表8/72上/2562
李仁方
5 新表8/72上/2482
8 全文203/16A①
李仁章
38圖繪2/40A
李仁彊
5 新表8/72上/2571
李仁璹
5 新表8/72上/2464
李仁穎
5 新表8/72上/2579
李仁緯
5 新表8/72上/2568
李仁儉
20郎考11/72A
李仁濟
5 新表8/72上/2564
李仁實
1 舊唐8/73/2601
2 新唐13/102/3986
6 舊志6/46/1996
7 新志5/58/1461
5/58/1466
5/58/1475
5/58/1507
5/59/1513
李仁福
1 舊五6/132/1746
2 新五2/40/436
李仁達
40十國98/8B
72三山志20/49B
李仁遇
40十國98/4B
李仁罕(德美)
40十國51/4B
41九國7/8A
李仁表唐高宗時
5 新表8/72上/2482②
李仁表五代前蜀時
40十國42/10B
李仁軌
5 新表8/72上/2582
李仁則君昂子
5 新表8/72上/2482
李仁則山壽子
5 新表8/72上/2493
李仁則璣衡子
5 新表8/72上/2582
李仁贍
5 新表8/72上/2494
李仁矩
1 舊五3/70/931
2 新五1/26/285
李能
5 新表8/72上/2555
李虛己
5 新表8/72上/2558
李虛中(常容)
25登科13/22B
27郡齋3下/17A
李偃玢子
2 新唐12/82/3613
李偃僧伽子
5 新表8/72上/2541
李偃同恩子
5 新表8/72上/2569
李衢
7 新志5/58/1501
9 拾遺29/22A
11全詩8/542/6258
20郎考22/17A
28直齋8/2A
李行充
5 新表8/72上/2505
李行方
20郎考2/28B
3/78B
4/48B
12/40B
李行廉
9 拾遺16/7A
李行言
11全詩2/101/1079
17紀事上/11/169
20郎考2/3B
李行諶
5 新表8/72上/2592
李行詡
5 新表8/72上/2502
李行敦
5 新表8/72上/2475
李行詮
20郎考17/1A
李行正
20郎考8/13A
李行師
5 新表8/72上/2462
李行休
2 新唐12/80/3578
李行純
5 新表8/72上/2502
李行修
8 全文695/3A
20郎考2/22B
25登科17/24A
26方鎮7/11A
李行遠
2 新唐12/80/3578
李行沖
5 新表8/72上/2475
李行禮
5 新表8/72上/2502
李行芳
2 新唐12/80/3578
李行恭
5 新表8/72上/2592
20郎考18/18A
李行指
5 新表8/72上/2502
李行同

---

① 按《新表》之李仁方，洛陽尉，其祖敬枚，爲北周聘陳使。《全文》之李仁方，唐高宗龍朔中都水使者。時代相合，疑是一人。

② 謹《新表》，此李仁表其祖敬枚，爲北周聘陳使，則仁表當爲高宗時人（參見李仁方注）。

③ 按《新表》叔度子李行敏，與李吉甫同時，當爲唐憲宗時，而《全詩》、《登科》之李行敏，乃唐德宗貞元十二年博學宏詞科登第，時代相合，當爲一人。

④ 按《新表》之李何，昇期子，汜水令，約中唐時。《全詩》之李何，屬無世次鄉里可考者，收詩一首，題爲《觀妓》，皆未能確定是否爲同一人。今分列，備考。

⑤ 此李何爲湖州烏程令，其餘亦無考。

李衡 成裕子
　5 新表8/72上/2450
李衡 全璧子
　5 新表8/72上/2488
李衡 唐德宗時節度使
　10續拾4/11 A
　20郎考14/7 A
　26方鎮5/80 B
　　　　6/31 A
李衡 畫家
　31唐畫6/16 A
李皆
　5 新表8/72上/2452
　20郎考6/30 A
李峘
　1 舊唐10/112/3342
　2 新唐12/80/3568
　20郎考9/9 B
　　　　15/10 B
　　　　17/9 B
　26方鎮6/59 A
李師諒
　5 新表8/72上/2596
李師望
　26方鎮8/78 A
　53赤城志8/22 B
李師聖
　8 全文692/25 B
李師政
　7 新志5/59/1526
　8 全文157/1 A
　82內典5/281
李師喬
　5 新表8/72上/2509
李師信
　5 新表8/72上/2504
李師稚(孝仁)
　5 新表8/72上/2507
李師仲
　5 新表8/72上/2507
李師稷
　5 新表8/72上/2597
　20郎考1/21 A
　26方鎮5/55 B
　64掇英18/14 A
　65會稽志2/32 A
李師道
　1 舊唐11/124/3538

2 新唐19/213/5992
　5 新表11/75下/3449
　26方鎮3/38 A
李師大
　5 新表8/72上/2507
李師直
　10續拾5/3 B
李師古
　1 舊唐11/124/3537
　2 新唐19/213/5991
　5 新表11/75下/3448
　26方鎮3/37 A
李師蘭
　5 新表8/72上/2510
李師幹
　5 新表8/72上/2583
李師泰
　40十國40/7 B
李師本
　5 新表8/72上/2583
李師素
　5 新表8/72上/2509
　21御考3/42 A
李師旦 德璡子，右領軍錄事
　5 新表8/72上/2509
李師旦 會稽尉
　8 全文260/15 B①
李師晦
　2 新唐19/214/6020
李師賢
　5 新表11/75下/3449
李師智
　5 新表11/75下/3449
李師悅
　73吳興志14/32 A
李頵
　25登科13/23 A
李頏
　3 舊五4/91/1206
李貞(敬)唐太宗子
　1 舊唐8/76/2661
　2 新唐12/80/3575
　9 拾遺12/1 A
　11全詩1/6/66
　17紀事上/3/29
李貞琪子
　3 舊五3/58/786
李貞懿

5 新表8/72上/2530
李貞白
　11全詩12/870/9872
李貞道
　5 新表8/72上/2522
李貞恕
　5 新表8/72上/2530
李貞素
　2 新唐17/179/5326
李貞簡
　1 舊唐13/164/4285
　5 新表8/72上/2525
李貞悌
　5 新表8/72上/2522
李潁
　20郎考16/4 A
　　　　25/4 A
李經(渙)唐順宗子
　1 舊唐12/150/4048
　2 新唐12/82/3627
李經 元善子
　5 新表8/72上/2527
李經 正己子
　5 新表11/75下/3449
李組
　5 新表8/72上/2594
李穎 元曉子
　2 新唐11/79/3559
李穎 義琰子，兵部郎中
　5 新表8/72上/2445
　26方鎮5/85 A②
李穎士
　5 新表8/72上/2523
李綽 唐順宗子
　1 舊唐12/150/4049
　2 新唐12/82/3628
李綽(肩孟)寬中子
　5 新表8/72上/2481
　7 新志5/58/1485
　　　　5/59/1539
　8 全文821/6 A
　20郎考19/15 A
　　　　23/7 A
　27郡齋3下/7 A
　28直齋6/21 B
　　　　11/5 B
22李胤
　1 舊唐8/76/2666

李胤卿
　5 新表8/72上/2506
李釜
　8 全文435/15 A
　20郎考26/17 B
李鑾
　5 新表8/72上/2563
李蠻子
　30歷畫9/184
李劀
　5 新表8/72上/2457
李嶧（伯高）
　2 新唐18/194/5565③
　25登科8/12 B
　　　　27/36 A
李嶧福慶子
　5 新表8/72上/2496
李嶧貞梯子
　5 新表8/72上/2523
李嶧紹先子
　5 新表8/72上/2561
李嶧令思子
　5 新表8/72上/2568
李嶧
　20郎考17/10 A④
李岑乾昇子
　5 新表8/72上/2458
李岑貞梯子
　5 新表8/72上/2525
李岑天寶大歷間人
　11全詩4/252/2844
李岑天寶四年進士

11全詩4/258/2881⑤
　25登科9/9 A
李佻
　1 舊唐10/107/3270
　2 新唐12/82/3614
李侄
　1 舊唐10/116/3388
　2 新唐12/82/3621
李鼎
　21御考3/25 B
　26方鎮1/1 A
　　　　8/41 A
李鼎祚
　7 新志5/57/1426
　　　　5/59/1558
　8 全文202/3 A
　27郡齋1上/4 B
　28直齋1/6 A
李僑
　2 新唐12/82/3609
李崗述子
　5 新表8/72上/2498
李崗貞簡子
　5 新表8/72上/2525
李崗
　21御考3/21 B⑥
李嵩京兆李氏
　5 新表8/72上/2469
李嵩趙郡李氏，貞恕子
　5 新表8/72上/2530
李嵩趙郡李氏，存範子
　5 新表8/72上/2536

李嵩趙郡李氏，令思子
　5 新表8/72上/2568
李嶽
　20郎考1/28 A
　　　　8/49 A
　　　　12/48 A
李偡玢子
　1 舊唐10/107/3268
　2 新唐12/82/3613
李偡唐肅宗子
　1 舊唐10/116/3388
　2 新唐12/82/3620
李偡　見李健
李岌
　1 舊唐14/171/4453
李偡琰子
　2 新唐12/82/3609
李偡琩子
　2 新唐12/82/3613
李巖從遠子，唐中宗時兵部侍
郎
　2 新唐18/197/5621
　5 新表8/72上/2477
李巖唐德宗時司門郎中
　8 全文684/6 B
李巖天寶六年知貢舉
　25登科9/13 A⑦
　　　　9/17 B
　　　　9/18 A
李循巨川父
　1 舊唐15/190下/5081
　25登科22/28 B

①按《新表》之李師旦，屬趙郡李氏東祖房，德璡子，右領軍錄事。《全文》之李師旦，據小傳，爲新豐人，任會稽尉。
　未能確定是否卽爲一人。今分列，備考。

②按《新唐》之李穎，爲唐高祖孫，密貞王元曉子，時當太宗、高宗時，未有官職，且時代較早。《方鎮》之李穎，爲唐
　文宗開成四年江西觀察使，與《新表》之任兵部郎中李穎，時代相近，疑卽同一人。

③按據《新唐》所載，此李嶧趙郡人，唐玄宗、肅宗時歷任南華令、廬州刺史，爲李華《三賢論》所提及之當時知名
　文士之一，與下福慶子之李嶧等雖皆屬趙郡李氏，疑非同人。

④據《新唐書·宗室表》，李林甫子李嶧，司儲郎中。又據新、舊《唐書》李林甫本傳，其子嶧爲司儲郎中，天寶十二
　載讒於嶺南。《郎考》此處載李嶧爲倉部郎中，按其排列時序，亦在天寶中。疑此卽爲李林甫子之李嶧。

⑤按《新表》之二李岑似皆唐玄宗時人。《全詩》卷二五二之李岑，小傳云天寶、大歷間人，餘不詳，未能確定，姑分
　列。《全詩》卷二五八之李岑，載詩二首，一爲《玄元皇帝應見賀聖祚無彊》，卽《文苑英華》卷一八〇所收者，徐松
　《登科記考》卽據此定此李岑與殷寅等爲天寶四載進士，當爲另一人。本書李岑分列爲四，時代相近，其他材料不
　詳，錄以備考。

⑥按此李崗未能確定屬於何人，今分列，備考。

⑦《新唐》與《新表》之李巖，爲從遠子，唐中宗時年十餘歲，授右宗衛兵曹參軍，歷洛陽尉，累遷兵部郎中，遷諫議大
　夫，終兵部侍郎。《全文》之李巖，據小傳，唐德宗時禮儀使判官、司門郎中，時代不同，顯系二人。《登科》之李
　巖，徐松乃據《唐語林》，唐玄宗天寶六至八載以禮部侍郎知貢舉，其時代與《新唐》、《新表》之李巖相近，但未能
　確定是否卽爲一人，今仍分列，備考。

李循暘父
  5 新表8/72上/2516
李循琦
  1 舊唐7/64/2437
  2 新唐11/79/3560①
李仙童
  5 新表8/72上/2490
  20郎考16/3 B
李仙務
  5 新表8/72上/2482
李仙客
  5 新表8/72上/2554
李仙宗
  1 舊唐8/79/2719
  2 新唐18/204/5798
李仙壽
  5 新表8/72上/2484
李仙幹
  5 新表8/72上/2483
李㥄
  5 新表8/72上/2561
李係(儋)唐肅宗子，越王
  1 舊唐10/116/3382
  2 新唐12/82/3616
李係唐僖宗時節度使
  26方鎮3/19 B
       6/40 A
李恬
  5 新表8/72上/2499
李幾道
  20郎考16/3 B
李嶷當塗子
  5 新表8/72上/2522
李嶷紹先子
  5 新表8/72上/2561
李嶷承胤子
  5 新表8/72上/2589
李嶷開元十五年進士
  11全詩2/145/1465②
  13河嶽下/113
  14國秀中/128
       中/163
  17紀事上/22/331
  25登科7/25 B
李峯乾昇子
  5 新表8/72上/2458
  11全詩4/258/2886
李峯貞愍子

  5 新表8/72上/2530
李峯紹先子
  5 新表8/72上/2561
李岩
  5 新表8/72上/2522
李邕唐宗室，高祖曾孫
  1 舊唐7/64/2432
  2 新唐11/79/3555
李邕(泰和、李北海)善子，
  江都人
  1 舊唐15/190中/5039
  2 新唐18/202/5754
  5 新表8/72上/2596
  7 新志5/58/1484
      5/59/1538
      5/60/1602
  8 全文261/1 A
  9 拾遺16/19 B
  11全詩2/115/1168
  14國秀上/127
      上/143
  17紀事上/17/248
  20郎考11/11 B
      12/9 A
  28直齋6/21 B
      7/5 A
  34書譜8/10 A
  37書小史9/12 B
  39書史5/6 A
李邕妻　見溫氏
李嶠(餘慶)欣子
  1 舊唐8/76/2656
  2 新唐12/80/3572
李嶠(巨山)鎮惡子
  1 舊唐9/94/2992
  2 新唐14/123/4367
  5 新表8/72上/2546
  6 舊志6/47/2075
  7 新志5/59/1551
      5/59/1563
      5/60/1600
      5/60/1609
  8 全文242/1 A
  9 拾遺16/19 B
  11全詩2/57/686
  12詩逸下/10221
  14國秀上/127
      上/131

  17紀事上/10/143
  18才子1/12
  20郎考5/9 B
  25登科27/2 A
      27/34 B
  27郡齋4上/13 B
  28直齋22/8 A
  69嘉定鎮江16/2 B
李山
  20郎考5/15 A
李山甫
  7 新志5/60/1615
      5/60/1616
  11全詩10/643/7361
  17紀事下/70/1044
  18才子8/142
  28直齋19/25 B
李巒
  5 新表8/72上/2518
李利王
  5 新表8/72上/2461
李利涉
  7 新志5/58/1501
李紃
  20郎考26/26 B
李崇
  5 新表8/72上/2453
  7 新志5/58/1497③
李崇鼎顒子
  5 新表8/72上/2530
李崇鼎(重周)體仁子
  5 新表8/72上/2581
李崇德
  5 新表8/72上/2541
  20郎考5/7 B
      7/2 A
李崇龜
  5 新表8/72上/2530
李崇憲
  5 新表8/72上/2490
李崇業
  5 新表8/72上/2541
李崇禮　見李存禮
李崇遇
  8 全文848/1 A
李崇基
  5 新表8/72上/2458
  20郎考4/8 B

李崇威
　5 新表8/72上/2530
李崇規
　5 新表8/72上/2529
李崇嗣
　11 全詩2/100/1074
　17 紀事上/6/82
李崇丘
　5 新表8/72上/2530
李崇義
　1 舊唐7/60/2349
　2 新唐11/78/3524
李崇矩
　5 新表8/72上/2529
李崇敏
　5 新表8/72上/2442
　20 郎考7/5 B
李崇節
　5 新表8/72上/2530
李巢 唐高宗時
　2 新唐13/105/4034④
　5 新表8/72上/2445
　25 登科2/11 A
李巢 唐僖宗時
　26 方鎮6/40 B
李樂
　26 方鎮1/72 A
李繼 巽子，京兆府參軍
　5 新表8/72上/2589
李繼 戶部郎中
　20 郎考11/47 B⑤
李繼顏
　26 方鎮1/53 A
　　　8/32 B
李繼襲
　3 舊五3/52/706
　4 新五2/36/389

李繼麟　見朱友謙
李繼武
　5 新表8/72上/2542
李繼能
　3 舊五3/52/706
　4 新五2/36/389
李繼嵩
　3 舊五3/51/692
　4 新五1/14/152
李繼岌 後唐莊宗子
　3 舊五3/51/691
　4 新五1/14/152
　8 全文127/7 A
李繼岌　見桑宏志
李繼儔
　3 舊五3/52/706
　4 新五2/36/388
李繼勳
　26 方鎮8/46 B
李繼曉
　3 舊五3/51/692
　4 新五1/14/152
李繼皐
　7 新志5/59/1573
李繼徽　見楊崇本
李繼潼
　3 舊五3/51/692
　4 新五1/14/152
李繼密
　26 方鎮4/159 A
　　　4/159 B
　　　8/32 B
李繼遠 嗣昭子
　3 舊五3/52/706
　4 新五2/36/388
李繼遠　見符道昭
李繼達

李繼塘
　4 新五2/36/388
李繼塘
　26 方鎮8/5 B
李繼韜（留得）
　3 舊五3/52/706
　4 新五2/36/388
李繼忠（化遠）
　3 舊五4/91/1205
　4 新五2/36/389
　26 方鎮8/31 A
李繼蟾
　3 舊五3/51/692
　4 新五1/14/152
李繼陶（得得）
　3 舊五3/54/733
李彩
　5 新表8/72上/2479
李繚
　1 舊唐12/150/4049
　2 新唐12/82/3628
李崧
　3 舊五5/108/1419
　4 新五2/57/653
李穩
　65 會稽志3/18 B
李緩
　5 新表8/72上/2573
23 李參
　5 新表8/72上/2568
李佖
　1 舊唐10/116/3386
　2 新唐12/82/3619⑥
李允宗
　5 新表8/72上/2483
李允恭　見李克恭
李佗
　1 舊唐10/107/3270

---

① 《新唐》原作李脩琦，爲滕王元嬰子。岑建功《舊唐書校勘記》卷三十五云：“趙氏紹祖云：《新書》循俱作脩，《世系表》同。葢循與脩，篆隸字形相似。”據此，則循與脩未知孰誤，今姑從《舊唐》作李循琦，而以李脩琦爲參見條。又岑氏《校勘記》云：“《册府》二百八十四，琦作呵，未知孰誤。”

② 按《全詩》、《河嶽》、《國秀》、《紀事》、《登科》之李嶷皆爲同一人，唐玄宗開元十五年進士，與上三李嶷，時代均相近，但未能確定屬於何者。今分列，備考。

③ 按《新表》之李崇，爲祕書少監益子，《新志》之李崇，撰《法鑑》八卷，時代相近，約均爲中晚唐時人，疑爲一人，確否待考。

④ 按《新唐》載李巢爲義琰子，《新表》載巢爲義琬子，傳與表父名有異，而兩處之李巢則實爲一人。

⑤ 按《新表》之李繼，巽子，官京兆府參軍。《郎考》之李繼，爲戶部郎中，時代相近，未知是否即爲一人。今分列，備考。

⑥ 按此李佖爲唐肅宗子，《新唐》作“李泌”。肅宗諸子名皆從人，此“泌”當是“佖”字之誤，今從《舊唐》作“李佖”

2 新唐12/82/3614
李优
2 新唐12/82/3613
李俌李商隱祖，邢州錄事參軍
1 舊唐15/190下/5077
李俌詷子
5 新表8/72上/2514
李俌䞍義子，玉山尉
5 新表8/72上/2556
李俅瑛子
1 舊唐10/107/3260
2 新唐12/82/3608
李俅澈子
5 新表8/72上/2571
李俅寶曆二年進士，倉中
20郎考17/17B①
25登科20/16A
李獻慎子
2 新唐12/80/3578
李獻思誨子
5 新表8/72上/2457
李獻誠(倪屬利稽)
1 舊唐16/199下/5359
2 新唐20/219/6178
李獻臣
27郡齋3下/17A
李侒
2 新唐12/82/3609
李俊明子
1 舊唐8/76/2666
2 新唐12/80/3579
李俊瑛子
2 新唐12/82/3609
李俊週秀子
5 新表8/72上/2442
李俊倩年子
5 新表8/72上/2457
李俊貞元二年及第
25登科12/15B②
李俊文
25登科5/1B
李俊通
5 新表8/72上/2530
李弁
5 新表8/72上/2573
李台
7 新志5/59/1545
李巘
2 新唐12/80/3569
李峻
1 舊唐14/175/4543
2 新唐12/82/3634
李岱
5 新表8/72上/2518
李秘 見李祕
李紓
5 新表8/72上/2589
李編
5 新表8/72上/2589
李綠(淮、湑)
1 舊唐12/150/4048
2 新唐12/82/3627
李緘
20郎考15/24A
李緘抱真子
2 新唐15/138/4622
5 新表11/75下/3447
19姓纂4/17B
李緘(德高)巽子
5 新表8/72上/2589
20郎考1/26A
李緘道賡子
19姓纂7/18A
李稔
5 新表8/72上/2518
李綰 見王宗綰
李綰(浥)唐順宗子
1 舊唐12/150/4049
2 新唐12/82/3628
李綰義琛子
2 新唐13/105/4034
5 新表8/72上/2446
20郎考3/81A③
11/4A
李綰(權化)景素子
1 舊唐14/178/4627
5 新表8/72上/2451
26方鎮5/58B
64掇英18/15A
65會稽志2/33B
李縯
5 新表8/72上/2556
李綜(湜)唐順宗子
1 舊唐12/150/4048
2 新唐12/82/3627④
59毗陵志7/7B⑤
李綜自正子
5 新表11/75下/3446
24李先
5 新表8/72上/2446
李侁
1 舊唐10/107/3263
2 新唐12/82/3610
李佐唐玄宗時
25登科27/8B
李佐(公輔)唐德宗時
25登科27/30A⑥
26方鎮4/14A
7/41B
李佐方
3 舊唐3/55/742
李佐之
2 新唐19/214/6020
李佐國
2 新唐15/138/4617
李佐公
5 新表8/72上/2449
李僅
1 舊唐10/116/3386
2 新唐12/82/3619
李儺
5 新表8/72上/2556
李僛
1 舊唐10/107/3266
2 新唐12/82/3613
李仂
1 舊唐10/107/3272
2 新唐12/82/3615
李倚唐懿宗子
1 舊唐14/175/4545
2 新唐12/82/3637
李倚蠱子
5 新表8/72上/2541
李備明子
2 新唐12/80/3579
李備瑛子
2 新唐12/82/3608
李德 見李賢
李德彥從父，隨州司馬
3 舊五5/106/1397
李德誠(忠懿)
40十國7/9A
43馬書9/3A
44陸書6/8A

李德武
69嘉定鎮江14/45 A
李德武
1 舊唐16/193/5138
李德武妻　見裴淑英
李德柔(子懷、李猫兒)
40十國30/16 A
43馬書18/4 B
李德琉(李七哥)
3 舊五4/90/1191
李德元
25登科27/33 A
李德垂
25登科18/9 A
李德皎
1 舊唐13/167/4368
李德穎
20郎考3/6 B
李德休(表逸)
3 舊五3/60/809
5 新表8/72上/2527
8 全文843/6 A
李德恪
2 新唐15/146/4744
5 新表8/72上/2591
20郎考24/7 A
73吳興志14/29 B
李德奬
5 新表8/72上/2465
李德紹
5 新表8/72上/2497
李德謇
1 舊唐8/67/2482
2 新唐12/93/3816
5 新表8/72上/2465
李德良
1 舊唐7/60/2346
2 新唐11/78/3521

李德源
5 新表8/72上/2504
李德初
9 拾遺50/26 A
李德逸
5 新表8/72上/2504
李德裕(文饒、忠)
1 舊唐14/174/4509
2 新唐17/180/5327
5 新表8/72上/2591
7 新志5/58/1468
　　 5/58/1486
　　 5/59/1513
　　 5/59/1552
　　 5/60/1607
　　 5/60/1624
8 全文696/1 A
9 拾遺28/5 B
10續拾6/7 A
11全詩7/475/5387
17紀事下/48/726
20郎考8/61 A
　　 9/2 A
22院記　翰苑羣書
　　　上/16 B
24壁記　翰苑羣書
　　　上/44 A
26方鎮2/22 A
　　 4/152 B
　　 5/9 B
　　 5/28 A
　　 5/40 A
　　 5/41 A
　　 5/41 B
　　 6/66 A
27郡齋2上/19 B
　　 2上/20 A

　　 2上/20 B
　　 2下/8 B
　　 4中/8 B
28直齋5/14 B
　　 5/15 A
　　 5/28 B
　　 7/6 B
　　 16/25 B
39書史5/25 A
69嘉定鎮江14/24 B
李德基
5 新表8/72上/2459
李德芳
9 拾遺27/23 B
李德懋
1 舊唐7/60/2345
2 新唐11/78/3534
李德成
3 舊五3/50/682
李德旻
5 新表8/72上/2498
李德明(忠)
40十國26/17 A
43馬書19/3 B
44陸書4/11 A
李德錞
40十國52/9 B
李德矩
5 新表8/72上/2497
李德饒(世文)
5 新表8/72上/2495
李德範
5 新表8/72上/2496
李德鏻
40十國52/9 B
李德鄰(朋言)
5 新表8/72上/2527
25登科24/4 B ⑦

---

① 按新、舊《唐書》本傳之李儚，爲太子瑛之子，時當唐玄宗、肅宗時。《新表》之李儚，激子，肥鄉丞。《郎考》、《登科》之李儚，敬宗寶曆二年進士登第，倉部郎中，與《新表》之李儚時代相近，但未能確定是否即屬一人，今仍分列，備考。

② 按此乃《登科》據《太平廣記》引《續玄怪錄》，云岳州刺史李俊於貞元二年及第，出小說家言，與前之李俊皆非同一人。

③ 按《新唐》卷一〇五之李綰爲義琛子，柏人令。《新表》8/72上/2446之李綰爲義琛子，吏部郎中，約唐高宗時。《郎考》此處之李綰爲吏部郎中，其時序亦當在高宗時，則當爲同一人。

④⑤ 《新唐》、《毗陵志》作"李總"，今從《舊唐書》本傳作"李綜"。

⑥ 按《登科》27/8B之李佐，出《獨異志》，約當安史之亂時。《登科》27/30A及《方鎮》之李佐，出穆員《京兆少尹李公墓誌》(文載《文苑英華》卷九四三)，唐德宗貞元時累鎮陝虢、桂管等。時代及官職均不同，今分列，備考。

⑦ 按，《新表》之李德鄰，係璋子，時在唐末。《登科》之李德鄰，據所引《唐摭言》，乃唐昭宗大順二年進士登第。時代相合，疑即是一人。

李結　見李構
李緒元軌子
1 舊唐7/64/2431
2 新唐11/79/3554
30 歷畫10/193
31 唐畫6/1 A
35 畫譜13/3 A
38 圖繪2/15 A
39 書史5/3 A
李緒自正子
5 新表11/75下/3446
李積
5 新表8/72上/2447
20 郎考5/14 A
李鎮清子
5 新表8/72上/2523
李鎮
11 全詩12/887/10029⑦
李續慎子
2 新唐12/80/3578
李續事舉子
5 新表8/72上/2580
11 全詩9/564/6543
17 紀事下/53/807
20 郎考4/42 B
　　14/11 A
　　15/19 B
李纉
20 郎考21/5 B
25 李失活
1 舊唐16/199下/5351
2 新唐20/219/6170
李生
30 歷畫9/177
38 圖繪2/21 B

李生姬　見柳氏
李仲康 唐玄宗開元中主客郎中
20 郎考25/5 A
李仲康 五代南唐李煜從子
40 十國19/14 A
李仲文
10 續拾6/8 A
李仲言　見李訓
李仲雍
8 全文955/10 B
李仲京
2 新唐19/214/6019
李仲塾
1 舊唐14/173/4503⑧
5 新表8/72上/2583
李仲翊
40 十國19/9 B
李仲雲
5 新表8/72上/2587
8 全文458/8 A
20 郎考2/15 B
25 登科27/8 A
李仲子
5 新表8/72上/2550
李仲偃
40 十國19/11 A
李仲貞
5 新表8/72上/2577
李仲偉
40 十國19/14 A
李仲和 唐玄宗時
8 全文401/6 A
李仲和漸子,唐憲宗時
30 歷畫10/202
31 唐畫6/16 A

35 畫譜13/10 B
38 圖繪2/17 A
李仲將
5 新表8/72上/2501
李仲宣 乾念子,德州刺史
5 新表8/72上/2501
71 嚴州1/28 A
李仲宣 五代南唐時,本姓冥
40 十國11/7 A
李仲宣(瑞保) 五代南唐後主子
40 十國19/13 A
43 馬書7/7 B
44 陸書13/12 B
李仲宣 五代南唐後主從子
40 十國19/14 A
李仲宣 唐肅宗至德時台州刺史
53 赤城志8/15 B
李仲寅(叔章)
40 十國19/13 A
44 陸書13/12 B
李仲寂
20 郎考15/2 B
李仲遷
26 方鎮4/79 B
李仲遠
40 十國19/14 A
李仲連
5 新表8/72上/2582
李仲通(向)
1 舊唐11/122/3506
2 新唐15/147/4757
李仲華
5 新表8/72上/2455
李仲朝　見李仲塾

---

① 《全詩》之李勸,屬世次爵里無可考者,《登科》之李勸,據所引《北夢瑣言》曾任尚書之職,與薛能同時,未能確定是否爲同一人,今分列,備考。
② 徐松謂《登科》卷二六之李嶢與同書卷二七之李嶢爲二人。
③ 按《新表》之二李幼清,皆未注官職。《嚴州》則載李幼清於唐憲宗元和時爲嚴州刺史,其他未詳。今分列,備考。
④⑤ 《乾道臨安》3/5A、《咸淳臨安》45/15B皆作李幼清,杭州刺史。按據《新表》,此李幼公爲唐肅宗時宰相李揆子,《咸淳臨安》45/16A亦載李幼公爲杭州刺史。勞格《讀書雜識》卷七《杭州刺史考》謂應作李幼公,並云《咸淳臨安志》等又誤分李幼、李幼公爲二人。勞說是,今改正。
⑥ 按《新表》之李緯,唐初人,官戶部尚書。《郎考》之李緯亦貞觀時,疑爲一人。
⑦ 按《新表》之李鎮,清子,其時當在德宗之後。《全詩》之李鎮,無小傳,載詩一首,題爲《奉和郎中遊仙巖四瀑布寄包秘監李吏部趙婺州中丞齊處州諫議十四韻》,包秘監爲包佶,約卒於德宗初。時代相近,但未能確定是否即爲一人,今仍分列,備考。
⑧ 《舊唐》卷一七三《李珏傳》原作李仲朝,爲珏父。按據《新表》,珏祖先朝,鄂州司馬,父仲塾,鹽鐵判官、兼監察御史。其祖之名既有"朝"字,唐人禮法緄重,其父之名絶不能再有"朝"字。今據《新表》改。

① 《舊唐書》卷一七五謂唐懿宗八子，云"涼王健，咸通三年封，乾符六年薨"。《新唐》卷八二則云"涼王侹，乾符六年薨"。健、侹未知孰是，今從《舊唐書》作健，另有李侹作參見條。

② 《郎考》載李傑爲吏部員外郎，按《舊唐書》卷一〇〇《李傑傳》謂"傑少以孝友著稱，舉明經，累遷天官員外郎"。按天官員外郎即吏部員外郎，《郎考》排列時代亦與新舊《唐書》本傳相合，則可證爲一人。

③ 按《新表》元孌子之李岫，官殿中侍御史；羽子之李岫，未注官職。《郎考》之李岫，爲司勳員外郎，當唐玄宗時。按孫逖有《授李岫司勳員外郎制》（《文苑英華》卷三九一），又有《授李岫衛尉少卿制》（同上卷三九八），後文稱"父在樞衡，固守范宣之讓"。據《舊唐書》李林甫傳，李林甫有子岫，官將作監。據此，則此李岫爲天寶時，李林甫子，與《新表》之二李岫皆不相合，另爲一人。

④ 按《新表》之李伯成，元孌子，未注官職。《嚴州》之李伯成，唐玄宗天寶十五載正月自吉州刺史授睦州刺史，時代相近，但未能確是否即爲一人，今仍分列。

⑤ 據新、舊《唐書》之李侃，爲唐懿宗子，咸通六年始王郛，十年改封爲威王，而《方鎮》之李侃，唐僖宗乾符時爲邠寧、河東等節度使。時代雖相近，但仕履不合，當爲二人，今分列。

⑥ 兩《唐書》各有二李嶧，一爲唐玄宗、肅宗時人，終蜀州刺史；另一李嶧爲武宗子，會昌二年封德王，其他不詳。《方鎮》之李嶧，唐僖宗乾符三年爲義成節度使，與德王李嶧時代相近，但未能確定即爲一人，今仍分列。

李佟
　1 舊唐10/107/3269
　2 新唐12/82/3614
李俶　見唐代宗
李俶從晦子
　20郎考16/25 A
李將順
　5 新表8/72上/2478
李仮
　5 新表8/72上/2556
李俅
　2 新唐12/82/3611
李夐
　11全詩12/887/10025
李殷五代仕後漢
　3 舊五5/106/1395
李殷戎子，晚唐時
　5 新表8/72上/2534
李殷約中唐時
　25登科27/9 A
李殷衡
　5 新表8/72上/2591
　40十國62/3 A
李殷夢
　8 全文839/5 B
李解
　2 新唐12/81/3588
李伊衡
　5 新表8/72上/2479
李詹
　25登科22/26 A
李僑　見李係
李僑昇期子
　5 新表8/72上/2461
　21御考3/47 A
李佋（恭懿太子）唐肅宗子
　1 舊唐10/116/3388

　2 新唐12/82/3621
李佋袞州刺史
　5 新表8/72上/2456
李佋踐義子
　5 新表8/72上/2555
李佋
　39書史5/28 B④
李偃
　5 新表8/72上/2541
李僕
　2 新唐12/82/3609
李慇
　5 新表8/72上/2473
李翶（習之、文）
　1 舊唐13/160/4205
　2 新唐17/177/5280
　7 新志5/60/1607
　8 全文634/1 A
　11全詩6/369/4149
　　　12/873/9891
　17紀事上/35/536
　20郎考10/28 A
　　　19/9 A
　25登科14/17 A
　26方鎮4/138 B
　　　6/35 B
　　　7/45 B
　27郡齋3下/5 B
　　　4上/29 B
　28直齋3/25 A
　　　11/8 A
　　　14/18 A
　　　16/23 A
　39書史5/23 B⑤
李翜
　5 新表8/72上/2567
李鄒

　5 新表8/72上/2520
李鄟
　5 新表8/72上/2520
李氽
　26方鎮6/73 A
李舟（公受）
　5 新表8/72上/2458
　7 新志5/57/1451
　8 全文443/12 B
　20郎考4/27 B
　　　16/15 A
李弊
　5 新表8/72上/2571
李彝
　20郎考26/17 B
　25登科12/21 A
李彝殷　見李彝興
李彝福
　5 新表8/72上/2516
李彝鄴　見李貽業
李彝超
　3 舊五6/132/1747
　4 新五2/40/437
李彝興（彝殷）
　3 舊五6/132/1749
　4 新五2/40/437
李歆
　20郎考2/27 A
　　　4/45 B
　　　18/16 B
李郜從約子，晚唐時
　5 新表8/72上/2543
李郜唐宣宗大中五年及第
　25登科22/24 A⑥
李郇岊子
　5 新表8/72上/2520
李郇從約子

---

① 《新表》之李綬，并子，未注官職，《拾遺》之李綬，唐懿宗咸通中魏王府參軍，時代雖相近，但未能確定卽爲一人，今分列，備考。

② 按《新表》之李龜年，晧子，京兆府司户參軍，約中唐後。《全文》之李龜年，爲唐玄宗時樂人。時代、身世均不相同，當爲二人。

③ 《毗陵志》載李偁爲玄宗孫，徐王瑾第三子。按據《舊唐書》卷一〇七《玄宗諸子傳》，玄宗第二十三子信王瑝，"天寶末有子封爲王者二人：佟爲新安郡王、太常卿同正員；偁爲晉陵郡王、光禄卿同正員"。《新唐書》卷八十二同。由此可考見，《毗陵志》之李偁卽瑝子之李偁，《毗陵志》"徐王瑾"當爲"信王瑝"之誤。

④ 《書史》所載李佋，事蹟不詳，未能確定歸屬，今仍分列，備考。

⑤ 《書史》"翶"作"翔"，誤，今改正。

⑥ 按《新表》之李郜，從約子，當晚唐時。《登科》之李郜，唐宣宗大中五年及第。時代相近　其他事蹟不詳，未能確定卽爲一人，今分列，備考。

① 《全詩》原注:"舒一作舒。"
② 《郎考》此處作李汗。勞格案《郎考》卷六有李舒,時代正合,疑是。
③ 《全詩》"雲"作"霎",今據《新志》改正,詳見下注。
④ 《登科》"雲"作"霎"。《登科》引《廣異記》:"監察御史李叔霎者,與兄仲雲俱進士擢第,大曆初,叔霎卒,數年仲雲亦卒。"按據《新表》,李景昕有二子,即仲雲、叔雲,仲雲爲左司員外郎,叔雲爲監察御史。《新表》所載之李叔雲,與《登科》引《廣異記》之李叔霎,時代、仕履與其兄之名均相合,當即爲一人。疑此處之李叔霎當依《新表》作李叔雲,今據改。
⑤ 按,《新表》之二李叔儀,其父名雖均爲玄義,實爲二人。
⑥ 按,新、舊《唐書》之李叔良,唐高祖武德初即循例封長平王,又鎮涇州禦薛仁杲,後與突厥戰死,贈翊左衛大將軍、靈州總管。《郎考》之李叔良,雖亦在唐初,但僅爲左司員外郎,仕履不合,當爲二人。
⑦ 《圖繪》之李紹似即爲巽子,但所載不詳,亦未能確定,今仍分列,備考。
⑧ 按,《全詩》列李倫爲無世次爵里可考者。
⑨ 《唐畫》僅記李倫畫名,爲唐代能畫者,事迹不詳。未能確定其從屬,與上《全詩》之李倫均分列。
⑩ 據《登科》所引李景亮《人虎傳》,此李微爲唐宗室,登唐玄宗天寶十五載進士第。則與《新表》之二李徵皆爲同名異人。
⑪ 《咸淳臨安志》載李復爲唐代宗大曆四年餘杭令,其時代與新、舊《唐書》本傳之李復相合,但新舊傳之李復未載曾爲餘杭令,故未能斷定是否即爲一人。今仍分列,備考。

李儀琳子
2 新唐12/82/3612
李儀王
5 新表8/72上/2504
李儀道
5 新表8/72上/2504
李僧伽
5 新表8/72上/2541
李俗
2 新唐12/82/3613
李從珂子
5 新表8/72上/2486
李從璬子
5 新表8/72上/2567
李從度
40十國19/12 A
43馬書7/7 B①
44陸書13/8 A②
李從慶　見李從度
李從誧　見李從謙
李從毅
25登科20/16 A
李從謙（從誧）
8 全文870/3 A
11全詩1/8/76
40十國19/10 B
43馬書7/7 A
44陸書13/12 A
45江南3/9 A
李從誨　見李從晦
李從一　見李嘉祐
李從璋（子良）
3 舊五4/88/1154
4 新五1/15/167
李從琦　見唐末帝
李從璟（從審）
3 舊五3/51/692
4 新五1/15/161
李從璨
3 舊五3/51/695
4 新五1/15/167
李從信
40十國19/12 B
43馬書7/7 B③
44陸書13/8 A
李從儼
38圖繪　補遺/2 A
39書史5/26 A

李從約
5 新表8/72上/2543
李從審　見李從璟
李從實
25登科21/25 A
李從浦　見李從鑑
李從遠
1 舊唐15/185上/4787
2 新唐18/197/5620
5 新表8/72上/2477
11全詩2/105/1101
17紀事上/12/179
李從溫（德基）
3 舊五4/88/1156
4 新五1/15/168
李從郎
3 舊五3/52/711
李從嘉　見李煜
李從古
5 新表8/72上/2560
李從旭
3 舊五6/132/1742
李從規
5 新表8/72上/2565
李從易
8 全文741/3 A
26方鎮7/9 B
　　　　7/45 B
李從曠
3 舊五6/132/1741
4 新五2/40/433
37書小史10/11 B
李從照
3 舊五6/132/1743
李從晦
2 新唐11/78/3535
20郎考3/93 A④
25登科20/4 A
26方鎮4/156 A
59毗陵志7/15 B⑤
李從厚　見唐閔帝
李從益後唐明宗子
3 舊五3/51/696
4 新五1/15/161
李從益　見李從鑑
李從善（子師）
11全詩1/8/75
40十國19/8 A

43馬書7/6 A
44陸書13/10 B
李從矩
5 新表8/72上/2565
李從鑑（從浦）
40十國19/10 A
43馬書7/6 B⑥
44陸書13/11 B
李從敏（叔達、恭惠）
3 舊五5/123/1618
4 新五1/15/168
李從榮
3 舊五3/51/693
4 新五1/15/163
42五補2/3 B
李儆琛子
1 舊唐7/60/2347
2 新唐11/78/3522
李儆元贄子
5 新表8/72上/2450
李儆
8 全文788/13 A⑦
10續拾6/19 B
李懲
5 新表8/72上/2483
李牧　見李收
李牧唐玄宗時詩人
14國秀中/128
　　　　中/164
李牧唐德宗建中元年及第
25登科11/23 B⑧
李嵯
1 舊唐14/175/4543
2 新唐12/82/3634
李收
5 新表8/72上/2588
20郎考7/11 A
　　　　9/1 A
11 全詩3/203/2121⑨
李收善
5 新表8/72上/2507
李紇
5 新表8/72上/2579
李綸
1 舊唐12/150/4049
2 新唐12/82/3628
李繕（況）唐順宗子
1 舊唐12/150/4049

① 《馬書》李從度傳有目無文。
② 《陸書》作李從慶,今從馬令《南唐書》目錄卷七。
③ 《馬書》李從信傳有目無文。
④ 《郎考》作"李從誨",吏部郎中,官職及時代均與《新傳》之李從晦合,今從《新傳》作"晦"。
⑤ 《毗陵志》作"李從誨",謂唐襄邑恭王神符五世孫,寶曆初歷侍御史,出刺常州,其仕履及時代均與《新傳》之李從晦合,今從《新傳》作"晦"。
⑥ 《馬書》"鑑"作"益",今從《陸書》、《十國》統一作"鑑"。
⑦ 《全文》之李俵,據小傳爲唐宣宗大中二年幽州節度使掌書記,其時代與《新表》之李俵合(新、舊《唐書》本傳之李俵爲唐高祖、太宗時人,時代不相及),但《新表》之李俵未注官職,未能確定是否即爲一人。今分列,備考。下《續拾》同。
⑧ 《登科》之李牧,係唐德宗建中元年李第科登第,而《國秀集》之李牧爲唐玄宗時詩人(《國秀集》所載詩據編者芮挺章自序,乃起於開元初,至天寶三載止),時代不相及,故分爲二人。
⑨ 《全詩》原注:"收一作牧。"
⑩ 《新唐》之李宜,爲唐宗室,襄王償子,封伊吾郡王,約唐德宗時。《全文》之李宜,小傳僅云貞元時,其他不詳。時代雖相合,但未能確定是否即爲一人。今分列,備考。下《御考》之李宜,爲貞元、元和時人,亦分列。
⑪ 《詩逸》原注:"淮一作鉅。"

11全詩11/780/8820①
李滂梧子,唐宗室
1 舊唐14/175/4535
2 新唐12/82/3630
李滂(注善)閩縣人
25登科21/21B
72三山志26/3B
李汶
1 舊唐14/175/4544
2 新唐12/82/3636
李汶儒
11全詩9/564/6543
17紀事下/53/804
25登科21/3B
李淳儒
20郎考19/11B
　　20/17A
24壁記　翰苑羣書
　　上/52B
李淳風
1 舊唐8/79/2717
2 新唐18/204/5798
6 舊志6/47/2036
　　6/47/2037
　　6/47/2038
　　6/47/2039
　　6/47/2041
　　6/47/2043
　　6/47/2044
7 新志5/58/1456
　　5/58/1457
　　5/59/1520
　　5/59/1521
　　5/59/1538
　　5/59/1544
　　5/59/1545
　　5/59/1547
　　5/59/1551
　　5/59/1557
　　5/59/1562
　　5/59/1570
　　5/60/1622
8 全文159/12B
9 拾遺16/3B
27郡齋2上/4B
　　3下/17A
　　3下/17B
28直齋12/16B

12/17B
12/29A
12/32A
李涪
7 新志5/59/1541
8 全文764/15B
20郎考15/26B
28直齋10/15B
李涼
5 新表8/72上/2460
李寧(惠昭太子)唐憲宗子
1 舊唐14/175/4533
2 新唐12/82/3629
李寧顗子
5 新表8/72上/2488
李寧乂子
5 新表8/72上/2585
李寧元和中宦官常侍
8 全文619/6A②
李寬唐太宗子
1 舊唐8/73/2649
2 新唐12/80/3565
李寬桑子
2 新唐14/126/4419
5 新表8/72上/2468
8 全文168/24A
19姓纂7/17B
李寬倚子
5 新表8/72上/2554
李寬　見李惲
李寬中(子量)
5 新表8/72上/2481
李宥大歷中薬城縣主簿
9 拾遺22/23A
李宥　見唐穆宗
李房
5 新表8/72上/2535
李永(莊恪太子)唐文宗子
1 舊唐14/175/4540
2 新唐12/82/3633
李永蘭子
5 新表8/72上/2569
李永達
19姓纂4/17A
李永吉
3 舊五6/132/1742
李永壽
19姓纂4/17A

李永昌
19姓纂4/17A
李家明
11全詩11/757/8615
40十國32/3B
43馬書25/2A
45江南7/6A
李祜(褕)
1 舊唐8/76/2651
2 新唐12/80/3567
李宿
5 新表8/72上/2586
李進暈子
2 新唐11/78/3531
20郎考12/19A
李進逸子
5 新表8/72上/2500
李進誠子
5 新表8/72上/2542
李進誠
26方鎮1/20B
　　1/74B
李進德
1 舊唐13/155/4123
李進思
5 新表8/72上/2567
李進賢
2 新唐14/129/4486
26方鎮1/86A
李適(子至、東山子)
1 舊唐15/190中/5027
2 新唐18/202/5747
6 舊志6/47/2075
7 新志5/60/1600
11全詩2/70/775
17紀事上/9/113
20郎考12/31A
25登科27/2B
李適之(昌)
1 舊唐9/99/3101
2 新唐14/131/4503
8 全文304/11B
11全詩2/109/1125
17紀事上/20/283
26方鎮4/99B
李之芳
1 舊唐8/76/2660
2 新唐12/80/3575

① 《全詩》之李沛,屬世次爵里無可考者。
② 《全文》云李寧"元和中官常侍",其他未詳,與以上三李寧皆不相合,當爲另一人。
③④ 《郎考》之李守一,據勞格所考,尚未能確定其所屬。今仍分列,備考。

26方鎮1/60A

李寓
 1 舊唐7/64/2431
 2 新唐11/79/3554

李宏鳳子
 1 舊唐7/64/2431

李宏彭子
 1 舊唐15/187下/4890

李宏震子
 5 新表8/72上/2517

李宏慶 見李弘慶
李宏冀 見李弘冀
李宏皋
 8 全文893/4A
 11全詩11/762/8648
 40十國74/1A

李宏宣
 28直齋22/9B

李宏茂 見李弘茂
李宏甫
 26方鎮1/37A

李宏簡
 8 全文791/7B

李宏節
 40十國74/3B

李客師詮子
 1 舊唐8/67/2482
 2 新唐12/93/3816
 5 新表8/72上/2466

李客師多能子
 5 新表8/72上/2506

李宙
 5 新表8/72上/2586
 8 全文397/19A
 21御考2/21A

李容
 8 全文955/1A

李容成
 5 新表8/72上/2598

李審义子
 5 新表8/72上/2585
 20郎考1/36A
      2/13A

李審 見李恪
李審度
 5 新表8/72上/2489

李審言
 5 新表8/72上/2507

李審幾
 8 全文259/7B

李審義
 5 新表8/72上/2507

李寄客
 5 新表8/72上/2516

李宅心
 10續拾3/18A

李宅相
 5 新表8/72上/2564

李良蘭子,光祿丞
 5 新表8/72上/2569

李良饒州刺史
 9 拾遺19/14A

李良桂州刺史
 26方鎮7/40A①

李良相
 5 新表8/72上/2599

李良輔
 5 新志5/57/1436

李良臣
 1 舊唐13/161/4217

李良卿
 5 新表8/72上/2599

李寰唐德宗子
 2 新唐15/148/4789

李寰全昌子
 5 新表8/72上/2489

李寰唐文宗時節度使
 8 全文716/15A②
 26方鎮1/58A
      4/90A
      8/24B

李寰 見李忻
李密(玄邃、法主)
 1 舊唐7/53/2207
 2 新唐12/84/3677
 5 新表8/72上/2593
 8 全文131/1A
 11全詩11/733/8379

李密思
 8 全文802/8B

李定言
 25登科21/19A

李寔思言子
 5 新表8/72上/2456

李寔玄恩子
 5 新表8/72上/2494

李寔震子
 5 新表8/72上/2517

李寔吳郡人,撰《乙卯記》
 28直齋5/14B③

李實
 1 舊唐11/135/3730
 2 新唐16/167/5112

李賓
 11全詩11/776/8791

李賓喜
 5 新表8/72上/2446

李賓正
 5 新表11/75下/3451

李賓鼎
 5 新表8/72上/2564

李寶臣(爲輔、張忠志)
 1 舊唐12/142/3865
 2 新唐19/211/5945
 5 新表11/75下/3450
 26方鎮4/113A

李宗
 5 新表8/72上/2488

李宗玄
 5 新表8/72上/2598

李宗元
 3 舊五4/90/1191

李宗衡
 20郎考12/34B
 25登科14/18B

李宗師穌子
 5 新表8/72上/2560

李宗師安期子
 5 新表8/72上/2598

李宗和
 8 全文594/5B
 25登科13/16A

李宗儉
 1 舊唐14/175/4543
 2 新唐12/82/3634

李宗河
 20郎考18/15B

李宗申
 48寶慶四明14/3A

李宗冉
 1 舊唐14/176/4555
 2 新唐17/174/5238

李宗墨
 5 新表8/72上/2598

李宗暉
　1 舊唐9/86/2839
　2 新唐12/81/3596
李宗臣
　5 新表8/72上/2598
李宗閔(損之)
　1 舊唐14/176/4551
　2 新唐17/174/5235
　8 全文714/1A
　11 全詩7/473/5372
　20 郎考4/40B
　　　14/11B
　　　20/12B
　25 登科15/34B
　　　17/12B
　　　19/31B
　26 方鎮4/152B
　67 乾道臨安3/2A
　68 咸淳臨安45/14A
　73 吳興志14/30A
李察 玄恩子、少府監
　5 新表8/72上/2494
李察
　20 郎考11/11A④
　　　22/4A
　21 御考2/7B
李察
　38 圖繪　補遺/3A⑤
李察　見李憕
李察言
　2 新唐11/79/3552
李寀 執中子，樂平郡王
　1 舊唐14/175/4539
　2 新唐12/82/3632
李寀 僙子，樂安王
　2 新唐12/82/3620
李寀 唐憲宗時給事中
　3 舊五3/58/781
李寀 顒子，唐玄宗時江州刺史

　5 新表8/72上/2488
　71 嚴州1/28B
李寀 唐太宗子
　75 崑山志2/2A
李寮　見李悟
31 李江 憕子
　2 新唐18/191/5511
李江 撰《衛元嵩元包》
　7 新志5/57/1426
　8 全文459/16B
　27 郡齋1上/6A
　28 直齋1/7A
李沘
　5 新表8/72上/2543
李沅
　5 新表8/72上/2465
李涇 唐宣宗子
　1 舊唐14/175/4543
　2 新唐12/82/3635
李涇 暄子
　5 新表8/72上/2511
李涇 龜年子
　5 新表8/72上/2536
李汪 珂子
　5 新表8/72上/2486
李汪 清子
　5 新表8/72上/2523
李瀍　見唐武宗
李涉(茂宗) 循培子
　1 舊唐7/64/2437⑥
　2 新唐11/79/3560
李涉 憺子
　1 舊唐14/175/4536
　2 新唐12/82/3630
李涉 詢軌子
　5 新表8/72上/2455
李涉 珂子
　5 新表8/72上/2486

李涉 鶴年子
　5 新表8/72上/2537
李涉(清溪子) 鈞子
　7 新志5/60/1611
　8 全文693/10B
　11 全詩7/477/5423
　　　12/883/9982
　17 紀事下/46/700
　18 才子5/77
　27 郡齋4中/22A
　28 直齋19/15B
李沔　見李緯
李沔　見李瑝
李灞 晚唐
　5 新表8/72上/2511
李灞 五代閩
　40 十國95/10B
李澂　見李璈
李汗
　5 新表8/72上/2465
李潭 悰子，唐宗室
　1 舊唐14/175/4534
　2 新唐12/82/3629
李潭
　12 詩逸中/10205⑦
李潛 鈞子
　5 新表8/72上/2511
李潛 韜子
　5 新表8/72上/2571
李潛(德隱) 公敏子
　5 新表8/72上/2597
　11 全詩9/552/6396
　17 紀事下/55/838
　25 登科22/7B
李潛 官嶺南西道觀察使
　10 續拾5/21B⑧
李潛用
　7 新志5/58/1468

①《新表》之李良，光禄丞，約中唐時。《拾遺》之李良，唐玄宗天寶中饒州刺史，歷撫州司馬、太子中允。《方鎮》之李良，唐代宗大曆初桂州刺史。似爲三人，今分列。
②《全文》小傳謂李寀於唐德宗朝官都知兵馬使，歷保義軍、橫海軍、綏銀節度使。按李寀於唐文宗大和間鎮夏綏、義昌，《全文》云德宗時，當誤。
③《直齋》謂此李寔撰《乙卯記》(乙卯指唐文宗大和九年)，吳郡人，則當另爲一人。
④《新表》之李察，玄恩子，少府監。《郎考》之李察，與《新表》所載仕履不合，未能確定是否即爲一人，今分列，備考。
⑤《圖繪》僅載李察名，無從查考，今分列。
⑥《舊唐》謂循培子，《新唐》謂恪信子，父名雖不同，而實爲一人。疑"恪信"爲"循培"之形訛。
⑦新、舊《唐書》之李潭，爲悰子，唐宗室，封河內郡王。《全唐詩逸》之李潭，僅存詩二句，其他不詳，當爲二人。
⑧按，《新表》之三李潛，皆未注官職。《續拾》之李潛，謂官嶺南西道觀察使，亦不詳其時代，未知其所屬。今分列，備考。

28直齋5/14B

李湝（成、誠）唐太宗從孫
1 舊唐10/112/3338
　　　15/185下/4812
2 新唐15/142/4663
26方鎮6/53B
68咸淳臨安51/16A
69嘉定鎮江14/5A

李湝粵子
5 新表8/72上/2525

李湝嘉祚子
5 新表8/72上2548

李湝唐僖宗時
8 全文816/3B

李湝唐憲宗、穆宗時
9 拾遺27/26A

李涵（元）少康子
1 舊唐11/126/3561
2 新唐11/78/3517
20郎考5/39A
26方鎮5/36A
　　　8/2A

李涵橙子
2 新唐18/191/5511

李涵　見唐文宗

李源憚子
1 舊唐14/175/4535
2 新唐12/82/3629

李源橙子
1 舊唐15/187下/4889
2 新唐18/191/5511

李源粵子
5 新表8/72上/2524

李裡
1 舊唐14/175/4547
2 新唐12/82/3639

李福（能之）大和七年進士
1 舊唐14/172/4487
2 新唐14/131/4517
20郎考11/48A
　　　14/11B
25登科21/7A
26方鎮1/59B
　　　2/11B
　　　2/26A
　　　4/143B
　　　6/69B

李福唐太宗子

1 舊唐8/76/2665
2 新唐12/80/3579

李福靈龜子
2 新唐11/79/3548

李福慶
5 新表8/72上/2495

李福業
2 新唐14/120/4313
11全詩1/45/553
17紀事上/6/81
21御考1/2A
25登科2/25A

李福嗣
1 舊唐7/64/2423

李禎
2 新唐12/82/3639

李顧
31唐畫1/2B①

李顧言
25登科16/5A

李顧行
8 全文788/1A
20郎考16/20A
21御考2/23B
25登科18/1A

李遷
5 新表8/72上/2480

李迺
1 舊唐10/116/3393
2 新唐12/82/3623

李逈係子
1 舊唐10/116/3384
2 新唐12/82/3617

李逈諶子
5 新表8/72上/2545

李憑晟子
1 舊唐11/133/3686
5 新表8/72上/2470

李憑防子
5 新表8/72上/2460

李憑懂子
5 新表8/72上/2524

李潷
5 新表8/72上/2573

32李冽
5 新表8/72上/2460

李淵　見唐高祖

李洮

20郎考18/20A

李淮　見唐懿宗

李淮　見李泚

李澄（鐵誠）慎子
1 舊唐8/76/2665
2 新唐12/80/3578②

李澄鎬子
1 舊唐11/132/3656③
2 新唐15/141/4658
5 新表8/72上/2593
26方鎮2/17B

李澄（舍利澄）
19姓纂5/7B

李澄　見李琪

李澄　見李克寧

李澄之
11全詩2/101/1080

李沂
1 舊唐14/175/4544
2 新唐12/82/3636

李漸元贄子
5 新表8/72上/2450

李漸韜子
5 新表8/72上/2570

李漸正臣子
5 新表8/72上/2596

李漸（無儔子）忻州刺史
30歷畫10/202
35畫譜13/10A
38圖繪2/17A
39書史5/32B

李湍吳元濟軍人
1 舊唐16/193/5149

李湍選子、歷仕不詳
5 新表8/72上/2544

李湍妻
1 舊唐16/193/5149
2 新唐18/205/5827

李叢唐武后時
2 新唐11/79/3559

李叢唐懿宗時
26方鎮6/38B
　　　7/49A

李浮丘
5 新表8/72上/2540

李浸
5 新表8/72上/2487

李潘（子及）

① 《唐畫》李顓有目無文。

② 《舊唐書》卷七十六《太宗諸子·紀王慎傳》云："中興初，追復官爵，令以禮改葬。封慎少子鐵誠爲嗣紀王，後改名澄。……開元初，歷德、瀛、冀三州刺史、左驍衛將軍，薨。"《新唐書》卷八十《太宗諸子·紀王慎傳》云："神龍初，以證嗣王，擢左驍衛將軍，薨。"則李澄、李證實爲一人。據岑建功《舊唐書校勘記》卷三十七載："《新書》澄作證，非。趙氏紹祖云：據《世系表》載，澄初名鐵誠。余家藏唐王訓墓誌作鐵城，當是，《舊書》從言旁，恐非。"據此，則應作李澄，且誠應作城。按趙紹祖書見其所著《古墨齋金石跋》卷五。

③ 李澄，《舊唐》本傳作鎬子，《新唐》作鐪子。

④ 《全文》小傳謂李演貞元時人，江安王孫，或隨李晟收京攻朱泚而先登者，則爲唐宗室。按，《舊唐》14/175/4534之李演爲唐憲宗孫，則與此非一人。今分列。下《方鎮》之李演，永貞元年鎮夏綏，疑與此爲同一人。

2 新唐12/82/3639
李祕唐德宗、憲宗時人
11全詩7/472/5360①
17紀事下/48/726
李述唐代宗子
1 舊唐10/116/3391
2 新唐12/82/3622
李述瓛子
5 新表8/72上/2498
李述延紀子
5 新表8/72上/2572
34李為
8 全文793/11 B
李洗
1 舊唐14/171/4455
25登科27/13 B
李灌
1 舊唐14/175/4543
2 新唐12/82/3636
李湛(興宗、昭)義府子
1 舊唐8/22/2771
2 新唐13/110/4126
20郎考5/10 B
李湛選子
5 新表8/72上/2543
李湛 見唐敬宗
李湛然涉子
1 舊唐7/64/2437
2 新唐11/79/3560
8 全文100/1 A
30歷畫10/194
李湛然客師子
5 新表8/72上/2506
李渤(濬之)
1 舊唐14/171/4437
2 新唐14/118/4281
7 新志5/58/1484
　　 5/59/1522
　　 5/59/1523
8 全文712/1 A
9 拾遺28/8 A
11全詩7/473/5367
20郎考10/10 A
25登科18/9 B
26方鎮7/44 B
李沘唐宣宗子
1 舊唐14/175/4544
2 新唐12/82/3636

李沏唐宗室,雍王房六世孫
9 拾遺26/17 B
20郎考5/24 B
李漪
5 新表8/72上/2486
李洧高麗人,檢校户部尚書
1 舊唐11/124/3542
2 新唐15/148/4779
5 新表11/75下/3449
26方鎮3/23 A
李洧選子
5 新表8/72上/2543
李洧行褘子,吏外
20郎考4/19 B
李法靜
5 新表8/72上/2442
李漢(南紀)荊子
1 舊唐14/171/4453
2 新唐11/78/3519
7 新志5/58/1472
8 全文744/2 A
9 拾遺29/14 A
25登科18/5 A
　　 21/10 A
李漢惲子,東陽郡王
1 舊唐14/175/4534
2 新唐12/82/3629
李漢(靖懷太子)唐宣宗子
1 舊唐14/175/4543
2 新唐12/82/3675②
李漢武康縣令
73吳興志15/10 A③
李漢韶(享天)
3 舊五3/53/719
4 新五2/36/394
李濤悌子,約中唐時
5 新表8/72上/2513
李濤(信臣)京兆萬年人
8 全文861/8 A
11全詩11/737/8407
　　 12/870/9870④
　　 12/871/9881
25登科25/18 A
42五補3/2 B
李濤長沙人
11全詩11/795/8946
17紀事下/67/1005
李濤唐肅宗、代宗時

25登科27/36 B
李濤五代仕吳,趙州人
40十國6/6 B
41九國2/7 A
李浩(太素)
11全詩12/861/9737
李浩弼
11全詩11/760/8632
李洪
20郎考12/37 A
李洪度
32益畫上/7 A
36圖誌2/35
38圖繪2/20 B
李洪建
3 舊五5/107/1411
李港
8 全文955/2 B
李濆
8 全文761/19 A
李濆(光顏)
20郎考8/51 A
李沐 見李琦
李褘琨子
1 舊唐8/76/2651
2 新唐12/80/3567
8 全文100/6 B
11全詩1/6/66
26方鎮1/65 A
　　 1/66 A
　　 4/27 B
李褘唐昭宗子
1 舊唐14/175/4547
2 新唐12/82/3639
李祐(贊)唐太宗子
1 舊唐8/76/2657
2 新唐12/80/3572
李祐(慶之)唐憲宗、穆宗時節度使
1 舊唐13/161/4226
2 新唐19/214/6012
26方鎮1/33 A
　　 1/57 B
　　 4/90 B
李祐唐宗室,官江南錄事參軍
11全詩11/768/8717
17紀事下/47/720
李褚

① 新、舊《唐書》之李祕，爲唐昭宗子，乾寧四年十月二十二日封景王，已在唐末。《全詩》、《紀事》之李祕，據小傳，亦謂唐宗室，但云貞元、元和間人，時代不相及，當另爲一人。

② 《新唐》作"李漢"，今從《舊唐》作"李漢"。

③ 《吳興志》載此李漢，乃據顏真卿《放生池碑》，任湖州武康縣令，時當在貞元初。又，前懌子之李漢，與唐宣宗子之李漢，皆封王，未嘗任州縣官職。荊子之李漢，元和七年始登進士第，時代較後。則此任武康縣令之李漢，當爲另一人。

④ 按，《全詩》卷八七〇及八七一之李濤，皆爲字信臣之李濤，可參見《宋史》卷二六二，《全詩》將一人分列三處。

⑤ 《全詩》、《紀事》、《登科》之李清僅知其爲唐玄宗天寶十二載進士及第，其他不詳，姑另作一人。

⑥ 《書史》之李清，事蹟不詳，另立一人。

⑦ 《吳興志》載李清爲大曆中烏程縣令，其他不詳，未能確定與以上李清之關係，姑另立一人。

---

① 《全文》小傳謂此李迪於唐代宗廣德元年爲京兆倉曹參軍,其他不詳,未能確定與上兩李迪之關係,今分列,備考。

② 《全文》小傳僅云開元時,其他不詳,今分列,備考。

③ 《登科》據《太平廣記》引《卓異記》,載開元中趙郡李湜謁華岳廟,過三夫人院,云云。按,此乃小說家言,不一定實有其人,今分列。

④ 《舊唐》、《登科》之李祝,爲李渤子,唐武宗會昌中進士。下《五代畫遺》、《圖誌》等之李祝爲五代時畫家,後爲李克用所殺,當另是一人。

⑤ 《五代畫遺》原注:"祝一云枳。"

⑥ 《圖繪》原作李枳,並有注云"枳一作祝"。今據《五代畫遺》、《圖誌》等作李祝,另立李枳作參見條。

⑦ 新、舊《唐書》之李遘,爲唐代宗子,封鄭王,曾爲平盧淄青節度使,大曆初代皇太子爲天下兵馬元帥。大曆八年卒。《郎考》之李遘,爲晚唐時人,戶部郎中,唐昭宗乾寧時任杭州刺史。時代與仕履皆與前之李遘不合,當另爲一人。

⑧ 按據《舊唐》李遇爲唐淮安王神通之後裔,李說之父,"天寶中爲御史中丞"。《新唐》此處云:"孝節(按孝節即淮安王神通子)四世孫說,字巖甫。父遇及,天寶時爲御史中丞、東畿採訪使。"《新唐》之李遇及,即《舊唐》之李遇,所異者一有"及"字,一無"及"字。今從《舊唐》作李遇,另出"李遇及"作參見條。

⑨ 《郎考》作"李擢",勞格謂"擢"當作"濯"。

⑩ 按,此李渙爲司勳員外郎,約晚唐時,未能確定屬於以上李渙之何人,今分列,備考。

⑪ 《舊唐》之李深,爲李宗閔弟宗冉之子,未載官職,約唐懿宗時人。《新表》之李深,守虛子,臨安尉。《全詩》之李深,約唐代宗大曆時爲衢州刺史。時代與仕履皆有異,當爲三人。

李深之
　25登科23/28 B
李祖先
　5 新表8/72上/2520
李祖光
　5 新表8/72上/2596
李冠
　40十國32/5 A①
　43馬書24/2 B
　44陸書14/1 B
李冠子　見李冠
李栩
　1 舊唐14/175/4546
　2 新唐12/82/3639
李禊
　1 舊唐14/175/4547
李迅唐代宗子
　1 舊唐10/116/3393
　2 新唐12/82/3623
李迅謙子
　5 新表8/72上/2541
李逸唐代宗子
　1 舊唐10/116/3393
　2 新唐12/82/3624
李逸無考
　11全詩11/770/8746②
李逸濤父,壽安令
　41九國2/7 A
李逸客
　5 新表8/72上/2553
李迥唐代宗子
　1 舊唐10/116/3392
　2 新唐12/82/3623
李迥謙子
　5 新表8/72上/2541
李迥秀(茂之、茂實)
　1 舊唐7/62/2390
　2 新唐13/99/3913③
　5 新表8/72上/2442
　8 全文282/12 B
　11全詩2/104/1093
　17紀事上/9/121
　20郎考10/4 B
　25登科2/18 A
　　　　2/19 B
　　　　4/3 B
　　　　4/10 B
李過折

　1 舊唐16/199下/5353
　2 新唐20/219/6171
李通唐代宗子
　1 舊唐10/116/3393
　2 新唐12/82/3624
李通唐玄宗開元時御史大夫
　9 拾遺21/13 A
李通唐德宗時黔中觀察使
　26方鎮6/44 B
李通玄
　27郡齋3下/39 A
　86續貞元錄1049
李遹
　1 舊唐10/116/3393
　2 新唐12/82/3624
李遬
　1 舊唐10/116/3393
　2 新唐12/82/3623
李退思
　5 新表8/72上/2570
李逢愻子,歷官不詳
　5 新表8/72上/2499
李逢譔子,柘城令
　5 新表8/72上/2545
李逢貞元十四年及第
　25登科14/18 B
李逢末左衛兵曹參軍
　40十國40/11 B
李逢元和時台州刺史
　53赤城志8/19 A④
李逢吉(虛舟、成)
　1 舊唐13/167/4365
　2 新唐17/174/5221
　5 新表8/72上/2454
　7 新志5/60/1624
　8 全文616/6 A
　9 拾遺26/6 B
　11全詩7/473/5364
　17紀事下/47/721
　20郎考6/19 A
　　　　21/11 A
　25登科13/22 A
　　　　18/15 A
　26方鎮2/7 B
　　　　4/137 A
　　　　4/137 B
　　　　6/77 B
　27郡齋4中/7 A

　　　　4下下/4 A
　28直齋15/9 B
李逢年
　5 新表8/72上/2537
　20郎考13/7 A
　　　　26/13 A
李退唐代宗子
　1 舊唐10/116/3391
　2 新唐12/82/3622
李退五代仕晉
　3 舊五4/93/1236
李退周
　11全詩12/860/9721
李運唐代宗子
　1 舊唐10/116/3393
　2 新唐12/82/3623
李運盈子
　5 新表8/72上/2541
李迢
　20郎考7/30 B
　　　　8/51 B
　26方鎮7/14 B
李選唐代宗子
　1 舊唐10/116/3393
　2 新唐12/82/3623
李選誠子
　5 新表8/72上/2542
李罕嶺南經略使判官
　8 全文621/1 B
李罕諸暨令
　65會稽志3/16 B⑤
李罕之(李摩雲)
　2 新唐17/187/5442
　3 舊五1/15/206
　4 新五2/42/454
　26方鎮4/10 A
　　　　4/73 B
　　　　8/19 A
李鄆
　5 新表8/72上/2597
李鄴五代後唐時
　3 舊五3/73/965
李鄴唐宣宗時
　11全詩9/564/6544
　17紀事下/53/805
　20郎考12/44 A
38李況(殷澤)蔚子
　1 舊唐14/178/4627⑥

5 新表8/72上/2451

李涗 鶴年子
　5 新表8/72上/2537

李溢 見李環

李汾 元裔子
　5 新表8/72上/2450

李汾 崿子
　5 新表8/72上/2524

李瀚
　8 全文955/15 B
　11 全詩11/737/8412
　　　　12/881/9960
　25 登科24/1 A
　　　　25/40 B
　　　　27/5 B
　42 五補3/6 A

李滋 唐宣宗子
　1 舊唐14/175/4543
　2 新唐12/82/3635

李滋 嘉鼙子
　5 新表8/72上/2508

李滋 見李結

李渼（靖懷太子）唐宣宗子
　2 新唐12/83/3635

李渼 見李漢

李澈
　5 新表8/72上/2571

李瀚 協子，唐文宗時
　2 新唐12/82/3630

李瀚（日新）五代後唐，入宋
　8 全文861/12 A
　11 全詩11/770/8748

李瀚（濯纓）
　25 登科27/31 B ⑦

李游道
　5 新表8/72上/2474

李海
　3 舊五5/124/1633

李洽 唐宣宗子
　1 舊唐14/175/4544
　2 新唐12/82/3636

李洽 選子
　5 新表8/72上/2543

李洽 去伐孫
　5 新表8/72上/2589

李洽 撰《集注陰符經》
　7 新志5/59/1520
　8 全文204/2 B ⑧

李滄
　25 登科27/18 B

李淞 見李璿

李祚 見唐哀帝

李褕 見李袨

李祥
　1 舊唐14/175/4547

李裕 唐昭宗子
　1 舊唐14/175/4545
　2 新唐12/82/3638

李裕 嶠子，海州刺史
　5 新表8/72上/2546

李裕 忠武軍小校
　41 九國6/9 B

李裕 見李治

李裕 湖南觀察使
　26 方鎮6/40 B ⑨

李逾 係子
　1 舊唐10/116/3384
　2 新唐12/82/3617

李逾 唐代宗子
　1 舊唐10/116/3392
　2 新唐12/82/3623

李遊
　9 拾遺27/3 A

李遊道
　1 舊唐15/185上/4787

李遵 撰《第三君內傳》
　7 新志5/59/1523

李遵 唐玄宗時工部尚書
　8 全文433/8 B

李遵 倉外
　20 郎考18/18 B ⑩

李遵行
　5 新表11/75下/3444

李遵宜
　5 新表11/75下/3444

李遵懿（鐵漢）
　40 十國55/6 B

---

① 《十國》原注：“《南唐近事》作李冠子。”

② 《全詩》之李逸，屬世次爵里無可考見者。所存詩僅一首，題爲《洛陽河亭奉酬留守郡公追宴》，題下原注“一作李益詩”。或逸爲益之音訛。與唐代宗子及《九國志》之濤父李逸，皆非一人。

③ 《新唐》本傳云李迥秀字茂之，《新表》則云字茂實，同一書而所記有異，未詳孰是。

④ 《登科》之李逢爲唐德宗貞元十四年進士登第，《赤城志》之李逢爲唐憲宗元和二年台州刺史，時代相接，但未能證明確爲一人。《十國》之李逢，爲稠父，唐左神兵曹參軍，亦當爲另一人。今皆分列。

⑤ 《全文》之李罕，隴西人，唐德宗時嶺南經略使判官，權知容州留後；《會稽志》之李罕，諸暨令，時代不詳，未能確定是否一人，今分列，備考。

⑥ 《舊唐》作“李澤”，云“（李）蔚三子：渥、洵、澤”。按據《新表》，李蔚三子，云“渥，禮部侍郎；洵，福建觀察使；涗字殷澤”。則李涗、李澤實爲一人。涗與殷澤，其義相應，當以作涗是，《舊傳》乃取其字之第二字爲名，因而致誤。今改從《新表》。

⑦ 《登科》作李滁，云據柳宗元《李侍御墓碣》，今按柳宗元此文題爲《故嶺南鹽鐵院李侍御墓誌》，文中作李瀚，非作李滁（世綵堂本《柳河東集》卷十）。據柳文，瀚卒於唐憲宗元和十三年，與上之兩李瀚時代皆不相及，爲另一人。

⑧ 《新志》之李洽，曾與李淳風等合撰《集注陰符經》一卷，《全文》之李洽，唐高宗龍朔中左清道衛長史，時代相同，似爲一人。

⑨ 此李裕爲唐僖宗中和元年湖南觀察使，當與前之李裕爲另一人。

⑩ 《新志》之李遵，撰《茅三君內傳》一卷，時代不詳。《全文》之李遵，唐玄宗天寶十四載爲執金吾，彭原郡守，工部尚書 唐代宗大曆二年卒。《郎考》之李遵，爲倉部員外郎，約唐敬宗時人。今皆分列，備考。

李大亮(懿)
　1 舊唐7/62/2386
　2 新唐13/99/3910
　5 新表8/72上/2441
　8 全文133/10B
　65會稽志2/25B
李大辯
　5 新表8/72上/2441
李大酺　見李大輔
李大師(君威)
　5 新表8/72上/2461
李大通
　5 新表8/72上/2441
李大志
　5 新表8/72上/2467
李大壽
　5 新表8/72上/2457
李大惠
　5 新表8/72上/2466
李大輔
　1 舊唐16/199下/5354
　2 新唐20/219/6174④
李大智
　5 新表8/72上/2585
李太玄
　11全詩12/862/9751
李太沖
　2 新唐18/203/5775
　20郎考16/1B
　　　　　21/2A
李太華
　7 新志5/60/1625
李爽(奭)震子
　5 新表8/72上/2534
李爽諤子
　5 新表8/72上/2583
李奭　見李爽
李士元
　11全詩11/775/8785
李士衡

李士約
　5 新表8/72上/2587
李士約
　5 新表8/72上/2542
李士詹
　5 新表8/72上/2443
李士規
　5 新表8/72上/2570
李士挹
　68咸淳臨安45/15B
李士昉
　30歷畫9/187
李士矩
　5 新表8/72上/2571
李直唐懿宗咸通時
　9 拾遺32/8B
李直唐武宗會昌時
　20郎考3/98B
李直方
　8 全文618/12A
　20郎考7/14B
　25登科12/7A
李直瓘
　5 新表8/72上/2441
李直臣
　26方鎮1/21B
李堯夫
　11全詩11/795/8956
李堯年
　5 新表8/72上/2538
李克讓
　3 舊五3/50/681
　4 新五1/14/147
李克柔
　5 新表11/75下/3454
李克脩(崇遠)
　2 新唐17/187/5449
　3 舊五3/50/682
　4 新五1/14/148
　26方鎮4/72B
李克儉

李克讓
　5 新表11/75下/3453
李克寧(澄)
　2 新唐15/141/4658
　3 舊五3/50/685
　4 新五1/14/149
　5 新表8/72上/2593
　26方鎮1/93A
李克恭
　3 舊五3/50/684
　4 新五1/14/149
　5 新表11/75下/3453
　11全詩10/667/7637⑤
　17紀事上/40/610
　26方鎮4/73A
李克用　見後唐太祖
李蕭
　5 新表8/72上/2476
李希言璲子
　1 舊唐7/64/2429
　2 新唐11/79/3552
　8 全文362/12A
李希言惠子
　5 新表8/72上/2480
　25登科10/2B
　26方鎮4/146A
　　　　　5/48A
　55吳郡志11/5B
　64掇英18/12B
　65會稽志2/28B
李希烈
　1 舊唐12/145/3943
　2 新唐20/225中/6437
　26方鎮8/66B
李希仲
　11全詩3/158/1616
　15中興上/270
　17紀事上/28/432
　20郎考4/10A
李希倩
　1 舊唐15/187下/4887

---

① 《新志》、《郡齋》之李途,撰《記室新書》三十卷,《登科》之李途,唐昭宗乾寧二年落下。時代相合,似爲一人。

② 《新表》之李啓僅云行恭子,《全文》之李啓,唐文宗大和三年中書舍人,時代相近,但未能確證其爲同一人。今分
　列,備考。

③ 《歷畫》之李遜,武后時人,善畫蠅蝶蜂蟬,時代與《新唐》本傳之李遜相近,但未能確定其爲同一人。今姑分列,
　備考。

④ 《新唐》作"李大酺",今從《舊唐》。

⑤ 《全詩》原注:"李克恭一作李允恭。"

李嘉福
　5 新表8/72上/2516
李嘉祐(從一)
　7 新志5/60/1610
　11 全詩3/206/2144
　12 詩逸上/10179
　15 中興上/271
　16 極玄下/336
　17 紀事上/21/312
　18 才子3/40
　20 郎考8/19B
　25 登科9/17B
　27 郡齋4上/18B
　28 直齋19/7A
　53 赤城志8/16A
李嘉祚
　5 新表8/72上/2548
李嘉婁
　5 新表8/72上/2550
李嘉璧
　5 新表8/72上/2508
李嘉會
　5 新表8/72上/2550
李吉甫(弘憲、忠懿)
　1 舊唐12/148/3992
　2 新唐15/146/4738
　5 新表8/72上/2591
　7 新志5/57/1426
　　　5/58/1466
　　　5/58/1472
　　　5/58/1478
　　　5/58/1506
　　　5/59/1513
　　　5/59/1531
　　　5/60/1606
　　　5/60/1623
　8 全文512/1A
　9 拾遺24/23A
　10 續拾6/4A

　11 全詩5/318/3580
　17 紀事上/33/510
　20 郎考9/13A
　22 院記　翰苑羣書
　　　　上/14B
　23 故事　翰苑羣書
　　　　上/25B
　24 壁記　翰苑羣書
　　　　上/42A
　26 方鎮5/25B
　28 直齋6/3A
　　　8/13B
　　　15/9B
李奇容
　64 掇英18/11A
　65 會稽志2/26B
李壽王
　20 郎考7/31B
李壽德
　20 郎考6/1A
李壽儀(李水墨)
　32 益畫下/5A
　38 圖繪2/39B
李壽餘
　5 新表8/72上/2518
李嘉
　5 新表8/72上/2456
李雄
　5 新表8/72上/2585
李雄飛
　5 新表8/72上/2476
李去伐
　5 新表8/72上/2589
李去泰
　8 全文444/3A
李真 唐太祖李虎子
　2 新唐11/78/3514
李真 韋回子
　5 新表8/72上/2570

李真 唐末仙人
　11 全詩12/861/9728
李賞
　2 新唐12/81/3588
李賁子
　5 新表8/72上/2522
李柱　見李拭
李檀
　5 新表8/72上/2593
李檀陀
　5 新表8/72上/2541
李杭
　8 全文955/5B
41 李頗
　35 畫譜20/2A⑤
　36 圖誌2/42⑥
　38 圖繪2/33B⑦
李樞 正範子
　5 新表8/72/2450
李樞 孟犖子
　21 御考3/42B
　30 歷畫10/193
　37 書小史10/4B
　39 書史5/20A
李樞 唐昭宗時
　25 登科24/14B
李栖元
　10 續拾5/23A
李栖遠
　18 才子9/160
李栖桐
　25 登科27/38A
李栖筠(貞一、文獻)
　2 新唐15/146/4735
　5 新表8/72上/2590
　8 全文370/10B
　11 全詩3/215/2245
　20 郎考4/17A
　25 登科9/17B

---

① 《新表》作"李有季"，《姓纂》作"李有孚"，"季""孚"兩字形近，未知孰是，今從《姓纂》。
② 《新表》之李存，奉初子，未注官職，約晚唐時。《方鎮》之李存，唐昭宗天復二年華州刺史，時代相近，但未能確定其爲一人。今分列，備考。
③ 《掇英》、《會稽志》之李嘉，唐高祖武德三年越州刺史。《新表》充弼子之李嘉，唐初爲蘇州刺史。時代、仕履相近，似即爲一人，存疑備考，故仍分列。
④ 《郎考》"嘉"字後原缺一字。
⑤ 《畫譜》原注："頗，一作坡。"
⑥ 《圖誌》作"李坡"，今從《畫譜》、《圖繪》作"李頗"。
⑦ 《圖繪》原注："頗一作坡。"

---

① 《登科》引《玉泉子》，云"大中九年，沈詢侍郎以中書舍人知舉，其登第門生李彬，父叢爲萬年令"。則此李彬爲叢子，與上兩李彬無涉，爲另一李彬。但《玉泉子》係小説，不足爲據，僅供參考而已。

② 按，《毗陵志》作"李勘"，並云"字定臣，神堯七世從孫"。今查《新唐書》卷七八有李裁，云字定臣，《新志》亦著録李裁《唐詩》三卷。則《毗陵志》作"勘"者誤，今改正。參杜牧《隴西李府君墓誌銘》(《樊川文集》卷九)。

③ 據《新表》，李焘爲昕子，時當唐末。《全文》小傳謂焘於五代梁貞明初爲饒州節度使王鎔判官，時代相近，或爲一人，但無確證，今姑分列，備考。

④ 《郎考》作"李蕃"，今從新、舊《唐書》本傳作"李藩"。

⑤ 新、舊《唐書》本傳作字茂休，《新表》作字茂林，似以作茂休爲是，但亦未有確證。今並列，備考。

28直齋16/27 B
李廿規
　20郎考3/1 B
李蓍
　5 新表8/72上/2598
李莄
　5 新表8/72上/2552
李楚清子
　5 新表8/72上/2523
李楚處義子
　5 新表8/72上/2551
李楚璋
　5 新表8/72上/2504
李楚珪
　5 新表8/72上/2504
李楚琳
　26方鎮1/3 B
李楚才
　25登科1/17 B
李楚璧
　5 新表8/72上/2504
李楚人
　5 新表8/72上/2497
李楚金
　1 舊唐13/160/4205
　25登科27/30 A
李楚筠
　5 新表8/72上/2504
李黃中
　8˙ 全文398/7 B
李贄
　2 新唐11/78/3518
李藥王

　5 新表8/72上/2464
李藥師　見李靖
李植唐太宗、高宗時
　5 新表8/72上/2512④
李植唐文宗時
　20郎考6/26 A
　　11/54 B
李植唐玄宗時
　20郎考25/6 A
　　26/10 B
李權
　20郎考26/23 A
　30歷畫10/193
　37書小史10/4 B
　39書史5/20 A
李權實(子重)
　5 新表8/72上/2458
李椅德裕子,唐文宗、武宗時
　5 新表8/72上/2591⑤
李椅唐代宗時
　20郎考14/5 A⑥
　26方鎮6/1 B
李椅梧
　5 新表8/72上/2555
李模(敬)
　2 新唐11/78/3534
　26方鎮6/45 A
李林甫
　1 舊唐10/106/3235
　2 新唐20/223上/6343
　7 新志5/57/1434
　　5/58/1496
　　5/58/1500

　5/59/1524
　8 全文345/16 A
　9 拾遺21/1 A
　11全詩2/121/1212
　26方鎮1/68 A
　　8/49 B
　27郡齋2下/7 A
　28直齋6/2 A
　　8/3 A
　30歷畫9/180
　38圖繪2/22 A
45李構元珍子
　5 新表8/72上/2456
李構光遠子
　5 新表8/72上/2461
李構志德子
　5 新表8/72上/2481
李構(承業)大真子
　5 新表8/72上/2553
李構(結)撰《御史臺故事》
　7 新志5/58/1477
　28直齋6/4 A⑦
46李旭慈子
　5 新表8/72上/2487
李旭汩子
　5 新表8/72上/2582
李旭元祐元年進士
　11全詩11/719/8256⑧
　17紀事下/71/1054
　25登科24/27 B
李旭輪　見唐睿宗
李如仙
　1 舊唐14/173/4501

① 按,《新表》"節"作"卿",據《新表》,此李孝卿爲唐高宗時爲宰相李敬玄父,並云仕爲穀州治中。而《舊唐書》8/81/2754又有李孝節,據《舊傳》,此李孝節亦爲唐高宗時相李敬玄父,仕穀州長史。則李孝節與李孝卿實爲一人,"節"、"卿"未詳孰是,姑從《舊唐書》作李孝節。

② 新、舊《唐書》謂李若水累官至左金吾大將軍兼通事舍人,岑仲勉《唐史餘瀋》卷二"李若水"條謂《新唐書》卷七〇上《宗室世系表》上及《舊唐書》卷一八六下《敬羽傳》皆有李若冰,時代與官職均同,顯是同人,水、冰字肖,未詳孰是。岑說備參。

③ 《書史》僅載李莒名,其他不詳,似與前李莒爲同一人。

④ 《新表》之李植,其祖德璋,爲隋寧州司戶參軍,則其本人當爲唐太宗、高宗時人。又《郎考》卷六、十一之李植,爲李逢吉從子,則當爲唐文宗時人;《郎考》卷二十五、二十六之李植,爲唐 玄宗開元時人。時代均不相同,今分列爲三人。

⑤ 《新表》之李椅,爲德裕子,則爲唐文宗、武宗時人,《郎考》、《方鎮》之李椅,唐代宗大曆時爲福建觀察使。時代不同,當爲二人。

⑥ 《郎考》作"李猗",勞格謂李猗未確,疑是李椅。

⑦ 《直齋》作李結,一名構,今從《新志》作構。

⑧ 據《全詩》小傳,此李旭爲唐昭宗天祐元年進士,與上之二李旭時代皆相近,但未能確定屬於何者,今仍分列,備考。

李如實
　40十國53/2A
李如璧
　5 新表8/72上/2441
　11全詩2/101/1080
　21御考2/35A
李坦
　5 新表8/72上/2544
李覿
　5 新表8/72上/2478
　8 全文436/5B
李覿玉
　20郎考9/6A
李堨
　5 新表8/72上/2475
李觀涇原節度使
　1 舊唐12/144/3912
　2 新唐16/156/4903
　26方鎮1/30A
李觀(元賓)李華從子①
　2 新唐18/203/5779
　7 新志5/60/1605
　8 全文532/1A
　11全詩5/319/3596
　17紀事上/33/514
　25登科13/2A
　　　　13/5A
　27郡齋4上/27A
　28直齋16/20A
李觀珂子
　5 新表8/72上/2486
　21御考2/48A
　　　　2/50A
　　　　3/18A
李觀幷子
　5 新表8/72上/2478
李觀五代後周時
　25登科26/22A
李觀象
　40十國75/6A
李觀達
　5 新表8/72上/2577
李恕憲子
　1 舊唐11/133/3686
李恕晟子
　5 新表8/72上/2470
　7 新志5/59/1540
李恕知本子

　5 新表8/72上/2483
李恕愿子
　5 新表8/72上/2540
李恕己
　5 新表8/72上/2559
李軸
　5 新表8/72上/2570
李輶(內文)
　5 新表8/72上/2597
李賀(長吉)
　1 舊唐11/137/3772
　2 新唐18/203/5787
　7 新志5/60/1611
　11全詩6/390/4392
　17紀事下/43/654
　18才子5/76
　27郡齋4中/6A
　28直齋19/12A
李覯
　5 新表8/72上/2478
　8 全文436/8B
　25登科10/21B
李相趙郡東祖房
　5 新表8/72上/2532
李相壽州人
　40十國97/6A
李相國
　30歷畫9/184
李柏舟
　5 新表8/72上/2539
李柷　見唐哀帝
李楫
　20郎考8/24B
李枳　見李柷
47李圯
　26方鎮6/8A
李均成裕子
　5 新表8/72上/2450
李均延之子
　5 新表8/72上/2570
李垌
　26方鎮6/50B
　　　　7/50A
李懿晟子
　5 新表8/72上/2471
李懿嶠子
　5 新表8/72上/2547
李懿醞子

　5 新表8/72上/2581
李翹愊子
　5 新表8/72上/2554
李翹正叔子
　5 新表8/72上/2597
李郁(文緯)唐宗室
　3 舊五4/96/1280
　9 拾遺46/10A
李郁趙郡東祖房
　5 新表8/72上/2543
李郁泉州人
　11全詩11/795/8947
李鶴年
　5 新表8/72上/2537
李愍
　5 新表8/72上/2488
　20郎考2/31A
李朝正
　8 全文998/2A
李朝弼
　20郎考2/8A
　　　　3/30A
　　　　11/17B
　　　　18/5A
李朝宋
　26方鎮1/18A
李朝昇
　5 新表8/72上/2572
李朝隱(光國、貞)
　1 舊唐9/100/3125
　2 新唐14/129/4479
　8 全文236/18A
　9 拾遺16/18B
　20郎考3/15A
　　　　4/13A
　21御考1/5B
　　　　2/25A
　25登科27/37B
李毅(致之)
　5 新表8/72上/2526
　25登科27/19A②
李胡
　5 新表8/72上/2485
李胡摩
　5 新表8/72上/2512
李都
　11全詩12/870/9868③
　26方鎮4/58B

① 《新唐》卷二○三謂此李觀爲李華從子，岑仲勉《唐集質疑》之"中唐四李觀"條謂非是，可參。

② 《登科》引李磎《授李穀河南府參軍充集賢校理制》云："爾穀儒學賢相之後，以進士擢第。"按，《新表》之李穀爲李
　絳孫，李絳曾爲唐憲宗時宰相，則當爲一人。

③ 《全詩》載李都《戲答朝士》詩一首，題下注云："都爲荆南從事，時有朝士寓書，書蹤甚惡，李戲答此。"《書斷》載李
　都，亦謂都爲荆南從事云云，則《全詩》與《書斷》之李都應爲一人。《方鎮》之李都，據《通鑑》與《桂苑筆耕》，謂唐
　僖宗乾符間由戶部尚書判戶部改同平章事，充河中節度使，時代相近，似當爲一人，蓋李都先曾爲荆南從事，後
　乃仕歷顯宦。

④ 《全詩》"伯"作"白"，據《紀事》改。

26方鎮1/88A②
李忠臣（董秦）
　1舊唐12/145/3939
　2新唐20/224下/6387
　19姓纂6/1B
　26方鎮1/2B
　　　　2/3A
　　　　8/65A
李專美（翊商）
　3舊五4/93/1229
李冉
　5新表8/72上/2449
　8全文622/22B
李奉珪
　38圖繪　補遺/4A
李奉虔
　41九國7/17B
李奉胤
　5新表8/72上/2547
李奉仙
　69嘉定鎮江16/23B
李奉先
　5新表8/72上/2518
李奉泌
　5新表8/72上/2547
李奉初
　5新表8/72上/2582
李奉甬
　5新表8/72上/2547
李奉國國昌弟，晚唐時
　5新表11/75下/3454
李奉國（舍利葛旆）唐肅宗時
　19姓纂5/7B
李奉兌
　5新表8/72上/2505
李奉慈（敬）
　1舊唐7/60/2357

　2新唐11/78/3536
李春鷥　見閩康宗后李氏
李表
　5新表8/72上/2454
李表慶
　5新表8/72上/2517
李表質
　5新表8/72上/2563
李素
　20郎考13/24A
　　　　14/9A
　25登科27/31A
李素立（平）
　1舊唐15/185上/4786
　2新唐18/197/5619
　5新表8/72上/2475
　20郎考12/1B
李素誠
　5新表8/72上/2478
李秦授
　20郎考10/3B
李素臣
　5新表8/72上/2490
　69嘉定鎮江17/7B
李素節
　1舊唐9/86/2826
　2新唐12/81/3587
51李振（興緒）
　3舊五1/18/251
　4新五2/43/469
　53赤城志8/25A
李軒（德輿）
　5新表8/72上/2526
李搢
　5新表8/72上/2462
李摽
　5新表8/72上/2543

52李托
　9拾遺48/11B
李揆（端卿、恭）
　1舊唐11/126/3559
　2新唐15/150/4807
　5新表8/72上/2448
　8全文371/14B
　17紀事上/28/442
　20郎考8/25B
　　　　9/10A
　25登科8/30B
　　　　10/4B
　39書史5/25A
　63新安志9/18B
　71嚴州1/25B
　　　　1/29A
李挺
　5新表8/72上/2454
　10續拾4/9B③
李挺立
　5新表8/72上/2492
李挺秀
　5新表8/72上/2482
李挺之
　21御考3/22B
李播（黃冠子）
　2新唐18/204/5798④
　7新志5/58/1506
　　　　5/59/1517
　　　　5/59/1545
李播唐憲宗時
　11全詩8/491/5555
　　　　11/773/8769⑤
　17紀事下/47/720
　20郎考16/22B
　25登科27/12B
李播唐僖宗時

---

① 新、舊《唐書》本傳之李惠登，唐德宗貞元初爲隨州刺史；《新表》之李惠登，其祖元卿，隋時任淮陽令，當爲唐高宗、武后時人，時代不相及，當爲二人。

② 《新表》之李忠順，南容子，《方鎮》之李忠順，唐武宗會昌二年鎮振武，時代相近，但未能確定是否爲一人，今仍分列，備考。

③ 《新表》之李挺，成性子，《續拾》之李挺，德宗建中時揚州高郵尉，時代相近，或當爲一人。

④ 按錢大昕《十駕齋養新錄》卷十二《李播》條謂唐有兩李播："李淳風父名播，作《天象賦》，見《唐志》，此唐初人也。又元和間詩人李播，起家進士，官郎中、蘄州刺史，見《唐詩紀事》。"按錢氏所稱之兩李播，李淳風父者，卽黃冠子李播；元和進士者卽唐憲宗時李播，據本書所考核，此外尚有兩李播，卽唐僖宗時任福州刺史之李播，與一名李儼之李播。

⑤ 岑仲勉《讀全唐詩札記》云："按前八函二册（卽中華書局點校本卷四九一——引者）曾據《紀事》四七，收李播詩一首，此復出李播，不知何緣斷是兩人。依《郎官考》一六所徵史料，李播同姓名者最少有四人，《紀事》之李播，當是嘗官金外、比中及杭州刺史者。"

① 《登科》原注云：“《冊府元龜》一作瑀，《唐會要》作瑀。”
② 《舊唐書》卷一五七《李鄘傳》作李柱，云“(鄘)子柱，官至浙東觀察使”。又載柱子碩。《新唐書》卷一四六《李鄘傳》所載稍詳，云“子拭，仕歷宗正卿、京兆尹、河東鳳翔節度使，以秘書監卒。拭子碩。”《新表》亦載鄘一子，名拭，起居舍人，子碩。李拭事蹟尚可考見者，有《舊唐書》卷一八下《宣宗紀下》，大中四年九月“以朝請大夫、檢校禮部尚書、孟州刺史、河陽三城節度使李拭爲太原尹、北都留守、河東節度等使。”《通鑑》卷二四八武宗會昌五年四月壬寅載陝虢觀察使李拭。又見《會稽掇英總集》卷一八。李拭又見《郎考》、《方鎮》等書。據此，則當作拭是。
③ 《全詩》作李博，今據《紀事》改。
④ 《新表》之李戎，震子，《書史》之李戎，僅載其名，事蹟不詳，未能確定爲同一人，今姑分列，備考。
⑤ 《新表》之李擇，珂子；《登科》之李擇，唐昭宗乾寧元年知貢舉，時代相近，但未能確定是否同爲一人，今仍分列，備考。
⑥ 李拯字各書均作“昌時”，唯《紀事》作“昌詩”，“詩”“時”形近，疑《紀事》有誤。
⑦ 崔栯有《唐故朝議郎守尚書比部郎中上柱國賜緋魚袋隴西李府君墓誌銘》（今有拓本），載李蟾字冠山，於長慶、寶曆時爲李德裕之浙西觀察使判官，文宗時爲浙西觀察使。《吳興志》之李蟾爲昭宗時人。時代不相及，顯係二人。

25登科27/3B
李旦　見唐睿宗
李昱延福子
　5 新表8/72上/2515
李昱　見李煜
李臚　見李回
李勗頴子
　2 新唐11/79/3559
李勗景回子
　5 新表8/72上/2452
李勗孟宣子
　5 新表8/72上/2544
李國貞(若幽)
　1 舊唐10/112/3340
　2 新唐11/78/3530
　26方鎮1/69B
　　　4/45B
　　　6/59B
李國禎
　1 舊唐11/130/3618
　2 新唐13/109/4108
　9 拾遺50/8B
李國清
　26方鎮4/13A
　　　6/44A
李國昌(德興、朱邪赤心)
　2 新唐20/218/6156
　3 舊五2/25/332
　4 新五1/4/31
　5 新表11/75下/3453
　26方鎮1/50B
　　　1/91A
　　　8/21A
　　　8/22A
李國臣
　2 新唐15/136/4592
李國鈞
　20郎考6/14B
李冑
　5 新表8/72/2535
李冕工部尚書
　1 舊唐10/112/3335
　2 新唐11/78/3531
　8 全文330/14A
　11全詩2/108/1117
　17紀事上/14/208
　20郎考8/1B
　26方鎮4/27A

李曧南和令
　5 新表8/72上/2515
李晟(良器)隴右臨洮人
　1 舊唐11/133/3661
　2 新唐16/154/4863
　5 新表8/72上/2469
　8 全文443/1A
　26方鎮1/3B
　　　1/43B
李晟廮州金城人
　3 舊五4/90/1191
李思務該子
　1 舊唐14/171/4453
李思知本子
　5 新表8/72上/2485
李思
　20郎考5/8B①
李思立　見李思元
李思齊
　8 全文276/10A
李思文潤州刺史
　2 新唐12/93/3824
　69嘉定鎮江14/3A
李思文同官丞
　5 新表8/72上/2459
李思言稚川子
　5 新表8/72上/2456
李思言思皦子
　5 新表8/72上/2539
李思諒
　5 新表8/72上/2533
　20郎考15/28B
　　　17/4A
　　　22/1B
李思玄
　5 新表8/72上/2496
李思訓(建、大李將軍)
　1 舊唐7/60/2346
　2 新唐11/78/3520
　25登科2/14A
　30歷畫9/179
　31唐畫6/6A
　35畫譜10/2A
　37書小史9/8B
　38圖繪2/12A
　39書史5/19A
李思諫
　26方鎮1/46B

　　　1/62A
　　　1/63A
　　　8/13B
李思誨孝斌子，揚州參軍事
　1 舊唐10/106/3235
　2 新唐11/78/3520
　30歷畫9/180
　38圖繪2/22A
李思誨玄表子，頴州司馬
　5 新表8/72上/2457
李思一
　20郎考26/3A②
李思元(文成)唐高宗時
　8 全文201/17A
李思元唐穆宗時
　25登科19/9B③
李思順　見李琚
李思仁
　5 新表8/72上/2578
李思行(襄)
　1 舊唐7/57/2297
　2 新唐12/88/3740
　5 新表8/72上/2590
李思貞
　5 新表8/72上/2490
　64掇英18/11A
　65會稽志2/26A
李思安(貞臣)仕梁，相州刺史
　3 舊五1/19/261
李思安唐人，歷官不詳
　5 新表8/72上/2496
李思遠
　20郎考6/2A
　　　22/1B
李思沖
　1 舊唐8/81/2756
　2 新唐13/106/4053
　5 新表8/72上/2480
李思禮
　5 新表8/72上/2578
李思過
　5 新表8/72上/2522
李思古
　20郎考11/7B
李思恭巂子
　1 舊唐11/133/3661
　5 新表8/72上/2469
李思恭君壽子

5 新表8/72上/2490
李思恭道謙子
　5 新表8/72上/2589
李思恭　見拓跋思恭
李思孝嘉子
　5 新表8/72上/2466
李思孝　見拓跋思孝
李思敬 高節子，約唐玄、肅宗時
　5 新表8/72上/2496
李思敬唐昭宗時
　26方鎮1/52B④
　　　　8/32B
李思本
　5 新表8/72上/2442
李思義
　5 新表8/72上/2496
李愚(子晦、晏平)
　3 舊五3/67/890
　4 新五2/54/620
　8 全文848/16B
　25登科24/32A
　　　　25/3A
　　　　25/35A
李黯
　5 新表11/75下/3445
李旻
　5 新表8/72上/2469
李晏
　5 新表8/72上/2454
李晏平　見李愚
李昊(穹佐)
　5 新表8/72上/2480
　8 全文891/12A
　40十國52/3A
李昇唐玄宗時
　9 拾遺21/11A
李昇(雲皋)唐憲宗時
　11全詩12/852/9638
李昇(錦奴、小李將軍)五代

　32益畫中/1A
　35畫譜3/4B
　36圖誌2/45
　38圖繪2/27B
李昇遠
　5 新表8/72上/2476
李昇朝
　8 全文402/19A
李昇期
　5 新表8/72上/2460
　25登科5/31B
李昇唐德宗時
　2 新唐15/147/4759
李昇(正倫、彭奴、徐知誥、南唐先主、南唐烈祖)
　1 舊五6/134/1784
　2 新五3/62/765
　8 全文128/2B
　9 拾遺11/16B
　11全詩1/8/70
　　　　12/879/9953
　40十國15/1A
　42五補3/5A
　43馬書1/1A
　44陸書1/1A
　45江南1/1A
　69嘉定鎮江14/47B
李甲 趙郡李氏，從遠子
　5 新表8/72上/2477
李甲
　25登科27/18B⑤
李暈
　2 新唐11/78/3531
李回(昭度、昭回、躔、文懿)如仙子
　1 舊唐14/173/4501
　2 新唐14/131/4517
　9 拾遺30/15A
　11全詩8/508/5776

　20郎考4/63A
　25登科19/7B
　　　　19/9A
　26方鎮6/36B
　　　　6/67A
李回恆子
　5 新表8/72上/2447
李回敬本孫
　5 新表8/72上/2539
李昌貞梯子
　5 新表8/72上/2522
李昌倏子
　25登科27/12A
李昌　見李適之
李昌
　20郎考5/34B⑥
李昌言
　26方鎮1/12B
　　　　1/58B
李昌謀(慎機)
　5 新表8/72上/2481
李昌元
　26方鎮1/48A
李昌巙
　26方鎮5/4A
　　　　7/40A
　　　　8/3A
李昌實
　25登科20/4B
李昌遠
　5 新表8/72上/2478
李昌鄴
　11全詩11/726/8320
　17紀事下/67/1007
李昌時
　5 新表8/72上/2518
李昌符(嚴夢、若夢)
　11全詩9/601/6947
　　　　12/870/9863

① 《郎考》"思"字後原缺一字。
② 《新唐書·宗室世系表》雍王房亦有李思一，云務該子。按《舊唐書》卷一七一《李漢傳》已載"務該生思"，則務該子，《舊唐書》作思，《新唐書》作思一。《郎考》此處之李思一，未知是否即是務該子，因未有確證，今仍分列，備考。
③ 徐松謂一作李思立。
④ 《新表》之李思敬，爲高節子，其曾祖純，爲隋介州刺史，則李思敬當約唐玄宗、肅宗時人。《方鎮》之李思敬，爲唐昭宗時人，時代不相及，當爲二人。
⑤ 《登科》之李甲，係引《宜春志》，謂其進士及第，其他不詳，姑仍與《新表》之李甲分列。
⑥ 《郎考》"昌"後原缺一字。

① 《歷畫》載李炅名，云工山水，約唐中宗時人，其他不詳，今分列，備考。
② 《嘉定鎮江》作李景遜，並引《通鑑》云"會昌六年以右散騎常侍爲浙西觀察使"。又云新、舊《唐書》有傳。按經查核，《通鑑》卷二四八武宗會昌六年九月載："以右散騎常侍李景讓爲浙西觀察使"。則知《嘉定鎮江》訛讓爲遜。李景讓，新、舊《唐書》有傳，李景遜則爲南唐國主李昇子，見《十國春秋》卷十九。
③ 按，《全文》此處於李景儇名下收《諫宣宗爲鄭光輟朝請》一文，《全文》小傳又云："景儇，憲宗朝官侍御史，大中時累遷御史大夫。"勞格《讀書雜識》卷八《讀全唐文札記》云："見《舊書·忠義下·李景讓傳》，《唐會要》二十五節載此疏，誤作景儇，因此沿誤，當改併入七百六十三李景讓文。考《舊唐》，景儇終少府少監，非御史大夫也。"岑仲勉《讀全唐文札記》云："按《全文》蓋合景儇、景讓二人之仕歷爲一傳，憲宗朝句屬景儇，大中時句屬景讓。"則此處所收李景儇文，實爲李景讓所作。錄以備參。
④ 《新表》原注："晤一作旳。"
⑤ 《全文》李昕小傳僅云"代宗時書判拔萃科"，其他不詳，今分列，備考。
⑥ 《書史》僅載李則名，其他不詳，未能確定是否即爲《新表》、《郎考》之李則，今仍分列，備考。
⑦ 《新表》載李暄撰《嶺南脚氣論》一卷，約當中晚唐之際，其他不詳，今分列。
⑧ 《全文》李暄小傳僅云華陽令，約當晚唐，其他不詳，與前之李暄，仕歷皆不合，今分列

---

① 《郎考》"踐"下缺一字,勞格謂疑是"方"字。
② 《十國》原注:"貽業一作彝鄴。"
③ 《新表》之李暉,奮子,承弟,當爲唐德宗時,未注官職。《全詩》之李暉,爲唐宗室,官弘農太守,賈至嘗爲撰制詞,時代稍早,當爲二人。下《御考》之李暉,時代與《全詩》之李暉相近,今併爲一人。
④ 《全詩》之李曜,嘗爲歙州刺史,屬於有爵里、無世次一類,今分列。
⑤ 據岑建功《舊唐書校勘記》卷五十七,謂《新唐書・宗室世系表》作李鵬,盛唐令。
⑥ 《新表》原注:"昭一作照。"
⑦ 《郎考》之李暉,約當晚唐時,其他不詳,未能確定,今姑分列,備考。
⑧ 《三山志》之李暉,唐僖宗乾符二年福州刺史,其他不詳,今姑分列,備考。
⑨ 《新表》之李晄,官冀州刺史,其高祖孝基,隋時爲晉王文學;《三山志》之李晄,唐玄宗天寶五載爲福州太守,時代相近,未知是否即爲一人。今姑分列,備考。
⑩ 《新表》原注:"防一作昉。"

① 《新表》之李長，官通州刺史，約中唐時人。《寶慶四明》、《延祐四明》載有李長，曾任明州刺史，時代未詳。《新表》之李長與《四明志》之李長皆任刺史之職，唯一作通州，一作明州，疑字有異，而實爲一人。

② 《新表》之李彤，玄之子，官吏部尚書。《郎考》之李彤，官度支員外郎，未能確定與《新表》是否即爲一人。今分列，備考。

③ 按，李陽冰之字，《書譜》、《書史》、《全文》皆作少溫，唯《全詩》作仲溫。查《全詩》所載李陽冰詩一首，題《阮客舊居》，即《唐詩紀事》所載，《全詩》當本《紀事》，而《紀事》未載陽冰字。疑《全詩》作"仲"有誤，但因未有確證，今仍并存，備考。

④ 《新志》之李堅，撰《東相真人傳》一卷，其他不詳，今分列，備考。

⑤ 《郎考》之李堅，未能確定屬於何人，今分列，備考。

⑥ 《全文》之李同，後唐天成二年官左拾遺，《登科》之李同，李彬之子，唐懿宗咸通時人。時代不合，當爲二人。

李翁父
　5 新表8/72上/2548
李巔
　59毗陵志7/17A
李銷
　5 新表8/72上/2538
李鉉恕子
　5 新表8/72上/2483
李鉉元琰子
　5 新表8/72上/2495
李鉉龜年子
　5 新表8/72上/2536
李鉉延安子
　5 新表8/72上/2562
李錞
　5 新表8/72上/2538
李夔
　5 新表8/72上/2456
　11全詩2/67/762
　17紀事上/13/192
李羲仲宗師子
　2 新唐13/102/3975
　5 新表8/72上/2598
　20郎考12/12A
李羲仲元暉子
　19姓纂4/17A
李羲穆
　19姓纂4/17A
李羲叟
　1 舊唐15/190下/5078
　25登科22/19A
李令不詳
　11全詩12/870/9874
李令五代仕楚
　40十國75/1A
李令平
　2 新唐12/82/3631
李令琛
　8 全文955/8A
　25登科4/2B
李令從
　69嘉定鎮江17/4B

李令志
　5 新表8/72上/2584
李令莊
　5 新表8/72上/2479
李令哲
　5 新表8/72上/2467
李令思
　5 新表8/72上/2568
李令問
　1 舊唐8/67/2482
　2 新唐12/93/3816
　5 新表8/72上/2467
李令節
　5 新表11/75下/3444
李無言
　20郎考11/5A
李無諂
　83開元錄9/566
　85貞元新錄13/866
李無逸
　5 新表8/72上/2480
李羔
　5 新表8/72上/2480
李愈
　5 新表8/72上/2584
李慈
　5 新表8/72上/2487
李慈師
　5 新表8/72上/2575
李兼
　9 拾遺24/21A
　11全詩12/873/9890
　26方鎮5/80A
　　　　6/16B
李兼金
　5 新表8/72上/2504
李美
　5 新表8/72上/2478
李并希遠子
　1 舊唐14/173/4506
　5 新表8/72上/2478
李并詳子

李羲
　5 新表8/72上/2579
李義
　5 新表8/72上/2527
李義府
　1 舊唐8/82/2765
　2 新唐20/223上/6339
　6 舊志6/47/2073
　　　　6/47/2078
　7 新志5/58/1456
　　　　5/58/1473
　　　　5/58/1484
　　　　5/58/1491
　　　　5/58/1500
　　　　5/59/1563
　　　　5/60/1598
　8 全文153/1A
　10續拾2/2A
　11全詩1/35/468
　17紀事上/4/51
　25登科1/14B
　27郡齋2上/4B
李義璡
　5 新表8/72上/2447
李義璋
　5 新表8/72上/2445
李義瑾
　5 新表8/72上/2447
李義瑛
　5 新表8/72上/2445
李義璹
　5 新表8/72上/2444
李義琪
　5 新表8/72上/2444
李義珣
　1 舊唐9/86/2826
　2 新唐12/81/3589
李義琛
　1 舊唐8/81/2757
　2 新唐13/105/4034
　5 新表8/72上/2446
　7 新志5/58/1495
　25登科1/4A

---

① 《新唐》作“（李）鄠族子丹叔、惟岳”，又云“鄠字伯高，丹叔字南誡，惟岳字謨道，趙人”。按《新唐》此處所述實本李華《三賢論》，《三賢論》原作“趙郡李鄠伯高，含大雅之素；鄠族子丹叔南，誡莊而文，族子惟岳謨道，沉邃廉静”（《文苑英華》卷七四四）。由此可見，《三賢論》乃謂李丹字叔南，“誡莊而文”，自成一句，《新唐書》作者誤讀，以“南誡”爲字，“丹叔”爲名，實大謬。《全唐文》卷四○四小傳謂李丹，字叔南，是，但小傳中又謂李丹曾任虔州刺史，則又誤。據《新表》，任虔州刺史者乃李岑子李舟，亦即任豪州刺史李丹之兄，出隴西李氏姑臧房，而字叔南之李丹，爲趙郡李氏。

李銛堯年子,句容尉
　5 新表8/72上/2539

李銛澄子,南梁州司功參軍
　5 新表8/72上/2548

李銛鄜坊觀察使
　26方鎮1/46A

李穌
　5 新表8/72上/2560

83李銖
　5 新表8/72上/2551

李釾
　5 新表8/72上/2551
　20郎考12/23A
　21御考3/51A

李鐵誠　　見李澄

李錢
　5 新表8/72上/2539

李鎔庭言子
　5 新表8/72上/2463

李鎔延安子
　5 新表8/72上/2562

李猷
　20郎考5/11A

84李銑靈夔子
　1 舊唐7/64/2435

李銑渙子
　5 新表8/72上/2548
　8 全文713/15B
　25登科25/31A

李鐃
　5 新表8/72上/2510

李錡
　1 舊唐10/112/3341
　2 新唐20/224上/6381
　26方鎮5/38B
　67乾道臨安3/2B
　68咸淳臨安45/13A
　69嘉定鎮江14/18B
　72三山志20/35B
　73吳興志14/27B

李鑄
　5 新表8/72上/2538

李鎮灵子
　5 新表8/72上/2466

李鎮龜年子
　5 新表8/72上/2537

李鎮僅子
　1 舊唐10/116/3387
　2 新唐12/82/3620

李鎮逢年子
　5 新表8/72上/2538

李鎮珽子
　5 新表8/72上/2551

李鎮撰《義林》等
　7 新志5/58/1457④
　25登科7/29A

李鎮惡
　1 舊唐9/94/2992
　5 新表8/72上/2545

85李鍊
　1 舊唐7/64/2433
　2 新唐11/79/3557
　26方鎮8/36A

李銖
　5 新表11/75下/3451

86李鍠注子
　5 新表8/72上/2549

李鍠珽子
　5 新表8/72上/2551

李鍠儇思子
　5 新表8/72上/2568

李鉬
　5 新表8/72上/2538

李錫
　5 新表8/72上/2483

李鐶逢年子
　5 新表8/72上/2538

李鐶璡子
　5 新表8/72上/2551

李鐸
　8 全文893/1A
　40十國72/11A

李知讓
　5 新表8/72上/2589

李知正　　見李知止

李知元
　8 全文827/15A

李知柔唐昭宗時
　2 新唐12/81/3603
　26方鎮7/16B

李知柔唐玄宗時
　9 拾遺21/12B
　20郎考7/7B
　　　8/5B
　21御考1/23A
　　　2/16B

李知仁
　5 新表8/72上/2512

李知止
　20郎考2/11A
　　　6/10A⑤

李知保
　7 新志5/59/1537

李知約
　5 新表8/72上/2489

李知業
　5 新表8/72上/2560

李知古密子,右臺監察裏行
　5 新表8/72上/2593
　21御考2/33A

李知古歷官不詳
　5 新表8/72上/2596

李知本
　1 舊唐15/188/4918
　2 新唐18/195/5578
　5 新表8/72上/2483

李知損(化機)
　3 舊五5/131/1731
　8 全文858/15A
　42五補4/12B

李知隱
　2 新唐18/195/5578
　5 新表8/72上/2487

李智雲(稚詮)
　1 舊唐7/64/2423
　2 新唐11/79/3548

---

① 《全文》未載李曾事蹟,《新表》則僅載其爲偕子,彭城丞,時皆唐末,但未能確定爲一人。今仍分列,備考。

② 《登科》引《玉泉子》,謂李鉅與韋保衡同時,其他不詳。今分列。

③ 《郎考》所載之李鉅,未能確定屬於何人,今亦分列。

④ 《新志》、《登科》之李鎮,唐玄宗時因上書拜官,開元時授門典儀,與上李鎮皆不類,當另是一人。

⑤ 《郎考》此處作"李知正",趙鉞謂知正當作知止。

11全詩9/566/6555
17紀事下/60/907
20郎考11/62A
25登科27/18A
李節度姬
　11全詩11/800/9005
李餘
　11全詩8/508/5772
　17紀事下/46/700
　25登科19/29B
　　　21/7A
李餘慶無考
　25登科27/19A
李餘慶　見李嶠
李餘福
　5新表8/72上/2467
李繁和州刺史
　1舊唐11/130/3623
　2新唐15/139/4638
　5新表8/72上/2594
　7新志5/58/1484
　　　5/58/1508
　　　5/59/1530
　　　5/59/1541
　27郡齋2下/19B
　28直齋7/6A
李繁懷州錄事
　5新表8/72上/2557④
89李鑽
　1舊五5/108/1426
　2新五2/57/655
　8全文854/15A
90李忱
　1舊唐14/175/4536
　2新唐12/82/3630
李惟
　5新表8/72上/2446
李惟誠
　1舊唐12/142/3870
　2新唐19/211/5950
　5新表11/75下/3450

李惟亘
　30歷畫10/193
李惟和
　5新表8/72上/2546
李惟微
　5新表8/72上/2546
李惟寧
　5新表8/72上/2546
李惟清
　5新表8/72上/2546
李惟义
　5新表8/72上/2547
李惟孝
　5新表8/72上/2567
李惟恕
　25登科27/4B
李惟忠
　5新表8/72上/2567
李惟成
　5新表8/72上/2546
李惟岳花陽人,寶臣子
　1舊唐12/142/3868
　2新唐19/211/5948
　5新表11/75下/3450
李惟岳(謨道)趙人,懿子
　2新唐18/194/5565
　5新表8/72上/2547
李惟賢
　5新表8/72上/2545
李惟簡
　1舊唐12/142/3870
　2新唐19/211/5950
　5新表11/75下/3450
　26方鎮1/5B
李惟省
　5新表8/72上/2568
李憻
　1舊唐14/175/4536
　2新唐12/82/3631
李懷
　5新表8/72上/2541

李懷讓
　21御考1/11B
　　　2/25B
　26方鎮8/7A
李懷一
　5新表8/72上/2475
李懷玉　李正己
李懷琳
　37書小史9/5A
　39書史5/24A
李懷秀
　2新唐20/219/6172
李懷仙
　1舊唐12/143/3895
　2新唐19/212/5967
　26方鎮4/102B
李懷儼
　1舊唐7/59/2332
　7新志5/58/1456
　20郎考17/3A
李懷遠(廣德、成)
　1舊唐9/90/2920
　2新唐14/116/4244
　5新表8/72上/2588
　6舊志6/47/2075
　7新志5/60/1600
　11全詩1/46/558
　　　12/882/9968
　25登科27/34B
李懷忠(光孝)
　3舊五5/124/1633
李懷光
　1舊唐11/121/3491
　2新唐20/224上/6375
　26方鎮1/17A
　　　1/71A
　　　4/47A
李懷恪
　19姓纂4/17A
李惇稚川子
　5新表8/72上/2456

① 《方鎮》之李鈞,爲唐僖宗乾符時昭義節度使,當另爲一人。
② 《新志》、《郡齋》、《直齋》之李銳,曾預修《開元禮》、《初學記》等書,爲唐玄宗開元時人,其時代與恕子之李銳、璨子之李銳相近,但未能確定屬於何人。今姑分列,備考。
③ 《全詩》僅云李範,關中人,其他不詳。觀其排列時序,似爲五代,與前惠文太子(唐睿宗子)李範、嚴子李範皆不合,當另爲一人。
④ 按,《新表》之兩李繁,父名均爲泌,一爲和州刺史,一爲懷州錄事;和州刺史李繁之父李泌,即於肅、代宗時任宰相者。

26方鎮4/98A
　　6/56A
李常(茹常、嘉慶)渤海蓚鬲人
　1 舊唐11/121/3491
　2 新唐20/224上/6375
李常從遠子
　5 新表8/72上/2477
李常納義子
　5 新表8/72上/2493
李常歷户中、户外
　20郎考11/19A④
　　12/18A
　21御考3/17B
李當
　5 新表8/72上/2453
　20郎考2/29B
　　26/24A
　26方鎮4/156B
　　5/72B
　　6/37B
李當壁
　5 新表8/72上/2522
李炎　見唐武宗
91李恆義琎子,侍御史
　5 新表8/72上/2447
李恆元珪子
　5 新表8/72上/2557
李恆安陽令
　11全詩2/105/1102
　17紀事上/12/181
李恆　見唐穆宗
李恆
　20郎考22/4A⑤
李恆一
　20郎考8/7B
李怦
　5 新表8/72上/2483

李悟(寮)
　1 舊唐14/175/4535
　2 新唐12/82/3630
李慞
　5 新表8/72上/2573
92李判官
　69嘉定鎮江15/47B
李橙(忠懿、忠烈)⑥
　1 舊唐15/187下/4887
　2 新唐18/191/5510
　8 全文330/15A
　11全詩2/115/1167
　20郎考3/29A
　　4/15B
　　14/12B
　　17/1A
　21御考2/43B
　　2/22A
　25登科27/28A
李忻(寰)唐憲宗子
　1 舊唐14/175/4535
　2 新唐12/82/3629
李忻瑜子
　5 新表8/72上/2528
李惝
　1 舊唐14/175/4536
　2 新唐12/82/3630
李恬
　25登科27/17B
93李怡玄慶子
　5 新表8/72上/2513
李怡踐義
　5 新表8/72上/2555
李怡　見唐宣宗
李怡顔
　5 新表8/72上/2553
李悰(察)唐憲宗子
　1 舊唐14/175/4534

　2 新唐12/82/3629
李悰餘姚令
　65會稽志3/18B
94李忱(敬一)孝卿子
　5 新表8/72上/2480
李忱　見唐宣宗
李懂固言子
　5 新表8/72上/2478
李懂泳子
　5 新表8/72上/2524
李恉
　5 新表8/72上/2554
李恊
　1 舊唐14/175/4536
　2 新唐12/82/3630
李慎唐太宗子
　1 舊唐8/76/2664
　2 新唐12/80/3577
　9 拾遺12/5B
李慎文政子
　5 新表8/72上/2522
李慎微
　5 新表8/72上/2527
李慎儀
　8 全文852/10A
　9 拾遺46/18B
李慎機
　5 新表8/72上/2444
李慎知
　5 新表8/72上/2562
李燁
　1 舊唐14/174/4530
　2 新唐17/180/5343
　5 新表8/72上/2591
李煒惲子
　1 舊唐8/76/2660
　2 新唐12/80/3575
李煒叔璩子

---

① 按,唐有兩李光進,俱武官,與此時代不合,一見《新唐》卷一三六,一見《新唐》卷一七一,爲兩人。但《舊唐》卷一六一李光進傳誤合二人爲一。《郎考》此處之李光進,爲另一人。參宋王觀國《學林》卷五《姓名同》條。

② 《新表》之李光朝,鄂州刺史,其曾祖諤,隋時封南和公。《全文》之李光朝,小傳謂當天寶時。時代相合,當卽一人。

③ 《新表》之李光輔,暅子,未注官職。《御考》之李光輔,亦無考。未能確定爲一人,今分列,備考。

④ 《郎考》、《御考》之李常,未能確定屬於何人,今分列,備考。

⑤ 《郎考》之李恒,未能確定屬於何人,今分列,備考。

⑥ 李橙之字《新唐》本傳云字忠懿,《全文》小傳同,《全詩》小傳云謚忠烈。今按《舊唐》本傳未明載其謚號,但其子源附傳中載李德裕長慶三年表薦之文,中有云:"處士李源,卽故禮部尚書、東都留守、贈司徒、忠烈公李橙之少子。"又載穆宗詔文,亦稱"贈司徒、忠烈公橙"。似作忠烈爲是,但《新唐》本傳既載忠懿,今亦并存,以備考查。

11全詩12/869/9845
李榮實
　5 新表8/72上/2462

4046_5 嘉

22嘉豐公主
　2 新唐12/83/3663
32嘉州白水寺和尚
　81景德16/20B
90嘉尚
　80宋僧4/11B

4050_6 韋

00韋庇
　5 新表10/74上/3088
　19姓纂2/12B
韋充
　8 全文733/8B
　20郎考1/22A
　　　18/16B
韋廬
　26方鎮7/34B
韋廱(德華)
　5 新表10/74上/3075
韋競
　19姓纂2/17B
韋彦方
　5 新表10/74上/3079
韋彦談
　5 新表10/74上/3068
韋彦師
　5 新表10/74上/3079
韋序漳子
　1 舊唐13/158/4177
　20郎考20/21B
　25登科27/16B
韋序(休之)庚子
　5 新表10/74上/3075
韋齊休
　25登科27/12A
　69嘉定鎮江15/44B
韋齊物
　5 新表10/74上/3058

韋方憲
　5 新表10/74上/3049
韋方直
　5 新表10/74上/3071
　19姓纂2/16A
韋方質
　1 舊唐8/75/2633
　2 新唐13/103/3995
　5 新表10/74上/3071
　7 新志5/58/1496
　9 拾遺17/8A
　19姓纂2/16A
韋商伯
　5 新表10/74上/3078
韋膺
　5 新表10/74上/3088
韋鷹
　5 新表10/74上/3088
　19姓纂2/12B②
韋應物
　5 新表10/74上/3083
　7 新志5/60/1611
　8 全文375/8B
　11全詩3/186/1894
　　　12/890/10054
　17紀事上/26/399
　18才子4/67
　19姓纂2/12A
　20郎考1/29A③
　27郡齋4上/23A
　28直齋19/9A
　54吳郡圖經上/15B
　　　　　　下/27A
　55吳郡志11/3A
韋康
　5 新表10/74上/3088
　26方鎮6/49A④
韋庚
　1 舊唐13/158/4177
　5 新表10/74上/3075
　25登科27/16B
韋廉
　5 新表10/74上/3095

　19姓纂2/13B
　20郎考10/21A
韋慶
　5 新表10/74上/3088
　19姓纂2/12B
　53赤城志8/9A
韋慶儼　見韋兢
韋慶復
　5 新表10/74上/3083
　8 全文718/19B
　19姓纂2/12A
　25登科16/6A
韋慶儉
　20郎考13/1A
韋慶祚
　5 新表10/74上/3070
　19姓纂2/15B
韋慶基(慶餘)
　5 新表10/74上/3067
　19姓纂2/15B
　　　2/16A
　20郎考25/1B
韋慶兢　見韋兢
韋慶植
　5 新表10/74上/3059
　19姓纂2/15B
　20郎考17/19B
韋慶本
　5 新表10/74上/3071
韋慶㑗
　5 新表10/74上/3071
　19姓纂2/15B
　　　2/16A
　20郎考12/1A⑤
韋慶嗣
　5 新表10/74上/3055
　19姓纂2/15B
韋慶餘　見韋慶基
韋庠(賓虞)庚子
　5 新表10/74上/3075
　25登科23/19A⑥
韋庠光弼子
　5 新表10/74上/3088

---

① 《新唐》作"李愓","愓""愓"形近,未知孰是,今姑從《舊唐》作"李愓"。
② 《姓纂》"鷹"作"鷹"。《新表》作"鷹",岑仲勉《元和姓纂四校記》謂四庫本《姓纂》亦作"鷹",另出韋鷹爲參見條。
③ 《郎考》"應物"前原缺姓,勞格謂當是韋字。
④ 《方鎮》原缺"康"字,岑仲勉《唐方鎮年表正補》考定此卽韋康,今據補。
⑤ 《郎考》作"韋㑗",勞格疑疑卽是韋慶㑗。
⑥ 《登科》引《廣卓異記》,謂韋庠咸通十三年進士登第,與庚子之韋庠時代相合,當爲一人。

19姓纂2/12 B

韋廣
5 新表10/74上/3088

韋廣宗
5 新表10/74上/3056
69嘉定鎮江17/7 A

韋文彥
5 新表10/74上/3077

韋文傑
5 新表10/74上/3054
19姓纂2/13 B

韋文宗
5 新表10/74上/3052
19姓纂2/13 B

韋文恪（敬之）
5 新表10/74上/3046
71嚴州1/30 A

韋奕
8 全文716/26 B

韋讓
26方鎮2/25 A

韋諒
5 新表10/74上/3073

韋雍 晚唐時
1 舊唐13/158/4177
25登科27/16 B

韋雍（叔和） 中唐時
1 舊唐16/193/5150
25登科27/13 A

韋雍妻 見蕭氏

韋玄 見韋玄福

韋玄誕
5 新表10/74上/3104
19姓纂2/16 B①

韋玄諤
5 新表10/74上/3103
19姓纂2/16 B②

韋玄瑾
5 新表10/74上/3105
19姓纂2/16 B③

韋玄貞
1 舊唐14/183/4743
2 新唐19/206/5843
5 新表10/74上/3106
19姓纂2/16 B④

韋玄胤
5 新表10/74上/3068

韋玄儼

2 舊唐14/183/4743
5 新表10/74上/3105
19姓纂2/16 B⑤

韋玄獎
5 新表10/74上/3099
19姓纂2/14 B⑥

韋玄寶
5 新表10/74上/3068

韋玄福
1 舊唐10/101/3141⑦
5 新表10/74上/3099⑧
19姓纂2/14 B⑨

韋玄直
5 新表10/74上/3067

韋玄希
5 新表10/74上/3104

韋玄真
5 新表10/74上/3067

韋玄郁
5 新表10/74上/3103
19姓纂2/16 B⑩

韋玄泰
5 新表10/74上/3102
19姓纂2/15 A⑪
20郎考13/19 A

韋玄昱
5 新表10/74上/3067

韋玄昭
5 新表10/74上/3106
19姓纂2/16 B⑫

韋玄錫
5 新表10/74上/3068

韋玄符
5 新表10/74上/3067

韋襄 允之子
5 新表10/74上/3049

韋襄 斌子
5 新表10/74上/3094
19姓纂2/13 A
20郎考24/3 B

韋褒
5 新表10/74上/3094
19姓纂2/13 A
2/13 B

韋京
5 新表10/74上/3080
19姓纂2/11 B

01**韋顏**

20郎考8/52 A
12/50 A
22/21 A

韋証 見韋誕

韋詣
7 新志5/59/1518

韋襲先
5 新表10/74上/3081

02**韋端**
5 新表10/74上/3095
19姓纂2/13 B

韋端符
8 全文733/1 A
25登科20/4 B

韋新（勿喜）
5 新表10/74上/3052

韋誕
5 新表10/74上/3072⑬
19姓纂2/16 A

03**韋斌**
1 舊唐9/92/2962
2 新唐14/122/4353
5 新表10/74上/3094
19姓纂2/13 A
37書小史10/2 B
39書史5/33 B

韋誠奢
5 新表10/74上/3085
19姓纂2/12 B
21御考2/55 A

04**韋塾（德詳）**
5 新表10/74上/3086

韋詵
5 新表10/74上/3062

韋諲 見韋損

韋諸
71嚴州1/31 A

06**韋諤**
1 舊唐10/108/3278
2 新唐14/118/4269
5 新表10/74上/3099
19姓纂2/14 B
20郎考3/49 A

07**韋郊（延秀）**
1 舊唐13/158/4177
5 新表10/74上/3076
20郎考20/21 B
25登科27/16 B

① 《姓纂》"玄"作"元"，係清人避諱所改，今改正。
②③④⑤⑥ 《姓纂》"玄"作"元"，係清人避諱所改，今改正。
⑦ 《舊唐》作韋玄，爲韋湊父。《舊唐》卷一〇一《韋湊傳》云："祖叔諧，蒲州刺史。父玄，桂州都督府長史。"而《新表》又作韋福，云字玄福，綏州刺史。據《新表》，此韋福乃叔諧子，湊父，可證卽《舊傳》之韋玄，名旣異而實爲一人。按《姓纂》有韋玄福，爲叔諧子，湊父，判兵部員外郎。《姓纂》另有韋玄獎，爲玄福弟。由此可見應據《姓纂》作玄福爲是，《舊傳》缺一福字，《新表》缺一玄字，又以名爲字，皆誤。
⑧ 《新表》作韋福，今據《姓纂》補正，說見前注。
⑨⑩⑪⑫ 《姓纂》"玄"作"元"，係清人避諱所改，今改正。
⑬ 《新表》作韋証，堅子，果州刺史，與《姓纂》之堅子果州刺史韋誕實爲一人，岑仲勉《元和姓纂四校記》謂《新表》作証誤。今據《姓纂》改正。
⑭ 《姓纂》云韋光弼生薦、庠、庀、元。《新表》無韋元，岑仲勉《元和姓纂四校記》以爲此元字爲衍文。

韋元獎　見韋玄獎
韋元濟
　5 新表10/74上/3052
　19姓纂2/13 B
韋元寂玄直子
　5 新表10/74上/3067
韋元寂玄錫子
　5 新表10/74上/3068①
韋元泚
　5 新表10/74上/3068
韋元福　見韋玄福
韋元遜
　5 新表10/74上/3102
韋元清
　5 新表10/74上/3068
韋元祚
　19姓纂2/11 B
韋元希
　19姓纂2/16 B
韋元志
　5 新表10/74上/3053
　19姓纂2/13 B
韋元貫
　5 新表10/74上/3052
　19姓纂2/13 B
韋元郁　見韋玄福
韋元泰　見韋玄泰
韋元甫(昭)
　1 舊唐10/115/3376
　5 新表10/74上/3053
　8 全文434/5 B
　11全詩5/272/3055
　19姓纂2/13 B
　20郎考8/23 B
　26方鎮5/18
　　　　5/22 A
　　　　5/35 A
　　　　5/77 B
　69嘉定鎮江14/11 B
韋元輔　見韋輔元
韋元整
　5 新表10/74上/3078
　19姓纂2/11 B
韋元旦(烜)
　2 新唐18/202/5749
　5 新表10/74上/3069
　8 全文208/7 A
　11全詩2/69/772

　17紀事上/11/170
　19姓纂2/16 A
　20郎考2/3 A
　　　　26/5 A
　25登科27/2 B
韋元晨
　5 新表10/74上/3069
　19姓纂2/16 A
韋元晟
　5 新表10/74上/3072
　19姓纂2/16 A
韋元曄
　5 新表10/74上/3069
　19姓纂2/16 A
　20郎考8/54 B
韋元暉
　5 新表10/74上/3056
韋元昭正名子
　5 新表10/74上/3056
韋元昭　見韋玄昭
韋元長
　20郎考17/2 B
韋元曾(穎叔)
　5 新表10/74上/3052
　19姓纂2/13 B
　20郎考3/48 A
　　　　4/22 B
　　　　6/14 A
韋元懌
　5 新表10/74上/3053
　19姓纂2/13 B
韋震(東卿、肇)
　4 新五2/43/472
韋夏有
　19姓纂2/15 B
　20郎考9/10 A
　　　　12/21 B
韋夏卿(雲客、獻)
　1 舊唐13/165/4297
　2 新唐16/162/4995
　5 新表10/74上/3108
　8 全文438/22 A
　11全詩5/272/3057
　19姓纂2/17 B
　20郎考3/57 A
　　　　4/31 A
　25登科10/22 A
　59毗陵志7/14 B

韋覃
　19姓纂2/15 B
韋平
　2 新唐16/158/4937
韋无忝　見韋無忝
韋无蹤　見韋無縱
韋霸
　5 新表10/74上/3078
　19姓纂2/11 B
　20郎考3/41 B
韋晉承慶子
　5 新表10/74上/3110
　19姓纂2/17 A
　20郎考8/14 B
　59毗陵志7/16 B
韋晉岳子
　19姓纂2/15 A
韋靄
　7 新志5/60/1614
　18才子10/172
韋雲平
　5 新表10/74上/3072
　19姓纂2/16 A
　20郎考13/18 B
韋雲起
　1 舊唐8/75/2631
　2 新唐13/103/3993
　5 新表10/74上/3071
　8 全文134/16 B
　19姓纂2/16 A
韋雲表(之玄)
　5 新表10/74上/3071
　19姓纂2/16 A
11韋班
　5 新表10/74上/3076
　19姓纂2/11 A
韋玩
　39書史5/20 B
韋甄
　20郎考8/60 B
　25登科27/21 A
韋珩(羣玉)
　5 新表10/74上/3109
　19姓纂2/17 B
　25登科15/34 B
　　　　16/6 A
　73吳興志14/29 B
韋璿慶植子

① 此兩韋元寂,沈炳震《新唐書宰相世系表訂誤》云"當有一誤"。
② 《新表》作"韋濬",岑仲勉《元和姓纂四校記》考定當作韋璿,今據改。
③④⑤⑥⑦ 《舊唐》、《舊志》、《新志》皆作"韋機",係唐人避太子李弘諱省弘字,今據《新唐》、《姓纂》補。
⑧ 《全文》"弘"作"宏",係清人避諱所改,今改正。
⑨ 《方鎮》"弘"作"宏",係清人避諱所改,今改正。
⑩⑪《郎考》作"韋敏",勞格案,韋敏無考,疑即韋弘敏,時代正合,其單作韋敏,當是避太子李弘諱。如《舊書·良吏傳》韋機,《新書》作韋弘機,即其證。

① 《郎考》之韋璉，未能確定屬於何人，今分列，備考。

② 《新表》作"韋瓊"。岑仲勉《元和姓纂四校記》據勞格《郎考》，謂《新表》脱之字，今從岑説補。下《咸淳臨安》同。

③ 按，前有三韋玢：德敏子韋玢，司農卿；元震子韋玢，未注官職；安石子韋玢，司農卿。《郎考》之韋玢，左司員外郎，時代與前三韋玢皆相近，未能確定屬於何人。今姑分列，備考。

④ 《舊唐》、《全文》等作"韋詞"，岑仲勉《讀全唐文札記》謂"按辭，唯《舊唐》卷一六○如此寫法，他皆作詞，即所收《修浯溪記》石刻亦作詞也。"錄以備參。今仍依《舊唐》作韋辭，另出韋詞作參見條。

⑤ 《姓纂》作"韋翊"，爲韋雄子。岑仲勉《元和姓纂四校記》謂雄爲翅之誤，翅爲詞之誤，其説是，今據《新表》改正。

---

① 《姓纂》作"韋仁齊",今據岑仲勉《元和姓纂四校記》考定改。

② 《郎考》"虛"作"壽",勞格謂壽未確,《郎考》卷十八另有韋虛心即是。

③ 《姓纂》"詮"作"佺",岑仲勉《元和姓纂四校記》謂其兄行詳、行誠皆言字旁,此作人字旁者誤,應依《新表》作詮,是,今據改。

④ 《全文》"檢"作"儉",小傳謂"建中時人",其他未詳。《登科》作韋行檢,其所據爲權德輿所作《韋肇墓誌》。今查《權載之文集》(四部叢刊本)卷二十七《韋君墓誌銘》,云:"嗣子行檢,進士第,自協律郎移朗州司户,有文業。"按據墓誌,韋肇卒於元和三年(808),年七十五,則當生於開元二十二年(734),其子行檢,正當建中(780—783)時。今據權德輿所作墓誌,改儉爲檢。

⑤ 《姓纂》作"韋綆",今據《新表》改。

⑥ 《姓纂》"賓"作"寶",岑仲勉謂應據《新表》及《舊唐書》卷七十五作"韋師賓"。今據改。

⑦ 《郎考》作"韋師賈",趙鉞謂師賈疑是師賓。

⑧ 《姓纂》作"韋繟",係韋肇子,官吏部員外、衢州刺史。岑仲勉《元和姓纂四校記》據《舊唐書》卷一五八及《新表》謂繟誤,應作繡,亦見《郎考》。今據改。

⑨ 《新表》作"韋綬",今據新、舊《唐書》本傳及《姓纂》諸書改正。

⑩ 《新安志》載韋綬於憲宗元和四年歙州刺史。按,前三韋綬,肇子韋綬,德宗朝翰林學士;友信子韋綬,憲宗時于頔山南東道節度賓佐,後入朝爲工部郎中,其生平未有仕歙州者。京兆韋氏,未注官職。岑仲勉《元和姓纂四校記》謂《新安志》之韋綬即友信子,岑說未有確證 茲不取,今另立,備考。又參宋王觀國《學林》卷五《姓名同》條。

①《嚴州》作"韋贊",今據《新表》、姓纂》改正。

②《姓纂》作"韋初平"。岑仲勉《元和姓纂四校記》據《樊川集》卷七《韋丹遺愛碑》,證實應作幼平,今據改。

③《郎考》此處作"韋多成"。趙鉞案,多成疑是幼成之誤,幼成系出南皮公房,見《郎考》卷二十六,此作多成疑碑誤。今按獨孤及有《故朝議大夫申王府司馬上柱國贈太常卿韋公神道碑》(《文苑英華》卷八九九),幼成爲韋縝長子,可參。

④《郎考》此處作"韋伯祥",《郎考》卷一、九及《新表》、《姓纂》皆作"韋伯詳",當是一人,今據改。

⑤《新表》作"韋奐",今據岑仲勉《元和姓纂四校記》改。

⑥《新志》之韋絇,爲韋執誼子,字文明,後《新表》之韋昶亦執誼子,亦字文明。陳寅恪《李德裕貶死年月及歸葬傳說辨證》一文疑韋絇與韋昶爲一人,今錄以備參。

① 《御考》載韋紹爲監察御史，勞格引《新唐書》卷一一八《韋湊傳》，以爲卽韋知人子韋繩，但亦未有確據。今仍分列，備考。
② 沈炳震《新唐書宰相世系表訂譌》云："文恪子名從易，當有一譌。"
③ 《新志》載韋稔，撰《瀛類》十卷，按其排列時序當在中晚唐之際。《全文》小傳謂韋稔爲魏州人，約中唐時，當爲一人。
④ 《姓纂》作"韋灌"，岑仲勉《元和姓纂四校記》謂應從《新表》作淮，今據改。
⑤ 《郎考》此處原缺"晉"字，勞格謂以時代核之，當是晉字，韋之晉見《郎考》卷三、四。
⑥ 《御考》"之"後原缺一字，疑是"晉"字，《郎考》卷三、四、五有韋之晉。
⑦ 《姓纂》作"韋泚"，岑仲勉《元和姓纂四校記》謂應從《舊唐書》卷一八三《韋溫傳》及《新表》作泚，是，今據改。

韋潛 巽子
　　5 新表10/74上/3102
韋潛 玄昭子
　　5 新表10/74上/3106
　　19姓纂2/16 B
韋潛 奉先子
　　5 新表10/74上/3112
　　19姓纂2/17 A
韋潛　見韋璿
韋潛 考功郎中
　　20郎考9/5 B①
韋涵 元晨子
　　5 新表10/74上/3069
　　19姓纂2/16 A
韋涵 濟子
　　5 新表10/74上/3111
　　19姓纂2/17 A②
韋福　見韋玄福
韋福獎
　　19姓纂2/11 A
韋福英
　　20郎考25/1 B
韋禎
　　19姓纂2/11 B
　　20郎考7/13 A
韋迪
　　1 舊唐10/102/3185
　　2 新唐15/132/4531
　　19姓纂2/15 A③
　　20郎考10/20 A
　　25登科27/7 A
韋渠牟(忠)
　　1 舊唐11/135/3728
　　2 新唐16/167/5109
　　7 新志5/58/1491
　　　　5/60/1611
　　8 全文623/15 B
　　11全詩5/314/3530
　　17紀事下/48/732④
　　19姓纂2/15 B
　　39書史5/31 B
韋渠弁　見韋渠牟
韋州平
　　19姓纂2/15 A
韋澄(清仁)
　　1 舊唐8/75/2631
　　5 新表10/74上/3055

19姓纂2/15 B
韋漸 瀹子
　　5 新表10/74上/3046
　　19姓纂2/11 A
韋漸 仲昌子
　　5 新表10/74上/3107
　　19姓纂2/17 B
韋漸 岳子子
　　19姓纂2/15 A
韋冰 元珪子
　　5 新表10/74上/3073
　　11全詩11/726/8320
　　17紀事下/67/1009
韋冰(達)景駿子
　　19姓纂2/15 A
　　　　2/15 B
韋泛
　　69嘉定鎮江17/10 B
韋潘(游之)
　　5 新表10/74上/3096
　　25登科21/19 A
韋滔
　　5 新表10/74上/3063
韋巡 怡然子
　　5 新表10/74上/3059
韋巡 景駿子
　　8 全文399/1 A
　　19姓纂2/15 A
　　25登科27/7 A
韋遙光
　　5 新表10/74上/3085
　　19姓纂2/12 A
33韋沇
　　5 新表10/74上/3102
韋演
　　5 新表10/74上/3096
　　19姓纂2/13 B
韋遂
　　5 新表10/74上/3060
韋述 景駿子
　　1 舊唐10/102/3183
　　2 新唐15/132/4529
　　7 新志5/58/1458
　　　　5/58/1461
　　　　5/58/1471
　　　　5/58/1477
　　　　5/58/1492
　　　　5/58/1498

5/58/1500
　　　　5/58/1507
　　　　5/59/1563
　　8 全文302/3 B
　　11全詩2/108/1118
　　17紀事上/22/321
　　18才子2/21
　　19姓纂2/15 A
　　20郎考3/31 A
　　25登科4/33 B
　　27郡齋2下/5 A
　　　　3下/22 A
　　28直齋6/4 B
　　　　8/2 B
韋述 贊從祖弟子
　　5 新表10/74上/3103
　　19姓纂2/15 A
34韋灌 玄儼子
　　5 新表10/74上/3105
　　19姓纂2/16 B
韋灌　見韋淮
韋淹 邑子
　　19姓纂2/15 B
韋淹 鴻胄子
　　5 新表10/74上/3071⑤
　　19姓纂2/16 A
韋沏
　　5 新表10/74上/3076
　　19姓纂2/11 A
韋濤
　　4 新五1/28/303
韋浩
　　2 新唐19/206/5843
　　5 新表10/74上/3106
　　19姓纂2/16 B
韋洪
　　11全詩12/887/10023
韋祐
　　5 新表10/74上/3054
　　19姓纂2/14 A
韋逑
　　5 新表10/74上/3059
韋邁
　　5 新表10/74上/3091
　　19姓纂2/13 A
韋達　見韋冰
韋造
　　5 新表10/74上/3109

19姓纂2/17A
韋邈（鵬舉）
　5 新表10/74上/3099
35韋津
　1 舊唐9/92/2955
　2 新唐14/122/4349
　19姓纂2/13A
韋清璿子
　5 新表10/74上/3063
韋清鯁子
　5 新表10/74上/3096
韋清紹再從孫
　19姓纂2/14B
韋湊（彥宗、文）
　1 舊唐10/101/3141
　2 新唐14/118/4264
　5 新表10/74上/3099
　8 全文200/1A
　19姓纂2/14B
　26方鎮4/26B
韋遘
　5 新表10/74上/3060
韋迪景駿子
　1 舊唐10/102/3185
　2 新唐15/132/4531
　19姓纂2/15A
　20郎考12/13A⑥
　25登科27/7A
韋迪忻然子
　5 新表10/74上/3060
韋迪烈子
　5 新表10/74上/3091
　19姓纂2/13A
36韋況
　2 新唐14/122/4354
　5 新表10/74上/3095
　19姓纂2/13B
　20郎考6/18A
韋溫（弘育、弘有、孝）⑦
　綬子

　1 舊唐13/168/4377
　2 新唐16/169/5157
　5 新表10/74上/3074
　8 全文760/13B
　20郎考10/29B
　　　20/15B
　25登科14/18B
　26方鎮4/19B
　　　5/69A
韋溫玄儼子
　1 舊唐14/183/4743
　2 新唐19/206/5843
　5 新表10/74上/3106
　19姓纂2/16B
韋混
　5 新表10/74上/3087
韋昶（文明）
　5 新表10/74上/3107
　25登科20/24B
韋遇
　5 新表10/74上/3059
韋迴　見韋逈
韋逈　見韋迪
韋邈
　5 新表10/74上/3057
韋逞
　5 新表10/74上/3087
　19姓纂2/12B
37韋汎令悌孫，失父名
　5 新表10/74上/3084
　19姓纂2/12A
韋汎叔昂子
　5 新表10/74上/3108
韋渢
　5 新表10/74上/3094
　19姓纂2/13A
　　　2/13B
韋濯
　5 新表10/74上/3104
　19姓纂2/16B

韋洵
　2 新唐19/206/5843
　5 新表10/74上/3106
　19姓纂2/16B
韋洵美
　25登科25/2A
韋洵美姿　見崔素娥
韋浣（莓）
　1 舊唐11/135/3732
　5 新表10/74上/3107
　19姓纂2/17B
韋潤
　5 新表10/74上/3087
　19姓纂2/12B
韋洞
　2 新唐19/206/5843
　5 新表10/74上/3106
　19姓纂2/16B
韋溳（潤甫）
　5 新表10/74上/3106
　19姓纂2/16B
韋鴻
　19姓纂2/12B
韋澳（子斐、貞）
　1 舊唐13/158/4175
　2 新唐16/169/5155
　5 新表10/74上/3075
　7 新志5/58/1460
　　　5/58/1506
　8 全文759/28A
　11全詩11/795/8947
　17紀事下/50/757
　20郎考8/43A
　　　10/31A
　24壁記　翰苑羣書
　　　上/52B
　25登科21/4B
　26方鎮1/24B
　　　3/43A
　　　4/8A

① 《郎考》之韋潛爲考功郎中，未能確定屬於何人，今分列，備考。
② 《姓纂》作"韋函"，今據《新表》改。
③ 《姓纂》作"韋迠"，今據岑仲勉《元和姓纂四校記》改逞字。
④ 《紀事》"牟"作"弁"，今據新、舊《唐書》、《姓纂》、《書史》諸書改正。
⑤ 《新表》"淹"作"奄"。按淹之弟澄，名皆從水，今據《姓纂》改正。
⑥ 《郎考》"迪"作"逈"，勞格謂疑當作迪，是，今據改。
⑦ 韋溫之字，新、舊《唐書》本傳皆作弘育，《全文》小傳同，唯《新表》作弘有。今按杜牧《唐故宣州觀察使御史大夫韋公墓誌銘》（《樊川文集》卷八）云："公諱溫，字弘育。"則以作弘育爲是，《新表》之弘有疑爲弘育之形訛。

① 《全文》"迥"作"迴"。《全唐文》小傳謂韋迴薊人，天寶時監察御史。按《新表》有韋迥，元暉子，監察御史，時代相
　合，疑爲一人，但未詳迥迴孰是，今姑從《新表》。
② 《郎考》原作韋泰真，今從《姓纂》。
③ 《姓纂》作"韋士瞻"，今據《新表》改。
④ 《姓纂》原作"嗣業生希、損，希生明，損生常"，希與損爲兄弟，《新表》同。岑仲勉《元和姓纂四校記》引清毛鳳枝
　《關中石刻文字新編》所載韋希損墓誌，謂："希損實一人，而《姓纂》誤分爲二，《新表》誤同。此可見《新表》史料，
　大半本自《姓纂》，又可知希損分爲兩人者，北宋見本已如是也。"其說可據，今韋希、韋損、韋希損並出條目，以備
　檢尋。

①② 《姓纂》作"韋慶虢",岑仲勉《元和姓纂四校記》云虢前衍慶字。今據刪。

③ 《全詩》作"常楚老",今據《才子》、《紀事》改。

④ 《直齋》作"韋韞",撰《九鏡射經》、《射訣》,並載其官職爲檢校太子詹事。按韋韞爲唐末五代詩人韋莊父,查韋莊事蹟材料,未見其父有任此者。《新表》載韋蘊爲檢校太子詹事,則可考知《直齋》作韞者誤,應爲韋蘊,今改正。

⑤ 《新表》"愨"作"慤",並云"字端士,武昌軍節度使",按《舊唐書》卷一七七《韋保衡傳》謂其祖愨,字端士,後領方鎮節度;《新唐書》卷一八四《韋保衡傳》則謂愨終武昌軍節度使。由此可證《新表》之韋慤與新、舊《唐書》之韋愨,實爲一人。古人名與字,義相應,既字端士,則當名愨,《新表》作慤當誤。

⑥ 《姓纂》作"韋雄",爲韋劼卿子。岑仲勉《元和姓纂四校記》謂《新表》作幼卿子翄,並據《金石錄》卷二九《唐殿中侍御史韋翄墓誌》,謂雄爲翄之訛文。《姓纂》誤,今改正。

⑦ 據《新表》,此韋胄先爲希仲子。另《姓纂》有韋曾先,亦爲希仲子,疑是一人,胄、曾未知孰是。因未有確證,今仍分列,備考。

① 《新表》作“韋哲”，今據《舊唐書》及《姓纂》改正。
② 《新表》作“韋元輔”，今從《姓纂》。按《舊唐書》卷一一五有韋元甫，大曆時尚書右丞，《新表》可能因此致誤。
③④ 《新表》、《姓纂》此處之韋損，應爲韋希損，詳見前“韋希”條注。
⑤ 《舊唐書》本傳謂本名仁約，字思謙，以音類武則天父諱，故改稱字。《新表》即以思謙爲名。
⑥ 《新表》作“韋晤”，今據《姓纂》補元字。
⑦ 《郎考》“晤”字原缺，岑仲勉《元和姓纂四校記》云疑當作韋晤元。今按《新表》、《姓纂》皆有韋晤元，爲戶部郎中，時代與職官均合，今據補。
⑧⑨ 《郎考》此處作韋皎，與《新表》、《姓纂》之韋皎（玠子，唐代宗時金部員外郎）爲同一人，《郎考》卷十六亦作韋皎。
⑩ 《新表》之韋曙，爲唐順宗時宰相韋執誼子。《登科》據《冊府元龜》等所載，韋曙唐穆宗長慶元年賢良方正科登第。《方鎮》據《通鑑考異》，唐宣宗大中九年韋曙除嶺南節度使。三者時間相接，疑即爲一人。

　5 新表10/74上/3093
　19姓纂2/13A
韋同靖
　20郎考16/24A
韋同翊（啓之）
　5 新表10/74上/3094
　9 拾遺25/10B
韋同正
　25登科11/29A
韋同元
　5 新表10/74上/3093
　19姓纂2/13A
韋同休
　5 新表10/74上/3094
　19姓纂2/13B
韋同憲
　5 新表10/74上/3094
　19姓纂2/13B
韋同懿
　5 新表10/74上/3094
　19姓纂2/13B
韋同則
　11全詩5/309/3494
　17紀事上/33/516
韋用晦
　5 新表10/74上/3113
　20郎考8/45A
韋周方（宏景）
　5 新表10/74上/3084
　20郎考3/69A
　23故事　翰苑羣書
　　　　　上/26A
　24壁記　翰苑羣書
　　　　　上/43A
　25登科21/2A
　　　　27/10B
　26方鎮4/18A
韋周卿
　5 新表10/74上/3109
　19姓纂2/17B
韋冏
　5 新表10/74上/3092

韋鵬翼
　11全詩11/770/8738
　　　　12/870/9866
韋鵬
　5 新表10/74上/3105
　19姓纂2/16B
韋展
　5 新表10/74上/3096
　8 全文189/10A
　19姓纂2/13B
韋履冰
　5 新表10/74上/3084
　19姓纂2/12A
韋履惇
　5 新表10/74上/3067
韋履愔
　5 新表10/74上/3067
韋履恬
　5 新表10/74上/3067
韋履協
　5 新表10/74上/3067④
韋履恪
　5 新表10/74上/3067
韋丹（文明）
　2 新唐18/197/5629
　5 新表10/74上/3096
　11全詩3/158/1614
　17紀事下/45/685
　19姓纂2/13B
　20郎考5/20B
　25登科27/30B
　26方鎮5/81B
　　　　6/74A
　　　　7/31B
　　　　8/24B
韋卿紹
　53赤誠志8/17B
韋鷗　見韋鷗
韋鷗
　7 新志5/59/1561
　30歷畫10/197⑤

韋興宗
　5 新表10/74上/3084
　19姓纂2/12A
韋巽綱子
　5 新表10/74上/3102
韋巽昭度子
　40十國42/11B
韋貫之（純、正理）
　1 舊唐13/158/4173
　2 新唐16/169/5152
　5 新表10/74上/3075
　7 新志5/58/1497
　　　　5/60/1606
　8 全文531/10B
　19姓纂2/11A
　20郎考4/37A
　　　　20/11A
　25登科11/29A
　　　　12/7A
　　　　18/8A
　　　　18/9B
　26方鎮6/33B
78韋鑒銑子
　5 新表10/74上/3061
　韋鑒令儀子
　5 新表10/74上/3082
　19姓纂2/12A
　30歷畫10/197
　31唐畫6/15B
　35畫譜13/7B
　38圖繪2/16A
韋臨
　5 新表10/74上/3097
80韋全璧
　5 新表10/74上/3090
　19姓纂2/13A⑥
韋金璧　見韋全璧
韋益見素子
　1 舊唐10/108/3278
　5 新表10/74上/3099
　19姓纂2/14B

① 《新表》作"韋朗"，今從《姓纂》。
② 《新表》作"韋原叔"，勞格謂《新表》作原叔誤，今從勞説，據《郎考》、《姓纂》改正。
③ 《舊唐》作"韋岳"。岑仲勉《元和姓纂四校記》以爲《舊唐書》作韋岳誤，今從《新唐》、《姓纂》。
④ 中華書局點校本作"韋履協"，偏旁從"忄"。按據《新表》，其兄弟有履恬、履惇、履愔、履恪，偏旁皆從心字，則當作韋履協爲是。今逕改。
⑤ 《歷畫》原注：另一版本"鷗"作"鷗"。
⑥ 《姓纂》作"金璧"，今據《新表》改正。

韋知人(行哲)
　2 新唐14/118/4270
　5 新表10/74上/3100
　19姓纂2/14B
87韋鏗
　5 新表10/74上/3103
　11全詩12/869/9852
　19姓纂2/15A⑥
　20郎考9/7B
　21御考2/7A
　　　　2/27B
　韋鈞方憲子
　5 新表10/74上/3049
　韋鈞(季和)璠子
　5 新表10/74上/3059
　19姓纂2/15B
88韋銳
　53赤城志8/12B
　韋鑑
　5 新表10/74上/3083
　11全詩11/772/8760
　19姓纂2/12A
　21御考3/3A
　韋鑑　見韋鏗
　韋鈴
　5 新表10/74上/3050
　韋籯金
　5 新表10/74上/3076
　韋敏　見韋弘敏
　韋籌
　8 全文788/2A
　25登科20/23B
　韋餘慶
　1 舊唐15/185上/4796
　19姓纂2/15A
90韋懷辯
　5 新表10/74上/3046
　韋懷敬
　5 新表10/74上/3046
　8 全文204/4B

　19姓纂2/11A
韋懷撝
　5 新表10/74上/3057
韋懷搆
　5 新表10/74上/3058
韋懷質
　5 新表10/74上/3046
　19姓纂2/10B
韋惇　見韋處厚
韋少游
　5 新表10/74上/3103
　19姓纂2/15A
　20郎考3/44B⑦
　　　　4/21A
　　　　6/14A
　　　　22/8A
韋少華祚子,太府卿
　5 新表10/74上/3080
　19姓纂2/11B
韋少華鏗子,中書舍人
　5 新表10/74上/3103
　19姓纂2/15A
　20郎考14/7A
韋光
　5 新表10/74上/3102
　19姓纂2/15A
韋光裔(叔陽)
　5 新表10/74上/3088
　19姓纂2/12B
　20郎考12/27B
韋光弼
　5 新表10/74上/3088
　19姓纂2/12B
韋光乘
　2 新唐15/143/4687
　5 新表10/74上/3099
　19姓纂2/14B
　26方鎮1/67A
韋光憲
　5 新表10/74上/3089

韋光宰
　5 新表10/74上/3087
　19姓纂2/12B
韋光業
　19姓纂2/17B
韋光遠(德龜)
　5 新表10/74上/3078
韋光朝
　19姓纂2/17B
韋光胄
　5 新表10/74上/3088
　19姓纂2/12B
韋光輔(光輔)
　5 新表10/74上/3088
　9 拾遺23/2A
　19姓纂2/12B
韋尚敬(執勇)
　5 新表10/74上/3111
　20郎考22/19A
韋常
　5 新表10/74上/3112
　19姓纂2/17B
韋當
　5 新表10/74上/3110
韋賞
　25登科27/9B
91韋恆嗣立子
　1 舊唐9/88/2874
　2 新唐14/116/4234
　5 新表10/74上/3110
　8 全文330/14B
　19姓纂2/17A
　20郎考2/8B
　　　　14/4A
　21御考2/19A
　　　　2/42B
　　　　3/6B
　　　　3/18A
　　　　3/19A
　韋恆岳子子

① 勞格謂此處之韋曾與《郎考》卷八之韋曾,時代不合,當爲二人。
② 《新表》有韋冑先,疑是一人,見前韋冑先條注。
③ 《姓纂》"頲"作"頌",岑仲勉《元和姓纂四校記》謂四庫本、《舊唐書》卷一〇八《韋見素傳》、《新表》均作頌,《郎考》戶部員外亦有韋頌,亦爲同一人。頌爲頲之誤,今據改。
④ 《新表》之韋鍔,斑子,澧澤令。《郎考》之韋鍔,未能確定是否與《新表》爲同一人,今分列,備考。
⑤ 《新表》"達"作"遠",達遠形近,未知孰是,今姑從《姓纂》。
⑥ 《姓纂》作韋鑑,韋述曾孫。岑仲勉《元和姓纂四校記》據《新表》、《郎考》卷九、《太平廣記》卷二五五引《御史臺記》謂應作鏗,是,今據改。
⑦ 《郎考》"游"作"遊",今據《新表》、《姓纂》改。

19姓纂2/15A
韋悟微
　5 新表10/74上/3098
92韋忻 守素子
　5 新表10/74上/3056
韋忻 全璧子
　5 新表10/74上/3090
　19姓纂2/13A
韋忻然
　5 新表10/74上/3060
93韋愃
　5 新表10/74上/3053
　19姓纂2/14A
韋怡然
　5 新表10/74上/3059
韋悰
　8 全文159/12A
　19姓纂2/11A
94韋協
　5 新表10/74上/3056
韋協義
　5 新表10/74上/3091
韋慎習
　5 新表10/74上/3098
韋慎行
　5 新表10/74上/3089
　19姓纂2/12B
韋慎名
　5 新表10/74上/3090
　19姓纂2/12B
韋慎微
　28直齋6/22A
韋慎樞（欲訥）
　5 新表10/74上/3058
韋慎惑
　5 新表10/74上/3090
　19姓纂2/12B
韋慎思
　5 新表10/74上/3048
96韋憬然
　5 新表10/74上/3060
韋憬
　19姓纂2/11A
　20郎考3/6A
97韋恂如
　5 新表10/74上/3098
韋惲
　19姓纂2/14A

20郎考12/3B
　　13/19A
　　16/2A
韋憎
　5 新表10/74上/3091
　19姓纂2/13A
韋恪
　1 舊唐15/185上/4795
韋郯
　5 新表10/74上/3082
　19姓纂2/12A
韋煥
　8 全文791/2B
98韋悅 元甫子
　5 新表10/74上/3053
　19姓纂2/13B
　26方鎮7/20A①
韋悅 全璧子
　5 新表10/74上/3090
　19姓纂2/13A
韋悅然
　5 新表10/74上/3059
韋瑩
　5 新表10/74上/3060
　19姓纂2/15B
韋榮宗
　34書譜10/4B
　39書史5/15B

4051₄ 難

34難婆修彊宜說
　2 新唐20/221下/6260
37難泥
　2 新唐20/221下/6251
73難陀（喜）
　80宋僧20/6B

4060₀ 古

00古玄應
　1 舊唐16/193/5146
古玄應妻　見高氏
30古之奇
　8 全文526/16A
　11全詩4/262/2913
　17紀事上/28/434
　18才子3/53
　25登科10/14A
36古禪師

81景德12/15A
40古寺和尚
　81景德8/14B
46古堤和尚
　81景德9/15A
53古成蠡
　19姓纂6/31A

4060₁ 吉

05吉諫　見王宗黯
07吉郎
　20郎考7/28B
11吉頊
　1 舊唐15/186上/4848
　2 新唐14/117/4257
　5 新表10/74下/3185
　19姓纂10/15B
　25登科27/4A
17吉琚
　5 新表10/74下/3185
　19姓纂10/15B
19吉琰
　19姓纂10/15B
20吉皎
　11全詩7/463/5263
　17紀事下/49/738
21吉師老
　11全詩11/774/8771
30吉宏宗
　25登科17/13A
36吉溫
　1 舊唐15/186下/4854
　2 新唐19/209/5915
　5 新表10/74下/3185
　9 拾遺21/10A
　19姓纂10/15B
　20郎考11/21B
　　12/18A
　21御考2/23A
　　3/48B
吉洱
　72三山志20/34A
37吉渾
　5 新表10/74下/3185
　20郎考7/6B
　　8/5B
38吉逾
　10續拾3/3B

44吉藏
　　8　全文916/6 B
　　79續僧13/20 A
　吉萬　見周萬
50吉中孚
　　2　新唐18/203/5786
　　7　新志5/60/1610
　　11全詩5/295/3351
　　18才子4/56
　　19姓纂10/15 B
　　20郎考5/17 B
　　23故事　翰苑羣書
　　　　　　上/25 B
　　24壁記　翰苑羣書
　　　　　　上/40 A
　吉中孚妻　見張夫人
52吉哲
　　5　新表10/74下/3185
　　19姓纂10/15 B
60吉曠
　　30歷畫9/183

奮

00奮齊融　見萬齊融
24奮纘　見萬纘

4060₅ 喜

喜　見難陀

4064₁ 壽

30壽安公主
　　2　新唐12/83/3660
50壽春公主
　　2　新唐12/83/3671
60壽昌公主唐睿宗女
　　2　新唐12/83/3656
　壽昌公主唐代宗女
　　2　新唐12/83/3664
77壽闍棃
　　80宋僧16/13 B
90壽光公主
　　2　新唐12/83/3660

4071₀ 七

21七歲女子

　　11全詩11/799/8983

4071₄ 雄

23雄俊
　　80宋僧24/13 B

4073₁ 去

04去諸
　　4　新五3/74/909
40去奢
　　12詩逸中/10211

4073₂ 袁

00袁彦超
　　40十國51/11 A
　袁高（公頤、公碩）②
　　1　舊唐12/153/4086
　　2　新唐14/120/4324
　　5　新表10/74下/3164
　　11全詩5/314/3536
　　17紀事上/35/553
　　19姓纂4/6 B
　　20郎考16/14 A
　　　　26/15 B
　　25登科27/5 B
　　26方鎮8/2 B
　　73吳興志14/27 A
01袁襲
　　40十國5/1 A
　　41九國1/2 A
03袁斌
　　5　新表10/74下/3167
　袁誼
　　1　舊唐15/190上/4986
　　2　新唐18/201/5727
　　5　新表10/74下/3167
07袁郊（之乾、之儀）
　　2　新唐15/151/4825
　　5　新表10/74下/3166
　　7　新志5/58/1492
　　　　5/59/1542
　　11全詩9/597/6913
　　17紀事下/65/972
　　19姓纂4/7 A
　　27郡齋3下/6 A

28直齋6/20 A
　　11/5 A
袁歆
　　8　全文621/8 A
　　19姓纂4/7 A
08袁敦復
　　5　新表10/74下/3167
　袁詮
　　40十國72/9 B
　袁説
　　7　新志5/59/1564
　袁誨己
　　19姓纂4/6 B
10袁正辭
　　3　舊五3/59/798
　　4　新五2/45/495
　袁亞
　　20郎考14/11 B
　袁天綱
　　1　舊唐16/191/5092
　　2　新唐18/204/5800
　　7　新志5/59/1545
　　　　5/59/1557
　袁可鈞
　　3　舊五3/61/823
　袁不約（還樸）
　　8　全文733/19 A
　　11全詩8/508/5771
　　17紀事下/60/911
　　18才子6/105
　　25登科19/29 A
　　28直齋19/16 A
　　68咸淳臨安60/13 B
12袁弘休
　　5　新表10/74下/3167
14袁瓘
　　11全詩2/120/1208
　　17紀事上/20/297
　　19姓纂　4/7 A
15袁建康
　　5　新表10/74下/3164
　　19姓纂4/6 B
　袁建豐
　　3　舊五3/61/822
　　4　新五1/25/274

① 元甫子之韋悦，《新表》載爲長安令，其祖玢，唐玄宗時爲司農卿。全璧子之韋悦，其祖津爲唐初人。《方鎮》之韋
　悦，唐憲宗元和十一年爲嶺南西道節度使，時代與元甫子之韋悦相近，雖所載職官不同，或當仍爲一人。
② 袁高之字，新、舊《唐書》本傳云公頤，《全詩》小傳同，唯《唐詩紀事》作公碩，未知所據，或有誤，今併存待考。

① 《全文》原注：“允一作兗。”
② 《全文》卷三九六有袁參，小傳云“開元時布衣”。《全詩》與《登科》有袁傪，《登科》列袁傪為天寶十五載進士，時代及其名之字形均相近，或疑為一人。今按《全詩》小傳謂袁傪曾官御史中丞、兵部侍郎，並載其《喜陸侍御破石堢草冠東峯亭賦詩》。按此袁傪即唐代宗時參與鎮壓浙東袁晁農民起義者，李肇《唐國史補》卷上云“袁傪之破袁晁，擒其偽公卿數十人”。獨孤及有《賀袁傪破賊表》（《毗陵集》卷四），皇甫冉有《和袁郎中破賊後經剡中山水》（《全唐詩》卷二五〇），李嘉祐有《和袁郎中破賊後將赴剡縣山水上太尉》（《全唐詩》卷二〇七），劉長卿有《和袁郎中破賊後軍行過剡中山水醮上太尉》（《劉隨州集》卷四），則袁傪為天寶末至代宗時人。而《全文》所載袁參文，題為《上中書姚令公元崇書》，則為開元前期，且文首稱“曹州布衣袁參”，袁傪則據《登科》引李景亮《人虎傳》，稱“陳郡袁傪”，由此可見，參、傪籍貫不同，袁參之時代稍早，當為二人。
③ 《姓纂》作“袁德”，今據岑仲勉《元和姓纂四校記》補師字。
④⑤⑥ 《全文》、《御考》作袁從之，勞格謂“之”乃“一”字之誤。《新唐書·安樂公主傳》有左臺侍御史袁從一，即是此人，今據改。
⑦ 《書史》原注：“滋或作湑。”
⑧ 《全文》作“袁司直”，小傳云“司直，大曆十四年舉進士第五人”。岑仲勉《讀全唐文札記》云：“余按徐氏撰《登科記考》一一，據《文苑英華》注引《登科記》作袁同直，今《姓纂》及《舊書》一九六下亦作同直，司字誤。”岑說是，今據改。

1 舊唐15/187下/4904
2 新唐18/193/5546①
袁光廷　見袁光庭
袁光孚
　53 赤誠志8/15B
袁光輔
　5 新表10/74下/3167
94 袁慎盈
　20 郎考14/4B
97 袁炯
　5 新表10/74下/3166
98 袁悦
　27 郡齋3下/23A
　28 直齋14/21A

4080₁ 真

00 真亮
　80 宋僧10/19A
真言
　8 全文916/28B
10 真元
　12 詩逸中/10210
20 真乘
　80 宋僧15/15B
24 真德
　17 紀事下/80/1142
26 真和尚
　81 景德23/21B
30 真寧公主
　2 新唐12/83/3668
真定公主唐高祖女
　2 新唐12/83/3644
真定公主唐代宗女
　2 新唐12/83/3662
31 真源公主
　2 新唐12/83/3668
34 真法師
　80 宋僧29/7B
36 真禪師
　81 景德20/4B
47 真懿
　79 續僧28/7A
48 真幹
　12 詩逸中/10211②
50 真表
　80 宋僧14/13B
73 真陀羅祕利
　2 新唐20/221下/6256

76 真陽公主
　2 新唐12/83/3659
78 真鑒
　81 景德23/18A
80 真人興能
　2 新唐20/220/6209

4090₀ 木

10 木平和尚
　40 十國33/3B
　43 馬書24/2A
　58 金陵志13下/76A
27 木多筆
　2 新唐20/221下/6256
30 木客
　11 全詩12/862/9747
31 木濱師
　80 宋僧19/12B
77 木叉
　80 宋僧2/16A
　　　18/9A

4090₃ 索

10 索元禮
　1 舊唐15/186上/4843
　2 新唐19/209/5904
　25 登科27/22B
22 索低（索氏）
　1 舊唐16/199下/5356
　2 新唐20/219/6175③
22 索繼昭
　3 舊五3/65/871
24 索勳
　26 方鎮5/19A
26 索自通（得之）
　3 舊五3/65/871
44 索萬進
　3 舊五3/65/871
72 索氏　見索低

4090₈ 來

00 來慶遠
　5 新表9/73上/2874
13 來球
　20 郎考11/25B
14 來瑱
　1 舊唐10/114/3364
　2 新唐15/144/4699

26 方鎮4/12A
　　　4/131A
　　　4/131B
　　　8/51A
　　　8/65A
17 來子珣（武家臣）
　1 舊唐15/186上/4846
　2 新唐19/209/5908
23 來俊臣
　1 舊唐15/186上/4837
　2 新唐19/209/5905
27 來鵠　見來鵬
30 來濟
　1 舊唐8/80/2742
　2 新唐13/105/4031
　5 新表9/73上/2874
　7 新志5/58/1456
　　　5/60/1601
　11 全詩1/39/500
　17 紀事上/4/49
　20 郎考10/14B
　25 登科27/1A
　39 書史5/32B
　53 赤誠志8/9B
48 來敬業
　5 新表9/73上/2874
　69 嘉定鎮江14/2B
56 來擇（无擇）
　7 新志5/60/1607
　25 登科20/4B
來操
　1 舊唐15/186上/4837
　2 新唐19/209/5905
60 來景業
　5 新表9/73上/2874
67 來曜
　1 舊唐10/114/3364
　2 新唐15/144/4699
77 來鵬
　7 新志5/60/1615
　8 全文811/3A④
　11 全詩10/642/7354
　17 紀事下/56/846
　　　　下/56/847
　18 才子8/134
　28 直齋19/23B
91 來恆
　1 舊唐8/80/2743

2 新唐13/105/4033
5 新表9/73上/2874
7 新志5/58/1495
20 郎考5/7 B
39 書史5/32 B

4091₆ 檀

00 檀章
　　31 唐畫6/17 A
86 檀智敏(檀生)
　　7 新志5/59/1560
　　30 歷畫9/174
　　31 唐畫6/14 B
　　38 圖繪2/19 B

4094₈ 校

25 校傑
　　19 姓纂9/10 A

4141₆ 姬

21 姬處遜(周處遜)
　　21 御考1/6 A
　　　　2/4 A
　　　　2/27 A

4168₆ 頡

10 頡干迦斯
　　1 舊唐16/195/5208
　　2 新唐19/217上/6125
22 頡利可汗(咄苾)
　　1 舊唐16/194上/5155
　　2 新唐19/215上/6029
　　頡利發
　　2 新唐20/221下/6257
　　頡利吐發(骨力裴羅、骨咄
　　禄毗伽闕可汗)
　　1 舊唐16/195/5198
　　2 新唐19/217上/6114
65 頡跌伊施可汗

2 新唐19/215下/6054

4188₆ 顚

00 顚文託
　　2 新唐20/222中/6294

4191₄ 極

20 極重　見極量
60 極量(般剌蜜帝)
　　80 宋僧2/16 A
　　85 貞元新録14/874⑤

4191₆ 桓

00 桓彦範(士則、忠烈)
　　1 舊唐9/91/2927
　　2 新唐14/120/4309
　　5 新表11/75上/3256
　　6 舊志6/47/2076
　　7 新志5/60/1601
　　8 全文175/7 A
　　9 拾遺16/5 B
　　19 姓纂4/19 A
　　20 郎考2/2 B
　　69 嘉定鎮江18/42 B
　　桓庭昌
　　5 新表11/75上/3256
　　69 嘉定鎮江18/42 B
　　桓言
　　38 圖繪　補遺/2 B
　　桓玄範
　　2 新唐14/120/4313
　　69 嘉定鎮江18/42 B⑥
10 桓元範　見桓玄範
12 桓廷昌
　　19 姓纂4/19 A
34 桓法嗣
　　1 舊唐9/91/2927
　　5 新表11/75上/3256
　　19 姓纂4/19 A

　　69 嘉定鎮江18/42 B
57 桓探元
　　69 嘉定鎮江20/3 B
60 桓思敏
　　5 新表11/75上/3256
　　19 姓纂4/19 A
　　69 嘉定鎮江18/42 B
71 桓臣範
　　2 新唐14/20/4313
　　5 新表11/75上/3256
　　19 姓纂4/19 A⑦
　　64 掇英18/12 A
　　65 會稽志2/27 B
　　69 嘉定鎮江18/42 B
73 桓駿
　　38 圖繪　補遺/2 B

4192₀ 柯

22 柯崇
　　11 全詩11/715/8215⑧
　　25 登科24/26 A
30 柯宗　見柯崇

4196₁ 楷

44 楷落
　　2 新唐20/219/6172

4212₂ 彭

00 彭彦章
　　40 十國8/6 A
　　彭彦規
　　69 嘉定鎮江17/2 A
10 彭元曜
　　26 方鎮2/30 A
11 彭玕
　　40 十國73/1 A⑨
　　41 九國11/11 A
　　45 江南6/3 A
　　彭玗　見彭玕

① 《新唐》作"袁光廷"，今從《舊唐書》。
② 《詩逸》原注："真一作直。"
③ 《新唐》作"索氏"，係同名異譯，今從《舊唐》。
④ 《全文》作"來鵠"，今據《新志》、《直齋》、《才子》等改。下《全詩》、《紀事》同《全文》。
⑤ 《貞元新録》作"極重"，今據《宋高僧傳》改。
⑥ 《嘉定鎮江》"玄"作"元"，係清人避諱改，今改正。
⑦ 《姓纂》"臣範"二字中間尚有"彦"字，岑仲勉《元和姓纂四校記》謂"彦"乃衍文，是，今據刪。
⑧ 《全詩》原注："崇一作宗。"
⑨ 《十國》作"彭玗"，並注云《江南野史》作彭玕。今據《九國志》改。

---

① 勞格引《新唐書・食貨志》作彭杲,杲杲形近,未知孰是,今仍作彭杲,備考。
②③ 《全文》、《登科》作"姚班",岑建功《舊唐書校勘記》卷三十六云當作姚斑,岑説是,今從之。
④ 《全詩》、《紀事》之姚發,唐玄宗天寶十二年進士及第,與《新表》玄子之姚發,時代不合,當是二人。

① 《直齋》作"姚汝龍"，今從《新志》。
② 徐松注云《唐語林》作姚嗣。
③ 《新表》、《嘉定鎮江》之姚閑，弇子，濰州司戶參軍。《御考》之姚閑，事蹟不詳，未能確定是否一人。今姑分列，備考。

27戴叔倫(幼公)⑩
　2 新唐15/143/4690
　7 新志5/60/1605
　8 全文510/14A
　11全詩5/273/3066
　　　　12/890/10055
　15中興上/273
　　　　校文/306
　16極玄下/345
　17紀事上/29/455
　18才子5/89
　26方鎮7/30B
　27郡齋4中/1B
　39書史5/23B
30戴宻
　12詩逸中/10204
　戴良紹
　5 新表9/72中/2666
　19姓纂9/2A
　戴察
　11全詩11/779/8813
37戴遲
　25登科27/18B
40戴友規
　40十國5/3A
44戴恭(玄敬)
　65會稽志14/44B
　戴林琁　見戴休珽
　戴林璇　見戴休珽
50戴胄(玄胤、忠)
　1 舊唐8/70/2531
　2 新唐13/99/3914
　5 新表9/72中/2666
　8 全文153/18A

　19姓纂9/2A
60戴思顏　見戴司顏
　戴思遠
　3 舊五3/64/855
71戴頎
　19姓纂9/2A
80戴公懷
　11全詩12/887/10030
88戴簡
　7 新志5/59/1522
90戴光義
　25登科27/18B
　戴少平
　7 新志5/59/1541
　8 全文720/11A

4390_0 朴

00朴市田來津
　9 拾遺72/6A
60朴昇英
　9 拾遺68/9B
　朴昂
　12詩逸中/10207

4410_0 封

00封亮
　5 新表8/71下/2344
　19姓纂1/12A
　67乾道臨安3/3B
　68咸淳臨安45/16A
　封彥卿(嶠元)
　1 舊唐13/168/4393
　2 新唐17/177/5287
　5 新表8/71下/2344
　11全詩9/566/6555

　17紀事下/59/899
　25登科22/19B
　53赤城志8/23B
　封廣城
　5 新表8/71下/2342
　19姓纂1/11B⑪
　封廣成　見封廣城
　封言道
　1 舊唐7/63/2398
　2 新唐13/100/3931
　5 新表8/71下/2343
　19姓纂1/12A
　封諒
　1 舊唐13/168/4392
　封玄景
　5 新表8/71下/2342
04封謀
　19姓纂1/12A
07封望卿(子踐)
　1 舊唐13/168/4393
　2 新唐17/177/5287
　5 新表8/71下/2344
　25登科27/14B
10封元素
　5 新表8/71下/2342
　20郎考12/1A
　封夏時
　5 新表8/71下/2343
　19姓纂1/12A
　封貢
　5 新表8/71下/2345
12封弘道
　20郎考14/1A
　封廷弼

---

① 《圖繪》"異"作"翼",今從《歷畫》。
②③ 《才子》、《登科》"司"作"思",今從《全詩》、《紀事》。
④ 《全文》作戴璇,今從《郎考》卷十七,統一作休珽。
⑤ 《全詩》"珽"作"珽",今從《郎考》卷十七。岑仲勉《讀全唐詩札記》云:"按郎官柱倉外有戴休璇,倉中有戴休珽,此休珽誤,開元間人。"
⑥ 《姓纂》"休"作"林",今岑仲勉《元和姓纂四校記》考定改正。
⑦ 《郎考》此處作"李休珽",勞格謂此李字疑即戴字之誤。
⑧ 《郎考》此處作"戴林璇",勞格案《郎考》卷十七有休珽,此林璇即休珽之誤。
⑨ 《郎考》此處作"休璇",今從《郎考》卷十七,統一作休珽。
⑩ 戴叔倫的字,《新唐書》卷一四三本傳、《極玄集》及權德輿《容州刺史戴公墓誌銘》(《權載之文集》卷二十四)皆作幼公,但清阮元《兩浙金石志》卷二載唐陸長源《唐東陽令戴公去思頌并序》云字次公,阮元跋中又說:"按縣志,叔倫字次公。"幼公、次公,未知孰是,錄以備考。
⑪ 《姓纂》"城"作"成",今從岑仲勉《元和姓纂四校記》說,據《新表》作"城"。

5 新表8/71下/2343
19姓纂1/12A
　封恩
5 新表8/71下/2345
63封踐一
5 新表8/71下/2344
19姓纂1/12A
　封踐福
5 新表8/71下/2345
19姓纂1/12A
67封煦卿（愛之）
5 新表8/71下/2345
77封豎
19姓纂1/12A
80封全福
19姓纂1/12A
　封全禎
19姓纂1/12A
　封無待
5 新表8/71下/2344
19姓纂1/12A
21御考2/2B
　封無遺
5 新表8/71下/2345
19姓纂1/12A
86封智瞻
5 新表8/71下/2341
90封悟
5 新表8/71下/2344
19姓纂1/12A
21御考2/27A
　封常清
1 舊唐10/104/3207
2 新唐15/135/4579
8 全文330/9B
19姓纂1/12B
26方鎮8/56B
　　　8/62B
98封悌
5 新表8/71下/2344
19姓纂1/12A

4410₄ 董

00董庭琰
19姓纂6/1B
　董庭蘭
28直齋14/3A
　董慶
19姓纂6/1B
　董廣
53赤城志8/23A
　董文廣
3 舊五5/121/1602
4 新五1/19/199
　董文昱
1 舊唐12/145/3939
　董文奬
1 舊唐12/145/3939
　董玄之
3 舊五5/121/1603
4 新五1/19/199
10董璋
3 舊五3/62/831
4 新五2/51/575
42五補2/7A
　董元　見董源
　董元珍
19姓纂6/1A
　董元質
19姓纂6/1A
　董晉（混成、恭惠）
1 舊唐12/145/3934
2 新唐15/151/4819
5 新表11/75下/3386
8 全文446/24B
9 拾遺23/7A
19姓纂6/1B
20郎考7/11B
　　　21/4B
　　　26/14B
23故事　翰苑羣書
　　　　　上/24B
24壁記　翰苑羣書
　　　　　上/40A

25登科27/30A
26方鎮2/5A
11董璿
19姓纂6/1A
12董瑀
3 舊五5/121/1603
4 新五1/19/199
13董琬
19姓纂6/1A
20郎考12/12B
　　　13/20B
21御考2/46B
　　　3/13B
　　　3/20B
69嘉定鎮江14/7B
17董羽（仲翔、董啞子）
35畫譜9/4B
40十國31/10A
　董珣
19姓纂6/1A
　董承祖
7 新志5/59/1551
18董瑜
19姓纂6/1A
20董重質
1 舊唐13/161/4227
26方鎮1/58A
　董禹
25登科27/22B
21董仁琬
5 新表11/75下/3386
22董蕁　見董蕁
　董俛（庶中）
7 新志5/60/1606
8 全文684/14A
　董利囉
1 舊唐16/197/5279
25董仲
68咸淳臨安51/16A
　董純　見董和
26董自明
3 舊五5/121/1603
4 新五1/19/199

① 《新表》"廷"作"良"，今從《姓纂》。
② 《全文》作"封孟申"，勞格《讀書雜識》卷八《讀全唐文札記》引《唐詩紀事》卷三十九及《唐才子傳》卷五，謂申疑作
　　紳。勞說是，今從之。
③ 《全詩》原注："孟紳一作孟對，又作孟封。"
④ 《姓纂》作"封希彥"，今從《新唐》、《新表》等作封希顏。

董伯良
　　5 新表11/75下/3386
董和(純)
　　7 新志5/59/1545
27董叔經
　　7 新志5/59/1561
　　19姓纂6/1 B
董紹顔
　　40十國12/2 B
28董從誨　見董從晦
董從直
　　5 新表11/75下/3387
董從晦
　　36圖誌2/52
　　38圖繪2/38 B①
董豁　見董溪
30董淳
　　25登科26/16 B
董寶亮
　　19姓纂6/1 A
31董源
　　40十國31/9 B②
32董溪(惟深)
　　2 新唐15/151/4821
　　5 新表11/75下/3386
　　19姓纂6/1 B③
　　20郎考13/24 B
　　　　14/9 A
　　　　17/14 B
　　25登科11/28 A
35董神嶠
　　1 舊唐12/145/3939
37董澥
　　5 新表11/75下/3387
　　19姓纂6/1 B
董初
　　11全詩11/770/8736
40董大禮
　　5 新表11/75下/3386
44董萼(重照)
　　7 新志5/59/1560
　　30歷畫9/178④
　　38圖繪2/21 B
董藐蓬
　　1 舊唐16/197/5278
董恭訓
　　19姓纂6/1 B
47董好子

30歷畫9/183
31唐畫6/17 A⑤
董奴子　見董好子
48董敬元
　　19姓纂6/1 B
　　20郎考3/10 A
　　　　12/6 A
　　　　17/1 A
50董秦　見李忠臣
52董挺
　　39書史5/28 B
53董咸
　　19姓纂6/1 B
董咸則
　　25登科26/32 A
60董思安
　　40十國96/5 A
　　41九國10/4 B
　　52仙溪志4/3 A
董思恭
　　1 舊唐15/190上/4997
　　7 新志5/59/1562
　　　　5/60/1622
　　11全詩2/63/741
　　14國秀上/127
　　　　上/139
　　17紀事上/3/31
　　19姓纂6/1 B
董昌
　　2 新唐20/225下/6466
　　26方鎮5/60 A
　　64掇英18/15 A
　　65會稽志2/34 A
　　68咸淳臨安45/14 B
　　　　60/13 B
董昌齡
　　1 舊唐16/193/5149
　　26方鎮7/21 B
董昌齡母　見楊氏
70董辟和
　　1 舊唐16/197/5278
72董氏(賈直言妻)
　　2 新唐18/205/5826
73董卧庭
　　1 舊唐16/197/5278
77董居敬
　　5 新表11/75下/3387
董居中

2 新唐15/151/4822
　　5 新表11/75下/3386
80董全道
　　5 新表11/75下/3386
　　19姓纂6/1 B
董全素
　　5 新表11/75下/3387
　　19姓纂6/1 B
84董鎮
　　26方鎮7/18 B
90董光嗣
　　3 舊五5/121/1602
　　4 新五1/19/199
91董恆
　　19姓纂6/1 A
94董忱
　　19姓纂6/1 A
董慎
　　19姓纂6/1 A
96董憬
　　19姓纂6/1 A
97董憚
　　19姓纂6/1 A

4410₇ 蓋

00蓋慶
　　3 舊五3/55/744
蓋文達
　　1 舊唐15/189上/4951
　　2 新唐18/198/5651
　　19姓纂10/46 A
蓋文懿
　　1 舊唐15/189上/4951
　　2 新唐18/198/5651
　　19姓纂10/46 A
30蓋寓
　　3 舊五3/55/744
38蓋祚
　　3 舊五3/55/744
40蓋嘉運
　　26方鎮8/40 A
　　　　8/49 B
　　　　8/55 A
44蓋蘇文
　　1 舊唐16/199上/5322
　　2 新唐20/220/6187
46蓋塤
　　20郎考11/28 B

①《圖繪》“晦”作“誨”，今從《圖誌》。
②《十國》原注：“源一作元。”
③《姓纂》“溪”作“谿”，今據岑仲勉《元和姓纂四校記》考定改正。
④《歷畫》“尊”作“尊”，今從《新志》、《圖繪》。
⑤《唐畫》“好”作“奴”，今從《歷畫》。
⑥《新唐》作“尋閤勸”，今從《舊唐書》。
⑦⑧⑨《姓纂》“傳”作“傅”，今據岑仲勉《元和姓纂四校記》考定改正。

11全詩12/852/9639
17紀事上/39/590
范希朝(致君、宣武)
 1 舊唐12/151/4058
 2 新唐16/170/5167
 26方鎮1/73A
  1/84B
  4/34B
43范越鳳
 27郡齋3下/16B
44范夢齡
 40十國89/2B
范梵志
 1 舊唐16/197/5270
 2 新唐20/222下/6298
47范坰
 28直齋5/5B
范朝
 9 拾遺21/4A
 11全詩2/145/1469
 14國秀下/128
  下/169
范超
 40十國108/8A
51范攄(五雲溪人)
 7 新志5/59/1542
 8 全文804/21B
 27郡齋3下/4A
 28直齋11/7A
范攄之子
 17紀事下/71/1057
67范暉
 26方鎮6/12B
 72三山志20/44A
范鳴鶴
 8 全文723/7B
71范巨源
 19姓纂7/28B
范長壽
 7 新志5/59/1560
 30歷畫9/172
 31唐畫6/12A
 35畫譜1/10A
 38圖繪2/5A
72范氏子
 11全詩11/795/8961
范質(文素)
 8 全文865/3A

25登科25/40A
74范隋
 5 新表10/74上/3153
77范履冰
 1 舊唐15/190中/5011
 2 新唐18/201/5744
 5 新表10/74上/3153
 7 新志5/57/1450
 19姓纂7/29A
 25登科27/5A
范居實
 3 舊五1/19/266
80范義
 40十國54/5A
范義顗
 7 新志5/57/1428
  5/57/1433
 19姓纂7/28B
82范銛
 73吳興志15/12A
84范鎮龍
 1 舊唐16/197/5270
 2 新唐20/222下/6298
90范恬
 19姓纂7/28B
 68咸淳臨安51/8B
91范枰
 19姓纂7/28B
92范燈　見范橙
范橙
 11全詩5/307/3489①
 17紀事下/47/718②
 19姓纂7/28B
91范愷
 8 全文957/6A
98范愉
 1 舊唐
  15/185下/4830③
 2 新唐17/172/5208
 19姓纂7/28B
 20郎考12/22B
99范榮
 8 全文957/2B

4411₇ 薀

36薀禪師
 81景德20/20B

4412₇ 蒲

12蒲延昌
 32益畫中/11B
 36圖誌2/50
 38圖繪2/37B
20蒲禹卿
 8 全文890/11A
 40十國43/4A
21蒲虔軌
 40十國56/6B
蒲師訓
 32益畫中/3A
 36圖誌2/50
 40十國56/10A
30蒲宗訓
 38圖繪2/37B
48蒲乾貫
 27郡齋1上/6B

4414₂ 薄

00薄塵
 80宋僧4/8A
44薄芬
 8 全文902/17B
 19姓纂10/32A
72薄氏(鄒待徵妻)
 1 舊唐16/193/5148
 2 新唐18/205/5824

4419₄ 藻

90藻光(扣冰和尚、妙應法威慈濟禪師)
 40十國99/8B

4420₇ 蕚

22蕚嶺書生
 11全詩12/862/9745

夢

27夢龜
 34書譜19/7B
 39書史5/37B
31夢江
 80宋僧7/18A
88夢筆和尚
 40十國99/6A
 81景德19/16A

①② 《全詩》、《紀事》皆作"范燈",《全詩》小傳云:"范燈,貞元時人。"岑仲勉《讀全唐詩札記》云:"燈,余疑燈之訛,
　　見《姓纂》。《全詩》本《紀事》四七,《紀事》多訛文也。"岑説是,今從之。
③ 《舊唐》作范倫。按范倫爲范傳正父,除見於《新唐書》范傳正本傳外,尚見於《姓纂》、《郎考》等,皆作愉,今據改。
④ 《全詩》原注:"苑䤞一作范䤞。"
⑤ 《新唐》作"曷薩特勤",係同名異譯,今從《舊唐》。
⑥ 《郎考》此處作"蕭識",勞格謂"識"疑作"諴"。

1 舊唐9/92/2971
2 新唐14/123/4374
5 新表8/71下/2278
20郎考6/6A
蕭晉
5 新表8/71下/2283
蕭晉用
20郎考1/10A
11蕭璿
20郎考3/13B
8/13A
蕭項
11全詩11/726/8324
12蕭瑀(時文、貞褊)
1 舊唐7/63/2398
2 新唐13/101/3949
5 新表8/71下/2286
6 舊志6/47/2073
7 新志5/58/1494
5/60/1597
8 全文133/9B
39書史5/24B
蕭瑗
20郎考23/1B
蕭孔沖
25登科27/23B
40十國97/2B
13蕭球
5 新表8/71下/2288
14蕭瓘
1 舊唐7/63/2405
2 新唐13/101/3952
蕭琪
10續拾6/16B
蕭瓚
5 新表8/71下/2288
15蕭建
5 新表8/71下/2286
蕭建
11全詩8/495/5613①
17紀事下/60/910
16蕭珺
5 新表8/71下/2288
蕭琮
1 舊唐7/63/2404
17蕭珣
9 拾遺30/10A
蕭君靖

7 新志5/59/1558
蕭翼(世翼)
11全詩1/39/502
17紀事上/5/67
20蕭位
5 新表8/71下/2286
蕭孚
5 新表8/71下/2282
21蕭衍
5 新表8/71下/2278
蕭仁思
20郎考22/1B
蕭儒
5 新表8/71下/2286
蕭須 見蕭頊
蕭偨
20郎考6/1A
蕭衡嵩子
1 舊唐11/125/3550
14/179/4645
5 新表8/71下/2285
蕭衡至忠子
5 新表8/71下/2278
蕭頊(子澄)
1 舊唐14/172/4483②
3 舊五3/58/787
5 新表8/71下/2284③
8 全文844/8B
20郎考3/96B④
4/67A⑤
蕭頔(子光)
5 新表8/71下/2284
蕭穎士(茂挺、蕭夫子、文元先生)
1 舊唐10/102/3185
15/190下/5048
2 新唐18/202/5767
7 新志5/58/1501
5/60/1603
8 全文322/1A
11全詩3/154/1591
12/882/9970
17紀事上/21/306
25登科8/11B
27郡齋4上/16A
28直齋8/2B
16/14A
69嘉定鎮江17/10B

70至順鎮江18/2B
22蕭鼎
5 新表8/71下/2286
蕭嵩
1 舊唐9/99/3093
2 新唐13/101/3953
5 新表8/71下/2283
7 新志5/58/1491
5/58/1496
8 全文279/12B
11全詩2/108/1116
17紀事上/14/208
20郎考8/11B
22/5A⑥
21御考2/7B
2/25B
26方鎮1/66A
8/48B
28直齋6/12B
蕭崇望
5 新表8/71下/2281
24蕭佐
21御考3/42A
蕭德言(文行、博)雍州人
1 舊唐15/189上/4952
2 新唐18/198/5653
6 舊志6/47/2074
7 新志5/58/1506
5/60/1598
11全詩1/38/488
17紀事上/5/60
69嘉定鎮江18/42A
蕭德言沂州人
2 新唐14/123/4371
蕭德昭
7 新志5/58/1495
蕭價
20郎考25/11A
蕭升
2 新唐13/101/3956
5 新表8/71下/2286
蕭結
11全詩12/873/9892
39書史5/28B
蕭鎮
11全詩9/563/6537
25蕭仲豫
5 新表8/71下/2282

① 《新表》之蕭建，黔中觀察使，《全詩》、《紀事》之蕭建，進士，終禮部侍郎，約唐憲宗、穆宗時人，時代相近，未知是否一人。今姑分列，備考。

② 《舊唐》作"蕭頎"，爲廉子，登進士第，云"後官位顯達"。按據《舊五代史》卷五八作蕭頊，字子澄，廉子，名與字，其義相應，似作頊是，詳見下《新表》注。

③ 《新表》作蕭須，字子登，爲做孫，廉子，頎父。按《舊五代史》卷五十八《蕭頊傳》云："蕭頊，字子澄，京兆萬年人。故相做之孫，京兆尹廉之子。"又《舊五代史》卷一二八《蕭頋傳》亦云頋"梁宰相頊之子也"，又謂"頋之曾祖做"。由此可知蕭頊與蕭須實爲一人。頊字子澄，名與字相應，似以《舊五代史》爲是，須與子登皆形近而誤。《全唐文》卷八四四作蕭頊，字子澄，是。

④⑤ 《郎考》作"蕭頎"，今從《舊五代史》蕭頊傳改。

⑥ 《郎考》此處作"蕭嵩"，趙鉞案，嵩疑嵩之誤。蘇頲《授陳惠滿倉部員外郎等制》，稱"蕭嵩可行尚書祠部員外郎"（《文苑英華》卷三九一）。

蕭湜
　1 舊唐14/179/4645
　2 新唐13/101/3957
　5 新表8/71下/2285
蕭洪
　26 方鎮1/47 B
　　　4/5 B①
蕭祐　見蕭祐
蕭祐
　1 舊唐13/168/4380
　2 新唐16/169/5160②
　7 新志5/57/1436
　11 全詩5/318/3586
　17 紀事下/53/809
　20 郎考9/15 A
　26 方鎮7/45 A
　30 歷畫10/203
　38 圖繪2/25 A
蕭邁(昌聖)
　5 新表8/71下/2285
35 蕭潒
　31 唐畫6/17 B
蕭遘(得聖)
　1 舊唐14/179/4645
　2 新唐13/101/3960
　5 新表8/71下/2285
　11 全詩9/600/6934
　17 紀事下/59/896
　20 郎考10/32 B
　　　11/70 B
　　　12/56 A
　　　20/18 B
　25 登科10/18 B
　　　23/8 A
　34 書譜4/1 A
　39 書史5/9 A
36 蕭混(文度)
　5 新表8/71下/2280
蕭遇
　5 新表8/71下/2283
　20 郎考5/20 A
　　　26/17 B
37 蕭淑
　20 郎考15/19 A
蕭鄴(啓之)
　2 新唐17/182/5365
　5 新表8/71下/2279
　8 全文764/7 A

　20 郎考9/18 B
　24 壁記　翰苑羣書
　　　上/51 A
　　　上/52 A
　25 登科27/14 B
　26 方鎮4/41 B
　　　4/156 A
　　　5/11 A
　　　6/69 B
38 蕭澣(明文)
　5 新表8/71下/2283
　20 郎考15/18 B
　　　16/19 B
40 蕭士明
　3 舊五3/71/941
蕭直(正仲)
　1 舊唐10/102/3184
　2 新唐15/132/4530
　5 新表8/71下/2279
　20 郎考3/41 B
　　　7/32 B
　　　12/24 A
　25 登科8/27 A
蕭希諒
　5 新表8/71下/2282
蕭希甫
　3 舊五3/71/940
　4 新五1/28/314
　8 全文848/11 A
　25 登科27/23 A
蕭存(伯誠)
　2 新唐18/202/5770
　20 郎考16/17 A
　　　18/11 A
　61 琴川志3/24 B
蕭志遠
　20 郎考15/3 B
　　　18/1 A
蕭志忠
　20 郎考4/7 B
蕭吉
　7 新志5/57/1434
蕭賁
　5 新表8/71下/2282
蕭森(從政)
　8 全文441/7 B
43 蕭戭
　5 新表8/71下/2285

44 蕭鷟(文舉)
　5 新表8/71下/2280
蕭孝顗　見蕭孝覬
蕭孝覬
　20 郎考3/4 A
　　　4/2 B③
　　　5/7 B④
蕭遘
　1 舊唐14/179/4648
　2 新唐13/101/3962
　20 郎考25/15 A
蕭華
　1 舊唐9/99/3095
　2 新唐13/101/3954
　5 新表8/71下/2283
　8 全文370/9 B
　11 全詩4/258/2880
　20 郎考7/7 B
　26 方鎮4/45 B
蕭革
　5 新表8/71下/2279
蕭世翼　見蕭翼
蕭楚材
　7 新志5/58/1491
　11 全詩1/44/547
蕭某
　40 十國75/7 B
46 蕭恕
　1 舊唐15/185下/4826
　5 新表8/71下/2287
47 蕭妃(武陵郡王伯良妃)
　11 全詩1/7/69
48 蕭翰
　3 舊五4/98/1316
50 蕭夷中
　25 登科20/4 B
51 蕭振
　8 全文869/4 B
蕭據
　9 拾遺24/20 A
53 蕭彧(文彧)
　11 全詩11/757/8617
56 蕭規
　40 十國63/5 B
57 蕭拯
　11 全詩11/718/8248
蕭擢
　20 郎考8/7 B

蕭静
　　11全詩11/774/8774
　　17紀事下/47/721
60蕭昉
　　5 新表8/71下/2282
蕭國公主
　　2 新唐12/83/3660
蕭晟
　　7 新志5/58/1477
蕭諳(中蘊)
　　5 新表8/71下/2280
蕭旻
　　2 新唐18/202/5767
蕭晏(季平)
　　5 新表8/71下/2279
蕭昌(光祥)
　　5 新表8/71下/2280
蕭晶
　　2 新唐18/202/5767
蕭異
　　5 新表8/71下/2283
蕭炅
　　20郎考17/8 A
　　26方鎮8/49 B
61蕭顗
　　5 新表8/71下/2283
62蕭昕(中明、懿)
　　1 舊唐12/146/3961
　　2 新唐16/159/4951
　　8 全文355/1 A
　　11全詩3/158/1615
　　17紀事上/27/412
　　25登科7/32 B
　　　　　10/15 A
　　　　　10/18 A
　　　　　12/18 A
　　59毗陵志7/7 B
64蕭睦
　　20郎考22/16 A
　　25登科16/6 B
　　　　　17/13 B
66蕭曙(象文)

5 新表8/71下/2280
67蕭昭
　　5 新表8/71下/2282
蕭嗣德
　　5 新表8/71下/2282
　　72三山志20/29 A
蕭嗣業
　　1 舊唐7/63/2405
　　2 新唐13/101/3952
　　5 新表8/71下/2282
蕭鄲
　　39書史5/30 B
71蕭頎庶子
　　1 舊唐14/172/4483
　　25登科27/20 B
蕭頎　見蕭頊
蕭愿(惟恭、文恭)
　　3 舊五5/128/1688⑤
　　5 新表8/71下/2284
蕭匪名
　　8 全文949/22 A
72蕭隱之
　　5 新表8/71下/2287
　　20郎考12/19 B
　　21御考2/35 A
蕭氏(韋雍妻)
　　1 舊唐16/193/5150
　　2 新唐18/205/5829
蕭氏(楊含妻)
　　2 新唐18/205/5829
74蕭隨
　　5 新表8/71下/2278
77蕭同
　　25登科7/28 B⑥
蕭同和
　　25登科7/28 B
蕭異
　　5 新表8/71下/2285
80蕭益
　　5 新表8/71下/2284
　　40十國63/4 B
蕭鉉

5 新表8/71下/2281
蕭曾
　　20郎考15/15 B
　　　　　16/18 A
81蕭鉅
　　5 新表8/71下/2282
蕭錯
　　5 新表8/71下/2287
83蕭鈹
　　5 新表8/71下/2287
84蕭銑
　　1 舊唐7/56/2263
　　2 新唐12/87/3721
　　8 全文131/2 B
85蕭鍊
　　25登科14/4 B
87蕭鈞
　　1 舊唐7/63/2405
　　　　　9/99/3093
　　5 新表8/71下/2282
　　6 舊志6/47/2074
　　7 新志5/57/1451
　　　　　5/60/1599
　　8 全文148/13 A
蕭欽
　　5 新表8/71下/2282
88蕭銳
　　1 舊唐7/63/2404
　　2 新唐13/101/3952
　　5 新表8/71下/2286
蕭節
　　25登科14/18 B
蕭策
　　5 新表8/71下/2279
蕭篆
　　5 新表8/71下/2281
蕭籍
　　5 新表8/71下/2286
　　8 全文695/12 A
　　25登科15/35 A
90蕭惟則
　　20郎考5/39 A

---

①《方鎮》此處作"蕭琪"，系版刻之誤，今逕改。
②《新唐》、《新志》、《全詩》作"蕭祐"，今從《舊唐》、《紀事》作蕭祐。
③④《郎考》卷四、五"覬"作"頵"，今從《郎考》卷三。
⑤《舊五代史》蕭愿本傳作字惟恭，《新表》作字文恭，均爲一人，而所載字號不同，未詳孰是，今并存，備考。
⑥《登科記考》引《廣卓異記》，此爲蕭同和弟，"同"後原缺一字。

5 新表11/75下/3417
蒋係
　1 舊唐12/149/4028
　2 新唐15/132/4534
　5 新表11/75下/3416
　7 新志5/58/1472
　20郎考19/9B
　　　24/8A
　26方鎮1/10B
　　　4/142A
　　　4/155A
　　　7/46A
　59毗陵志16/14A
24蒋勳
　25登科27/19A
蒋佶
　1 舊唐12/149/4029
　2 新唐15/132/4534
　5 新表11/75下/3417
25蒋伸(大直)
　1 舊唐12/149/4029
　2 新唐15/132/4534
　5 新表11/75下/3417
　8 全文788/5B
　20郎考2/29A
　　　3/78B④
　24壁記　翰苑羣書
　　　　上/53B
　25登科27/14A
　26方鎮2/12A
　　　4/57A
　59毗陵志11/6A
　　　16/14A
蒋練　見蒋鍊
26蒋儇
　8 全文761/20B
蒋儼
　1 舊唐15/185上/4801
　2 新唐13/100/3943
　7 新志5/60/1602
　8 全文160/16B
　59毗陵志7/7A
　　　11/5B

16/12B
蒋韞　見薛韞
27蒋將明
　1 舊唐12/149/4026
　2 新唐15/132/4531
　5 新表11/75下/3416
　20郎考1/11A
　　　8/20A
　　　26/15A
蒋殷
　3 舊五1/13/182
　4 新五2/43/477
28蒋繢　見蒋繪
蒋繪
　1 舊唐15/185上/4792
　2 新唐13/106/4042⑤
30蒋準
　8 全文436/13A
蒋密
　11全詩11/795/8949
32蒋兆
　1 舊唐12/149/4029
　5 新表11/75下/3416
　25登科27/19B
蒋冽
　1 舊唐15/185上/4793
　2 新唐13/106/4042
　11全詩4/258/2882
　14國秀中/127
　　　中/150
　20郎考6/11A
　　　10/21A
　21御考3/14A
　　　3/34A
　25登科27/5B
　59毗陵志11/6A
33蒋沇
　1 舊唐15/185下/4826
　2 新唐13/112/4180
　21御考2/15B
蒋泳(越之)
　5 新表11/75下/3417
　20郎考8/52B

8/53A
9/21A
　25登科23/10A
　　　24/7A
蒋演
　1 舊唐15/187下/4895
　21御考3/14A
　　　3/35B
35蒋清(忠)
　1 舊唐15/187下/4895
　2 新唐13/112/4181
　25登科27/29A
37蒋涣
　1 舊唐15/185上/4793
　2 新唐13/106/4042
　11全詩4/258/2883
　17紀事上/32/505
　18才子3/48
　20郎考3/38A
　　　4/19A
　25登科10/31A
　　　10/34B
　　　11/1B
　　　27/5B
　59毗陵志11/6A
蒋凝(仲山)
　7 新志5/60/1616
　8 全文804/13A
　25登科27/19B
38蒋溢
　1 舊唐15/187下/4895
40蒋乂(慶、武、德、源、懿)
　1 舊唐12/149/4026
　2 新唐15/132/4531
　5 新表11/75下/3416
　7 新志5/58/1467
　　　5/58/1472
　　　5/58/1497
　20郎考8/33A
　59毗陵志7/7B
　　　16/13B
蒋吉
　11全詩11/771/8753

① 《拾遺》蒙字前原缺姓。
② 《全文》"荀"作"符"，今據岑仲勉《元和姓纂四校記》考定改正。
③ 《全詩》"荀"作"符"，今據岑仲勉《元和姓纂四校記》考定改正。
④ 《郎考》此處作"蒋豐"，勞格謂疑是蒋伸。《郎考》卷二亦作蒋伸。
⑤ 《新唐》作"蒋繢"，今從《舊唐》作蒋繪。

4 新五3/74/910
26 方鎮8/21A
赫連欽若
20 郎考26/6A

4433₃ 慕

22 慕幽
　　11 全詩12/850/9624
　　17 紀事下/77/1115
　　18 才子3/45
30 慕容彥超（閻崑崙）
　　3 舊五5/130/1716
　　4 新五2/53/607
　　42 五補4/6A
　　　　5/3A
慕容琦
　　21 御考2/37B
　　　　2/40A
慕容珣
　　7 新志5/58/1496
　　19 姓纂8/16B
　　20 郎考3/16B
　　　　5/12A
　　　　6/6B
　　21 御考1/10B
　　　　2/34A
慕容順
　　1 舊唐16/198/5299
　　2 新唐20/221上/6224
慕容復
　　1 舊唐16/198/5301
　　2 新唐20/221上/6228
慕容宣超
　　1 舊唐16/198/5300
　　2 新唐
　　　　20/221上/6227⑤
慕容宣超　見慕容宣趙
慕容宗本（泰初）
　　7 新志5/57/1446
慕容兆
　　1 舊唐16/198/5301
　　2 新唐20/221上/6228

慕容韋
　　11 全詩11/772/8757
慕容孝幹
　　19 姓纂8/16B
慕容忠
　　1 舊唐16/198/5300
　　2 新唐20/221上/6227
慕容損
　　19 姓纂8/16B
慕容曦皓
　　1 舊唐16/198/5301
　　2 新唐20/221上/6228
慕容善行
　　19 姓纂8/16B
慕容知廉
　　19 姓纂8/16B
慕容知晦
　　19 姓纂8/16B

4439₄ 蘇

00 蘇亶
　　1 舊唐9/88/2878
　　5 新表10/74上/3149
　　19 姓纂3/3B
蘇彥伯
　　5 新表10/74上/3148
　　19 姓纂3/4A
蘇康
　　19 姓纂3/4B
蘇廉節
　　19 姓纂3/4A
蘇慶節
　　19 姓纂3/4B
蘇唐磨
　　1 舊唐16/197/5278
蘇廙
　　8 全文946/16A
蘇廣文
　　11 全詩11/783/8843
　　17 紀事上/23/340
蘇文建
　　26 方鎮1/26B

　　　　8/5B
　　　　8/31A
蘇章
　　40 十國63/1A
　　41 九國9/3A
蘇奕
　　5 新表10/74上/3150
蘇兗
　　1 舊唐15/189下/4977
　　2 新唐13/103/3992
　　19 姓纂3/4A
01 蘇顏
　　5 新表10/74上/3150
　　19 姓纂3/3B
02 蘇端
　　8 全文435/1A
　　19 姓纂3/4A
　　20 郎考14/6B
　　25 登科10/4A
04 蘇詵（廷言）
　　1 舊唐9/88/2882
　　2 新唐14/125/4403
　　5 新表10/74上/3150
　　8 全文259/18B
　　19 姓纂3/3B
　　20 郎考1/34A
　　　　4/10A
　　　　12/8B
　　25 登科4/30A
　　37 書小史10/2B
08 蘇敳
　　5 新表10/74上/3149
　　19 姓纂3/3B
09 蘇麟陀逸之
　　1 舊唐16/198/5310
　　2 新唐20/221下/6251
10 蘇靈芝
　　34 書譜10/5B
　　39 書史5/16A
蘇瓌（昌容、文貞）
　　1 舊唐9/88/2878
　　2 新唐14/125/4397

① 《舊唐》作"蔣捷"，今從《新唐》本傳及《郎考》、《御考》、《吳興志》諸書作蔣挺。
② 《登科》作"蔣捷"，今從《新唐》本傳等改。
③ 《全唐文》小傳謂蔣防字子微，《郎考》引《古今萬姓統譜》謂防字子徵，未詳孰是，今并存，備考。
④ 《郎考》此處作"蔣鍊"，勞格引新、舊《唐書》高智周本傳及《古今姓氏書辨證》，謂皆作鍊。今從其說作蔣鍊。
⑤ 《新唐》作"慕容宣超"，今從《舊唐》本傳。

① 《新表》原載蘇瓌字廷碩。按據本傳，瓌字昌容，其子頲字廷碩，《新表》誤以子字爲父字。新點校本已有校記
　　注明。
② 《姓纂》作"蘇洵"，岑仲勉《元和姓纂四校記》據《舊唐書》卷一二八及千唐誌李全晉妻蘇氏誌，謂洵系珣之誤，今
　　據改。
③ 《全文》原注："俛一作婉。"小傳云："俛，常山人，開元中爲太原府録事參軍。"岑仲勉《讀全唐文札記》云："按《石
　　壁寺彌勒像頌》，開元二十九年立，其題銜稱朝議郎太原府司録參軍事蘇俛（《萃編》八四）。元和姓纂，味道子
　　俛，職方郎中。《新表》七四上同作俛，作婉者非，開元中應改爲開元末"今録以備參。
④ 《姓纂》作"蘇持"，據岑仲勉《元和姓纂四校記》考定改正。
⑤ 《姓纂》"仙"作"佃"，今從《新表》。
⑥ 《姓纂》作"蘇宣方"，岑仲勉《元和姓纂四校記》據《舊唐書》卷八三考定應作定方，是，今據改。

---

① 《全文》"游"作"遊"。按《新志》載蘇游撰《鐵粉論》一卷，入子部醫術類，游事蹟不詳。《全文》載蘇遊《三品頤神保命神丹方叙》一文，亦論醫藥事，小傳云開耀時人，當同爲一人。今從《新志》作蘇游。
② 《姓纂》"义"作"又"，據岑仲勉《元和姓纂四校記》考定謂應作义，今改正。
③ 《姓纂》"蘇農"作"似和"，今據岑仲勉《元和姓纂四校記》考定改正。
④ 《直齋》"胤"作"裔"，係宋人避宋太祖諱改，今據《新志》、《郎考》諸書改正。
⑤ 《新表》"竣"作"峻"，今據《姓纂》改。
⑥ 《姓纂》"玄"作"元"，今據《新表》、《郎考》改正。
⑦ 《新表》作"蘇檀"，今從《姓纂》作"蘇檀"。

① 《姓纂》"失"作"矢",今據岑仲勉《元和姓纂四校記》考定改正。
② 《姓纂》"萬"作"奮",今據岑仲勉《元和姓纂四校記》考定改正。
③ 《姓纂》"萬"作"奮",今據岑仲勉《元和姓纂四校記》考定改正。
④ 《新唐》"菲"作"非",今從《姓纂》。
⑤ 《姓纂》"紳"作"紬",今據岑仲勉《元和姓纂四校記》考定改正。
⑥ 《全文》作"楚晁",並注云"楚一作獎",皆誤,應是樊晃。今據岑仲勉《元和姓纂四校記》考定改正。又下《新志》5/60/1610、《全文》459/16A、《嘉定鎮江》18/44B之樊光似亦爲樊晃。
⑦ 《全詩》原注:"晃一作光。"
⑧ 樊驤之字,《紀事》、《全詩》云元龍,《登科》、《郎考》引《唐摭言》字彥龍,未詳孰是,今并存,備考。
⑨ 《新志》等之樊光,疑卽樊晃。
⑩ 《全文》原注:"光期一作光明。"

4445₆ 韓

韓充（璀、肅）垂子
1 舊唐13/156/4137
2 新唐16/158/4945
5 新表9/73上/2873
19 姓纂4/15B①
26 方鎮1/46B
　　　 2/7A
　　　 2/21B

韓充臬子
5 新表9/73上/2866

韓彥　見韓思彥

韓彥惲
8 全文847/4A

韓方明
8 全文482/20B
39 書史5/20B

韓庶
5 新表9/73上/2871

韓文禮　見韓從訓

韓章
5 新表9/73上/2863
8 全文458/12A
19 姓纂4/15A
20 郎考7/13B
73 吳興志15/10A

韓奕
5 新表9/73上/2870

韓玄亮
5 新表9/73上/2871

韓玄著
5 新表9/73上/2871

韓袞（獻之）昶子
5 新表9/73上/2858
25 登科23/9B

韓袞臬子
5 新表9/73上/2866

韓襄客
11 全詩11/802/9034

01 韓誣
19 姓纂4/15B

04 韓諶
5 新表9/73上/2860

05 韓諫師
5 新表9/73上/2865

06 韓諤
27 郡齋3上/23B

3上/24A
28 直齋10/5A

07 韓望
5 新表9/73上/2873

韓廓（正封）
5 新表9/73上/2869

韓諷
5 新表9/73上/2866

韓詢
5 新表9/73上/2860

10 韓玹
5 新表9/73上/2868

韓瓖
5 新表9/73上/2867

韓覃
8 全文296/13A
39 書史5/26B

韓平
5 新表9/73上/2864

韓玶
5 新表9/73上/2870

韓无競
5 新表9/73上/2859

韓百川
5 新表9/73上/2857

韓晉卿
5 新表9/73上/2857

韓雲卿
5 新表9/73上/2859
8 全文441/10B
10 續拾4/4B
19 姓纂4/15A

11 韓北渚
25 登科27/15B

12 韓璀　見韓充
韓瑗（伯玉）
1 舊唐8/80/2739
2 新唐13/105/4030
5 新表9/73上/2855
8 全文159/10B
19 姓纂4/14B
20 郎考26/1B

韓弘（隱）
1 舊唐13/156/4134
2 新唐16/158/4944
5 新表9/73上/2873
19 姓纂4/15B
26 方鎮2/5B

4/51B

韓延慶
5 新表9/73上/2860

韓延徽
4 新五3/73/890

韓延範
5 新表9/73上/2861

13 韓琬（茂貞）
2 新唐13/112/4164
7 新志5/58/1457
　　　 5/58/1477
　　　 5/58/1485
8 全文304/1B
19 姓纂4/15B
21 御考2/12B
　　　 2/40A
25 登科4/10B
　　　 4/29B
27 郡齋2下/5B
28 直齋6/3B

韓武
5 新表9/73上/2868
19 姓纂4/15A

韓琮（成封、代封）
7 新志5/60/1612
8 全文793/10B
11 全詩9/565/6548
17 紀事下/58/883
18 才子6/106
20 郎考6/25A
　　　 11/51A
25 登科19/31A
26 方鎮6/38A

14 韓琦
5 新表9/73上/2856
19 姓纂4/14B

韓琪
5 新表9/73上/2856

15 韓建（佐時）
3 舊五1/15/203
4 新五2/40/433
9 拾遺46/2B
10 續拾7/12A
26 方鎮2/41B
　　　 3/46B
　　　 8/3B
　　　 8/5B
　　　 8/9B

16韓環
　5 新表9/73上/2867
17韓弸
　5 新表9/73上/2867
韓承訓
　5 新表9/73上/2871
韓承徽
　5 新表9/73上/2871
　19姓纂4/15A
韓尋
　20郎考18/16A
韓子休
　8 全文949/11B
韓子卿
　5 新表9/73上/2857
韓邢
　5 新表9/73上/2862
韓郷
　5 新表9/73上/2862
韓鞏
　5 新表9/73上/2864
韓羣
　1 舊唐11/129/3603
　2 新唐14/126/4438
　5 新表9/73上/2865
　19姓纂4/15A
　20郎考10/22A
　　　　　20/10A
韓君祐
　5 新表9/73上/2861
韓君雄　見韓允忠
18韓玫
　5 新表9/73上/2866
20韓重華　見韓約
韓垂望子，唐德宗時
　5 新表9/73上/2873
韓垂 唐末時人
　11全詩11/757/8612②

17紀事下/63/954
韓伉
　40十國28/4A
韓秀弸
　19姓纂4/15B③
韓秀實
　19姓纂4/15B
　39書史5/21A
韓秀榮
　8 全文444/4B
　19姓纂4/15B
韓孚
　5 新表9/73上/2868
韓季卿
　5 新表9/73上/2857
21韓止水
　19姓纂4/14B
韓仁泰
　5 新表9/73上/2857
韓處元
　8 全文203/15A
韓處約
　19姓纂4/14B
　20郎考26/2B
韓衢
　20郎考26/20A
韓穎
　5 新表9/73上/2869
韓卓
　5 新表9/73上/2865
　19姓纂4/15A
韓師魯
　5 新表9/73上/2861
韓穎
　8 全文432/7A
22韓豐(茂實)
　5 新表9/73上/2855
韓鼎

5 新表9/73上/2865
韓嵩妻　見王霞卿
韓偓
　40十國28/4A
韓炭
　5 新表9/73上/2859
韓嵒
　30歷畫10/194
　38圖繪2/24A
韓嶠
　5 新表9/73上/2871
韓縣
　5 新表9/73上/2861
韓繼之
　5 新表9/73上/2873
韓繼宗
　1 舊唐13/156/4136④
　5 新表9/73上/2873
韓繻
　5 新表9/73上/2861
23韓允忠(君雄)
　1 舊唐14/181/4688
　2 新唐19/210/5938⑤
　26方鎮4/128B
　　　　　4/129A
韓允中　見韓允忠
韓俊
　3 舊五4/92/1223
韓牟
　5 新表9/73上/2864
韓巚
　5 新表9/73上/2868
韓綰(持之)
　5 新表9/73上/2858
　25登科23/5A
24韓儔
　40十國28/4A
韓佑

---

① 《姓纂》"充"作"權"，爲韓弘弟。據岑仲勉《元和姓纂四校記》，韓充原名璀，長慶元年改名充，《姓纂》之權卽璀之訛文。

② 《新表》之韓垂，其子弘，憲宗時節度使。《全詩》、《紀事》之韓垂爲唐末人，時代不同，當爲二人。又，《紀事》云："垂，唐之詩人也。"載其《題金山》五律一首，又云："其詩偶爲庸僧所毀。江南時，李鍾山留一絶云：'不嗟白髮曾遊此，不嘆征帆無了期。盡日憑欄誰會我，只悲不見韓垂詩。'"則韓垂當在南唐以前，故《紀事》謂"江南時李鍾山留一絶"云云。《全唐詩》不察，其小傳直云"韓垂，南唐時人"，則誤解《紀事》而致誤。

③ 《姓纂》作韓弸，無秀字，今據岑仲勉《元和姓纂四校記》考定改正。

④ 《舊唐》作"韓紹宗"，爲韓弘孫，公武子。按據《新表》，韓弘子公武，公武有二子，卽繼之、繼宗，名皆從繼字。今從《新表》作韓繼宗。

⑤ 《新唐》作"韓允中"，今從《舊唐》。

① 《新表》“滁”作“滌”，今據岑仲勉《元和姓纂四校記》考定改正。
② 《新唐》“遊”作“游”，今從《舊唐》。
③ 《姓纂》作“韓智”，無大字，今據岑仲勉《元和姓纂四校記》考定改正。
④ 《全詩》載其《敕和元相公家園卽事寄王相公》詩，岑仲勉《讀全唐詩札記》云：“按唐世元、王同相者唯元載、王縉，今此詩已收四函六冊韓翃，敕和作奉和，翃、雄字往往互訛，蓋別無韓雄其人也。應删却。”
⑤ 《全文》原注：“極一作拯。”
⑥ 《五代畫遺》原注：“求一云虯。”
⑦ 《圖繪》“求”作“虯”，今從《五代畫遺》、《圖誌》。
⑧ 《登科》之韓藩，唐宣宗大中二年進士及第，與《新表》之韓藩時代相近，疑是一人。
⑨ 《新志》、《歷畫》等之韓幹以善畫馬者著稱，唐玄宗時人，爲開元時畫家曹霸弟子，杜甫曾有詩云：“弟子韓幹早入室，亦能畫馬窮殊相。”（《丹青引贈曹將軍霸》，見《全唐詩》卷二二〇）《十國春秋》之韓幹，亦以畫稱，但仕五代南唐，後主時，云：“又有韓幹者，工畫山水，官畫院學生。”則當爲另一人。

① 沈炳震《新唐書宰相世系表訂譌》於常子韓抗條云："武子名抗,近同祖兄弟,當有一譌。"
② 《姓纂》"泰"作"秦",今據岑仲勉《元和姓纂四校記》考定改正。
③ 《姓纂》作"韓彥",無"思"字,今據《新唐書》卷一一二補。
④ 《新志》載韓鄂撰《四時纂要》五卷,《直齋》載韓鄂撰有《歲華紀麗》,兩書性質相近,或即爲一書,《新志》與《直齋》之韓鄂當爲一人。《新表》之韓鄂,僅載寮子,其他不詳,未能確定是否即爲一人。今分列,備考。
⑤ 《郎考》此處作"韋同慶",勞格謂疑是韓同慶。

5 新表9/73上/2855

96韓憬
　　5 新表9/73上/2856
　　19 姓纂4/14 B

97韓惲（子重）
　　3 舊五4/92/1223

韓鄴
　　5 新表9/73上/2863

4446₀ 茹

38茹海賓
　　19 姓纂2/25 B

90茹常　見李常

4450₄ 華

00華京
　　25 登科27/21 B

22華山老人
　　11 全詩11/784/8855

30華良夫
　　9 拾遺27/24 A

34華洪　見王宗滌

36華溫琪（德潤）
　　3 舊五4/90/1184
　　4 新五2/47/519

44華楚
　　3 舊五4/90/1184

華林和尚
　　81 景德14/10 A

48華敬忠
　　3 舊五4/90/1184

66華嚴和尚武后時
　　80 宋僧25/6 B

華嚴和尚五代時
　　81 景德20/12 A

76華陽公主
　　2 新唐12/83/3663

4450₆ 革

40革希言　見格希元

4452₁ 蘄

91蘄恆
　　20 郎考3/18 A

4453₀ 芙

44芙蓉古丈夫
　　11 全詩12/862/9742

英

18英瑜
　　53 赤城志8/17 A

80英義可汗　見仁美

4460₀ 苗

00苗立怡
　　5 新表11/75上/3367

01苗龍
　　66 會稽續志6/18 A

苗襲褧
　　5 新表11/75上/3367

07苗望
　　2 新唐15/140/4644

10苗丕
　　2 新唐15/140/4644
　　5 新表11/75上/3368
　　20 郎考3/56 B
　　　　4/29 A
　　　　12/21 B

苗晉卿（元輔、文貞、懿獻）
　　1 舊唐10/113/3349
　　2 新唐15/140/4642
　　5 新表11/75上/3367
　　8 全文353/7 B
　　11 全詩4/258/2878
　　20 郎考3/29 A
　　　　4/16 A
　　　　14/4 A
　　21 御考2/49 A
　　　　2/50 B
　　　　3/18 A
　　25 登科6/9 B
　　　　27/5 B

12苗發
　　2 新唐15/140/4644
　　　　18/203/5786
　　5 新表11/75上/3368
　　11 全詩5/295/3351
　　17 紀事上/30/475
　　18 才子4/59

苗廷乂（子章）
　　5 新表11/75上/3370

苗延
　　25 登科23/25 A

苗延嗣
　　5 新表11/75上/3369

21御考2/6 B
　　　　2/27 A

13苗武昭
　　5 新表11/75上/3367

苗殆庶
　　1 舊唐10/113/3349
　　5 新表11/75上/3367

19苗璘
　　40 十國7/5 B

20苗垂
　　2 新唐15/140/4644
　　5 新表11/75上/3368

苗秀
　　8 全文457/5 A①

21苗穎
　　5 新表11/75上/3369

23苗台符（節巖）
　　5 新表11/75上/3369
　　7 新志5/58/1461
　　25 登科22/25 B

24苗乢　見苗眈

苗纘
　　5 新表11/75上/3369
　　25 登科27/15 A②

25苗仲方
　　11 全詩11/770/8741

苗紳
　　8 全文802/2 A
　　20 郎考8/46 B
　　25 登科27/16 B

26苗稷
　　2 新唐15/140/4644
　　5 新表11/75上/3368

27苗向
　　2 新唐15/140/4644
　　5 新表11/75上/3368

苗詹（浚源）
　　5 新表11/75上/3368

苗粲
　　2 新唐15/140/4644
　　5 新表11/75上/3368
　　20 郎考1/15 B
　　　　8/23 A
　　　　17/2 A

苗約
　　5 新表11/75上/3369

苗緗
　　5 新表11/75上/3368

28苗收
　　5 新表11/75上/3367
　　8 全文949/24 B③
30苗良璠
　　5 新表11/75上/3369
32苗澄
　　5 新表11/75上/3369
35苗神客
　　1 舊唐15/190中/5011
　　2 新唐18/201/5744
　　7 新志5/57/1450
　　8 全文201/1 B
　　25登科2/15 B
37苗湺(德廣)
　　5 新表11/75上/3368
44苗芳　見苗秀
　苗茂林
　　5 新表11/75上/3369
　苗藏位
　　53赤城志8/20 A
　苗著
　　5 新表11/75上/3369
　苗蕃(陳師)
　　5 新表11/75上/3369
　　25登科14/1 B④
46苗如蘭
　　5 新表11/75上/3367
53苗咸
　　2 新唐15/140/4644
60苗呂
　　2 新唐15/140/4644
　　5 新表 11/75上/3368⑤
　　20郎考12/53 B⑥
　苗昌　見苗呂
64苗眈(毅臣)
　　5 新表11/75上/3368
　　25登科27/16 B
67苗昭理

5 新表11/75上/3369
77苗堅
　　2 新唐15/140/4644
　　5 新表11/75上/3368
80苗夔
　　1 舊唐10/113/3349
　苗含液
　　5 新表11/75上/3369
　　25登科7/1 B
　苗含澤
　　5 新表11/75上/3369
　　25登科7/13 B
　苗含潤
　　5 新表11/75上/3369
90苗憎(宜之)
　　5 新表11/75上/3369
　　20郎考11/50 A
　　　13/11 B
　　25登科19/25 B
　　　20/24 B
97苗愇(甚魯)
　　5 新表11/75上/3370
　　25登科21/3 B
　苗恪(无悔)
　　5 新表11/75上/3370
　　20郎考8/44 A
　　24壁記　翰苑羣書
　　　上/53 B
　　25登科21/9 B
　　26方鎮4/155 B

4460₁ 昔

22昔豐
　　19姓纂10/39 A
30昔安仁
　　19姓纂10/39 A
40昔真
　　8 全文916/20 B

51昔耘
　　9 拾遺28/19 A

菩

44菩薩
　　1 舊唐16/195/5195
　　2 新唐19/217上/6111
56菩提流志　見法希

4460₄ 若

10若干則
　　19姓纂10/27 B
12若水
　　11全詩12/850/9627
17若耶溪女子
　　11全詩11/801/9020
　若那跋陀羅　見智賢
21若虛
　　11全詩12/825/9300
　　17紀事下/77/1113
　　18才子3/45
　　80宋僧25/15 B

4460₆ 莒

28莒儉
　　39書史5/21 A

4462₇ 荀

48荀敬恩
　　19姓纂7/24 A

荷

51荷軻
　　19姓纂3/20 B
90荷尚
　　19姓纂3/20 B⑦

---

① 《全文》原注:“秀一作芳。”
② 《新表》載苗纘爲昌子,昌與給事中粲等皆爲宰相苗晉卿子。《登科》之苗纘爲粲子,此乃據《唐語林》者,稱粲爲給事中,與《新表》合,則《唐語林》之苗粲卽《新表》之苗粲,而《唐語林》作苗粲子纘,恐誤。此點尚待詳考,但可確證《新表》與《登科》所載之苗纘則實爲一人。
③ 《新表》之苗收,卽唐肅宗、代宗時宰相苗晉卿子,官太子通事舍人。《全文》之苗收,小傳未載其事蹟,僅載其《對貢士不歌鹿鳴判》,此似卽晉卿之子苗收。
④ 《新表》之苗蕃,其曾祖爲延嗣,祖含液,父穎。《登科》之苗蕃,據韓愈《太原府參軍苗君墓誌銘》,謂“君諱蕃,字陳師……曾大父延嗣,中書舍人;大父含液,……父穎。”(《全唐文》卷五六六)所載世系與《新表》合,則實爲一人。
⑤⑥ 《新表》、《郎考》作“苗昌”,今從《新唐》。
⑦ 《姓纂》原文作“(荷軻)姪尚書工部員外”。據岑仲勉《元和姓纂四校記》考定,此處“尚”字爲人名,“書”字爲衍文。

薛文傑
　40十國98/1 B
薛文衆
　5 新表10/73下/3001
薛文綱
　5 新表10/73下/3000
薛文紹
　5 新表10/73下/2996
薛文宙
　5 新表10/73下/3001
薛文演
　5 新表10/73下/3001
薛文英
　5 新表10/73下/3001
薛文規
　5 新表10/73下/2999
薛文思
　1 舊唐12/146/3955
　2 新唐16/159/4952
　5 新表10/73下/3004
薛文略
　5 新表10/73下/2998
薛文質
　5 新表10/73下/2999
薛文美
　8 全文872/1 A
薛文範
　5 新表10/73下/2994
薛文裳
　5 新表10/73下/2998
薛讓
　5 新表10/73下/3025
薛玄立
　5 新表10/73下/3030
薛玄祚
　5 新表10/73下/3003
薛玄嘉
　5 新表10/73下/3032
薛襄童
　5 新表10/73下/3008
薛袞
　25登科27/15 A
薛褎（魯志）
　5 新表10/73下/3036

　20郎考2/28 B
　　13/11 B
　73吳興志14/30 A
01薛顔
　5 新表10/73下/3000
薛顔童
　5 新表10/73下/3008
薛諲
　5 新表10/73下/3023
　69嘉定鎮江16/9 A
薛詥
　5 新表10/73下/3039
薛襲
　5 新表10/73下/3020
02薛訢（敦美）
　5 新表10/73下/3036
薛誕
　5 新表10/73下/3025
03薛誼
　5 新表10/73下/3003
薛誠（符）
　5 新表10/73下/3022
薛諴
　20郎考12/43 B
　21御考3/5 A
04薛諲
　5 新表10/73下/3022
薛訥（慎言、昭定）
　1 舊唐9/93/2983
　2 新唐13/111/4143
　5 新表10/73下/2992
　26方鎮1/64 B
　　4/25 A
　69嘉定鎮江16/2 B
薛謨
　5 新表10/73下/3012
薛護
　5 新表10/73下/3024
薛諸
　5 新表10/73下/3039
薛勣
　5 新表10/73下/3000
06薛諤 元珪子
　5 新表10/73下/3002

薛諤（匡臣）正文子
　5 新表10/73下/3024
薛謂（昌臣）
　5 新表10/73下/3024
07薛鄘
　5 新表10/73下/3028
薛毅（仲雄）
　5 新表10/73下/3009
薛記
　5 新表10/73下/3043
薛詢
　8 全文791/24 A
薛調（生菩薩）
　5 新表10/73下/3036
　20郎考12/48 A
　24壁記　翰苑羣書
　　　　　上/58 B
　25登科27/17 B
08薛放（達夫、簡）
　1 舊唐13/155/4126
　2 新唐16/164/5047
　5 新表10/73下/3042
　25登科12/29 A
　26方鎮5/83 B
薛諭
　5 新表10/73下/3023
薛謙光　見薛登
薛譜
　5 新表10/73下/3019
09薛麟
　5 新表10/73下/3039
　20郎考17/21 B
薛讜
　5 新表10/73下/3021
薛談
　1 舊唐8/73/2592
　2 新唐13/98/3894
　5 新表10/73下/3007
10薛正　見薛潯
薛正文
　5 新表10/73下/3023
薛正元
　5 新表10/73下/3012
薛正倫

---

① 《舊五》“庭”作“廷”，今從《新表》。下《新志》、《郎考》同。
② 《舊唐》“庭”作“廷”，薛庭老之兄弟庭範、庭章、庭望、庭傑等皆作庭，不作廷，《新表》正作庭，今從《新表》。下《新唐》、《壁記》、《登科》同。
③④⑤ 《郎考》“庭”作“廷”，今據《新表》改，詳見前薛庭老條注。

5 新表10/73下/3017
薛弘志
　5 新表10/73下/3015
薛弘懿
　5 新表10/73下/3016
薛弘猷
　5 新表10/73下/2997
薛弘範
　5 新表10/73下/3014
薛弘悌
　5 新表10/73下/3027
薛廷望　見薛庭望
薛廷珪
　1 舊唐15/190下/5080
　2 新唐18/203/5794
　3 舊五3/68/899
　7 新志5/60/1616③
　8 全文837/1A
　20 郎考8/58B
　25 登科24/32A
　　　　25/7A
　　　　27/21A
薛廷傑
　20 郎考22/20A
薛廷老　見薛庭老
薛廷範　見薛庭範
薛延孝侑孫
　5 新表10/73下/3003
薛延幼連子
　5 新表10/73下/3038
薛延休
　5 新表10/73下/3012
薛延魯
　3 舊五5/128/1687
薛延樞
　5 新表10/73下/3022
薛延智
　5 新表10/73下/3038
薛延光
　5 新表10/73下/3038
薛孤元憲
　19 姓纂10/26A
薛孤元遏

19 姓纂10/26A
薛孤吳仁
　8 全文201/1A
　19 姓纂10/26A
薛孤知福
　19 姓纂10/26A
薛孤知機
　19 姓纂10/26A
薛孤知檢
　19 姓纂10/26A
薛孤知素
　19 姓纂10/26A
薛硑
　5 新表10/73下/3020
薛磽
　5 新表10/73下/3014
13 薛武
　5 新表10/73下/3017
薛珹懷晏子
　5 新表10/73下/3031
薛珹裔子
　5 新表10/73下/3038
薛戬
　5 新表10/73下/3001
14 薛耽（敬交）
　5 新表10/73下/3041
　21 御考3/5B
　25 登科21/25A
　　　　23/1B
　26 方鎮6/83B
薛瑾
　5 新表10/73下/3029
15 薛融五代晉御史中丞
　3 舊五4/93/1233
　4 新五2/56/646
　8 全文850/15A
薛融唐清河太守
　5 新表10/73下/3003
薛建
　5 新表10/73下/2998
16 薛聰（聰智）
　9 拾遺68/15A
薛環

5 新表10/73下/3008
薛璋
　5 新表10/73下/3034
17 薛珮
　5 新表10/73下/3034
薛羽
　5 新表10/73下/3041
　20 郎考25/7A
薛珣
　5 新表10/73下/3027
　21 御考2/16A
薛瓊
　11 全詩11/801/9017
薛璵
　5 新表10/73下/3008
薛弼
　5 新表10/73下/3037
薛務寬
　5 新表10/73下/3003
薛承鼎
　5 新表10/73下/3007
薛承寵
　5 新表10/73下/3008
薛承裕約唐代宗德宗時
　5 新表10/73下/3007
薛承裕（饒中）唐懿宗時
　25 登科23/2B
　72 三山志26/4B
薛承翰
　5 新表10/73下/3008
薛承輔
　5 新表10/73下/3007
薛承規黃童子
　5 新表10/73下/3007
薛承規繪子
　5 新表10/73下/3040
薛承矩
　5 新表10/73下/3040
薛及
　5 新表10/73下/2997
薛司功
　69 嘉定鎮江16/5B
薛翼

---

① 新、舊《唐書》本傳皆云元超爲薛收子，他書同，似元超卽爲其名者。今按楊炯《盈川集》卷一〇《中書令汾陰公薛
　振行狀》，云"字元振"，則振乃其名，字爲元振。《新表》亦作薛振。
② 《方鎮》"弘"作"宏"，清人避諱所改，今據《新表》及《通鑑》改正。
③ 點校本《新唐書》此處"廷"誤排"延"，今逕改。

5 新表10/73下/3040
18薛婺
　5 新表10/73下/3000
19薛璘
　5 新表10/73下/3035
薛瑨
　7 新志5/58/1467
20薛重
　20郎考18/17A
薛重元
　8 全文739/26A
薛重暉
　8 全文404/19B
薛垂
　5 新表10/73下/3017
薛信
　5 新表10/73下/3029
薛千　見薛泝
薛季童(仲孺)
　5 新表10/73下/3026
薛季方
　5 新表10/73下/2996
薛季連
　5 新表10/73下/3038
　8 全文902/17A
薛季昶
　1 舊唐15/185上/4804
　2 新唐14/120/4314
薛嶕
　5 新表10/73下/3024
薛維翰
　11全詩2/145/1467①
　14國秀下/129
　　　　下/184
　17紀事上/20/294
　25登科27/6B
21薛順　見薛順先
薛順先
　2 新唐16/164/5044②
　5 新表10/73下/3036
薛順連
　5 新表10/73下/3037
薛上童
　5 新表10/73下/3017
薛頵
　2 新唐12/83/3648
　5 新表10/73下/3030
薛仁方

5 新表10/73下/3006
薛仁謙(守訓)
　3 舊五5/128/1687
薛仁偉
　5 新表10/73下/3006
薛仁惠
　5 新表10/73下/3044
薛仁貴(禮)
　1 舊唐8/83/2780
　2 新唐13/111/4139
　5 新表10/73下/2992
　6 舊志6/46/1968③
　7 新志5/57/1426④
　8 全文159/9A
　9 拾遺16/2A
薛仁軌
　5 新表10/73下/3043
薛仁杲
　1 舊唐7/55/2247⑤
　2 新唐12/86/3707⑥
薛仁果　見薛仁杲
薛能(大拙)
　7 新志5/60/1613
　11全詩9/558/6467
　　　12/870/9864
　　　12/884/9990
　17紀事下/60/916
　18才子7/121
　20郎考3/99B
　　　13/27B
　　　25/12B
　25登科22/17B
　26方鎮2/40A
　　　3/31A
　27郡齋4中/10B
　28直齋19/18B
薛伾
　1 舊唐12/146/3970
　26方鎮1/45B
薛行立
　5 新表10/73下/3019
薛行方
　5 新表10/73下/3019
薛行實
　5 新表10/73下/3019
薛行成
　5 新表10/73下/3006
薛行甫

5 新表10/73下/2999
薛行周
　5 新表10/73下/3018
薛儒童(勝流)
　5 新表10/73下/3009
薛衡
　5 新表10/73下/3029
薛貞
　5 新表10/73下/3035
薛貞童(文幹)
　5 新表10/73下/3021
薛貞齊
　5 新表10/73下/3035
薛貞贊
　5 新表10/73下/3034
薛經
　5 新表10/73下/3043
薛紹
　5 新表10/73下/3041
薛穎
　20郎考22/3A
22薛胤(孝褒)
　5 新表10/73下/3026
薛崟
　5 新表10/73下/3020
薛粵
　1 舊唐11/124/3526
　2 新唐13/111/4145
　5 新表10/73下/2994
　26方鎮4/62B
　　　　4/63A
薛岑戭子
　5 新表10/73下/3000
薛岑雲童子
　5 新表10/73下/3009
薛岑昉子
　5 新表10/73下/3029
薛彪
　5 新表10/73下/3000
薛鼎
　5 新表10/73下/3023
薛嵩(嶽)楚玉子
　1 舊唐11/124/3525
　2 新唐13/111/4144
　5 新表10/73下/2994
　26方鎮4/61B
　　　　4/62A
薛嵩鳳童子

① 《全詩》"薛"作"蔣",今從《國秀集》等書改。

② 《新唐》作"薛順",無先字。薛順先之兄弟爲嗣先、常先、茂先等,皆有"先"字,今據《新表》補。

③④ 《舊唐書·經籍志》、《新唐書·藝文志》皆載薛仁貴撰《周易新注本義》十四卷,時代與新、舊《唐書》本傳之薛仁貴相近。按仁貴本武將,新舊《唐書》本傳亦未言其近文墨事,新、舊志所載未知是否即爲武將仁貴,俟考。

⑤⑥ 新、舊《唐書》本傳皆作薛仁杲,爲薛舉子。岑建功《舊唐書校勘記》卷三十三云:"按《通鑑》一百八十三《考異》曰:《唐高祖實錄》先作仁果,後作仁杲。新舊《高祖》、《太宗紀》、《薛舉傳》,柳芳《唐曆》、《柳宗元集》皆作仁杲,《太宗實錄》、吳兢《太宗勳史革命記》、焦璐《唐朝年代記》、陳嶽《唐統紀》皆作仁果。今醴泉昭陵前有石馬六匹,其一銘曰:'白蹄烏,平薛仁果時所乘。'此最可據。故《通鑑》俱作仁果。"據此則應作仁果爲是。

⑦ 《新表》之薛崇,榮童子,江陰尉。《方鎮》之薛崇,唐僖宗乾符二年天平節度使。時代相近,官職不同,未知是否即爲一人,今姑分列,備考。

⑧ 《新表》"皓"疑作"晧",其兄名曀,皆從日旁。

薛紹國子
5 新表10/73下/3029
薛紹璀子
5 新表10/73下/3031
薛紹寶積子
5 新表10/73下/3039
薛紹業
5 新表10/73下/3000
28薛微元
5 新表10/73下/3027
薛徽
5 新表10/73下/2992
薛徼
5 新表10/73下/3032
薛從(順之)
2 新唐13/111/4146
5 新表10/73下/2995
薛儉　見薛湘
薛收(伯褒)
1 舊唐8/73/2587
2 新唐13/98/3890
6 舊志6/47/2073
7 新志5/60/1597
8 全文133/4A
9 拾遺12/9A
17紀事上/3/37
薛繼
5 新表10/73下/3042
20郎考16/5B
薛繪
5 新表10/73下/3040
20郎考21/8B
30薛宜僚
5 新表10/73下/2995
11全詩8/547/6314
17紀事下/48/734
薛濰
5 新表10/73下/3043
薛沆
11全詩11/795/8957

薛滈
20郎考6/34A
薛漳
5 新表10/73下/3018
薛寧(孝本)
5 新表10/73下/3011
薛準
11全詩11/715/8220
薛宇
5 新表10/73下/2998
薛安親
5 新表10/73下/3010
薛安遷
5 新表10/73下/3011
薛安為
5 新表10/73下/3011
薛安都
5 新表10/73下/3010
薛安國
5 新表10/73下/3010
薛寓
8 全文352/7B
薛宏宗　見薛弘宗
薛寊懷讜子
5 新表10/73下/3033
薛寊承矩子
5 新表10/73下/3040
26方鎮6/5B
73三山志20/38B
薛良
9 拾遺19/10B
薛良史
5 新表10/73下/3028
薛實
5 新表10/73下/2996
薛寶胤
1 舊唐15/185下/4827
5 新表10/73下/3039
薛寶積
5 新表10/73下/3035

69嘉定鎮江14/1B
31薛江童(靈遠)
5 新表10/73下/3011
20郎考6/10B
17/9B
薛泚
8 全文902/16B
薛潛
5 新表10/73下/3017
薛源
5 新表10/73下/3026
薛福
5 新表10/73下/3029
薛洒
5 新表10/73下/3025
32薛漸
5 新表10/73下/3043
薛沂
5 新表10/73下/3042
20郎考13/13A⑨
22/19B
薛溪
5 新表10/73下/3019
薛潘
5 新表10/73下/3015
薛近
5 新表10/73下/3003
薛業
11全詩2/117/1184
17紀事上/28/439
33薛泳
5 新表10/73下/3007
薛淙
25登科27/12B
薛述
5 新表10/73下/3003
20郎考1/1A⑩
3/3A
7/1B
34薛洿(德符)

① 薛仲海字，《新表》作易簡，其兄名仲約，字亦作易簡，兄弟不應同一字，疑薛仲海字此作易簡有誤。
② 《新表》之薛純，其祖德儒，隋時濟北司馬，純官秦州都督。《書小史》、《書史》等之薛純，唐太宗時秘書正字。兩人時代相近，仕履不同，未知是否卽爲一人，今仍分列，備考。
③④⑤⑥ 《郎考》《御考》皆作"薛侃侃"，趙鉞謂侃侃無考，疑卽薛侃。
⑦ 《全詩》原注："薛韞一作薛蘊，又作蔣韞。"
⑧ 《才子》"韞"作"韞"，今與《全詩》統一作薛韞。
⑨ 《郎考》此處作"薛千"，勞格云《郎考》卷二二有薛沂，此千疑沂字。
⑩ 《郎考》此處原作"薛□"，趙鉞謂疑是薛述，薛述又見同書卷三、七。

① 《舊唐》作"婁祿東贊",今從《新唐書》卷二一六上。《通典》卷一九〇、《太平寰宇記》卷一八五亦皆作"薛祿東贊"。
② 《全詩》原注："克一作堯。"
③ 《郎考》此處作"薛克備",趙鉞謂克備疑克構之誤,克構又見《郎考》卷十一。
④ 《全詩》原注："童一作章。"
⑤⑥ 《國秀》"童"作"章",今從《新志》。

1 舊唐15/185下/4832
2 新唐16/164/5044
5 新表10/73下/3036
26 方鎮5/39 B
　　　5/52 B
　　　6/32 B
64 掇英18/13 B
65 會稽志2/30 A
69 嘉定鎮江14/23 A

薛苹
5 新表10/73下/3036

薛萬
5 新表10/73下/3017

薛萬徹
1 舊唐8/69/2517
2 新唐12/94/3831
68 咸淳臨安45/10 A

薛萬淑
1 舊唐8/69/2519
2 新唐12/94/3832

薛萬備
1 舊唐8/69/2519
2 新唐12/94/3832

薛萬均
1 舊唐8/69/2517
2 新唐12/94/3830

薛莫庭
1 舊唐16/197/5279

薛華 上童子
5 新表10/73下/3017

薛華 嗣先子
5 新表10/73下/3035

薛蒼
5 新表10/73下/3035

薛藹
5 新表10/73下/3026

薛世弘
5 新表10/73下/3043

薛莨
5 新表10/73下/3037

薛楚玉（瑤）
1 舊唐9/93/2985
2 新唐13/111/4144
5 新表10/73下/2993
26 方鎮4/97 B
　　　8/81 A

薛楚珍
5 新表10/73下/2993

薛楚卿
5 新表10/73下/2993

薛黃童
5 新表10/73下/3007

薛蓁
5 新表10/73下/3026

薛萊
5 新表10/73下/3036

薛植（子正）仲翔子
5 新表10/73下/3020

薛植 玄嘉子
5 新表10/73下/3032
20 郎考23/2 B

薛蘊 見薛緼

薛枝
5 新表10/73下/3041

薛林
5 新表10/73下/3041

45 薛坤符
5 新表10/73下/3018

薛構
5 新表10/73下/3028

46 薛坦
5 新表10/73下/3013

薛塤
5 新表10/73下/3013

薛如瑤
5 新表10/73下/3039

47 薛懿
5 新表10/73下/3034

薛翹
5 新表10/73下/3031

薛嘏
5 新表10/73下/3019

薛超
5 新表10/73下/3000

48 薛幹
5 新表10/73下/2992

薛敬叔
5 新表10/73下/2997

50 薛中孚
5 新表10/73下/3043

薛聿
5 新表10/73下/3001

薛抃
5 新表10/73下/2992
63 新安志9/25 B

薛書記

17 紀事下/49/747

51 薛振徵子
5 新表10/73下/2992

薛振 見薛元超

薛據
1 舊唐12/146/3956
5 新表10/73下/3004
11 全詩4/253/2851
13 河嶽中/86
17 紀事上/25/375
18 才子2/25
20 郎考22/8 B
25 登科7/32 A
　　　9/12 B

52 薛播
1 舊唐12/146/3955
2 新唐16/159/4952
5 新表10/73下/3004
25 登科9/24 B

53 薛成慶
20 郎考18/13 B

薛成己
5 新表10/73下/3033

薛戎（元夫）
1 舊唐13/155/4125
2 新唐16/164/5046
5 新表10/73下/3042
11 全詩5/312/3519
26 方鎮5/53 B
59 毗陵志7/17 B
　　　18/1 B
64 掇英18/13 B
65 會稽志2/31 A
73 吳興志14/28 B

55 薛扶
25 登科23/5 B

56 薛揚名
5 新表10/73下/3029

薛暢
5 新表10/73下/2993

薛揖
5 新表10/73下/2992

薛損（後己）
5 新表10/73下/3005

57 薛擢
5 新表10/73下/2998

薛摠 見薛總

薛蟾弘紹子

5 新表10/73下/3016

薛蟾(宗聖)襄子
　5 新表10/73下/3036

58薛敖
　5 新表10/73下/2996①
　25登科27/38A

60薛昉
　5 新表10/73下/3029

薛國
　5 新表10/73下/3029

薛國公主
　2 新唐12/83/3656

薛晃
　5 新表10/73下/3044

薛禺
　5 新表10/73下/3037

薛晟
　5 新表10/73下/3044

薛易知
　5 新表10/73下/3038

薛易簡
　8 全文818/10A
　28直齋14/2A

薛思誨
　5 新表10/73下/3044

薛思行
　5 新表10/73下/3044

薛思貞
　5 新表10/73下/3043

薛晏
　5 新表10/73下/3017

薛昇
　8 全文959/4A

薛回
　5 新表10/73下/3030

薛昌序
　8 全文829/13B

薛昌族
　5 新表10/73下/2997

薛昌容
　37書小史9/9A

薛昌宗
　5 新表10/73下/2999

薛昌遠
　5 新表10/73下/3025

薛昌運
　5 新表10/73下/2999

薛昌朝
　5 新表10/73下/2996

薛昌期
　5 新表10/73下/2998

薛圖存
　7 新志5/58/1468

薛景山
　5 新表10/73下/3026

薛景先
　5 新表10/73下/3030

薛景宣
　8 全文168/15B

薛景晦
　7 新志5/59/1572

薛彝
　11全詩7/472/5357
　17紀事上/29/450

61薛顗
　5 新表10/73下/3031

62薛曛
　5 新表10/73下/3014

63薛貽謀
　5 新表10/73下/2997

薛貽矩(熙用、式瞻)
　3 舊五1/18/242
　4 新五2/34/379
　5 新表10/73下/3033
　9 拾遺46/1A
　20郎考7/37B
　　　　　　20/20B
　34書譜5/8A
　39書史5/40A

64薛睦
　5 新表10/73下/3009

薛晞
　20郎考2/5B

薛曄
　5 新表10/73下/3033

薛暚

5 新表10/73下/3044
21御考2/47B

67薛曜
　1 舊唐8/73/2591
　2 新唐13/98/3893
　6 舊志6/47/2075
　7 新志5/59/1563
　8 全文237/22A
　11全詩2/80/869
　　　　12/882/9968
　17紀事上/13/189
　20郎考19/3A

薛瞻
　5 新表10/73下/3035

薛昭溫子
　5 新表10/73下/3026

薛昭綱子
　5 新表10/73下/3029

薛昭恩行子
　5 新表10/73下/3044

薛昭侍御史
　21御考1/6B②

薛昭文
　8 全文843/12A

薛昭諷
　9 拾遺17/7B

薛昭緯(紀化)
　1 舊唐12/153/4091
　2 新唐16/162/5003
　5 新表10/73下/3034
　8 全文819/21A
　11全詩10/688/7906
　17紀事下/67/1009
　20郎考20/22A
　　　　22/23A
　25登科24/19A

薛昭遠
　5 新表10/73下/3020

薛昭薈
　5 新表10/73下/3033

薛昭蘊
　11全詩12/894/10095

薛昭且

---

① 《新表》載:"(薛)敖,前鄉貢明法。"點校本《新唐書》以"敖前"爲人名,作"(薛)敖前,鄉貢明法",誤。徐松《登科記考》卷二十七作薛敖,謂前鄉貢明法。按此爲唐人科舉習語,猶稱進士及第爲前進士,可參看《唐摭言》、《國史補》等書。

② 《御考》之薛昭,爲唐武后至玄宗時侍御史,與上三薛昭時代和仕歷皆不合,當爲另一人。

① 《新表》載薛公遠爲攄子，而《新唐書·薛播傳》載爲播子，父名不同，實爲一人。《新表》誤，應以《新傳》爲正。

② 《全文》之薛鈞，據小傳爲河南閏喜人，天寶時右監門衛長上，與《新表》之兩薛鈞，時代與仕履皆不同，當爲另一人。

③ 《新表》有兩薛瑩，一爲待聘子，唐文宗時杭州刺史，另一人爲城子，未注官職，時代相近。《嚴州》之薛瑩，唐玄宗開元七年自邢州刺史爲睦州刺史，時代不合，當另爲一人。

4477₇ 菅

22菅崇嗣　見管崇嗣
71菅原道真
　10續拾16/1 A

4480₁ 楚

00楚廢王　見馬希廣
　楚廢王夫人某氏
　40十國71/3 A
　楚文昭王　見馬希範
　楚文昭王順賢夫人彭氏
　40十國71/2 B
　42五補3/10 A
10楚王靈龜妃　見上官氏
13楚武穆王　見馬殷
　楚武穆王德妃袁氏
　40十國71/1 B
　楚武穆王夫人華氏
　40十國71/1 B
　楚武穆王夫人陳氏
　40十國71/1 B
21楚衡陽王　見馬希聲
　楚衡陽王夫人楊氏
　40十國71/2 A
22楚巒　見曉巒
30楚安
　32益畫下/1 B
　36圖誌2/56
　38圖繪2/38 B
40楚南
　7 新志5/59/1530
　80宋僧17/20 A
　81景德12/7 A
44楚恭孝王　見馬希萼
　楚恭孝王夫人苑氏
　40十國71/3 A
60楚國公主（上善）
　2 新唐12/83/3659
　楚冤　見樊晃
64楚勛
　81景德24/22 B
77楚兒（潤娘）
　11全詩11/802/9027
80楚金（大圓禪師）
　80宋僧24/10 A

4480₆ 黃

00黃文
　11全詩11/772/8758
　黃文靖
　3 舊五1/19/263
01黃龍第二世和尚
　81景德26/9 A
04黃詵（仁澤）
　25登科24/15 A
　72三山志26/5 B
　黃訥
　40十國10/1 B
　黃訥裕
　40十國94/2 A
06黃諤
　31唐畫6/16 B
　38圖繪2/20 A
07黃諷
　25登科27/18 B
　40十國96/1 A
09黃麟
　11全詩3/203/2118
　14國秀上/127
　　上/149
　20郎考16/27 B
　21御考3/26 A
　　3/39 B
10黃元之
　8 全文266/3 B
　黃可（不可）
　11全詩11/795/8952
12黃璞（紹山、德溫、霧居子）
　7 新志5/58/1485
　　5/60/1609
　8 全文817/5 A
　9 拾遺33/4 B
　25登科24/3 B
　27郡齋2下/16 A
　28直齋7/7 A
　72三山志26/5 B
　黃延浩
　36圖誌2/44
　38圖繪2/36 A
　黃延樞
　40十國87/6 B
16黃碣
　2 新唐18/193/5561

17黃子稜（元威）
　40十國95/10 B
　黃君寶　見黃居寶
18黃玠
　72三山志20/34 B
21黃步松
　40十國66/8 A
　黃仁諷
　41九國10/6 B
　黃仁穎
　25登科25/7 A
　　25/17 B
　黃價　見黃駕
22黃山隱
　11全詩11/784/8850
　黃崇嘏
　11全詩11/799/8995
　40十國45/5 A
　黃巢
　1 舊唐16/200下/5391
　2 新唐20/225下/6451
　11全詩11/733/8384
23黃台
　7 新志5/60/1617
　黃峻
　40十國96/3 A
24黃德昭
　40十國65/6 A
27黃彝簡（明舉）
　40十國87/6 B
　黃紹頗
　40十國98/4 A
30黃守禮
　20郎考2/5 A
　21御考1/7 A
　黃守忠
　40十國18/7 B
　43馬書6/9 B
　44陸書13/4 A
32黃滔（文江）
　7 新志5/60/1615
　　5/60/1625
　8 全文822/1 A
　11全詩10/704/8093
　25登科24/13 B
　40十國95/3 A
　42五補2/11 A
34黃浩

① 徐松謂"駕一作價"。
② 《畫譜》作"黃君寶",君字誤,當作居,今據《益州名畫錄》等書改正。
③ 《姓纂》"允"作"克",今據岑仲勉《元和姓纂四校記》考定改正。

40蔡九皋
　21御考3/2A
　　　3/34A
蔡克恭　見蔡允恭
蔡有鄰
　37書小史10/1B
　39書史5/23A
蔡希綜
　8 全文365/20A
　9 拾遺21/19B
　39書史5/31B
蔡希寂
　7 新志5/60/1609
　11全詩2/114/1158
　19姓纂8/21A
　20郎考7/10A
　　　8/11A
　25登科27/6A
　37書小史10/1B
　39書史5/31B
　69嘉定鎮江18/43A
　70至順鎮江18/2A
蔡希逸
　39書史5/31B
蔡希周
　7 新志5/60/1609
　11全詩2/114/1158
　21御考3/8B
　　　3/38B
　69嘉定鎮江18/43A
蔡南玉（叔寶）
　7 新志5/59/1523
　20郎考16/28A
蔡真清
　19姓纂8/21A
蔡杭
　19姓纂8/21A
50蔡秦客
　19姓纂8/21A
　20郎考11/5B
　　　15/8A
56蔡押衙
　11全詩12/871/9878
60蔡景
　8 全文398/13B
66蔡曙
　10續拾7/13A
72蔡隱丘

　7 新志5/60/1609
　11全詩2/114/1157
　39書史5/27A
　69嘉定鎮江18/43A
77蔡同文
　8 全文848/10A
　9 拾遺46/7A
80蔡金剛
　30歷畫9/183
87蔡欽宗
　53赤城志10/2A
90蔡少霞
　25登科27/32B
蔡省風
　7 新志5/60/1624
　27郡齋4下下/6A

4490₃ 綦

77綦毋誠
　11全詩5/272/3058
綦毋諫
　40十國40/8B
綦毋潛（孝通、季通）①
　7 新志5/60/1609
　8 全文333/9B
　11全詩2/135/1368
　13河嶽中/89
　17紀事上/20/288
　18才子2/21
　19姓纂2/10A
　25登科7/19A
　28直齋19/4B

4490₄ 葉

00葉彥
　1 舊唐14/179/4661
葉廣略
　26方鎮7/27B
葉京　見華京
04葉護迴紇
　1 舊唐16/195/5198
　2 新唐19/217上/6115
葉護突厥
　2 新唐19/215上/6054
葉護失里忙伽羅
　8 全文999/27B
葉護支汗那
　8 全文999/26B

10葉元亮　見葉元良
葉元良
　11全詩11/781/8830③
葉季良
　11全詩7/466/5292
　17紀事上/32/502
　25登科27/11A
34葉法善（道元、太素）
　1 舊唐16/191/5107
　2 新唐18/204/5805
　8 全文923/2B
　11全詩12/860/9717
44葉蒙
　25登科27/20B
葉藏質（涵象）
　53赤城志35/11A
47葉翹（國翁）
　40十國96/1B
57葉靜能
　7 新志5/59/1521
88葉簡
　40十國88/6B

藥

00藥彥稠
　3 舊五3/66/880
　4 新五1/27/298
17藥子昂
　19姓纂10/27A③
藥子昴　見藥子昂
22藥山和尚
　81景德23/18A
28藥縱之
　3 舊五3/71/941

茱

44茱萸山和尚
　81景德10/10A

4491₀ 杜

杜
　21御考3/6A④
00杜彥殊　見杜彥林
杜彥先元同子，率更令
　5 新表8/72上/2432
　19姓纂6/26A
杜彥先鹽州刺史
　19姓纂6/28B

杜彥林(寧臣)
　1 舊唐14/177/4616
　2 新唐12/96/3866
　5 新表8/71下/2421
　19姓纂6/25 A
　25登科23/27 A⑤
杜齊之
　5 新表8/72上/2424
杜裔休(徽之)
　2 新唐16/166/5092
　5 新表8/72上/2429
　19姓纂6/25 B
　20郎考8/50 B
　24壁記　翰苑羣書
　　　　　上/58 A
　25登科23/10 A
杜應
　5 新表8/72上/2434
　19姓纂6/26 A
杜庭誠
　21御考2/43 A
　　　　3/22 B
　59毗陵志7/17 A
　64掇英18/12 A
　65會稽志2/28 A
杜庭睦
　35畫譜6/5 B
　36圖繪2/11 B
杜庭堅(輔堯)
　1 舊唐12/147/3975
　5 新表8/72上/2423
　20郎考2/34 B
　　　　7/31 B
　　　　11/63 B⑥
　25登科27/16 A
杜廙
　2 新唐17/172/5204
　5 新表8/72上/2436

杜文紀
　19姓纂6/28 A
　20郎考7/1 B
　　　　13/1 B
杜文範
　19姓纂6/26 B
　25登科27/35 A
杜奕
　8 全文615/17 A
　11全詩5/307/3486
　17紀事下/47/713
杜讓能(羣懿)
　1 舊唐14/177/4612
　2 新唐12/96/3864
　3 舊五1/18/245
　5 新表8/72上/2420
　19姓纂6/25 A
　20郎考19/13 B
　　　　20/19 A
　25登科23/20 A
杜諒
　5 新表8/72上/2435
　19姓纂6/26 A
杜玄逸
　19姓纂6/26 A⑦
杜玄道
　5 新表8/72上/2422
杜玄景
　19姓纂6/26 A⑧
杜玄義
　19姓纂6/26 A⑨
01杜顏　見杜頠
　杜襲慶
　5 新表8/72上/2433
02杜端人
　19姓纂6/27 A
03杜誼立
　5 新表8/72上/2437

杜詠
　68咸淳臨安51/13 A
杜誠
　5 新表8/72上/2435
　19姓纂6/26 A
07杜望之
　5 新表8/72上/2424
　19姓纂6/25 A
杜詞丘
　5 新表8/72上/2437
杜詢(誠之)
　5 新表8/72上/2428
杜誦
　11全詩5/272/3062
　15中興上/278
　17紀事上/28/433
08杜詮(詮夫)
　5 新表8/72上/2428
09杜麟
　5 新表8/72上/2422
10杜正元
　19姓纂6/27 B
杜正德
　5 新表8/72上/2438
　19姓纂6/27 B
杜正倫
　1 舊唐8/70/2541
　2 新唐13/106/4037
　5 新表8/72上/2437
　6 舊志6/46/1999
　7 新志5/58/1475
　　　　5/59/1513
　　　　5/60/1601
　8 全文150/1 A
　9 拾遺15/15 B
　11全詩1/33/450
　17紀事上/4/50
　19姓纂6/27 B

---

① 綦毋潛之字,《新志》、《紀事》、《直齋》、《才子》等皆作孝通,唯《全詩》、《全文》作季通,《新志》等皆爲宋元人書,較
　　可信,《全詩》、《全文》之季疑卽孝字之形訛。
② 《全詩》原注:"良一作亮。"
③ 《姓纂》"昂"作"昴",今據岑仲勉《元和姓纂四校記》考定改正。
④ 《御考》"杜"前原缺姓。
⑤ 《登科》作"杜彥殊",徐松謂杜審權之子彥林於乾符中登第,殊疑林之訛。
⑥ 《郎考》此處"庭"原作"廷",今從《新表》諸書。
⑦ 《姓纂》"玄"作"元",今據岑仲勉《元和姓纂四校記》考定改正。
⑧⑨ 《姓纂》"玄"作"元",系清人避諱所改,今改正。

15杜建孚
    40十國84/8 B
    68咸淳臨安60/14 B
  杜建徽（延光、虎子、威烈）
    11全詩11/763/8662
    40十國84/11 A
    41九國5/1 B
    68咸淳臨安60/14 B
  杜建思
    40十國84/8 B
    68咸淳臨安60/14 B
16杜環
    8全文956/9 B
17杜孟寅
    5新表8/72上/2422
    69嘉定鎮江17/6 B
  杜承慶
    5新表8/72上/2433
  杜承澤（浚之）
    5新表8/72上/2430
    19姓纂6/25 B
  杜承志
    1舊唐9/98/3075
    2新唐14/126/4420
    5新表8/72上/2440
    19姓纂6/27 A
        6/27 B
    20郎考4/7 B
        4/8 B
  杜承昭（子昌）
    5新表8/72上/2428
    25登科24/14 B
  杜子瓌
    32益畫中/11 A
    35畫譜3/5 B
    36圖誌2/45
    38圖繪2/27 B
  杜君綽

    8全文186/1 A
  杜柔立
    5新表8/72上/2437
18杜致美
    20郎考13/14 B
        16/27 A
20杜重威
    3舊五5/109/1433
    4新五2/52/591
  杜位
    5新表8/72上/2427
    8全文395/1 A
    19姓纂6/25 B
    20郎考8/27 A
        9/11 B
    73吳興志14/26 A
  杜秀才
    38圖繪 補遺/3 B
  杜依德
    19姓纂6/26 B
  杜依藝
    1舊唐15/190下/5054
    19姓纂6/26 B
  杜依賢
    19姓纂6/26 B⑥
    20郎考14/1 A
        17/20 A⑦
  杜愛同
    5新表8/72上/2422
    19姓纂6/25 A
  杜信希望子
    5新表8/72上/2426
    28直齋8/3 A
  杜信（立言）暐子
    5新表8/72上/2433
    7新志5/58/1468
        5/58/1499
        5/59/1514

    67乾道臨安3/4 B
    68咸淳臨安45/16 A
杜信唐肅宗時擢書判拔萃科
    8全文436/1 A
        956/12 A
  杜信
    19姓纂6/26 A⑧
21杜順
    27郡齋3下/38 B
  杜順休
    5新表8/72上/2439
    19姓纂6/27 A
  杜顗（勝之）
    1舊唐12/147/3986
    2新唐16/166/5098
    5新表8/72上/2431
    8全文757/22 A
    19姓纂6/25 B
    25登科21/4 B
    69嘉定鎮江15/51 A
  杜仁端
    5新表8/72上/2438
  杜仁傑
    40十國57/7 A
  杜何
    40十國42/12 A
  杜行方（友直）
    25登科13/15 B
        27/31 A
  杜行顗
    83開元錄9/564
    85貞元新錄12/864
  杜行繹
    19姓纂6/26 B
  杜行紀
    19姓纂6/26 B
  杜行成
    19姓纂6/24 A

---

① 《新表》載杜正儀爲子裕子，《姓纂》作君賜子。按《新表》載君賜爲石趙時杜曼五世孫，世居洹水，因謂洹水杜氏。君賜生景，景生子裕，子裕生正倫（高宗時相）、正儀兄弟。《姓纂》於洹水杜氏下亦載石趙時從事中郎杜曼，但謂曼七世孫君賜，而君賜又生正倫、正儀等。二書所載世系有異，而杜正儀則爲一人。

② 《姓纂》作"杜正儀"，今從《新表》。《新表》另有杜正儀，爲高宗時相正倫弟。

③ 《姓纂》"攎休"作"儒林"，今據岑仲勉《元和姓纂四校記》考定改正。

④ 《吳興志》"休"作"林"，今據《郎考》等改正，休字當爲板刻之誤，今巡改。

⑤ 《登科》"弘"作"宏"，係清人避諱所改，今據兩《唐書》、《新表》、《姓纂》等改正。

⑥ 《姓纂》原無依字，作"杜賢"，今據岑仲勉《元和姓纂四校記》考定改正。

⑦ 《郎考》此處作"杜賢"，勞格云當作杜依賢。

⑧ 據岑仲勉《元和姓纂四校記》，此杜信未能確定與以上三杜信之關係，今分列，備考。

杜行則
　　5 新表8/72上/2432

杜行鯄
　　5 新表8/72上/2432

杜行敏
　　1 舊唐12/147/3978
　　5 新表8/72上/2426
　　19姓纂6/25B

杜儒（巨卿）
　　5 新表8/72上/2428

杜儒童
　　7 新志5/58/1467

杜儒林　見杜孺休

杜慮
　　5 新表8/72上/2425
　　19姓纂6/25B

杜度
　　5 新表8/72上/2433
　　19姓纂6/26A

杜倬
　　19姓纂6/25A

杜頫
　　8 全文358/1A
　　11全詩2/145/1465①
　　17紀事下/45/685
　　25登科7/26A

杜占
　　5 新表8/72上/2436

杜師仁
　　5 新表8/72上/2434②
　　19姓纂6/26A

杜師禮
　　5 新表8/72上/2434
　　19姓纂6/26A

杜師古信子
　　5 新表8/72上/2433

杜師古　見杜師仁

杜師損
　　1 舊唐12/147/3983
　　5 新表8/72上/2428
　　19姓纂6/25B

杜師義　見杜義符

杜貞符
　　20郎考8/61B

22杜任
　　5 新表8/72上/2427
　　19姓纂6/25B

杜崔

19姓纂6/28A

杜鼎
　　5 新表8/72上/2440
　　19姓纂6/27B

杜僑
　　5 新表8/72上/2436
　　19姓纂6/27B

杜鷟
　　5 新表8/72上/2434
　　19姓纂6/26A

杜嶠
　　5 新表8/72上/2435
　　19姓纂6/26A
　　21御考3/24B

杜利仁
　　19姓纂6/24B

杜利賓
　　19姓纂6/27A

杜崇胤
　　5 新表8/72上/2424
　　19姓纂6/25A

杜崇龜
　　8 全文849/1B

杜崇憲
　　5 新表8/72上/2426

杜崇殼　見杜愻

杜崇懿　見杜愻

杜繼
　　5 新表8/72上/2432
　　19姓纂6/26A

23杜參
　　5 新表8/72上/2427

杜參謨
　　5 新表8/72上/2434
　　19姓纂6/26A

杜伏威
　　1 舊唐7/56/2266
　　2 新唐12/92/3799
　　76齊乘6/34B

杜綰
　　5 新表8/72上/2422
　　25登科7/15B
　　　　　　8/13A

24杜佐繁子
　　1 舊唐13/163/4263
　　　　　14/177/4610
　　5 新表8/72上/2419
　　19姓纂6/25A

杜佐嫷子
　　5 新表8/72上/2433

杜倚
　　5 新表8/72上/2421
　　8 全文435/10A
　　19姓纂6/25A

杜德仁
　　19姓纂6/27B

杜德祐
　　19姓纂6/26A

杜德祥（應之）
　　1 舊唐12/147/3987
　　5 新表8/72上/2431
　　19姓纂6/25B
　　20郎考10/34B
　　25登科24/26B

杜偉
　　11全詩11/795/8943

杜佑（君卿、安簡）
　　1 舊唐12/147/3978
　　2 新唐16/166/5085
　　5 新表8/72上/2428
　　7 新志5/58/1485
　　　　　5/59/1532
　　　　　5/59/1537
　　　　　5/59/1563
　　8 全文477/1A
　　19姓纂6/25B
　　20郎考13/5B
　　　　　15/13A
　　26方鎮4/14B
　　　　　5/24A
　　　　　7/4A
　　　　　7/29B
　　27郡齋3下/23A
　　28直齋5/29A
　　　　　10/15A
　　69嘉定鎮江16/6B

杜供
　　5 新表8/72上/2431
　　19姓纂6/25B
　　　　　6/26A

杜休纂
　　19姓纂6/27A

杜稜（騰雲）
　　40十國84/7A
　　41九國5/1B
　　68咸淳臨安60/13B

① 《全詩》原注："頔一作顏。"
② 《新表》原作杜師古，清子，吉州刺史。按《姓纂》作清子師仁，吉州刺史。岑仲勉《元和姓纂四校記》謂杜信之子已名師古（見《新表》8/72上/2433），爲清子之從叔，不應從叔與從姪同名。當依《姓纂》作師仁。沈炳震《新唐書宰相世系表訂譌》亦云："信子名師古，從伯叔，當有一譌。"今據岑説改爲師仁。
③ 《姓纂》"郁"作"都"，今據岑仲勉《元和姓纂四校記》考定改正。
④ 勞格謂此處之杜牧與詩人杜牧非同一人，牧疑作枚字。

① 《全文》原注：“杜一作許。”
② 《新表》作“杜希晏”，今據岑仲勉《元和姓纂四校記》考定改正。
③ 《姓纂》作“杜昇”無南字，今據《新表》補正。下《登科》同。
④ 《新表》載杜損子存、介、廙、戡。存，左贊善大夫；介，未注官職；廙，鄭州録事參軍，死安禄山難，有子名兼。據此，則杜存、杜介爲二人。但《新唐書》卷一七二《杜兼傳》有云：“安禄山亂……伯父存介爲賊執，臨刑，兼號呼願爲奴以贖，遂皆免。”（此事《舊唐書·杜兼傳》未載）據此，則存介爲一人。沈炳震《新唐書宰相世系表訂譌》亦云：“相彼文義，似是一人，表作二人，疑。”

① 《新表》原作杜崇慤,官尹丞、右司員外郎、麗正殿學士,爲行敏子,希望父,佑祖。《舊唐書》卷一四七《杜佑傳》載:"曾祖行敏……,祖慤,右司員外郎,詳正學士。父希望……。"又權德輿《杜公淮南遺愛碑銘》(《全唐文》卷四九六)云:"王父諱慤,尚書右司員外郎、麗正殿學士。烈考諱希望。"權德輿又有《岐國公杜公墓誌銘》(《全唐文》卷五〇五),云:"王父慤,皇中散大夫、尚書右司員外郎、詳定學士。"皆作慤。下《姓纂》、《郎考》與《新表》同,皆照改。

② 《新表》原作杜乾播,爲懿子。《姓纂》作懿子乾福。按懿二子,據《新表》所載,除乾播外,尚有乾祐,其名之第二字亦從"示"旁,與《姓纂》合,則乾播亦當作乾福,今據改。

③ 《姓纂》"惠"作"忠",今據岑仲勉《元和姓纂四校記》考定改正。

④ 《畫譜》作"杜楷",並注云楷一作措。今從《益畫》作措,下《圖繪》同。

⑤ 《新唐》作"杜景伶",今從《舊唐書》作杜景儉。岑建功《舊唐書校勘記》卷三十九"杜景儉"條云:"《通典》二十五、《文苑英華》三百九十八、《册府》三百七十七、《御覽》六百四十俱作伶,《新書》同。按《御覽》二百五作景儉,《通鑑》二百四同,注引《考異》曰:《實錄》及新紀表傳俱作景伶,非。蓋《實錄》以草書致誤,《新書》因承之耳,當從《舊書》、《統紀》爲是。"

⑥ 《姓纂》"暐"作"緯",今據岑仲勉《元和姓纂四校記》考定改正。

杜惟慎
　　5 新表8/72上/2424
杜光彥
　　9 拾遺51/15A
杜光庭（賓聖、賓至、聖賓、
　東瀛子、登瀛子、青城先
　生、廣城先生、天師）④
　　8 全文929/1A
　　9 拾遺50/23A
　　11全詩12/854/9663
　　27郡齋2下/10A
　　　　3下/35A
　　28直齋8/37A
　　　　8/39A
　　　　12/3A
　　　　12/3B
　　34書譜5/4B
　　39書史5/35B
　　40十國47/5B
　　42五補1/10A
　　　　1/11B
　　53赤城志35/11B
杜光逐
　　5 新表8/72上/2429
杜光遠
　　5 新表8/72上/2429
杜光乂（啓之）
　　2 新唐12/96/3866
　　3 舊五1/18/246
　　5 新表8/72上/2420
杜尚
　　5 新表8/72上/2427
杜常
　　11全詩11/731/8369
杜省躬
　　25登科15/1B
92杜慆
　　2 新唐16/166/5092

　　5 新表8/72上/2430
　　26方鎮2/27A
93杜悰（永裕）
　　1 舊唐12/147/3984
　　2 新唐16/166/5090
　　5 新表8/72上/2429
　　19姓纂6/25B
　　26方鎮1/7B
　　　　1/11A
　　　　2/35A
　　　　2/35B
　　　　4/81A
　　　　5/12A
　　　　5/28B
　　　　5/29B
　　　　6/67B
　　　　6/69A
94杜忱
　　20郎考12/38A
　杜愷
　　20郎考16/20B
　杜慎言　見杜慎行
　杜慎盈
　　19姓纂6/28A
　杜慎行
　　1 舊唐10/108/3282
　　5 新表8/72上/2439
　　19姓纂6/27A⑤
95杜憬
　　1 舊唐12/147/3984
　　5 新表8/72上/2429
　　20郎考11/47B
97杜恂
　　5 新表8/72上/2430
　杜惲
　　1 舊唐12/147/3984
　　5 新表8/72上/2429
98杜愉
　　5 新表8/72上/2428

4491₄ 桂

17桂琛（真應禪師）
　　8 全文921/9B
　　80宋僧13/8B
　　81景德21/2A
25桂仲武
　　26方鎮6/7A
　　　　7/20B
　　　　7/56B
　　72三山志20/39B

權

00權立
　　46玉峯志中/13B
　　75崑山志2/2A
　權文誕
　　5 新表11/75下/3391
　權玄福
　　1 舊唐14/185上/4799
　權玄初
　　2 新唐13/100/3940
01權龍襃
　　11全詩12/869/9850
　　17紀事下/80/1144
11權珤（大玉）
　　5 新表11/75下/3392
　權璩（大圭）
　　1 舊唐12/148/4005
　　2 新唐16/165/5080
　　5 新表11/75下/3392
　　20郎考7/18B
　　　　10/29A
　　　　26/21B
　　25登科17/3A
　　39書史5/28B
　　69嘉定鎮江18/45B
　　70至順鎮江18/3A
　權頊

---

① 《新表》作"杜隨"，今從《姓纂》。
② 沈炳震《新唐書宰相世系表訂誤》云："皋字疑誤"。沈氏未言其故。按，據表所載，杜鵬舉有子數人，如靈瑗、鳳
　舉、鴻漸等。唐人禮法極重，父子名中不應有字相重，此處杜鳳舉之皋字當誤，備考。
③ 《新表》載杜損子有杜存、杜介，介爲存弟。但據《新唐書·杜兼傳》，杜存介爲一人，《新表》似有誤，詳見杜存
　條注。
④ 杜光庭字《郡齋》、《書譜》、《書史》作"賓聖"，《全文》、《十國》作"賓至"，《全詩》、《赤城志》作"聖賓"，各書記載不
　一，今並存。
⑤ 《姓纂》"行"作"言"，今據岑仲勉《元和姓纂四校記》考定改正。

5 新表11/75下/3392
25登科27/30B
94權慎微
20郎考12/46B

4491₇ 植

12植廷曉
40十國65/4B

蘊

21蘊能
38圖繪2/40A

4496₀ 枯

44枯莫離　見祐莫離

4498₆ 橫

01橫龍和尚
81景德23/10A

4499₀ 林

00林庭珉
19姓纂5/37B
林袞大曆、貞元間人
19姓纂5/37A①
林袞(諤言)大順初及第
25登科24/3A
72三山志26/5A
06林諤
8 全文363/2A
07林謟
7 新志5/58/1507
28直齋8/32B
10林丕　見林披
林元泰(履貞)
25登科3/19A
林賈
19姓纂5/36B
11林玒
19姓纂5/37A
12林登

19姓纂5/36B
林珽
8 全文791/4B
林璠
11全詩11/776/8795
19姓纂5/37A
林延遇
40十國66/1A
16林琨
8 全文458/8B
11全詩11/777/8800
19姓纂5/36B
20郎考1/11A
　　5/16B
　　23/4A
17林翔
11全詩11/777/8803
林弼
8 全文850/1A
19姓纂5/37A
20林禹
28直齋5/5B
林季隨
19姓纂5/36B
21林仁肇(林虎子)
8 全文876/11B
40十國24/7A
43馬書12/5A
44陸書11/3B
45江南9/4A
69嘉定鎮江14/53B
　　18/48B
林仁翰
40十國96/5B
林偓
19姓纂5/37A
林廬山人
8 全文959/15A
22林鼎(渙文、貞獻)
40十國86/3B
林嵩(降臣、降神、雄飛)

7 新志5/60/1616
8 全文829/22A②
11全詩10/690/7923③
18才子9/152
25登科23/23B
72三山志26/5A
林崇禧
40十國73/12A
24林贊
8 全文876/3A
28直齋8/2A
25林伸
19姓纂5/37A
林傑(智周)
11全詩7/472/5360
17紀事下/59/900
37書小史10/7A
39書史5/33B
26林伯成
19姓纂5/36B
林泉和尚
81景德19/3B
　　22/19B
27林絢(子發)
7 新志5/60/1615
30林寬
11全詩9/606/6999
25登科27/22A
28直齋19/20B
林安
40十國97/6B
林寇
19姓纂5/37B
林實
19姓纂5/37A
林寶
7 新志5/58/1472
　　5/58/1500
　　5/58/1501
8 全文722/14A
19姓纂5/37A

---

① 《姓纂》載林袞廣陵人，監察御史。按劉商有《送林袞侍御東陽秩滿赴上都》詩(《全唐詩》卷三〇三)，與《姓纂》所載官職合。則此林袞與劉商同時，爲大曆、貞元時人。下《登科》、《三山志》之林袞，唐昭宗大順元年進士及第，已爲唐末，時代不相合，當爲二人。

② 《全文》小傳謂嵩字降神。按《新志》、《才子》皆作嵩字降臣，《全文》此處疑誤。

③ 《新志》云林嵩爲乾符進士第，《才子》、《三山志》等亦皆云乾符二年進士及第，并云字降臣。《全詩》小傳則謂字雄飛，大順中進士，侍御史，與他書所載皆異。《全詩》載其《贈天台王處士》詩一首。按晚唐詩人黃滔有《寄越從事林嵩侍御》詩(《全唐詩》卷七〇五)，所稱官職與地點皆與《全詩》林嵩小傳及詩合，當是一人。又《全文》載林嵩《遊太姥山記》，其地亦在天台，則又當是同一人，但未知《全詩》云其字雄飛，不知何所本。

27郡齋2下/20 B
28直齋8/1 B
林寶昱
　19姓纂5/37 B
34林濤
　8 全文621/10 B
　19姓纂5/37 A
林邁(尊)
　25登科27/32 A
35林清趙
　19姓纂5/37 A
37林逢
　7 新表5/60/1625
　8 全文740/18 B
　12詩逸中/10203
林罕(仲緘)
　8 全文889/9 B
　9 拾遺47/25 A
　39書史5/43 A
　40十國43/7 B
38林滋(後象、厚象)
　8 全文766/19 B
　11全詩9/552/6391
　17紀事下/55/835
　20郎考13/13 B
　　　　15/26 B
　25登科22/7 A
　72三山志26/3 B
林游道
　19姓纂5/36 B
　　　　5/37 A
林游真
　19姓纂5/36 B
林游藝
　19姓纂5/36 B
　25登科27/35 B
林洋
　19姓纂5/37 A
　21御考2/27 B
　69嘉定鎮江14/8 B
40林士弘
　1 舊唐7/56/2276
　2 新唐12/87/3729
林克己
　40十國87/6 A
　68咸淳臨安60/16 A
林希望
　19姓纂5/36 B

林希業
　19姓纂5/37 A
林希禮
　19姓纂5/36 B
林希邱
　19姓纂5/36 B
林友直　見林著
林賁
　19姓纂5/37 A
　25登科27/10 A
44林藻(緯乾)
　8 全文546/8 A
　9 拾遺25/15 A
　11全詩5/319/3595
　19姓纂5/37 B
　25登科12/28 A
　28直齋16/24 A
　34書譜10/3 B
　39書史5/15 B
林尊　見林邁
林薦
　25登科13/5 A
林著(友直)
　25登科12/27 A
林楚才
　11全詩11/795/8959
　40十國65/8 A①
林楚翹
　11全詩12/899/10162
林贄
　19姓纂5/37 A
　25登科27/10 A
林薀(復夢)
　2 新唐18/200/5719
　8 全文482/10 B
　9 拾遺25/16 A
　19姓纂5/37 B
　20郎考20/12 B
　25登科12/21 A
　28直齋16/24 A
　39書史5/21 B
46林薀
　8 全文768/34 A
50林肅
　19姓纂5/36 B
林貴
　19姓纂5/37 A
52林揆

40十國96/7 B
54林披(茂彥、茂則、師道、
　　丕)
　2 新唐18/200/5719
　11全詩12/887/10025
　25登科9/25 B
　74臨汀志　大典
　　　　7893/1 A
　　　　7893/5 B
　　　　7893/15 B
林攢
　2 新唐18/195/5590
60林日五妻　見謝氏
林思諤
　40十國43/2 B
林恩
　7 新志5/58/1467
林甲
　40十國97/2 A
林畢
　19姓纂5/37 A
64林嶭
　19姓纂5/37 A
林勩(公戀)
　25登科22/24 B
　72三山志26/4 A
67林明
　19姓纂5/37 A
71林顧女
　40十國99/13 A
72林氏(薛元暖妻)
　1 舊唐12/146/3955
　11全詩11/799/8983
　17紀事下/78/1121
77林同穎
　8 全文900/1 B
林興
　40十國98/3 A
80林益
　8 全文621/11 A
　19姓纂5/37 A
林無隱
　11全詩11/795/8955
　40十國86/3 B
88林簡言(欲訥)
　8 全文790/26 B
　25登科21/1 B
　　　　22/23 A

72三山志26/3 A
90林少良
　19姓纂5/36 B
　林省鄒
40十國96/1 B
　林賞
19姓纂5/37 A
94林慎思(虔中、伸蒙子)
　7 新志5/59/1514
　8 全文802/22 B
25登科23/14 B
　　　23/15 A
28直齋10/16 B
72三山志26/4 B

4594₄ 樓

21樓穎
　11全詩3/203/2127
14國秀中/128
　　　中/160
25樓仲興
19姓纂5/34 A

樓

10樓一
　11全詩12/849/9613
17紀事下/77/1110
18才子3/45
26樓白
　11全詩12/823/9276
17紀事下/74/1082
18才子3/45
28直齋19/29 A
28樓倫
81景德25/28 A
36樓禪師
81景德19/16 B
48樓松
70至順鎮江19/32 B
57樓蟾
　11全詩12/848/9608
17紀事下/76/1100
18才子3/45
72樓隱(巨徵)
80宋僧30/6 A

4621₀ 觀

00觀音和尚
81景德22/19 B
44觀勒
　9 拾遺70/17 B
48觀梅女仙
　11全詩12/863/9763
77觀賢
10續拾16/30 A

4622₇ 獨

12獨孤庠(賢府)
　1 舊唐13/168/4382
　2 新唐16/162/4994
　5 新表11/75下/3441
25登科27/17 B
　獨孤文惠
　5 新表11/75下/3438
　獨孤正
　5 新表11/75下/3441
　獨孤丕(山甫)
　5 新表11/75下/3438
　獨孤璀
20郎考15/3 B
　　　16/2 A
　獨孤元康
　5 新表11/75下/3439
　獨孤元慶
　5 新表11/75下/3439
　獨孤元同
20郎考25/3 B
　獨孤元愷
　5 新表11/75下/3439
20郎考3/5 B
　　　25/2 B
　獨孤雲(公遠)
　5 新表11/75下/3442
20郎考4/54 A
25登科21/19 A
26方鎮5/89 B
　　　6/84 A
　　　8/44 B
　獨孤霖
　5 新表11/75下/3443
　7 新志5/60/1616

　8 全文802/3 A
20郎考8/47 B
24壁記　翰苑羣書
　　　上/55 B
26方鎮5/73 A
　獨孤珉
20郎考7/1 A
　獨孤及(至之、獨孤常州、
　　文、憲)
　1 舊唐13/168/4381
　2 新唐16/162/4990
　5 新表11/75下/3441
　7 新志5/60/1605
　8 全文384/1 A
　9 拾遺22/7 B
　11全詩4/246/2760
17紀事上/27/415
18才子3/46
20郎考4/68 A
　　　20/6 B
25登科9/29 A
27郡齋4上/21 B
28直齋16/15 A
59毗陵志7/14 A
73吳興志15/10 A
　獨孤卓
　2 新唐11/77/3500
　獨孤穎
　1 舊唐7/52/2190
　2 新唐11/77/3500
　獨孤綬
　11全詩5/281/3195
17紀事上/33/512
25登科11/12 B
　獨孤允
20郎考25/7 B
　　　26/12 B
　獨孤峻
　5 新表11/75下/3439
　8 全文330/11 A
26方鎮5/48 A
64掇英18/12 B
65會稽志2/28 B
　獨孤勉
　5 新表11/75下/3440
　獨孤修德

---

① 《十國》"才"作"材",今從《全詩》,統一作才。

20郎考23/7 A

獨孤甯
  25登科14/1 B

獨孤郁
  20郎考12/10 B
  21御考2/6 B①

獨孤舟 見獨孤郁

獨孤嶼
  5 新表11/75下/3439
  67乾道臨安3/3 B
  68咸淳臨安45/15 B

獨孤叔德
  5 新表11/75下/3438

獨孤憲(正風)
  5 新表11/75下/3443

獨孤守忠
  20郎考26/3 B

獨孤良弼
  8 全文620/11 A
  11全詩7/466/5303
  17紀事上/33/512
  25登科27/11 A

獨孤良佐
  2 新唐11/77/3500

獨孤良史
  25登科27/11 A

獨孤良器
  8 全文684/1 A
  11全詩5/313/3523
  20郎考16/16 B
  25登科11/13 A

獨孤密
  5 新表11/75下/3442

獨孤賓庭
  5 新表11/75下/3439

獨孤寔
  5 新表11/75下/3442
  11全詩5/318/3588②
  25登科12/29 A③

獨孤實 見獨孤寔

獨孤寂
  5 新表11/75下/3442

獨孤邁
  20郎考12/27 B
  71嚴州1/30 A
  73吳興志14/29 A

獨孤汜
  5 新表11/75下/3440

53赤城志8/18 B

獨孤通理
  5 新表11/75下/3440
  21御考3/18 B
      3/20 B

獨孤遲(後已)
  5 新表11/75下/3443

獨孤退叔
  5 新表11/75下/3440

獨孤朗(用晦)
  1 舊唐13/168/4382
  2 新唐16/162/4993
  5 新表11/75下/3441
  20郎考1/19 A
      2/22 B
  21御考3/43 B
  26方鎮6/7 A

獨孤道濟
  5 新表11/75下/3442

獨孤道節
  20郎考6/2 A

獨孤士約
  5 新表11/75下/3438

獨孤樟
  25登科18/21 A

獨孤楷
  5 新表11/75下/3438
  25登科5/4 B

獨孤勘
  5 新表11/75下/3440

獨孤蒙
  5 新表11/75下/3442

獨孤萬
  5 新表11/75下/3438

獨孤華
  5 新表11/75下/3438

獨孤郁(古風)
  1 舊唐13/168/4381
  2 新唐16/162/4994
  5 新表11/75下/3441
  7 新志5/58/1472
      5/60/1625
  8 全文683/5 A
  20郎考7/38 B
      10/26 A
  23故事 翰苑羣書
      上/26 A
  24壁記 翰苑羣書

      上/43 A
  25登科14/18 A
      16/6 A

獨孤申叔(子重)
  5 新表11/75下/3440
  8 全文617/1 A
  11全詩7/470/5343
  25登科14/13 B
      14/23 A

獨孤授
  8 全文456/1 A
  11全詩5/281/3200

獨孤損(又損)
  5 新表11/75下/3443
  20郎考12/51 A
  25登科24/18 B

獨孤易知
  5 新表11/75下/3440

獨孤思行
  5 新表11/75下/3439

獨孤思莊
  5 新表11/75下/3439

獨孤思暕
  5 新表11/75下/3439

獨孤恩
  5 新表11/75下/3438

獨孤回
  5 新表11/75下/3442

獨孤勖
  5 新表11/75下/3440

獨孤明
  5 新表11/75下/3439

獨孤巨
  5 新表11/75下/3441

獨孤助
  5 新表11/75下/3440

獨孤册
  5 新表11/75下/3438
  20郎考11/14 B

獨孤問俗
  5 新表11/75下/3440
  21御考3/36 B
  26方鎮6/15 B
  73吳興志14/25 B

獨孤鉉
  8 全文722/4 A
  11全詩8/491/5557
  17紀事下/46/706

獨孤義順（偉俤）
　5 新表11/75下/3439
獨孤義恭
　5 新表11/75下/3437
獨孤義盛
　5 新表11/75下/3438
獨孤含章
　5 新表11/75下/3440
獨孤懷恩
　1 舊唐14/183/4722
　2 新唐19/206/5834
獨孤恊
　5 新表11/75下/3442
　20郎考1/38A
　　　8/27B
獨孤憕
　5 新表11/75下/3438
獨孤愠
　5 新表11/75下/3442
27獨解支
　1 舊唐16/195/5198
　2 新唐19/217上/6114

4640₀ 如

00如意中女子
　17紀事下/78/1124
02如新
　81景德22/8B
04如訥
　81景德15/9A
10如一
　80宋僧19/8A
如元擢　見如元曜
如元曜
　19姓纂2/23A④
30如寶
　81景德12/17B
34如滿
　81景德6/9B
37如淨
　80宋僧15/8A

75如體
　81景德19/16B
80如會（傳明大師）
　80宋僧11/6A
　81景德7/10B
88如敏（靈樹禪師）
　40十國66/6B
　80宋僧22/1A
　81景德11/10A

4680₆ 賀

10賀瓌（光遠）
　3 舊五1/23/313
　4 新五1/23/239
　26方鎮5/15B
12賀延
　3 舊五1/23/313
24賀德仁
　1 舊唐15/190上/4987
　2 新唐18/201/5729
　7 新志5/60/1602
　19姓纂9/11A
　65會稽志14/36A
賀德倫
　3 舊五1/21/293
　4 新五2/44/482
　8 全文842/16A
25賀仲元
　3 舊五1/23/313
27賀紀
　1 舊唐15/190上/4987
　2 新唐18/201/5729
28賀欵
　1 舊唐15/190上/4987
　2 新唐18/201/5729
　11全詩1/45/554
38賀遂亮
　8 全文200/14A
　11全詩1/44/548
賀遂豐
　19姓纂9/12A

賀遂涉
　11全詩12/870/9856
　17紀事上/20/289
　20郎考12/11A⑤
　　　25/5A
　21御考2/23B⑥
賀遂封
　19姓纂9/12A
賀遂回
　21御考3/31B
　　　3/34A
賀遂陟　見賀遂涉
44賀蘭庭芝　見賀若庭芝
賀蘭廣
　8 全文408/23A
賀蘭誕　見賀若誕
賀蘭正元
　7 新志5/58/1478⑦
　　　5/59/1537
賀蘭務溫
　20郎考13/5A
　　　26/5B
賀蘭儼　見賀若儼
賀蘭進明
　8 全文346/4B
　11全詩3/158/1612
　13河嶽中/103
　17紀事上/17/247
　18才子2/23
　20郎考26/11A
　21御考2/23B
　25登科7/27A
　26方鎮2/1B
賀蘭察　見賀若察
賀蘭迪
　25登科9/9A
賀蘭遏
　12詩逸中/10197⑧
賀蘭遂　見賀蘭遏
賀蘭爽
　73吳興志14/23A

---

① 《御考》"郇"作"舟"，今從《郎考》。

②③ 《全詩》、《登科》"寔"皆作"實"，《登科》所引爲柳宗元《送獨孤書記》文，今查柳文作寔字，與《新表》同，今改正。

④ 《姓纂》"曜"作"擢"，岑仲勉《元和姓纂四校記》謂應作曜，今從之。

⑤⑥ 《御考》作"賀遂涉"與《全詩》、《紀事》同，而《郎考》"涉"作"陟"，均爲一人，今統一作涉。

⑦ 按《新志》此處原文爲賀蘭正元《輔佐記》十卷，新點校本誤作賀蘭正《元輔佐記》，以賀蘭正爲人名，誤，今改正。

⑧ 《全詩》原注："遏一作遂。"

相

60 相里諶
　　19姓纂5/10 B
　相里元亮
　　19姓纂5/10 B
　相里元將　見相里元獎
　相里元獎
　　19姓纂5/10 B ⑰
　相里君
　　67乾道臨安3/4 B
　　68咸淳臨安45/15 B
　相里造
　　19姓纂5/10 B
　　20郎考11/67 A
　　　　　19/16 B
　相里迴
　　19姓纂5/10 B
　相里友諒
　　19姓纂5/10 B
　相里友弘
　　19姓纂5/10 B
　相里友略
　　19姓纂5/10 B
　相里金（奉金）
　　3舊五4/90/1193
　　4新五2/47/529

4692₇ 楊

00 楊宣　見楊光遠
　楊立
　　3舊五3/74/972
　楊亮（季昭）
　　5新表8/71下/2363
　楊序
　　5新表8/71下/2352

楊彥詢（成章）
　　3舊五4/90/1186
　　4新五2/47/523
　楊彥伯
　　25登科27/38 A
　　40十國9/6 A
　楊彥魯
　　3舊五1/13/182
　楊彥溫
　　3舊五3/74/974
　楊齊宣（正衡）
　　8全文403/8 B
　楊齊哲
　　8全文260/6 A
　　11全詩11/769/8726
　　17紀事上/13/192
　楊膺
　　25登科10/22 A
　楊庶　見楊廉
　楊廉
　　11全詩2/104/1094⑱
　　17紀事上/12/180
　楊庭願子
　　5新表8/71下/2352
　楊庭
　　34書譜5/2 A ⑲
　　39書史5/11 B ⑳
　楊庭光
　　30歷畫9/17 B
　　31唐畫6/14 A
　　35畫譜2/4 B
　　38圖繪2/6 B
　楊慶
　　1舊唐16/193/5139
　楊慶妻　見王氏
　楊唐源妻　見牛應真

楊廣
　　5新表8/71下/2352
　楊文龜
　　25登科25/30 B
　楊辨
　　31唐畫6/16 A
　楊言成
　　5新表8/71下/2382
　楊雍（昭化）
　　5新表8/71下/2380
　楊玄章
　　20郎考5/15 A
　楊玄珪
　　1舊唐7/51/2179
　　5新表8/71下/2361
　楊玄翼
　　1舊唐15/184/4774
　　2新唐19/208/5889
　楊玄璟
　　5新表8/71下/2362
　楊玄琰
　　1舊唐7/51/2178
　　5新表8/71下/2361
　楊玄獎
　　5新表8/71下/2365
　楊玄价
　　1舊唐15/184/4774
　楊玄寔
　　1舊唐15/184/4776
　楊玄操
　　27郡齋3下/30 A
　楊玄節
　　64掇英18/11 A
　　65會稽志2/26 A
01 楊龍光
　　7新志5/59/1558

①②③④　《姓纂》“賀者”作“賀蘭”，今據岑仲勉《元和姓纂四校記》考定改正。
⑤⑥⑦⑧⑨⑩⑪⑫⑬　同上。
⑭　《姓纂》“玄壹”作“一云”，今據岑仲勉《元和姓纂四校記》考定改正。
⑮　《姓纂》“愁”作“悉”，今據岑仲勉《元和姓纂四校記》考定改正。
⑯　《方鎮》作“柏茂林”。按據《舊唐書·代宗紀》及《舊唐書》之《杜鴻漸傳》、《崔寧傳》，林應作琳。又據岑仲勉《唐集質疑》之“柏貞節即茂琳改名”條，柏貞節與柏茂琳實爲一人，今據《姓纂》作柏貞節，另出柏茂林、柏茂琳作參見條。
⑰　《姓纂》“獎”作“將”，今據岑仲勉《元和姓纂四校記》考定改正。
⑱　《全詩》原注：“廉一作庶。”
⑲⑳　《書譜》、《書史》之楊庭，唐武后長壽間人，其他不詳，時代與《新表》之楊庭相合，但未知是否爲一人，今姑分列，備考。

楊顏
　11全詩2/145/1470
　17紀事上/15/225
　25登科27/6 B
楊諲(昭業)
　5 新表8/71下/2377
　20郎考14/2 A①
楊譚
　5 新表8/71下/2356
　8 全文377/14 B
楊襲古
　26方鎮8/58 A
02楊諹　見楊諲
04楊訥　見李平
楊護
　5 新表8/71下/2356
　25登科9/12 B
05楊紬
　5 新表8/71下/2356
楊諫
　5 新表8/71下/2349
　8 全文365/7 A
　11全詩3/202/2111
　14國秀下/128
　　　　　下/181
　21御考3/3 B
　25登科8/4 B
07楊詢伯
　5 新表8/71下/2356
楊翃
　5 新表8/71下/2358
08楊於陵(達夫、貞孝)
　1 舊唐13/164/4292
　2 新唐16/163/5031
　5 新表8/71下/2384
　8 全文523/1 B
　9 拾遺24/24 B
　11全詩5/330/3686
　17紀事上/31/493
　20郎考3/58 B
　　　　　4/31 A
　　　　　10/22 B
　　　　　24/4 A
　25登科10/29 B
　　　　　10/30 B
　26方鎮5/52 B
　　　　　7/6 B
　57景定建康49/4 A

　64掇英18/13 B
　65會稽志2/30 A
楊敦
　5 新表8/71下/2348
楊謚
　40十國71/2 A
10楊三安
　1 舊唐16/193/5140
楊三安妻　見李氏
楊正言
　5 新表8/71下/2353
楊正道
　1 舊唐10/105/3225
　2 新唐15/134/4562
　5 新表8/71下/2349
楊正基
　5 新表8/71下/2353
楊玉　見楊溫玉
楊至玄
　21御考2/38 B
楊至公
　5 新表8/71下/2359
楊靈峛(靈崩)
　25登科27/27 A
楊元亨
　1 舊唐8/77/2675
　2 新唐13/106/4046
　5 新表8/71下/2368
　6 舊志6/47/2074
　7 新志5/60/1599
　71嚴州1/27 B
楊元瑤
　21御考2/29 B
楊元孫(立之)
　5 新表8/71下/2373
楊元政
　5 新表8/71下/2381
　20郎考7/4 A
楊元琰(溫、忠)
　1 舊唐15/185下/4810
　2 新唐14/120/4314
楊元貞
　38圖繪2/38 B
楊元叔
　20郎考2/3 A
楊元禕
　1 舊唐8/77/2675
　2 新唐13/106/4046

　5 新表8/71下/2368
楊元禧
　1 舊唐8/77/2675
　2 新唐13/106/4046
　5 新表8/71下/2368
楊元湊
　8 全文745/21 B
楊元裕
　5 新表8/71下/2368
楊元真
　32益畫中/13 A
　36圖誌2/52
楊元表
　5 新表8/71下/2381
楊元威
　5 新表8/71下/2368
楊元操
　8 全文901/10 A
楊元同
　25登科24/32 B
楊元卿
　1 舊唐13/161/4228
　2 新唐17/171/5190
　26方鎮1/32 B
　　　　　2/8 A
　　　　　4/5 A
楊再思(恭)
　1 舊唐9/90/2918
　2 新唐13/109/4098
　20郎考4/60 A
　　　　　13/3 B
　25登科27/27 B
楊晉　見楊普
楊粟罷
　2 新唐20/222下/6300
11楊珂(成美)
　5 新表8/71下/2377
楊項
　9 拾遺24/21 B②
　26方鎮8/3 A
　73吳興志14/27 A
楊瑱　見楊項
楊預
　26方鎮8/56 B
楊礪俗
　8 全文927/14 B
12楊瑀
　25登科10/34 A

楊瑤
　21御考1/20A
　　　　2/28B
楊弘(伯寬)
　5 新表8/71下/2366
楊弘文
　5 新表8/71下/2367
　20郎考13/1B
楊弘毅
　5 新表8/71下/2384
楊弘武(恭)
　1 舊唐8/77/2675
　2 新唐13/106/4045
　5 新表8/71下/2368
楊弘微
　5 新表8/71下/2364
楊弘業
　5 新表8/71下/2384
　20郎考26/1A
楊弘禮(履莊、質)
　1 舊唐8/77/2674
　2 新唐13/106/4045
　5 新表8/71下/2367
楊弘裕
　3 舊五5/121/1600
　4 新五1/19/197
楊弘嘉
　5 新表8/71下/2371
楊弘胄
　5 新表8/71下/2386
楊弘曍
　5 新表8/71下/2386
楊發(至之)
　1 舊唐14/177/4595
　2 新唐17/184/5395
　5 新表8/71下/2365
　8 全文759/17B
　11全詩8/517/5904
　18才子7/112
　20郎考1/46A
　　　　7/24A
　　　　8/42B
　　　　19/16B
　25登科21/1B

26方鎮6/9B
　　　7/12B
54吳郡圖經上/15B
55吳郡志11/5B
69嘉定鎮江15/46B
72三山志20/41A
楊烈婦(李侃妻)
　2 新唐18/205/5825
楊廷玉
　11全詩12/869/9848
楊廷璋
　3 舊五5/121/1601
楊廷式五代閩太子舍人
　25登科27/33B
　40十國97/1B
楊廷式（憲臣）五代吳侍御史
　40十國10/6B
　59毗陵志7/20A
楊廷輝
　5 新表8/71下/2377
楊延宗
　1 舊唐13/161/4229
　2 新唐17/171/5191
楊延史(昭文)
　5 新表8/71下/2375
楊磻(後隱)
　5 新表8/71下/2374
13楊瑄(秀文)
　5 新表8/71下/2376
楊球(退寶)
　5 新表8/71下/2373
楊瑊(阿噒噯)
　3 舊五4/97/1290
　4 新五2/51/587
　21御考2/16B
　　　　2/17A
　　　　2/33B
楊琮(孝璋)林甫子
　1 舊唐15/185下/4819
　2 新唐14/130/4494
楊琮正基子
　5 新表8/71下/2353
14楊珪
　1 舊唐13/164/4292

　5 新表8/71下/2384
楊瑾
　5 新表8/71下/2384
楊珙
　40十國4/3B
15楊璉(靖)
　40十國4/3A
16楊瑒(瑤光、貞)
　1 舊唐15/185下/4819
　2 新唐14/130/4494
　8 全文298/18A
　9 拾遺18/13B
　20郎考12/11A
　21御考1/15A
　　　　2/11A
楊璪
　40十國4/4A
17楊翌
　53赤城志8/13B
楊玘
　20郎考11/20A
　　　　12/16B
　21御考3/28A
　　　　3/38A
　　　　3/40A
楊珣令本孫
　5 新表8/71下/2360
楊珣(莊己)虞卿孫
　59毗陵志7/17A
楊璆
　40十國4/3B
楊璨
　5 新表8/71下/2376
楊承鱸
　5 新表8/71下/2377
楊承絨
　5 新表8/71下/2351
楊承休(祐之)
　5 新表8/71下/2375
　68咸淳臨安60/13B
楊承勳(承貴)
　3 舊五4/97/1293
楊承緒
　5 新表8/71下/2351

---

① 《郎考》作"楊誣"，勞格謂誣疑是誈。

② 楊瑒，《拾遺》作楊瑱，《方鎮》作楊真，勞格《讀書雜識》卷七謂"當卽一人，疑本名瑒，餘俱因宋人避神宗諱所改"。按勞說是，今據改。

楊承和
  8 全文998/3 B
楊承祐
  5 新表8/71下/2351
楊承初
  5 新表8/71下/2351
楊承裕
  20郎考7/4 B
楊承貴　見楊承勳
楊承令
  5 新表8/71下/2351
  71嚴州1/28 A
楊豫之
  1 舊唐7/62/2384
  2 新唐13/100/3928
  5 新表8/71下/2356
楊及善（元吉）
  5 新表8/71下/2370
楊子琳（猷）
  2 新唐15/144/4708
楊子華
  1 舊唐13/161/4228
楊邵
  25登科12/6 B
18楊玢（表文）範子
  5 新表8/71下/2376
楊玢（繼明）隆演子
  40十國4/3 A
楊玢（靖夫）仕五代前蜀
  11全詩11/760/8632
  40十國41/11 A
楊璡　見楊睿交
19楊璘
  40十國4/3 B
20楊垂
  5 新表8/71下/2363
  40十國62/2 A
楊重玄
  11全詩2/98/1064
  14國秀中/128
     中/165
楊愛業
  5 新表8/71下/2354
楊信
  40十國106/5 B
楊倞
  7 新志5/59/1512
  8 全文729/18 A

20郎考25/10 B
28直齋9/2 A
楊鹽
  5 新表8/71下/2384
楊千度
  40十國57/2 B
楊孚
  21御考1/8 B
楊季昭
  1 舊唐9/90/2919
  2 新唐13/109/4099
  20郎考9/4 B
楊皎
  10續拾4/10 B
楊臽　見楊滔
楊乘
  1 舊唐14/177/4597
  11全詩8/517/5907
  17紀事下/47/722
  25登科22/19 A
楊系
  8 全文531/1 A
  11全詩5/288/3291
  25登科11/7 B
楊維友
  5 新表8/71下/2369
21楊上器
  7 新志5/59/1521
楊上善
  6 舊志6/47/2027
     6/47/2028
     6/47/2029
     6/47/2030
     6/47/2047
  7 新志5/59/1517
     5/59/1526
     5/59/1566
楊仁遠
  25登科25/30 B
楊仁力　見柳泌
楊仁贍（濟之）
  5 新表8/71下/2379
  20郎考8/49 B
  25登科27/16 B
楊虛受
  8 全文279/7 A
  21御考1/3 A
     2/4 A

楊偓公
  40十國57/7 B
楊行密（化源、吳太祖）
  2 新唐17/188/5451
  3 舊五6/134/1779
  4 新五3/61/747
  8 全文128/1 A
  26方鎮5/32 A
     5/32 B
     5/75 A
  40十國1/1 A
  42五補1/3 A
     1/3 B
     2/1 B
楊行基
  5 新表8/71下/2348
楊行矩
  67乾道臨安3/4 A
  68咸淳臨安45/16 A
楊行敏
  11全詩11/775/8784
楊行悝
  8 全文684/30 A
楊儒　見王宗儒
楊虞卿（師皋）
  1 舊唐14/176/4561
  2 新唐17/175/5247
  5 新表8/71下/2372
  8 全文717/21 B
  11全詩8/484/5498
  17紀事下/46/707
  20郎考1/44 B
     4/42 A
     20/14 B
  25登科18/2 A
  59毗陵志7/15 B
楊虔威
  1 舊唐15/190上/5000
楊須跋
  30歷畫9/174
楊衡（仲師、仲師）①
  11全詩7/465/5279
     11/770/8737
     12/883/9979
  17紀事下/51/778
  18才子5/92
  25登科27/10 B
楊睿交　見楊慎交

---

① 《全唐詩》小傳作字仲師，《唐才子傳》作字中師。按符載《荊州與楊衡說舊因送遊南越序》（《全唐文》卷六九○），
　中云：「居五六年，載出盧岳歸蜀，問起居，中師愛惜離思，振衣相送。」又云：「己巳歲，自成都至，中師自長安僑寓
　荊州。」符載與楊衡、李羣等爲友，隱於盧山（見《唐摭言》卷二）。其文稱衡字爲中師，當可信，似作中師是。

① 新、舊《唐書》本傳及席豫所作碑銘(席豫碑銘見下《登科》處注)皆字蔓,僅《全文》云字曼卿,不知何據,疑《全文》
出于揣測,未當。

② 《登科》作楊仲宣。按席豫《唐故朝請大夫吏部郎中上柱國高都公楊府君碑銘》(《全唐文》卷二三五)謂:"公諱仲
宣,字蔓。"所載事蹟與新、舊《唐書》所記楊仲昌者合,則爲一人。《登科》當卽本此。席豫爲同時人,當可信,唯
新、舊《唐書》、《郎考》等皆作仲昌,今仍作楊仲昌,而另立楊仲宣作參見條。

① 《郎考》此處作“楊昌”，勞格云昌疑作渭。
② 《全文》原注：“凌一作陵。”
③ 《郎考》此處作“楊玉”，勞格謂《郎考》卷十二作楊溫玉，疑卽是。
④ 《舊五》謂楊渥字奉天，《新五》謂字承天，今并存，備考。又《十國》謂渥追號爲烈祖，清李慈銘《越縵堂日記》云：“楊渥追號爲烈宗，而誤作烈祖，不特《通鑑》諸書所載皆同；且使渥果號烈祖，南唐何以肯襲其號以尊先主？此必不然者也。”（見《越縵堂讀書記》三〇九頁）李氏說是，錄以備參。

楊志
　5 新表8/71下/2353
　55吳郡志11/4B
楊志立
　5 新表8/71下/2380
楊志廉
　2 新表19/207/5868
楊志玄
　5 新表8/71下/2381
楊志誠
　1 舊唐14/180/4675
　2 新唐19/212/5979
　5 新表8/71下/2357
　20郎考4/59A
　　　20/1A
　25登科4/21B
　26方鎮4/107B
楊志詮
　5 新表8/71下/2362
楊志謙
　5 新表8/71下/2361
楊志烈
　26方鎮8/51B
楊志先
　5 新表8/71下/2369
　20郎考11/16B
楊志操
　2 新唐14/130/4497
楊志堅
　11全詩3/158/1616
　17紀事上/28/441
楊友諒
　5 新表8/71下/2360
楊嘉賓
　5 新表8/71下/2350
楊嘉本
　5 新表8/71下/2350
楊晉交　見楊愼交
楊晉矜　見楊愼矜
楊晉名
　5 新表8/71下/2349
楊晉微
　26方鎮7/2A
楊晉金
　21御考2/48A
楊晉餘　見楊愼餘
楊奇鯤
　11全詩11/732/8374

　17紀事下/80/1142
楊去盈（流謙）
　25登科27/26A
楊真　見楊頊
楊賁
　11全詩3/204/2131
　17紀事上/26/393
　25登科9/6B
楊檀　見楊光遠
41楊桓　見楊坦
楊栖梧
　8 全文436/2A①
　25登科10/17B
43楊博物
　20郎考16/3B
楊式宣
　8 全文950/24A
楊式南
　21御考3/41B
楊載　見楊戴
楊戴（贊業）
　5 新表8/71下/2381
　20郎考12/46B
　25登科21/19A②
　26方鎮5/89B
楊栻（昭玉）
　20郎考10/32B
44楊協（興樂）
　5 新表8/71下/2371
楊堪（時之）
　1 舊唐14/176/4563
　2 新唐17/175/5249
　5 新表8/71下/2375
　20郎考4/64B
　25登科27/15B
楊藻
　5 新表8/71下/2354
楊苧蘿
　11全詩12/870/9870
楊夢申
　40十國108/6A
楊花飛
　40十國32/3A
楊茂謙
　1 舊唐15/185下/4818
　2 新唐18/197/5627
　21御考1/6B
　25登科27/35B

楊藏器
　1 舊唐14/177/4595
　5 新表8/71下/2365
楊燕客
　1 舊唐14/176/4561
　5 新表8/71下/2370
楊恭仁（綸、孝）
　1 舊唐7/62/2381
　2 新唐13/100/3926
　5 新表8/71下/2350
楊恭道
　5 新表8/71下/2356
楊嘉義
　5 新表8/71下/2371
楊蕙
　5 新表8/71下/2353
楊孝仁
　5 新表8/71下/2360
楊孝義
　5 新表8/71下/2359
楊孝怡
　20郎考23/1A
楊執一
　1 舊唐7/62/2383
　2 新唐13/100/3928
　5 新表8/71下/2354
　26方鎮1/65B
　　　8/47A
楊執柔
　1 舊唐7/62/2383
　2 新唐13/100/3928
　5 新表8/71下/2353
楊執虛
　5 新表8/71下/2354
楊萬石
　20郎考18/7A
楊萬頃　見楊汪
楊若虛
　8 全文299/7A
　25登科7/4B
楊樹兒
　30歷畫9/183
楊棻（德順）
　5 新表8/71下/2348
楊萊兒（蓬仙）
　11全詩11/802/9027
楊植
　1 舊唐9/90/2919

① 《全文》"栖"作"棲"，今與《登科》統一作栖。
② 徐松謂戴一作載。
③ 《歷畫》原注：另一版本作楊桓。
④ 《書史》未載楊泰事蹟，未知與《新表》、《御考》之楊泰是否一人，今錄以備考。
⑤ 《吳興志》作"楊慧"，勞格《讀書雜識》卷七《杭州刺史考》謂楊惠、楊慧爲一人，唐乾元二年杭州刺史。按勞説是，今據《御考》作楊惠，另出楊慧作參見條。
⑥ 《郎考》3/19B有楊範臣，未知是否一人，因無確證，今仍分列，備考。

① 《全文》"玄"作"元"，係清人避諱所改，今改正。
② 《新表》原作楊然，字公隱，爲嗣復孫，授子。今按《舊唐書》卷一七六《楊嗣復傳》，載嗣復有子損、授、技、拭、揭，授"子炅，字公隱"，進士及第，遷左拾遺，歷主客、戶部二員外郎，官終諫議大夫。《新唐書》卷一七四《楊嗣復傳》同；楊炅又見《郎考》等書。可見《新表》之楊然與新、舊傳之楊炅實爲一人，今改作楊炅，另出楊然作參見條。
③ 《新表》"㫚"原作"朏"，與暄、晞等皆爲楊國忠子，皆從日，今改正。參宋吳縝《新唐書糾謬》卷六。
④ 《郎考》此處作"楊儼"，勞格謂儼蓋嚴之誤。
⑤ 《郡齋》作"楊巨濟"，當爲楊巨源之誤，今據《新志》、《直齋》諸書改正。

楊氏（董昌齡母）
　1 舊唐16/193/5149
　2 新唐18/205/5829
楊氏女　見楊容華
楊嶠　見陽嶠
楊岳 音餘子
　5 新表8/71下/2349
楊岳 援子
　5 新表8/71下/2358
74楊勵本
　5 新表8/71下/2383
楊陵　見楊淩
77楊隆演（渭、瀛、鴻源、吳高祖）
　3 舊五6/134/1783
　4 新五3/61/753
　26方鎮5/91 B
　40十國2/6 B
楊隆禮（崇禮）
　1 舊唐10/105/3225
　2 新唐15/134/4562
　5 新表8/71下/2349
　20郎考3/12 B①
　　　4/15 A②
　　　22/3 B③
楊履言
　5 新表8/71下/2356
楊履忠
　5 新表8/71下/2355
楊降禮　見楊隆禮
楊丹
　25登科26/32 A
楊開物（熙之）
　5 新表8/71下/2370
楊馨（靜）
　5 新表8/71下/2357
　8 全文154/1 A
　25登科9/17 B
楊鷗（叔儀）
　25登科27/36 A
78楊監真（吳清妻）
　11全詩12/863/9759
楊鑒（文通）
　1 舊唐14/177/4600
　5 新表8/71下/2366
　25登科27/20 B
80楊全慶
　5 新表8/71下/2371

楊全玫
　26方鎮4/94 B
　　　4/95 A
楊全節
　5 新表8/71下/2358
楊夔
　7 新志5/60/1608
　8 全文866/1 A
　11全詩11/763/8660
　18才子10/183
　25登科27/18 B
　40十國11/3 A
楊令　見楊令一
楊令一（令）
　5 新表8/71下/2352
　20郎考4/60 B
楊令珪
　5 新表8/71下/2358
楊令裖
　5 新表8/71下/2359
楊令深
　5 新表8/71下/2359
楊令本
　1 舊唐7/51/2178
　5 新表8/71下/2360
楊義方
　11全詩11/795/8955
　25登科27/23 B
　40十國44/3 A
楊普
　5 新表8/71下/2383
　20郎考12/22 B
　　　15/12 B④
楊含妻　見蕭氏
81楊鉅（文碩）
　1 舊唐14/177/4600
　2 新唐17/189/5395
　5 新表8/71下/2366
　7 新志5/58/1478
　8 全文819/10 A
　25登科23/29 A
　28直齋6/5 A
　34書譜4/4 B
　39書史5/10 A
楊矩
　26方鎮8/37 A
82楊釗　見楊國忠
楊銛

　1 舊唐7/51/2179
　5 新表8/71下/2361
83楊鉞
　5 新表8/71下/2369
楊猷　見楊子琳
84楊錡
　1 舊唐7/51/2179
　5 新表8/71下/2361
楊鎮
　26方鎮1/34 B
86楊鍠
　5 新表8/71下/2369
楊知
　40十國88/6 B
楊知亮
　5 新表8/71下/2359
楊知方
　9 拾遺46/14 B
楊知慶
　1 舊唐7/52/2184
　2 新唐11/76/3492
　5 新表8/71下/2358
楊知章（通微）
　5 新表8/71下/2377
楊知新
　8 全文804/8 B
楊知至（幾之）
　1 舊唐14/176/4564
　2 新唐17/175/5250
　5 新表8/71下/2371
　11全詩9/563/6536
　17紀事下/59/898
　20郎考11/54 B
　　　12/46 A
楊知什
　5 新表8/71下/2359
楊知進
　1 舊唐14/176/4563
　25登科27/15 B
楊知遠（明之）
　1 舊唐14/176/4564
　5 新表8/71下/2370
　20郎考8/46 A
　25登科27/15 B
楊知溫（德之）
　1 舊唐14/176/4564
　2 新唐17/175/5250
　5 新表8/71下/2370

①②③《郎考》"隆"作"降",趙鉞謂降當作隆,避唐玄宗諱缺末筆。
④《郎考》此處作"楊晉",《郎考》卷十二有楊普,當是一人。
⑤《郎考》4/15A及《御考》有楊軌臣,未知是否一人,因無確証,今仍分列,備考。
⑥《郎考》作"楊□羽",勞格謂疑光羽。今從之。
⑦⑧《舊唐書》作"楊慎交",《新唐書》作"楊睿交",實爲一人,係思訓孫,尚中宗女長寧公主,駙馬都尉,預誅張易之有功,神龍中爲祕書監。按《新表》有楊慎交,思訓孫,嘉本子,駙馬都尉、祕書監,世系與仕履皆合,當爲一人。慎與睿通,則應作楊慎交。
⑨《新表》作"楊睿矜",今從新舊《唐書》本傳改。

鶴

00鶴衣道人
　40十國89/14A

4728_2 歡

40歡喜
　80宋僧29/11A

4732_7 郝

11郝北妛　見郝北叟
　郝北叟
　5 新表10/73下/2989
　19姓纂10/31A⑨
　郝玭
　1 舊唐12/152/4077
　2 新唐16/170/5181
12郝廷玉
　1 舊唐12/152/4067
　2 新唐15/136/4592
17郝瓊
　9 拾遺45/15A
21郝處俊
　1 舊唐8/84/2797
　2 新唐14/115/4215
　5 新表10/73下/2989
　6 舊志6/46/1988
　　　6/47/2074
　7 新志5/58/1456
　　　5/58/1495
　　　5/60/1599
　8 全文162/4A
　19姓纂10/31A
　20郎考25/2B
　25登科27/1B
　郝處傑
　5 新表10/73下/2989

19姓纂10/31A
27郝象賢
　1 舊唐8/84/2801
　2 新唐14/115/4218
郝名遠
　8 全文959/5B
35郝連梵
　8 全文260/23B
　25登科1/24B
37郝郎中
　69嘉定鎮江15/48A
40郝南容
　5 新表10/73下/2989
　19姓纂10/31A
44郝其
　68咸淳臨安51/16A
46郝相貴
　2 新唐14/115/4215
　5 新表10/73下/2989
　19姓纂10/31A
50郝貴超
　40十國107/7B
62郝昕
　19姓纂10/31A
90郝惟慶
　40十國107/7B

4742_0 朝

21朝衡(仲滿、巨卿)
　1 舊唐16/199上/5340
　2 新唐20/220/6209
　11全詩11/732/8375
71朝臣大父
　19姓纂5/3B
　朝臣真人
　19姓纂5/3B

4744_7 好

40好直
　80宋僧30/1A

報

60報恩禪師
　40十國89/12A
80報慈長老
　40十國76/6A

4746_7 媚

14媚豬　見波斯女

4752_0 鞠

24鞠稜
　19姓纂10/5B
91鞠恆(可久)
　25登科26/14A
98鞠愉
　25登科26/17A

4762_0 胡

00胡交
　8 全文352/1A
　胡諒
　19姓纂3/2B
　25登科13/4A
01胡証(啓中)
　1 舊唐13/163/4259
　2 新唐16/164/5048
　11全詩6/366/4132
　17紀事下/59/903
　19姓纂3/2B⑩
　20郎考2/37B
　　　11/69B
　25登科12/25B

---

① 《新表》作楊育餘，今從《郎考》改。
② 《姓纂》"鞠"原作"字"，今據岑仲勉《元和姓纂四校記》考定改正。
③ 《姓纂》"湛"作"醘"，湛、醘古通寫，今據新、舊《唐書》作湛。
④⑤ 《新志》此處作"郝昂"，今據兩《唐書》本傳改，詳見《姓纂》條注。
⑥ 《全文》作"郝昂"，今據兩《唐書》本傳改，詳見《姓纂》條注。
⑦ 《姓纂》作"郝昂，士美父。"《舊唐書》卷一五七、《新唐書》卷一四三《郝士美傳》皆載士美父名純，字高卿，不名昂。岑仲勉《元和姓纂四校記》引《制詔集》、《唐會要》、《羊士諤集》、《李太白集》、《唐語林》等書，證明唐人多稱之爲郝昂，或因避文宗諱而追改。今從兩《唐書》作純，另出郝昂作參見條。
⑧ 《郎考》作"郝昂"，今據兩《唐書》本傳改，詳見前注。
⑨ 《姓纂》"叟"作"妛"，今從《新表》。
⑩ 《姓纂》作"胡譚"，今據考核，實與新、舊《唐書》本傳之胡証爲同一人，詳參下胡澄處注文。此事岑仲勉《元和姓纂四校記》未及。

25登科15/22 B④

胡志忠
　11全詩12/867/9820

胡嘉隱
　8 全文402/9 B

胡吉
　19姓纂3/2 B

胡雄
　11全詩2/94/1018

胡真
　3 舊五1/16/222
　26方鎮2/28 B

44胡萬頃
　40十國65/8 A

胡英
　39書史5/25 A

胡楚賓
　1 舊唐15/190中/5011
　2 新唐18/201/5744
　7 新志5/57/1450

胡權
　8 全文759/3 A
　11全詩11/780/8821

46胡獨鹿
　4 新五3/74/920

胡韞
　40十國57/1 B

47胡坿　見胡珦

48胡敬璋
　26方鎮8/14 A

55胡慧超
　7 新志5/59/1523

56胡規
　3 舊五1/19/264

57胡擢
　35畫譜15/7 A
　36圖誌2/37
　38圖繪2/32 A

60胡杲

11全詩7/463/5263
17紀事下/49/738

胡曼倩
　19姓纂3/2 B
　20郎考10/8 B
　21御考3/10 B
　　　3/31 B

胡景濟
　21御考2/39 B

62胡則
　40十國27/15 A
　43馬書17/6 B
　44陸書5/6 A

66胡嚴徵
　38圖繪　補遺/4 A

72胡氏(王用妻)
　9 拾遺51/1 A

77胡堅
　8 全文526/23 A

78胡駢
　11全詩11/719/8257
　17紀事下/63/949

80胡令能(胡釘鉸)
　11全詩11/727/8325
　17紀事上/28/431

胡曾
　7 新志5/60/1617
　8 全文811/14 B
　9 拾遺33/4 A
　11全詩10/647/7417
　　　12/870/9863
　17紀事下/71/1050
　18才子8/141
　28直齋19/24 A

胡公素
　26方鎮1/38 A

84胡錡
　9 拾遺32/11 B

胡饒

3 舊五4/96/1275

90胡愔(見素子)
　7 新志5/59/1522
　8 全文945/6 B

胡裳
　19姓纂3/2 B

4780$_6$ 超

22超岸
　80宋僧11/10 A

36超禪師
　81景德20/20 B

91超悟
　81景德19/17 B

4792$_0$ 柳

00柳立
　19姓纂7/20 B
　25登科13/23 A

柳亨(敬)
　1 舊唐8/77/2680
　2 新唐13/112/4173
　19姓纂7/20 A
　　　7/20 B

柳充庭
　5 新表9/73上/2838

柳產
　5 新表9/73上/2840

柳彥昭
　5 新表9/73上/2845
　19姓纂7/22 A

柳齊　見柳齊物

柳齊物
　5 新表9/73上/2836
　19姓纂7/20 A
　71嚴州1/28 A⑤

柳應
　5 新表9/73上/2853
　19姓纂7/22 A

---

① 《姓纂》作"胡坿"，岑仲勉《元和姓纂四校記》據《韓昌黎集》胡珦碑及《唐會要》等，謂坿均應作珦，今據改。

② 《全詩》原注："玢一作汾。"

③ 《舊唐書》卷一六三《胡証傳》，謂証河東人，"父瑱，伯父玫"。証卒於文宗大和二年。証子溵，文宗大和末死於李訓之難，其弟湘時爲太原從事。《姓纂》於胡姓河東條謂："開元中胡瑜弟瑱、玌，並舉進士。瑜生諤，瑱生諒，大理評事。諤右司郎中，生溵、洵、湘、潘。"按《姓纂》作於元和初，不及見胡証、胡溵死事，《舊傳》云証"元和四年，由侍御史歷左員外郎"，亦與《姓纂》載胡諤爲"右司郎中"大致相合，由此可見，胡証與胡諤其籍貫、仕履亦基本相同，當爲同一人，《舊傳》與《姓纂》之胡溵亦爲同一人，所不同者，諤父瑜，証父瑱，所載小異。

④ 《登科》原按"鈞一作均"。

⑤ 《嚴州》作"柳齊"，無物字，今據岑仲勉《元和姓纂四校記》考定補正。

① 《姓纂》“思”作“恩”，今從《新表》及《郎考》。
② 《新表》作柳無恭，並云爽曾孫，潭州刺史。《新唐書》卷一一二《柳爽傳》云：“唯曾孫无忝客籍冀州……无忝後歷潭州都督。”則無恭、无忝當爲一人。無无相通，恭忝形近，未知孰是。今從《新唐》。
③④ 《新表》、《郎考》“季”作“秀”，今從《姓纂》。
⑤ 《姓纂》作“柳滿”，無行字，今據《新表》、《郎考》補正。
⑥ 《新表》作“柳貞幹”，今從《姓纂》。
⑦ 《姓纂》“胤”作“允”，今從《新表》。

① 《姓纂》"偡"作"湛"，今據岑仲勉《元和姓纂四校記》考定改正。
② 《姓纂》作"柳德又"，今據岑仲勉《元和姓纂四校記》考定改正。
③ 《姓纂》"升"作"昇"，今據岑仲勉《元和姓纂四校記》考定改正。
④⑤ 《新表》、《姓纂》"作"作"五"，今據岑仲勉《元和姓纂四校記》考定改正。
⑥ 《新表》載柳寬，字存諒，荊南永安軍判官，《寶慶四明志》則載柳寬爲慈溪縣令，未知是否一人。或寬於荊南永安軍判官前曾任慈谿縣令，今姑合爲一人，備考。
⑦ 《新表》作"柳仲遵"，爲唐昭宗時宰相柳璨父。但《舊唐書》卷一六五《柳公綽傳》、卷一七九《柳璨傳》、《新唐書》卷一六三《柳璨傳》均柳遵，無仲字，實爲一人。今從新、舊《唐書》本傳作柳遵，另出柳仲遵作參見條，並參見沈炳震《新唐書宰相世系表訂誤》。

① 《方鎮》之柳熹，唐宣宗大中十年由前邠寧節度使爲檢校禮部尚書、河南尹；下《新表》、《全文》、《姓纂》之柳喜，係齊物子，唐文宗時弘文館學士，左司員外郎。熹、喜形近，時代亦同，未知是否即爲一人，備考。

② 《新表》作"柳栖"，今據《姓纂》補朝字。

③ 《全詩》原注："郴一作郲。"

④ 《郡齋》作"柳郊"，今從《全詩》、《紀事》作柳郴。

⑤ 《新唐》作"柳談"，談實爲淡字之誤，今據《新表》、《姓纂》諸書改正。淡字中庸，以字行，今以柳中庸爲主目，柳淡、柳談爲參見條目。

⑥ 《新表》作"柳果仁"，按其弟名崇禮，則當依《姓纂》作杲仁爲是，今據改。

⑦ 《新唐》載柳璧字賓玉，《新表》則作字寶玉，同一書而所載不同，必有一誤，今并錄備考。

⑧ 《新表》作"柳器"，無公字，今據新舊《唐書》本傳補正。

5 新表9/73上/2841
19姓纂7/20 B
25登科27/29 B
86柳錫
68咸淳臨安51/16 A
柳知微
10續拾6/7 B
柳知人
5 新表9/73上/2839
19姓纂7/20 A
87柳鄭卿
5 新表9/73上/2846
19姓纂7/20 B
88柳範
1 舊唐8/77/2681
2 新唐13/112/4177
5 新表9/73上/2836
19姓纂7/20 A
90柳惟則
5 新表9/73上/2849
19姓纂7/21 A
柳懷表　見柳懷素
柳懷素（知白）
5 新表9/73上/2848
19姓纂7/21 A①
柳悼
5 新表9/73上/2845
柳少安
5 新表9/73上/2840
柳光庭
5 新表9/73上/2838
19姓纂7/20 A
20郎考22/22 A
柳尚真
5 新表9/73上/2851
19姓纂7/21 B
柳尚素
5 新表9/73上/2851
69嘉定鎮江17/6 B
柳棠
11全詩8/516/5902
12/870/9861
17紀事下/58/885
25登科21/17 A
96柳憬
5 新表9/73上/2845
97柳惲
5 新表9/73上/2837

19姓纂7/20 A②
柳郊　見柳郴
99柳瑩
19姓纂7/20 A

桐

22桐峯庵主
81景德12/13 A
26桐泉山和尚
81景德20/24 B

4792₇ 橘

27橘免勢　見橘逸勢
37橘逸勢
1 舊唐16/199上/5341
2 新唐20/220/6209③

4796₄ 格

21格處仁
5 新表10/74上/3158
19姓纂10/35 B
34格逖
5 新表10/74上/3158
38格遵
2 新唐13/102/3969
5 新表10/74上/3158
19姓纂10/35 B
25登科27/26 B
40格希元
1 舊唐8/70/2541
2 新唐13/102/3969
5 新表10/74上/3158④
7 新志5/58/1456 ⑤
19姓纂10/35 B
28郡齋2上/3 B⑥
53格輔元
1 舊唐8/70/2541
2 新唐13/102/3969
5 新表10/74上/3158
19姓纂10/35 B
20郎考18/1 B
25登科2/15 B
27/25 B

4816₆ 增

17增忍（廣慧）
80宋僧26/16 B

43增城縣主　見增城公主
增城公主
40十國61/7 B⑦

4841₇ 乾

00乾康
11全詩12/849/9620
40十國76/6 B
22乾峯和尚
81景德17/13 A

4860₁ 警

00警玄
81景德26/9 A

4864₀ 敬

00敬彥琮
5 新表11/75上/3250
19姓纂9/16 A
敬讓
5 新表11/75上/3250
8 全文403/14 B
19姓纂9/16 A
敬袞
3 舊五1/18/246
01敬諲
5 新表11/75上/3250
19姓纂9/16 A
20郎考26/11 A
02敬新磨
4 新五2/37/399
42五補2/12 B
03敬誠
5 新表11/75上/3250
19姓纂9/16 A
53赤城志8/14 B
64掇英18/12 A⑧
65會稽志2/28 A
敬諴　見敬誠
07敬詢
5 新表11/75上/3250
19姓纂9/16 A
10敬瑻
81景德26/18 A
敬元廣
1 舊唐9/91/2934
5 新表11/75上/3250
11敬非

① 《姓纂》"素"作"表"，今據岑仲勉《元和姓纂四校記》考定改正。
② 《姓纂》"惲"作"渾"，今據岑仲勉《元和姓纂四校記》考定改正。
③ 《新唐》"逸"作"兔"，今據日本《續羣書類叢》傳部《橘逸勢傳》改正。
④⑤ 《新表》、《新志》"元"作"玄"，今據兩《唐書》格希元本傳改正。
⑥ 《郡齋》作"革希言"，原文云"唐高宗令章懷太子賢與劉訥言、革希言作註"。據兩《唐書》格希元本傳及《新志》，爲《後漢書》作注者爲劉訥言、格希元，《郡齋》人名記載有誤，今改正。
⑦ 《十國》原注："公主一作縣主。"
⑧ 《掇英》作"敬誠"，岑仲勉《元和姓纂四校記》云與"敬誠"同爲一人，今據改。

1 舊唐9/89/2885
5 新表10/74下/3162
19姓纂10/40 B
20郎考7/1 A
50狄中立
8 全文761/9 B
60狄思慎
25登科22/17 B④
狄景暉
2 新唐14/115/4214
狄景昭
19姓纂10/40 B
10/41 A
80狄兼謨(汝諧)
1 舊唐9/89/2896
2 新唐14/115/4214
7 新志5/58/1497
8 全文725/12 B
25登科27/12 B
26方鎮3/7 A
4/37 B
55吳郡志11/4 B
86狄知儆
5 新表10/74下/3162
狄知遜
1 舊唐9/89/2885
5 新表10/74下/3163
19姓纂10/40 B
狄知本
5 新表10/74下/3162
87狄銀
3 舊五6/138/1842
4 新五3/74/916
90狄光遠
5 新表10/74下/3163
19姓纂10/40 B
狄光嗣
2 新唐14/115/4214
5 新表10/74下/3163
7 新志5/58/1496

19姓纂10/40 A
20郎考11/8 B
12/5 B
狄光昭(子亮)
5 新表10/74下/3163
94狄慎思　見狄思慎
97狄煥(子炎)
11全詩11/768/8722

4942₀ 妙

20妙香
11全詩12/867/9826
40妙女
11全詩12/863/9765

4980₂ 趙

00趙主俗
1 舊唐16/197/5276
2 新唐20/222下/6319
趙童子
42五補5/1 B
趙立言
31唐畫6/16 A
趙彥伯
11全詩2/104/1096
12/882/9969
17紀事上/11/155
趙彥徵
26方鎮8/79 A
趙彥韜
40十國57/5 A
趙彥旺
21御考2/19 B
2/48 A
趙彥昭(夬然)
1 舊唐9/92/2967
2 新唐14/123/4377
5 新表10/73下/2984
11全詩2/103/1087
17紀事上/10/130

25登科4/27 A
27/3 B
趙商
10續拾5/15 A
趙裔
38圖繪2/27 B
趙廉
19姓纂7/6 A
趙庭隱
41九國7/3 B
趙慶
11全詩11/795/8951
趙慶逸
19姓纂7/4 A
趙磨
1 舊唐16/197/5275
2 新唐
20/222下/6321⑤
趙廣微
19姓纂7/5 B⑥
20郎考26/10 B
21御考3/9 A
3/11 A
3/15 A
趙文　見趙文恪
趙文皎
1 舊唐8/83/2787⑦
19姓纂7/5 B
趙文翽
19姓纂7/5 B
趙文恪
1 舊唐7/57/2296
2 新唐12/88/3740
7 新志5/58/1495
19姓纂7/6 A⑧
趙章　見王宗勉
趙玄極
5 新表10/73下/2981
趙袞
19姓纂7/6 A

---

① 《新表》作"敬則",無令字,今據《姓纂》補正。
② 《新表》作"敬怖",今據《姓纂》改。
③ 《圖誌》原注:"行思一作再思。"《圖繪》、《十國》注同。
④ 《登科》作"狄慎思",徐松謂《玉芝堂談薈》作思慎,恐此作慎思因咸通十一年林慎思致訛。
⑤ 《新唐》作"趙苜摩",今從《舊唐》作趙磨。
⑥ 《姓纂》作"趙微"無廣字,今據岑仲勉《元和姓纂四校記》考定改正。
⑦ 《舊唐》作"趙皎",爲趙道興子,金吾將軍。《姓纂》載道興子趙文皎,左金吾大將軍。岑仲勉《元和姓纂四校記》謂應從《姓纂》作文皎,今據補。
⑧ 《姓纂》作"趙文",岑仲勉《元和姓纂四校記》據《唐會要》、《全唐文》等,疑作趙文恪。

① 按此爲開元時趙冬曦兄,又見《姓纂》,而《舊唐書》卷一〇二《韋述傳》謂"趙冬曦兄冬日"云云,岑仲勉《元和姓纂四校記》謂《舊唐書》作冬日誤,應作夏日。

② 《郎考》"趙弘"後原缺一字。

③ 《郎考》"弘"作"宏",今據《新唐》、《姓纂》改正。

④⑤ 《全文》、《十國》"義"作"乂",今據《舊五》、《新五》本傳改正。

⑥ 《舊志》作"趙氏",今據《新志》改。

⑦ 《姓纂》作"趙佩",今據岑仲勉《元和姓纂四校記》考定改正。

⑧ 《姓纂》"璘"作"琳",今據岑仲勉《元和姓纂四校記》考定改正。

28直齋10/15A
趙自然
　11全詩12/861/9736
趙自勤
　7 新志5/59/1542
　8 全文408/7A
　19姓纂7/6A
趙自勵
　8 全文401/8B
趙泉虬
　8 全文956/16B
趙保雍
　25登科26/32A
趙和
　8 全文848/3A
趙和璧
　2 新唐18/200/5703
　8 全文296/19A
　19姓纂7/5A
　25登科27/5A
27趙龜
　20郎考26/26B
趙殷衡　見孔循
趙殷輅
　8 全文619/18A
趙儋
　8 全文732/1A
　19姓纂7/6B
　26方鎮1/47B
趙僎
　8 全文363/16B
趙冬曦
　2 新唐18/200/5702
　7 新志5/59/1513
　　　5/60/1602
　8 全文296/16B
　9 拾遺18/12A
　11全詩2/98/1056
　17紀事上/17/251
　19姓纂7/5A
　20郎考10/19B
　21御考2/13A

25登科4/26A
　　5/5A
趙叡沖
　25登科3/19A
趙峋(德山)
　5 新表10/73下/2984
趙鄧
　19姓纂7/5A
　25登科27/5A
趙彙貞
　2 新唐18/200/5703
　19姓纂7/5A
　25登科27/5A
趙叔達
　11全詩11/732/8373
28趙微　見趙廣微
趙徵明　見趙微明
趙微明
　11全詩4/259/2893⑤
　17紀事上/27/411
　18才子3/48
趙復
　19姓纂7/6A
趙從約
　5 新表10/73下/2983
　20郎考18/17A
趙牧
　11全詩9/563/6539
　17紀事下/66/998
　18才子8/140
趙縱
　19姓纂7/6A
　20郎考3/47B
　　　16/12A
30趙宣亮
　1 舊唐12/138/3780
　5 新表10/73下/2981
趙宣輔(仲甫)
　69嘉定鎮江14/54A
趙滂(思濟)
　1 舊唐14/178/4621
　5 新表10/73下/2984

　20郎考8/43A
　　11/52A
　　12/42B
趙進
　41九國7/20B
趙守微
　25登科26/28B
趙宇
　8 全文956/13B
趙安貞
　19姓纂7/5A
　20郎考2/10B
　　　3/31B
趙安定
　25登科4/26A
趙宏
　25登科26/2A
　40十國108/2B
趙宏安　見趙弘安
趙良玉
　8 全文403/15B
趙良弼
　19姓纂7/5B
　20郎考2/13B
　26方鎮5/48B
　　　7/1B
　64摛英18/12B
　65會稽志2/29A
趙良器(元)
　8 全文374/2A
　11全詩3/203/2117
　14國秀上/127
　　　上/148
　19姓纂7/5B
　20郎考18/5B
　21御考3/34A
　　　3/39A
　25登科6/9B
趙良公
　19姓纂7/5A
趙良金
　26方鎮7/19B

①《姓纂》作"趙邑",今據岑仲勉《元和姓纂四校記》考定改正。
②《姓纂》"言"作"昌",今據岑仲勉《元和姓纂四校記》考定改正。
③《姓纂》"楷"作"皆",今據岑仲勉《元和姓纂四校記》考定改正。
④《姓纂》"佶"作"佶",今據岑仲勉《元和姓纂四校記》考定改正。
⑤《全詩》作"趙微明",今據《唐詩紀事》、《唐才子傳》改。元結《篋中集》(《唐人選唐詩》1958年中華書局上海編輯所排印本)亦作"趙微明"。

① ② ③ 《畫譜》、《圖誌》、《圖繪》"奇"皆作"其"，今據《益州名畫錄》改。

④ 《姓纂》作"趙興"，無道字，今據岑仲勉《元和姓纂四校記》考定改正。

⑤ 《吳興志》作"趙醬徽"，並云長壽二年自洪州都督授湖州刺史。《姓纂》有湖州刺史趙音微，時間相合，醬與音義通，徽與微形近，疑是同一人，《郎考》亦作趙音微，故今統一作趙音微。

⑥ 按《十國春秋》繫趙蕤于前蜀，云:"趙蕤，梓州鹽亭人。博學韜鈐，長於經世。夫婦俱有節操，不受交辟。乾德時著《長短經》行世。"乾德為前蜀王衍年號。據《新志》，趙蕤字太賓，撰《長短經》十卷，梓州人，開元時曾徵召，不赴。又李白居蜀中時曾與友，後曾有詩及之，如《寄趙徵君蕤》(《文苑英華》卷二三〇)。《十國春秋》以趙蕤為五代前蜀時人，大誤。

⑦ 《姓纂》"薰"作"董"，今據岑仲勉《元和姓纂四校記》考定改正。

⑧ 《姓纂》載趙懋伯為珽子，河南尹。按據《舊唐書》卷十一，大曆十四年三月，河中少尹趙惠伯為河南尹。岑仲勉《元和姓纂四校記》據此，謂《舊紀》之趙惠伯即《姓纂》之趙懋伯。今錄以備考。

趙忠義
  32益畫中/4A
  36圖誌2/49
  38圖繪2/37B
  40十國56/12A
趙曳夫
  1舊唐16/197/5278
  2新唐20/221上/6219
趙素肇
  19姓纂7/4A
52趙揆
  19姓纂7/4A
趙拙
  25登科27/18B
54趙持滿
  1舊唐14/183/4727
  19姓纂7/4A
55趙搏
  7新志5/60/1614
  11全詩11/77/8752
  18才子10/171
56趙損
  5新表10/73下/2982
  40十國62/6B
58趙撫
  8全文956/15B
60趙皎 見趙文皎
趙國玉(孝先)
  19姓纂7/6B
趙國珍
  1舊唐10/115/3374
  2新唐20/222下/6319
  19姓纂7/6B
  26方鎮6/43A
趙國莊懿國公主
  2新唐12/83/3663
趙思謙
  19姓纂7/4A
趙思绾
  3舊五5/109/1441
  4新五2/53/605
趙昇卿
  19姓纂7/6A
  20郎考3/17B
      11/66B
  21御考2/5B
      2/31A
趙昌(洪祚、成)居貞子

  1舊唐12/151/4062
  2新唐16/170/5175
  8全文514/5B
  19姓纂7/5A
  26方鎮5/6A
      7/6A
      7/54B
      7/55B
趙昌文翻子
  19姓纂7/5B
  20郎考12/57B
趙昌翰(德藩)
  5新表10/73下/2983
  20郎考9/20B
  25登科23/35B
趙邑 見趙邕
趙昂
  8全文622/7A
  9拾遺27/9A
  19姓纂7/6A
  20郎考5/16B
      22/22B
  23故事 翰苑羣書
        上/24B
趙岊 見趙霖
趙景德言子
  5新表10/73下/2985
  19姓纂7/5A
趙景 見趙憬
趙景裕
  3舊五4/90/1177
趙景旦
  5新表10/73下/2982
64趙曄 見趙驊
67趙明吉
  8全文839/6A
趙暉(重光)
  3舊五5/125/1639
68趙敳先
  1舊唐15/187下/4906①
  5新表10/73下/2985
  19姓纂7/5A
70趙防
  11全詩11/775/8780
  25登科27/19A
71趙頎
  25登科24/28B
      25/11A

趙驊(玄錫)
  1舊唐14/178/4622
  2新唐17/182/5374
  5新表10/73下/2983
  24壁記 翰苑羣書
        上/55A
  25登科22/25B
      23/11A
  26方鎮5/73A
趙匡(伯循)
  2新唐18/200/5706
  8全文355/14B
  19姓纂7/6A
  20郎考2/17A
趙匡贊(贊美、元輔)
  3舊五4/98/1313
  25登科25/25A
  40十國53/11A
趙匡凝(光儀)
  2新唐17/186/5427
  3舊五1/17/234
  4新五2/41/447
  26方鎮4/145A
  40十國8/7A
趙匡明
  2新唐17/186/5428
  3舊五1/17/235
  26方鎮5/15A
趙頤貞
  2新唐18/200/5703
  8全文296/21B
  19姓纂7/5A②
  21御考2/15A
  25登科27/5A
  26方鎮8/54B
72趙隱(大隱)
  1舊唐14/178/4621
  2新唐17/182/5374
  4新五2/35/378
  5新表10/73下/2982
  20郎考6/26A
      7/27B
      16/26A
  25登科22/21B
  26方鎮5/47B
  69嘉定鎮江14/38A
趙氏(寇坦母)

11全詩11/799/8984
趙氏(韋滂妻)
　11全詩11/800/9005
趙氏(杜羔妻)
　11全詩11/799/8988
　17紀事下/78/1121③
　18才子2/28
趙氏(吳康妻)
　59毗陵志19/6A
趙岳
　25登科9/6B
74趙勵
　8全文956/16A
趙隨
　25登科27/29A
趙陵陽
　8全文408/10B
　21御考3/7A
　　　3/23B
趙驊(雲卿)
　1舊唐15/187下/4906④
　2新唐15/151/4826
　5新表10/73下/2985
　8全文330/18A⑤
　11全詩2/129/1320
　17紀事上/27/421
　19姓纂7/5A
　20郎考17/11B
　　　23/3B
　　　24/3B
　25登科8/12A⑥
76趙駰　見趙駉

趙驛　見趙鐸
77趙鳳幽州人
　3舊五3/67/889
　4新五1/28/308
　8全文849/3A
　25登科25/21B
　28直齋4/37A
趙鳳冀州人
　3舊五5/129/1704
趙同珍
　7新志5/59/1558
趙邪利
　7新志5/57/1436
　28直齋14/2A
趙履沖
　19姓纂7/6A
　21御考1/12A
　　　2/8A
　　　2/27B
趙履溫
　19姓纂7/6B
　20郎考11/8A
趙居正　見趙居貞
趙居貞
　1舊唐12/151/4063
　2新唐18/200/5703
　8全文296/19B
　11全詩4/258/2879
　19姓纂7/5A
　25登科5/5B⑦
　　　27/5A
　55吳郡志11/4B
趙居晦

　3舊五4/89/1169
趙駉
　5新表10/73下/2985⑧
　19姓纂7/5B⑨
趙熙(績巨)
　3舊五4/93/1235
　8全文854/8B
趙囧
　8全文398/12A
趙興　見趙道興
78趙敺
　6舊志6/47/2038
　7新志5/59/1547
80趙全亮
　1舊唐12/138/3780
　5新表10/73下/2981
趙全泰
　9拾遺28/1A
趙全穀　見趙金穀
趙益
　5新表10/73下/2983
趙金穀(鍾)
　19姓纂7/4B⑩
　20郎考16/4A
趙令言
　19姓纂7/4A⑪
趙慈皓
　19姓纂7/4A
趙慈景(忠)
　2新唐12/83/3643
　19姓纂7/4A
趙美　見趙匡贊
趙義高

① 《舊唐》作"趙敬先",云:"趙曄……貞觀中主客員外郎德言曾孫也。父敬先,殿中侍御史。"按《姓纂》載趙德言孫敫先,景子,曄父,任殿中侍御史,《新表》同。由此可見趙敬先與趙敫先實爲一人。今據《姓纂》、《新表》改作敫先。
② 《姓纂》"頤"作"顯",今據岑仲勉《元和姓纂四校記》考定改正。
③ 《紀事》作"劉氏",並注云"一作趙氏",今從《全詩》、《才子》作趙氏。
④ 《舊唐》"驊"作"曄",今據《新唐》、《姓纂》諸書改正。
⑤ 《全文》作"趙煜",小傳云"煜字雲卿,鄧州穰人。開元中擧進士,連擢科第,授大理評事,乾元初累拜左補闕,遷祕書少監。建中四年卒,追贈華州刺史。"所叙煜之字號及仕履,皆與新、舊《唐書》所載趙驊者同。岑仲勉《讀全唐文札記》謂:"按此即宗儒之父也,本書卷三一五及三一七、《元和姓纂》、《舊書》一六七、《新書》七三下及一五一、《唐詩紀事》二七均作驊,唯《舊書》一八七下作曄,無作煜者,疑因曄諱省改之。"岑仲勉所謂《全文》三一五及三一七,即指所載李華《楊騎曹集序》及《三賢論》,文中皆作趙驊,李華與驊爲同時人,故其說可據,今改作驊。
⑥ 《登科》"驊"作"曄",今據改。
⑦ 《登科》此處"貞"作"正",今據新、舊《唐書》及《姓纂》諸書改正。
⑧⑨ 《新表》、《姓纂》作"趙駰",今據岑仲勉《元和姓纂四校記》考定改正。
⑩ 《姓纂》"金"作"全",今據岑仲勉《元和姓纂四校記》考定改正。
⑪ 《姓纂》在令言前原爲"慶逸生演,大理司直。演生偁令言。"據岑仲勉《元和姓纂四校記》所考,此段文字中"演大理司直演生偁"數字屬錯簡,令言乃慶逸之子。

① 《全詩》原注:"鐸一作鼉。"
② 《姓纂》"憬"作"景",今據岑仲勉《元和姓纂四校記》考定改正。

5000₆ 中

00中庭和尚
　81景德20/23 A
30中寤
　11全詩12/808/9117
　17紀事下/72/1061
　中宗朝優人
　11全詩12/869/9848
40中大兄皇子
　9 拾遺72/5 A

申

00申文炳（國華）
　3 舊五5/131/1726
　25登科25/40 B
10申天師（迅）
　40十國57/8 A
26申稷
　19姓纂3/18 B
30申寧　見申世寧
　申宗　見申歡
32申漸高
　40十國12/5 B
　43馬書25/1 A
　44陸書14/2 A
　申叢
　26方鎮8/70 A
37申迅　見申天師
44申著瑀
　9 拾遺46/14 A
　申世寧
　19姓纂3/18 B①
　20郎考10/13 B
　25登科1/4 B
47申歡
　11全詩12/860/9720②
50申貴
　40十國53/6 B
　41九國7/22 B
67申鄂
　3 舊五5/131/1726
77申屠瑒

19姓纂3/19 B③
20郎考11/3 B④
申屠液
　8 全文329/15 B
申屠澄
　11全詩12/867/9825
申屠場　見申屠瑒
申屠令堅
　40十國27/16 B
　43馬書12/6 B
　44陸書5/7 B
　45江南10/6 A
申屠錫　見申屠瑒
90申堂構
　7 新志5/60/1610
　8 全文405/20 A
　11全詩11/795/8943
　19姓纂3/18 B
　25登科27/6 A
　69嘉定鎮江18/43 B
　70至順鎮江18/2 B

曳

44曳莽（突利失可汗）
　2 新唐19/217下/6138

車

21車絉
　11全詩5/319/3601
26車鼻（乙注車鼻可汗）
　1 舊唐16/194上/5165
　2 新唐19/215上/6041
38車道政
　30歷畫10/194
　38圖繪2/26 B

史

00史彥瓊
　4 新五2/37/400
史彥容
　3 舊五4/88/1152
史彥超
　3 舊五5/124/1630

4 新五2/33/364
史玄道
　7 新志5/58/1500
　19姓纂6/6 A
史玄晏
　7 新志5/57/1434
02史證
　27郡齋1上/5 B
09史麟　見史鱗
10史元璨
　8 全文437/9 A
史元忠
　1 舊唐14/180/4676
　2 新唐19/212/5979
　26方鎮4/108 A
史震
　19姓纂6/6 B
史晉
　19姓纂6/6 B
12史弘
　19姓纂6/6 B
史弘肇（化元）
　3 舊五5/107/1403
　4 新五1/30/330
史延
　8 全文446/10 B
　11全詩5/281/3193
　17紀事上/34/527
　25登科10/33 A
14史瓚
　30歷畫10/197
　38圖繪2/24 B
15史建瑭（國寶、史先鋒）
　3 舊五3/55/740
　4 新五1/25/267
17史瓊
　36圖誌2/42
　38圖繪2/36 A
史務滋
　1 舊唐9/90/2923
　2 新唐13/114/4204
　5 新表10/74上/3156
　19姓纂6/6 A

---

① 《姓纂》作"申寧"，無"世"字，當避唐太宗諱，今據勞格《郎考》補"世"字。
② 《全詩》原注："歡一作宗。"
③ 《姓纂》"瑒"作"場"。據岑仲勉《元和姓纂四校記》考定，應作"瑒"。今改正。
④ 《郎考》作"申屠錫"，趙鉞案，"錫"當作"瑒"。今據改。

58金陵志13下/42 B

史承節
  8 全文330/4 B

18史瑜
  11全詩11/795/8960

20史重厚
  8 全文791/1 B

21史仁表
  19姓纂6/6 B

史虛白（畏名，沖靖先生）
  11全詩11/795/8951
  40十國29/4 B
  43馬書14/2 B
  44陸書4/6 B
  45江南8/5 A
  58金陵志13下/27 A

22史巖
  8 全文276/3 B

史崇　見史崇玄

史崇玄
  7 新志5/59/1520
  8 全文923/16 B ①

23史俊
  11全詩2/75/819
  17紀事上/20/283

史牟
  20郎考12/32 B
        15/15 A
  25登科12/21 A

24史備
  19姓纂6/6 B
  20郎考16/19 A

史德琭
  3 舊五5/107/1407

史德義
  1 舊唐16/192/5117
  2 新唐18/196/5599
  46玉峯志中/22 A
  75崑山志4/2 A

25史仲謨
  8 全文162/14 B

26史白
  37書小史10/1 B

史儆
  3 舊五3/55/743

27史歸舜
  9 拾遺32/25 A

史翽

5 新表10/74上/3156
  8 全文439/8 A
  19姓纂6/6 A
  25登科5/28 A
  26方鎮4/131 B

28史徵　見史之徵

29史鱗
  39書史5/28 A ②

30史寧寂
  19姓纂6/6 B

史之徵
  8 全文902/13 B ③
  28直齋1/9 A

史憲誠
  1 舊唐14/181/4685
  2 新唐19/210/5935
  26方鎮4/126 A

史憲忠（元貞）
  2 新唐15/148/4791
  26方鎮1/35 A
        1/76 A
        1/88 B

史守沖
  40十國34/2 B
  44陸書14/3 B

史窣干　見史思明

史宏
  8 全文716/28 A

史容
  19姓纂6/6 B

史審
  19姓纂6/6 B

史寅
  19姓纂6/6 B

史寶
  19姓纂6/6 B

31史福
  3 舊五5/107/1407

32史潘
  3 舊五5/107/1403

34史凌
  39書史5/28 B

34史浩　見史惟則

史洪
  39書史5/28 A

38史激
  8 全文955/17 A

史道德

1 舊唐14/181/4685

40史大奈
  1 舊唐16/194下/5180
  2 新唐13/110/4111
  19姓纂6/6 B

史士弘
  7 新志5/57/1428

史圭
  3 舊五4/92/1217
  4 新五2/56/649

史在德
  8 全文849/12 B

44史藏用
  8 全文459/7 A

史孝章（得仁）
  1 舊唐14/181/4686
  2 新唐15/148/4790
  26方鎮1/21 B
        1/47 B
        2/23 A

史萇
  8 全文955/16 A

47史懿（繼美，匡懿）
  3 舊五5/124/1631

史朝義
  1 舊唐16/200上/5382
  2 新唐20/225上/6431

史超
  9 拾遺51/14 B

48史敬奉
  1 舊唐12/152/4078
  2 新唐16/170/5182

史敬思
  3 舊五3/55/740
  4 新五1/25/267

史敬鎔
  3 舊五3/55/747

50史泰
  19姓纂6/6 B

史青
  11全詩2/115/1172

史忠
  19姓纂6/6 B

57史擔
  79續僧38/16 B

60史晟
  30歷畫9/184

史思元

① 《全文》作“史崇”，蓋修纂者避清康熙諱省“玄”字，今據《新志》補。
② 《書史》原注：“鱗一作麟。”
③ 《全文》作“史徵”，並於“徵”字下注云：“《書録解題》作之徵。”今據《直齋書録解題》作史之徵。

38惠祥
　79續僧25/1 B
41惠標
　18才子3/45
50惠忠
　80宋僧19/24 A
57惠靜　見慧淨
60惠旻　見慧旻
62惠昕
　27郡齋3下/37 A
67惠明唐高宗時人
　79續僧26/14 B
　惠明晚唐人
　7 新志5/59/1530
75惠磧　見慧磧
77惠覺
　73吳興志17/21 A
　惠闍梨
　70至順鎮江19/31 B
80惠普
　79續僧25/10 A
88惠符
　80宋僧19/5 A

5033₆ 忠

00忠彥
　81景德23/19 B
21忠順可汗　見蘇祿
　忠貞可汗　見多邏斯
88忠節
　2 新唐20/221下/6250

5040₄ 婁

10婁元穎
　8 全文408/32 B
13婁武徹
　19姓纂5/33 A
21婁師德(宗仁)
　1 舊唐9/93/2975
　2 新唐13/108/4092
　5 新表10/74下/3178
　8 全文187/4 A
　19姓纂5/33 B
　25登科1/30 A
22婁繼英
　4 新五2/51/581
40婁志學
　5 新表10/74下/3178

19姓纂5/33 B
44婁蘊
　71嚴州1/27 B
　婁其那那
　1 舊唐16/198/5308
48婁敬思
　26方鎮8/10 B
60婁思穎
　5 新表10/74下/3178
　19姓纂5/33 B
　婁圖南
　5 新表10/74下/3178
　19姓纂5/33 A

5044₇ 冉

10冉元一
　9 拾遺18/4 A
30冉安昌
　19姓纂7/27 B
　冉實(茂實)
　19姓纂7/27 B
　25登科1/22 A
　　　　27/34 B
37冉祖雍
　19姓纂7/27 B
　21御考1/3 B
40冉太華
　19姓纂7/27 B
90冉憎
　19姓纂7/27 B

5050₃ 奉

19奉璘
　81景德20/20 A
36奉禪師
　81景德11/12 A
55奉蚌
　12詩逸中/10213

5060₀ 由

10由吾公裕
　7 新志5/59/1558

5080₆ 貴

27貴鄉公主
　2 新唐12/83/3669

5090₀ 末

55末農力　見尚恐熱
57末換
　1 舊唐16/198/5316
　2 新唐20/221下/6263

5090₂ 棗

44棗樹和尚
　81景德24/20 B

5090₃ 素

23素稽
　2 新唐20/221上/6232
26素和顏
　19姓纂8/17 A
47素馨
　40十國61/2 B

5090₄ 秦

00秦立　見秦彥
　秦彥(立)
　1 舊唐14/182/4715
　2 新唐20/224下/6401
　26方鎮5/74 B
　秦彥暉
　40十國72/5 A
　41九國11/6 A
11秦裴
　40十國6/2 B
　41九國1/9 B
12秦瑀
　8 全文947/20 B
17秦瓊(叔寶)
　1 舊唐8/68/2501
　2 新唐12/89/3757
　76齊乘6/34 A
20秦舜昌
　48寶慶四明1/15 A
　49延祐四明2/1 B
　秦系(公緒、東海釣客)
　2 新唐18/196/5608
　7 新志5/60/1611
　11全詩4/260/2895
　17紀事上/28/434
　18才子3/47
　28直齋19/6 B
　60剡錄3/10 A

4/6 A
　65會稽志14/50 B
21秦行師
　1 舊唐7/57/2295
　2 新唐12/88/3747
　19姓纂3/15 B
　秦行其
　19姓纂3/15 B
　秦師權
　69嘉定鎮江16/26 B
23秦獻
　10續拾3/3 A
27秦叔寶　見秦瓊
　秦叔恂　見秦叔懌
　秦叔懌
　19姓纂3/16 A①
　20郎考15/28 A②
　　　16/1 A
30秦守　見秦守一
　秦守一
　19姓纂3/15 B③
　秦宗權
　1 舊唐16/200下/5398
　2 新唐20/225下/6464
　26方鎮8/70 A
42秦韜玉(中明)
　7 新志5/60/1608
　11全詩10/670/7656
　17紀事下/63/948
　18才子9/159
　25登科23/30 B
　27郡齋4中/14 B
　28直齋19/25 A
　　　16/29 B
44秦孝言
　19姓纂3/16 A
46秦相如
　19姓纂3/16 A
　20郎考3/7 A
　　　8/4 A
　25登科2/11 A

58秦轍
　41九國11/6 A
60秦昌舜
　19姓纂3/15 B
　64掇英18/12 B
　65會稽志2/28 A
　秦景通(大秦君)
　1 舊唐15/189上/4955
　2 新唐18/198/5657
　19姓纂3/15 B
　59毗陵志16/3 A
64秦暐(小秦君)
　1 舊唐15/189上/4955
　2 新唐18/198/5657
　19姓纂3/15 B④
　59毗陵志16/3 A
　秦暐　見秦暐
71秦匡謀
　26方鎮6/50 A
72秦氏(高叡妻)
　2 新唐18/205/5822
77秦用
　8 全文947/20 A
　秦貫
　8 全文792/11 B
80秦無害
　19姓纂3/15 A
　秦善丕
　19姓纂3/16 A
90秦懷洛
　19姓纂3/16 A
　秦尚運
　11全詩11/770/8739

5090₆ 東

44束草師
　80宋僧23/8 A

東

00東方逯
　26方鎮1/51 B

東方虯
　8 全文208/5 B
　11全詩2/100/1075
　17紀事上/7/93
　19姓纂1/6 A
東方顥
　19姓纂1/6 A
東京客僧
　80宋僧25/9 A
27東鄉助
　7 新志5/57/1426
　8 全文402/16 A
　28直齋1/7 B ⑤
東鄉同安
　10續拾1/7 A
東鄉同安妻　見夏侯氏
31東汀和尚
　81景德23/20 B
36東禪和尚
　81景德19/15 B
40東義
　8 全文919/17 A
44東塔和尚
　81景德12/11 A
76東陽助　見東鄉助
東陽公主唐太宗女
　2 新唐12/83/3646
東陽公主唐順宗女
　2 新唐12/83/3666
90東光縣主
　2 新唐12/80/3578

5102₀ 打

44打地和尚
　81景德8/13 B

5103₂ 振

37振朗(小朗禪師)
　81景德14/6 B

① 《姓纂》作"秦叔恂",今據《郎考》卷一六改。
② 《郎考》此處作"秦叔恂",勞格謂《郎考》卷一六有叔懌,"叔恂"爲"叔懌"之誤,今據改。
③ 《姓纂》作"秦守",據岑仲勉《元和姓纂四校記》考定,"守"下奪"一"字。今補正。
④ 《姓纂》作"秦暐",《姓纂》云:"景通子暐,並太子洗馬、崇賢學士。"岑仲勉《元和姓纂四校記》據《舊唐書》卷一九
　〇上《景通傳》,景通有弟暐,《册府元龜》卷二六〇亦作秦暐,遂疑"暐"爲"暐"之訛,且《姓纂》云景通子,似亦
　有誤。今從岑説。
⑤ 《直齋》作"東陽助",今據《新志》改。

26方鎮5/14 B
40成克評
　　40十國84/8 B
　　41九國5/4 A
　成真人
　　11全詩12/860/9719
　成賁
　　8　全文459/6 A
　　20郎考2/15 A
47成都醉道士
　　11全詩12/862/9745
48成敬奇
　　25登科4/3 A
　成敬荷
　　69嘉定鎮江16/3 A
50成忠
　　9　拾遺70/17 A
　成表微
　　8　全文723/11 B
53成輔端
　　11全詩11/732/8376
77成同
　　21御考3/12 A

威

20威秀
　　8　全文908/11 A
　　80宋僧17/1 A
36威禪師
　　81景德20/13 B

戚

39戚逍遥（蒯澤妻）
　　11全詩12/863/9755

咸

00咸廣　見咸廣業
　咸廣業
　　7　新志5/58/1477
　　8　全文346/6 B③
　　21御考2/17 B
　　　　2/46 B

25登科4/26 B④
21咸師範
　　8　全文856/6 B
30咸宜公主
　　2　新唐12/83/3659
36咸澤
　　81景德21/14 B
38咸啓
　　81景德17/13 B

5333₀ 感

36感温
　　81景德15/19 B

5340₀ 戎

60戎昱
　　7　新志5/60/1604
　　8　全文619/4 B
　　11全詩4/270/3006
　　17紀事上/28/442
　　18才子3/52
　　25登科27/15 B
　　27郡齋4中/3 B
　　28直齋16/16 A
　　34書譜4/6 B
　　39書史5/11 A

戒

10戒靈
　　81景德10/13 A
21戒貞
　　10續拾8/17 B
34戒法（尸羅達摩）
　　80宋僧3/6 A

5404₁ 持

20持統
　　9　拾遺71/24 A

5404₇ 技

44技也寶倫　見叱列寶倫
　技也旻　見叱列旻

5500₆ 拽

52拽剌
　　4　新五3/74/909

5502₇ 拂

44拂菻屈婆
　　1　舊唐16/198/5309
　　2　新唐20/221上/6421
62拂呼縵
　　2　新唐20/221下/6244

5503₀ 扶

88扶餘璋
　　1　舊唐16/199上/5329
　　2　新唐20/220/6199
　扶餘豐
　　1　舊唐16/199上/5331
　　2　新唐20/220/6200
　扶餘敬
　　1　舊唐16/199上/5334
　　2　新唐20/220/6201
　扶餘隆
　　1　舊唐16/199上/5333
　　2　新唐20/220/6201
　扶餘義慈
　　1　舊唐16/199上/5330
　　2　新唐20/220/6199

5504₃ 轉

67轉明
　　79續僧34/12 B

5505₃ 捧

82捧劍僕
　　11全詩11/732/8379
　　17紀事下/80/1141

5533₇ 慧

00慧立（子立）
　　8　全文907/15 A
　　80宋僧17/3 A⑤

---

① 《全文》“玄”作“元”，蓋清代避諱改。
② 《全文》“璥”作“瑜”，今據《新志》、《郡齋》改正。
③ 《全文》缺“業”字，今據《新志》、《御考》補。
④ 《登科》“咸”作“成”，誤。今據《全文》、《御考》改正。
⑤ 《宋僧》“慧”作“惠”，今從《全文》、《開元錄》作“慧”。

80宋僧1/12B
慧朗十國南唐僧人
40十國33/4B
81景德26/5A
慧朗（大朗禪師）潭州招提寺
81景德14/6A
慧朗福州報慈院
81景德21/15A
38慧海越州大珠
81景德6/3B
慧海洪州大善
81景德20/7B
40慧力
7 新志5/57/1451
慧壽
73吳興志17/20A
44慧苑
8 全文914/14A
80宋僧6/3A
83開元錄9/571
85貞元新錄14/874
慧蕭
79續僧28/14B
慧藏
81景德6/8A
慧恭
80宋僧12/20B
81景德16/8B
慧梭 見慧稜
46慧觀
80宋僧15/8A
47慧超俗姓申屠，上黨人
79續僧23/10B
慧超俗姓沈，建康人
79續僧38/6B
慧超吉州薯山

81景德9/12B
慧超 見策真
48慧警
80宋僧24/3B
50慧胄
79續僧39/23A
慧本
79續僧15/14A
慧忠（南陽忠國師）
10續拾8/1B
27郡齋3下/38B
慧忠（大證禪師） 見慧宗
慧忠俗姓王，潤州上元人
81景德4/9A
慧忠俗姓陳，泉州仙遊人
81景德23/21A
51慧振
79續僧39/25A
53慧威
79續僧14/17B
80宋僧6/4A
54慧持
79續僧16/22B
56慧暢
73吳興志17/21B
58慧輪
81景德22/12A
60慧日福州侯官人
81景德11/11A
慧日（慈敏三藏）東萊人
80宋僧29/6A
慧喦
79續僧15/3B
慧思汾州介休人
79續僧24/20A
慧思武津人

82內典5/283
慧旻（玄素）
7 新志5/59/1529
79續僧29/6A⑨
慧因吳郡海鹽人
79續僧15/2A
慧因清河武城人
79續僧35/26A
慧圓
81景德25/26A
慧景
79續僧16/3A
61慧顯
79續僧38/7B
62慧朓
79續僧17/4B
慧則
80宋僧16/12A
67慧明俗姓陳，鄱陽人
80宋僧8/9B
慧明俗姓蔣，錢塘人
80宋僧23/16B
81景德25/9A
慧明俗姓陳，蘭陵人
80宋僧26/13A
慧昭
80宋僧18/19B
70慧璧
79續僧15/34B
75慧磧
7 新志5/60/1615⑩
8 全文904/5B
79續僧3/3B
77慧覺并州武德寺
7 新志5/59/1527
79續僧14/21A

---

① 《貞元新錄》"慧"作"惠"，據《開元錄》改。
② 《郡齋》"慧"作"惠"，撰《六祖解心經》，按即慧能。今統一作"慧"。
③ 《宋僧》"稜"作"梭"，今據《十國》、《景德》改。
④ 《宋僧》"宗"作"忠"，今據《會稽志》、《景德》改。
⑤ 《續僧》"慧"作"惠"，今據《新志》改。
⑥ 《舊志》作"惠靜"，今據《新志》等改正。
⑦ 《新志》作"惠淨"，撰《古今詩苑英華》二十卷。按《續僧》、《內典》、《全詩》等，皆著錄慧淨撰有《續古今詩苑英華》，則"惠"當作"慧"。新校點本《新志》5/59/1528著錄慧淨，而5/60/1622又另著錄惠淨，但未作校改，今改正。
⑧ 《郡齋》作"惠淨"，係撰《續古今詩苑英華》者，今據《新志》等改作慧淨。
⑨ 《續僧》"慧"作"惠"，今據《新志》改。
⑩ 《新志》"慧"作"惠"，今據《續高僧傳》改。

慧覺揚州城東光孝院
81景德11/11B
慧同(浄照禪師)
81景德26/8A
慧居
40十國89/12A
81景德26/19B
慧熙
79續僧24/24B
慧聞
80宋僧21/11B
80慧慈(明識大師)
81景德22/17B
慧普
80宋僧25/8B
86慧智
80宋僧2/19A
83開元録9/565
85貞元新録13/865
90慧省
81景德14/17A
91慧悟
80宋僧24/2B
慧炬
81景德25/19B

5560_0 曲

16曲環
1 舊唐11/122/3501
2 新唐15/147/4759
19姓纂10/13A
26方鎮2/31B
17曲承裕
26方鎮7/62A
42曲彬
1 舊唐11/122/3501

5560_6 曹

00曹高
10續拾9/4A①
曹唐(堯賓)
7 新志5/60/1614
11全詩10/640/7336
17紀事下/58/890
18才子8/142
27郡齋4中/14B
28直齋19/23B
42五補1/9A
曹文姬
11全詩11/801/9022
39書史5/35A
04曹詵
8 全文950/6B
10曹元廓
7 新志5/59/1560
30歷畫9/182
31唐畫6/16B
38圖繪2/22B
10曹霸
30歷畫9/187
35畫譜13/4B
38圖繪2/15B
12曹璠
25登科19/26A
曹弘達
53赤城志8/26A
曹廷隱
3 舊五3/71/939
14曹確(剛中)
1 舊唐14/177/4607
2 新唐17/181/5351
5 新表11/75下/3419
8 全文761/16B
24壁記 翰苑羣書上/53B
25登科21/19A
26方鎮4/58A
5/45A
69嘉定鎮江14/37B
17曹琛
9 拾遺46/21B
20曹信
40十國84/14A
68咸淳臨安60/15B
21曹衎
40十國75/7A
23曹允昇
8 全文848/9B
9 拾遺47/13B
25曹生
11全詩11/783/8844
17紀事下/80/1144
曹仲玄
33五代畫遺6/25B②
35畫譜3/7A③
36圖誌2/54
38圖繪2/28A④
40十國31/8B⑤
曹仲元 見曹仲玄
曹仲達(宏達、安成)
40十國86/3A
68咸淳臨安60/15B
26曹伯連 見三刀法師
曹和尚
80宋僧22/6A
27曹脩古
11全詩11/770/8744
曹絢
3 舊五4/93/1234
30曹憲
1 舊唐15/189上/4945
2 新唐18/198/5640
6 舊志6/46/1984
6/46/1985
6/47/2074
7 新志5/57/1450
5/60/1598
5/60/1622
37書小史9/3A
曹宏達 見曹仲達
37曹鄴(鄴之)
7 新志5/60/1613
11全詩9/592/6861
17紀事下/60/918
18才子7/126
20郎考3/99A
21/8A
26/26A
25登科22/22B
28直齋19/19A
38曹汾(子晉、道謙)
2 新唐17/181/5352
5 新表11/75下/3419
11全詩8/546/6308
17紀事下/52/798
20郎考11/53B
25登科21/24A
26方鎮2/38B
40曹士蔿
7 新志5/59/1548
5/59/1558
28直齋12/27A
曹圭撰《五運録》
7 新志5/58/1461

曹圭（曹晏嬰）仕吳越
40十國84/14A
55吳郡志11/6A
68咸淳臨安60/15B
曹希幹（荷臣）
5 新表11/75下/3419
25登科23/20A
曹希甫（嵩臣）
5 新㐄11/75下/3419
曹存實
26方鎮3/11A
曹友誼
73吳興志15/14A
44曹孝翼
9 拾遺51/8A
曹華
1 舊唐13/162/4242
2 新唐17/171/5192
26方鎮2/21B
　　　 3/15B
曹英（德秀）
3 舊五5/129/1699
曹著
11全詩7/466/5299
25登科12/21A
曹藹
3 舊五4/93/1234
48曹松（夢徵）
7 新志5/60/1614
11全詩11/716/8222
　　 12/886/10010
17紀事下/65/979
18才子10/179
25登科24/25B
27郡齋4中/16B
28直齋19/24B
63新安志6/6A
57曹蟾
3 舊五4/93/1234
60曹國珍（彥輔）
3 舊五4/93/1234
8 全文853/12A
曹恩

7 新志5/60/1623
曹愚（古直）
25登科24/8A
72三山志26/5B
曹因妻　見周氏
曹杲
40十國87/5A
曹景伯
1 舊唐14/177/4607
5 新表11/75下/3419
25登科15/22A
　　　 16/6A
63曹戩
12詩逸中/10198
64曹疇
40十國55/6B
77曹周
5 新表11/75下/3419
80曹全武
3 舊五5/129/1699
曹全㝡
26方鎮3/11A
曹令忠　見李元忠
87曹翔
26方鎮3/19A
　　　 3/30B
　　　 4/42A
　　　 4/71B
88曹筠
40十國9/5A
90曹光實
40十國55/6B

5580₆ 費

12費弘規
19姓纂8/10A
20郎考25/1B
23費允斌
19姓纂8/10A
30費宗陶
40十國42/12B
37費冠卿（子軍）
8 全文694/16B

11全詩8/495/5611
17紀事下/60/908
25登科17/2B
90費光裕
8 全文957/16A

5602₇ 暢

04暢諸
8 全文516/5A
11全詩5/287/3286
17紀事上/27/415
19姓纂9/14B
25登科7/4B
12暢璀
1 舊唐10/111/3332
2 新唐18/200/5717
8 全文394/1B
19姓纂9/14B⑥
14暢瑾
38圖繪2/22B
暢璀　見暢璀
17暢晉
30歷畫9/182
38圖繪2/22B
21暢偃
19姓纂9/14B
53暢甫
11全詩12/887/10026
58暢整
30歷畫9/184
67暢明瑾
30歷畫9/182
90暢當
2 新唐18/200/5717
7 新志5/60/1610
8 全文516/4A
11全詩5/287/3283
16極玄上/334
17紀事上/27/413
18才子4/64
19姓纂9/14B
25登科10/30A
98暢悅

---

① 《續拾》“高”字前原缺一字。
②③④ 《五代畫遺》、《畫譜》、《圖繪》“玄”作“元”，當爲清人避康熙諱改。
⑤ 《十國》“玄”作“元”，當爲清人避諱改。
⑥ 《姓纂》“瑾”作“璀”，今據岑仲勉《元和姓纂四校記》考定改正，又參其所著《讀全唐詩札記》。

19姓纂9/14 B
26方鎮6/31 A
  7/41 B

5608₁ 提

10提雲般若　見天智
　提雲陀若那　見天智

5609₄ 操

36操禪師
　　81景德9/15 A

5611₀ 蜆

17蜆子和尚
　　81景德17/11 B

5701₂ 抱

10抱玉
　　80宋僧19/9 B

5702₇ 掃

44掃地和尚
　　40十國47/4 B
52掃剌
　　4 新五3/74/909

5704₇ 投

26投和羅脯邪迄遥
　　2 新唐20/222下/6304

5706₂ 招

31招福和尚
　　81景德15/20 B
77招賢
　　80宋僧12/19 A

5707₂ 掘

27掘多
　　80宋僧10/16 A

5725₇ 靜

14靜琳
　　79續僧24/7 B
22靜樂公主

2 新唐12/83/3671
30靜之
　　79續僧25/16 A
　靜安
　　79續僧24/5 A
34靜邁
　　8 全文905/1 A
36靜禪師
　　81景德21/15 B
44靜藏
　　79續僧15/6 A
63靜默
　　79續僧39/20 B

5743₀ 契

04契訥
　　81景德21/16 A
12契璠
　　81景德19/8 A
17契盈（廣辨周智禪師）
　　11全詩12/851/9632
　　40十國89/10 B
　　42五補5/14 A
　　81景德21/18 A
21契此
　　80宋僧21/20 B
27契稠
　　81景德25/23 A
28契從
　　81景德24/21 B
40契真（大觀禪師）
　　65會稽志15/38 A
44契苾
　　2 新唐20/221下/6250
　契苾璋
　　26方鎮1/91 B
　契苾哥楞（易勿真莫賀可
　　汗）
　　1 舊唐16/199下/5343
　　2 新唐19/217下/6134
　契苾何力（烈）
　　1 舊唐10/109/3291
　　2 新唐13/110/4117
　契苾貞

1 舊唐10/109/3294
　契苾聲
　　2 新唐13/110/4121
　契苾通
　　26方鎮1/89 A
　契苾明（若水、靖）
　　1 舊唐10/109/3294
　　2 新唐13/110/4120
　契苾光
　　1 舊唐10/109/3294
46契如庵主
　　81景德21/9 A
58契撫
　　8 全文921/15 B
72契隱
　　81景德22/12 A

5798₆ 賴

00賴文雅
　　19姓纂8/21 B
　　39書史5/26 A
11賴棐
　　19姓纂8/21 B

5802₁ 輸

34輸波迦羅　見善無畏

5803₂ 捻

捻
　　10續拾9/5 B①

5806₁ 拾

26拾得
　　7 新志5/59/1531
　　11全詩12/807/9103
　　53赤城志35/3 A
　　80宋僧19/11 B
　　81景德27/11 A

5824₀ 敖

21敖穎
　　25登科27/23 A

---

① 《續拾》"捻"字前缺姓。

6001₄ 唯

26唯儼
　　80宋僧17/14B
50唯忠
　　80宋僧19/27A

6010₀ 日

30日容和尚
　　81景德11/13A
67日曜
　　70至順鎮江19/32B
　日照（地婆訶羅）中印度人
　　80宋僧2/18A
　　83開元錄9/564
　　85貞元新錄12/864
　日照岐下人
　　80宋僧12/2A

6010₁ 目

77目醫
　　40十國88/8A

6010₄ 墨

63墨胎知退
　　53赤城志8/10B

6011₃ 晃

20晃采（試鶯、文茂妻）
　　11全詩11/800/8999
30晃良貞
　　8　全文282/21B
　　25登科4/26B
　　　　　5/4B

6012₇ 蜀

50蜀中酒閣道人
　　11全詩12/862/9744

6015₃ 國

38國道者
　　80宋僧30/10B
53國威
　　10續拾8/6B

6022₇ 易

12易廷槇
　　25登科27/19A
20易重（鼎臣）
　　11全詩9/557/6458
　　17紀事下/52/799
　　25登科22/16A
26易偲　見易思
27易勿真莫賀可汗　見契苾
　　哥楞
30易之武
　　25登科20/4A
41易標
　　25登科24/7A
60易思
　　11全詩11/775/8780①
　　25登科27/18B②

6033₀ 思

00思摩
　　1　舊唐16/194上/5163
　　2　新唐19/215上/6039
21思睿
　　80宋僧24/4B
22思利摩訶羅闍
　　2　新唐20/222下/6307
　思利些彌他
　　2　新唐20/222下/6307
　思利泊婆難多珊那
　　2　新唐20/222下/6307
31思顥
　　39書史5/38B
36思禪師
　　81景德23/23B
40思有
　　8　全文922/12B
44思莊
　　8　全文916/1B
48思敬
　　10續拾8/16A
67思明汝州西院
　　81景德12/18B
　思明和尚滾州
　　81景德15/20B

80思公
　　80宋僧10/19B

6033₁ 黑

12黑水和尚
　　81景德24/21B
21黑齒常之
　　1　舊唐10/109/3294
　　2　新唐13/110/4121
　　19姓纂10/45B
37黑澗和尚
　　81景德8/15B

6040₀ 田

00田庭琳
　　5　新表11/75下/3461
　田庭玠　見田廷玠
　田章
　　5　新表11/75下/3463
　　11全詩9/564/6543
　　17紀事下/53/808
　　25登科21/24B
08田敦
　　25登科11/22A
　　73吳興志14/28A
10田元祐
　　25登科12/7A
　田再思
　　8　全文303/20A
　田霖
　　28直齋16/30A
11田頵（德臣）
　　2　新唐17/189/5476
　　3　舊五1/17/232
　　8　全文841/1A
　　26方鎮5/75A
　　40十國13/1A
　　41九國3/1A
12田登　見田澄
　田弘
　　2　新唐18/197/5623
　田弘正（興、安道）
　　1　舊唐12/141/3848
　　2　新唐15/148/4781
　　5　新表11/75下/3462
　　8　全文692/28A③

---

① 《全詩》原注:"思一作偲。"
② 《登科》"思"作"偲"，今據《全詩》統一，改作"思"。
③ 《全文》"弘"作"宏"，蓋清人避諱改，今更正。

11全詩4/255/2865②
17紀事上/29/449
34田沈
　8全文949/16A
35田神玉
　1舊唐11/124/3533
　2新唐15/144/4703
　田神功
　1舊唐11/124/3532
　2新唐15/144/4702
　26方鎮2/2B
　　　3/1B
　　　3/34B
　田神福
　20郎考5/9B
37田深
　31唐畫6/16B
38田游巖　見田遊巖
　田遊巖（許由東鄰）
　1舊唐16/192/5117
　2新唐18/196/5598⑧
　11全詩2/67/760
　17紀事上/7/99
40田在宥
　1舊唐12/141/3854
　5新表11/75下/3463
　26方鎮7/58B
　田在賓
　5新表11/75下/3463
　26方鎮1/59B
　田在鵾
　5新表11/75下/3463
　田布（敦禮、執禮、孝）④
　1舊唐12/141/3852
　2新唐15/148/4785
　5新表11/75下/3462
　8全文692/30B
　26方鎮1/32B
　　　4/4A
　　　4/126A
　田希鑒
　26方鎮1/29B
　田南

20郎考22/9B⑤
　田南砯
　8全文401/1A
　田南鷗
　20郎考12/27B
43田娥
　11全詩11/801/9016
　17紀事下/79/1132
44田華
　2新唐19/210/5935
　5新表11/75下/3459
47田鶴
　8全文949/15B
　田朝
　2新唐19/210/5933
　5新表11/75下/3459
48田幹之
　20郎考5/10B
　　　12/12A
50田夷吾
　25登科19/26A
　田書記
　69嘉定鎮江15/50A
60田早
　5新表11/75下/3462
　26方鎮7/57B
　田景儒
　8全文860/6B
77田興　見田弘正
80田益
　9拾遺23/17A
　田令孜（仲則）
　1舊唐15/184/4771
　2新唐19/208/5884
　田義寵
　8全文949/19A
　田義旺
　8全文329/1A
81田鐵
　2新唐15/148/4786
　5新表11/75下/3462
　26方鎮3/9B
88田簡

3舊五4/90/1192
田敏
　8全文865/1A
　25登科27/34A
90田懷讓
　5新表11/75下/3460
　田懷諫
　2新唐19/210/5934
　5新表11/75下/3460
　田懷詢
　5新表11/75下/3460
　田懷禮
　5新表11/75下/3460
　田少卿
　69嘉定鎮江16/23B
98田悅
　1舊唐12/141/3840
　2新唐19/210/5926
　26方鎮4/123B

旻

24旻德和尚
　81景德12/19B

6040₄ 晏

11晏璩
　25登科27/18B
40晏墉
　25登科27/18B
44晏封
　7新志5/59/1572

6040₇ 曼

30曼定
　9拾遺68/9A

6042₇ 男

00男産
　1舊唐16/199上/5327
　2新唐20/220/6196
15男建
　1舊唐16/199上/5327
　2新唐20/220/6196

---

① 《新表》“廷”作“庭”，今據《舊唐》、《新唐》改。
② 《全詩》原注：“澄一作登。”
③ 《新唐》“遊”作“游”，今從《舊唐書》。
④ 按《新唐書·田弘正傳》附布傳云布字敦禮，《新表》則云字執禮，同一書而所載不同，今並存備考。
⑤ 《郎考》“南”字後作空缺一字。

25男生
1 舊唐16/199上/5327
2 新唐20/220/6196

6043₀ 因

24因德漫
4 新五3/74/922

吳

00吳競　見吳兢
　吳高祖　見楊隆演
　吳商浩
11全詩11/774/8771
　吳康仁
25登科27/16 B
　吳康妻　見趙氏
　吳文
69嘉定鎮江18/48 B
02吳訴
19姓纂3/3 A
21御考1/15 B
04吳詵
26方鎮6/3 B
72三山志20/36 B
10吳元濟
1 舊唐12/145/3948
2 新唐19/214/6004
26方鎮8/68 B
　　　8/69 A
　吳元卿　見會通
　吳震
19姓纂3/3 A
　吳可信
40十國87/2 B
　吳罷（廷俊）
11全詩11/795/8949
25登科24/24 A
11吳珂
40十國83/3 A
12吳烈宗景皇帝　見楊渥
　吳烈祖　見楊渥
　吳廷紹
40十國32/2 A
43馬書24/1 B
44陸書14/1 A
58金陵志13下/84 B
　吳延保
25登科27/19 B

13吳武陵（偃）
1 舊唐14/173/4500
2 新唐18/203/5788
7 新志5/60/1618
8 全文718/5 B
11全詩7/479/5448
17紀事下/43/662
25登科17/3 A
15吳融（子華）
2 新唐18/203/5795
7 新志5/60/1614
8 全文820/4 B
11全詩10/684/7847
17紀事下/68/1020
18才子9/165
20郎考19/15 A
25登科24/1 B
28直齋19/21 B
34書譜10/1 B
39書史5/15 A
65會稽志14/36 B
17吳珣　見吳恂
　吳瓊
3 舊五4/92/1219
　吳承範（表微）
3 舊五4/92/1219
25登科25/37 B
　吳及
19姓纂3/3 A
　吳子來
8 全文928/11 A
11全詩12/852/9640
　吳罩
1 舊唐15/190中/5014
11全詩2/124/1230
21御考2/54 A
　　　3/6 B
25登科7/29 A
63新安志6/5 B
18吳玢　見吳恬
20吳豸之
20郎考26/12 B
21御考3/33 A①
　吳季真
26方鎮7/22 A
21吳顥
10續拾5/1 A
　吳仁德

73吳興志14/34 A
　吳仁璧（廷寶）
7 新志5/60/1614②
11全詩10/690/7921
25登科24/5 A
40十國88/1 A
　吳行魯
26方鎮4/157 B
　　　6/70 A
　　　6/85 A
　吳睿帝　見楊溥
　吳睿帝讓皇后王氏
40十國4/2 A
　吳師道　見吳道師
　吳師泰
26方鎮1/91 B
　吳師哲
7 新志5/59/1570
22吳巒（寶川）
3 舊五4/95/1267
4 新五1/29/325
　吳崇
8 全文889/6 B
　吳彩鸞
11全詩12/863/9763
34書譜5/3 B
39書史5/34 A
　吳崧
40十國89/14 A
24吳侁
35畫譜6/5 B
38圖繪2/11 B
　吳納
19姓纂3/3 A
25吳仲孺
26方鎮6/16 A
　吳仲舉（太沖）
40十國30/7 B
　吳仲舒
8 全文594/1 A
　吳仲忻
40十國83/1 B
26吳偍　見吳武陵
　吳保安（永固）
2 新唐18/191/5509
8 全文358/12 A
　吳皐
9 拾遺28/12 A

①《御考》缺"豕"字，勞格疑卽吴豕之，今從之。
②《新志》作字廷實，"實"蓋"實"之形訛，今據《十國》等改正。
③《三山志》作"吴奏"，並云"貞元初以太子賓客爲福建觀察使"，按其歷官，當卽吴湊，今改正。
④⑤⑥⑦《故事》、《壁記》、《登科》"玄"作"元"，蓋清人板刻避康熙名諱改。
⑧⑨《全文》、《登科》作"吴師道"，今據《姓纂》、《郎考》乙正。

---

①②《新志》、《全詩》此處"兟"作"兟"，今統一作"兟"。
③《全文》此處作"吳揚昊"，岑仲勉《讀全唐文札記》云："吳揚昊成均監太學博士下，收《不毀化胡經議》一首，又卷二〇八吳揚吾聖曆初成均博士下，收《明堂告朔議》一首，據《新書》五九，議毀化胡經在萬歲通天元年，其後二年即爲聖曆，此兩名顯然一人，蓋昊、吳形近，吳、吾音通，必涉此而訛，唯未知兩字孰正耳。"岑說是，今姑作吾，而以吳揚昊作參見條。
④⑤《全文》"晃"作"冕"，《全詩》注："晃一作冕。"今從《全詩》作"晃"。
⑥《唐畫》作"吳玢"，按《新志》著錄吳恬《畫山水錄》，並云恬一名玢，今統一作"吳恬"。
⑦《十國》原注："恂一作珣。"
⑧⑨⑩⑪⑫⑬《郎考》、《歷畫》、《唐畫》、《畫譜》、《圖繪》"弘"作"宏"，蓋前人避諱改，今據《姓纂》改正。

① 《新表》"凌"作"浚",二字形近,未知孰是,今從《舊唐》作"凌"。
② 《嘉定鎮江》作畢隆擇,云中宗神龍初爲中書舍人。按此卽畢構,構字隆擇,《嘉定鎮江》誤以守爲名,今改正。
③ 《新表》"珦"作"坰",按其行迹與《新唐書》卷一二八《畢珦傳》之"畢珦"同,是知"坰"字誤。
④⑤⑥⑦ 《新唐》"抗"作"炕",《郎考》、《吴郡志》同。按《新表》、《姓纂》均作"抗",《新表》並載抗兄名操,似作"抗"爲是。今悉改作"抗"。
⑧ 《紀事》"曜"作"燿",岑仲勉《元和姓纂四校記》謂"曜"、"燿"未詳孰是,今統一作"曜",以"畢燿"爲參見條目。
⑨ 《新表》"詔"作"詒",《姓纂》作"詔",未詳孰是,姑統一作"詔"。
⑩ 《姓纂》"元"作"亢",今據岑仲勉《元和姓纂四校記》考定改正。
⑪ 《姓纂》"貞"作"真",今據岑仲勉《元和姓纂四校記》考定改正。
⑫ 《姓纂》另有吕穎,徐松《登科》據《文苑英華》謂吕穎卽吕頻,"穎"當作"頻",而岑仲勉《元和姓纂四校記》則謂徐松之證據未足。據現有材料尚不能斷定吕穎與吕頻爲同一人。岑仲勉《讀全唐詩札記》云:"按作穎者《英華》而外,尚有《姓纂》及白氏集五"。
⑬ 《全文》"穎"作"頴",當係板刻形訛,今據《姓纂》改正。

1 舊唐8/79/2719
2 新唐13/107/4062
6 舊志6/47/2044
6/47/2045
7 新志5/58/1466
5/58/1500
5/59/1557
5/59/1561
5/59/1562
5/59/1570
8 全文160/1A
19姓纂6/16B
28直齋12/24B
吕壽
3 舊五4/92/1215
吕雄
5 新表11/75上/3371
19姓纂6/16A
42吕彬
19姓纂6/15B
44吕夢奇
8 全文840/1A
吕恭(恭叔)
1 舊唐11/137/3770
2 新唐16/160/4967
17紀事下/43/658
47吕超
19姓纂6/16B
50吕春卿
5 新表11/75上/3373
19姓纂6/16A
51吕指南
8 全文956/5A
21御考3/25B
3/35B
53吕咸休
8 全文856/6B
54吕勣
19姓纂6/16B
58吕整
19姓纂6/16A
60吕吴 見吕炅
吕因
8 全文408/3A
19姓纂6/16B
吕回
19姓纂6/17A
吕炅
11全詩11/781/8829
19姓纂6/16B③
25登科15/22B
64吕時中
5 新表11/75上/3372
吕晧
5 新表11/75上/3372
65吕暕
19姓纂6/16B
66吕賜
19姓纂6/16B
71吕長輕 見吕長卿
吕長卿
1 舊唐13/154/4103
19姓纂6/16B④
77吕用之
2 新唐20/224/6396
吕周
20郎考13/6B
16/7B
21御考3/13B
3/23A
吕周任
8 全文481/1A
吕朋龜
8 全文848/5B
80吕令則
8 全文956/2A
吕令問
8 全文296/1B
14國秀下/129
19姓纂6/16B
81吕頌
8 全文480/10A
20郎考1/11B
83吕鏻
8 全文594/13A
19姓纂6/16B
20郎考16/20A
86吕知誨
26方鎮8/83B
88吕餘慶
4 新五2/56/646
90吕懷人
19姓纂6/16A
91吕焯
8 全文622/9A
19姓纂6/16A
96吕熴
20郎考15/26A
18/22A
97吕恂
25登科4/29B
吕炯
19姓纂6/16A
20郎考7/6A
98吕敞
11全詩11/782/8836
19姓纂6/16B
99吕滎
19姓纂6/16B

昌

10昌元公主
2 新唐12/83/3674
22昌樂公主唐玄宗女
2 新唐12/83/3659
昌樂公主唐武宗女
2 新唐12/83/3671
30昌寧公主
2 新唐12/83/3674
36昌禪師
81景德20/7B

6072_7 曷

44曷薩那可汗 見處羅可汗
曷薩特勤 見薩特勤

6073_1 曇

06曇韻

① 《登科》此處"述"作"術",徐松謂"術"一作"述","吕術"又作"張述"。今從《新志》、《郎考》作"述"。
② 《姓纂》"渭"作"謂",今據岑仲勉《元和姓纂四校記》考定改正。
③ 《姓纂》"炅"作"吴",今據岑仲勉《元和姓纂四校記》考定改正。
④ 《姓纂》"卿"作"輕",今據岑仲勉《元和姓纂四校記》考定改正。

79續僧24/17B
10曇一
　80宋僧14/29A
　曇元
　79續僧18/8A
12曇瓘
　80宋僧8/12A
　81景德4/10A
17曇翼
　11全詩12/850/9621
　17紀事下/76/1101
23曇獻
　79續僧25/5B
　　　　　39/23A
24曇休(德敷)
　80宋僧27/13B
28曇倫
　79續僧25/3A
30曇良
　79續僧36/33A
　曇寶
　79續僧40/16A
35曇清
　80宋僧15/19A
36曇逞
　79續僧29/1B①
37曇選
　79續僧31/1B
38曇遂
　79續僧36/21B
40曇真
　80宋僧10/20A
43曇域
　8　全文922/1A
　11全詩12/849/9612
　17紀事下/77/1114
　18才子3/45
　39書史5/42B
　40十國57/6B②
　80宋僧30/10A
44曇藏南嶽西園蘭若
　80宋僧11/9A
　81景德8/12B
　曇藏京師普岩寺
　79續僧15/14B
　曇恭
　79續僧14/19B
　曇林

34書譜5/6A
39書史5/37A③
60曇晟(無相大師)
　80宋僧11/13B
　81景德14/15A④
67曇照禪師
　81景德10/6A
71曇階
　79續僧36/12A
90曇光
　79續僧29/9A
99曇榮
　79續僧24/5A

6080₀ 貝

10貝靈該　見貝冷該
23貝俊
　30歷畫10/194⑤
38貝冷該
　34書譜20/4A
　37書小史10/9B⑥
　39書史5/18A⑦

6080₁ 異

23異牟尋
　1　舊唐16/197/5281
　2　新唐20/222上/6271
　8　全文999/8B

是

80是善
　9　拾遺72/6B
90是光乂(齊光乂)
　7　新志5/59/1563
　25登科8/30B

6080₅ 員

22員嶷
　19姓纂3/22A
24員結
　19姓纂3/22A
　25登科13/4A
26員峴
　8　全文405/6B
　19姓纂3/22A
　21御考2/34A
27員俶
　7　新志5/59/1512

　8　全文351/5A
　19姓纂3/22A⑧
　25登科5/28B
員名
　30歷畫9/177
員叔儼
　19姓纂3/22A
30員寓
　19姓纂3/22A
40員太乙
　19姓纂3/22A
　員南溟
　11全詩11/782/8834
　25登科10/31A
　員嘉靖
　19姓纂3/22A
　20郎考3/20A⑨
　　　　8/14B⑩
　　　　10/8A⑪
　21御考2/9B⑫
　　　　2/28B⑬
　25登科7/4B
　　　　7/14A
　員嘉静　見員嘉靖
46員相
　80宋僧29/3A
56員押
　8　全文400/12A
86員錫
　19姓纂3/22A
　21御考3/37A
　64掇英18/13A
88員餘慶　見員半千
90員半千(餘慶、榮期)
　1　舊唐15/190中/5014
　2　新唐13/112/4161
　6　舊志6/47/2041
　　　　6/47/2076
　7　新志5/58/1466
　　　　5/58/1492
　　　　5/59/1551
　　　　5/59/1563
　　　　5/60/1601
　8　全文165/3B
　11全詩2/94/1014
　17紀事上/6/74
　19姓纂3/22A
　25登科2/22A

① 此人有目無傳，唯目錄稱"益州福緣寺釋曇遠"。
② 《十國》"城"作"城"，當係板刻之誤，今逕改。
③ 《書史》"林"作"休"，當係板刻之誤，今逕改。
④ 《景德》作"無住大師"，"相"與"住"形音均不相近，未知孰是。
⑤ 《歷畫》原注："貝俊原作具俊。"
⑥ 《書小史》"冷"作"靈"，今據《書譜》統一作"冷"。
⑦ 《書史》原注："冷一作靈。"
⑧ 《姓纂》"做"作"叔"，岑仲勉《元和姓纂四校記》據李蘩《鄭侯家傳》謂"叔"疑當作"做"。按岑說是，《新志》正作"做"可證。
⑨⑩⑪⑫⑬ 《郎考》、《御考》"靖"作"靜"，《姓纂》作"靖"，而《舊唐書》卷九十九《張嘉貞傳》又有"考功員外郎員嘉靜"語，"靜"、"靖"未詳孰是，今姑依《姓纂》作"靖"。

25登科27/34 A
90景少遊
  8 全文956/23 B
景炎
  8 全文757/25 B
97景焕(朴、匡山處士)
  40十國56/11 B

6091₄ 羅

00羅立言
  1 舊唐13/169/4410
  2 新唐17/179/5325
  8 全文692/23 A
  11全詩7/466/5306
  25登科15/35 A
羅方真
  39書史5/29 A
羅文信
  21御考3/14 B
      3/33 B
羅讓 珍子
  1 舊唐14/181/4690
  4 新五2/39/415
羅讓(景宣)珦子
  1 舊唐15/188/4937
  2 新唐18/197/5628
  7 新志5/60/1607
  8 全文525/1 A
  11全詩5/313/3528①
  20郎考4/41 B
      5/4 A
  21御考3/42 B
      3/51 A
  25登科15/1 A
      16/6 A
  26方鎮5/84 B
      6/7 B
  65會稽志14/43 B
  72三山志20/40 B
羅袞(子制)
  7 新志5/60/1609
  8 全文828/4 A
  10續拾7/11 A
  11全詩11/734/8385
  17紀事下/68/1023
  25登科24/5 A
03羅詠
  1 舊唐15/188/4937

08羅旅伊陀骨咄祿多毗勒莫
  賀達摩薩爾
  2 新唐20/221下/6255
10羅元杲
  26方鎮4/9 A
12羅弘信(德孚、莊肅)
  1 舊唐14/181/4690
  2 新唐19/210/5939
  3 舊五1/14/187
  4 新五2/39/415
  17紀事下/54/816
  26方鎮4/129 B
羅廷規
  3 舊五1/14/191
  4 新五2/39/418
14羅劭京(子峻)
  1 舊唐15/188/4937
  25登科20/24 B ②
      27/13 B
羅劭權(昭衡)
  1 舊唐15/188/4937
  8 全文733/17 B
  20郎考5/31 B
      15/22 A
      18/18 A
  25登科27/13 B
17羅珦(夷)
  1 舊唐15/188/4937
  2 新唐18/197/5628
  11全詩5/313/3523③
      11/770/8740
  65會稽志14/29 A
羅承錫
  21御考1/20 A
      2/12 B
      2/37 B
羅君
  2 新唐20/222中/6294
18羅玠
  25登科12/25 B
羅珍
  1 舊唐14/181/4690
20羅秀
  1 舊唐14/181/4690
羅維
  11全詩11/770/8742
21羅順
  1 舊唐15/189上/4956

羅穎
  11全詩12/871/9880
  40十國31/6 A
  43馬書23/4 A
22羅利多菩伽
  2 新唐20/221上/6240
27羅修古
  25登科27/38 A
  40十國84/1 A
羅緣
  39書史5/43 A
羅紹京 見羅劭京
羅紹威(威、端己、貞壯)
  1 舊唐14/181/4691
  2 新唐19/210/5941
  3 舊五1/14/187
  4 新五2/39/415
  11全詩11/734/8385
      12/873/9892
  17紀事下/61/924
  26方鎮4/130 A
  37書小史10/11 B
  42五補3/10 B
28羅僧
  80宋僧21/19 B
30羅塞翁
  35畫譜14/1 A
  36圖誌2/36
  38圖繪2/31 A
  68咸淳臨安60/13 B
羅濟
  40十國55/6 A
34羅漢和尚 漳州
  81景德11/14 B
羅漢和尚 瀘州
  81景德24/20 A
羅浩源
  7 新志5/60/1614
35羅洙
  20郎考15/26 A
      16/26 B
  25登科22/31 B
37羅鄴
  7 新志5/60/1614
  11全詩10/654/7506
  17紀事下/68/1022
  18才子8/140
  28直齋19/24 B

---

① 《全詩》原注："讓一作尚。"
② 《登科》作羅紹京，徐松謂"紹"當作"劭"，今據改。
③ 《全詩》原注："珦一作炯。"小傳有云："會稽人，家於廬州，貞元中刺本郡，以治行聞，再遷京兆尹。"岑仲勉《讀全唐詩札記》云："按《全文》五〇六權德輿《羅珦誌》，其先會稽人，卒太子賓客，歸柎於會稽之兆域，作炯誤。"
④ 《御考》此處"奭"字原缺，疑是羅希奭。《舊唐書·韋堅傳》載天寶五年十月使監察御史羅希奭殺韋堅，時代正合。

1 舊唐16/199下/5350
74咄陸可汗（泥孰、大渡可汗）
1 舊唐16/194下/5183
2 新唐19/215下/6058

6280₀ 則

22則川和尚
81景德8/12 B

63147 跋

60跋日羅菩提　見金剛智
跋異
33五代畫遺6/24 B
36圖誌2/53
38圖繪2/34 B
72跋質那乙僧
35畫譜1/11 A

6333₄ 默

21默師
70至順鎮江19/32 B
55默棘連　見毗伽可汗
67默啜
1 舊唐16/194上/5168
2 新唐19/215上/6045
9 拾遺69/1 A

6355₀ 戰

63戰貽慶
25登科26/32 A

64910 吡

12吡列寶倫
19姓纂6/4 B①
吡列旻
19姓纂6/4 B②

吐

10吐于
1 舊唐16/199下/5352
2 新唐20/219/6170
27吐烏過拔闕可汗　見闕達
可汗
30吐突承璀（仁貞）
1 舊唐15/184/4768
2 新唐19/207/5869
吐突知節

53赤城志8/11 A
39吐迷度
1 舊唐16/195/5196
2 新唐19/217上/6112
80吐谷渾景順
19姓纂10/22 B

64011 曉

17曉了
81景德5/7 A
22曉巒
39書史5/42 B③
40十國57/7 A
28曉微
40十國57/6 A
99曉榮
81景德26/17 B

64014 睦

23睦奔（姑射處士）
9 拾遺28/17 B
37睦逸文
19姓纂2/1 B④
20郎考9/23 A
67睦昭符　見陸昭符

64041 時

10時元佐
19姓纂2/7 A
25登科14/18 B
24時德叡
19姓纂2/7 A
25時健啜
2 新唐19/217下/6141
33時溥
1 舊唐14/182/4716
2 新唐17/188/5461
3 舊五1/13/174
26方鎮3/31 B

64138 跌

65跌跌思泰
2 新唐19/217下/6142
跌跌舒　見似和舒

65130 趺

25趺失伽延
2 新唐20/221下/6254

66214 瞿

00瞿章
40十國6/6 A
60瞿曇謙
6 舊志6/47/2038⑤
7 新志5/59/1547
瞿曇悉達
7 新志5/59/1545
80瞿令聞
37書小史10/7 A
39書史5/26 A⑥
瞿令問　見瞿令聞

66248 嚴

00嚴方嶷
1 舊唐9/99/3103
19姓纂5/45 B
　　　5/46 A
20郎考11/11 A
嚴方約
1 舊唐12/146/3959
19姓纂5/45 B
03嚴識玄
8 全文267/1 B⑦
11全詩11/768/8713
21御考2/27 A⑧
嚴識元　見嚴識玄
04嚴詵
25登科27/8 A
嚴謨　見嚴薈
嚴謀道
73吳興志15/3 A
07嚴郭
11全詩11/770/8744
17紀事下/66/992
嚴譔　見嚴善思
08嚴說
25登科26/28 B
10嚴正誨
2 新唐15/145/4727
嚴霆
19姓纂5/46 A
20郎考7/14 A
嚴霈
19姓纂5/46 A
嚴可求
40十國10/1 B

①② 《姓纂》"叱列"作"技也"，今據岑仲勉《元和姓纂四校記》考定改正。
③ 《書史》原注："曉一作楚。"
④ 《姓纂》作支逸文，岑仲勉謂勞格《郎官石柱題名考》考證《姓纂》技姓所列四郡望，皆眭姓之文。
⑤ 《舊志》作"瞿曇"，無"謙"字，《新志》作"瞿曇謙"，皆著録爲撰《大唐甲子元辰曆》者，顯係一人。今按《舊志》、《新志》排列次序，此瞿曇或瞿曇謙爲玄宗時人。查《新唐書》卷二十七上《曆志》三上，云玄宗開元時有"善算瞿曇譔者"曾上書議曆法，"譔"與"謙"字形相似，似卽一人，但未知孰是。又據《舊唐書》卷三十二《曆志》一、《新唐書》卷二十六《曆志》二，高宗時有曆算家瞿曇羅，《新唐書》卷二十八下《曆志》四下開元六年又有太監瞿曇悉達。此皆可證"瞿曇"爲姓，而《舊志》僅作瞿曇，乃有姓無名。今姑依《新志》補"謙"字，至於"謙"、"譔"之異，則待考。
⑥ 《書史》"聞"作"問"，今據《書小史》改作"聞"。
⑦⑧ 《全文》、《御考》"玄"作"元"，蓋清人避諱改。

19姓纂4/16A
單有鄰
　　8 全文398/23A
　　19姓纂4/16A
單雄信
　　1 舊唐7/53/2224
　　2 新唐12/84/3686
60單思遠
　　19姓纂4/16A
單思禮
　　19姓纂4/16A
單思敬
　　19姓纂4/16A
86單羯方
　　1 舊唐16/198/5312
　　2 新唐20/221下/6258
90單光業
　　19姓纂4/16A

6666₃ 器

47器弩悉弄
　　1 舊唐16/196上/5224
　　2 新唐19/216上/6076

6702₀ 明

00明度
　　80宋僧25/1A
14明珪
　　1 舊唐16/191/5097
　明瓚 唐初上黨人
　　79續僧29/2B
　明瓚（大明禪師）唐肅宗時人
　　80宋僧19/21A
17明璨
　　79續僧36/8A
21明虛己
　　21御考2/50A
　　　　　3/13B
22明崇儼（莊）
　　1 舊唐16/191/5097
　　2 新唐18/204/5806
27明解
　　11全詩12/865/9777
　　79續僧35/33A
28明伶

80宋僧2/19B
83開元錄9/565
85貞元新錄13/866
30明準
　　80宋僧27/9B
31明濬
　　8 全文908/2A
　　79續僧35/32B
34明洪
　　79續僧14/19B
　明遠
　　81景德21/17B
36明禪師 洪州泐潭
　　81景德17/21B
　明禪師 金陵清涼
　　81景德23/8A
37明淨
　　79續僧24/22B
38明導
　　79續僧29/7B
44明恭
　　79續僧35/12B
　明若山
　　37書小史10/6B
　　39書史5/30B
48明幹
　　79續僧i4/22A
52明援
　　9 拾遺28/25B
　明哲 定州柏巖
　　81景德7/4A
　明哲 鄂州百顏
　　81景德14/18A
55明慧
　　80宋僧24/3A
60明曠
　　79續僧15/23A
67明瞻
　　79續僧31/5A
　明略
　　79續僧15/24B
71明槃
　　8 全文904/1A
72明隱
　　79續僧35/31A

77明月公
　　6 舊志6/47/2051
　　7 新志5/59/1570
　明覺
　　80宋僧11/10B
97明恂
　　80宋僧4/19B

6704₇ 啜

52啜剌庶真
　　19姓纂10/26B
　啜剌元崇
　　19姓纂10/26B
　啜剌右失畢　見火拔右失畢
　啜剌歸仁　見火拔歸仁
　啜剌懷
　　19姓纂10/26B

6705₆ 暉

36暉禪師
　　81景德12/15A

6706₂ 昭

13昭武失阿喝
　　2 新唐20/221下/6248
　昭武婆達地
　　2 新唐20/221下/6247
　昭武殺
　　2 新唐20/221下/6245
　昭武閉息
　　2 新唐20/221下/6245
　昭武開拙
　　2 新唐20/221下/6247

6712₂ 野

04野詩良輔
　　1 舊唐12/152/4079
　　2 新唐16/170/5182
61野咥可汗　見乙失鉢

6712₇ 郢

77郢展
　　12詩逸中/10207

---

① 《姓纂》"況"作"説"。按嚴説爲五代周顯德時人，而嚴説乃唐德宗貞元時人，參徐松《登科記考》卷二十六。《元和姓纂》作於唐憲宗元和時，則作"説"誤，今改作"況"。

6716₄ 路

00路齊暉
　　5 新表11/75下/3408
　　20郎考12/21A

　　路應（從衆、靖）
　　2 新唐15/138/4624
　　5 新表11/75下/3409
　　11全詩12/887/10029
　　19姓纂8/14B
　　26方鎮5/65B

　　路庠
　　1 舊唐14/177/4602
　　5 新表11/75下/3409
　　25登科27/13A

　　路廣心
　　5 新表11/75下/3408
　　19姓纂8/14A

　　路文逸
　　1 舊唐15/189下/4962
　　2 新唐18/199/5665
　　5 新表11/75下/3407
　　19姓纂8/14A

　　路文昇
　　19姓纂8/14B

10路瓌　見路寰
　　路元叡
　　19姓纂8/14B①
　　20郎考3/9A
　　　　　7/2B
　　　　　11/2A
　　　　　14/2A

　　路元濬　見路元叡
　　路元哲
　　5 新表11/75下/3409
　　19姓纂8/14B

12路延規（希聖）
　　5 新表11/75下/3408

13路琯
　　20郎考1/23A

17路羣（正夫、正大）②
　　1 舊唐14/177/4603
　　2 新唐17/184/5396
　　5 新表11/75下/3408
　　8 全文730/23A
　　19姓纂8/14B
　　20郎考16/19A
　　24壁記　翰苑羣書

　　　　　上/47A
　　25登科27/13A

20路季登
　　1 舊唐14/177/4602
　　5 新表11/75下/3408
　　8 全文438/20B
　　19姓纂8/14B
　　20郎考7/13B
　　　　　15/13B
　　25登科10/29A

　　路航
　　8 全文848/14B

22路嶽（周翰）
　　1 舊唐14/177/4603
　　5 新表11/75下/3408
　　19姓纂8/14B
　　25登科27/18A

　　路嚴（魯瞻）
　　1 舊唐14/177/4602
　　2 新唐17/184/5396
　　5 新表11/75下/3408
　　8 全文792/1A
　　19姓纂8/14B
　　24壁記　翰苑羣書
　　　　　上/55A
　　25登科27/18A
　　26方鎮5/12B
　　　　　6/70B

　　路幾　見路畿
　　路畿
　　5 新表11/75下/3408
　　19姓纂8/14B③

23路俊之
　　1 舊唐13/159/4190
　　5 新表11/75下/3410

　　路綰
　　20郎考11/48A
　　　　　12/42A
　　　　　22/18A

24路德延（昌遠）
　　1 舊唐14/177/4603
　　5 新表11/75下/3408
　　11全詩11/719/8255
　　17紀事下/63/952
　　25登科24/21A

　　路德準
　　5 新表11/75下/3406
　　19姓纂8/14A

　　路愃
　　5 新表11/75下/3409

　　路幼玉
　　5 新表11/75下/3408
　　19姓纂8/14B
　　21御考2/24A

27路綱
　　20郎考8/51B

30路宣遠
　　68咸淳臨安51/22A

　　路審中
　　2 新唐13/114/4201
　　26方鎮6/26A

　　路寰
　　19姓纂8/!4B
　　26方鎮5/80B④

　　路寂元
　　19姓纂8/14A

31路憑
　　5 新表11/75下/3410
　　19姓纂8/14B

33路泌（安期）
　　1 舊唐13/159/4190
　　2 新唐15/142/4677
　　5 新表11/75下/3410
　　25登科11/29B

　　路遂元
　　19姓纂8/14A

　　路梁客
　　19姓纂8/14B

37路洶美
　　11全詩11/762/8659
　　40十國73/12B

40路太一
　　5 新表11/75下/3409
　　19姓纂8/14B

　　路士則
　　20郎考12/31B

　　路真元
　　19姓纂8/14A

41路楷
　　5 新表11/75下/3410
　　19姓纂8/14B

44路蕩
　　8 全文957/20B

　　路黃中
　　5 新表11/75下/3409
　　19姓纂8/14B

46路恕(體仁)
1 舊唐11/122/3501
2 新唐15/138/4624
5 新表11/75下/3410
19姓纂8/14 B
26方鎮1/45 A
　　　7/19 A
48路敬淳
1 舊唐15/189下/4962
2 新唐18/199/5665
5 新表11/75下/3407
6 舊志6/46/2012
7 新志5/58/1500
8 全文259/14 B
19姓纂8/14 A
25登科27/4 A
路敬潛
1 舊唐15/189下/4962
2 新唐18/199/5665
5 新表11/75下/3408
19姓纂8/14 A
路敬澄
5 新表11/75下/3407
19姓纂8/14 A
路敬湛
5 新表11/75下/3407
19姓纂8/14 A
路敬渾
19姓纂8/14 A
56路暢
5 新表11/75下/3407
19姓纂8/14 A
路操
19姓纂8/14 A
57路招隱(希龍)
5 新表11/75下/3408
60路異
5 新表11/75下/3410
19姓纂8/14 B
20郎考16/19 A
21御考3/48 A
67乾道臨安3/5 A

68咸淳臨安45/15 B
路果客
5 新表11/75下/3409
66路單
1 舊唐14/177/4602
25登科27/13 A
67路晚金
5 新表11/75下/3409
19姓纂8/14 B
路嗣恭(劍客、懿範)
1 舊唐11/122/3499
2 新唐15/138/4623
5 新表11/75下/3409
8 全文394/2 B
19姓纂8/14 B
26方鎮4/1 A
　　　5/78 B
　　　7/3 A
　　　8/17 B
71路長興
5 新表11/75下/3408⑤
19姓纂8/14 B
路長興　見路長興
72路隱元
19姓纂8/14 A
路氏(越國夫人)
9 拾遺51/2 A
74路勵言
5 新表11/75下/3407
19姓纂8/14 A
20郎考6/2 A
路勵行
5 新表11/75下/3407
20郎考15/3 B
路勵業
5 新表11/75下/3406
路勵節
5 新表11/75下/3407
19姓纂8/14 A
路隋　見路隨
路隨(南式、貞)
1 舊唐13/159/4190

2 新唐15/142/4677⑥
5 新表11/75下/3410
7 新志5/58/1468
　　　5/58/1472
　　　5/59/1513
8 全文482/16 A
20郎考7/16 B
　　　8/34 A
24壁記　翰苑羣書
　　　上/44 B
25登科27/32 A
26方鎮5/41 A
28直齋4/35 B
69嘉定鎮江14/29 B
　　　16/8 A
77路貫
11全詩8/547/6316
82路銛
19姓纂8/14 B
路劍客　見路嗣恭
86路鍠
19姓纂8/14 B
87路鈞
19姓纂8/14 B
路欽訓
5 新表11/75下/3407
19姓纂8/14 A
路欽正
5 新表11/75下/3407
19姓纂8/14 A
路欽古
5 新表11/75下/3407
19姓纂8/14 A
88路節
1 舊唐13/159/4190
90路惟衡
19姓纂8/14 B
路惟恕
1 舊唐13/159/4190
5 新表11/75下/3410
路惟明
19姓纂8/14 B

---

① 《姓纂》"叔"作"潅",今據岑仲勉《元和姓纂四校記》考定改正。
② 按《舊唐》、《新唐》路羣本傳,其字均作正夫,而《新表》作"正大","夫"、"大"二字形近易訛,似"夫"字近是。
③ 《姓纂》"巒"作"幾",今據岑仲勉《元和姓纂四校記》考定改正。
④ 《方鎮》原作路瓌,今據岑仲勉《唐方鎮年表正補》所考,從《姓纂》作路寰。
⑤ 《新表》"興"作"與",今據《姓纂》改。
⑥ 《新唐》"隨"作"隋"。按他書或作"隋",或作"隨",今悉作"隨",以"隋"互見。

① 《新唐》"嗷"作"轍"，今從《舊唐》作"嗷"。

7064₁ 辟

77辟閭仁諝

　6 舊志6/47/2027
　7 新志5/59/1513
　8 全文267/27 B

7110₆ 暨

00暨彥賛
　40十國65/1 A
　暨齊物（子虛）
　40十國89/14 B①
27暨物齊　見暨齊物
30暨濟物　見暨齊物

7121₁ 阮

00阮文卿
　53赤城志8/27 B
24阮結（韜文）
　40十國84/10 B
27阮郜
　35畫譜6/8 A
　38圖繪2/29 B
50阮奉之
　39書史5/27 A
86阮知誨　見阮知晦
　阮知晦
　32益畫中/8 A②
　36圖誌2/47
　38圖繪2/36 B③
　40十國56/9 A④
　阮知悔　見阮知晦
90阮惟德
　32益畫中/13 A
　36圖誌2/48
　38圖繪2/37 A

7121₄ 雁

77雁門公
　8 全文959/16 A

7121₇ 盧

77盧馭特勤
　1 舊唐16/195/5213

　2 新唐19/217下/6130

7122₀ 阿

00阿育王
　1 舊唐16/198/5306
11阿瑟那鼠匿
　2 新唐20/221下/6250
17阿了參
　2 新唐20/221下/6250
20阿悉爛達干
　2 新唐20/221下/6250
21阿儞貞那　見寶思惟
40阿難律
　80宋僧2/16 A
44阿地瞿多　見無極高
　阿蒲恭拂
　1 舊唐16/198/5316
　2 新唐20/221下/6263
　阿蒲羅拔
　1 舊唐16/198/5316
　2 新唐20/221下/6263
50阿史那
　2 新唐20/221下/6252
　阿史那施
　2 新唐19/217下/6143
　阿史那彌射
　1 舊唐16/194下/5188
　2 新唐19/215下/6064
　阿史那步真
　1 舊唐16/194下/5189
　2 新唐19/215下/6064
　阿史那獻
　26方鎮8/53 A
　阿史那社尒（元）
　1 舊唐10/109/3288
　2 新唐13/110/4114
　阿史那道真
　1 舊唐10/109/3290
　2 新唐13/110/4116
　阿史那大節
　19姓纂5/6 B
　阿史那蘇尼失
　1 舊唐10/109/3290
　阿史那賀魯

　1 舊唐16/194下/5186
　2 新唐19/215下/6060
阿史那忠（義節、貞）
　1 舊唐10/109/3290
　2 新唐13/110/4116
阿史那忠節
　19姓纂5/6 B
阿史那思暕
　19姓纂5/6 B
阿史那暕
　1 舊唐10/109/3290
阿史德元珍
　19姓纂5/6 B
阿史德多覽
　19姓纂5/6 B
53阿成
　1 舊唐16/199下/5358
60阿目佉跋抑羅　見不空
　阿固郎
　2 新唐20/219/6178
　阿足師（大圓禪師）
　80宋僧19/10 A
62阿噎嗖　見楊琊
　阿咄欲
　3 舊五6/138/1842
　4 新五3/74/916
　阿蹼光顏　見李光顏
　阿蹼光進　見李光進
　阿蹼光嗣　見李光嗣
65阿跌光進　見李光進
72阿質達霰　見無能勝
80阿貪支
　2 新唐19/217下/6141
85阿鉢
　3 舊五4/98/1316

7122₇ 厲

00厲玄
　11全詩8/516/5897
　　　12/884/9986
　17紀事下/51/777⑤
　25登科20/23 B⑥
　71嚴州1/30 B⑦
26厲自南

---

① 《十國》原注：“齊物一作物齊，又作濟物。”
②③ 《益畫》、《圖繪》“晦”作“誨”，今從《圖誌》作“晦”。
④ 《十國》“晦”作“誨”，又注：“知海一作知悔。”今從《圖誌》作“晦”。
⑤⑥⑦ 《紀事》、《登科》、《嚴州》“玄”並作“元”，蓋清人板刻避諱改。

25登科27/21A

27厲歸真
35畫譜14/1B
36圖誌2/39
38圖繪2/31B
53赤城志35/11A

60厲圖南
25登科27/16B

67厲昭慶
40十國31/9A

7125₀ 庫

49庫狄履溫
8 全文305/12A
11全詩2/120/1210

7128₂ 厭

47厭都
2 新唐19/217下/6145

7128₆ 顧

00顧齊
40十國89/12A
81景德26/15A

03顧誠
80宋僧27/17B

67顧昭
81景德26/25B

7129₆ 原

26原崐玉
20郎考12/1B

60原羅
2 新唐20/222中/6293

7131₁ 驪

22驪山遊人
11全詩11/784/8854

7132₇ 馬

00馬亮
19姓纂7/10A

馬裔孫　見馬胤孫

馬慶
5 新表9/72下/2724

馬文
25登科26/28B

馬文操

3 舊五4/90/1179

馬文則
25登科27/15B

馬文舉
19姓纂7/11A

馬文義
40十國21/7A
43馬書18/2B

馬文敏
7 新志5/58/1473

01馬襲
53赤城志8/14A

07馬翊
8 全文622/4B
19姓纂7/11A

08馬譖
19姓纂7/11A

10馬三寶（忠）
1 舊唐7/58/2316
2 新唐12/88/3747

馬正會
1 舊唐12/152/4065
19姓纂7/10A

馬元貞
10續拾9/1A

馬元直
19姓纂7/11A
20郎考16/7A
21御考2/50A
3/18A

馬元素
19姓纂7/11A

馬元振
5 新表9/72下/2726
19姓纂7/10B

馬元規
2 新唐18/191/5500

馬元拯
5 新表9/72下/2726
19姓纂7/10B

馬平陽
26方鎮7/20A

12馬瑗
19姓纂7/10B

13馬琮
19姓纂7/10A

15馬建
73吳興志14/23B

17馬珣
41九國1/11B

馬珉
1 舊唐11/134/3689

馬瓊
19姓纂7/10B

馬承翰
8 全文855/6A

馬子才
8 全文956/20B

18馬致恭
11全詩11/738/8418

19馬璘（武）
1 舊唐12/152/4065
2 新唐15/138/4617
19姓纂7/10A
26方鎮1/16A
1/28B

20馬重績（洞微）
3 舊五4/96/1281
4 新五2/57/664
8 全文849/16B

馬秀才
39書史5/27B

馬信真
11全詩12/863/9758

馬季龍
1 舊唐11/134/3689
2 新唐16/155/4883
5 新表9/72下/2724
19姓纂7/10B
25登科7/4B

馬縞
3 舊五3/71/942
4 新五2/55/633
28直齋10/16B

21馬仁裕（德寬、匡）
40十國21/6A
43馬書11/3A
18/2B
44陸書3/7A
69嘉定鎮江14/51A
16/8B

馬偃
42五補4/9B

馬處謙
40十國45/1B

馬穎

19 姓纂7/10 B
馬頎
　19 姓纂7/10 B
　25 登科27/3 A
　　　　27/34 B
馬師素
　26 方鎮8/27 A
馬綽
　40 十國83/2 B
　　　　84/10 A
　68 咸淳臨安60/15 B
22 馬胤孫（慶先）
　3 舊五5/127/1669①
　4 新五2/55/629
　8 全文856/15 B②
　25 登科25/18 A③
　　　　26/2 A④
　37 書小史10/11 B
馬峯
　40 十國107/8 B
馬崇臺
　19 姓纂7/10 B
馬巢
　5 新表9/72下/2724
馬繼
　19 姓纂7/11 A
馬繼祖
　1 舊唐11/134/3702
　2 新唐16/155/4891
　5 新表9/72下/2725
　19 姓纂7/11 A
23 馬允孫　見馬胤孫
24 馬先
　7 新志5/59/1558
馬銑
　8 全文401/3 B⑤
　25 登科8/14 B⑥
馬德表
　9 拾遺18/2 B
馬儔（後已）
　5 新表9/72下/2725
馬僖

19 姓纂7/10 B
馬皓
　19 姓纂7/10 A
馬幼昌
　7 新志5/59/1564
26 馬覬 載子，吏部郎中
　5 新表9/72下/2726
　19 姓纂7/10 B
　20 郎考3/81 B
馬覬　見馮顗
馬伯達
　25 登科27/1 A
馬總　見馬揔
27 馬殷（霸圖、楚武穆王）
　3 舊五6/133/1756
　4 新五3/66/821
　26 方鎮6/41 B
　40 十國67/1 A
　43 馬書29/1 A
馬彙
　2 新唐16/155/4890
　5 新表9/72下/2724
　19 姓纂7/11 A
　25 登科27/30 B
馬紹宏
　3 舊五3/72/955
28 馬徵
　25 登科13/15 A
馬儉
　5 新表9/72下/2724
30 馬永易
　27 郡齋2上/21 A
馬宇（靈符）
　7 新志5/58/1478
　　　　5/58/1484
　20 郎考26/19 A
馬寅
　5 新表9/72下/2724
馬寶
　40 十國71/3 A
31 馬潘
　39 書史5/29 A

32 馬迪
　19 姓纂7/11 A
馬業
　39 書史5/26 A
36 馬湘（自然）
　11 全詩12/861/9726
馬温
　7 新志5/58/1507
馬遏
　19 姓纂7/10 A
37 馬淑
　19 姓纂7/10 B
馬逢 開元時監察御史
　5 新表9/72下/2723
　8 全文395/38 A
　19 姓纂7/10 A
馬逢 貞元五年進士及第
　11 全詩11/772/8761
　18 才子5/83
　25 登科12/24 A
40 馬乂
　11 全詩12/887/10023
馬大師
　8 全文203/17 B
馬大通
　19 姓纂7/10 B
馬大均
　19 姓纂7/10 B
馬克忠
　5 新表9/72下/2723
　19 姓纂7/10 A
馬希廣（德丕、楚廢王）
　2 新五3/66/827
　8 全文129/23 B
　40 十國69/1 A
　43 馬書29/5 A⑦
馬希璠
　40 十國71/7 A
馬希能
　40 十國71/6 A
馬希崇
　40 十國69/7 B

①② 《舊五》、《全文》"胤"並作"裔"，蓋清人避雍正諱改。《通鑑》卷二八〇正作"胤"，可證。
③④ 《登科》"胤"作"允"，蓋清人避諱改。
⑤ 《全文》原注："銑一作挑。"
⑥ 《登科》"銑"作"挑"，今從《全文》。
⑦ 《馬書》"希"作"㲉"，今從《新五》、《十國》諸書。

馬希朗
  40十國71/7 B

馬希聲(楚恭孝王)
  8 全文129/25 A
  40十國69/7 B
  42五補4/5 A
  43馬書29/5 A①

馬希聲(若訥、楚衡陽王)
  4 新五3/66/825
  40十國68/1 A
  43馬書29/3 A②

馬希振
  40十國71/4 B

馬希杲
  40十國71/5 B

馬希旺
  40十國71/5 A

馬希瞻
  40十國71/6 A

馬希隱
  40十國71/6 B

馬希貫
  40十國71/6 A

馬希知
  40十國71/7 B

馬希範(寶規、楚文昭王)
  3 舊五6/133/1758
  4 新五3/66/826
  40十國68/2 A
  42五補3/3 A
       3/4 A
       3/4 B
       4/3 A
  43馬書29/3 B③

馬存
  40十國71/4 A

馬存亮(季明)
  2 新唐19/207/5870

馬支(雲居散人)
  8 全文816/17 B

馬嘉運
  1 舊唐8/73/2603
  2 新唐18/198/5645
  7 新志5/57/1426
       5/57/1440
       5/59/1562
  27郡齋1上/3 B

馬吉甫

  8 全文622/2 B
  19姓纂7/11 A

馬雄
  7 新志5/59/1558
  39書史5/26 A

馬去非
  8 全文860/5 A

馬真
  19姓纂7/10 B

41馬極
  25登科27/24 B

43馬戴
  1 舊唐8/74/2619
  2 新唐13/98/3901
  5 新表9/72下/2726
  7 新志5/58/1495
  19姓纂7/10 B

馬戴(虞臣)
  7 新志5/60/1612
  11全詩9/555/6426
  17紀事下/54/817
  18才子7/123
  25登科22/12 B
  28直齋19/18 B

44馬萬
  3 舊五5/106/1397

馬昔
  5 新表9/72下/2723
  19姓纂7/10 A④

馬著   見馬昔

馬植(存之)
  1 舊唐14/176/4565
  2 新唐17/184/5391
  5 新表9/72下/2725
  9 拾遺29/15 A
  11全詩7/479/5454
  17紀事下/51/771
  25登科18/23 B
       20/24 B
  26方鎮2/11 A
       2/37 B
       6/48 B
       7/58 A
  59毗陵志7/16 A

馬樹鷹
  30歷畫9/184

45馬構   見馬搆

46馬觀載子

  5 新表9/72下/2726
  19姓纂7/10 B

馬觀懷素子
  19姓纂7/11 A

47馬懿
  19姓纂7/10 A

馬郁
  3 舊五3/71/937
  5 新表9/72下/2725
  9 拾遺32/12 B
  11全詩11/757/8609⑤
  17紀事下/71/1050⑥

48馬赦
  5 新表9/72下/2724

馬敬寔
  7 新志5/58/1507

50馬忠捷
  74臨汀志   大典
            7893/1 B

馬冉
  11全詩11/727/8331

馬秦客
  19姓纂7/11 A

52馬挺
  7 新志5/60/1610
  69嘉定鎮江18/43 A

53馬彧   見馬郁

54馬挽   見馬銑
馬措
  5 新表9/72下/2723
  19姓纂7/10 A

55馬搆
  5 新表9/72下/2723
  19姓纂7/10 A⑦

56馬暢(縱)
  1 舊唐11/134/3701
  2 新唐16/155/4890
  5 新表9/72下/2725
  19姓纂7/11 A
  21御考3/44 A

馬摠(會元、懿)
  1 舊唐13/157/4151
  2 新唐16/163/5033
  7 新志5/58/1461
       5/58/1475
       5/59/1536
       5/60/1624
  8 全文481/10 A

①②③《馬書》"希"作"義",今從《新五》、《十國》諸書。
④ 《姓纂》"昔"作"著",今據岑仲勉《元和姓纂四校記》考定改正。
⑤ 《全詩》"郁"作"彧",並注:"彧一作郁。"
⑥ 《紀事》"郁"作"彧",今從《舊五》、《新表》作"郁"。
⑦ 《姓纂》"搆"作"構",今據岑仲勉《元和姓纂四校記》考定改正。

21御考2/3 A
25登科2/18 A
　　　2/22 A
　　　4/30 A
69嘉定鎮江18/42 B
70至順鎮江18/2 B
馬少微
　2 新唐16/162/4990
馬光贊
40十國71/8 A
馬光業
30歷畫9/184
馬光淑
19姓纂7/10 B
20郎考1/35 A
　　　4/16 A
　　　22/5 B
21御考2/19 B
　　　2/39 A
　　　2/46 A
馬光惠
40十國71/5 A
馬光嗣
19姓纂7/11 A
馬光粹
　8 全文956/20 A
19姓纂7/10 B
25登科27/4 B
馬當
　5 新表9/72下/2724
19姓纂7/11 A
馬炫（弱翁、抱元）
　1 舊唐11/134/3702
　2 新唐16/155/4891
　5 新表9/72下/2724
19姓纂7/10 B
　　　7/11 A
20郎考3/86 A
91馬炬
　5 新表9/72下/2724
19姓纂7/10 B
　　　7/11 A
96馬煜
25登科27/31 A
97馬恂
　5 新表9/72下/2726
19姓纂7/10 B

98馬燧（洵美、莊武）
　1 舊唐11/134/3689
　2 新唐16/155/4883
　5 新表9/72下/2724
　8 全文438/11 B
19姓纂7/10 B
　　　7/11 A
26方鎮4/32 B

7171₁ 匡

22匡山和尚
81景德23/16 B
24匡化
81景德20/12 A
26匡白
　8 全文919/15 A
34匡祐
81景德24/23 B
　匡達
81景德25/28 B
36匡禪師
81景德21/10 B
37匡逸（凝密禪師）
40十國33/5 B
81景德25/11 B
60匡果禪師
81景德23/6 B

7171₇ 巨

00巨方
80宋僧8/20 A
81景德4/17 A
27巨岷（達識）
80宋僧7/13 B

7173₂ 長

00長廣公主
　2 新唐12/83/3643
10長平山和尚
81景德12/14 B
12長孫庶幾
　5 新表8/72上/2410
19姓纂7/15 B
　長孫文則
19姓纂7/16 A
　長孫讓
19姓纂7/16 A
　長孫端　見長孫揣

長孫訓
　5 新表8/72上/2413
長孫誼
　5 新表8/72上/2411
19姓纂7/15 B
71嚴州1/27 B
長孫詠
　5 新表8/72上/2411①
19姓纂7/15 B
長孫訥言
　8 全文188/12 A
19姓纂7/16 A
長孫翊
　5 新表8/72上/2414
長孫詮
　1 舊唐14/183/4727
　2 新唐13/105/4023
　5 新表8/72上/2411
19姓纂7/15 B
長孫正隱　見長孫貞隱
長孫瓌
　5 新表8/72上/2415
長孫元冀
　5 新表8/72上/2414
長孫元翼
　5 新表8/72上/2413
長孫元退
　5 新表8/72上/2414
長孫无乃
　5 新表8/72上/2412
19姓纂7/15 A
長孫无忌（輔機、輔幾）
　1 舊唐7/65/2446
　2 新唐13/105/4017
　5 新表8/72上/2413
　6 舊志6/46/1998
　　　6/46/2010
　7 新志5/57/1428
　　　5/58/1458
　　　5/58/1471
　　　5/58/1491
　　　5/58/1494
　　　5/58/1495
　　　5/59/1570
　8 全文136/1 A
11全詩1/30/433
　　12/869/9842
17紀事上/4/50

19姓纂7/15A
27郡齋2上/7B
長孫无虎
19姓纂7/15A
長孫无傲
5 新表8/72上/2412
19姓纂7/15A
長孫无憲
5 新表8/72上/2412
19姓纂7/15A
長孫无逸
5 新表8/72上/2417
19姓纂7/15A
長孫珩
5 新表8/72上/2417
長孫琂
5 新表8/72上/2414
長孫延
5 新表8/72上/2413
長孫琓
5 新表8/72上/2417
長孫球
5 新表8/72上/2416
長孫琮
5 新表8/72上/2414
長孫珪
5 新表8/72上/2416
長孫琦
5 新表8/72上/2415
長孫瑛
5 新表8/72上/2417
長孫瑋
5 新表8/72上/2417
長孫瓚
5 新表8/72上/2416
長孫璉
5 新表8/72上/2416
長孫瓊
5 新表8/72上/2417
長孫子哲
5 新表8/72上/2410
19姓纂7/15B
長孫稚先
5 新表8/72上/2413
長孫順德(襄)
1 舊唐7/58/2308
2 新唐13/105/4023
長孫處仁
20郎考12/10B
21御考1/21A
2/15A
長孫師
19姓纂7/16A
長孫師禮
19姓纂7/16A
20郎考23/1A
長孫貞隱
11全詩2/72/790②
17紀事上/7/89③
19姓纂7/15B
長孫崇一
5 新表8/72上/2415
長孫崇信
5 新表8/72上/2415
長孫崇順
5 新表8/72上/2416
長孫崇宗
5 新表8/72上/2415
長孫崇質
5 新表8/72上/2416
長孫崇賢
5 新表8/72上/2416
長孫修
8 全文732/4A
長孫績
19姓纂7/15B
長孫佐輔
11全詩7/469/5333
12/883/9981
17紀事上/40/616
18才子5/92
28直齋19/11A
長孫佐輔妻
11全詩11/801/9018④
長孫佐轉妻 見長孫佐輔妻
長孫仲宣
5 新表8/72上/2410
19姓纂7/15B
長孫續
19姓纂7/15B
長孫和人 見長孫知人
長孫繹
21御考3/52A
長孫翺
11全詩8/512/5852
17紀事下/58/889
長孫絢
5 新表8/72上/2414
長孫紹先
5 新表8/72上/2413
長孫寬
19姓纂7/15B
長孫永 見長孫詠
長孫憲
5 新表8/72上/2411
8 全文436/17B
19姓纂7/15B
長孫守廉
5 新表8/72上/2414
長孫守貞
5 新表8/72上/2413
長孫守英
5 新表8/72上/2413
長孫安業
5 新表8/72上/2412
19姓纂7/15A
長孫安世
1 舊唐7/65/2456
5 新表8/72上/2412
長孫迈
5 新表8/72上/2413
長孫濬
5 新表8/72上/2414
19姓纂7/15A
59毗陵志7/16B

① 《新表》"詠"作"永",今從《姓纂》。

② 《全詩》"貞"作"正",係承襲《唐詩紀事》,而《紀事》乃避宋仁宗諱。今從《姓纂》作"貞"。

③ 《紀事》"貞"作"正",今改,詳見前注。

④ 《全詩》此處原作長孫佐轉妻。岑仲勉《讀全唐詩札記》云:"長孫佐輔《答邊信》(一作《代答邊信同心結》)。按此詩又收十一函十册(即中華書局點校本卷八〇一——引者)長孫佐轉(輔之訛)妻,題爲《答外》。"岑説是,今據改。

7210₀ 劉

① 《全文》"玄"作"元"，係清人避諱改。今據《舊唐》、《新唐》本傳改正。
② 《姓纂》"玄"作"元"，今據《新表》、《郎考》改正。
③ 《舊唐》"訥"作"納"，今從《新唐》作"訥"。
④ 《郡齋》"訥"作"內"，原文云："唐高宗令章懷太子賢與劉內言、革希言作註。"按《新志》著錄爲《後漢書》作注者乃劉訥言，是知"內"即"訥"之訛。
⑤ 《新唐》作"劉知謙"，今從新舊《五代史》、《十國春秋》无"知"字。 蓋避劉知遠名諱刪，今從新舊《五代史》。
⑥ 《姓纂》"元"作"文"，今據岑仲勉《元和姓纂四校記》考定改正。
⑦ 此與《新表》之元鼎時代頗相近，但未能確定其爲一人，今析爲二人以備考。
⑧ 《全文》"叔"作"淑"，今從《全詩》。
⑨ 《新表》原作"劉子藩"，烱父，宜宗時宰相璩祖。按《舊唐書》卷一七七《劉璩傳》載："祖璠，父烱。"則《新表》之劉子藩與《舊傳》之劉璠實爲一人。又按《新表》之子藩，爲劉晃子，究其所本，或原作晃子璠，《新表》之修纂者不察，誤以"子藩"爲人名，而又將璠誤寫作藩。今從《舊傳》改。
⑩ 《全詩》作裴瑤，今據《全詩》八〇一及《才子》改正。

5/60/1625
8　全文274/1A
9　拾遺17/4A
11全詩2/94/1017
19姓纂5/22B
25登科2/27A
27郡齋2下/4B
28直齋4/33B
　　　4/34A
　　　22/7A
劉子翼（小心）
1　舊唐9/87/2846
2　新唐14/117/4250
5　新表7/71上/2255
6　舊志6/47/2073
7　新志5/58/1456
　　　5/60/1598
19姓纂5/25B
59毗陵志19/6A
劉子之
5　新表7/71上/2254
劉子藩　見劉璠
劉子威
5　新表7/71上/2253
劉君良
1　舊唐15/188/4919
2　新唐18/195/5579
劉乙（子真）
11全詩11/763/8663
　　　12/886/10020
28直齋19/27B
40十國97/3A
劉柔愻
19姓纂5/24B
18劉瑜唐末滄州人
3　舊五4/94/1249
劉瑜居潤州,嘗爲巡官
69嘉定鎮江18/48B
劉玢（宏度、南漢殤帝）
3　舊五6/135/1809
4　新五3/65/813
40十國59/1A
劉政會（襄）
1　舊唐7/58/2312

2　新唐12/90/3767
5　新表7/71上/2273
19姓纂5/27B
劉璇興
40十國61/6B
19劉璠（景潤）
5　新表7/71上/2267
劉鄩
1　舊唐14/179/4663
5　新表7/71上/2273
25登科27/6B
20劉重約
8　全文998/13A
劉垂（昭覘）
5　新表7/71上/2273
劉伉
5　新表7/71上/2270
劉秀
8　全文278/9B
劉信滄州人
3　舊五4/94/1249
劉信其先沙陀人,後世居太原
3　舊五5/105/1386
4　新五1/18/195
劉信（興遠）兗州中都人
40十國7/1A
41九國2/1A
44陸書6/1A
劉季述
2　新唐19/208/5892
劉季真
1　舊唐7/56/2281
2　新唐12/87/3732
劉季隨
5　新表7/71上/2269
劉禹錫（夢得）
1　舊唐13/160/4210
2　新唐16/168/5128
7　新志5/59/1572
　　　5/60/1606
　　　5/60/1624
8　全文599/1A
9　拾遺25/20A
11全詩6/354/3961

12/890/10055
12詩逸上10181
17紀事上/39/600
18才子5/87
19姓纂5/27A
20郎考19/9B
　　　25/14A
25登科13/14B
27郡齋4上/28A
28直齋16/22B
39書史5/33A
54吳郡圖經上/15B
55吳郡志11/4B
劉犖
5　新表7/71上/2271
劉乘
3　舊五4/89/1171
劉系
8　全文408/1B
劉采春
11全詩11/802/9023
21劉順
19姓纂5/27A③
劉順之
19姓纂5/24B
劉顗
5　新表7/71上/2261
劉仁行
19姓纂5/26B
劉仁師（行輿）
5　新表7/71上/2246
20郎考7/33B
劉仁叡
8　全文204/6A
劉仁實
1　舊唐7/58/2311
2　新唐12/90/3766
劉仁遇
26方鎮3/21A
劉仁祚
40十國87/6A
劉仁祥
25登科27/19A
劉仁恭

① 《郎考》此處"延"作"珽",疑卽卷十一之"延祐"。
② 《全文》原注: "實一作賓。"
③ 《姓纂》"順"作"稱",今據岑仲勉《元和姓纂四校記》考定改正。

2 新唐19/212/5985
3 舊五6/135/1799
4 新五2/39/422
26 方鎮4/111 B
劉仁相
5 新表7/71上/2254
劉仁杞
40 十國86/5 B
73 吳興志14/33 B
劉仁軌（正則、文獻）
1 舊唐8/84/2789
2 新唐13/108/4081
5 新表7/71上/2253
6 舊志6/46/2010
7 新志5/58/1467
　　　5/58/1495
8 全文158/12 B
19 姓纂5/26 B
27 郡齋2上/10 A
28 直齋5/12 A
37 書小史9/4 A
劉仁規
40 十國6/3 B
　　　22/9 A
43 馬書11/6 A
44 陸書12/3 A
劉仁景
1 舊唐7/58/2311
19 姓纂5/26 B
劉仁贍（守惠、忠肅）
3 舊五5/129/1707
4 新五2/32/351
8 全文876/1 A
40 十國27/7 B
43 馬書16/2 A
44 陸書10/1 A
45 江南5/3 A
58 金陵志13上/18 B
劉虛白
11 全詩8/495/5613
17 紀事下/60/910
25 登科22/38 A
劉行謙
4 新五2/47/537
劉行琮
4 新五2/47/537
劉行仙
3 舊五1/20/271

劉行之
5 新表7/71上/2248
19 姓纂5/22 B
劉行實
19 姓纂5/24 B
劉行昌
19 姓纂5/27 A
20 郎考2/38 A
劉行臣
30 歷畫9/182
38 圖繪2/22 B
劉行敏
11 全詩12/869/9847
劉虔膺
8 全文848/7 A
劉處讓（德謙）
3 舊五4/94/1249
4 新五2/47/526
劉處約
20 郎考4/6 A
　　　9/1 A
劉處靜（天台耕人）
8 全文812/8 A
劉頻
5 新表7/71上/2266
劉毖
25 登科9/3 B
劉衡
19 姓纂5/22 A
劉睿
7 新志5/59/1541
劉師立（肅）
1 舊唐7/57/2298
2 新唐12/88/3742
劉師禮
19 姓纂5/27 B
劉師遂
3 舊五5/106/1392
劉師道
3 舊五3/64/859
劉師老
19 姓纂5/22 B
20 郎考6/20 A
劉師服
17 紀事下/41/635
劉師光
21 御考3/47 B
劉貞　見劉真

劉貞亮　見俱文珍
劉貞昚
19 姓纂5/28 A
劉緒
5 新表7/71上/2249①
19 姓纂5/22 B
劉穎埴子
5 新表7/71上/2261⑨
6 舊志6/47/2074③
7 新志5/60/1599
19 姓纂5/27 B
劉穎順之子
19 姓纂5/24 B
劉穎考
19 姓纂5/26 B
22 劉胤之
1 舊唐15/190上/4994
2 新唐18/201/5732
5 新表7/71上/2248
19 姓纂5/22 B④
劉崟
25 登科2/1 B
劉鼎（公度）崇子
3 舊五5/108/1429
8 全文855/2 B
劉鼎（仲實）譜子
5 新表7/71上/2259
劉循
5 新表7/71上/2275
19 姓纂5/27 B
劉嚴　見劉龑
劉嚴夫（子耕）
5 新表7/71上/2258
8 全文739/19 B
25 登科18/11 A
劉嵒
25 登科5/30 B
劉製
5 新表7/71上/2251
19 姓纂5/22 B
劉山甫
11 全詩11/763/8664
40 十國95/7 A
劉幽求（文獻）
1 舊唐9/97/3039
2 新唐14/121/4327
11 全詩2/99/1068
17 紀事上/13/191

25登科4/19 B
68咸淳臨安45/10 B
71嚴州1/25 B
　　　1/28 A
劉崇(旻、北漢世祖)
3 舊五6/135/1810
4 新五1/18/192
　　3/70/863
40十國104/1 A
劉崇仕梁，商州刺史
3 舊五5/108/1429
劉崇諒
3 舊五5/129/1708
劉崇謨(成禹)
1 舊唐14/179/4666
5 新表7/71上/2274
25登科23/31 B
劉崇讚
3 舊五5/129/1708
劉崇望(希徒)
1 舊唐14/179/4663
2 新唐12/90/3768
5 新表7/71上/2273
7 新志5/60/1616
8 全文812/1 A
20郎考4/65 B
　　8/58 A
25登科23/21 A
劉崇術
5 新表7/71上/2247
19姓纂5/23 A
劉崇俊(德修、威)
40十國6/3 B
　　22/9 A
43馬書11/6 A
44陸書12/3 A
劉崇龜(子長)
1 舊唐14/179/4664
2 新唐12/90/3769
5 新表7/71上/2273
11全詩11/715/8219
20郎考20/18 B
　　26/27 B
25登科23/8 B

26方鎮7/15 B
劉崇彝(子憲)
5 新表7/71上/2273
25登科27/19 B
劉崇魯(郊文)
1 舊唐14/179/4666
2 新五12/90/3769
5 新表7/71上/2274
11全詩11/715/8219
25登科23/28 B
劉崇業
5 新表7/71上/2245
19姓纂5/23 A
劉崇遠(金華子)
8 全文861/1 B
27郡齋3下/4 B
28直齋11/8 B
劉崇直
5 新表7/71上/2247
19姓纂5/23 A
劉崇基
19姓纂5/24 A
劉崇興
40十國61/7 A
劉繼文
40十國106/4 B
劉繼元(北漢英武帝)
40十國105/9 B
劉繼勳
3 舊五4/96/1278
劉繼業
40十國106/5 B
劉繼忠
40十國106/6 B
劉繼恩(北漢少主)
4 新五3/70/869
40十國105/8 A
劉繼顒
40十國106/5 A
劉繼興　見劉鋹
劉繼欽
40十國106/5 A
劉稱　見劉順
劉綏

3 舊五1/23/307
23劉卜兒
25登科27/30 B
劉允文
8 全文713/10 B
劉允章(蘊中、韞中)
1 舊唐12/153/4086
2 新唐16/160/4970
5 新表7/71上/2257
8 全文804/1 A
19姓纂5/25 A
20郎考11/56 B
　　18/21 B
24壁記　翰苑羣書
　　上/55 B
　　上/56 A
25登科23/13 A
　　27/14 A
26方鎮6/24 A
劉允濟(允濟)
1 舊唐15/190中/5012
2 新唐18/202/5749
6 舊志6/46/1994
　　6/47/2075
　　6/47/2081
7 新志5/58/1466
　　5/60/1600
　　5/60/1621
8 全文164/13 B
11全詩2/63/744
17紀事上/10/141
19姓纂5/23 B
25登科27/2 B
劉允之　見劉胤之
劉伻
26方鎮4/58 B
劉鹹
25登科24/20 A
劉綰瀘子，太康令
5 新表7/71上/2266
19姓纂5/22 A
劉綰唐玄宗時侍御史
21御考2/53 B
24劉倚(正卿)

---

① 《新表》"韜"作"縚"，今據岑仲勉《元和姓纂四校記》考定改正。
②③ 《新表》、《舊志》"穎"作"潁"，今據《姓纂》諸書改正。
④ 《姓纂》"胤"作"允"，今據岑仲勉《元和姓纂四校記》考定改正。

劉保勳
　3 舊五4/94/1251
劉保乂
　40十國53/6A
劉保興
　40十國61/7A
劉皋
　11全詩9/563/6535
劉暐（克明）
　3 舊五5/131/1721
　8 全文856/7A
劉皁
　11全詩7/472/5358
　17紀事上/36/560
劉和（時中）
　5 新表7/71上/2268
劉縕
　5 新表7/71上/2265
劉穆之
　8 全文270/11A
　19姓纂5/27A
　20郎考12/7A
　　　　　21/3B

劉總
　1 舊唐12/143/3902
　2 新唐19/212/5975
　26方鎮3/4A
　　　　　4/106A
劉緝　見劉縉
劉繹
　5 新表7/71上/2249
　19姓纂5/22B
　20郎考15/10A
　　　　　16/27B
27劉龜圖
　40十國61/3B
劉多讓（蕭之）
　5 新表7/71上/2271
劉多退（敬之）
　5 新志7/71上/2272
劉象
　11全詩11/715/8215

17紀事下/61/923
18才子10/180
25登科24/26A
63新安志6/6A
劉解
　5 新表7/71上/2259
劉㒒
　3 舊五5/99/1321
劉舟
　11全詩3/209/2175④
　17紀事上/27/422⑤
　25登科9/34A
劉魯風
　11全詩8/505/5744
　17紀事下/58/892
劉郇伯
　11全詩8/516/5901
　17紀事下/50/762
劉彙
　1 舊唐10/102/3174
　2 新唐15/132/4524
　5 新表7/71上/2251
　7 新志5/60/1604
　19姓纂5/22B
　21御考3/37A
　26方鎮5/1A
　69嘉定鎮江14/9B
劉紀
　5 新表7/71上/2264
劉約
　5 新表7/71上/2250
　8 全文760/4A
　19姓纂5/22B
　26方鎮2/9B
　　　　　3/7A
　　　　　4/91B
劉綱
　6 舊志6/47/2074
　7 新志5/60/1599
劉紓
　5 新表7/71上/2266
劉叔
　20郎考12/10B

劉叔時
　5 新表7/71上/2248
　19姓纂5/22B
劉紹
　5 新表7/71上/2265
劉紹榮
　19姓纂5/27A
28劉伭壽
　5 新表7/71上/2245
劉微（可大）
　5 新表7/71上/2275
　19姓纂5/27B
　55吳郡志11/4B
劉徵（休祥）
　5 新表7/71上/2262
劉徹　見劉茂忠
劉徵郎
　5 新表7/71上/2259
劉復
　11全詩5/305/3467
　17紀事上/29/454
　19姓纂5/27B
　25登科27/9B
劉復禮
　19姓纂5/24B
劉從方
　5 新表7/71上/2265
劉從劾
　43馬書27/3B
劉從諫
　1 舊唐13/161/4231
　2 新唐19/214/6014
　8 全文733/16A
　26方鎮4/67B
劉從一（敬）
　1 舊唐11/125/3550
　2 新唐13/106/4051
　5 新表7/71上/2257
　19姓纂5/25A
　20郎考3/54B
　25登科27/9A
劉從乂
　8 全文860/1A

---

① 《姓纂》作"劉昇"，今據岑仲勉《元和姓纂四校記》考定改正。
② 《全詩》原注："贇一作贙。"
③ 《全文》原注："宜一作宣。"
④⑤ 《全詩》、《紀事》原注："一作劉冉。"

---

① 《姓纂》"禮"作"理"，今據岑仲勉《元和姓纂四校記》考定改正。

② 《新表》"麟"作"鱗"，今據岑仲勉《元和姓纂四校記》考定，從《姓纂》改作"麟"。

26方鎮5/31B
57景定建康49/25B
58金陵志13下/43B
69嘉定鎮江18/46A
38劉溢淮　見劉全諒
劉汾
8　全文793/15B
25登科22/37A
劉滋(公茂、貞)
1　舊唐11/136/3751
2　新唐15/132/4523
5　新表7/71上/2250
19姓纂5/22B
20郎考7/13A
　　　　8/23A
劉海
3　舊五5/106/1392
劉海賓
2　新唐16/153/4853
劉洽　見劉玄佐
劉滄(蘊靈)
7　新志5/60/1613
11全詩9/586/6787
17紀事下/58/884
18才子8/132
25登科22/28B
27郡齋4中/11B
28直齋19/24A
劉祥道(同壽、宣)
1　舊唐8/81/2750
2　新唐13/106/4048
5　新表7/71上/2256
7　新志5/58/1491
8　全文162/1A
19姓纂5/25A
20郎考3/4A
　　　　4/4B
　　　　8/1A
劉遂雍
4　新五1/22/228
劉遂清(得一)
3　舊五4/96/1276
4　新五1/22/228
劉遂凝
4　新五1/22/228

劉遵睿
21御考2/50A
　　　3/21A
劉遵經(仲常)
5　新表7/71上/2264
劉遵古
9　拾遺27/7B
11全詩6/347/3880
19姓纂5/27B
20郎考1/16B
　　　11/36A
25登科13/3A
26方鎮6/34B
　　　6/79A
劉道
20郎考12/3B
劉道昌
11全詩12/862/9750
劉道合
1　舊唐16/192/5127
2　新唐18/196/5605
40劉十兒
5　新表7/71上/2259
劉九郎
33五代畫遺6/32B
劉大俱
19姓纂5/28A
劉太童
21御考2/36A
劉太沖
11全詩3/209/2176
17紀事上/27/423
25登科9/25B
69嘉定鎮江18/46A
70至順鎮江18/2B
劉太真(仲適)
1　舊唐11/137/3762
2　新唐18/203/5781
7　新志5/60/1604
8　全文395/2B
9　拾遺22/10A
11全詩4/252/2841
17紀事上/28/436
19姓纂5/27B
20郎考4/28A

　　　　8/28B
25登科9/28A
　　　12/21B
　　　12/26B
69嘉定鎮江18/46A
70至順鎮江18/2B
劉士政
26方鎮7/51B
劉士寧
1　舊唐12/145/3932
2　新唐19/214/6001
26方鎮2/4B
劉士涇
1　舊唐12/152/4072
2　新唐16/170/5174
19姓纂5/27B②
劉士幹
1　舊唐12/145/3934
2　新唐19/214/6001
劉士舉
9　拾遺26/18B
劉壇
5　新表7/71上/2263
劉塘
40十國63/3B
劉在明
1　舊唐5/106/1396
劉克讓
19姓纂5/22A
劉克昌
40十國61/7B
劉克明
2　新唐19/208/5883
劉內言　見劉訥言
劉南仲
9　拾遺31/3B
劉希(至顏)
5　新表7/71上/2258
25登科23/17A
劉希戩
17紀事上/28/440
劉希暹
1　舊唐15/184/4765
劉希逸
19姓纂5/24A

---

①《姓纂》"深"作"環",今據岑仲勉《元和姓纂四校記》考定改正。
②《姓纂》作"劉涇",無"士"字,今據岑仲勉《元和姓纂四校記》考定補正。

---

① 《才子》"奮"作"愼"，按"奮"乃"愼"之古字，今據《河嶽》諸書統一。
② 《全詩》原注："真一作貞。"
③ 《全詩》原注："嫒一作瑗。"
④ 岑建功《舊唐書校勘記》卷三十六云："按《通鑑》作劉蘭成，未知孰是。"
⑤ 《新五》作"劉茂威"，同爲後唐廢帝劉后父。"成"、"威"，未知孰是。
⑥ 《姓纂》作"劉客"，無"燕"字，今據岑仲勉《元和姓纂四校記》考定補正。
⑦⑧ 《全文》之劉恭伯，據小傳，乃大中時人。《姓纂》之劉恭伯，應是元和以前人。二人其他情況皆不詳，今姑依其
　　生活時代析爲兩條。
⑨ 《姓纂》作"劉孝"，無"孫"字，今據岑仲勉《元和姓纂四校記》考定補正。
⑩ 《姓纂》"懿"作"意"，今據岑仲勉《元和姓纂四校記》考定改正。
⑪ 沈炳震《新唐書宰相世系表訂譌》云"字譌"，未知何所指，錄以備考。

① 《書史》原注："妹一作姝。"
② 《新表》"日政"作"聶"，今據岑仲勉《元和姓纂四校記》考定改正。
③ 《姓纂》作"劉正"，今據岑仲勉《元和姓纂四校記》考定改正。
④ 《御考》作"劉日正"，勞格謂卽《郎考》之劉日政。今據改。
⑤ 《舊唐》作"劉冕"，今從《新唐》、《新表》、《姓纂》、《郎考》諸書改正。
⑥ 《姓纂》"昌"作"琩"，今據岑仲勉《元和姓纂四校記》考定改正。
⑦ 《姓纂》"源"作"元"，今據岑仲勉《元和姓纂四校記》考定改正。
⑧ 《全詩》原注："暌一作騤。"

① 《姓纂》云:"劉正臣,范陽人,生溢淮。"據岑仲勉《元和姓纂四校記》,考定"溢淮"乃"逸準"之訛。逸準卽劉全諒之原名。

② 《陸書》作"劉全","全"字誤,今據《新五》、《十國》、《九國》、《馬書》改正。

③ 《姓纂》作"劉勃翁",今據岑仲勉《元和姓纂四校記》考定改正。

④ 《姓纂》作"劉植",無"令"字,今據岑仲勉《元和姓纂四校記》考定補正。

⑤ 《姓纂》作"劉彥",無"公"字,今據岑仲勉《元和姓纂四校記》考定補正。

⑥ 《全詩》作"劉公興",岑仲勉《讀全唐詩札記》云:"按此殆劉公輿之訛,見白氏集五。"岑說是,今從之。

26方鎮4/104 B
劉悟
　　1 舊唐13/161/4230
　　2 新唐19/214/6012
　26方鎮2/20 B
　　　　　4/67 A
　　　　　4/107 A
劉焯
　　7 新志5/59/1547
92劉忻時
　　5 新表7/71上/2248③
　19姓纂5/22 B
94劉慎　見劉闓一
　劉慎虛　見劉睿虛
　劉慎知
　　1 舊唐14/179/4663
　　5 新表7/71上/2273
96劉焆
　　1 舊唐14/177/4606
　　5 新表7/71上/2253
97劉恂
　　7 新志5/58/1507
　劉耀樞
　40十國61/3 B
　劉煥章（文中）
　　5 新表7/71上/2257
98劉悦鳳州刺史
　　5 新表7/71上/2247
　19姓纂5/23 A
　劉悦乾祐中太常少卿
　　9 拾遺47/15 A
　劉悔陵
　19姓纂5/27 A
　劉敞
　19姓纂5/24 B
99劉瑩
　25登科25/31 A

7210₁ 丘

00丘慶餘
　35畫譜17/7 A
　36圖誌4/94

丘文播（潛）
　32益畫中/12 B
　35畫譜6/7 A
　36圖誌2/51
　38圖繪2/29 A
丘文曉
　32益畫下/5 B
　35畫譜6/7 B
　36圖誌2/51
　38圖繪2/29 B
丘文堂
　19姓纂5/29 B
02丘迠
　19姓纂5/29 B
10丘元穎
　19姓纂5/29 B
丘元楚
　19姓纂5/29 B
丘元素
　　8 全文713/3 A
丘石
　39書史5/27 B
17丘承福
　19姓纂5/29 B
丘承業
　19姓纂5/29 B
　　　　　5/30 A
丘承嗣
　19姓纂5/29 B
丘子游
　19姓纂5/29 B
丘子期
　19姓纂5/29 B
丘子賂
　19姓纂5/29 B
19丘璘
　19姓纂5/29 B
21丘上卿（陪之）
　11全詩9/552/6395
　17紀事下/55/837
　25登科22/7 B
丘仁慶

38圖繪2/29 A
丘行淹
　　1 舊唐7/59/2327④
　19姓纂5/29 B
丘行恭（襄）
　　1 舊唐7/59/2326
　　2 新唐12/90/3778
　19姓纂5/29 B
丘行掩　見丘行淹
丘行整
　19姓纂5/29 B
丘師利
　19姓纂5/29 B
丘貞泰
　19姓纂5/29 B⑤
丘貞秦　見丘貞泰
丘貞明
　19姓纂5/29 B
丘穎
　25登科13/15 B
　　　　　13/24 B
22丘彪
　19姓纂5/29 B
丘幾
　19姓纂5/29 B
24丘佶
　19姓纂5/29 B
25丘仲昇
　19姓纂5/29 A
26丘和（襄）
　　1 舊唐7/59/2324
　　2 新唐12/90/3777
　19姓纂5/29 A
27丘峋
　　8 全文954/11 A
丘紓
　19姓纂5/29 B⑥
　20郎考15/18 B
　　　　　24/6 B
丘絳
　　8 全文615/18 A
　19姓纂5/29 A

---

① 《十國》原注：“錫一作承錫。”
② 《歷畫》原注：“智敏，一本作志敏。”
③ 《新表》“忻”作“欣”，今從《姓纂》作“忻”。
④ 《舊唐》“淹”作“掩”，今從《姓纂》。
⑤ 《姓纂》“泰”作“秦”，今據岑仲勉《元和姓纂四校記》考定改正。
⑥ 《姓纂》“紓”作“抒”，今據岑仲勉《元和姓纂四校記》考定改正。

7420₀ 附

10附不疑
　　25登科2/20 B
24附德意
　　19姓纂8/12 B

尉

37尉遲乙僧(小尉遲)
　　30歷畫9/172
　　31唐畫6/5 B
　　35畫譜1/10 B
　　38圖繪2/5 B
　尉遲璥
　　1 舊唐16/198/5305
　　2 新唐20/221上/6235
　尉遲伏師
　　1 舊唐16/198/5306
　　2 新唐20/221上/6236
　尉遲偓
　　27郡齋2上/21 A
　　28直齋7/7 B
　尉遲修儼
　　19姓纂10/19 B
　尉遲修寂
　　19姓纂10/19 B
　尉遲寶琳
　　1 舊唐8/68/2500
　　19姓纂10/19 B⑤
　尉遲寶林　見尉遲寶琳
　尉遲汾
　　8 全文721/14 B
　　11全詩12/887/10032
　　20郎考22/14 B
　　25登科15/12 B
　尉遲士良
　　8 全文396/9 A
　尉遲樞
　　7 新志5/59/1542
　尉遲恭　見尉遲敬德
　尉遲敬德(恭、忠武)
　　1 舊唐8/68/2495

　　2 新唐12/89/3752
　　8 全文153/11 A
　　19姓纂10/20 A
　尉遲跋質那
　　38圖繪2/5 B
　尉遲匡
　　11全詩11/795/8942
　　17紀事上/23/340
　尉遲屋密　見尉遲屈密
　尉遲屈密
　　1 舊唐16/198/5305
　　2 新唐
　　　　20/221上/6235⑥
　尉遲勝
　　1 舊唐12/144/3924
　　2 新唐13/110/4127
40尉大亮
　　20郎考13/3 B
44尉耆福
　　19姓纂8/10 B

7421₄ 陸

00陸立素
　　19姓纂10/3 A
　陸疾　見陸羽
　陸彦遠
　　5 新表10/73下/2968
　　19姓纂10/1 A
　　39書史5/10 B
　陸彦恭
　　5 新表10/73下/2977
　　19姓纂10/1 B
　陸齊望
　　5 新表10/73下/2978
　　19姓纂10/2 B
　陸齊政
　　19姓纂10/2 B
　陸序
　　5 新表10/73下/2971
　　19姓纂10/1 B
　陸高
　　5 新表10/73下/2969

　陸應
　　5 新表10/73下/2972
　　19姓纂10/1 B
　陸庶
　　5 新表10/73下/2972
　　8 全文622/1 A
　　9 拾遺27/8 A
　　19姓纂10/1 B
　　26方鎮6/5 A
　陸康
　　5 新表10/73下/2971
　　19姓纂10/1 B
　　25登科9/34 A
　陸廉
　　5 新表10/73下/2976
　陸庭曜
　　30歷畫9/183
　　31唐畫6/14 B
　　38圖繪2/23 A
　陸慶叶
　　5 新表10/73下/2967
　　19姓纂10/2 A
　陸廣
　　5 新表10/73下/2970
　　19姓纂10/1 B
　陸廣
　　19姓纂10/2 B
　陸文舉
　　5 新表10/73下/2972
　陸該
　　5 新表10/73下/2970
　陸玄之
　　19姓纂10/1 A
04陸謀
　　5 新表10/73下/2970
　　69嘉定鎮江17/7 A
　陸謀道
　　19姓纂10/2 A
07陸翊
　　5 新表10/73下/2976
08陸敦信(康)
　　1 舊唐15/189上/4945

---

① 《姓纂》"勣"作"績"，蓋形訛，今據兩《唐書》本傳改正。
② 《姓纂》"鴻"作"馮"，今據岑仲勉《元和姓纂四校記》考定改正。
③ 《全詩》原注："隱求一作隱丘。"
④ 《紀事》作"隱丘"，今從《全詩》。
⑤ 《姓纂》"琳"作"林"，今據岑仲勉《元和姓纂四校記》考定改正。
⑥ 《新唐》"屈"作"屋"，今從《舊唐》。

───────────────

① 《姓纂》"致"作"敬",今據岑仲勉《元和姓纂四校記》考定改正。
② 《全文》"皓"作"浩",疑誤,今從《新志》。
③ 《咸淳臨安》"章"作"璋",今從《十國》。
④ 《姓纂》"儉"作"檢",今據岑仲勉《元和姓纂四校記》考定改正。
⑤⑥⑦ 《全文》、《姓纂》、《郎考》"儳"作"參",《新安志》作"儳",今據岑仲勉《元和姓纂四校記》考定改正。
⑧ 《姓纂》"侃"作"侃如",今從《舊唐》。

陸包
5 新表10/73下/2976
19姓纂10/1 B
陸鄑
19姓纂10/3 B
陸紹
5 新表10/73下/2972
20郎考15/22 A
陸緄之
5 新表10/73下/2973
28陸徹
19姓纂10/3 A
陸復行儉子
5 新表10/73下/2978
陸復　見陸復禮
陸復禮
8 全文546/15 B
11全詩5/319/3598
17紀事上/40/621
19姓纂10/3 B①
25登科12/28 A
13/5 A
陸儉
5 新表10/73下/2977
陸繪
5 新表10/73下/2972
陸縱
5 新表10/73下/2972
30陸宣摭
5 新表10/73下/2966
19姓纂10/2 A
陸淮
5 新表10/73下/2979
19姓纂10/2 B
陸�童
5 新表10/73下/2979
20郎考11/69 B
陸灃
5 新表10/73下/2978
11全詩6/366/4132
17紀事下/59/903
19姓纂10/2 B
20郎考11/35 A
25/8 B
25登科12/6 A
陸沛
5 新表10/73下/2973
19姓纂10/1 B
陸滂
53赤城志8/18 B
陸淳　見陸質
陸扆(祥文、允迪)
1 舊唐14/179/4668
2 新唐17/183/5383
5 新表10/73下/2979
7 新志5/60/1608
8 全文827/5 A
11全詩10/688/7905
17紀事下/69/1035
20郎考21/12 A
25登科23/34 A
34書譜4/2 A
39書史5/9 A
陸宏
7 新志5/59/1561
陸審傳
5 新表10/73下/2973
陸賓虞(韶卿)
2 新唐18/196/5612
5 新表10/73下/2971
25登科20/18 B
陸寶
19姓纂10/2 A
陸寶積
19姓纂10/3 A
31陸濡
5 新表10/73下/2979
陸憑
11全詩12/865/9781
32陸灃
1 舊唐14/179/4668
5 新表10/73下/2980②
19姓纂10/2 B
陸漸
5 新表10/73下/2976
陸泛
5 新表10/73下/2969
19姓纂10/1 B
陸遜之
19姓纂10/1 A
33陸泌
5 新表10/73下/2978
8 全文684/29 B
陸沇
5 新表10/73下/2976
陸泳
5 新表10/73下/2973
陸溥
5 新表10/73下/2971
19姓纂10/1 B
陸演
5 新表10/73下/2970
陸祕
5 新表10/73下/2971
34陸洿
20郎考7/20 B
22/17 B
陸濛妻　見蔣氏
陸逵
19姓纂10/3 A
陸遠郊
39書史5/28 A
35陸澧　見陸灃
陸清
5 新表10/73下/2974
陸禮　見陸復禮
陸遺逸
20郎考16/5 A
36陸滉
31唐畫6/16 A
陸涓
5 新表10/73下/2974
19姓纂10/1 B③
陸渭齊望子，户部侍郎
5 新表10/73下/2980
19姓纂10/2 B
陸渭　見陸涓
陸湯
5 新表10/73下/2967
19姓纂10/2 A
37陸潤
5 新表10/73下/2979④
19姓纂10/2 B
20郎考2/38 A⑤
22/23 A
26/20 A
陸潤　見陸潤
陸鴻漸　見陸羽
陸湜
5 新表10/73下/2970
19姓纂10/1 B
陸滌
19姓纂10/1 B
陸迅

① 《姓纂》以“復禮”爲二人，云：“復，禮部尚書；禮，膳部員外。”誤。今據岑仲勉《元和姓纂四校記》考定改正。
② 《新表》“澧”作“澧”，按“陸澧”、“陸澧”，唐人詩文中多混用，實爲一人。岑仲勉《元和姓纂四校記》謂應作“澧”。今據《舊唐》、《姓纂》作“澧”，另以“陸澧”作參見條目。
③ 《姓纂》“涓”作“渭”，今據岑仲勉《元和姓纂四校記》考定改正。
④ 《新表》“澗”作“潤”，今從《姓纂》作“澗”。
⑤ 《郎考》此處“澗”作“潤”，勞格案曰：“祠外（《郎考》22），主外（《郎考》26）有陸澗，此潤字疑卽澗之訛。”
⑥ 《全詩》原注：“陸海一作孫海。”按陸海爲陸餘慶之孫，《唐詩紀事》卷三十二陸海條本云：“陸餘慶與陳子昂、盧藏用爲方外十友，孫海，工於五言。”岑仲勉《讀全唐詩札記》謂《全詩》此處小注“陸海一作孫海”，乃誤讀《紀事》之文，誤以“孫海”之“孫”字爲姓。
⑦ 《姓纂》“鈞”作“均”，今據岑仲勉《元和姓纂四校記》考定改正。
⑧ 《姓纂》“季”作“秀”，今據岑仲勉《元和姓纂四校記》考定改正。
⑨ 《姓纂》“埇”作“塽”，今據岑仲勉《元和姓纂四校記》考定改正。

① 《姓纂》“持”作“侍”，《舊唐書》卷一六二謂“亘父持詮”，今據改。
② 《陸書》“陸”作“眭”，今從《馬書》改正。
③ 《毗陵志》“陸”作“眭”，今從《十國》、《馬書》改正。
④ 《姓纂》“經”作“敬”，今據岑仲勉《元和姓纂四校記》考定改正。
⑤ 《姓纂》“宗”作“宋”，今據岑仲勉《元和姓纂四校記》考定改正。
⑥ 《新表》作陸垍，爲師德子，昭宗時宰相陸扆父，“青州從事，監察御史”。按《舊唐書》卷一七九《陸扆傳云》：“曾祖澄，位終殿中侍御史。祖師德，淮南觀察支使。父郜，陝州法曹參軍。”則陸郜、陸垍同爲一人，郜、垍字異，未詳孰是。今姑從《舊唐書》作郜，另出陸垍作參見條。

25登科27/12A

陸敏
　5 新表10/73下/2973
陸餘慶
　1 舊唐9/88/2877
　2 新唐14/116/4239
　　　15/151/4822
　5 新表10/73下/2977
　8 全文282/21A
　19姓纂10/1B
　20郎考1/4A
　25登科27/3A
　　　27/35A
90陸惟逸
　21御考2/28B
陸懷
　19姓纂10/2B
陸光圖
　40十國65/1B
陸賞渭子,監察御史
　5 新表10/73下/2980
陸賞侃子
　19姓纂10/2B

7422₇ 隋

24隋德素
　7 新志5/57/1428
　　　5/57/1440

7529₆ 陳

00陳童子
　39書史5/31A
陳彥
　11全詩11/757/8613
陳彥謙
　40十國10/5B
　41九國2/17A
　69嘉定鎮江16/3B
陳彥博(朝英)
　11全詩8/488/5542
　17紀事下/50/764
　25登科18/1A
　73三山志26/3A
陳齊
　40十國95/2B
陳齊之
　8 全文744/18A
陳齊鵬

40十國93/6B

陳齊卿
　8 全文406/5B
　19姓纂3/14B
陳商(述聖)
　5 新表8/71下/2339
　7 新志5/58/1472
　　　5/60/1607
　8 全文725/2B
　20郎考12/39A
　25登科18/9A
　　　22/17A
　　　22/17B
　26方鎮4/20A
　27郡齋2上/13B
　28直齋4/36A
陳卞
　53赤城志8/27B
陳應功
　40十國93/6A
陳庶
　8 全文805/5A
　30歷畫10/200
　31唐畫6/17A
　38圖繪2/25B
　　　補遺/3B
陳康乂
　5 新表8/71下/2340
陳康士(安道)
　7 新志5/57/1436
　8 全文818/12A
陳庭
　31唐畫6/17A
陳庭玉
　7 新志5/59/1517
　　　5/59/1518
　25登科7/34A
陳慶
　1 舊唐11/126/3562
陳文項
　40十國93/6A
陳文顒
　40十國93/5B
陳文德
　9 拾遺17/15A
陳文顯(仲達)
　40十國93/5A
陳文顥

40十國93/5B

陳章甫
　8 全文373/3A
　19姓纂3/15A
陳該(彥表)
　25登科2/20B
　　　2/21B
　　　2/26B
　　　3/13B
陳玄
　3 舊五4/96/1282
陳玄德
　5 新表8/71下/2339
陳玄禮
　1 舊唐10/106/3255
　2 新唐14/121/4337
陳玄錫
　1 舊唐14/173/4497
　5 新表8/71下/2340
　20郎考16/22A
　25登科19/9A①
　　　27/12B②
　　　27/37A③
陳褒京子,唐鹽官令
　2 新唐18/200/5716
　5 新表8/71下/2338
陳褒南唐時人
　40十國29/10A
　44陸書14/5B
陳京(慶復)
　2 新唐18/200/5710
　5 新表8/71下/2338
　8 全文515/1A
　11全詩5/314/3530
　19姓纂3/14B
　20郎考5/20A
　　　10/22B
　　　24/4B
　25登科10/21A
01陳龍樹
　1 舊唐15/188/4922
　2 新唐18/195/5583
陳譚
　38圖繪2/19B
03陳詠
　11全詩11/795/8949
　17紀事下/71/1054
　25登科24/28A

05陳諫
　　1 舊唐11/135/3737
　　2 新唐16/168/5127
　　7 新志5/58/1475
　　8 全文684/9 B
　　20郎考17/12 B
　　53赤城志10/1 B
07陳翊　見陳詡
　　陳諷
　　8 全文614/19 A
　　11全詩6/368/4147
　　20郎考3/69 B
　　　　　7/15 B
　　　　　15/17 A
　　　　　18/13 A
　　25登科13/22 A
　　　　　13/25 A
　　陳詢
　　40十國88/9 A
　　陳詡（載物）
　　7 新志5/60/1611
　　8 全文446/3 B④
　　11全詩5/305/3466⑤
　　20郎考11/67 B
　　25登科14/13 B
　　69嘉定鎮江18/48 B⑥
　　72三山志26/2 B
08陳誨（阿鐵、忠烈）
　　40十國24/5 A
　　43馬書12/6 A
　　44陸書9/1 B
　　45江南5/5 A
09陳諲（昌言）
　　25登科23/24 A
　　72三山志26/5 A
　　陳讜言（士龍）
　　8 全文406/4 B⑦
　　19姓纂3/15 A
　　20郎考20/6 A
10陳正

5 新表8/71下/2337
　19姓纂3/13 B
陳正儀貞元十三年大理評事
　19姓纂3/15 A
陳正儀大和五年黔中觀察使
　26方鎮6/48 A
陳正觀
　19姓纂3/14 A
陳正卿開元時，撰《續尚書》
　7 新志5/57/1428
陳正卿（晉）潁川人
　8 全文377/12 B
陳玉蘭（王駕妻）
　11全詩11/799/8990
陳至
　11全詩8/484/5500
　25登科17/24 A
陳琮
　20郎考12/48 A
陳璥
　26方鎮7/50 B
陳璋
　40十國88/9 B
　41九國1/15 B
陳元
　7 新志5/59/1572
陳元亮
　40十國31/5 B
陳元德
　19姓纂3/13 B
陳元伯
　8 全文401/13 B
陳元凱
　5 新表8/71下/2337
　19姓纂3/13 B
陳元初　見陳允初
陳元裕
　11全詩11/757/8619
陳元敬
　2 新唐13/107/4067

25登科1/28 B
　　　27/27 B
陳元史
　5 新表8/71下/2338
陳元盛
　19姓纂3/14 A
陳元景
　28直齋12/19 B
陳元吟
　59毗陵志25/2 B
陳元錫　見陳玄錫
陳元光（廷炬）
　8 全文164/7 B
　11全詩1/45/550
　19姓纂3/15 A
陳霸先
　40十國95/9 B
陳晉　見陳正卿
陳雲
　26方鎮7/18 B
　39書史5/29 A
11陳璿
　5 新表8/71下/2336
12陳瓘
　11全詩11/779/8814
　25登科13/16 A
陳璠
　11全詩11/732/8378
陳弘叔明孫，荆州刺史
　5 新表8/71下/2338⑧
　19姓纂3/13 B
陳弘紹子，泉州刺史
　19姓纂3/15 B
陳延壽
　40十國66/2 B
陳延章
　8 全文948/3 A
陳孫
　11全詩4/258/2885⑨
　17紀事下/47/717

①②③ 《登科》"玄"作"元"，蓋清人避康熙名諱改。
④⑤ 《全文》、《全詩》原注："詡，一作翊。"
⑥ 《嘉定鎮江》作"陳翊"，今從《新志》、《郎考》改正。
⑦ 《全文》原注："讜言，一作儻言。"
⑧ 《新表》"弘"作"宏"，今從《姓纂》。
⑨ 《全詩》載陳孫《移耶溪舊居呈陳元初校書》詩，小傳云"陳孫，明皇時人"。按岑仲勉《讀全唐詩札記》云："余按《紀事》二八秦系下，'系《將移耶溪舊居留呈嚴長史陳校書允初》云……'其詩全與此同，蓋陳、秦音之訛、孫、系形之訛，實是烏有，今此詩又收下秦系，人與詩統應删却也。"據此，則陳孫者實無其人，乃《全唐詩》誤以秦系之詩移其名下之故。岑說備參。

陳硎
　8 全文948/9 B
14陳瓆
　5 新表8/71下/2336
陳劭
　7 新志5/59/1542
16陳琨
　19姓纂3/14 B
17陳羽
　8 全文546/13 B
　11全詩6/348/3888
　17紀事上/35/549
　18才子5/86
　25登科13/1 A
　28直齋19/13 B
陳琡
　11全詩9/597/6912
　17紀事下/66/1000
　25登科27/20 B
陳承信
　7 新志5/58/1496
陳承堅
　73吳興志16/53 B
陳及之
　40十國54/3 B
陳子良
　6 舊志6/47/2074
　7 新志5/59/1526
　　　5/60/1599
　8 全文134/3 B
　11全詩1/39/496
　17紀事上/4/52
陳子昂（伯玉）
　1 舊唐15/190中/5018
　2 新唐13/107/4067
　6 舊志6/47/2075
　7 新志5/60/1600
　8 全文209/1 A
　9 拾遺16/13 B
　11全詩2/83/889
　17紀事上/8/102
　18才子1/10
　19姓纂3/14 B
　25登科2/26 B
　　　3/11 A
　27郡齋4上/12 A
　28直齋16/8 B
　38圖繪　補遺/2 B

陳翬
　20郎考22/20 B
　　　25/13 B
　25登科23/2 B
陳君奕
　2 新唐15/148/4772
　26方鎮1/8 A
陳君從
　26方鎮1/49 B
陳君賓
　1 舊唐15/185上/4783
　2 新唐18/197/5617
陳君實
　26方鎮4/79 B
陳君賞
　26方鎮3/40 B
18陳玠
　25登科27/33 A
陳璲
　19姓纂3/15 A
陳政
　11全詩11/770/8742
陳政德
　5 新表8/71下/2339
　19姓纂3/13 B
陳致雍
　8 全文873/1 A
　28直齋8/34 A
　40十國97/6 A
陳璥
　21御考2/28 A
19陳瑤
　41九國9/4 B
20陳喬（子喬）
　8 全文876/4 B
　40十國27/12 A
　43馬書17/2 A
　44陸書11/7 A
　59毗陵志18/3 A
陳秀才
　11全詩11/795/8961
陳季
　11全詩3/204/2131
　25登科9/20 A
陳季卿
　11全詩12/868/9837
　25登科27/16 A
陳乘

　11全詩10/694/7994
　25登科24/8 B
　40十國97/5 A
　52仙溪志2/11 B
陳集源　見陳集原
陳集原
　1 舊唐15/188/4922
　2 新唐18/195/5583
　8 全文203/2 A①
　19姓纂3/15 A
21陳上卿
　12詩逸中/10199
陳上美
　11全詩8/542/6262
　17紀事下/50/763
　18才子7/116
　25登科21/12 B
陳仁琇
　26方鎮7/28 A
陳仁稜
　28直齋12/10 A
陳仁璧
　40十國93/6 B
陳伾
　19姓纂3/14 A
　21御考2/49 A
　　　2/52 B
陳行修
　19姓纂3/15 A
陳儒
　2 新唐17/186/5423
　26方鎮5/13 B
陳處政
　19姓纂3/15 A
陳偕
　53赤城志8/18 B
陳熊
　19姓纂3/14 B
陳岠
　8 全文683/20 A
　27郡齋3下/5 B
陳師先
　40十國95/9 A
陳師穆
　11全詩6/368/4143
　25登科14/1 B
陳貞節
　2 新唐18/200/5693

8 全文281/1A
22陳鼎
　25登科24/3B
　72三山志26/5A
陳嶽
　7 新志5/58/1461
　28直齋4/19B
陳炭
　5 新表8/71下/2335
陳巖（叶夢）唐中宗景龍末舉孝廉
　25登科27/28A
陳巖唐僖宗時福建觀察使
　26方鎮6/12A
　72三山志20/43B
陳仙奇
　1 舊唐12/145/3945
　26方鎮8/67A
陳邕 見陳邑
陳嶠（景山）不仕
　11全詩11/795/8958
　　　12/871/9880
陳嶠（延封）閤殿中侍御史
　25登科23/34B
　40十國95/2B
陳山甫
　8 全文948/13B
陳縣
　21御考2/54B
　　　3/13B
陳利貞
　2 新唐15/136/4594
陳利賓
　25登科27/28B
陳崇業
　19姓纂3/14B
　20郎考18/1B
陳崇禮
　19姓纂3/14A
23陳允升
　40十國34/2A
　68咸淳臨安51/8B

陳允衆
　19姓纂3/14B
陳允叔
　19姓纂3/14B
陳允初
　11全詩5/307/3487②
　17紀事下/47/717③
　19姓纂3/14B
　　　3/15A
陳峻
　5 新表8/71下/2339
24陳侁
　26方鎮6/51A
陳德誠
　11全詩11/795/8953
　40十國24/6B
陳佑
　8 全文594/6B
陳皓
　32益畫上/3B
　35畫譜2/6B
　36圖誌2/30
　38圖繪2/20B
陳岵
　8 全文739/27A
　20郎考12/35A
　25登科16/6B④
　53赤城志8/19B
陳納（廣裕、廣譽）
　25登科22/12B
　72三山志26/4A
25陳仲方
　5 新表8/71下/2339
　19姓纂3/13B
陳仲雍
　19姓纂3/15A
陳仲師
　8 全文716/1A
　11全詩11/780/8824⑤
　20郎考3/71A
　　　4/40A⑥
　　　5/25B⑦

陳仲寅
　5 新表8/71下/2340
陳仲通
　53赤城志11/3A
陳仲卿
　8 全文948/12A
陳傑
　39書史5/27B
陳積善
　38圖繪2/25B
26陳伯宣
　2 新唐18/200/5716
　5 新表8/71下/2338
　7 新志5/58/1457
陳伯黨
　5 新表8/71下/2338
陳泉
　19姓纂3/14B
陳儼
　1 舊唐11/126/3562
陳保衡
　25登科26/32A
陳保極（天錫）
　3 舊五4/96/1272
　8 全文852/15B
　25登科25/21B
　72三山志26/6A
陳皠
　7 新志5/59/1551
　27郡齋3下/18B
陳岷
　40十國98/1A
陳繹
　5 新表8/71下/2337
　19姓纂3/13B
27陳歸
　5 新表8/71下/2339
　19姓纂3/14B
　20郎考10/23A
　　　26/18B
　21御考3/43B
陳偓

---

① 《全文》"原"作"源"，今據兩《唐書》本傳改正。
② 《全詩》"允"作"元"，並注云："元一作允。"今從《姓纂》。
③ 《紀事》"允"作"元"，今從《姓纂》改正。
④ 徐松疑此即貞元九年登第之陳祐。
⑤ 《全詩》"仲"作"中"，今從《全文》。
⑥⑦ 《郎考》此處"仲"作"中"，今從卷三改正。

39書史5/28 B
陳道庠
40十國66/6 A
41九國9/4 B
39陳逖
25登科25/7 A
40陳十八郎
9 拾遺52/18 A
陳义
3 舊五3/68/906
陳九言
8 全文363/1 A
19姓纂3/14 A
21御考2/43 B
陳九流　見陳左流
陳大德
19姓纂3/14 A
陳大雅(審己)
40十國30/4 A
陳左流
8 全文594/8 A⑥
11全詩6/347/3886⑦
陳有章
8 全文948/18 B
陳希烈
1 舊唐9/97/3059
2 新唐20/223上/6349
7 新志5/57/1434
8 全文345/13 A
11全詩2/121/1214
17紀事上/23/341
19姓纂3/14 B
20郎考3/21 A
4/11 B
21御考1/18 A
2/35 B
25登科27/3 A
陳存

11全詩5/311/3513
17紀事上/40/624
陳志女
40十國65/8 B
陳嘉言
11全詩2/72/791
17紀事上/7/91
陳喜
5 新表8/71下/2340
陳雄
19姓纂3/15 A
27郡齋2下/16 B
陳去疾(文醫)
8 全文760/5 A
11全詩8/490/5551
25登科18/23 B
72三山志26/3 A
陳真
40十國95/2 B
41陳標
11全詩8/508/5769
12詩逸上/10185
17紀事下/66/992
25登科19/25 B
42陳彭年(永年)
40十國31/7 A
陳機
5 新表8/71下/2338
43陳越石(黃石)
8 全文723/18 B
25登科18/28 A
44陳蕩
39書史5/28 B
陳鬲
11全詩7/466/5299
12/883/9981
25登科12/21 A
陳蕘

40十國95/2 B
陳芬
68咸淳臨安51/8 B
陳藏器
7 新志5/59/1571
陳蓬
11全詩12/862/9752
陳恭釗
7 新志5/59/1558
陳若愚
32益畫下/1 A
35畫譜2/11 A
36圖誌2/33
38圖繪2/9 A
陳蕃(承廣)
5 新表8/71下/2336
19姓纂3/13 B
陳萇
5 新表8/71下/2338
19姓纂3/14 A
陳楚(材卿)
1 舊唐12/141/3862
2 新唐15/148/4772
26方鎮4/4 B
4/78 A
陳黃石　見陳越石
陳權
25登科14/27 B
46陳賀略
19姓纂3/15 B⑧
47陳郁
40十國97/5 A
52仙溪志4/4 B
陳愨
30歷畫9/184
陳翱(昭文)
5 新表8/71下/2340
陳覬(君錫)

① 《吳興志》"搴"作"寒",今從《姓纂》。
② 《登科》"汀"作"河",徐松注云:"《新書·藝文志》有陳汀,疑卽'河'之誤。"
③ 按此陳祐,《全詩》以爲世次爵里無可考者。
④ 按此陳祐乃唐德宗貞元九年進士登第者,徐松疑其人卽元和元年從政科登第之陳岵,見《登科》16/6B。
⑤ 《姓纂》作"陳潤",《郎考》卷一一勞格謂卽"陳潤"之訛,岑仲勉《元和姓纂四校記》亦從之。今據改。
⑥ 《全文》原注:"一作九流。"
⑦ 《全詩》作"陳九流",爲貞元中進士。《全文》有陳左流,小傳云"貞元十二年進士"。二者當卽一人,今從《全文》作"左流"。
⑧ 岑仲勉《元和姓纂四校記》謂"賀"疑當作"智",《通鑑》卷一八九高祖武德四年八月,以大將軍陳智略爲嶺南道行軍總管。

---

① 《郎考》“鷺”作“露”，今從《姓纂》。

② 《姓纂》“問”作“門”，今據岑仲勉《元和姓纂四校記》考定改正。

③ 《新表》“邑”作“邕”，著錄爲陳忠子，陳夷行父。按《舊唐書》卷一七三《陳夷行傳》云：“祖忠，父邑。”是當作“邑”。
　　今從之。

④ 《陸書》“貺”作“況”，今從《馬書》、《十國》、《江南》諸書改正。

⑤ 《新表》作“陳拙”，按拙字用拙，以字行，今從他書作“用拙”。

⑥ 《姓纂》云：“履，華州、虁州刺史。”《新表》有“陳履華”，乃夏州刺史。按履與履華或當爲一人，而記載不一。岑仲
　　勉《元和姓纂四校記》謂《新表》資料大多襲自《姓纂》，今本《姓纂》雖多訛文，而《新表》之誤亦自不少，此處究以
　　何者爲是，殊難斷定。今姑析爲兩條，並錄異文及岑說以備參考。

49延祐四明2/3A

7720₇ 尸

22尸利
　81景德14/4B
　尸利那連陀羅
　1 舊唐16/198/5290
　尸利那羅僧伽
　1 舊唐16/198/5309
　尸利鳩摩
　2 新唐20/222下/6299
60尸羅達摩　見戒法
　尸羅逸多
　1 舊唐16/198/5307
　2 新唐20/221上/6237
　尸羅迷迦
　2 新唐20/221下/6258

7721₀ 鳳

28鳳儀公主
　40十國50/8B

7721₄ 屋

12屋引永達
　19姓纂10/8B

7721₆ 覺

04覺護（佛陀波利）
　80宋僧2/13A
　83開元錄9/565
　85貞元新錄12/865
20覺愛　見法希
48覺救（佛陀多羅、佛陀跋多
　羅）
　27郡齋3下/36A
　28直齋12/9A
　80宋僧2/13A
　85貞元新錄12/865

7722₀ 月

44月華和尚

81景德24/18A
58月輪
　81景德16/19A

用

35用清
　81景德26/28B

同

23同俄設　見乙毗沙鉢羅葉
　護可汗
30同安和尚
　81景德16/20B
　同安公主
　2 新唐12/83/3642
60同蹄智爽（周智爽）
　1 舊唐15/188/4921
　2 新唐18/195/5585
　同蹄智壽（周智壽）
　1 舊唐15/188/4921
　2 新唐18/195/5585
80同谷子
　11全詩11/784/8851
　17紀事下/71/1053

周

00周彥章
　40十國43/10A
　周彥琛　見王延稟
　周彥之
　8 全文954/10B
　周彥暉
　11全詩2/72/792
　17紀事上/7/91
　25登科2/19B⑧
　周彥昭
　11全詩2/72/787
　17紀事上/7/88
　周彥輝　見周彥暉
　周高祖
　42五補5/1A

　5/1B
　5/2B
周應
　5 新表10/74下/3182
　19姓纂5/20B
周度
　25登科26/28B
周庠（博雅）
　11全詩11/760/8630
　40十國40/3A
　41九國6/12A
周廣
　3 舊五5/124/1633
周文雄
　19姓纂5/21A
周文矩
　40十國31/9A
周玄豹
　3 舊五3/71/945
周玄達
　7 新志5/57/1428
　5/57/1433
　19姓纂5/21A⑨
周玄式
　19姓纂5/21A⑩
02周譒
　5 新表10/74下/3183
　19姓纂5/20B
04周訥言
　19姓纂5/19B
周護仁
　19姓纂5/20B
06周謂　見周渭
10周霈　見周沛
周元珪
　19姓纂5/20B
周元休
　8 全文850/3A
周元達　見周玄達
周元式　見周玄式
周元靜

---

① 《新唐》"遊"作"游"，今從《舊唐》。
②③④ 《姓纂》、《掇英》、《會稽志》"遊"作"游"，今從《舊唐》、《郎考》。
⑤ 此處係《全詩》補遺，列陳光於晚唐，則非陳子昂子，而與唐末陳光爲同一人。
⑥ 《歷畫》原注："一作陳格。"
⑦ 《郎考》作"楊嶠"，勞格云："疑嶠當作陽。"是。
⑧ 《登科》"暉"作"輝"，今從《全詩》、《紀事》。
⑨⑩ 《姓纂》"玄"作"元"，蓋清人板刻避諱改，今據《新志》改正。

26方鎮8/12A
36圖誌5/123
周鍬
26方鎮4/109A
25周仲孫
20郎考22/13A
25/8B
周仲明
40十國57/1A
周仲隱
19姓纂5/20A
周仲美（李氏妻）
11全詩11/799/8996
周傑
25登科27/15A
40十國62/6A
周績
19姓纂5/20A
26周伯瑜
5 新表10/74下/3183
19姓纂5/20B
周保權
4 新五3/66/832
40十國70/7A
27周烏孫
30歷畫9/174
周魯賓
53赤城志8/21A
周紹　見周紹範
周紹嗣
5 新表10/74下/3183
周紹範
5 新表10/74下/3183
19姓纂5/20B③
28周以悌
19姓纂5/21A④
周徹　見周澈
周復
20郎考7/23B

8/42B
12/40B
周儉
5 新表10/74下/3182
19姓纂5/20B
30周宣
7 新志5/59/1557
周沛
1 舊唐14/176/4571⑤
5 新表10/74下/3184
19姓纂5/20B
周寬饒
5 新表10/74下/3184
周之翰
8 全文400/2A
周宏祚
40十國27/12A
周密（德峯）
3 舊五5/124/1632
周寶 唐僖宗時杭州刺史
26方鎮1/37B
5/46A
67乾道臨安3/5A
68咸淳臨安45/14B
69嘉定鎮江14/40B
周寶　見周寶玉
周寶玉
19姓纂5/20A⑥
周宗（君太）
40十國21/1A
43馬書11/2A
44陸書2/1A
32周澄國王
8 全文999/23B
33周泌　見周佖
周泳（應祥）
5 新表10/74下/3184
34周灌（用玉）
5 新表10/74下/3182

周法明
19姓纂5/20B
周濆
11全詩11/771/8755
28直齋19/26A
周邁
38圖繪　補遺/2B
35周迪妻
2 新唐18/205/5831
36周況
25登科17/12A
周混妻　見韋璜
周滉
35畫譜15/6B
38圖繪2/18B
周渭（兆師）大曆十四年進士
8 全文453/14A
11全詩5/281/3200
19姓纂5/21A⑦
20郎考21/5A
23/7B⑧
24/5B
25登科11/11B
11/23A
周渭五代南漢
40十國65/7B
周渭妻　見莫筌
周昶
19姓纂5/21A
周禪師
81景德24/26A
用遇
8 全文791/24B
37周鴻
5 新表10/74下/3183
19姓纂5/20B
周潯
5 新表10/74下/3182
周滌

---

① 《姓纂》"君"作"居"，今據岑仲勉《元和姓纂四校記》考定改正。
② 《姓纂》"佖"作"泌"，今據岑仲勉《元和姓纂四校記》考定改正。
③ 《姓纂》作"周紹"，無"範"字，今據岑仲勉《元和姓纂四校記》考定補正。
④ 《姓纂》作"周姒娣"，今據岑仲勉《元和姓纂四校記》考定改正。
⑤ 《舊唐》原作"周霈"，今據岑建功《舊唐書校勘記》卷五十九改。
⑥ 《姓纂》作"周寶"，無"玉"字，今據岑仲勉《元和姓纂四校記》考定改正。
⑦ 《姓纂》"渭"作"謂"，今據岑仲勉《元和姓纂四校記》考定改正。
⑧ 《郎考》作"周謂"，勞格云"謂當作渭"。按權德輿《唐故朝散大夫守秘書少監致仕周君墓誌銘》（《權載之文集》卷二十三）謂"君諱渭，字兆師"，又云"遷膳部員外郎、祠部郎中"。仕履與《郎考》合，則作"渭"是。今改正。

周翰
8 全文842/8 B
周敬復
20 郎考4/47 B
24 壁記　翰苑羣書
上/49 A
26 方鎮5/86 B
50 周本
40 十國7/6 B
41 九國4/1 B
43 馬書9/1 B
44 陸書3/1 A
53 周咸喜
5 新表10/74下/3184
56 周擇從
5 新表10/74下/3183
19 姓纂5/20 B
21 御考2/42 A
73 吳興志14/25 A
60 周昉（景玄、仲朗）
7 新志5/59/1561
30 歷畫10/201
31 唐畫6/3 B
35 畫譜6/1 A
36 圖誌5/123
38 圖繪2/10 B
周思亮
19 姓纂5/21 B
周思茂
1 舊唐15/190中/5011
2 新唐18/201/5744
7 新志5/57/1450
周思恭
19 姓纂5/21 A
5/21 B
周思敬
19 姓纂5/21 B
周思忠
19 姓纂5/21 A
周思輯
61 琴川志3/2 B
周思鈞
1 舊唐15/190中/5011

11 全詩2/72/793
17 紀事上/7/92
周曇
11 全詩11/728/8337
67 周曜
48 寶慶四明16/3 A
71 周屬　見周萬
周愿
8 全文620/4 B
11 全詩11/795/8943
周匡物（幾本）
11 全詩8/490/5549
17 紀事下/45/689
25 登科18/14 A
周匡業
25 登科13/4 B
周匝
4 新五2/37/398
72 周隱
40 十國6/7 A
周隱遙（息元）
78 茅山志9/8 B
周氏（曹因妻）
8 全文945/1 A
周岳（峻昭）
2 新唐17/186/5423
26 方鎮6/41 A
周岳秀
11 全詩11/772/8761
周質
20 郎考4/60 A
74 周助
38 圖繪　補遺/2 B
周勵言（仲玉）
5 新表10/74下/3183
19 姓纂5/20 B
77 周鳳
5 新表10/74下/3182
19 姓纂5/20 B
周履慶
20 郎考12/9 B
周履順
19 姓纂5/20 B

周居巢　見周君巢
周興
1 舊唐15/186上/4842
2 新唐19/209/5908
80 周鏞
11 全詩11/727/8331
周夔
8 全文954/9 A
周含恩
19 姓纂5/20 B
周公巢　見周君巢
81 周矩
8 全文260/5 A
20 郎考4/60 A
周頌
19 姓纂5/21 A
25 登科27/8 A
48 寶慶四明16/2 B
83 周鍼
8 全文759/1 A
周鍼
8 全文954/5 A
86 周知微
8 全文848/7 B
周知裕（好問）
3 舊五3/64/859
4 新五2/45/499
周智爽　見同蹄智爽
周智壽　見同蹄智壽
周智光
1 舊唐10/114/3368
2 新唐20/224上/6373
26 方鎮8/7 B
88 周銳
3 舊五5/124/1633
周鈐
8 全文806/12 B
周敏道
20 郎考15/8 A
90 周惟長
69 嘉定鎮江18/44 A
70 至順鎮江19/21 B
周惟簡

①② 《全詩》及《登科》此處"澂"作"徹"，今從《姓纂》及岑仲勉《元和姓纂四校記》考定改正。
③ 《至順鎮江》"懷"作"瓌"，當是板刻之誤，今逕改。
④ 《全詩》原注："周萬，一作吉萬。"
⑤ 《姓纂》"萬"作"屬"，今據岑仲勉《元和姓纂四校記》考定改正。

40十國84/15 B
屠晟
40十國84/15 B

7726₇ 眉

43眉娘（逍遙大法師）
　11全詩12/863/9756

7727₂ 屈

22屈利失
　2 新唐19/217下/6140
30屈突詮
　1 舊唐7/59/2322
　2 新唐12/89/3751
　19姓纂10/20 A
屈突延
　19姓纂10/20 A
屈突琦
　19姓纂10/20 A
屈突季將
　19姓纂10/20 A
屈突俊
　19姓纂10/20 A
屈突仲翔
　1 舊唐7/59/2322
　2 新唐12/89/3751
　19姓纂10/20 A
屈突郁
　19姓纂10/20 A
屈突叔齊
　8 全文401/25 A
　19姓纂10/20 A
屈突紹先
　19姓纂10/20 A
屈突倫
　19姓纂10/20 A
屈突漪
　19姓纂10/20 A
屈突浩
　19姓纂10/20 A
屈突逵
　19姓纂10/20 A
屈突渭

8 全文404/12 A
屈突滑
　8 全文404/11 A
屈突淑
　19姓纂10/20 A
屈突通（忠）
　1 舊唐7/59/2319
　2 新唐12/89/3749
　19姓纂10/20 A
屈突澪
　19姓纂10/20 A
屈突壽
　1 舊唐7/59/2321
　2 新唐12/89/3751
　19姓纂10/20 A
屈突藏用
　19姓纂10/20 A
屈突韓
　19姓纂10/20 A
屈突幹
　19姓纂10/20 A
屈突操
　19姓纂10/20 A
屈突鄂準
　19姓纂10/20 A
屈突陝
　19姓纂10/20 A
屈突鄭
　19姓纂10/20 A
屈突鉉
　19姓纂10/20 A
屈突無爲（神和子）
　40十國57/9 B
屈突鎬
　19姓纂10/20 A
40屈木支　見屈术支
43屈术支
　1 舊唐16/198/5310
　2 新唐20/221下/6244④
52屈蟠
　8 全文902/15 B
53屈戌

1 舊唐16/199下/5354
77屈同　見屈同仙
屈同仙
　11全詩3/203/2122⑤
　14國秀下/128
　　　下/171
　19姓纂10/19 A
80屈無易
　19姓纂10/19 A
　20郎考16/12 B

7728₂ 欣

22欣彪
　25登科27/23 B

7736₄ 駱

10駱元光　見李元諒
12駱弘義
　8 全文186/5 A⑥
　19姓纂10/31 A⑦
駱延訓
　53赤城志8/25 A
22駱崇璨
　40十國65/8 A
30駱宏義　見駱弘義
駱賓王
　1 舊唐15/190上/5006
　2 新唐18/201/5742
　6 舊志6/47/2075
　7 新志5/60/1600
　　　5/60/1618
　8 全文197/1 A
　11全詩2/77/828
　17紀事上/7/94
　18才子1/7
　27郡齋4上/11 B
　28直齋16/8 A
33駱浚
　11全詩5/313/3528
50駱奉先
　2 新唐19/207/5862
60駱團
　53赤城志8/25 A

①②③《姓纂》、《郎考》"惊"作"琮"，今據岑仲勉《元和姓纂四校記》考定改正。
④《新唐》"术"作"木"，今從《舊唐》。
⑤《全詩》原注："屈同仙，一作屈同。"
⑥《全文》"弘"作"宏"，今據岑仲勉《元和姓纂四校記》考定改正。
⑦《姓纂》"弘"作"知"，今據岑仲勉《元和姓纂四校記》考定改正。

77駱用錫
　　25登科27/19 B
86駱知祥
　　40十國10/5 A
　　駱知義　見駱弘義

7740₀ 閔

11閔項（公謹）
　　2 新唐17/186/5423
　　26方鎮6/40 B

7740₁ 聞

26聞和尚
　　81景德22/16 B
80聞人凝
　　40十國85/8 B
　　68咸淳臨安51/16 A

7740₇ 學

40學喜（實叉難陀、施乞叉難
　　陀）
　　8 全文913/10 B
　　28直齋12/9 A
　　80宋僧2/17 A
　　83開元錄9/566
　　85貞元新錄13/866

7744₀ 丹

53丹甫
　　80宋僧16/8 A
76丹陽公主
　　2 新唐12/83/3644

7744₁ 開

10開元宮人
　　11全詩11/797/8966
　　17紀事下/78/1120

7744₇ 段

00段立之
　　7 新志5/59/1530
　　段彥謨
　　26方鎮5/13 B
　　段高
　　19姓纂9/6 B
　　段庭瑜
　　19姓纂9/6 A
　　段文通

20郎考16/19 B
段文圭
　　40十國28/11 A
段文楚
　　2 新唐16/153/4853
　　26方鎮7/23 A
　　　　7/24 A
段文昌（墨卿、景初）
　　1 舊唐13/167/4368
　　2 新唐12/89/3763
　　5 新表11/75下/3400
　　7 新志5/60/1607
　　8 全文617/12 B
　　9 拾遺26/8 A
　　11全詩5/331/3691
　　17紀事下/50/757
　　19姓纂9/6 A
　　20郎考21/6 B
　　　　22/14 A
　　22院記　翰苑羣書
　　　　上/16 A
　　23故事　翰苑羣書
　　　　上/26 B
　　24壁記　翰苑羣書
　　　　上/43 B
　　26方鎮5/8 A
　　　　5/27 A
　　　　6/65 A
　　　　6/66 A
　　76齊乘6/34 A
06段諤
　　1 舊唐13/167/4368
　　5 新表11/75下/3400
10段璟
　　8 全文759/12 A
段元亮
　　7 新志5/59/1571
段平仲（秉庸）
　　1 舊唐12/153/4088
　　2 新唐16/162/4996
　　9 拾遺27/18 B
　　19姓纂9/5 B
　　20郎考15/15 A
　　　　24/5 A
　　21御考3/43 B
　　25登科27/5 B
11段珂
　　2 新唐16/153/4853

12段弘古
　　11全詩7/472/5353
　　17紀事下/43/659
14段珪
　　5 新表11/75下/3400
　　19姓纂9/6 A
段瓏
　　5 新表11/75下/3400
　　19姓纂9/6 A
段瑋　見段師
段瓚
　　1 舊唐8/68/2506
　　5 新表11/75下/3400
段碻
　　19姓纂9/6 A
15段融
　　40十國43/3 B
16段環
　　39書史5/28 B
17段孟嘗
　　19姓纂9/5 B
段子游
　　19姓纂9/6 B
段子英
　　19姓纂9/6 B
段子光
　　19姓纂9/6 B
20段秀
　　19姓纂9/6 B
段秀實（成公、忠烈）
　　1 舊唐11/128/3583
　　2 新唐16/153/4847
　　8 全文378/16 A
　　19姓纂9/6 A
　　26方鎮1/29 A
段信陵
　　19姓纂9/5 B
段季卿
　　39書史5/25 B
21段偓師
　　1 舊唐8/68/2504
　　2 新唐12/89/3762
　　5 新表11/75下/3400
　　19姓纂9/5 B
段行琛
　　1 舊唐11/128/3583
段處常
　　40十國27/4 B

① 《姓纂》“師”作“璋”，今據岑仲勉《元和姓纂四校記》考定改正。
② 《方鎮》作“段倫”，無“伯”字，今據兩《唐書》本傳補正。
③ 《三山志》“倫”作“綸”，今從兩《唐書》本傳改正。
④ 《姓纂》“寶玄”作“寶積元”，今據岑仲勉《元和姓纂四校記》考定改正。
⑤ 《舊唐》“祐”作“佐”，岑仲勉《元和姓纂四校記》謂當作“祐”。按沈亞之《臨涇城碑》(《全唐文卷》七三七)亦作“祐”。
⑥ 《新唐》“祐”作“佑”，今改，參上注。
⑦ 《姓纂》“祐”作“祐”，説詳注⑤。
⑧ 《郎考》作“段機”，《姓纂》有段孝機，中書舍人，勞格謂時代正合，疑卽是人。今從勞説改。

7772₇ 邸

90邸懷道
　20郎考1/31 A

7777₂ 關

20關穜　見關仝
45關構
　8 全文594/16 B
52關播（務元）
　1 舊唐11/130/3627
　2 新唐15/151/4817
　5 新表11/75下/3379
　8 全文455/14 A
　9 拾遺24/10 A
　19姓纂4/20 B
　25登科9/34 A
56關操
　39書史5/31 A
60關圖
　8 全文804/16 B
　25登科27/21 B
68關盼盼
　11全詩11/802/9023
71關長信
　72三山志20/27 A
77關同　見關仝
80關仝
　33五代畫遺6/28 A⑥
　35畫譜10/9 B⑦
　36圖誌2/40⑧
　38圖繪2/31 A

7777₇ 門

44門藝　見大門藝

閻

00閻立行

　5 新表10/73下/2988
　19姓纂5/43 B
閻立德（讓、康）
　1 舊唐8/77/2679
　2 新唐13/100/3941
　5 新表10/73下/2987
　7 新志5/59/1560
　9 拾遺17/7 A
　19姓纂5/43 B
　30歷畫9/167
　31唐畫6/5 A
　35畫譜1/7 A
　38圖繪2/4 B
閻立本（文貞）
　1 舊唐8/77/2680
　2 新唐13/100/3941
　5 新表10/73下/2988
　7 新志5/59/1560
　8 全文153/17 B
　11全詩1/39/503
　19姓纂5/43 B
　20郎考5/7 A
　30歷畫9/167
　31唐畫6/4 B
　35畫譜1/7 B
　36圖誌5/114
　38圖繪2/5 A
閻競幾
　25登科27/4 B
閻文逸
　19姓纂5/43 A
閻交禮
　19姓纂5/43 A
閻訪　見閻防
閻讓　見閻立德
閻玄秀
　5 新表10/73下/2988
閻玄邃

　1 舊唐8/77/2679
　5 新表10/73下/2987
　19姓纂5/43 B⑨
　20郎考13/3 A⑩
閻玄通　見閻玄邃
10閻至言
　19姓纂5/43 A
閻至爲
　8 全文954/15 B
　19姓纂5/43 A
閻元秀
　19姓纂5/43 B
閻晉卿
　3 舊五5/107/1412
12閻弘魯
　3 舊五5/130/1718
20閻信美
　48寶慶四明16/3 A
21閻處逸
　19姓纂5/43 A
閻處節
　19姓纂5/43 A
22閻仙舟
　2 新唐18/202/5751
　19姓纂5/43 A⑪
　25登科27/4 B
閻仙丹　見閻仙舟
24閻佐
　3 舊五3/59/790
閻德隱
　11全詩11/773/8765
25閻仲璵　見閻伯璵
26閻自厚
　19姓纂5/43 A
閻伯瑾
　8 全文440/1 A
閻伯璵
　8 全文395/15 B

① 《姓纂》“泰”字脱，今據岑仲勉《元和姓纂四校記》考定改正。
② 《十國》原注云：“‘常’本爲‘恆’，歐陽史避宋真宗諱作‘常’，後人因之。”
③ 《姓纂》“�美”作“奘”，係“奘”之古字。
④ 岑仲勉《元和姓纂四校記》疑“珣”爲“均”之訛。《全唐文》卷二九七有閻丘均，中宗時人。又《杜工部集》卷四、《全唐文》卷八〇六圭《觀音院記》、《宋高僧傳》卷八《弘忍傳》等，皆見閻丘均。
⑤ 《全文》“胤”作“允”，當係清人避雍正諱改。
⑥⑧ 《五代畫遺》、《圖誌》“仝”作“同”，今從《宣和畫譜》。
⑦ 《畫譜》原注：“仝，一名穜。”
⑨ 《姓纂》作“閻邃”，無“玄”字，今據岑仲勉《元和姓纂四校記》考定改正。
⑩ 《郎考》“玄邃”作“玄通”，趙鉞疑是玄邃。按《舊唐書》閻立德本傳，立德有子曰玄邃。
⑪ 《姓纂》“舟”作“丹”，今據岑仲勉《元和姓纂四校記》考定改正。

① 《郎考》"璵"作"輿"，勞格謂卽閻伯璵。
② 《登科》"伯"作"仲"，岑仲勉《元和姓纂四校記》謂卽"伯"之訛。
③ 《姓纂》"愛"作"受"，今據岑仲勉《元和姓纂四校記》考定改正。
④ 《嚴州》"敬"作"欵"，今據岑仲勉《元和姓纂四校記》考定改定。
⑤ 《姓纂》"防"作"訪"，今據岑仲勉《元和姓纂四校記》考定改正。
⑥ 《新唐》"機"作"幾"，今從《舊志》、《新志》。
⑦ 《全詩》原注："賓，一作牘。"

80宋僧14/25 B

鑒真（大盧襌師）姓潘，劏人

59毗陵志25/6 A

7823₁ 陰

00陰庭誠

　9 拾遺22/16 A

12陰弘道

　6 舊志6/46/1968

　7 新志5/57/1426

　　　5/57/1441

　19姓纂5/39 A

17陰承本

　26方鎮8/39 A

21陰行先　見陰行光

　陰行光

　11全詩2/98/1062②

　17紀事上/17/251③

　19姓纂5/39 A

22陰崇

　19姓纂5/39 A

　55吳郡志11/4 B

60陰日用

　7 新志5/59/1523

7823₇ 阾

11阾珏和尚

　81景德20/8 A

7876₆ 臨

10臨晉公主

　2 新唐12/83/3658

22臨川公主

　2 新唐12/83/3646

37書小史2/4 B

臨川小吏

　11全詩11/795/8961

34臨汝公主

　2 新唐12/83/3666

38臨海公主

　2 新唐12/83/3644

40臨真公主唐德宗女

　2 新唐12/83/3664

臨真公主唐憲宗女

　2 新唐12/83/3668

7922₇ 勝

00勝辯襌師

　59毗陵志25/6 B

44勝莊

　80宋僧4/7 B

60勝曼

　9 拾遺68/1 A

90勝光

　53赤城志35/4 A

　81景德11/12 B

7923₂ 滕

00滕亢

　25登科27/8 A

滕彥休

　40十國85/4 A

10滕雲翼

　19姓纂5/18 B

　25登科27/7 A

17滕珦

　7 新志5/60/1607

　9 拾遺29/22 B

11全詩4/253/2857

19姓纂5/18 B

27滕倪

　11全詩8/491/5562

　17紀事下/59/900

滕紹宗

　9 拾遺47/16 A

滕紹英

　40十國63/6 A

29滕白

　11全詩11/731/8370

31滕潛

　11全詩11/778/8807

34滕邁

　8 全文723/13 B

　11 全詩8/491/5561

　17紀事下/49/744

　19姓纂5/18 B

　25登科18/10 A

　53赤城志8/21 A

　59毗陵志26/5 A

38滕遂

　25登科15/35 B

40滕存免

　26方鎮7/26 B

60滕里野合俱錄毗伽可汗

　2 新唐19/217上/6126

滕昌祐（勝華）

　32益畫下/2 A

　35畫譜16/12 A

　36圖誌2/51

　38圖繪2/33 A

　39書史5/42 B

　40十國44/10 A

---

　①《全詩》原注："炯，一作迥。"

　②③《全詩》、《紀事》"光"均作"先"，《姓纂》作"光"，皆爲開元時人，曾爲張說湘州從事，係同一人。岑仲勉《元和姓纂四校記》謂"先"、"光"未詳孰是。今從《姓纂》作"光"。又參見岑仲勉《讀全唐詩札記》。

8010₄ 全

00 全亮
　80 宋僧 27/8 A
11 全批
　80 宋僧 30/4 A
21 全肯
　81 景德 26/17 A
　全師朗　見王宗朗
　全師雄
　40 十國 55/7 B
24 全付（純一禪師）
　40 十國 89/3 B
　80 宋僧 13/11 A
　81 景德 12/16 A
30 全宰
　53 赤城志 35/4ₐ
　80 宋僧 22/1 B
35 全清
　80 宋僧 30/3 A
38 全豁（清嚴大師）
　80 宋僧 23/6 A
　81 景德 16/2 B
44 全植
　80 宋僧 9/21 B
　81 景德 4/18 A

坌

34 坌達延　見盆達焉

8010₇ 益

60 益昌公主
　2 新唐 12/83/3675

8010₉ 金

00 金立之
　12 詩逸中/10193
　金彥昇
　1 舊唐 16/199 上/5338
　2 新唐 20/220/6205
　8 全文 1000/2 A
　金庾信
　9 拾遺 68/14 B
02 金訓
　53 赤城志 8/29 B
10 金可記　見金可紀
　金可紀
　12 詩逸中/10194①

25 登科 27/17 B ②
金雲卿
　12 詩逸中/10202
12 金飛山　見前蜀後主皇后
　金氏
16 金理洪
　1 舊唐 16/199 上/5337
　2 新唐 20/220/6204
17 金弼奠
　9 拾遺 68/16 A
　金承慶
　1 舊唐 16/199 上/5337
　2 新唐 20/220/6205
18 金政明
　1 舊唐 16/199 上/5336
　2 新唐 20/220/6204
20 金重興
　1 舊唐 16/199 上/5338
　2 新唐 20/220/6205
　金秀宗
　9 拾遺 68/8 A
21 金仁規
　71 嚴州 1/31 A
　金穎
　9 拾遺 68/20 A
22 金仙公主
　2 新唐 12/83/3656
　金山
　2 新唐 20/218/6154
　金山公主
　2 新唐 12/83/3648
23 金俊邕
　1 舊唐 16/199 上/5338
　2 新唐 20/220/6205
　金獻貞
　8 全文 718/1 A
24 金佑徵
　9 拾遺 68/9 A
25 金牛和尚
　81 景德 8/13 A
　金傳
　9 拾遺 68/14 A
26 金和尚
　80 宋僧 30/7 A
　金憲英
　1 舊唐 16/199 上/5337
　2 新唐 20/220/6205
　金良相

1 舊唐 16/199 上/5338
2 新唐 20/220/6205
9 拾遺 68/7 B
33 金梁鳳
　1 舊唐 16/191/5104
　2 新唐 18/204/5803
34 金法敏
　1 舊唐 16/199 上/5336
　2 新唐 20/220/6204
　9 拾遺 68/1 B
40 金力奇
　9 拾遺 68/19 B
　金士信
　8 全文 1000/3 B
　金真　見金真平
　金真平
　1 舊唐 16/199 上/5334
　2 新唐 20/220/6203
　3 新五 3/74/920 ③
　金真德
　1 舊唐 16/199 上/5335
　2 新唐 20/220/6203
　11 全詩 11/797/8969
　金柱弼
　9 拾遺 68/20 A
43 金城公主
　8 全文 100/14 B
　金朴英
　4 新五 3/74/920
44 金地藏
　11 全詩 12/808/9121
　17 紀事下/73/1074
　金華公主
　2 新唐 12/83/3674
48 金乾運
　1 舊唐 16/199 上/5337
　2 新唐 20/220/6205
　金敬信
　1 舊唐 16/199 上/5338
　2 新唐 20/220/6205
50 金夷吾
　25 登科 27/19 B
　金忠信
　8 全文 1000/2 B
　金忠義
　30 歷畫 9/177
　金春秋
　1 舊唐 16/199 上/5336

2 新唐20/220/6204

58金輪和尚
　　81景德22/12B

60金昌緒
　　11全詩11/768/8724
　　17紀事上/15/227

金景徽
　　1 舊唐16/199上/5339
　　2 新唐20/220/6205

71金厚載（化光）
　　8 全文762/11A
　　11全詩9/552/6398
　　17紀事下/55/839
　　25登科22/7B

72金剛三藏
　　30歷畫9/185
　　38圖繪2/23B

金剛智（跋日羅菩提）
　　80宋僧1/4B
　　83開元錄9/571
　　85貞元新錄14/875
　　86續貞元錄1049

74金陸珍
　　9 拾遺68/18A

77金興光
　　1 舊唐16/199上/5337
　　2 新唐20/220/6204
　　8 全文1000/1A

80金善德
　　1 舊唐16/199上/5335
　　2 新唐20/220/6203

88金節婦
　　2 新唐18/205/5824

90金堂公主
　　2 新唐12/83/3670

98金悌隆
　　9 拾遺68/8B

8012₇ 翁

00翁彥樞
　　25登科22/37A

01翁襲明
　　25登科24/31B

17翁承贊（文堯、狎鷗翁）
　　7 新志5/60/1614
　　11全詩10/703/8087
　　　　12/885/10005
　　17紀事下/63/954
　　18才子10/173
　　25登科24/18A
　　　　24/19A
　　28直齋19/22A
　　40十國95/5B
　　72三山志26/5B

翁承祐
　　40十國95/6A

翁承檢
　　25登科27/20B

22翁綬
　　11全詩9/600/6938
　　17紀事下/66/996
　　18才子8/138
　　25登科23/9A

27翁郜（季長）
　　40十國97/1B

30翁宏（大擧）
　　11全詩11/762/8656
　　40十國75/3B

32翁洮（子平）
　　11全詩10/667/7639

40翁希愈
　　40十國95/6A

71翁巨隅
　　40十國95/5B

80翁義恪
　　19姓纂1/5B
　　68咸淳臨安60/13A

88翁鑑載
　　40十國95/6A

8013₇ 盆

34盆達焉（坌達延）
　　1 舊唐16/199上/5228
　　2 新唐19/216上/
　　　　6081④
　　8 全文999/7B

8022₁ 俞

00俞文俊
　　1 舊唐15/187上/4883
　　8 全文235/1A
　　19姓纂2/29B

10俞元杞
　　7 新志5/58/1496

24俞僅
　　65會稽志14/44B

80俞公昂
　　40十國87/6A

88俞簡
　　11全詩7/464/5276
　　25登科14/22B

前

60前蜀高祖　見王建
前蜀高祖順德皇后周氏
　　40十國38/1B
前蜀高祖夫人蕭氏
　　40十國38/3A
前蜀高祖貴妃張氏
　　40十國38/3A
前蜀翊聖皇太妃徐氏（花蕊夫人、小徐妃）
　　11全詩1/9/82
　　28直齋15/15B
　　40十國38/1B
前蜀順聖皇太后徐氏
　　11全詩1/9/81
　　40十國38/1B
前蜀後主　見王衍
前蜀後主廢后高氏
　　40十國38/3B
前蜀後主元妃韋氏
　　40十國38/4A
前蜀後主順妃蘇氏
　　40十國38/4A
前蜀後主皇后金氏（金飛山）
　　40十國38/3B
前蜀後主昭儀李氏（李舜

---

① 《詩逸》原注："紀一作記。"
② 《登科》"紀"作"記"，今從《詩逸》。
③ 《新五》作"金真"，今從兩《唐書》。
④ 《新唐》作"坌達延"，當是同名異譯，今從《舊唐》。

弦）
11全詩11/797/8968
40十國38/4 A

前蜀後主貴妃錢氏
40十國38/4 A

8025₁ 舞

41舞柘枝女
11全詩11/802/9025

8025₃ 羲

30羲寂（淨光大師）
40十國89/5 B

8030₇ 令

01令諲
80宋僧7/7 A
10令元素
38圖繪　補遺/2 B
14令珪
81景德15/21 B
22令岑
28直齋12/31 A
令崇
81景德23/19 A
23令參（永明大師）
81景德18/23 B
30令宗
32益畫下/5 B
38圖繪2/39 B
34令達（歸寂大師）
80宋僧12/12 B
38令遵（法喜禪師）
40十國14/1 B
81景德15/5 A
42令狐文軌
19姓纂5/17 A
令狐章　見令狐彰
令狐彰（伯陽）
1 舊唐11/124/3527
2 新唐15/148/4765
8 全文394/8 A
19姓纂5/17 A①
26方鎮2/16 A
令狐丕
5 新表11/75下/3399
令狐元超
5 新表11/75下/3397

令狐建
1 舊唐11/124/3530
2 新唐15/148/4766
9 拾遺24/20 A
19姓纂5/17 A
令狐承簡（居易）
1 舊唐14/172/4459
5 新表11/75下/3397
25登科27/31 A②
令狐峘
1 舊唐12/149/4011
2 新唐13/102/3986
5 新表11/75下/3399
7 新志5/58/1458
5/58/1472
8 全文394/9 A
11全詩4/253/2857
17紀事上/28/435
19姓纂5/17 A
20郎考4/24 B
5/2 B
25登科9/34 A
11/23 B
27郡齋2上/12 B
28直齋4/34 B
令狐循己
5 新表11/75下/3399③
19姓纂5/17 A
令狐嶠
40十國56/3 B
令狐崇亮
1 舊唐14/172/4459
5 新表11/75下/3397
令狐繐
20郎考15/26 A
18/21 B
令狐俊
19姓纂5/17 A
令狐絾（識之）
1 舊唐14/172/4469
5 新表11/75下/3398
20郎考4/56 B
22/20 A
令狐德棻（憲）
1 舊唐8/73/2596
2 新唐13/102/3982
5 新表11/75下/3399
6 舊志6/46/1990

6/46/2009
6/46/2013
7 新志5/58/1456
5/58/1457
5/58/1458
5/58/1471
5/58/1475
5/58/1483
5/58/1490
5/58/1491
5/58/1495
5/58/1500
5/59/1563
5/60/1601
8 全文137/11 A
11全詩1/33/449
19姓纂5/17 A
27郡齋2上/7 A
28直齋4/8 B
令狐緯
25登科27/13 B
令狐緒
1 舊唐14/172/4465
2 新唐16/166/5101
5 新表11/75下/3397
8 全文759/14 A
26方鎮3/42 B
令狐伯陽
5 新表11/75下/3399
19姓纂5/17 A
令狐峴
5 新表11/75下/3399
19姓纂5/17 A
令狐峄
5 新表11/75下/3399
19姓纂5/17 A
令狐絢
68咸淳臨安69/4 A
令狐絢（子直）
1 舊唐14/172/4465
2 新唐16/166/5101
5 新表11/75下/3398
8 全文759/15 A
11全詩9/563/6530
20郎考9/17 A
12/55 B
24壁記　翰苑羣書
上/51 B

25登科21/1 B
26方鎮1/11 B
　　2/11 B
　　4/56 B
　　5/30 B
73吳興志14/30 A
令狐紹先
8 全文958/7 B
令狐從
5 新表11/75下/3398
令狐滈
1 舊唐14/172/4467
2 新唐16/166/5103
5 新表11/75下/3398
25登科22/38 A
令狐定(履常)
1 舊唐14/172/4465
2 新唐16/166/5104
5 新表11/75下/3398
20郎考13/11 A
25登科18/14 B
26方鎮7/47 B
令狐潛
5 新表11/75下/3397
令狐澄
1 舊唐14/172/4469
5 新表11/75下/3398
7 新志5/58/1469
25登科27/17 B
28直齋5/15 B
令狐滔
5 新表11/75下/3399
19姓纂5/17 A
69嘉定鎮江16/3 A
令狐湘
1 舊唐14/172/4469
5 新表11/75下/3399
令狐澣
1 舊唐11/124/3527
2 新唐15/148/4765
令狐渙(中化)
1 舊唐14/172/4469
2 新唐16/166/5103
5 新表11/75下/3398
25登科27/17 B

令狐渙
1 舊唐14/172/4469
2 新唐16/166/5103
5 新表11/75下/3398
25登科27/17 B
令狐通
1 舊唐11/124/3531
2 新唐15/148/4767
19姓纂5/17 A
令狐運
1 舊唐11/124/3531
2 新唐15/148/4767
19姓纂5/17 A
令狐楚(殼士、白雲孺子、文)
1 舊唐14/172/4459
2 新唐16/166/5098
5 新表11/75下/3397
7 新志5/59/1513
　　5/60/1606
　　5/60/1624
8 全文539/1 A
11全詩5/334/3744
　　12/879/9951
17紀事下/42/642
18才子5/82
20郎考20/10 B
22院記　翰苑羣書
　　上/15 B
23故事　翰苑羣書
　　上/26 A
24壁記　翰苑羣書
　　上/43 A
25登科12/28 B
26方鎮2/7 B
　　3/5 B
　　4/4 A
　　4/18 A
　　4/36 B
　　4/153 A
27郡齋4中/7 A
　　4下下/4 A
28直齋15/8 B
　　15/9 B
　　22/1 B

令狐朝
25登科9/3 B
令狐專
5 新表11/75下/3398
9 拾遺31/7 B
令狐挺
11全詩11/778/8806
令狐見堯
7 新志5/59/1521
　　5/59/1523
28直齋8/37 B
令狐思挹
19姓纂5/17 A
令狐思撫
19姓纂5/17 A
20郎考11/65 B
令狐智通
19姓纂5/17 A
令韶(大曉禪師)
81景德5/21 A
47令超(元真大師)
81景德16/17 B
80令异和尚
81景德23/15 A
令含
81景德21/17 A
90令光
81景德24/12 A

8033₁ 無

10無可
11全詩12/813/9149
17紀事下/74/1083
18才子6/98
28直齋19/28 B
17無了(真寂大師)
81景德8/11 A
無礙
79續僧25/6 B
20無住
81景德4/22 B
21無能勝(阿質達霰)
85貞元新錄14/878
86續貞元錄1049
無行

① 《姓纂》"彭"作"章",今據兩《唐書》本傳改正。
② 《登科》"承"作"丞",顯係形訛,今逕改。
③ 《新表》"循"作"脩",今據《姓纂》改正。

8　全文912/1A

27無殷唐僧，撰《垂誠》
　　7　新志5/59/1530

　無殷（澄源禪師、法性禪
　　師）南唐僧，福州人
　　40十國33/1B
　　81景德17/22B

　無名
　　80宋僧17/18A

　無名釋
　　11全詩12/851/9629

28無作（不用、逍遥子）
　　11全詩12/849/9619
　　40十國89/2A
　　80宋僧30/7B

30無迹
　　80宋僧30/12A

32無測
　　80宋僧29/11B

　無業（大達國師）
　　80宋僧11/3A
　　81景德8/2A

34無染唐貞元時五臺山僧
　　80宋僧23/2B

　無染五代時僧，傳古弟子
　　38圖繪2/30B

　無染五代益州南禪寺僧
　　81景德12/14B

37無漏
　　80宋僧21/12A

　無逸
　　81景德24/16A

41無極高（阿地瞿多）
　　80宋僧2/15B
　　83開元録8/562
　　85貞元新録12/862

44無著
　　80宋僧20/2A

46無相
　　80宋僧19/15A

50無本　見賈島

　無由　見純陀

77無悶
　　11全詩12/850/9622
　　17紀事下/76/1105
　　18才子3/45

　無學禪師
　　81景德14/12A

88無等禪師
　　80宋僧11/10A
　　81景德7/11B

8033₃ 慈

44慈藏
　　79續僧32/13B

55慈慧
　　81景德11/9A

60慈恩寺沙門
　　11全詩12/851/9629

　慈恩塔院女仙
　　11全詩12/863/9760

90慈光和尚
　　81景德23/10A

8034₆ 尊

34尊法（伽梵達磨）
　　80宋僧2/15A
　　83開元録8/562

8040₄ 姜

00姜立祐
　　8　全文362/8A
　　21御考2/50B
　　　　3/13B
　　　　3/22B

　姜亨
　　5　新表10/73下/2964

　姜庭琬
　　8　全文954/12A

　姜慶初
　　1　舊唐7/59/2337
　　2　新唐12/91/3794

　姜玄義
　　20郎考4/4B
　　　　4/6A
　　　　12/3B①

04姜誌
　　40十國42/11A

10姜元乂　見姜玄義

14姜確　見姜行本

17姜郅　見王宗瑶

　姜柔遠
　　1　舊唐7/59/2334
　　2　新唐12/91/3792

20姜皎
　　1　舊唐7/59/2334

2　新唐12/91/3793②
11全詩2/75/816
17紀事上/15/224
30歷畫9/179
38圖繪2/22A
69嘉定鎮江16/2A

21姜行本（確）
　　1　舊唐7/59/2333
　　2　新唐12/91/3792

　姜度
　　20郎考15/10B

　姜師度
　　1　舊唐15/185下/4816
　　2　新唐13/100/3945
　　25登科27/27A

24姜德隱　見貫休

27姜紹
　　21御考3/2B③

28姜復
　　5　新表10/73下/2965

30姜寶誼
　　2　新唐12/88/3741
　　5　新表10/73下/2964

35姜神翊
　　5　新表10/73下/2965

36姜還
　　5　新表10/73下/2964

38姜道隱
　　32益畫下/2B
　　36圖誌2/52
　　38圖繪2/38A
　　40十國56/10B

42姜荊寶
　　25登科27/31A

44姜協（壽、威）
　　2　新唐12/88/3741
　　5　新表10/73下/2964
　　37書小史9/6B

　姜薦（用之）
　　5　新表10/73下/2964

　姜謩（襄）
　　1　舊唐7/59/2332
　　2　新唐12/91/3791
　　8　全文133/9B

47姜超羣
　　21御考3/9A
　　　　3/35B④

52姜挺

5 新表10/73下/2965
58姜撫（沖和先生）
　　2 新唐18/204/5811
60姜晈　見姜晈
　姜昻
　　5 新表10/73下/2964
　　20郎考2/10 A
　　　　　16/7 A
　姜昦
　　20郎考4/5 B
64姜晞
　　1 舊唐7/59/2334
　　8 全文236/8 B
　　11全詩2/75/816
　　17紀事上/15/224
　　20郎考15/6 B
　　　　　26/5 A
　　25登科2/26 A
68姜晦
　　1 舊唐7/59/2337
　　2 新唐12/91/3794
71姜駕（昇之）
　　5 新表10/73下/2964
80姜公復
　　8 全文622/16 A
　姜公輔
　　1 舊唐12/138/3787
　　2 新唐15/152/4831
　　5 新表10/73下/2965
　　8 全文446/19 B
　　23故事　翰苑羣書
　　　　　　上/25 A
　　24壁記　翰苑羣書
　　　　　　上/40 B
　　25登科11/22 A
　　　　　27/9 A
86姜知友
　　5 新表10/73下/2964
88姜簡
　　1 舊唐7/59/2334
97姜恪
　　5 新表10/73下/2964

8041₄ 雊

47雊鳩和尚
　　80宋僧21/16 A

8043₀ 矢

22矢利波羅米失鉢羅
　　2 新唐20/222下/6300

8050₁ 羊

01羊襲吉
　　25登科9/11 B
27羊僎
　　48寶慶四明1/16 B
　　49延祐四明2/2 B
　羊紹素
　　25登科24/20 A
32羊滔
　　11全詩5/312/3519
40羊士諤
　　8 全文613/6 A
　　11全詩5/332/3695
　　17紀事下/43/660
　　18才子5/81
　　20郎考11/36 B
　　25登科12/6 A
　　27郡齋4上/25 A
　　28直齋19/13 B
　　71嚴州1/30 A
47羊朝
　　39書史5/27 B
67羊昭業（振文）
　　11全詩10/631/7240
　　25登科23/12 B
98羊愉
　　8 全文362/6 B

8055₃ 義

00義玄（慧照大師）
　　80宋僧12/5 B
　　81景德12/3 A
　義襄
　　79續僧18/16 A

08義詮
　　81景德26/8 B
16義聰
　　81景德22/4 B
17義柔
　　81景德26/6 A
21義能
　　81景德26/26 B
　義師
　　80宋僧20/20 A
22義川公主
　　2 新唐12/83/3665
　義豐公主
　　2 新唐12/83/3669
26義和公主
　　2 新唐12/83/3673
　義和尚
　　81景德24/22 B
27義將
　　80宋僧6/10 B
28義收
　　40十國99/5 B
30義宣
　　80宋僧15/5 B
　義寧公主
　　2 新唐12/83/3668
　義安禪師
　　81景德14/12 B
31義福（大智禪師）
　　1 舊唐16/191/5111
　　80宋僧9/1 A
32義澄（常真禪師）
　　81景德23/15 A
35義清公主
　　2 新唐12/83/3663
36義湘
　　80宋僧4/13 B
37義净（文明）
　　6 舊志6/46/2005
　　7 新志5/59/1526
　　8 全文914/4 A
　　11全詩12/808/9118⑤
　　27郡齋3下/39 B

---

① 《郎考》此處"玄"作"元"，當是清避諱改，今據同書卷四作"玄"。
② 《新唐》"晈"作"晈"，今從《舊唐》。
③ 《御考》"紹"字後原闕一字。
④ 《御考》此處原闕"羣"字，疑卽"姜超羣"，因據卷三補正。
⑤ 《全詩》原注："一作淨義。"岑仲勉《讀全唐詩札記》云："按作淨義者誤倒。"

80宋僧1/1 A
83開元錄9/568
85貞元新錄13/869
86續貞元錄1052
義初（明微大師）
81景德12/17 A
40義存（真覺大師、雪峯和尚）
28直齋12/12 B
40十國99/2 B
80宋僧12/15 A
81景德16/5 A
義真
10續拾8/9 B
44義英
40十國99/8 A
44義林
10續拾8/7 B
50義忠姓尹，京兆大慈恩寺
80宋僧4/16 A
義忠姓楊，漳州三平山
81景德14/19 B
60義田
81景德23/16 A
義昌公主
2 新唐12/83/3670
義圓
81景德26/19 A
64義叶
8 全文920/7 A
76義陽公主
2 新唐12/83/3649
77義隆
81景德26/17 B

8060₁ 合

33合浦公主
2 新唐12/83/3648
77合骨咄禄毗可汗　見頓莫賀

普

00普應
79續僧31/17 B
普康公主唐玄宗女
2 新唐12/83/3659
普康公主唐憲宗女
2 新唐12/83/3668

普康公主唐懿宗女
2 新唐12/83/3674
22普岸漢東人
53赤城志35/3 B
80宋僧27/7 A
普岸洪州人
81景德9/8 A
24普化和尚
80宋僧20/5 A
81景德10/13 B
30普寧公主唐代宗女
2 新唐12/83/3663
普寧公主唐德宗女
2 新唐12/83/3665
普安公主唐太宗女
2 新唐12/83/3646
普安公主唐昭宗女
2 新唐12/83/3676
普寂（大照禪師、大慧禪師）
1 舊唐16/191/5110
80宋僧9/2 A
34普滿唐德宗時僧
80宋僧20/19 A
普滿五代時僧
81景德17/11 B
57普靜
80宋僧23/17 A
60普曠
79續僧13/14 A
67普明（法京）天台山國清寺
79續僧23/25 A
普明蒲州仁壽寺
79續僧25/4 B
普明五臺山娑婆寺
79續僧26/4 A
普明滑州龍興寺
80宋僧18/28 A
普明益州普通山
81景德19/17 A
普照明覺大師
59毗陵志25/2 A
71普願
80宋僧11/12 A
81景德8/3 A
77普門子
8 全文919/1 A
59毗陵志25/6 A

80普慈公主
40十國38/10 B
90普光京兆大慈恩寺
80宋僧4/6 B
普光和尚福州
81景德14/20 A

酉

01酉龍
2 新唐20/222中/6282

8060₄ 舍

22舍利澄　見李澄
舍利葛旃　見李奉國
舍利阿博
19姓纂5/7 B①
舍利乞乞仲象
2 新唐20/219/6179

8060₅ 善

07善部末摩
80宋僧3/5 A
22善崔
81景德12/12 B
23善伏（等照）
79續僧26/1 B
25善生
11全詩12/823/9273
17紀事下/77/1117
18才子3/45
37善沼
81景德24/20 A
38善道（真寂禪師）袁州太平山
81景德20/24 A
善道和尚潭州石霜
81景德14/18 A
44善藏
81景德17/21 A
50善冑
79續僧14/15 B
善本
81景德17/20 A
55善慧
79續僧38/10 A
57善靜（淨悟禪師）
89宋僧13/12 A
81景德20/21 A
60善因

79續僧39/17A
77善覺禪師
　81景德8/14A
80善無畏（戍婆揭羅僧訶、淨
　師子義、輸波迦羅）
　80宋僧2/1A
　83開元録9/572
　85貞元新録14/874
善美
　81景德26/8A
善會（傳明大師）
　81景德15/18A
86善智
　79續僧28/7A

8060₆ 曾

00曾麻幾
　11全詩11/768/8724
曾袞
　26方鎮7/60B
22曾縣
　25登科23/17B
曾崇穎
　19姓纂5/18B
　21御考3/26A
　　　3/36A
27曾叔政
　19姓纂5/18B
44曾芳
　40十國64/6B
曾恭
　19姓纂5/18B

會

30會寧
　80宋僧2/12B
會宗
　80宋僧25/5A
37會通（招賢禪師、吳元卿）
　杭人
　68咸淳臨安70/4B
　81景德4/13A

會通雍州萬年人
　79續僧37/21B
72會隱
　80宋僧4/20B

8060₇ 含

68含曦
　11全詩12/823/9273
　17紀事下/73/1079
71含匡
　81景德24/18B
90含光
　80宋僧27/4B

8060₈ 谷

17谷那律
　1 舊唐15/189上/4952
　2 新唐18/198/5652
　7 新志5/57/1428
22谷山和尚
　81景德23/16A
谷崇義
　2 新唐18/198/5652
24谷倚
　1 舊唐15/190中/5014
　6 舊志6/47/2076
　7 新志5/60/1600
　19姓纂10/6B②
谷倚相
　2 新唐18/198/5652
28谷從政
　2 新唐18/198/5652
35谷神子
　7 新志5/59/1541
　28直齋11/4A
36谷況
　7 新志5/58/1468
　28直齋5/13A
72谷隱和尚
　81景德15/20B

8071₇ 乞

00乞立贊
　1 舊唐16/196下/5245
　2 新唐19/216下/6092
乞離胡
　2 新唐19/216下/6105
20乞悉漫
　1 舊唐16/197/5279
27乞黎蘇籠獵贊
　1 舊唐16/196上/5236
　2 新唐16/216上/6087
60乞四比羽
　2 新唐20/219/6179
　4 新五3/74/920

8073₀ 公

12公孫彥藻
　19姓纂1/7A
公孫正
　19姓纂1/7A
公孫武達（壯）
　1 舊唐7/57/2300
　2 新唐12/88/3744
　19姓纂1/7A③
公孫虞
　19姓纂1/7B
公孫綽
　63新安志9/19A
公孫倜
　19姓纂1/7B
公孫安生
　19姓纂1/7A
公孫杲
　11全詩12/887/10025
公孫羅
　1 舊唐15/189上/4946
　2 新唐18/198/5640
　6 舊志6/47/2077
　7 新志5/60/1621
公孫雅靖
　19姓纂1/7A

---

① 《姓纂》"舍利"作"沙吒"，今據岑仲勉《元和姓纂四校記》考定改正。
② 《姓纂》作"谷倚"，與《舊書》同，但岑仲勉《元和姓纂四校記》云《新書》卷一九八《谷那律傳》附《谷倚相傳》，權德輿《權載之文集》卷一八谷氏碑亦作谷倚相，同是一人。未詳孰是。本書另出谷倚相條，備參。
③ 《姓纂》云："唐右衛大將軍、征陽公公孫武孫達。"岑仲勉《元和姓纂四校記》謂"達"上之"孫"字衍。岑説是，今據改。

---

① 按公乘億之字，《新唐》卷一七七《萬頲傳》作壽仙，而《新唐》卷六○《藝文志》作壽山。此後作壽仙者有《紀事》、《全詩》、《全文》，作壽山者有《才子》，未詳孰是，今並存之。

② 《十國》云："鍾離君失其姓名。"按《東軒筆錄》注，《續文獻通考》均作鍾離瑾，今據補。

③ 《全詩》"允"作"元"，蓋板刻之誤，今逕改。

④⑤ 馬、陸二書"泰"皆作"太"，今據《九國志》等改。

⑥ 《新志》作"鍾籍"。按《全文》、《全詩》、《登科》等書有鍾輅，唐文宗時爲崇文館校書郎，與此鍾籍時代相近，疑爲一人。

① 《十國》原注：“璘一作琇。”
②③ 《寶慶四明》、《延祐四明》作“錢億”，今據《十國》補正。
④ 《圖繪》無“宏”字，今據《十國》補正。
⑤⑥ 《舊五》《咸淳臨安》無“宏”字，今據《十國》補正。
⑦⑧⑨ 《舊五》、《新五》、《咸淳臨安》無“宏”字，今據《十國》補正。
⑩ 《吳興志》作“錢偓”，下云五代吳越國人，開運三年爲湖州刺史。按《十國春秋》卷八三有《錢宏偓傳》，乃吳越王錢元瓘第八子，亦曾任湖州刺史。二人時代職官相同，似卽一人。元瓘諸子皆以“宏”字排行，則此錢偓當作錢宏偓。
⑪ 《三山志》“偓”作“愰”，今與《十國》統一。
⑫ 《吳興志》云九隴字冰業，“冰”字疑誤。

8417₀ 鉗

10鉗耳知命　見箝耳知命

8471₁ 饒

00饒京　見饒景
30饒安公主
　2 新唐12/83/3673
43饒娥(瓊真)
　2 新唐18/205/5823
60饒景
　40十國85/5 B①
76饒陽公主
　2 新唐12/83/3670

8513₀ 鉢

23鉢伐多羅王
　8 全文999/22 B

8614₁ 鐸

60鐸羅望
　2 新唐20/222中/6294

8640₀ 知

00知玄(後覺、悟達國師)
　11全詩12/823/9274
　80宋僧6/18 B
26知儼
　81景德24/23 B
32知業
　11全詩12/851/9633
34知遠(演化大師)
　81景德23/23 B
63知默
　81景德22/4 A

8660₀ 智

00智亮(祖膊和尚)
　11全詩12/823/9279
智廣姓崔,雅州開元寺
　40十國47/1 A
　80宋僧27/14 A
智廣(九座禪師、正覺禪
　師)
　40十國99/1 B
　52仙溪志3/8 B
02智證
　79續僧38/15 B

04智詵
　9 拾遺49/1 A
　80宋僧19/15 A
10智正
　7 新志5/59/1528
　79續僧16/18 A
11智顗
　80宋僧27/10 B
16智現
　79續僧16/18 B
智瑰
　30歷畫9/184
　38圖繪2/23 A
智聰
　79續僧24/26 A
智璪
　79續僧23/23 A
17智琚
　63新安志8/34 A
　79續僧14/22 A
智岉
　80宋僧21/21 A
18智玲
　40十國99/6 B
19智琰(明璨)
　79續僧16/3 B
20智依(宣法大師)
　81景德25/10 A
智孚
　81景德18/16 A
21智顒
　82內典5/284
智衍
　79續僧18/14 B
22智嵩(妙空大師)
　81景德21/22 A
智嚴姓華,曲阿人
　70至順鎮江19/31 A
　79續僧25/17 A
　81景德4/7 B
智嚴姓尉遲,于闐國人
　80宋僧3/1 B
智嶷
　79續僧36/34 B
26智儼
　79續僧34/17 B
智保
　79續僧27/22 A

27智凱姓馮,丹陽人
　79續僧16/24 A
智凱姓安,揚都人
　79續僧40/16 B
28智佺
　80宋僧7/19 B
智作(真寂禪師)
　81景德21/21 A
智倫
　81景德24/23 A
智徽
　79續僧17/12 A
30智宣
　80宋僧30/11 A
智實
　8 全文903/22 A
　79續僧31/12 A
智宗
　8 全文920/12 A
智寂
　81景德22/16 B
31智江
　80宋僧28/7 A
34智滿
　79續僧23/14 B
智洪(弘濟大師)
　81景德23/17 A
智遠
　11全詩12/850/9621
　81景德21/18 B
36智禪師
　81景德4/14 A
智遲
　18才子3/45
37智通京師總持寺
　80宋僧3/1 A
　83開元錄8/562
　85貞元新錄12/862
智通梓州牛頭山寺
　79續僧39/24 B
智通舒州安豐人
　81景德5/9 A
智通五臺山
　81景德10/14 B
智朗
　80宋僧28/4 B
40智真(歸寂禪師)
　81景德9/14 A

---

① 《十國》原注："饒景，一作饒京。"
② 《郎考》此處"弘"作"宏"，今從卷一、卷七作"弘"。

鄭彥宏　見鄭彥弘
鄭彥華
　40十國30/14A
　44陸書12/1B
鄭彥輔
　5 新表11/75上/3310
鄭彥甫
　5 新表11/75上/3260
鄭齊望
　8 全文401/15B
鄭齊之
　25登科20/26B
鄭齊客
　5 新表11/75上/3278
鄭齊嬰
　20郎考3/18A
　21御考2/29A
鄭方
　8 全文619/17A
　25登科15/1A
鄭方說
　5 新表11/75上/3297
鄭方遂
　2 新唐16/161/4984
鄭方回
　5 新表11/75上/3290
鄭膺石（漢）
　5 新表11/75上/3279
鄭膺縣　見鄭周
鄭膺夢
　5 新表11/75上/3278
鄭膺甫
　2 新唐13/158/4167
　5 新表11/75上/3327
　20郎考13/10A
　　　　25/14A
　　　　26/27A
　21御考3/43B
　71嚴州1/29B
鄭裔綽
　2 新唐16/165/5068
　5 新表11/75上/3322
　20郎考6/25B
　26方鎮5/58A
　64掇英18/14B
　65會稽志2/33A
鄭鳶
　5 新表11/75上/3262

鄭康老
　5 新表11/75上/3318
鄭廉妻　見李氏
鄭庭玉
　5 新表11/75上/3278
鄭庭珪
　5 新表11/75上/3304
鄭庭珍
　5 新表11/75上/3302
鄭庭玢
　5 新表11/75上/3304
鄭庭璬
　5 新表11/75上/3304
鄭庭璘
　5 新表11/75上/3290
鄭庭休
　5 新表11/75上/3291
鄭庭芳
　5 新表11/75上/3304
鄭唐卿
　36圖誌2/40
　38圖繪2/36A
鄭廣
　5 新表11/75上/3311
鄭廣名
　5 新表11/75上/3260
鄭廣壽
　5 新表11/75上/3260
鄭文
　5 新表11/75上/3314
鄭文亮
　5 新表11/75上/3334
鄭文叡
　5 新表11/75上/3342
鄭文寶
　40十國30/14B
鄭文宗
　5 新表11/75上/3273
鄭文沾
　5 新表11/75上/3309
鄭文湛
　5 新表11/75上/3309
鄭文通
　5 新表11/75上/3321
鄭文權
　5 新表11/75上/3259
鄭文表
　20郎考21/1B

鄭文哲
　5 新表11/75上/3334
鄭文譽
　5 新表11/75上/3338
鄭章
　20郎考18/7A
　21御考3/23B
　　　　3/35B
鄭言（垂之）
　5 新表11/75上/3293
　7 新志5/58/1469
　　　5/59/1563
　20郎考19/12A
　24壁記　翰苑羣書
　　　　上/56B
　25登科22/11B
鄭言約
　5 新表11/75上/3343
鄭言顧
　5 新表11/75上/3344
鄭言思
　5 新表11/75上/3269
鄭讓
　5 新表11/75上/3264
鄭諒
　5 新表11/75上/3322
鄭雍
　25登科25/2A
鄭雍門
　5 新表11/75上/3311
鄭玄膺
　5 新表11/75上/3335
鄭玄毅
　20郎考3/6B
　　　　7/2A
　　　　12/3A①
鄭玄一
　5 新表11/75上/3318
鄭玄豆
　5 新表11/75上/3312
鄭玄珽
　5 新表11/75上/3262
鄭玄珪
　5 新表11/75上/3263
鄭玄瑾
　5 新表11/75上/3259
鄭玄崇
　5 新表11/75上/3344

① 《郎考》此處"玄"作"元",今從卷三、卷七作"玄"。
② 《新志》於《鄭誠集》下云:"字申虞,福州閩縣人。大中國子司業、郢安二州刺史、江西節度副使。"《郎考》卷一一、一五、二五亦皆有鄭誠,歷任戶部郎中、金部郎中、主客郎中。勞格引《舊唐書》等,謂其時約在僖宗時,與《新志》時代相合,當爲一人。但《三山志》卷二六有鄭諴,爲武會昌二年進士,字申虞,閩縣人,歷刑部郎中、郢安郢三州刺史。徐松《登科記考》據《三山志》繫鄭諴爲會昌二年進士,並云:"諴乃鄭谷從叔,當以《三山志》爲正。"但又云《永樂大典》引《閩中記》作"誠"。按鄭誠或鄭諴官職、籍貫、字號與時代均同,似即一人,唯誠、諴未能確證孰是。
③④ 《登科》、《三山志》"誠"作"諴",今從《新志》。詳見前注。
⑤⑥ 《郎考》"訥"作"納","訥言"之名本於《論語》"君子敏於行而訥於言",作"訥"爲是。
⑦ 《新表》有三鄭説,此處指誰,難明其詳,今分列待考。
⑧ 按:《新表》之鄭正則,其兄乃德宗貞元中明州刺史鄭審。《新志》之鄭正則,撰《祠享儀》一卷,排於范傳正之後。二人時代相近,但未獲其他佐證,不能確定是否爲同一人。今分列兩條,俟考。下《直齋》之正則與《新志》同爲一人。

7 新志5/58/1472
8 全文730/15 B
20郎考1/22 A
　　　3/98 A
25登科18/27 B
　　　20/24 B
26方鎮7/47 A
27郡齋2上/13 B
28直齋4/36 A
69嘉定鎮江15/46 B
鄭露（思曳、南湖）
11全詩12/887/10024
鄭元
1 舊唐12/146/3968
20郎考6/17 A
25登科27/9 B
26方鎮4/49
鄭元毅　見鄭玄毅
鄭元璹（德芳、簡）
1 舊唐7/62/2379
2 新唐13/100/3937
鄭元弼中唐時人
5 新表11/75上/3266
鄭元弼五代時仕閩
40十國96/2 A
鄭元瑜文亮子
5 新表11/75上/3334
鄭元瑜良士子
40十國95/8 A
鄭元龜
40十國95/8 A
鄭元修
9 拾遺27/5 B
鄭元將
5 新表11/75上/3263
鄭元良
5 新表11/75上/3310
鄭元宗　見鄭惰松
鄭元祐
5 新表11/75上/3299
鄭元禮
40十國95/8 A
鄭元祚
5 新表11/75上/3297
鄭元祥
5 新表11/75上/3296
鄭元裕
5 新表11/75上/3297

鄭元恭
40十國95/8 A
鄭元均
25登科11/28 A
鄭元敬
5 新表11/75上/3339
20郎考12/6 B
鄭元胄
20郎考21/14 A
鄭元忠
40十國95/8 A
鄭元素華原人，南唐隱逸
3 舊五4/96/1280①
40十國29/7 B
43馬書15/6 B
鄭元素仙遊人，仕閩
40十國95/8 A
鄭元振
40十國95/8 A
鄭元哲
5 新表11/75上/3297
鄭元輔
5 新表11/75上/3345
鄭元軌
5 新表11/75上/3312
鄭元果
5 新表11/75上/3293
鄭元叶
5 新表11/75上/3275
鄭元器
5 新表11/75上/3264
鄭元簡
5 新表11/75上/3263
鄭元敏
20郎考3/1 A
鄭元敵
20郎考22/2 A
鄭震蕙子
5 新表11/75上/3269
鄭震乾福子
5 新表11/75上/3336
鄭覃
1 舊唐14/173/4489
2 新唐16/165/5066
5 新表11/75上/3322
8 全文721/19 A
9 拾遺29/8 B
20郎考10/27 B

24壁記　翰苑羣書
　　　　上/46 B
　　　　上/47 A
鄭平溥子，吉州刺史
5 新表11/75上/3288
20郎考12/18 A
鄭平文子，太府寺主簿
5 新表11/75上/3314
鄭天雄
5 新表11/75上/3295
鄭再思（崇順）
5 新表11/75上/3277
鄭霸
3 舊五5/123/1620
鄭百宜
5 新表11/75上/3302
鄭晉客
5 新表11/75上/3276
鄭雲遠
1 舊唐11/137/3770
2 新唐16/161/4983
8 全文479/4 A
25登科10/21 A
鄭雲曳　見鄭遨
11鄭珏
3 舊五3/58/778
4 新五2/54/619
8 全文847/5 B
25登科24/24 A
　　　25/5 B
鄭璩
5 新表11/75上/3332
鄭璿
5 新表11/75上/3287
鄭項唐懿宗時侍御史
5 新表11/75上/3346
20郎考2/35 A
鄭項仕前蜀
40十國41/1 A
鄭孺復
5 新表11/75上/3346
鄭孺華
11全詩5/272/3059
鄭頤
11全詩11/733/8382
鄭碻
20郎考2/31 B
　　　11/54 A

---

① 鄭昌圖,徐松謂《玉芝堂談薈》作鄭昌符。

3 舊五4/96/1274
鄭厚
　5 新表11/75上/3314
鄭頠 祇德子,禮部侍郎
　5 新表11/75上/3349
　20郎考22/21 B
鄭頠(廷美)憲子
　5 新表11/75上/3351
鄭原
　5 新表11/75上/3316
鄭愿
　5 新表11/75上/3342
　20郎考8/19 B
　　　　15/10 A
鄭勣
　5 新表11/75上/3279
鄭巨
　5 新表11/75上/3290
　25登科27/9 B
鄭巨源
　25登科14/13 B
鄭長
　5 新表11/75上/3287
鄭長蒨
　5 新表11/75上/3273
鄭長裕
　1 舊唐13/158/4163
　5 新表11/75上/3321
　20郎考9/3 B
　　　　16/6 A
　　　　17/9 A
　　　　22/5 B
鄭槃
　17紀事下/47/717
72鄭丘
　5 新表11/75上/3292
鄭隱(伯超)
　25登科23/23 B
　72三山志26/5 A
鄭氏(侯莫陳邈妻)
　8 全文945/5 B
鄭氏(余敬洪妻)
　40十國97/8 A

43馬書6/11 B③
44陸書14/6 A④
鄭氏(第五峯妻)
　1 舊唐11/123/3518
　2 新唐15/148/4802
鄭馴
　25登科27/10 B
鄭岳
　5 新表11/75上/3345
74鄭勵
　5 新表11/75上/3276
鄭隨武
　5 新表11/75上/3276
鄭肱
　5 新表11/75上/3317
鄭騏
　5 新表11/75上/3279
77鄭堅　見鄭友義
鄭鳳池
　5 新表11/75上/3303
鄭閎 烈子,世儒家
　1 舊唐14/176/4573
鄭閌 洌子,殿中侍御史
　5 新表11/75上/3289
鄭周(膚縣)
　5 新表11/75上/3279
鄭鵬
　5 新表11/75上/3264
鄭展
　5 新表11/75上/3262
鄭履讓
　5 新表11/75上/3297
鄭履信
　5 新表11/75上/3297
鄭履順
　5 新表11/75上/3297
鄭履仁
　5 新表11/75上/3339
鄭履貞
　5 新表11/75上/3297
鄭履忠
　5 新表11/75上/3341
鄭履義

5 新表11/75上/3297
鄭犀
　5 新表11/75上/3277
鄭居貞
　5 新表11/75上/3344
鄭居士
　5 新表11/75上/3335
鄭居中
　20郎考1/20 A
　　　　2/26 A
鄭駒
　5 新表11/75上/3279
鄭騊
　5 新表11/75上/3279
　25登科27/10 B
鄭又元
　25登科27/28 B
鄭閔子
　5 新表11/75上/3272
鄭閈
　5 新表11/75上/3262
鄭閟
　5 新表11/75上/3262
鄭丹
　11全詩5/272/3063
　15中興上/269
　17紀事上/28/432
鄭舉
　5 新表11/75上/3289
鄭闔
　5 新表11/75上/3262
鄭鷗
　5 新表11/75上/3265
鄭閭
　5 新表11/75上/3262
鄭闐
　5 新表11/75上/3262
鄭興宗
　5 新表11/75上/3333
鄭興嗣
　5 新表11/75上/3294
鄭興門
　5 新表11/75上/3291

---

① 《郎考》作"鄭峻",勞格案:"疑卽鄭峻。"今從勞説。
② 《全文》此處原作鄭畧,小傳謂唐末宰相,載其所作《大道頌》一篇。勞格《讀書雜識》卷八《讀全唐文雜記》謂:"《唐書》無鄭畧,當是敗誤。《寶刻類編》卷七:《大道頌》,鄭畋撰。"按,勞説是,今據改。
③④ 《馬書》、《陸書》作"余洪妻",蓋史臣避晉高祖名諱省"敬"字,今據《十國》補。

鄭具瞻
　　1 舊唐13/158/4167
　　5 新表11/75上/3327
鄭巽 翊子,扶溝尉
　　5 新表11/75上/3269
鄭巽 宏之子
　　5 新表11/75上/3291
鄭閎 卓然子
　　5 新表11/75上/3262
鄭閎 習子,萊州刺史
　　5 新表11/75上/3352
78鄭駼
　　5 新表11/75上/3278
鄭臨
　　5 新表11/75上/3292
80鄭人政
　　25登科2/20 B
鄭全濟
　　25登科12/5 B
鄭益 勉子
　　5 新表11/75上/3320
鄭益 莖子,黃梅丞
　　5 新表11/75上/3270
鄭益
　　25登科2/20 A①
鄭翁胤
　　5 新表11/75上/3330
鄭翁歸
　　5 新表11/75上/3330
鄭翁喜
　　5 新表11/75上/3330
鄭錞
　　5 新表11/75上/3307
鄭羨
　　1 舊唐13/159/4180
　　5 新表11/75上/3345
鄭羨門
　　5 新表11/75上/3311
鄭介
　　5 新表11/75上/3276
鄭俞
　　8 全文594/15 B
　　11全詩7/464/5274
　　17紀事下/45/686
　　25登科14/28 A
鄭羲(堯卿)
　　5 新表11/75上/3326
　　25登科22/39 A

鄭令譚
　　5 新表11/75上/3282
鄭令詵
　　5 新表11/75上/3283
鄭令望 信卿子,滑州司馬
　　5 新表11/75上/3285
鄭令望 德琮子
　　5 新表11/75上/3340
鄭令一
　　5 新表11/75上/3278
鄭令璡
　　5 新表11/75上/3283
　　20郎考1/36 B
鄭令璋
　　5 新表11/75上/3283
鄭令球
　　5 新表11/75上/3281
鄭令琨
　　5 新表11/75上/3283
鄭令瑜
　　5 新表11/75上/3282
鄭令秀
　　5 新表11/75上/3277
鄭令從
　　5 新表11/75上/3281
鄭令安
　　5 新表11/75上/3266
鄭令實
　　5 新表11/75上/3278
鄭令源
　　5 新表11/75上/3281
鄭令構
　　5 新表11/75上/3280
鄭令超
　　5 新表11/75上/3284
鄭令則
　　5 新表11/75上/3280
鄭令同
　　5 新表11/75上/3278
鄭令問
　　5 新表11/75上/3340
鄭慈
　　1 舊唐13/158/4163
鄭慈明 仁愷子,豪州刺史
　　5 新表11/75上/3283
鄭慈明 銳子
　　5 新表11/75上/3304
鄭慈明 長裕子,太子舍人

　　5 新表11/75上/3325
鄭念
　　5 新表11/75上/3310
鄭美秀
　　5 新表11/75上/3294
鄭弇
　　5 新表11/75上/3273
鄭年
　　2 新唐20/220/6206
鄭毓
　　21御考3/3 B
鄭義宗
　　1 舊唐16/193/5142
鄭義宗妻　見盧氏
鄭義真
　　11全詩1/44/546
　　17紀事上/5/67
鄭合 隨武子
　　5 新表11/75上/3276
鄭合　見鄭合敬
鄭合敬
　　5 新表11/75上/3324
　　11全詩10/667/7636②
　　17紀事下/67/1010
　　25登科23/23 A
鄭普
　　5 新表11/75上/3332
鄭含章
　　5 新表11/75上/3264
鄭善玉
　　11全詩2/94/1018
鄭善果
　　1 舊唐7/62/2378
　　2 新唐13/100/3936
鄭曾
　　5 新表11/75上/3321
鄭會
　　5 新表11/75上/3332
鄭谷(守愚、鄭都官、鄭鷓
鴣)
　　7 新志5/60/1613
　　9 拾遺33/6 B
　　11全詩10/674/7705
　　17紀事下/70/1040
　　18才子9/160
　　25登科23/24 B
　　27郡齋4中/15 A
　　28直齋19/21 B

① 此鄭益爲高宗上元二年及第，以時代論，與《新表》鄭勉子益相近，但未能確定是否卽爲一人。
② 《全詩》作“鄭合”，並注云：“一作鄭合敬。”所錄詩與《唐詩紀事》之鄭合敬同。據《紀事》，鄭合敬爲乾符三年進士，終諫議大夫。另據《新表》，鄭合敬爲涯子，諫議大夫，時代亦合。當同爲一人。則《全詩》宜作鄭合敬，今改正，並另立“鄭合”條。
③ 《全文》作“鄭欽悅”。按《新唐書》鄭欽說本傳載梁任昉五世孫升之隱居商洛，曾以昉於大同五年在鍾山壞中所得銘詢欽說，欽說爲文答之，本傳載其答書大略。今查《全文》卷四〇八載任昇之《遺鄭補闕書》，卽嚮任昉所得古銘之含義者，同卷並載鄭欽悅《復任昇之書》，卽本傳所載而稍加詳。李吉甫《編次鄭欽悅辨大同古銘論》（《全唐文》卷五一二），作“悅”。鄭欽說與鄭欽悅實爲一人，悅、說義通，今姑從《新唐書》作“說”。按李商隱《請盧尚書撰曾祖妣誌文狀》（《樊南文集補編》卷十一）亦作“鄭欽說”。

鄭炯
　　5 新表11/75上/3301
鄭煥
　　5 新表11/75上/3306
98鄭愉
　　5 新表11/75上/3296
鄭敞(仲高)
　　25登科1/13 B
鄭燧
　　5 新表11/75上/3304
99鄭塋甫
　　5 新表11/75上/3261
鄭勞心
　　5 新表11/75上/3338
鄭榮
　　5 新表11/75上/3299
鄭榮門
　　5 新表11/75上/3291

8762₂ 舒

10舒元　見朱元
　　舒元褒
　　2 新唐17/179/5322
　　5 新表11/75下/3412
　　8 全文745/1 A
　　20郎考6/30 B
　　25登科20/4 B
　　　　27/12 A
　　舒元迥(子顈)
　　2 新唐17/179/5322
　　5 新表11/75下/3411
　　25登科27/12 A
　　舒元肱(良哉)
　　2 新唐17/179/5322
　　5 新表11/75下/3411
　　25登科27/12 A
　　舒元輿
　　1 舊唐13/169/4408
　　2 新唐17/179/5321
　　5 新表11/75上/3411
　　7 新志5/60/1607
　　8 全文727/1 A
　　10續拾5/10 A
　　11全詩8/489/5546
　　　　12/873/9890
　　17紀事下/43/651

　　25登科18/6 B
30舒守謙
　　25登科27/33 A
38舒道紀(華陰子)
　　11全詩12/855/9673
70舒雅(子正)
　　40十國31/5 A
　　43馬書22/3 B
　　63新安志6/7 A
91舒恆
　　5 新表11/75下/3411

8762₇ 郤

60郤昂
　　25登科8/4 A

8768₂ 欲

80欲谷設　見乙毗咄陸可汗

8810₁ 竺

10竺元標
　　30歷畫9/183
63竺暄
　　6 舊志6/47/2049

8811₇ 鑑

30鑑空
　　80宋僧20/16 A
31鑑源
　　80宋僧15/8 B

8822₀ 竹

17竹承搆
　　21御考1/24 B
　　　　1/25 B
　　　　2/18 B
　　　　2/41 A
　　　　2/51 A
21竹虔
　　32益畫中/9 A
　　36圖誌2/31
　　38圖繪2/20 B
44竹夢松
　　33五代畫遺6/26 B
　　36圖誌2/54
　　38圖繪2/34 B

40十國31/10 B

8822₇ 第

10第五平
　　5 新表11/75上/3375
　　19姓纂8/19 B
第五琦(禹珪)
　　1 舊唐11/123/3516
　　2 新唐15/148/4801
　　5 新表11/75上/3374
　　9 拾遺22/19 B
　　11全詩11/795/8944
　　19姓纂8/19 B
　　20郎考13/21 A
　　　　15/11 A
　　73吳興志14/26 B
第五峯
　　1 舊唐11/123/3518
　　2 新唐15/149/4802
　　5 新表11/75上/3374
　　19姓纂8/19 B
　　53赤城志8/18 B
第五峯妻　見鄭氏
第五牟
　　5 新表11/75上/3375
第五華
　　5 新表11/75上/3374
第五申
　　5 新表11/75上/3375
　　19姓纂8/19 B
第五泰(伯通)
　　7 新志5/57/1441

簡

00簡文會
　　40十國64/3 A
36簡禪師襄州高亭
　　81景德16/8 B
簡禪師朗州梁山
　　81景德22/11 B

8824₀ 符

00符彥琳
　　3 舊五3/56/760
符彥能
　　3 舊五3/56/760

---

① 以下鄭常皆有詩,爲一人。但與《新表》之兩鄭常有何關係,不能確定。今分列爲三人。

符彥通
  40十國76/1A
符彥超
  3 舊五3/56/759
  4 新五1/25/265
符彥卿
  3 舊五3/56/760
    5/121/1603
  4 新五1/25/265
符彥饒
  3 舊五4/91/1208
  4 新五1/25/266
17符子叔
  8 全文947/13B
符習
  3 舊五3/59/792
  4 新五1/26/277
19符璘(元亮)
  1 舊唐15/187下/4905
  2 新唐18/193/5551
38符道昭(李繼遠)
  3 舊五1/21/284
  4 新五1/21/218
40符存   見符存審
符存審(德詳、存、李存審)
  3 舊五3/56/755
    5/121/1603
  4 新五1/25/263
43符載(厚之)①
  7 新志5/60/1605
  8 全文688/1A
  9 拾遺28/1B
  11全詩7/472/5354
  17紀事下/51/780
  27郡齋4中/2B
44符蒙(適之)
  3 舊五3/59/793
  4 新五1/26/278

  11全詩11/795/8950
  25登科25/14A
    26/10A
  28直齋19/27A
77符鳳妻(玉英)
  2 新唐18/205/5822
80符令謙
  4 新五1/26/278
符令奇
  1 舊唐15/187下/4906
  2 新唐18/193/5550
  76齊乘6/36B

8832₇ 篤

34篤婆鉢提(篤娑鉢提)
  1 舊唐16/198/5311
  2 新唐
    20/221下/6244②
39篤娑鉢提   見篤婆鉢提
44篤薩波提
  2 新唐20/221下/6245
  8 全文999/24B

8834₁ 等

67等照   見善伏

8851₂ 範

36範禪師 撫州曹山
  81景德20/11A
範禪師 福州羅山
  81景德23/14B

8857₅ 箝

10箝耳靈心
  19姓纂5/45A
箝耳靈丹
  19姓纂5/45A
箝耳宗   見王宗

箝耳茂實
  19姓纂5/45A
箝耳幹   見王幹
箝耳知命
  73吳興志15/6B③
箝耳恪
  19姓纂5/45A
箝耳愉   見王愉

8864₀ 徼

30徼密莫末賦   見噉密莫末
賦

8877₇ 管

22管崇嗣
  19姓纂4/22A④
  26方鎮4/30B
40管雄甫
  11全詩11/780/8825

8884₀ 斂

70斂臂
  1 舊唐16/197/5278
  2 新唐20/221上/6219

8890₂ 策

40策真(慧超、法施禪師)
  81景德25/25B

8890₃ 繁

86繁知一
  11全詩7/463/5267
  17紀事下/51/782

8896₁ 籍

86籍知微
  19姓纂10/39A

---

① 岑仲勉《讀全唐詩札記》云:"按載之姓從艹作苻,見載所爲《亡妻李氏誌》(《關中金石文字存逸考》二),普通文字符、苻通用,在姓恐不然也。"備參。

② 《新唐》:"篤婆鉢提"作"篤娑鉢提",系同名異譯,今從《舊唐》。

③ 《吳興志》"箝"作"鉗"。按《姓纂》,"箝耳"爲姓,"鉗"當作"箝"。

④ 《姓纂》作"苔崇嗣",並云爲唐乾元河東節度使,今查《舊唐書·肅宗紀》、《舊唐書·鄧景山傳》、《册府元龜》卷一二八皆有管崇嗣,歷官太原尹、河東節度副大使等職,當爲一人,今統一作管崇嗣。

9000_0 小

57小浄
　53赤城志35/4A
71小長老
　40十國33/6A
　43馬書26/2A
　44陸書15/2B

9001_4 惟

05惟靖
　80宋僧12/23A
14惟勁(寶閑大師)
　80宋僧17/23A
　81景德19/18B
15惟建
　81景德6/7B
18惟政
　81景德6/7A
22惟嵩
　39書史5/38B
26惟儼(弘道大師)
　81景德14/6B
27惟約
　80宋僧27/8A
30惟寬(大徹禪師)
　80宋僧10/8A
　81景德7/9B
惟審
　11全詩12/850/9623
　17紀事下/76/1099
　18才子3/45
惟良
　70至順鎮江19/31B
惟寔
　80宋僧26/16A
44惟恭
　80宋僧25/10A
47惟愨
　80宋僧6/1A
50惟忠
　80宋僧9/13A
60惟曠(真寂禪師)
　81景德23/15B
62惟則
　39書史5/38B

　80宋僧27/8B
　81景德4/13B

9003_2 懷

00懷讓(大慧禪師)
　80宋僧9/3B
　81景德5/13B
10懷一
　80宋僧19/23A
懷玉姓高,丹丘人
　80宋僧24/11A
懷玉姓許,并州人
　80宋僧26/18A
12懷烈(淨悟禪師)
　81景德21/17A
18懷政
　81景德9/14B
20懷信
　80宋僧19/17B
21懷仁
　34書譜11/1A
　39書史5/37A
30懷空姓梁,閬州人
　80宋僧20/12B
懷空姓商,河陽人
　80宋僧29/14B
31懷濬
　11全詩12/825/9297
　17紀事下/74/1085
　80宋僧22/2B
33懷浦
　11全詩12/850/9623
　17紀事下/77/1115
　18才子3/45
34懷祐(玄悟大師)
　81景德16/9B
懷遠
　80宋僧5/8A
35懷迪
　80宋僧3/4B
　83開元錄9/571
38懷海(大智禪師)
　7新志5/59/1529
　80宋僧10/17B
　81景德6/11A
懷道

　80宋僧19/23B
44懷楚
　11全詩12/823/9284
　17紀事下/77/1115
　81景德23/17A
48懷敬
　20郎考7/3A①
50懷畫
　81景德23/24B
懷忠
　81景德16/18A
懷素南陽人
　8全文912/5A
　11全詩12/808/9122
　80宋僧14/9A
　83開元錄9/564
　85貞元新錄12/865
懷素(藏真)長沙人
　9拾遺49/14B
　18才子3/45
　29書斷3/8B
　34書譜19/1B
　37書小史10/10A
　39書史5/36A
53懷感
　80宋僧6/2A
60懷思公主
　2新唐12/83/3658
67懷暉(大宣教禪師)
　80宋僧10/7B
72懷岳漳州報恩院
　81景德18/17A
懷岳(達空禪師)雲居山
　81景德20/8A
96懷憚
　81景德20/7A
97懷惲(大覺禪師)
　81景德7/3A

9020_0 少

00少康
　80宋僧25/2B

9021_1 光

10光雲(慧覺大師)
　81景德21/12B

①《郎考》"懷敬"前缺姓。

12光瑤
　7 新志5/59/1530
　80宋僧10/4A
21光仁撫州疎山
　7 新志5/59/1530
　80宋僧13/4B
　81景德17/15A
　光仁襄山
　81景德15/4B
24光化公主
　2 新唐12/83/3671
　光緒（至德大師）
　81景德21/9A
26光穆
　81景德12/9B
27光嶼
　80宋僧28/8A
28光儀
　80宋僧26/2A
30光寶
　81景德13/12A
37光涌
　81景德12/10B
44光英
　79續僧23/22A
　光楚客
　2 新唐19/207/5857
　25登科27/26B
55光慧（玄悟大師）
　81景德20/8B
67光嗣
　80宋僧28/2B
86光智（波顙、波羅顙密多、
　波羅顙迦羅密多羅）
　79續僧3/1A
　82內典5/281
　83開元錄8/553
　85貞元新錄11/852

9021₆ 党

21党仁弘
　19姓纂7/17A
44党孝安
　19姓纂7/17A
48党敬元
　19姓纂7/17A
64党曄
　19姓纂7/17A

9022₇ 尚

01尚顏（茂聖）
　11全詩12/848/9598
　17紀事下/77/1116
　18才子3/45
　28直齋19/29A
10尚可孤（可孤、魚智德、李
　嘉勳）
　1 舊唐12/144/3911
　2 新唐13/110/4128
　26方鎮8/3B
16尚理
　8 全文958/3B
17尚恐熱（末農力）
　1 舊唐16/196下/5266
　2 新唐19/216下/6105
21尚能
　11全詩12/850/9626
　17紀事下/74/1081
　尚衡
　8 全文394/19A
　19姓纂9/14B①
　26方鎮3/22A
　　　　3/34A
　　　　3/34B
23尚獻甫
　1 舊唐16/191/5100
　2 新唐18/204/5806
24尚結贊
　1 舊唐16/196下/5246
　2 新唐19/216下/6093
26尚總
　19姓纂9/14B②
30尚宮宋氏　見宋若昭
40尚志
　11全詩12/850/9622
44尚華
　8 全文526/12A
47尚憝
　69嘉定鎮江15/51B
　　　　18/47B
51尚振
　19姓纂9/14B③
74尚馳
　8 全文958/4B
80尚全恭（子初）
　69嘉定鎮江14/54B

尚公迺
　40十國10/1A
　69嘉定鎮江18/47B

常

00常彥瑋
　21御考1/9B④
　常彥暐　見常彥瑋
　常廣心
　25登科9/9A
　常袞
　1 舊唐10/119/3445
　2 新唐15/150/4809
　5 新表11/75下/3378
　7 新志5/60/1604
　8 全文410/1A
　10續拾6/1A
　11全詩4/254/2858
　17紀事下/29/447
　20郎考9/10B
　　　　10/21B
　23故事　翰苑羣書
　　　　上/24B
　24壁記　翰苑羣書
　　　　上/40A
　25登科9/32B
　　　　11/1B
　　　　11/7A
　　　　11/8A
　26方鎮6/2B
　72三山志20/36A
07常毅
　5 新表11/75上/3377
11常非自　見常非月
　常非月
　8 全文356/23A⑤
　11全詩3/203/2125
　14國秀下/129
　　　　下/182
15常建
　7 新志5/60/1610
　8 全文334/21A
　11全詩2/144/1453
　13河嶽上/49
　14國秀中/128
　　　　中/165
　17紀事上/31/486
　18才子2/22

①②③《姓纂》"尚"作"向"，今據岑仲勉《元和姓纂四校記》考定改正。
④《郎考》"瑋"作"暐"，勞格謂當作"瑋"。按《朝野僉載》卷二有侍御史常彥瑋，唐玄宗時人。
⑤《全文》原注："月，《登科記》作自。"
⑥⑦⑧⑨《全文》、《郎考》、《御考》皆作"常仲儒"，今據《新表》改。
⑩《御考》此處作"常署"，勞格云："署疑作著。"
⑪《全文》作常東名，載其《唐思恆律師誌銘》文，小傳云："東名，開元十四年官鄂縣尉"。岑仲勉《讀全唐文札記》謂此蓋據石刻轉錄，並云："考《金石萃編》七七著錄此石，常下兩字缺，復考《全文》四二○常袞《叔父故禮部員外郎墓誌》云：'賓客諱無名，字某，……開元十年，舉文藻弘麗，……與孫逖同人第二等，擢鄂縣尉。'思恆誌之撰人，蓋常無名也，作東名者誤。"岑說是，今據改。

5 新表11/75下/3378
常無求
　5 新表11/75下/3378
　8 全文408/20 A
常無欲
　5 新表11/75下/3378
　8 全文406/13 A
　21御考2/47 A
　　　2/49 A
　　　3/18 A
常普
　5 新表11/75下/3377
常曾
　5 新表11/75下/3377
90常惟堅
　8 全文953/9 A

9050₂ 掌

50掌聿脩
　40十國53/7 B

9060₂ 省

22省僜（净修大師）
　81景德22/7 A
27省躬（清泠山沙門）
　80宋僧15/13 A
36省禪師
　81景德20/20 A

9080₀ 火

53火拔歸仁
　19姓纂10/26 B①
火拔右失畢
　19姓纂10/26 B②

9080₉ 炎

77炎閣
　2 新唐20/222上/6270

9090₄ 米

22米嶺和尚
　81景德8/10 B
　　　12/15 B
38米遂

7 新志5/59/1566
40米志誠
　40十國7/5 B
　41九國2/11 A
47米都知
　11全詩11/795/8961
71米暨
　26方鎮1/59 A
　　　1/76 B
　　　1/88 B

9101₇ 恆

18恆政
　80宋僧11/19 B
37恆通
　80宋僧12/18 B
47恆超
　11全詩12/825/9297
　80宋僧7/15 A
60恆景
　80宋僧5/2 A
77恆月
　80宋僧10/19 A

9106₁ 悟

30悟空（法界）
　80宋僧3/10 B
　85貞元新録17/896
34悟達
　7 新志5/59/1530
35悟清
　11全詩12/851/9632
36悟禪師
　81景德17/22 B

9392₂ 糝

31糝潭漁者
　40十國12/1 A

9403₆ 愷

36愷禪師
　80宋僧23/2 A

9406₅ 憘

30憘實
　26方鎮6/51 A

9408₁ 慎

72慎氏（嚴灌夫妻）
　11全詩11/799/8992
　17紀事下/78/1122

9501₄ 性

30性空潭州石霜
　81景德9/8 B
性空吉州
　81景德14/12 B

9601₀ 怛

12怛烈
　2 新唐20/219/6177

9702₂ 憀

憀
　9 拾遺52/8 B③

9721₄ 耀

26耀和尚
　81景德23/6 B

9722₇ 鄰

38鄰道場人
　11全詩12/862/9749

9725₆ 輝

36輝禪師
　81景德16/12 B
　　　16/13 A

9782₇ 鄭

60鄭國公主
　2 新唐12/83/3661

9990₄ 榮

40榮九思
　20郎考5/6 B

---

① 《姓纂》“火拔”作“啜剌”，今據岑仲勉《元和姓纂四校記》考定改正。
② 《姓纂》“火拔”作“啜剌”，今據岑仲勉《元和姓纂四校記》考定改正。岑校又謂“右”當作“石”，即《舊唐書》卷八之
　　“火拔頡利發石矢畢”，亦即《舊唐書》卷一〇三之“石阿失畢”，均爲一人。
③ 《拾遺》“憀”字前缺姓。

筆畫與四角號碼對照表

　　本檢字表爲便利習慣於使用筆畫順序檢字者查檢本索引之用。凡索引中的第一字，依筆畫順序排列，同筆畫的，再依點起、橫起、直起、撇起排列，每字後注明四角號碼，讀者可憑此以檢索引字頭。

考 4420_7
老 4471_1
至 1010_4
聿 5000_7
艾 4440_0
西 1060_0

直起

光 9021_1
吕 6060_0
吐 6401_0
同 7722_0
因 6043_0
回 6060_0
曳 5000_6
曲 5560_0

撇起

先 2421_1
兆 3211_3
伍 2121_7
任 2221_4
伏 2323_4
伎 2424_7
休 2429_0
仲 2520_6
仰 2722_0
伊 2725_7
全 8010_4
危 2721_2
向 2722_0
名 2760_0
合 8060_1
多 2720_7
如 4640_0
好 4744_7
朱 2590_0
牟 2325_0
竹 8822_0
自 2600_0
行 2122_1

七畫

點起

冷 3813_7
初 3722_0
宏 3043_2
宋 3090_4
忘 0033_1
汪 3111_4

沈 3411_2
沖 3510_6
汩 3610_0
没 3714_7
沙 3912_0
牢 3050_2
究 3041_7
良 3073_2
言 0060_1
辛 0040_1

横起

克 4021_6
君 1760_7
均 4712_0
孝 4440_7
斫 1222_1
志 4033_1
成 5320_0
戒 5340_0
李 4040_7
杉 4292_2
材 4490_0
杜 4491_0
构 4792_0
束 5090_6
折 5202_1
技 5404_7
扶 5503_0
投 5704_7
求 4313_2
甫 5322_7
芉 4440_2
豆 1010_8
車 5000_6
邢 1742_7
那 1752_7
阮 7121_1

直起

吴 6043_0
困 6090_4
壯 2421_0
岑 2220_7
岐 2474_7
步 2120_1
男 6042_7
見 6021_0
貝 6080_0

撇起

住 2021_4
何 2122_0
佐 2421_1
佉 2423_1
伸 2520_6
佛 2522_7
伯 2620_0
伽 2620_0
似 2820_0
伴 2925_0
余 8090_4
利 2290_0
告 2460_1
含 8060_7
坌 8010_4
坱 2743_0
妙 4942_0
希 4022_7
廷 1240_1
延 1240_1
攸 2824_0
狄 4928_0
皂 2671_4
秀 2022_7
谷 8060_8
巡 3230_3
邨 2792_7
邦 5702_7

八畫

點起

享 0040_7
京 0090_6
宜 3010_7
定 3080_1
宗 3090_1
房 3022_7
注 3011_4
河 3112_0
泓 3213_0
泌 3310_0
泳 3313_2
法 3413_1
波 3414_7
油 3516_0
泊 3610_0
泥 3711_4
泠 3813_7

炎 9080_9
祁 3722_7
空 3010_1
穹 3020_1
肩 3022_2

横起

亞 1010_7
來 4090_8
協 4402_7
坤 4510_0
坦 4611_0
奉 5050_3
孤 1243_0
居 7726_4
屈 7727_2
幸 4040_1
承 1723_2
拓 5106_0
拙 5207_2
拔 5304_7
拂 5502_0
抱 5701_2
招 5706_2
昔 4460_1
武 1314_0
析 4292_1
林 4499_0
松 4893_0
東 5090_6
直 4010_7
孟 1710_2
卧 7370_0
花 4421_1
芮 4422_0
芭 4453_0
表 5073_2
軋 5201_0
邵 1762_7
長 7173_2
阿 7122_0
附 7420_0
陁 7823_7
門 7777_7
雨 1022_7
青 5022_7

直起

些 2110_1

咒 7721_7
具 7780_1
卓 2140_0
叔 2794_0
固 6060_4
呼 6204_9
咄 6207_2
尚 9022_7
岸 2224_1
忠 5033_6
恆 9101_7
性 9501_1
怛 9601_1
易 6022_7
旻 6040_0
昇 6044_0
昌 6060_0
昆 6071_1
昕 6202_1
明 6702_0
歧 2414_7
虎 2121_7

撇起

乳 2241_0
制 2220_0
刹 4290_0
卑 2640_0
受 2040_0
和 2690_0
周 7722_0
垂 2010_4
始 4346_0
姑 4446_0
季 2040_7
岳 7277_2
弩 4720_7
待 2424_1
彼 2424_1
忽 2733_2
朋 7722_0
服 7724_7
欣 7728_2
炙 2780_9
物 2752_0
牧 2854_0
狎 4625_0
知 8640_0
秉 2090_7

Column 1

竺 8810₁
舍 8060₄
近 3230₂
邸 7772₇
采 2090₄
金 8010₉

九　畫
點　起
亮 0021₇
前 8022₁
姜 8040₄
宣 3010₆
宮 3060₆
庠 0025₁
弈 0044₃
彥 0022₂
施 0821₂
洗 3411₁
洪 3418₁
洞 3712₂
洵 3712₀
淨 3715₇
洛 3716₄
為 3402₇
炤 9786₂
祈 3222₁
突 3043₀
美 8043₀
郊 0742₇
酋 8060₁
橫　起
剌 5290₀
勇 1742₇
勃 4442₇
南 4022₇
厚 7124₇
厙 7125₇
契 5743₀
封 4410₀
屋 7721₄
建 1540₀
威 5320₀
威 5320₀
持 5404₁
拱 5408₁
拽 5500₆
拾 5806₁

Column 2

春 5060₃
既 7171₄
柔 1790₄
查 4010₆
柯 4192₀
枯 4496₀
相 4690₀
柏 4690₀
柳 4792₀
甚 4471₁
盈 1710₇
玲 1813₇
眉 7726₇
耐 1420₀
苴 4410₇
范 4411₂
苑 4421₂
苻 4424₀
茂 4425₈
芯 4433₀
英 4453₀
苗 4460₀
若 4460₄
苟 4462₇
要 1040₄
胡 4762₀
述 3330₉
迦 3630₀
耶 1712₇
郁 4722₇
降 7725₄
革 4450₆
韋 4050₆
飛 1241₃
直　起
則 6280₀
咩 6805₁
咼 7722₇
峙 2474₁
思 6033₀
是 6080₁
映 6503₀
昭 6706₂
曷 6072₇
柴 2190₄
毗 6101₀
毘 6073₂
眪 6102₇

Column 3

省 9060₂
胄 5022₇
貞 2180₆
撇　起
信 2026₁
俟 2323₄
俊 2324₇
俄 2325₀
保 2629₄
修 2722₂
侯 2723₄
俞 8022₁
冠 3721₂
姬 4141₆
姚 4241₃
帥 2472₇
幽 2277₀
後 2224₇
待 2424₁
昝 2360₄
段 7744₇
泉 2623₂
爰 2044₄
皇 2610₄
禹 2042₇
种 2590₆
秋 2998₀
紅 2191₀
紀 2791₇
約 2792₇
紆 2891₇
胤 2201₀
郇 2762₇
重 2010₄
風 7721₀
香 2060₉

十　畫
點　起
唐 0026₇
娑 3940₄
容 3060₈
席 0022₇
庭 0024₁
庫 0025₆
旒 0824₇
流 3011₃
酒 3116₀

Column 4

浮 3214₇
浪 3313₂
浚 3314₇
凌 3414₇
浩 3416₁
湟 3611₁
渙 3713₄
海 3815₇
烜 9181₆
益 8010₇
祇 3224₀
祕 3320₀
祐 3426₀
祐 3426₀
神 3520₆
祝 3621₀
祖 3721₀
袢 3821₁
窅 3060₈
衷 0073₂
迷 3930₉
郎 3772₇
高 0022₇
橫　起
原 7129₆
務 1722₇
匪 7171₁
哥 1062₁
城 4315₀
夏 1024₇
孫 1249₃
弱 1712₇
恭 4433₈
振 5103₂
挺 5204₁
敖 5824₄
晉 1060₁
書 5060₁
栗 1090₄
校 4094₈
桓 4191₆
栖 4196₀
桃 4291₃
桂 4491₁
桐 4792₀
格 4796₁
桑 7790₄
泰 5013₂

Column 5

烈 1233₀
班 1111₄
翊 1712₀
真 4080₁
破 1464₇
秦 5090₄
索 4090₈
素 5090₃
耿 1918₀
致 1814₇
荊 4240₇
茫 4411₀
草 4440₆
荔 4442₇
茹 4460₆
莒 4462₁
荀 4490₄
茶 4490₄
荼 4073₇
袁 1080₆
貢 **起**
迺 4780₇
郝 3130₆
馬 7132₇
直　起
黨 9021₆
剛 7220₁
員 6080₆
峻 2374₇
峨 2375₀
悟 9106₁
悖 9404₇
晁 6011₃
晏 6040₄
哮 6404₇
虔 2124₀
郢 6712₂
骨 7722₇
撇　起
乘 2090₁
倪 2721₇
脩 2722₇
俱 2728₁
倫 2822₀
卿 7772₀
奚 2043₀
娘 4343₂

射 2420₀	淥 3713₂	陸 7421₄	符 8824₀	揚 5602₇

Four-corner index — reproduced as code list:

射 2420₀
師 2172₇
徐 2829₄
息 2633₀
恝 4633₀
殷 2724₇
烏 2732₇
特 2454₁
留 7760₂
純 2591₇
翁 8012₇
能 2121₁
臬 2690₄
航 2041₇
般 2744₇
盆 8013₇
逢 3730₄
邾 2762₇
郯 4722₇
郤 8762₇

十一畫
點起
商 0022₇
啓 3860₄
婆 3440₄
寇 3021₄
宿 3026₁
密 3077₂
寅 3080₆
寂 3094₇
庸 0022₇
康 0023₂
庶 0023₇
扈 3021₇
窒 3950₂
斌 0344₀
望 0710₄
朗 3772₀
梁 3390₄
淮 3011₄
淳 3014₇
涼 3019₆
涿 3113₂
涵 3117₂
淵 3210₀
清 3512₇
混 3611₁

淥 3713₂
深 3719₄
淡 3918₉
焕 9783₄
祥 3825₁
离 0042₇
竟 0021₆
章 0040₆
翊 0712₀
衰 0073₂
祖 3621₀
設 0764₂
許 0864₂
郭 0742₂
鄉 9782₂
鹿 0021₁
麻 0029₄

横起
乾 4841₇
執 4441₁
堀 4717₂
堅 7710₄
尉 7420₀
張 1123₂
戚 5320₀
推 5001₄
捧 5505₃
捷 5508₁
掃 5702₇
掘 5707₂
捻 5803₂
教 4844₀
曹 5560₆
梵 4421₇
梅 4895₇
畫 5010₆
爽 4003₄
理 1611₄
習 1760₂
莊 4421₄
荷 4422₁
莫 4443₀
莨 4473₂
軟 5708₂
逌 3330₂
連 3530₀
通 3730₂
問 7760₇

陸 7421₄
陳 7529₆
陶 7722₀
陰 7823₁
雪 1017₇
頂 1128₆
黄 4480₆

直起
唯 6001₄
啜 6704₇
啖 6908₉
國 6015₃
婁 5040₄
崔 2221₄
崑 2271₁
崇 2290₁
常 9022₇
惟 9001₄
悼 9104₆
曼 6040₇
晤 6106₁
晦 6805₇
將 2724₂
畢 6050₄
異 6080₁
睦 6401₄
虛 2121₂
處 2124₁
貫 7780₆
逍 3930₂
野 6712₂
雀 9021₄

撇起
偕 2126₂
偏 2322₇
偉 2425₆
參 2320₄
巢 2290₄
得 2624₁
從 2828₁
悉 2033₉
敍 8194₇
敏 8854₂
斛 2420₀
欲 8768₂
猗 4422₁
皎 2064₈
第 8822₇

符 8824₀
細 2690₀
終 2793₃
紹 2796₂
船 2746₁
舫 2421₂
逢 3730₄
逖 3930₈
魚 2733₆

十二畫
點起
馮 3112₇
善 8060₅
寒 3030₃
寧 3044₇
富 3060₆
尊 8034₆
就 0391₄
庚 0023₇
敦 0844₀
普 8060₁
曾 8060₆
棄 0090₄
湛 3411₁
潙 3412₇
湘 3610₀
溫 3611₇
湯 3612₇
渭 3612₆
渾 3715₂
游 3814₇
童 0010₄
訶 0162₀
詠 0363₂
詞 0762₀

横起
博 4304₁
盧 7121₇
厥 7128₂
喜 4060₅
堯 4021₁
報 4744₇
婺 1840₄
尋 1734₆
屠 7726₄
強 1623₆
彭 4212₂
惠 5033₃

揚 5602₇
揖 5604₁
提 5608₁
斐 1140₀
替 5560₃
斯 4282₁
朝 4742₀
期 4782₀
植 4491₇
棲 4594₄
棗 5090₂
殼 4724₇
珝 1011₄
琯 1317₇
琦 1412₁
琛 1719₄
登 1210₈
盛 5310₇
華 4450₁
菩 4460₁
著 4460₄
萱 4477₇
覃 1040₆
賀 4680₆
費 5580₆
訾 1460₁
越 4380₅
超 4780₆
軒 5104₀
閑 7722₇
閔 7740₀
開 7744₁
間 7760₇
閑 7790₄
隋 7422₇
陽 7622₉
隆 7721₄
雄 4071₄
雁 7121₄
雲 1073₁
項 1118₆

直起
勛 6482₇
單 6650₆
喻 6802₁
嵒 6077₂
掌 9050₂
景 6090₆

字	碼
紫	2190₃
貴	5080₆
貽	6386₀
跋	6314₇
跌	6513₀
黑	6033₁

撇起

字	碼
傅	2324₂
傣	2529₃
傑	2529₄
儉	2722₇
御	2722₀
勝	7922₇
喬	2022₇
媧	4742₇
媚	4746₇
智	8660₀
稀	2397₂
幾	2225₃
復	2824₇
焦	2033₁
無	8033₁
皓	2466₁
短	8141₈
程	2691₄
稍	2992₇
等	8834₁
策	8890₂
統	2091₃
烏	7732₇
舒	8262₂
舜	2025₂
衆	2723₂
象	2723₂
進	3030₁
逸	3730₁
郫	2742₇
鈕	8711₅
欽	8718₂
順	2108₆
須	2128₆

十三畫

點起

字	碼
廉	0023₇
慈	8033₃
新	0292₁
源	3119₆

字	碼
滑	3712₇
滄	3816₇
窟	3027₂
獸	8363₄
靖	0512₇
羡	8018₂
義	8055₃
補	3322₇
裕	3826₈
試	0364₀
誠	0365₀
詢	0762₀
詮	0861₄
資	3780₆
遍	3330₂
遂	3830₃
道	3830₆
雍	0071₄

橫起

字	碼
勤	4412₇
幹	4844₁
感	5333₀
愍	7833₄
損	5608₆
敬	4864₀
楷	4196₁
楚	4480₁
葉	4490₄
極	4191₄
楊	4692₇
楠	4694₀
熙	7733₁
瑞	1212₇
瑋	1415₆
瑜	1812₁
羣	1750₁
董	4410₄
落	4416₄
夔	4420₇
葆	4429₄
蔞	4440₄
萬	4442₇
葛	4472₇
聖	1610₄
肅	5022₇
肆	7570₇
賈	1080₆
載	4355₀

字	碼
辟	7064₁
達	3430₄
闈	7722₇
雷	1060₃
斬	4252₁
鳩	4702₇

直起

字	碼
嗣	6722₀
圓	6080₆
嵩	2222₂
嵯	2871₁
慎	9408₁
業	3290₄
暈	6050₆
暉	6705₂
煦	6733₂
照	6733₆
睡	6201₄
睦	6401₄
虞	2123₄
蜆	5611₀
蜀	6012₇
嘗	2160₁
賊	6385₀
路	6716₄
遇	3630₂
遏	3630₀
過	3730₂
退	3730₄
鼎	2222₁

撇起

字	碼
傾	2128₆
傳	2524₃
微	2824₇
彙	2790₄
煙	9181₄
愛	2024₇
會	8060₆
稚	2091₁
稠	2792₀
與	7780₁
解	2725₂
詹	2726₁
遂	3730₃
鄔	2732₇
鄖	2732₇
鄒	2742₇
鉗	8417₀

字	碼
鉢	8513₀
雉	8041₄
頓	5178₆

十四畫

點起

字	碼
塵	0010₄
寧	3020₁
寬	3021₃
寡	3022₇
實	3080₆
賓	3080₆
察	3090₁
廖	0022₂
廣	0028₆
彰	0242₂
榮	9990₄
漳	3014₆
演	3318₆
滿	3412₇
漢	3413₄
漫	3614₇
福	3126₆
祿	3723₂
端	0212₇
肇	3850₇
褚	3426₀
說	0861₆
誨	0865₅
豪	0023₂
韶	0766₂
齊	0022₃

橫起

字	碼
嘉	4046₅
壽	4064₁
夢	4420₇
幕	4422₇
暨	7110₆
爾	1022₇
瑤	1217₂
瑢	1217₇
甄	1111₇
碩	1168₆
碧	1660₁
碣	1662₇
蓁	4490₃
翟	1721₄
臧	2325₀

字	碼
臺	4010₄
蒯	4220₀
蓋	4410₇
蒲	4412₇
蒙	4423₂
蕙	4433₃
赫	4433₁
趙	4980₂
輔	5302₇
遞	3230₉
遠	3430₃
閫	7713₆
聞	7740₁
閣	7760₄
閭	7760₆
靜	5725₇

直起

字	碼
鳴	6702₇
圖	6060₄
墨	6010₄
愷	9403₆
憀	9702₂
暢	5602₇
睿	2160₈
裴	1173₂
踉	6413₈

撇起

字	碼
僭	2121₂
僕	2223₄
僖	2426₅
僧	2826₆
滕	7923₂
熊	2133₁
種	2291₄
箱	8857₅
節	8872₇
管	8877₇
維	2091₄
緇	2296₃
緒	2496₀
綱	2792₀
舞	8025₁
遙	3230₇
鳳	7721₀

十五畫

點起

字	碼
凜	3019₄

審 3060₉	賢 7780₆	遵 3830₄	穆 2692₂	鞠 4752₀
廟 0022₇	遍 3730₄	鄴 3792₇	篤 8832₇	韓 4445₆
慶 0024₇	鄧 1712₇	龍 0121₁	緣 2793₂	**直起**
摩 0025₂	醉 1064₈	**横起**	興 7780₁	嶽 2223₄
毅 0724₇	閭 7773₂	歷 7121₁	衞 2122₇	曖 6204₇
潭 3114₆	鞏 1750₆	奮 4060₁	衡 2143₀	瞰 6804₀
潛 3116₁	韻 4168₆	彊 1121₆	錢 8315₃	還 3630₃
澄 3211₈	駕 4632₇	機 4295₃	錦 8612₇	**撇起**
潘 3216₉	**直起**	橘 4792₆	錫 8612₇	儲 2426₀
潤 3712₀	劇 2220₀	濛 3413₂	餘 8879₄	徽 2824₀
潯 3714₆	噉 6804₀	燕 4433₁	鮑 2731₂	斂 8884₀
瑩 9910₃	憘 9406₅	璟 1619₆	龜 2711₇	續 2598₆
誰 0061₄	嶤 2221₁	璘 1915₉		總 2693₀
諸 0466₀	嶠 2272₇	擇 5604₁	**十七畫**	繆 2792₂
諾 0466₄	踐 6315₃	操 5609₄	**點起**	縱 2898₁
調 0762₀	輝 9725₆	翰 4842₁	濟 3012₃	繁 8890₃
論 0862₇	穎 2128₆	聲 5840₁	濬 3116₈	鍾 8211₄
諗 0863₂	**撇起**	臻 1519₄	濮 3213₄	館 8377₇
談 0968₉	儀 2825₃	蕰 4411₇	濯 3711₄	鮮 2835₁
適 3030₂	劉 7210₀	蕭 4422₇	應 0023₁	
遮 3030₃	德 2423₁	蕉 4433₁	膺 0022₇	**十八畫**
鄭 8742₇	徵 2824₀	融 1523₆	禪 3625₆	**點起**
鄰 9722₇	憨 2433₇	豫 1723₂	襂 9392₂	瀑 3613₂
養 8073₂	樂 2290₄	賴 5798₆	襄 0073₂	禮 3521₈
横起	穆 2593₂	輸 5802₁	謝 0460₀	謹 0461₄
厲 7122₇	黎 2713₂	隨 7423₂	謙 0863₇	謨 0463₄
增 4816₆	範 8851₂	霍 1021₄	鴻 3712₇	邃 3330₃
履 7724₇	緯 2495₆	駱 7736₄	麋 0090₄	顏 0128₆
慧 5533₇	緵 2793₄	**直起**	**横起**	**横起**
慕 4433₃	號 2131₇	冀 1180₁	孺 1142₇	燾 4033₄
敷 5824₀	質 7280₆	叡 2764₀	彌 1122₇	璿 1116₈
樞 4191₆	銳 8811₆	器 6666₃	懋 4433₉	聶 1014₁
標 4199₁	魯 2760₃	戰 6355₀	戴 4385₀	職 1315₅
樊 4443₀	**十六畫**	曡 6073₁	檀 4091₆	翹 4721₂
模 4493₄	**點起**	曉 6401₁	璩 1113₂	覆 1024₇
横 4498₆	凝 3718₁	盧 2121₇	環 1613₂	藍 4410₇
樓 4594₄	憲 3033₆	蹈 6217₇	翼 1780₁	藏 4425₃
歐 7778₂	寰 3073₂	遺 3530₈	聰 1613₀	轉 5504₃
殤 1822₇	澤 3614₁	閻 7777₇	聲 4740₁	轆 4651₇
熱 4433₁	澹 3716₁	穎 2198₆	臨 7876₆	**直起**
確 1461₄	磨 0026₁	默 6333₄	薄 4414₂	巂 2222₇
蔚 4424₀	窺 3051₆	**撇起**	薩 4421₄	瞿 6621₄
蔣 4424₇	羲 8025₃	儒 2122₇	薦 4422₇	曜 6701₄
蓮 4430₄	諲 0161₄	學 7740₇	薛 4474₁	豐 2210₈
蓬 4430₄	謀 0469₄	舉 7750₈	邁 3430₂	闕 7748₂
蔓 4440₇	諭 0862₁	獨 4422₇	醜 1661₃	**撇起**
蔔 4462₇	辦 0044₁	獨 4622₁	隱 7223₇	斷 2272₁
蔡 4490₁		積 2598₆	霜 1096₃	歸 2712₇

簡 8822_7
纖 2395_0
雙 2040_7
雞 2041_4
鎮 8418_1
馥 2864_7
魏 2641_3
鵒 2762_7

十九畫

點起
龐 0021_1
廬 0021_7
瀛 3011_7
譚 0164_6
證 0261_8
識 0365_0

橫起
瓊 1714_7
藩 4416_9
藥 4490_4
蘊 4491_7
難 4051_4
霧 1022_7
韜 4257_7
顛 4188_6
願 7128_6
麗 1121_1

麴 4722_0

直起
懷 9003_2
羅 6091_4
關 7777_2

撇起
徹 8864_0
籀 8856_2
繪 2896_6
贊 2480_6
辭 2024_1
邊 3630_2
鵬 7722_7

二十畫

點起
變 8024_7
寶 3080_6
竇 3080_6
護 0464_7
騫 3032_7

橫起
勸 4422_7
璉 1013_2
藻 4419_4
蘭 4422_7
蘇 4439_4
薪 4452_1

警 4860_1
露 1016_4

直起
嚴 6624_8
闞 7714_8
耀 9721_4
獻 2323_4

撇起
籍 8896_1
繼 2291_3
覺 7721_6
釋 2694_1
騰 7922_7

二十一畫

點起
灌 3411_4
辯 0044_1
顧 3128_6

橫起
蘭 4422_7
霹 1024_1
霸 1052_7

直起
囁 6104_7
顥 6198_6
鶴 4722_7

撇起

續 2498_6
鐵 8315_0
鐸 8614_1
饒 8471_1

二十二畫

點起
襲 0173_2
龔 0180_1

橫起
懿 4713_8
權 4491_4
歡 4728_2
鑒 7810_9

撇起
龢 8229_4
鄧 2782_7
鑑 8811_7

二十三畫

點起
麟 0925_9

直起
巖 2224_8
邏 3630_1
顯 6138_6
體 7521_8

撇起

樂 2290_4

二十四畫

點起
讓 0063_2

橫起
靈 1010_8

撇起
罎 2031_6

二十五畫

橫起
觀 4621_0

二十六畫

點起
讜 0963_1

二十七畫

撇起
蠻 2210_9

二十九畫

橫起
鬱 4472_2
驪 7131_1

撇起
爨 7780_9

ISBN 957-547-830-4

01202

9 789575 478308